2025年版

エネルギー管理士 熱分野 模範解答集

著者

橋本　幸博

島津　路郎

細谷　昌孝

井上　真

電気書院

第 37 回～第 46 回エネルギー管理士試験（熱分野）の試験問題は一般財団法人省エネルギーセンター試験部より利用許可を得て収録しています.

[本書の正誤に関するお問い合せ方法は，最終ページをご覧ください]

はじめに

2006 年 4 月 1 日に施行された改正省エネ法により，これまで別々の管理対象であった熱・電気を一体して管理することになった．これに伴い，今まで別の資格であった熱管理士と電気管理士が，エネルギー管理士として一本化されることになり，試験制度も変更された．

エネルギー管理士は，省エネ法施行令によって，第 1 種エネルギー管理指定工場において業種および熱・電気を合算したエネルギーの使用量の水準により，1 ～ 4 人選任されることになっている．

現在の試験制度は，課目Ⅰが「エネルギー総合管理及び法規」，課目Ⅱが「熱と流体の流れの基礎」，課目Ⅲが「燃料と燃焼」，課目Ⅳが「熱利用設備及びその管理」の 4 課目で実施される．課目Ⅰは熱・電気共通のため，熱管理だけでなく基礎的な熱・電気分野両方の学習が必要となる．

このようなことから，出題傾向，出題範囲に即した学習を心がけないと，短期間での合格は難しくなっている．

また，法令については試験実施日に施行されている法令で学習しなければならない．本書に収録している法令の問題は，すべて新しい法令に合わせて問題・解答を改定してある．つまり，本書で学習する上では，法令の改正について気にする必要がない．

孫子の兵法にも“敵を知り己を知らば，百戦危うからず”とある．受験勉強に入る前に，まずこの書で，従来の試験問題を調べ，出題の範囲・傾向をしっかり把握し，能率のよい学習スケジュールを立てていただきたい．

2024 年 10 月

著者記す

目　次

第 40 回　2018 年（平成 30 年）

第 39 回　2017 年（平成 29 年）

第 38 回　2016 年（平成 28 年）

第 37 回　2015 年（平成 27 年）

課目Ⅱ　熱と流体の流れの基礎 の 10 年間

第 46 回　2024 年（令和 6 年）

第 45 回　2023 年（令和 5 年）

第 44 回　2022 年（令和 4 年）

第43回　2021年（令和3年）

第42回　2020年（令和2年）

第41回　2019年（令和元年）

第40回　2018年（平成30年）

第39回　2017年（平成29年）

第38回　2016年（平成28年）

第37回　2015年（平成27年）

課目Ⅲ　燃料と燃焼の10年間

凡　例

■法令について

本書の内容は，令和6年10月1日現在において施行されているものに適合するよう改題を行っています．なお，令和6年の出題につきましては，そのまま掲載してあります．

1　（法律）エネルギーの使用の合理化及び非化石エネルギーへの転換等に関する法律
（昭和54年法律第49号　最終改正：令和4年法律第46号）

2　（政令）エネルギーの使用の合理化及び非化石エネルギーへの転換等に関する法律施行令
（昭和54年政令第267号　最終改正：令和6年政令第102号）

3　（省令）エネルギーの使用の合理化及び非化石エネルギーへの転換等に関する法律施行規則
（昭和54年通商産業省令第74号　最終改正：令和6年経済産業省令第47号）

4　（告示）エネルギーの使用の合理化及び非化石エネルギーへの転換等に関する基本方針
（令和5年経済産業省告示第27号）

5　（告示）工場等におけるエネルギーの使用の合理化に関する事業者の判断の基準
（平成21年経済産業省告示第66号　最終改正：令和5年内閣府，文部科学省，厚生労働省，農林水産省，経済産業省，国土交通省告示第1号）

■電卓について

現在，エネルギー管理士試験で使用できる電卓は，四則演算，開平計算，百分率計算，税計算，符号変換，数値メモリ，電源入り切り，リセットおよび消去の機能を持つものとなっており，いわゆる普通の電卓です．

通信機能付きや数式等が記憶できるメモリ付き電卓は従前から使用禁止です．

2025 年試験の出題傾向

課目Ⅰ　エネルギー総合管理及び法規

課目Ⅰは法規及びエネルギー管理に関する問題で，最近の出題傾向は以下のとおりである．

- 問題 1 は「法律」（後述）からの出題が多く，条文中のブランクを埋める問題と計算問題からなる．
- 「政令」「省令」（後述）からの関連問題も多く，条文の詳細までブランクを埋めることが求められる．
- 計算問題では，エネルギーを使用する工場等における「法律」の適用に関して，エネルギー管理指定工場とエネルギー管理統括者・エネルギー管理企画推進者・エネルギー管理者・エネルギー管理員について問われる．
- 問題 2 では，国際単位系（SI）の出題が多く，エネルギー情勢・政策について出題される．
- 問題 3 では，告示「工場等におけるエネルギーの使用の合理化等に関する事業者の判断の基準」からの出題が多く，エネルギーに関する計算問題も多く出題されている．小問が 20 問近く出題される．
- 告示の出題範囲は多岐にわたり，電気に関する小問も 3 ～ 4 問必ず出題されている．

- 問題 1　エネルギーの使用の合理化等に関する法律及び命令

この設問は毎年必ず問題 1 として出題されている．

問題のほとんどは省エネ法関連法令の抜粋文章の中のブランクに当てはめる言葉を解答群から選択するものと，法令に関わる計算問題から構成されている．

1 （法律）エネルギーの使用の合理化及び非化石エネルギーへの転換等に関する法律

（昭和 54 年法律第 49 号　最終改正：令和 4 年法律第 46 号）

2 （政令）エネルギーの使用の合理化及び非化石エネルギーへの転換等に関する法律施行令

（昭和 54 年政令第 267 号　最終改正：令和 6 年政令第 102 号）

3 （省令）エネルギーの使用の合理化及び非化石エネルギーへの転換等に関する法律施行規則

（昭和 54 年通商産業省令第 74 号　最終改正：令和 6 年経済産業省

令第47号）

4　（告示）エネルギーの使用の合理化及び非化石エネルギーへの転換等に関する基本方針
（令和5年経済産業省告示第27号）

5　（告示）工場等におけるエネルギーの使用の合理化に関する事業者の判断の基準
（平成21年経済産業省告示第66号　最終改正：令和5年内閣府，文部科学省，厚生労働省，農林水産省，経済産業省，国土交通省告示第1号）

近年，関係法令が改正されているので，改正点に注意する必要がある．

例年，特定事業者に指定する場合のエネルギー使用量の算出を求める問題が出題されているが，昨年に続いて今年も出題されなかった．

• 問題2　エネルギー情勢・政策，エネルギー概論

出題は多岐にわたり，予想が困難である．2024年は国際単位系（SI）の仕事，エントロピー，電荷の問題，蓄熱媒体と二次電池の問題，国連気候変動枠組条約に関する問題だった．エネルギー関連テーマの動向について最新の情報を調べておく必要がある．

• 問題3　エネルギー管理技術の基礎

ほとんどが告示「工場等におけるエネルギーの使用の合理化等に関する事業者の判断の基準」からの出題である．伝熱工学，流体力学の基礎，燃料の燃焼，ボイラ，エクセルギー，交流理論，電気の使用など，エネルギー利用に関する全般的な理解が求められる．

課目Ⅱ　熱と流体の流れの基礎

課目Ⅱは「熱力学の基礎」2 問,「流体工学の基礎」1 問,「伝熱工学の基礎」1 問の合計 4 問の出題となっている．いずれも計算問題と，用語や理論式を問う問題が出題されている．

設問は文章のなかのブランクに当てはまる言葉を解答群から選択する穴埋め問題と計算問題に大別される．計算問題は重要であり，特に熱力学は計算問題の比率が高い．

計算問題は，単純に基礎式を覚えるのではなく，基礎式の成り立ちを十分に理解しながら式の使い方を計算問題によって習熟していくことが必要である．また，はじめの計算から順序立てて関連づいている問題が多く，計算の途中過程や途中の式などが解答になっている場合もある．そのため，答案の書き方も問題を解くときにはきちんと整理して書くように練習しておくことをお勧めする．

• 問題 4・5　熱力学の基礎

これまでの出題傾向からみると，もっとも頻繁に出題される分野は「理想気体」であり，毎年何らかの形で必ず出題されると考えたほうがよい．理想気体は熱力学の基礎であり，いろいろな問題が出題されている．理想気体の状態変化に伴う温度変化，圧力変化，内部エネルギーの変化，エントロピー変化，仕事量，熱の出入りなどの式や数値を求める問題が出題されており，重要である．理想気体の状態変化の関係式は，理解を深めるためにも整理しておくことをお勧めする．

同様に「熱機関」も蒸気サイクルからの出題はかなり頻度が高い．設問としては，各種理論熱サイクルの $T-s$ 線図や $P-v$ 線図に対応する熱サイクル名やこれに該当する熱機関名を記入させ，あるいは図中の状態量の名称を問い，またエンタルピー，流量，入出熱，理論熱効率などの計算をさせている．「熱力学の第一・第二・第三法則」,「有効エネルギー（エクセルギー）」についての直接的出題は少ないが，これらは「理想気体」や「熱機関」の設問中でエンタルピーやエントロピー，有効エネルギーなどを計算させるケースが多く出題されているため，関係式などの基本は十分に理解しておく必要がある．

また「理想気体」や「熱機関」の設問では，対数計算や指数計算の値を示した表を用いて計算させるケースも出題されているため，計算問題を解く際は，その点に留意した練習も必要である．

以下，キーワードを示す．

• 熱力学の基礎

顕熱，比熱の関係，熱力学の第一法則，第二法則，内部エネルギー，エンタルピー，エントロピー，外部仕事

• 理想気体

理想気体の状態方程式，理想気体の状態変化（等圧変化，等容変化，等温変化，断熱変化，ポリトロープ変化，絞り過程），エクセルギー（有効エネルギー），最大仕事

• 実在気体，湿り空気の性質

飽和蒸気，湿り蒸気，乾き度，相対湿度，絶対湿度

• 熱機関の理論サイクル

オットーサイクル，ディーゼルサイクル，サバテサイクル，ブレイトンサイクル，スターリングサイクル，カルノーサイクル，ランキンサイクル，冷凍サイクル

• 問題6　流体工学の基礎

これまでの出題傾向からみると，流体の流れ・二相流・流体輸送などに関連して，ポンプや送風機など流体機械やタンクのような圧力差に圧力損失を絡めた問題が出されている．特に流体機械の所要動力を求める計算問題の頻度が高い．動圧や圧力損失，またポンプ・送風機の動力計算などを求められるようにしておくことが重要である．

穴埋め問題は，熱エネルギーの輸送などに関する流体の基礎知識が問われるケースが多く，ポンプ・送風機の種類や特性（性能曲線）などの基本は十分に理解しておく必要がある．

計算問題と穴埋め問題の比率は年によって，出題傾向が異なるため，計算問題に偏らず，用語の知識や流体工学の諸現象に関する知識を広く学習しておく必要がある．

以下，キーワードを示す．

• 流体工学の基礎

完全流体と粘性流体，圧縮性流体と非圧縮性流体，密度と比体積，粘性係数，動粘性係数，圧縮率

• 流体の静水力学

深さと圧力，マノメータ

• 流体の動力学

レイノルズ数，層流乱流，ベルヌーイの式，動圧静圧，境界層，圧力損失，管摩擦係数

• 流量関連

オリフィス，ベンチュリ管，ノズル，カルマン渦，二相流

• 送風機・ポンプの種類と所要動力

性能曲線，全揚程，比速度，駆動動力，ウォータハンマ，キャビテーション，サージング

• 問題 7　伝熱工学の基礎

出題傾向をみると，伝熱工学は熱の移動現象を扱い，流体の流れと密接に結びついているため，出題範囲も広範囲にわたっている．そこで 3 種の基本伝熱形態（熱伝導，対流伝熱，放射伝熱）に関して十分に把握しておくことが重要である．これら基本伝熱形態に関する理解が十分にできているかをみるため，必ずなんらかの形に絡ませて毎年出題されている．

計算問題では，固体内の熱伝導，固体表面の熱放射，固体と流体間の熱伝達などについて巧みに組み合わされて出題されている．

また，用語や理論式またその意味を問う問題もあり，無次元数に関する問題については，ほぼ毎年出題されているため，関係式などの基本は十分に理解しておく必要がある．

以下，キーワードを示す．

• 伝熱工学の基礎

熱流束，熱伝導率，熱伝導抵抗，温度伝導率，熱伝達率，熱伝達抵抗，熱通過率，熱通過抵抗

• 無次元数

レイノルズ数，ヌセルト数，プラントル数，グラスホフ数，フーリエ数

• 放射伝熱

放射率，ステファン・ボルツマン定数，吸収率，反射率・透過率，黒体・灰色体，形態係数

• 対流熱伝熱・熱交換器

自然対流熱伝達，強制対流熱伝達，沸騰熱伝達，膜状凝縮・液状凝縮，沸騰熱伝達，核沸騰・膜沸騰・遷移沸騰，対数平均温度差，フィン効率，並流形・向流形熱交換器，温度効率

課目Ⅲ　燃料と燃焼

課目Ⅲは毎年3問出題され，「燃料及び燃焼管理」が2問，「燃焼計算」が1問という構成になっている．

• 問題8　燃料及び燃焼管理

文章中のブランクに当てはまる言葉を解答群から選択する穴埋め問題である．LPGや重油，軽油は頻繁に出題されている．JIS規格の品質をしっかり勉強しておくことが重要である．都市ガスについての問題が近年出題されており，発熱量はしっかり押さえておきたい．知識として覚えておくべき内容が非常に多い．

		第46回	第45回	第44回	第43回	第42回	第41回	第40回	第39回	第38回	第37回
燃料基礎	気体燃料	○	○	○		○	○		○	○	○
	液体燃料	○	○	○	○	○		○	○	○	
	固体燃料										
燃焼基礎	発熱量計算			○			○				○
	燃料の性状				○		○	○	○		
	燃焼反応，過程		○	○		○					
	燃料の性状	○									
燃料の燃焼	気体燃料	○	○	○	○	○	○	○	○	○	○
	液体燃料	○	○					○		○	○
	固体燃料										
発熱量試験法	気体燃料										
	液体燃料										
	固体燃料										
組成分析	気体燃料										
	液体燃料										
	固体燃料										

• 問題9　燃料及び燃焼管理

文章中のブランクに当てはまる言葉を解答群から選択する穴埋め問題と，誤っているものを選択する問題である．燃焼装置に関しては，燃料ごとにしっかり特徴を理解しておくとよい．燃焼ガスの分析法の出題頻度が高い．特に，二酸化炭素の分析法と窒素酸化物の分析法の出題率は高く，またガスクロマトグラフは必ず覚えておく必要がある．今後は幅広く覚える必要がある．その他に，設備環境に関して SO_x や NO_x の排出低減は大事なのでしっかり覚えてもらいたい．

		第46回	第45回	第44回	第43回	第42回	第41回	第40回	第39回	第38回	第37回
燃焼基礎	可燃濃度範囲										
燃料の燃焼	気体燃料										
	固体燃料										
	液体燃料										
燃焼装置	気体燃料	○	○	○	○	○	○	○	○	○	○
	固体燃料	○	○	○	○	○	○	○	○	○	○
	液体燃料	○	○	○	○			○	○	○	○
	空気供給系										
分析法		○	○	○	○	○	○	○	○	○	○
設備・環境	有害燃焼排出物							○			
	腐食						○	○	○		○
	省エネ										○

• 問題10　燃焼計算

燃料成分と空気比から燃焼ガス量を求めていく計算問題で，気体燃料や液体燃料の問題が多い．最初から順番に解いていかないと，進めなくなっていく問題ではあるが，燃料の反応方程式を正確に理解していれば特に難しい問題ではない．過去問を通じて，習熟されたい．炭素，水素，ブタンなどの完全燃焼反応方程式は必ず覚える必要がある．

課目Ⅳ　熱利用設備及びその管理

課目Ⅳは，2024年は問題11～18の8問題であるが，問題11～14の4問題は必須解答であり，問題15～18は4問題のうち2問題を選択解答することになっている．

2024年（第46回）においては，

問題11	計測及び制御	3問
問題12	計測及び制御	2問
問題13	ボイラ，蒸気輸送・貯蔵装置，蒸気原動機・内燃機関・ガスタービン	3問
問題14	ボイラ，蒸気輸送・貯蔵装置，蒸気原動機・内燃機関・ガスタービン	3問
問題15	（選択問題）熱交換器・熱回収装置	2問
問題16	（選択問題）冷凍・空気調和設備	3問
問題17	（選択問題）工業炉・熱設備材料	3問
問題18	（選択問題）蒸留・蒸発・濃縮装置，乾燥装置，乾留・ガス化装置	3問

であり，合計16～17問の解答が要求される．

解答方法は，主として解答群から当てはまる用語や数値を記号で選択する形式であるが，解答するために計算が必要な問題や，数値を記入する問題もある．試験時間は110分であるが，問題の設問数が多いので，約6～7分で1問を解答しなくてはならない．問題15から問題18は選択問題で，このうち2問題を回答すればよい．いずれも専門性が強い問題なので，各自の専門分野を考慮して選択すべきである．過去の問題傾向はほぼ一定であるので，過去問題を丹念に学習していれば，確実に解答ができるものと考えられる．問題集をすべて解けば確実だが，時間がない場合は過去2～3年の問題を解くだけでも効果が大きい．3年分の問題を調べれば，問題傾向をほぼ把握できる．

- 問題11　計測及び制御

⑴は熱電対に関する問題，⑵は流量計に関する問題，⑶は圧力計に関する問題である．

- 問題12　計測及び制御

⑴は水管ボイラの温度制御に関する問題，⑵はPID制御に関する問題である．

- 問題13　ボイラ，蒸気輸送・貯蔵装置，蒸気原動機・内燃機関・ガスタービン

⑴は蒸気ボイラの熱損失に関する問題，⑵はボイラの発生蒸気に関する問題，⑶はボイラの熱量の計算問題である．

- 問題 14　ボイラ，蒸気輸送・貯蔵装置，蒸気原動機・内燃機関・ガスタービン

(1)は内燃機関に関する問題，(2)は蒸気タービンの構造に関する問題，(3)はガスタービンの特徴と構造に関する問題である．

- 問題 15（選択問題）熱交換器・熱回収装置

(1)は隔壁式熱交換器に関する問題，(2)は熱交換器の日常管理に関する問題である．

- 問題 16（選択問題）冷凍・空気調和設備

(1)は空調負荷に関する問題，(2)は吸収冷凍機に関する問題，(3)は暖房時の湿り空気線図上の空調プロセスに関する問題である．

- 問題 17（選択問題）工業炉・熱設備材料

(1)はカバー形炉の機能と特徴に関する問題，(2)はリジェネレイティブバーナに関する問題，(3)は耐火物及び断熱材に関する問題である．

- 問題 18（選択問題）蒸留・蒸発・濃縮装置，乾留・ガス化装置

(1)は 2 成分系の気液平衡に関する問題，(2)は向流接触式の通気回転乾燥機に関する問題，(3)はバイオマスのガス化に関する問題である．

以上の出題傾向は毎年ほとんど変わらず，部分的に出題対象が変化するだけなので，数年分の問題をチェックすれば，出題箇所をほとんど網羅できる．例えば，問題 11(1)は 2024 年では熱電対に関する問題であり，2024 年から 2015 年は表のようになっている．これらの出題対象が毎年微妙に入れ替わっているだけであるが，全体的に熱電対に関する問題の出題傾向が強く，最近は必ず出題されている．ちなみに，2023 年，2022 年と 2021 年の問題 11 の(2)は熱電対に関する問題，2018 年の問題 11 の(2)は熱電対に関する問題である．熱電対に関する問題はほぼ出題されると考えてよい．

また，設問の文章をよく読むと，記述の一部に解答のヒントがあって，知識が定かでなくても正解が得られるものも散見されるので，わからないと思っても最後まで諦めない方がよい．文脈から解答を見出すことができる問題もあり，単位を操作すると関係式がわかる問題もある．

問題 15 から問題 18 の選択問題では，高度の専門性が要求される問題もある

が，あくまで選択問題なので，自分の専門分野に近い問題を4問題のうちから2問題選択して，集中的に対策を練ればよい．

年	問題11(1)の内容
2024年	熱電対
2023年	測定誤差
2022年	放射温度計
2021年	放射温度計
2020年	熱電対
2019年	熱電対
2018年	測定誤差
2017年	熱電対
2016年	熱電対
2015年	熱電対

課目 I

エネルギー総合管理及び法規

の 10 年間

★年度の出題分野（出題数）

●エネルギーの使用の合理化及び非化石エネルギーへの転換等に関する法律及び命令（1 問題）
（2022 年までは，エネルギーの使用の合理化等に関する法律及び命令）

●エネルギー総合管理

- エネルギー情勢・政策，エネルギー概論（1 問題）
- エネルギー管理技術の基礎（1 問題）

第46回　2024年（令和6年）

（エネルギーの使用の合理化及び非化石エネルギーへの転換等に関する法律及び命令）

問題1　次の各文章は，「エネルギーの使用の合理化及び非化石エネルギーへの転換等に関する法律」（以下，『法』と略記）及び『法』に関連した命令について述べたものである．ここで，これらの法令は，令和6年4月1日時点で施行されているものである．

なお，各文章において，「『法』施行令（政令）」を『令』，「『法』施行規則（経済産業省令）」を『則』と略記する．

[1]～[12]の中に入れるべき最も適切な字句等をそれぞれの解答群から選び，その記号を答えよ．（配点計50点）

(1)　『法』の目的及び定義に関する事項

令和4年の改正で，非化石エネルギーが『法』で扱うエネルギーの対象に加えられており，第1条では『法』の目的について次のように規定している．

「この法律は，（中略）工場等，輸送，建築物及び機械器具等についてのエネルギーの使用の合理化及び非化石エネルギーへの転換に関する所要の措置，電気の需要の最適化に関する所要の措置その他エネルギーの使用の合理化及び非化石エネルギーへの転換等を総合的に進めるために必要な措置等を講ずることとし，もつて国民経済の健全な発展に寄与することを目的とする．」

1）『法』における「非化石エネルギーへの転換」とは，使用されるエネルギーのうちに占める非化石エネルギーの割合を向上させることである．ここで，割合を向上させる対象となる非化石エネルギーは，[1]である．

2）電気の需要に関するDR（ディマンドリスポンス）の実施において，上げDRとは需要創出，下げDRとは需要抑制を指す．『法』における「電気の需要の最適化」には，[2]が該当する．ただし，電気の需給状況の変動に応じて時間帯等の適切な実施条件のもとで行う必要がある．

〈[1]及び[2]の解答群〉

ア　上げDRのみ　　**イ**　下げDRのみ
ウ　上げDR及び下げDRのいずれも　　**エ**　非化石燃料のみ
オ　非化石燃料を除く非化石熱及び非化石電気

カ　非化石燃料並びに非化石熱及び非化石電気

(2)　「エネルギー管理統括者」及び「エネルギー管理企画推進者」に関する事項

1)　特定事業者は『法』第 8 条により，エネルギー管理統括者を選任しなければならない.

エネルギー管理統括者に関する次の①～④のうちから，『法』及び関連する『則』に照らして適切な記述を二つ挙げると，[3] である.

①　エネルギー管理統括者として，特定事業者が行う事業の実施の統括管理に直接関与しない者を選任しなければならない.

②　エネルギー管理統括者の選任は，選任すべき事由が生じた日以後遅滞なく行わなければならない.

③　エネルギー管理統括者はエネルギー管理士免状の交付を受けている者のうちから選任しなければならない.

④　エネルギー管理統括者の業務は，『法』第 15 条で定める中長期的な計画の作成事務の統括管理を含む.

2)　特定事業者は『法』第 9 条により，エネルギー管理企画推進者を選任しなければならない.

エネルギー管理企画推進者に関する次の①～④のうちから，『法』及び関連する『則』に照らして適切な記述を二つ挙げると，[4] である.

①　エネルギー管理企画推進者の業務は，『法』が規定するエネルギー管理統括者の業務に関して，その一部を除きエネルギー管理統括者を補佐することである.

②　エネルギー管理企画推進者の選任は，第一種エネルギー管理指定工場等又は第二種エネルギー管理指定工場等ごとに行う.

③　エネルギー管理企画推進者の選任は，選任すべき事由が生じた日以後遅滞なく行わなければならない.

④　エネルギー管理企画推進者として，エネルギー管理者又はエネルギー管理員に選任された経験のない者を選任してもよい.

〈[3] 及び [4] の解答群〉

ア　①と②　　**イ**　①と③　　**ウ**　①と④　　**エ**　②と③

オ　②と④　　**カ**　③と④

(3)　報告及び立入検査に関連する事項

『法』第 166 条は報告及び立入検査についての規定であり，第 166 条が対象とする『法』の規定の施行に必要な限度において，事業者が設置している工場等について，報告及び立入検査をさせることができるとするものである.

このうち，工場等に係る措置に関しては，第 1 項～第 3 項に規定されており，第 1 項は特定事業者等の指定等に関するもの，第 2 項は特定事業者等が選任しなければならない者に関するもの，第 3 項はそれ以外に関するものとなっている．

1）　これら第 1 項～第 3 項における規定内容から判断して，次の①～③のうちから下線部分が正しいものを一つ挙げると，5 である．

①　第 1 項において，報告及び立入検査の対象となるのは，特定事業者等の指定を受けた事業者のみである．

②　第 2 項において，特定事業者等に対して報告及び立入検査をさせることができるのは，経済産業大臣である．

③　第 3 項の措置の実施において，特定連鎖化事業者や連鎖化事業の加盟者に対して立入検査を行うとき，あらかじめ連鎖化事業の加盟者に承諾を得る必要はない．

2）　第 3 項において，報告及び立入検査の対象となる規定を，次の①～③のうちから全て挙げると，6 である．

①　指導及び助言（『法』第 6 条）

②　定期の報告（『法』第 16 条）

③　一般消費者への情報の提供（『法』第 165 条）

〈5 及び 6 の解答群〉

ア　①　　**イ**　②　　**ウ**　③　　**エ**　①と②

オ　①と③　　**カ**　②と③　　**キ**　①と②と③

(4)　事業者のエネルギー使用量に関連する事項

1）　特定事業者が，次の①～③の熱及び電気を使用しており，それらの量を測定している．この場合，『法』で定めるエネルギーに該当するものを全て挙げると，7 である．

①　バイオマスの燃焼による熱

②　太陽光発電による電気

③　太陽熱で加熱された温水の熱

2）　『則』第 4 条は，「他人から供給された熱の量」及び「電気の量」について，原油の数量への換算を，「発熱量 1 ギガジュール（GJ）を原油 0.025 8 キロリットルとして換算する」と定めている．

i）　他人から供給された熱の量について，原油の数量への換算に用いる熱量の考え方として正しいのは，8 である．

①　実際に他人から供給された熱の量

②　実際に他人から供給された熱の量に 0.8 を乗じた熱量

③　実際に他人から供給された熱の量に対し，熱の種別ごとに，それらを発生させるために使用された燃料への換算係数を乗じた熱量

ii)　電気の量については，項目によって「電気の量千キロワット時」を，熱量 8.64 GJ に換算するものと熱量 3.60 GJ に換算するものとがある．次の①～③のうちから，「電気の量千キロワット時」の熱量への換算方法として正しいものを全て挙げると，[9] である．

①　風力発電による自家使用の電気を 3.60 GJ に換算

②　太陽光発電による自家使用の電気を 8.64 GJ に換算

③　電気事業者からの買電を 3.60 GJ に換算

〈[7]～[9] の解答群〉

ア　①　　**イ**　②　　**ウ**　③　　**エ**　①と②

オ　①と③　　**カ**　②と③　　**キ**　①と②と③

(5)　エネルギーを使用する工場等における『法』の適用に関する事項について（『法』第 7 条～第 14 条及び関連する『令』，『則』の規定）

ある事業者が鋳造工場，加工工場，及び専ら事務所として使用している本社を，それぞれ別の工場等として保有しており，これらがこの事業者の設置している施設の全てである．また，この事業者は連鎖化事業者，認定管理統括事業者又は管理関係事業者のいずれにも該当していない．

ここで，各施設の法令で定める原油換算のエネルギーの令和 5 年度の使用量は次のとおりであった．

①　鋳造工場：12 000 キロリットル

②　加工工場：2 300 キロリットル

③　本　　社：1 200 キロリットル

この事業者のエネルギー使用量は，①～③のエネルギー使用量の合計であり，その使用量から判断して，この事業者は特定事業者に指定される．それにより，事業者としてエネルギー管理統括者及びエネルギー管理企画推進者を選任する法的義務が生じる．

一方，各工場等については，エネルギー管理指定工場等に指定されるか否か，及び指定される場合の種別は，それぞれの工場等のエネルギー使用量によって判断され，表の（A）欄に示すとおりとなる．さらに，エネルギー管理指定工場等に指定された場合，各工場等が選任すべきエネルギー管理者（選任数を含む）又はエネルギー管理員は，表の（B）欄に示すとおりとなる．

表

工場等の名称	(A) エネルギー管理指定工場等としての指定の種別	(B) 選任すべきエネルギー管理者又はエネルギー管理員
鋳造工場	(記載を省略)	[11]
加工工場	[10]	[12]
本　　社	(記載を省略)	(記載を省略)

〈[10]～[12]の解答群〉

ア　第一種エネルギー管理指定工場等
イ　第二種エネルギー管理指定工場等
ウ　エネルギー管理指定工場等に該当しない
エ　エネルギー管理者1名
オ　エネルギー管理者2名
カ　エネルギー管理者3名
キ　エネルギー管理員
ク　どちらも選任不要

解　説

「エネルギーの使用の合理化及び非化石エネルギーへの転換等に関する法律」（以下「法」）の条文の内容を直接問う問題である．なお，「法」は令和4年に改正され，令和5年4月1日から施行されている．法令の名前にも，「及び非化石エネルギーへの転換」が付け加えられた．

(1)「法」第1条からの出題である．例年，問題1は「法」からの出題が多く，(1)は法の条文のままの出題である．「法」第1条は「法」の目的に関する条文である．条文は，以下のとおりである．

第1条　この法律は，我が国で使用されるエネルギーの相当部分を化石燃料が占めていること，非化石エネルギーの利用の必要性が増大していることその他の内外におけるエネルギーをめぐる経済的社会的環境に応じたエネルギーの有効な利用の確保に資するため，工場等，輸送，建築物及び機械器具等についてのエネルギーの使用の合理化及び非化石エネルギーへの転換に関する所要の措置，電気の需要の最適化に関する所要の措置その他エネルギーの使用の合理化及び非化石エネルギーへの転換等を総合的に進めるために必要な措置等を講ずることとし，もつて国民経済の健全な発展に寄与することを目的とする．

1)　第2条のエネルギーの定義から，割合を向上させる対象となる非化石エネルギーには，**非化石燃料，非化石熱，非化石電気**が含まれることになる．

2)　「法」第2条第6項で以下のように規定している．

6　この法律において「電気の需要の最適化」とは，**季節又は時間帯による電気の需給の状況の変動に応じて電気の需要量の増加又は減少をさせること**をいう．

したがって，電気の需要の最適化には，上げDRおよび下げDRのいずれも含まれることになる．

(2)

1)　特定事業者は「法」第8条により，エネルギー管理統括者を選任しなくてはならない．

「法」第8条第2項で「エネルギー管理統括者は，特定事業者が行う事業の実施を統括管理する者をもつて充てなければならない．」とあるので，①は正しくない．

「則」第8条第1項の一の規定「エネルギー管理統括者を選任すべき事由が生じた日以後遅滞なく選任すること．」より，②は正しい．

「法」第8条には，エネルギー管理統括者はエネルギー管理士の免状を受けている者という規定がないので，③は正しくない．

「法」第8条第1項の規定により，エネルギー管理統括者の業務には「法」第15条で定める中長期的な計画の作成事務が含まれるので，④は正しい．

したがって，正しいのは②と④である．

2)　特定事業者は「法」第9条により，エネルギー管理企画推進者を選任しなくてはならない．

「法」第9条第1項で，エネルギー管理企画推進者はエネルギー管理統括者を補佐する者と定義されているので，①は正しい．

「法」第8条では，特に設問の条件は規定されていないので，②は正しくない．

「則」第13条第1項の一で「エネルギー管理企画推進者を選任すべき事由が生じた日から6月以内に選任すること．」とあるので，③は正しくない．

「則」第13条には，エネルギー管理者又はエネルギー管理員に選任された経験のある者でなければいけないという規定はないので，④は正しい．

したがって，正しいのは①と④である．

(3)　「法」第166条は報告及び立入検査に関する規定である．

1)　第1項で「**工場等においてエネルギーを使用して事業を行う者**に対し」とあるので，①は正しくない．

第2項の規定により，②は正しい．

第 3 項で，「あらかじめ，当該加盟者の承諾を得なければならない」と規定されているので③は正しくない.

したがって，正しいのは②である.

2)　第 3 項において，報告及び立入検査の対象となる規定は，「法」第 6 条に基づく指導及び助言と「法」第 16 条に基づく定期の報告である.「法」第 165 条の一般消費者への情報の提供については，事業者の努力義務として規定されているので，報告及び立入検査の対象となる規定ではない.

したがって，正しいのは①と②である.

(4)

1)「法」第 2 条のエネルギーの定義により，

①　バイオマスの燃焼による熱は，第 4 項の非化石エネルギーに該当する.

②　太陽光発電による電気は，第 4 項の非化石エネルギーに該当する.

③　太陽熱で加熱された温水の熱は，第 4 項の非化石エネルギーに該当する.

したがって，①，②，③がすべて「法」で定めるエネルギーに該当する.

2)

i)「則」第 4 条に「換算の方法」が規定されていて，第 2 項の一に「他人から供給された熱にあつては，別表第 2 の上欄に掲げる熱の種類ごとの熱量に，それぞれ同表の下欄に掲げる当該熱を発生させるために使用された燃料の発熱量に換算する係数（以下この項において「換算係数」という.）を乗じた後，発熱量 1 GJ を原油 0.025 8 kL として換算すること.」とあるので，③が正しい.

ii)「則」第 4 条第 3 項第一号に「事業者自らが使用するため又は特定の需要家の需要に応じて発電されたものにあつては，電気の量 1 000 kW 時を熱量 3.60 GJ として換算」と規定されているので，正しいのは①である.

(5)　鋳造工場の原油換算のエネルギー使用量は 12 000 kL であり，3 000 kL 以上なので，第 1 種エネルギー管理指定工場に該当する.「令」第 4 条第 1 項第二号の規定で，20 000 kL 未満なので，エネルギー管理者 1 名の選任が必要である.

加工工場の原油換算のエネルギー使用量は 2 300 kL であり，1 500 kL 以上，3 000 kL 未満なので，第 2 種エネルギー管理指定工場に該当する.「法」第 14 条第 1 項の規定により，エネルギー管理員を選任する必要がある.

解　答　(1)　**1- カ，2- ウ**

(2)　**3- オ，4- ウ**

(3)　**5- イ，6- エ**

(4) **7- キ，8- ウ，9- ア**

(5) **10- イ，11- エ，12- キ**

(エネルギー情勢・政策，エネルギー概論)

問題2　次の各文章の [1] ～ [9] の中に入れるべき最も適切な字句等をそれぞれの解答群から選び，その記号を答えよ.

また，[A　$a.b\times10^{c}$] に当てはまる数値を計算し，その結果を答えよ. ただし，解答は解答すべき数値の最小位の一つ下の位で四捨五入すること.（配点計 50 点）

(1) 国際単位系（SI）では，長さ（メートル［m］），質量（キログラム［kg］），時間（秒［s］），電流（アンペア［A］），熱力学温度（ケルビン［K］），光度（カンデラ［cd］）及び物質量（モル［mol］）の七つを基本単位としている. 力やエネルギーなどの単位は基本単位にはなく，前述の七つの基本単位を組み合わせて表されるので，組立単位と呼ばれている.

組立単位の中には固有の名称を持つ単位もあり，例えば，エネルギーを表す組立単位の一つであるジュール［J］は，ある物を，ある力でその方向に，ある距離を動かしたときの仕事に相当するので，基本単位のみを用いると [1] と表される.

熱力学において，ある温度で物質に熱が加えられた場合，あるいは物質から熱が奪われた場合に，必ず変化する状態量の一つにエントロピーがある. その単位は，ジュール［J］を用いると [2] と表される.

また，帯電した物質が持つ電荷を表すクーロン［C］も固有の名称を持つ組立単位であり，電荷の移動が電流であるので，基本単位のみを用いると [3] と表される. さらに，電圧［V］については，1 A の電流が流れる導体の 2 点間において消費される電力が 1 J/s である場合に，2 点間の電圧を 1 V と定義するので，その単位はジュール［J］を用いると [4] と表される.

〈[1] ～ [4] の解答群〉

ア A·s　**イ** A/s　**ウ** J·K　**エ** J/C　**オ** J/K

カ J·s　**キ** kg·m/s　**ク** $\mathrm{kg\cdot m/s^2}$　**ケ** $\mathrm{kg\cdot m^2/s^2}$

(2) 熱を蓄える際に水は優れた媒体である. これは，冷熱を蓄熱する場合を考えたとき，液体の水を氷に相変化させるときの潜熱が「液体の水の温度変化 1 ℃当たりに要する顕熱」の約 [5] 倍であることが理由の一つである.

一方，電気を蓄える二次電池については，ナトリウム硫黄電池，ニッケル水素電池，リチウムイオン電池，レドックス・フロー電池などが主なものである. これらの二次電池のうち，現在，我が国で大規模な電力貯蔵用としてリチウムイオン電池と共にこれまでに実績があるのは，動作温度が約 300 ℃である [6] である．

二次電池では，エネルギー密度として W·h/kg という単位が用いられ，例えば，質量 1 kg でエネルギー密度が 50 W·h/kg の二次電池があった場合，その電気エネルギーを自身の位置エネルギーに換算すると，[A　$a.b \times 10^{c}$] [m] の高さ分に相当する．ただし，重力の加速度を 9.8 m/s^2 とする．

〈[5] 及び [6] の解答群〉

ア　20　　**イ**　40　　**ウ**　80

エ　ナトリウム硫黄電池

オ　ニッケル水素電池

カ　レドックス・フロー電池

(3)　2015 年の国連気候変動枠組条約締約国会議（COP21）において採択されたパリ協定では，世界の平均気温上昇を [7] に比べて [8] に抑える長期の努力目標を掲げており，2023 年の COP28 ではその進捗状況が評価された．なお，この世界の平均気温上昇に関して，定期的に報告書を公表している世界的な組織 IPCC は，「気候変動に関する [9]」の略称である．

〈[7] ～ [9] の解答群〉

ア　1900 年　　**イ**　1950 年　　**ウ**　産業革命以前

エ　政府間パネル　　**オ**　国際連携機構　　**カ**　締約国会議

キ　2 ℃より十分低く保ち，1.5 ℃

ク　2.5 ℃より十分低く保ち，2 ℃

ケ　3 ℃より十分低く保ち，2.5 ℃

解　説

(1)　国際単位系（SI）の基本単位と組立単位についての問題である．

国際単位系（SI）は，長さ［m］，質量［kg］，時間［s］，電流［A］，熱力学温度［K］，光度［cd］および物質量［mol］の 7 個を基本単位としている．これ以外の単位は基本単位を組み合わせて使用するので，組立単位と呼ばれる．

エネルギーを表すジュール［J］は組立単位で，1 N の力を単位距離 1 m 動かしたときの仕事に相当する．したがって，力は質量 × 加速度なので，

$$1\,\mathrm{J} = 1\,\mathrm{N} \times 1\,\mathrm{m} = 1\,\mathrm{kg{\cdot}m/s^2} \times 1\,\mathrm{m} = 1\,\mathrm{kg{\cdot}m^2/s^2}$$

である．

熱力学で使用する状態量にエントロピーがあるが，これは絶対温度 T［K］の物体に熱量 ΔQ[J] を加えたときに増大する状態量 ΔS を表す．すなわち，

$$\Delta S = \frac{\Delta Q}{T}$$

であるから，エントロピーの単位は［J/K］となる．

帯電した物質の電荷を表すクーロン［C］は固有の名称をもつ組立単位である．これは，1 A の電流が 1 秒間に運ぶ電気量を示すので，1 C ＝ 1 A × 1 s ＝ 1 A·s である．

電圧の単位［V］については，1 A の電流が流れる導体の 2 点間で消費される電力が 1 J/s ＝ 1 W であるとき，2 点間の電圧を 1 V と定義している．したがって，

$$1\ \mathrm{A} \times 1\ \mathrm{V} = 1\ \mathrm{J/s}$$

$$1\ \mathrm{V} = 1\ \mathrm{J/(A{\cdot}s)} = 1\ \mathrm{J/C}$$

である．

(2) 水の比熱は 4.2 kJ/(kg·K) であり，水が氷に相変化するときの潜熱である凝固熱は 333.6 kJ/kg である．したがって，水 1 kg を 1 ℃温度変化させるときの顕熱は 4.2 kJ であり，水 1 kg を氷に相変化させるときの潜熱は 333.6 kJ なので，約 80 倍になる．

現在二次電池として実績があるのはリチウムイオン電池と，負極にナトリウム，正極に硫黄を使用したナトリウム硫黄電池（NaS 電池）である．

二次電池では，エネルギー密度として［W·h/kg］という単位が用いられる．これは二次電池の電気エネルギーをそれ自体の位置エネルギーに換算した数値である．質量 1 kg でエネルギー密度 50 W·h/kg の二次電池では，電気エネルギーは，

$$\begin{aligned} 50\ \mathrm{W{\cdot}h} &= 50 \times 3\,600\ \mathrm{W{\cdot}s} = 180\,000\ \mathrm{J} = 180\,000\ \mathrm{N{\cdot}m} \\ &= 180\,000\ \mathrm{kg{\cdot}m^2/s^2} \end{aligned}$$

となる．これを位置エネルギー $1\ \mathrm{kg} \times 9.8\ \mathrm{m/s^2} = 9.8\ \mathrm{kg{\cdot}m/s^2}$ で除すると，

$$\frac{180\,000\ \mathrm{kg{\cdot}m^2/s^2}}{9.8\ \mathrm{kg{\cdot}m/s^2}} = 1.8 \times 10^4\ \mathrm{m}$$

となる．

(3) パリ協定は 2015 年にフランスのパリで開催された第 21 回国連気候変動枠組条約締約国会議（COP21）で採択された議定書である．パリ協定では，世界の平均気温上昇を産業革命前と比べて，＋2 ℃より十分低く保ち，＋1.5 ℃以内に抑える長期の努力目標を掲げている．2023 年にアラブ首長国連邦のドバイで開催された COP28 では，パリ協定の進捗状況が評価された．

世界の気温上昇に関して定期的に報告書を公表している IPCC は「気候変動に関する政府間パネル」（Intergovernmental Panel on Climate Change）

の略称である．

解　答　(1)　**1-ケ，2-オ，3-ア，4-エ**

(2)　**5-ウ，6-エ，A-1.8 × 10^4**

(3)　**7-ウ，8-キ，9-エ**

（エネルギー管理技術の基礎）

問題3　次の各文章は，「工場等におけるエネルギーの使用の合理化に関する事業者の判断の基準」（以下，『工場等判断基準』と略記）の内容及びそれに関連した管理技術の基礎について述べたものである．ここで，『工場等判断基準』は，令和 6 年 4 月 1 日時点で施行されているものである．

また，各文章の『工場等判断基準』の本文に関連する事項については，その引用部の項目を示す上で，「I　エネルギーの使用の合理化の基準」の部分を『基準部分』，「II　エネルギーの使用の合理化の目標及び計画的に取り組むべき措置」の部分を『目標及び措置部分』と略記する．

特に，工場等（専ら事務所その他これに類する用途に供する工場等を除く）においては，『基準部分』を『基準部分（工場）』，『目標及び措置部分』を『目標及び措置部分（工場）』と略記する．

[1] ～ [20] の中に入れるべき最も適切な字句等をそれぞれの解答群から選び，その記号を答えよ．（配点計 100 点）

(1)　令和 4 年の省エネ法改正に伴い，『工場等判断基準』は改正され，また，新たに「工場等における非化石エネルギーへの転換に関する事業者の判断の基準」が制定された．全ての事業者が工場全体を俯《ふ》瞰《かん》して取り組むべき共通事項として，次に示す 7 項目が挙げられている．

1. 取組方針の策定
2. [1]
3. 省エネ並びに非化石転換に必要な資金・人材の確保
4. 取組方針及び遵守状況を確認・評価・改善指示
5. 取組方針及び遵守状況の評価手法の定期的な [2]
6. 取組方針や管理体制等の文書管理による状況把握
7. 省エネ並びに非化石転換に資する取組に関する情報の開示

〈[1] 及び [2] の解答群〉

ア　改正　　**イ**　精査・変更

ウ　管理体制の整備　　**エ**　管理標準の整備

オ　従業員に対する周知・教育　　**カ**　責任者の配置等

⑵　再生可能エネルギーによる発電の一つとして風力発電がある．風力発電システムは，風の運動エネルギーを電気エネルギーに変換するシステムであり，その発電電力は，原理的には風速の [3] 乗に比例する．

〈[3] の解答群〉

ア $\frac{1}{2}$　　**イ** 2　　**ウ** 3

⑶　物体の比熱を扱うとき，気体は熱膨張が大きいことから，定圧比熱と定容比熱を区別して使い分けている．定圧比熱を定容比熱で除した値を比熱比と呼び，この値はすべての気体で [4].

〈[4] の解答群〉

ア　1となる　　**イ**　1より大きくなる　　**ウ**　1より小さくなる

⑷　熱交換器の熱媒体として，空気と水は広く使用される．この空気と水の流体としての特性を比較すると，温度の上昇と共に粘性が高まる性質を持つのは，[5] である．

〈[5] の解答群〉

ア　空気　　**イ**　水　　**ウ**　空気と水の両方

⑸　炭化水素系の燃料が完全燃焼しているとき，供給された空気中の酸素と反応して，炭素からは二酸化炭素（CO_2），水素からは水（H_2O）が生成される．1 mol のブタン（C_4H_{10}）を完全燃焼させるのに必要な理論酸素量を求めると，[6] [mol] である．

〈[6] の解答群〉

ア　5.0　　**イ**　6.5　　**ウ**　9.0　　**エ**　31.0

⑹　加熱炉の平板炉壁の熱伝導について考える．厚さ 30 cm の断熱レンガを用い，炉内側の壁面温度が 660 ℃，外面温度が 60 ℃で，このときの通過熱流束が 400 W/m^2 であった．この断熱レンガの熱伝導率は [7] [W/(m·K)] である．

〈[7] の解答群〉

ア　0.1　　**イ**　0.15　　**ウ**　0.2　　**エ**　0.3

⑺　炉壁外面の温度が 90 ℃で，周囲空気の温度が 30 ℃であるとき，炉壁外面における対流熱伝達率を 5 W/(m^2·K) とすると，この炉壁外面の対流伝熱による単位面積，単位時間当たりの損失熱量は，[8] × 10^2 [W/m^2] である．

〈[8] の解答群〉

ア　1.5　　**イ**　3.0　　**ウ**　4.5　　**エ**　6.0

⑻　質量 50 kg，温度 30 ℃の水を圧力一定で加熱し，温度 120 ℃の乾き飽和

蒸気とするのに必要な熱量は，[9] × 10^5［kJ］である．ここで，30 ℃の水の比エンタルピーを 125.8 kJ/kg，120 ℃における飽和水の比エンタルピーを 503.8 kJ/kg，蒸発潜熱を 2 202 kJ/kg とする．

〈[9] の解答群〉

ア　1.0　　**イ**　1.1　　**ウ**　1.2　　**エ**　1.3

(9)　『目標及び措置部分』の「その他エネルギーの使用の合理化に関する事項」の（1）項は，「熱の効率的利用を図るためには，有効エネルギー（エクセルギー）の観点からの総合的なエネルギー使用状況のデータを整備するとともに，熱利用の [10] 的な整合性改善についても検討すること．」を求めている．

〈[10] の解答群〉

ア　温度　　**イ**　経済　　**ウ**　時間

(10)　空気調和設備の省エネルギーでは，空調負荷の低減が大きな要素となる．この負荷の低減に関して，『基準部分（工場）』は，「工場内にある事務所等の空気調和の管理は，空気調和を施す区画を限定し，ブラインドの管理等による負荷の軽減及び区画の使用状況等に応じた設備の運転時間，室内温度，換気回数，湿度，[11] の有効利用等についての管理標準を設定して行うこと．」を求めている．

〈[11] の解答群〉

ア　外気　　**イ**　高効率ポンプ　　**ウ**　変流量システム

(11)　ある火力発電所の 1 時間当たりの発生電力量が 240 000 kW·h，燃料である天然ガスの高発熱量が 45 MJ/m^3_N，この時間での使用量が 50 000 m^3_N であった．このときの火力発電所の高発熱量基準の発電端平均熱効率は [12]［%］である．なお，m^3_N は標準状態（0 ℃，1 気圧）の気体の体積を表す．

〈[12] の解答群〉

ア　36.8　　**イ**　37.2　　**ウ**　38.4　　**エ**　40.1

(12)　三相交流は，一般に単相交流に比べて使用電力量当たりの送配電損失が少なく，また，回転機において回転磁界が作りやすい等優れた特徴を持っており，発電，送配電，需要設備のいずれにおいても広く採用されている．この三相交流の電圧は線間電圧又は相電圧で表されるが，一般に，線間電圧で扱うことが多い．星形結線（Y 結線）の対称三相交流回路において，線間電圧は相電圧の [13] 倍である．

〈[13] の解答群〉

ア　$\sqrt{2}$　　**イ**　$\sqrt{3}$　　**ウ**　2　　**エ**　3

(13)　ある平衡三相負荷において，線間電圧が 400 V，線電流が 60 A で力率が

80 %であった．この負荷に並列にコンデンサを接続して，力率を 100 %にするときのコンデンサ容量は，[14] [kvar] である．ただし，$\sqrt{3} = 1.73$ とする．

〈[14]の解答群〉

ア 13.6　**イ** 16.2　**ウ** 18.3　**エ** 24.9

⒁ 工場の受変電設備及び配電設備においては，線路抵抗の低減や線路電流の低減により配電損失を低減することが望まれる．これに関して『基準部分（工場）』は，「受変電設備の配置の適正化及び配電方式の変更による配電線路の短縮，[15]等について管理標準を設定し，配電損失を低減すること.」を求めている．

〈[15]の解答群〉

ア 稼働台数の調整　**イ** 電圧不平衡の防止　**ウ** 配電電圧の適正化

⒂ ある工場で，14 時から 14 時 30 分の間の需要電力の抑制のために，その間の平均電力を 4 000 kW 以下に抑えることにした．14 時から 14 時 15 分までの使用電力量が 1 100 kW·h であったとすると，残りの 14 時 30 分までの 15 分間の平均電力は，[16] [kW] 以下にする必要がある．

〈[16]の解答群〉

ア 2 000　**イ** 2 800　**ウ** 3 600　**エ** 4 000

⒃ 三相誘導電動機が，軸トルク $T = 1$ kN·m，回転速度 $n = 720$ min^{-1} で運転されている．電動機の出力は，軸トルクと回転角速度 ω に比例し，また，

$\omega = \dfrac{2\pi n}{60}$ [rad/s] で表されることから，この電動機の効率を 90 %とすると，

所要入力は[17] [kW] である．ただし，円周率 π は 3.14 とする．

〈[17]の解答群〉

ア 75.0　**イ** 83.7　**ウ** 91.2　**エ** 98.5

⒄ 流体機械の省エネルギーを行うとき，電動機の負荷を低減することが重要である．これに関して『基準部分（工場）』は，「ポンプ，ファン，ブロワー，コンプレッサー等の流体機械については，使用端圧力及び吐出量の見直しを行い，負荷に応じた運転台数の選択，[18]等に関する管理標準を設定し，電動機の負荷を低減すること.」を求めている．

〈[18]の解答群〉

ア 回転数の変更　**イ** 機械効率の見直し

ウ 配管やダクトの小口径化

⒅ 電気加熱では，被加熱材自身が発熱して材料内部から加熱ができるものがある．内部からの加熱では，被加熱材が電気的絶縁物の場合と導電性物体の

場合で異なる加熱方式がとられる．後者の例である誘導加熱は，コイルの交番磁束により被加熱材に誘導される渦電流による [19] を利用する加熱方式である．

〈[19] の解答群〉

ア　ジュール熱　　**イ**　放射熱　　**ウ**　放電

⒆　照明設備における対象部分の照度等について，『基準部分（工場）』では，日本産業規格 Z 9110（照明基準総則）又は Z 9125（屋内照明基準）及びこれらに準ずる規格に規定するところにより管理標準を設定して使用することや，調光による減光又は消灯についての管理標準を設定し，過剰又は不要な照明をなくすことを求めている．照明基準総則では，事務所ビルにおける事務室の推奨照度範囲を [20] [lx] としている．

〈[20] の解答群〉

ア　150 ～ 300　　**イ**　500 ～ 1 000　　**ウ**　1 500 ～ 2 000

エ　2 500 ～ 5 000

解　説

告示「工場等におけるエネルギーの使用の合理化に関する事業者の判断の基準」（以下「工場等判断基準」と略記）からの出題である．この告示は特に重要で毎年出題確率が高い．しかも告示そのものが多岐にわたるため，できるだけ読み込んで内容を理解しておく必要がある．計算問題も多いので，正確な計算も求められる．

(1)　「工場等における非化石エネルギーへの転換に関する事業者の判断の基準」では，すべての事業者が工場全体を俯《ふ》瞰《かん》して取り組むべき共通事項として，以下の7項目が定められている．

(1)　取組方針の策定

(2)　管理体制の整備

(3)　省エネ並びに非化石転換に必要な資金・人材の確保

(4)　取組方針及び遵守状況の確認・評価・改善指示

(5)　取組方針及び遵守状況の評価手法の定期的な精査・変更

(6)　取組方針や管理体制等の文書管理による状況把握

(7)　省エネ並びに非化石転換に資する取組に関する情報の開示

(2)　風力発電による発電能力 P［W］は，次式で表される．

$$P = C_{\mathrm{p}}\cdot\frac{1}{2}\rho A U^3$$

ここで，C_{p} は風車のパワー係数［—］，ρ は空気の密度［kg/m^3］，A は風車

の受風面積［m^2］，Uは風速［m/s］である．

したがって，風力発電の発電能力は，風速の3乗に比例する．

(3)　気体の定圧比熱 c_p と定容比熱 c_v の比 $\gamma = c_p/c_v$ を比熱比という．定圧比熱は定容比熱より大きいので，比熱比はすべての気体で1より大きくなる．

(4)　空気は温度の上昇とともに粘性係数および動粘性係数が大きくなる．一方，水は温度の上昇とともに粘性係数および動粘性係数は小さくなる．

(5)　ブタン C_4H_{10} を完全燃焼させるときの化学式は，以下のとおりである．

$$C_4H_{10} + 6.5O_2 \rightarrow 4CO_2 + 5H_2O$$

したがって，1 mol のブタンを完全燃焼させるのに必要な理論酸素量は 6.5 mol となる．

(6)　加熱炉の平板炉壁が厚さ $d = 30$ cm の断熱レンガで，炉内側の表面温度 t_{si} が 660 ℃，外面温度 t_{so} が 60 ℃で，通過熱流束 Q が 400 W/m^2 のとき，断熱レンガの熱伝導率を λ［W/(m·K)］とすると，次式が成り立つ．

$$Q = \frac{\lambda}{d}(t_{si} - t_{so})$$

$$400 = \lambda/0.3 \times (660 - 60)$$

したがって，$\lambda = 0.2$ W/(m·K) である．

(7)　炉壁外面温度 t_{so} が 90 ℃，周囲空気温度 t_a が 30 ℃，炉壁外面の対流熱伝達率 α_o が 5 W/(m^2·K) とすると，炉壁外面の損失熱量 Q_L［W/m^2］は，次式で表される．

$$Q_L = \alpha_o(t_{so} - t_a) = 5 \times (90 - 30) = 300 = 3.0 \times 10^2 \text{ W/m}^2$$

(8)　30 ℃の水の比エンタルピーを 125.8 kJ/kg，120 ℃の飽和水の比エンタルピーを 503.8 kJ/kg，蒸発潜熱を 2 202 kJ/kg とすると，質量 50 kg，温度 30 ℃の水を温度 120 ℃の乾き飽和蒸気にするのに必要な熱量 Q は，

$$Q = 50 \times (503.8 - 125.8) + 50 \times 2\,202 = 129\,000 \fallingdotseq 1.3 \times 10^5 \text{ kJ}$$

(9)　『目標及び措置部分』の「その他エネルギーの使用の合理化に関する事項」の(1)項は，以下のようになっている．

「熱の効率的利用を図るためには，有効エネルギー（エクセルギー）の観点からの総合的なエネルギー使用状況のデータを整備するとともに，熱利用の**温度**的な整合性改善についても検討すること．」

(10)　『基準部分（工場）』2　2-2　(2)　(2-2)　①イでは，空調負荷の低減に関して以下のように規定している．

「工場内にある事務所等の空気調和の管理は，空気調和を施す区画を限定し，ブラインドの管理等による負荷の軽減及び区画の使用状況等に応じた設備の運転時間，室内温度，換気回数，湿度，**外気**の有効利用等についての管

理標準を設定して行うこと.」

(11)　火力発電所の 1 時間当たりの発電量が 240 000 kW·h，天然ガスの高発熱量が 45 MJ/$m^3{}_N$，燃料使用量が 50 000 $m^3{}_N$/h のとき，発電量を Q_o，燃料の高発熱量を Q_i とすると，

$$Q_o = 240\,000 \times 3.6 = 86.4 \times 10^4 \text{ MJ}$$
$$Q_i = 45 \times 50\,000 = 225 \times 10^4 \text{ MJ}$$

となる．したがって，高発熱量基準の発電端平均熱効率 η は，

$$\eta = Q_o/Q_i \times 100 = 38.4\ \%$$

となる．

(12)　三相交流の線間電圧は，星形結線（Y 結線）の対称三相交流回路において，相電圧の $\sqrt{3}$ 倍となる．Δ 結線のときは，線間電圧は相電圧と等しくなる．

(13)　平衡三相負荷において，線間電圧 V が 400 V，線電流 I が 60 A，力率 80 % のとき，この負荷に並列にコンデンサを接続して力率を 100 % にしようとする．P_1 を有効電力［W］，S_1 を皮相電力［V·A］，Q_1 を無効電力［var］，遅れ力率を $\cos\theta_1$ とすると，図のようになる．

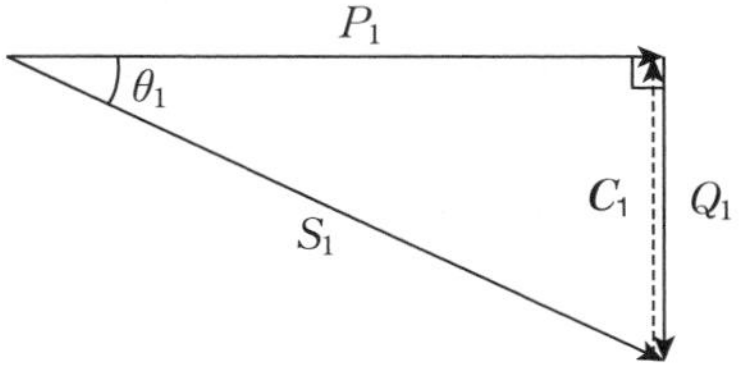

$$S_1 = \sqrt{3} \times V \times I = 1.73 \times 400 \times 60 = 41\,520 \text{ V·A}$$
$$P_1 = S_1 \times \cos\theta_1 = 41\,520 \times 0.8 = 33\,216 \text{ W}$$
$$Q_1 = \sqrt{S_1{}^2 - P_1{}^2} = \sqrt{41\,520^2 - 33\,216^2} = 24\,912 \text{ var}$$

力率を 100 % にするということは，無効電力 Q_1 をコンデンサ C_1 によって 0（$\cos\theta_1 = 1$）にすればよいことになるので，コンデンサ容量 C_1 は 24 912 var ≒ 24.9 kvar となる．

(14)　『基準部分（工場）』2　2‒2(5)　(5‒2)　①イでは，工場の受変電設備および配電設備について「受変電設備の配置の適正化及び配電方式の変更による配電線路の短縮，**配電電圧の適正化**等について管理標準を設定し，配電損失を低減すること.」と規定している．

(15)　14 時から 14 時 30 分の間の平均電力を 4 000 kW 以下に抑制するとき，電力量は，

$$4\,000 \text{ kW} \times 0.5 \text{ h} = 2\,000 \text{ kW·h}$$

以下にすることになる．14 時から 14 時 15 分の使用電力量が 1 100 kW·h のと

き，14 時 15 分から 14 時 30 分までの使用電力量は $2\,000 - 1\,100 = 900$ kW·h 以下に抑えなければならない．この時間帯の平均電力を V［kW］とすると，

$$V \times 0.15 = 900$$

となるので，$V = 3\,600$ kW になる．

(16)　三相誘導電動機が，軸トルク $T = 1$ kN·m，回転速度 $n = 720$ min^{-1} で運転されているとき，電動機の効率 η を 90 %とすると，所要入力 P［kW］は，

$$P = T\omega/\eta = T\frac{2\pi n}{60}/\eta = 1 \times \frac{2\pi \times 720}{60}/0.9 = 83.7\ \mathrm{kW}$$

となる．

(17)　『基準部分（工場）』2　2-2(6)　(6-1)　①ウでは，流体機械について「ポンプ，ファン，ブロワー，コンプレッサー等の流体機械については，使用端圧力及び吐出量の見直しを行い，負荷に応じた運転台数の選択，**回転数の変更**等に関する管理標準を設定し，電動機の負荷を低減すること.」と規定している．

(18)　被加熱材が導電性物体の場合，誘導加熱が採用される．これは交流電源に接続されたコイルに発生する交番磁束によって被加熱材に渦電流が誘導され，それによって被加熱材の抵抗によるジュール熱が生じることを利用したものである．

(19)　『基準部分（工場）』2　2-2(6)　(6-2)　①アでは，照明設備について，日本産業規格 JIS Z 9110（照明基準総則）または JIS Z 9125（屋内照明基準）およびこれらに準ずる規格によって管理基準を設定して使用すること，調光による減光または消灯についての管理基準を設定して，過剰または不要な照明をなくすように規定している．JIS Z 9110：2010（照明基準総則）では，事務所ビルにおける事務室の推奨照度範囲を 500 〜 1 000 lx，維持照度の推奨値（推奨照度範囲の中央値）を 750 lx としている．

解　答　(1)　**1-ウ，2-イ**

(2)　**3-ウ**

(3)　**4-イ**

(4)　**5-ア**

(5)　**6-イ**

(6)　**7-ウ**

(7)　**8-イ**

(8)　**9-エ**

(9)　**10-ア**

⑽　11- ア
⑾　12- ウ
⑿　13- イ
⒀　14- エ
⒁　15- ウ
⒂　16- ウ
⒃　17- イ
⒄　18- ア
⒅　19- ア
⒆　20- イ

第 45 回　2023 年（令和 5 年）

（エネルギーの使用の合理化及び非化石エネルギーへの転換等に関する法律及び命令）

問題1　次の各文章は，「エネルギーの使用の合理化及び非化石エネルギーへの転換等に関する法律」（以下，『法』と略記）及び『法』に関連した命令について述べたものである．ここで，これらの法令は令和 4 年以降に改正され，令和 6 年 10 月 1 日時点で施行されているものである．

なお，各文章において，「『法』施行令（政令）」を『令』，「『法』施行規則（経済産業省令）」を『則』と略記する．

[1] ～ [11] の中に入れるべき最も適切な字句等をそれぞれの解答群から選び，その記号を答えよ．（配点計 50 点）

(1)　『法』の目的に関する事項

改正された『法』では，非化石エネルギーが『法』の対象となるエネルギーに加えられている．また，電気に関する規定も改正されている．

第 1 条は『法』の目的について次のように規定している．

「この法律は，我が国で使用されるエネルギーの相当部分を化石燃料が占めていること，非化石エネルギーの利用の必要性が増大していることその他の内外におけるエネルギーをめぐる経済的社会的環境に応じたエネルギーの有効な利用の確保に資するため，工場等，輸送，建築物及び機械器具等についてのエネルギーの使用の合理化及び非化石エネルギーへの転換に関する所要の措置，電気の [1] に関する所要の措置その他エネルギーの使用の合理化及び非化石エネルギーへの転換等を総合的に進めるために必要な措置等を講ずることとし，もつて国民経済の健全な発展に寄与することを目的とする．」

〈[1] の解答群〉

ア　供給方法　　**イ**　需要の最適化　　**ウ**　貯蔵　　**エ**　取引価格

(2)　エネルギーの定義に関する事項

『法』第 2 条では，第 1 項において「エネルギー」，第 2 項において「化石燃料」，第 3 項において「非化石燃料」，そして第 4 項において「非化石エネルギー」について定義している．次の①～③のうち，『法』に記述されている定義として正しいものを全て挙げると [2] である．

①「エネルギー」とは，化石燃料及び非化石燃料をいう．

② 「非化石エネルギー」とは，非化石燃料並びに「非化石熱」及び「非化石電気」をいう．

③ 熱のうちで，化石燃料を熱源とする熱に代えて使用される熱のことを「非化石熱」という．

〈 2 の解答群〉

ア ①　**イ** ②　**ウ** ③　**エ** ①と②

オ ①と③　**カ** ②と③　**キ** ①と②と③

(3) 事業者の指定及び認定に関する事項

1) エネルギー使用者に対して法令で定める措置を講じるよう努めさせるため，『法』は，エネルギーを使用する事業者のうち，一定のエネルギーの使用条件に達した者を，エネルギーの使用の合理化又は非化石エネルギーへの転換を特に推進する必要がある者として指定する，としている．また，申請によって認定される場合もある．次の①～③は，工場等を設置している事業者が，一定のエネルギーの使用条件に達している場合に，いずれかが適用される．

① 特定事業者

② 3

③ 認定管理統括事業者及び管理関係事業者（事業者の申請で認定された場合）

〈 3 の解答群〉

ア 特定エネルギー消費機器小売事業者

イ 特定エネルギー消費機器製造事業者

ウ 特定熱供給事業者あるいは特定発電事業者

エ 特定連鎖化事業者

2) 『法』には，エネルギー使用者が定められた条件を満たす場合に，エネルギーの使用の合理化又は非化石エネルギーへの転換を推進しやすいように認定を行う制度がある．

そのうちの一つとして『法』第 50 条では，工場等を設置している者が他の工場等を設置している者と共同で 4 計画を作成し，その計画が適当である旨の認定を受けることができる，という認定制度がある．

〈 4 の解答群〉

ア 設備投資　**イ** 中長期的な　**ウ** 登録調査

エ 連携省エネルギー

(4) エネルギーを使用する工場等における『法』の適用に関する事項について（『法』第 7 条～第 14 条及び関連する『令』の規定）

ある事業者が化学工場，原料工場，及び専ら事務所として使用されている本社を，それぞれ別の工場等として有しており，これらがこの事業者の設置している施設の全てである．

ここで，各工場等における前年度の，法令で定める原油換算のエネルギー使用量は，次のようになっていた．

①　化学工場：35 000 キロリットル

②　原料工場：　4 500 キロリットル

③　本　　社：　3 500 キロリットル

この事業者のエネルギー使用量は，①～③のエネルギー使用量の合計であり，その使用量と業態から判断して，この事業者は特定事業者に指定されることとなった．それにより，事業者としてエネルギー管理統括者及びエネルギー管理企画推進者を選任する法的義務が生じた．

一方，各工場等については，エネルギー管理指定工場等に指定されるか否か，及び指定される場合の種別は，それぞれの工場等のエネルギー使用量によって判断され，表の（A）欄に示すとおりとなる．さらに，エネルギー管理指定工場等に指定された場合，各工場等が選任すべきエネルギー管理者又はエネルギー管理員は，表の（B）欄に示すとおりとなる．

表

工場等の名称	(A) エネルギー管理指定工場等 としての指定の種別	(B) 選任すべきエネルギー管理者 又はエネルギー管理員
化学工場	第一種エネルギー管理指定工場等	6
原料工場	第一種エネルギー管理指定工場等	エネルギー管理者 1 名
本　　社	5	7

〈 5 ～ 7 の解答群〉

ア　第一種エネルギー管理指定工場等

イ　第二種エネルギー管理指定工場等

ウ　第一種と第二種エネルギー管理指定工場等のいずれにも該当しない

エ　エネルギー管理者 1 名

オ　エネルギー管理者 2 名

カ　エネルギー管理者 3 名

キ　エネルギー管理員

ク　エネルギー管理者とエネルギー管理員のいずれも選任は不要

(5)　エネルギー管理者とエネルギー管理員に関する事項

1)　次の①～③は，エネルギー管理者とエネルギー管理員のそれぞれあるいは両者共通の選任に関連する記述である．これらのうち，『法』及び関連の『則』に基づいた適切な記述を全て挙げると [8] である.

① エネルギー管理者として選任できるのは，エネルギー管理士の免状を受けている者のみである.

② エネルギー管理員として選任できるのは，必要な知識及び技能に関する講習の課程を修了した者のみである.

③ エネルギー管理者とエネルギー管理員の選任は，いずれも選任すべき事由が生じた日以降遅滞なく行わなければならない.

2) 次の①～③は，エネルギー管理者とエネルギー管理員の業務に関連する記述である．これらのうち，『法』及び関連の『則』に基づく業務として適切な記述を全て挙げると [9] である.

① エネルギー管理者とエネルギー管理員の業務には，いずれにもエネルギーを消費する設備の維持が含まれる.

② エネルギーの使用の方法の改善は，エネルギー管理者の業務であるが，エネルギー管理員の業務ではない.

③ エネルギー管理者とエネルギー管理員の業務には，いずれにも定期の報告に係る書類を作成することが含まれる.

〈[8] 及び [9] の解答群〉

ア ①　**イ** ②　**ウ** ③　**エ** ①と②

オ ①と③　**カ** ②と③　**キ** ①と②と③

(6) 「機械器具に係る措置」及び「熱損失防止建築材料に係る措置」に関連する事項

1) 『法』第 148 条によると，エネルギー消費性能とはエネルギー消費機器の一定の条件での使用に際し [10] を基礎として評価される性能をいう.

『法』第 149 条では，経済産業大臣（自動車及びこれに係る特定関係機器にあっては，経済産業大臣及び国土交通大臣）は，特定エネルギー消費機器等ごとに，そのエネルギー消費性能又はエネルギー消費関係性能の向上に関しエネルギー消費機器等製造事業者等の判断の基準となるべき事項を定めてこれを公表するものとする，としている.

また，『法』第 154 条では，特定熱損失防止建築材料について経済産業大臣は，特定熱損失防止建築材料ごとに，『法』に規定する性能の向上に関し熱損失防止建築材料製造事業者等の判断の基準となるべき事項を定めて公表するものとする，としている.

〈[10] の解答群〉

ア 機器製造を含む全費用　**イ** 消費されるエネルギーの量

ウ 投入される電力の量　**エ** 発生する熱の量

2)　これら特定エネルギー消費機器等及び特定熱損失防止建築材料として，『令』が規定している機器等（建築材料を含む）を，次の①～④のうちから二つ挙げると [11] である．

　①　交流電動機
　②　エスカレータ
　③　サッシ
　④　木製パネル

〈[11] の解答群〉

ア　①と②　**イ**　①と③　**ウ**　①と④　**エ**　②と③
オ　②と④　**カ**　③と④

解　説

「エネルギーの使用の合理化及び非化石エネルギーへの転換等に関する法律」（以下「法」）の条文の内容を直接問う問題である．なお，「法」は令和4年に改正され，令和5年4月1日から施行されている．法令の名前にも，「及び非化石エネルギーへの転換」が付け加えられた．

(1)「法」第1条からの出題である．例年，問題1は「法」からの出題が多く，(1)は法の条文のままの出題である．「法」第1条は「法」の目的に関する条文である．条文は，以下のとおりである．

第1条　この法律は，我が国で使用されるエネルギーの相当部分を化石燃料が占めていること，非化石エネルギーの利用の必要性が増大していることその他の内外におけるエネルギーをめぐる経済的社会的環境に応じたエネルギーの有効な利用の確保に資するため，工場等，輸送，建築物及び機械器具等についてのエネルギーの使用の合理化及び非化石エネルギーへの転換に関する所要の措置，電気の**需要の最適化**に関する所要の措置その他エネルギーの使用の合理化及び非化石エネルギーへの転換等を総合的に進めるために必要な措置等を講ずることとし，もつて国民経済の健全な発展に寄与することを目的とする．

(2)

1)「法」第2条は，「エネルギー」の定義について定めていて，以下のような条文となっている．

第2条　この法律において「エネルギー」とは，化石燃料及び非化石燃料並びに**熱**（政令で定めるものを除く．以下同じ．）**及び電気**をいう．

2　この法律において「化石燃料」とは，原油及び揮発油，重油その他経済産業省令で定める石油製品，可燃性天然ガス並びに石炭及びコークスその他経済産業省令で定める石炭製品であって，燃焼その他の経済産業省令で定める用途に供するものをいう．

3　この法律において「非化石燃料」とは，前項の経済産業省令で定める用途に供する物であつて水素その他の化石燃料以外のものをいう．

4　この法律において「非化石エネルギー」とは，非化石燃料並びに化石燃料を熱源とする熱に代えて使用される熱（第5条第2項第二号ロ及びハにおいて「非化石熱」という．）及び化石燃料を熱源とする熱を変換して得られる動力を変換して得られる電気に代えて使用される電気（同号ニにおいて「非化石電気」という．）をいう．

5　この法律において「非化石エネルギーへの転換」とは，使用されるエネルギーのうちに占める非化石エネルギーの割合を向上させることをいう．

6　この法律において「電気の需要の最適化」とは，季節又は時間帯による電気の需給の状況の変動に応じて電気の需要量の増加又は減少をさせることをいう．

設問の①では「エネルギー」の定義として，「熱及び電気」が抜けているので正しくない．したがって，正しいのは②と③である．

(3)

1)「法」では適用される事業者が以下のように定められている．「法」第7条から第18条に「特定事業者」に関する規定があり，「法」第19条から第30条に「特定連鎖化事業者」に関する規定があり，「法」第31条から第42条に「認定管理統括事業者」に関する規定があり，「法」第43条から第47条に「管理関係事業者」に関する規定がある．したがって，設問の②は「**特定連鎖化事業者**」になる．

2)「法」第50条は，連携省エネルギー計画の認定として以下のような条文となっている．

第50条　工場等を設置している者は，他の工場等を設置している者と連携して工場等におけるエネルギーの使用の合理化を推進する場合には，共同で，その連携して行うエネルギーの使用の合理化のための措置（以下「連携省エネルギー措置」という．）に関する計画（以下「**連携省エネルギー計画**」という．）を作成し，経済産業省令で定めるところにより，これを経済産業大臣に提出して，その連携省エネルギー計画が適当である旨の認定を受けることができる．(以下省略)

(4)　本社の原油換算のエネルギー使用量は3 500 kLであり，3 000 kL以上なので「令」第3条により第一種エネルギー管理指定工場等になる．

「令」第4条第二号により，化学工場は2万kL以上5万kL未満なので，エネルギー管理者を 2 名，本社は「事務所」なので「法」第 11 条第 1 項第二号よりエネルギー管理者ではなく，エネルギー管理員を選任する．

(5)

1)　①　「法」第 11 条から，エネルギー管理者はエネルギー管理士免状の交付を受けている者から選任すると規定されているので，正しい．

②　「法」第 9 条および第 12 条から，エネルギー管理員は，エネルギー管理士免状の交付を受けている者またはエネルギー管理講習の課程を修了した者から選任すると規定されているので，正しくない．

③　「則」第 17 条第 1 項第一号および「則」第 23 条第 1 項第一号に，エネルギー管理者とエネルギー管理員は，選任する事由が発生した日から 6 か月以内に選任すると規定されているので，正しくない．

したがって，正しいのは①のみである．

2)　①　エネルギー管理者とエネルギー管理員の業務として，「則」第 18 条から第 21 条および第 24 条から第 31 条に，「エネルギーの使用の合理化に関する設備の維持に関すること」が規定されているので，正しい．

②　前述のように，「エネルギーの使用の合理化」がいずれにも規定されているので,「エネルギーの使用の方法の改善」が含まれると見なされる．したがって，正しくない．

③　前述の条文に「定期の報告に係る書類の作成」がいずれにも規定されているので，正しい．

したがって，正しいのは①と③である．

(6)

1)　「法」第 148 条は以下のとおりである．

第 148 条　エネルギー消費機器等（エネルギー消費機器（エネルギーを消費する機械器具をいう．以下同じ.）又は関係機器（エネルギー消費機器の部品として又は専らエネルギー消費機器とともに使用される機械器具であって，当該エネルギー消費機器の使用に際し消費されるエネルギーの量に影響を及ぼすものをいう．以下同じ.）をいう．以下同じ.）の製造又は輸入の事業を行う者（以下「エネルギー消費機器等製造事業者等」という.）は，基本方針の定めるところに留意して，その製造又は輸入に係るエネルギー消費機器等につき，エネルギー消費性能（エネルギー消費機器の一定の条件での使用に際し**消費されるエネルギーの量**を基礎として評価される性能をいう．以下同じ.）又はエネルギー消費関係性能（関係機器に係るエネルギー消費機器のエネルギー消費性能に関する当該関係機器の性能をいう．以下同じ.）の向上を図ることにより，エネルギー消費機器等に係

るエネルギーの使用の合理化に資するよう努めなければならない．（以下省略）

「法」第 149 条および第 154 条については，設問の記載のとおりである．

2)　特定エネルギー消費機器として「令」第 18 条第二十七号に「交流電動機」が規定されている．また，特定熱損失防止建築材料として「令」第 21 条第二号に「サッシ」が規定されている．したがって，①と③が正しい．

解　答　(1)　**1- イ**

(2)　**2- カ**

(3)　**3- エ，4- エ**

(4)　**5- ア，6- オ，7- キ**

(5)　**8- ア，9- オ**

(6)　**10- イ，11- イ**

（エネルギー情勢・政策，エネルギー概論）

問題2　次の各文章の [1] ～ [9] の中に入れるべき最も適切な字句等をそれぞれの解答群から選び，その記号を答えよ．

また，[A　a.b×10^c] に当てはまる数値を計算し，その結果を答えよ．ただし，解答は解答すべき数値の最小位の一つ下の位で四捨五入すること．（配点計 50 点）

(1)　国際単位系（SI）では，長さ（メートル［m］），質量（キログラム［kg］），時間（秒［s］），電流（アンペア［A］），熱力学温度（ケルビン［K］），光度（カンデラ［cd］）及び物質量（モル［mol］）の 7 つを基本単位としている．

照明器具などの明るさを表すために用いられる光束（ルーメン［lm］）は組立単位であり，立体角（ステラジアン［sr］）を用いて，「すべての方向に対して 1 cd の光度を持つ点光源が立体角 1 sr の中に放出する光束が 1 lm である」と定義される．したがって，1 cd の点光源からすべての方向（全球方向）に一様に放出された光束の総和は [1] ［lm］である．

また，この光束に関わる組立単位としては照度（ルクス［lx］）も用いられる．例えば，3 000 lm の液晶プロジェクターの全光束が，高さ 1.5 m で幅 2.0 m のスクリーン全面に均等に照射されたときの照度は [A　a.b×10^c] ［lx］となる．

〈[1] の解答群〉

ア　π　　**イ**　2π　　**ウ**　4π

(2)　大気中の水蒸気や二酸化炭素による地球の温室効果を考えるためには，黒体放射に関する物理法則が重要である．その一つに，黒体からの単色放射のピーク波長はその熱力学温度に [2] ，という法則がある．これを [3] と呼んでいる．

太陽の表面や地球の表面を黒体とみなせると仮定してこの法則に基づくと，太陽の表面温度を 6 000 K とする場合の単色放射のピーク波長は約 0.5 μm，地球の表面温度を 300 K とする場合の単色放射のピーク波長は約 [4] [μm] となる．

〈[2] ～ [4] の解答群〉

ア　0.025　　**イ**　0.5　　**ウ**　10　　**エ**　30
オ　ウィーンの変位則　　**カ**　ステファン・ボルツマンの法則
キ　プランクの法則　　**ク**　比例する
ケ　反比例する　　**コ**　よらず一定となる

(3)　資源エネルギー庁の電力調査統計による 2021 年度の発電実績によると，我が国における水力を除く再生可能エネルギーによる発電量比率については，バイオマス，太陽光，地熱及び風力の中では，[5] と [6] が他と比べて大きい．

〈[5] 及び [6] の解答群〉

ア　バイオマス　　**イ**　太陽光　　**ウ**　地熱　　**エ**　風力

(4)　エネルギー源としての水素の利用は脱炭素社会への有効手段として開発が進められている．ここでは，常温・常圧では気体状態である水素の輸送・貯蔵の手段について考える．

現在，水素の輸送手段としてよく用いられているのは，加圧して圧縮する方法である．例えば，常温・常圧の水素を温度一定で体積を 700 分の 1 にするためには，約 [7] [MPa] に加圧する必要がある．

また，水素を大量に輸送・貯蔵する手段の一つとして，冷却による液化が用いられる．気体の液化については，天然ガスの大気圧下での液化温度は約 −160 ℃であるが，水素の場合は約 [8] [℃] で液化し，体積は約 800 分の 1 となる．

その他に，水素を他の物質と化学反応させることにより，常温の液体状態にして輸送・貯蔵し，利用時に気体の水素に戻す方法も考えられている．水素と化学反応させる物質の候補の一つとされているのがトルエンであり，これに気体の水素を反応させて液体の [9] に変換して輸送・貯蔵するシステムの開発が進んでいる．

〈[7] ～ [9] の解答群〉

ア　−250　　**イ**　−150　　**ウ**　−50　　**エ**　0.7

オ 7　**カ** 70　**キ** 700　**ク** アンモニア
ケ メチルアルコール　**コ** メチルシクロヘキサン

解説

(1)　国際単位系（SI）の基本単位と組立単位についての問題である．

国際単位系（SI）は，長さ［m］，質量［kg］，時間［s］，電流［A］，熱力学温度［K］，光度［cd］および物質量［mol］の7個を基本単位としている．これ以外の単位は基本単位を組み合わせて使用するので，組立単位と呼ばれる．

光束（ルーメン［lm］）は組立単位で，単位光度［cd］の光が単位立体角［sr］に放出する光の量を示す．したがって，

$$1\ \mathrm{lm} = 1\ \mathrm{cd} \times 1\ \mathrm{sr}$$

である．全球方向の立体角は4π sr なので，1 cd の点光源からすべての方向に放出された光束の総和は，

$$1\ \mathrm{cd} \times 4\pi\ \mathrm{sr} = 4\pi\ \mathrm{lm}$$

となる．

また，照度（ルクス［lx］）は，単位面積当たりの光束を表す．したがって，3 000 lm の液晶プロジェクターの全光束が，高さ 1.5 m，幅 2.0 m のスクリーン全面に均等に照射されたときの照度は，

$$\frac{3\,000}{1.5 \times 2.0} = 1\,000 = 1.0 \times 10^3\ \mathrm{lx}$$

となる．

(2)　黒体放射の物理法則であるウィーンの変位則によると，黒体からの放射のピークとなる波長 λ_{max} は黒体の熱力学温度（絶対温度）T に反比例する，すなわち，

$$\lambda_{\mathrm{max}} T = 0.002\,885 = \text{一定}\ [\mathrm{m \cdot K}]$$

という関係がある．

太陽の表面温度を 6 000 K とすると，

$$\lambda_{\mathrm{max}} \times 6\,000 = 0.002\,885$$

より，太陽からの放射のピークとなる波長は

$$\lambda_{\mathrm{max}} = 4.8 \times 10^{-7}\ \mathrm{m} = 0.5\ \mu\mathrm{m}\ \text{（可視光線）}$$

となる．地球の表面温度を 300 K とすると，

$$\lambda_{\mathrm{max}} \times 300 = 0.002\,885$$

より，地球からの放射のピークとなる波長は

$$\lambda_{\mathrm{max}} = 9.6 \times 10^{-6}\ \mathrm{m} = 10\ \mu\mathrm{m}\ \text{（赤外線）}$$

となる．

(3)　資源エネルギー庁の電力調査統計によると，2021 年度の発電実績では日本の再生可能エネルギーの発電量は以下のようになっている．

太陽光　　　190 億 kW·h
風力　　　　 74 億 kW·h
地熱　　　　 20 億 kW·h
バイオマス　223 億 kW·h

したがって，再生可能エネルギーの発電量で多いのは太陽光とバイオマスである．

(4)　常温・常圧の水素を温度一定で体積を 700 分の 1 にするためには，圧力を大気圧の 700 倍にしなくてはならない．大気圧は 0.1 MPa であるから，$0.1 \times 700 = 70$ MPa に加圧する必要がある．

水素の凝縮温度は大気圧において -250 ℃である．このとき，水素の体積は約 800 分の 1 になる．

トルエンに水素を反応させてメチルシクロヘキサン（MCH，$C_6H_{11}CH_3$）に転換し，この MCH の状態で水素を常温の液体状態で貯蔵・輸送することができる．トルエン，MCH ともに常温・常圧で液体状態である．MCH は，修正液の溶剤など身近なところで使用される，化学物質としてのリスクが低い化学薬品である．液体の MCH は，水素ガスと比べると体積当たり 500 倍以上の水素を含んでいるため，MCH を用いることで効率良く水素を輸送することができる．水素の輸送先では，触媒を用いる脱水素反応により MCH から水素を分離して，需要家に供給する．脱水素反応で得られるトルエンは再び MCH 生成の原料として利用できる．

解　答　**(1)　1-ウ，A-1.0×10^3**
(2)　2-ケ，3-オ，4-ウ
(3)　5-イ，6-ア（5，6 の順序は問わない）
(4)　7-カ，8-ア，9-コ

（エネルギー管理技術の基礎）

問題3　次の各文章は，「工場等におけるエネルギーの使用の合理化に関する事業者の判断の基準」（以下，『工場等判断基準』と略記）の内容及びそれに関連した管理技術の基礎について述べたものである．ここで，『工場等判断基準』は，令和 5 年 4 月 1 日時点で施行されているものである．

また，各文章の『工場等判断基準』の本文に関連する事項については，その引用部の項目を示す上で,「Ⅰ　エネルギーの使用の合理化の基準」の部分を『基準部分』,「Ⅱ　エネルギーの使用の合理化の目標及び計画的に取り組むべき措置」の部分を『目標及び措置部分』と略記する.

特に,工場等(専ら事務所その他これに類する用途に供する工場等を除く)においては,『基準部分』を『基準部分(工場)』,『目標及び措置部分』を『目標及び措置部分(工場)』と略記する.

[1] ～ [14] の中に入れるべき最も適切な字句等をそれぞれの解答群から選び,その記号を答えよ.なお, [2] 及び [14] は複数箇所あるが,それぞれ同じ記号が入る.

また, [A a.b] ～ [F a.b] に当てはまる数値を計算し,その結果を答えよ.ただし,解答は解答すべき数値の最小位の一つ下の位で四捨五入すること.なお,m^3_N は標準状態の気体の体積を表す.(配点計 100 点)

(1) 『目標及び措置部分』では,事業者はエネルギーの使用の合理化の目標及び計画的に取り組むべき措置を最大限より効果的に講じていくことを目指して,中長期的視点に立った計画的な取組に努めなければならない,と定められている.

『目標及び措置部分(工場)』において,この措置を講ずべきエネルギー消費設備等の対象となるのは,燃焼設備,熱利用設備,廃熱回収設備,コージェネレーション設備, [1] 設備,空気調和設備・給湯設備・換気設備・昇降機等,照明設備及び FEMS である.

廃熱回収設備に対して講ずべき措置としては,排ガスの廃熱の回収利用について,別表(省略)に掲げる [2] 及び廃熱回収率の値を目標として [2] を低下させ廃熱回収率を高めるよう努めること,が求められている.

〈 [1] 及び [2] の解答群〉

ア 稼働率　**イ** 廃ガス温度　**ウ** 廃ガス量　**エ** 自家発電
オ 蓄電　**カ** 蓄熱　**キ** 電気使用

(2) 伝熱の計算では,電気回路におけるオームの法則による計算を応用できる場合がある.この場合の計算諸量の例として,熱系の温度差は電気系の電位差に相当し,熱系の熱流束は電気系の [3] に相当する.

〈 [3] の解答群〉

ア 電荷　**イ** 電流　**ウ** 電流密度

(3) 標準状態(温度;273 K,圧力;1.013×10^5 Pa)で,ある理想気体の体積が 10 m^3_N であるとき,この気体の温度が 400 K,圧力が 5.1×10^5 Pa へ変化したときの体積は, [A a.b] [m^3] である.

(4) 通風型の燃焼炉や侵入空気のある燃焼炉では,燃焼時の空気比を管理するため，乾き燃焼排ガス中の酸素濃度を測定して空気比を求める．いま，乾き燃焼排ガス中の酸素濃度が3.5％（体積割合）であったとき，簡易式を用いて計算すると，空気比は $\boxed{\text{B}\ \ \text{a.b}}$ である．

(5)　流れの方向に対して管内径が徐々に拡大している円管内を，水が定常的に流れている．水の密度が変化しないものとすると，拡大前の管内径に対して，2倍の管内径に拡大した領域における管内平均流速は，拡大前の管内平均流速の $\boxed{\ 4\ }$ 倍となる．

〈 $\boxed{\ 4\ }$ の解答群〉

ア　$\frac{1}{4}$　　**イ**　$\frac{1}{2}$　　**ウ**　2

(6)　湿り蒸気では，飽和液と乾き飽和蒸気が共存している．この蒸気の乾き度とは $\boxed{\ 5\ }$ であり，乾き度が高い蒸気ほど単位質量当たりの凝縮潜熱が大きい．

〈 $\boxed{\ 5\ }$ の解答群〉

ア　湿り蒸気中の乾き飽和蒸気の質量分率

イ　湿り蒸気中の乾き飽和蒸気の体積分率

ウ　飽和液と乾き飽和蒸気の質量の比

(7)　一次元定常熱伝導について考える．いま，厚さが20 mm，熱伝導率が25 W/(m·K) の平板があり，高温側の表面温度が100 ℃となっている．この平板の厚さ方向に，単位時間，単位面積当たり40 kW/m^2 の熱が高温側表面から低温側に伝わっているとすると，低温側の表面温度は $\boxed{\text{C}\ \ \text{ab}}$ [℃] である．

(8)　外部から物体に放射エネルギーが与えられ熱的平衡状態にあるとき，その物体の反射率，吸収率及び透過率の和は，エネルギーの保存則から1である．これらの中で，この熱的平衡状態にある物体表面の放射率に等しいのは，$\boxed{\ 6\ }$ 率である．

〈 $\boxed{\ 6\ }$ の解答群〉

ア　吸収　　**イ**　透過　　**ウ**　反射

(9)　廃熱回収計画を立案する上で，回収熱の効率的利用を図るためには，回収媒体への熱交換における $\boxed{\ 7\ }$ の損失を極力少なくすることが求められる．

〈 $\boxed{\ 7\ }$ の解答群〉

ア　アネルギー　　**イ**　エクセルギー　　**ウ**　エントロピー

(10)　空気調和設備の省エネルギーでは，設備を構成する各機器自身のエネルギー効率の向上だけでなく，他の機器と組み合わせたときの総合的なエネルギー効率を向上させることも求められる．これに関して『基準部分（工場)』

は，「空気調和設備を構成する熱源設備，熱搬送設備，空気調和機設備の管理は，外気条件の季節変動等に応じ，[8]，圧力等の設定により，空気調和設備の総合的なエネルギー効率を向上させるように管理標準を設定して行うこと.」を求めている.

〈[8] の解答群〉

ア　最適湿度　　**イ**　二酸化炭素濃度　　**ウ**　冷却水温度や冷温水温度

⑾　ある火力発電設備が，高発熱量 45 MJ/m^3_N の天然ガスを燃料として 200 MW の一定出力で発電している．このときの平均熱効率は高発熱量ベースで 40 %であった．この場合，この発電設備の 1 時間当たりの天然ガスの平均使用量は [D　$a.b \times 10^c$] [m^3_N/h] である.

⑿　平衡三相負荷である電動機の使用電力が 40 kW，線間電圧が 200 V，力率が 82 %であった．このとき，この電動機に供給される 1 相当たりの電流は [E　a.b] $\times 10^2$ [A] である．ただし，$\sqrt{3} = 1.73$ とする.

⒀　工場配電設備の管理に際して，受変電設備又は電気設備における力率を進相コンデンサの設置等により向上させることが求められる．力率は [9] で表され，力率が低くなると，変電設備や配電線において，電力損失が増加したり電圧降下が大きくなったりする.

〈[9] の解答群〉

ア　$\dfrac{\text{有効電力}}{\text{皮相電力}}$　　**イ**　$\dfrac{\text{無効電力}}{\text{皮相電力}}$　　**ウ**　$\dfrac{\text{有効電力}}{\text{無効電力}}$

⒁　ある工場では，最大需要電力を 6 000 kW 以下に抑えることにしている．ある日の 9 時から 9 時 30 分までの 30 分間について考える．9 時から 9 時 25 分までの電力使用量が 2 600 kW·h であるとすると，9 時 25 分から 9 時 30 分までの残り 5 分間の平均電力を [F　a.b] $\times 10^3$ [kW] 以下とする必要がある．ここで，最大需要電力は使用電力の 30 分ごとの平均値で管理するものとする.

⒂　電動機駆動の送風機を，回転速度を変えて風量制御することを考える．一般に，電動機を含めた慣性モーメントが大きい送風機は，小さい送風機と比較すると，風量変化の応答速度は [10]．ただし，駆動トルクの値と負荷トルクの値の差は同じとして比較する.

〈[10] の解答群〉

ア　遅い　　**イ**　速い　　**ウ**　変わらない

⒃　電動機は，一般に，中・低負荷域においては負荷が低くなるほど効率が低くなる特性がある．『基準部分（工場）』は，電動力応用設備において，「複数の電動機を使用するときは，それぞれの電動機の部分負荷における効率を

考慮して，電動機全体の効率が高くなるように管理標準を設定し，[11] 及び負荷の適正配分を行うこと.」を求めている.

〈[11] の解答群〉

ア　稼働台数の調整　　**イ**　入力電圧の調整　　**ウ**　力率の調整

⒄　ポンプやファンなどの電動力応用設備の効率について，固定損は消費電力の数十パーセントを占め，部分負荷での運用時には負荷損を上回ることが多いので，固定損を極力低減することが大きな省エネルギーにつながる.『基準部分（工場)』は，これらの設備の新設・更新に当たって，「電動機については，その特性，種類を勘案し，負荷機械の運転特性及び稼動状況に応じて [12] 容量のものを配置すること.」を求めている.

〈[12] の解答群〉

ア　運転頻度に見合った　　**イ**　所要出力に見合った

ウ　余裕率の高い

⒅　電気化学の応用設備である電気分解システムでは，原理的にファラデーの法則が適用できる．この法則によると，電気分解システムで電極上に析出する物質の質量は，[13] に比例する.

〈[13] の解答群〉

ア　析出する物質の反応電子数　　**イ**　通過する電気量

ウ　電解質濃度

⒆　照明設備を設置するときに照明器具の必要台数などを決める重要な要素の中で，光源からの光束がどのくらい被照面に到達するかを示す指標として [14] がある.

[14] は，使用する照明器具の配光特性や効率によって影響を受け，また，対象とする部屋の室指数が大きいほど高く，内装材の反射率が高いほど高くなる.

〈[14] の解答群〉

ア　ランプ効率　　**イ**　照明率　　**ウ**　調光効率

解　説

告示「工場等におけるエネルギーの使用の合理化に関する事業者の判断の基準」（以下「工場等判断基準」と略記）からの出題である．この告示は特に重要で毎年出題確率が高い．しかも告示そのものが多岐にわたるため，できるだけ読み込んで内容を理解しておく必要がある．計算問題も多いので，正確な計算も求められる.

(1)「工場等判断基準」の「目標及び措置部分（工場)」では，以下の 8 項目の対象となるエネルギー消費設備が規定されている．

⑴　燃焼設備

⑵　熱利用設備

⑶　廃熱回収設備

⑷　コージェネレーション設備

⑸　**電気使用**設備

⑹　空気調和設備，給湯設備，換気設備，昇降機等

⑺　照明設備

⑻　FEMS

この中で，廃熱回収設備については，「別表第2（B）に掲げる**廃ガス温度**及び廃熱回収率の値を目標として**廃ガス温度**を低下させ廃熱回収率を高めるよう努めること」と規定されている．

⑵　伝熱の計算では，電気回路におけるオームの法則からのアナロジーを用いることができる．例えば，温度差［K］は電位差［V］に相当し，熱流束［W/m^2］は電流密度［A/m^2］に相当すると考える．

⑶　ボイル・シャルルの法則より，Pを気体の圧力，Vを気体の体積，Tを気体の絶対温度としたとき，

$$PV/T = \text{一定}$$

が成り立つ．したがって，

$$\frac{1.013 \times 10^5 \times 10}{273} = \frac{5.1 \times 10^5 \times V_2}{400}$$

より，$V_2 = 2.9\ \mathrm{m}^3$となる．

⑷　燃焼空気の空気比をm，燃焼排ガス中の酸素濃度を$\mathrm{O_2}$とすると，簡易式は

$$m = \frac{21}{21 - \mathrm{O_2}}$$

なので，

$$m = \frac{21}{21 - 3.5} = 1.2$$

となる．

⑸　水の密度を一定とすると，管内流速をv，管の断面積をAとしたとき，非圧縮性流体の連続の式より，

$$vA = \text{一定}$$

が成り立つ．拡大前の流速をv_1，管の内径をr，拡大後の流速をv_2，管の内径を$2r$とすると

$$v_1 \times \pi r^2 = v_2 \times \pi \times (2r)^2$$

より，$v_2 = (1/4)v_1$ となる．

(6)　湿り蒸気とは，飽和液と乾き飽和蒸気が共存した状態をいう．1 kg の湿り蒸気が，x kg の乾き飽和蒸気と $(1 - x)$ ［kg］ の飽和液とからなるとき，乾き度が x であるという．したがって，乾き度とは，湿り空気中の乾き飽和蒸気の質量分率である．

(7)　一次元熱伝導で，厚さ $x = 20$ mm，熱伝導率 $\lambda = 25$ W/(m·K) の平板があり，高温側の表面温度が $t_1 = 100$ ℃で，$q = 40$ kW/m^2 の熱が伝わっているとすると，低温側の表面温度を t_2 としたとき，フーリエの式から

$$q = \frac{\lambda}{x}(t_1 - t_2)$$

となる．したがって，

$$40 \times 10^3 = \frac{25}{0.02} \times (100 - t_2)$$

なので，$t_2 = 68$ ℃となる．

(8)　キルヒホッフの法則によると，放射エネルギーが熱的平衡状態にあるとき，物体表面の放射率は吸収率に等しい．

(9)　廃熱回収計画を立案するときに，回収熱を効率的に利用するためには，回収媒体に大量の熱回収を行うだけではなく，エクセルギー損失をなるべく少なくすることが必要である．エクセルギーは，ある系が周囲と平衡状態に達するまでに取り出すことのできる最大の仕事量（エネルギー）のことをいう．

(10)　「基準部分（工場）」では，以下のように規定している．

Ⅰ-2　2　2-2　(2)　(2-2)　①　ウ．空気調和設備を構成する熱源設備，熱搬送設備，空気調和機設備の管理は，外気条件の季節変動等に応じ，**冷却水温度や冷温水温度**，圧力等の設定により，空気調和設備の総合的なエネルギー効率を向上させるように管理標準を設定して行うこと．

(11)　火力発電所が高発熱量 45 MJ/m$^3{}_{\mathrm{N}}$ の天然ガスを燃料として，平均熱効率 40 %で 200 MW の発電をしているとき，天然ガスの平均使用量を F ［m$^3{}_{\mathrm{N}}$/h］とすると，

$$[\mathrm{MW}] = [\mathrm{MJ/s}],\ [\mathrm{h}] = 3\,600\ \mathrm{s}$$

より，

$$45\ \mathrm{MJ/m^3{}_N} \times F\ [\mathrm{m^3{}_N/h}] \times 0.4/3\,600\ \mathrm{s/h} = 200\ \mathrm{MW}$$

の関係になる．したがって，天然ガスの平均使用量 $F = 4.0 \times 10^4$ m$^3{}_{\mathrm{N}}$/h となる．

(12)　平衡三相負荷である電動機の使用電力が 40 kW，線間電圧が 200 V，力率

が 82 %のとき，1 相当たりの電流を I［A］とすると，以下の関係になる．

$$\sqrt{3} \times 200 \times I \times 0.82 = 40 \times 10^3$$

したがって，

$$I = 140.984 = 1.4 \times 10^2\ \mathrm{A}$$

となる．

(13)　力率は，交流電力において有効に消費された電力の比率を示す値で，有効電力と皮相電力の比で表される．

(14)　最大需要電力が 6 000 kW のとき，9 時から 9 時 30 分までの 30 分間の最大使用電力量は

$$6\,000\ \mathrm{kW} \times 0.5\ \mathrm{h} = 3\,000\ \mathrm{kW{\cdot}h}$$

となる．9 時から 9 時 25 分までの使用電力量が 2 600 kW·h のとき，9 時 25 分から 9 時 30 分までの使用電力量を

$$3\,000 - 2\,600 = 400\ \mathrm{kW{\cdot}h}\ 以下$$

に抑える必要がある．この時間帯（5 分 = 1/12 h）の平均電力を W［kW］とすると

$$W \times 1/12\ \mathrm{h} = 400\ \mathrm{kW{\cdot}h}$$

から，

$$W = 4\,800\ \mathrm{kW} = 4.8 \times 10^3\ \mathrm{kW}\ 以下$$

にしなくてはならない．

(15)　送風機の相似則により，送風機の風量は回転速度に比例する．したがって，風量変化の応答速度は，回転速度の応答速度に比例することになる．電動機を含めた慣性モーメントが大きい送風機は，回転速度の変化に対して，慣性モーメントの小さい送風機よりも応答速度が遅くなる．

(16)「基準部分（工場）」では，電動力応用設備の管理基準について，2　2-2 (6)（6-1）①　イで以下のように規定している．

　複数の電動機を使用するときは，それぞれの電動機の部分負荷における効率を考慮して，電動機全体の効率が高くなるように管理標準を設定し，**稼働台数の調整**及び負荷の適正配分を行うこと．

(17)「基準部分（工場）」では，電動力応用設備の効率について，2　2-2 (6)（6-1）④　ウで以下のように規定している．

　電動機については，その特性，種類を勘案し，負荷機械の運転特性及び稼動状況に応じて**所要出力に見合った**容量のものを配置すること．

(18)　ファラデーの法則によると，電気分解システムで電極上に析出する物質の質量は**電気量**に比例する．すなわち，電極に析出された物質量を ω［g］，電気化学当量（比例定数）を K［g/C］，電流を I［A］，時間を t［s］，電気量

を Q [C] とすると，

$$\omega = K \cdot I \cdot t = K \cdot Q$$

が成り立つ．

(19)　照明設備を設計するときに使用する指標として照明率があるが，これは光源が放出する光束がどれだけ被照面に到達するかを示す．照明率が高いほど，効率的な照明器具であることになる．照明率は，対象室の天井・壁・床の反射率，室指数によって，照明率表から求める．室指数 k は，室の奥行を l [m]，室の幅を w [m]，光源から被照面までの距離を h [m] としたとき，$k = lw/h(l + w)$ で表される室形状を表す変数である．

解　答

(1)　**1-キ，2-イ**
(2)　**3-ウ**
(3)　**A-2.9**
(4)　**B-1.2**
(5)　**4-ア**
(6)　**5-ア**
(7)　**C-68**
(8)　**6-ア**
(9)　**7-イ**
(10)　**8-ウ**
(11)　**D-4.0×10^4**
(12)　**E-1.4**
(13)　**9-ア**
(14)　**F-4.8**
(15)　**10-ア**
(16)　**11-ア**
(17)　**12-イ**
(18)　**13-イ**
(19)　**14-イ**

第 44 回　2022 年（令和 4 年）

（エネルギーの使用の合理化等に関する法律及び命令）

問題1　次の各文章は，「エネルギーの使用の合理化及び非化石エネルギーへの転換等に関する法律」及びそれに関連した命令について述べたものである．ここで，法令は令和 6 年 10 月 1 日時点で施行されているものである．

これらの文章において，

エネルギーの使用の合理化及び非化石エネルギーへの転換等に関する法律を『法』

エネルギーの使用の合理化及び非化石エネルギーへの転換等に関する法律施行令（政令）を『令』

エネルギーの使用の合理化及び非化石エネルギーへの転換等に関する法律施行規則（経済産業省令）を『則』

エネルギーの使用の合理化及び非化石エネルギーへの転換等に関する基本方針を『基本方針』

と略記する．

[1] ～ [10] の中に入れるべき最も適切な字句等をそれぞれの解答群から選び，その記号を答えよ．

また，[A abcde] 及び [B abcd] に当てはまる数値を計算し，その結果を答えよ．ただし，解答は解答すべき数値の最小位の一つ下の位で四捨五入すること．（配点計 50 点）

(1)　『法』の目的に関連する事項について

『法』第 1 条は，『法』の目的について定めている．そこでは「我が国で使用されるエネルギーの相当部分を化石燃料が占めていること，非化石エネルギーの利用の必要性が増大していることその他の [1] に応じたエネルギーの有効な利用の確保に資するため，（中略）エネルギーの使用の合理化及び非化石エネルギーへの転換等を総合的に進めるために必要な措置等を講ずることとし，もつて国民経済の健全な発展に寄与することを目的とする．」と明記されている．

〈[1] の解答群〉

ア　エネルギー価格の動向
イ　化石燃料資源の輸入と貯蔵の状況
ウ　産業構造の変化

エ　内外におけるエネルギーをめぐる経済的社会的環境

(2)　『基本方針』に関連する事項について

1)　『法』第3条第1項は，「経済産業大臣は，工場又は事務所その他の事業場（以下「工場等」という.），輸送，建築物，機械器具等に係るエネルギーの使用の合理化及び非化石エネルギーへの転換並びに［ 2 ］を総合的に進める見地から，エネルギーの使用の合理化及び非化石エネルギーへの転換等に関する基本方針（以下「基本方針」という.）を定め，これを公表しなければならない.」と定めている.

〈［ 2 ］の解答群〉

ア　エネルギー供給システムの合理化　　**イ**　エネルギー費用負担の削減

ウ　生産性の向上　　**エ**　電気の需要の最適化

2)　『法』第3条第4項は，「経済産業大臣は，基本方針を定めようとするときは，あらかじめ，輸送に係る部分，建築物に係る部分（(略)）及び［ 3 ］に係る部分については国土交通大臣に協議しなければならない.」と定めている.

〈［ 3 ］の解答群〉

ア　エネルギー供給施設　　**イ**　工場等の立地

ウ　自動車の性能　　**エ**　地球環境

3)　『基本方針』では，工場等においてエネルギーを使用して事業を行う者が講ずべき措置として9項目の実施事項を挙げている．また，エネルギーの供給の事業を行う者については，その各項目の実施を通じエネルギーの転換における効率の向上を図るとともに，エネルギーの供給のための施設全体としてのエネルギー消費効率が需要の変動に応じて最良となるような効率的な施設の運用及び［ 4 ］における損失の低減を図るものとする，としている.

〈［ 4 ］の解答群〉

ア　エネルギー供給の停止及び再開　　**イ**　エネルギーの輸送

ウ　災害への対応　　**エ**　再生可能エネルギーシステムの導入

(3)　エネルギーを使用する工場等における『法』の適用に関する事項について（『法』第2条，第7条～第14条及び関連する『令』，『則』の規定）

ある事業者が「化学工場」及び「別の事業所である本社事務所（専ら事務所として使用)」を有しており，これらがこの事業者の設置している施設の全てである．ここで，前年度の燃料，電気などの使用量を法令で定めるところにより発熱量又は熱量として換算した量は，化学工場では次のa～e，本社事務所では次のf～hのとおりであり，この事業者はこれら以外のエネルギーは使用していなかった.

なお，この事業者は連鎖化事業者，認定管理統括事業者又は管理関係事業者のいずれにも該当していない.

[化学工場]

a：ボイラの燃料として 20 万ギガジュールの都市ガスを使用した.

b：電気事業者から 35 万ギガジュールの電気を購入して使用した．購入先の電気事業者の販売する電気は，化石燃料で発電したものである.

c：ガスタービンコージェネレーションの燃料として 25 万ギガジュールの都市ガスを使用した．このコージェネレーション設備によって発電した電気は 5 万 5 千ギガジュール，発生させた蒸気は 13 万 3 千ギガジュールであり，いずれも工場内で使用している.

d：a のボイラ及び c のコージェネレーション設備で発生させ使用した蒸気の凝縮水の一部 3 千ギガジュールを回収してボイラの給水として使用した.

e：工場内の設備で冷却水を使用している．冷却水は循環使用されており，冷却熱量 5 万ギガジュールが冷却塔から放熱されている．また，冷却水用の補給水には工業用水を用いている.

[本社事務所]

f：電気事業者から 3 万 8 千ギガジュールの電気を購入して使用した．購入先の電気事業者の販売する電気は，化石燃料で発電したものである.

g：給湯には，f の電気の一部を使用して加熱ヒータとヒートポンプを稼働している．ヒートポンプにより，空気中から 2 千ギガジュールの熱が利用された.

h：空調のために，外部の熱供給事業者から 1 万 2 700 ギガジュールの冷水及び 1 万 500 ギガジュールの温水の供給を受けて使用した．熱供給事業者は都市ガスを使用して冷水及び温水を製造している.

1)　前年度に使用した，法令で定めるエネルギーの使用量を原油の数量に換算した量は，化学工場では [A abcde] キロリットル，本社事務所では [B abcd] キロリットルである．この事業者のエネルギー使用量は，化学工場と本社事務所のエネルギー使用量の合計であり，その量から判断して，この事業者は特定事業者に該当する.

なお，『則』によれば，発熱量又は熱量 1 ギガジュールは原油 0.025 8 キロリットルとして換算することとされている.

2)　1)で求めた「前年度に使用した，法令で定めるエネルギーの使用量」から判断して，この化学工場は，第一種エネルギー管理指定工場等に該当する．また，本社事務所は，[5].

〈[5]の解答群〉

ア 第一種エネルギー管理指定工場等に該当する

イ 第二種エネルギー管理指定工場等に該当する

ウ 化学工場と合わせて，第一種エネルギー管理指定工場等に該当する

エ エネルギー管理指定工場等に該当しない

3) 1)及び2)で当該の指定を受けた後，この事業者が事業者の単位で選任しなければならないのは，エネルギー管理統括者及びエネルギー管理企画推進者である．一方，化学工場について，選任しなければならないエネルギー管理者の数は[6]名である．なお，エネルギー管理者の選任は，選任すべき事由が生じた日から[7]以内に行なわなければならない．

〈[6]及び[7]の解答群〉

ア 1　**イ** 2　**ウ** 3　**エ** 4

オ 10日　**カ** 3ヶ月　**キ** 6ヶ月　**ク** 1年

(4) 定期の報告に関連する事項

『法』第16条及び関連する『則』は，定期の報告について規定しており，毎年度7月末日までに行うことが義務付けられている．次の①～④のうち，それらの規定に基づいて適切なものは[8]である．

① 前年度にベンチマーク指標を達成している場合には，ベンチマークに基づき算出される値以外の項目の報告は免除される．

② 定期の報告の項目には，エネルギーを消費する設備の新設，改造又は撤去の状況及び稼働状況が含まれる．

③ 定期の報告の項目には，エネルギーの使用の効率が含まれる．

④ 定期の報告の項目には，温室効果ガスであるフロンガスの排出量が含まれる．

〈[8]の解答群〉

ア ①と②　**イ** ①と③　**ウ** ①と④　**エ** ②と③

オ ②と④　**カ** ③と④

(5) 「合理化計画」に関連する事項について

『法』第17条は，エネルギーの使用の合理化に関する計画（以下「合理化計画」という．）に係る指示及び命令についての規定であり，主務大臣は，特定事業者のエネルギーの使用の合理化の状況が判断の基準となるべき事項に照らして著しく不十分であると認めるときは，その判断の根拠を示して，当該特定事業者に対して合理化計画を作成し，これを提出すべき旨の指示をすることができる，としている．

1)　次の①～④のうち『法』第 17 条の規定の解釈として不適切なものは，［ 9 ］である．

①　主務大臣は，特定事業者が定期報告書又は中長期計画書を提出しない場合，当該特定事業者に対し，合理化計画を作成してこれを提出すべき旨の指示をすることができる．

②　主務大臣は，特定事業者が作成した合理化計画が適切でないと認めるときは，当該特定事業者に対し，合理化計画を変更すべき旨の指示をすることができる．

③　主務大臣は，特定事業者が合理化計画を実施していないと認めるときは，当該特定事業者に対し，合理化計画を適切に実施すべき旨の指示をすることができる．

④　主務大臣は，特定事業者が正当な理由がないにもかかわらず合理化計画を実施すべき旨の指示に係る措置をとらなかったときは，政令で定める審議会等の意見を聴いて，当該特定事業者に対し，その指示に係る措置をとるべきことを命ずることができる．

〈［ 9 ］の解答群〉

ア ①　**イ** ②　**ウ** ③　**エ** ④

2)『法』第 17 条第 4 項は，当該特定事業者が合理化計画に係る指示に従わなかった場合，主務大臣は，［ 10 ］することができるという規定である．

〈［ 10 ］の解答群〉

ア エネルギー使用量削減を指示　**イ** エネルギーの供給を制限

ウ 是正を勧告　**エ** その旨を公表

解　説

「エネルギーの使用の合理化及び非化石エネルギーへの転換等に関する法律」（以下「法」）の条文の内容を直接問う問題である．

(1)「法」第 1 条からの出題である．例年，問題 1 は「法」からの出題が多く，(1)は法の条文のままの出題である．「法」第 1 条は「法」の目的に関する条文である．条文は，以下のとおりである．

第 1 条　この法律は，我が国で使用されるエネルギーの相当部分を化石燃料が占めていること，非化石エネルギーの利用の必要性が増大していることその他の**内外におけるエネルギーをめぐる経済的社会的環境**に応じたエネルギーの有効な利用の確保に資するため，工場等，輸送，建築物及び機械器具等についてのエネルギーの使用の合理化及び非化石エネルギーへの転換に関する所要の措置，電気の需要の最適化に関する所要の措置その他エネルギーの使用の合理化及び非化石エネルギーへの転換等を総合的に進めるために必要な措置等を講ずることとし，もつて国民経済の健全な発展に寄与することを目的とする．

(2)

1）「法」第3条は,「基本方針」について定めていて,以下のような条文となっている．

第3条　経済産業大臣は，工場又は事務所その他の事業場（以下「工場等」という．），輸送，建築物，機械器具等に係るエネルギーの使用の合理化及び非化石エネルギーへの転換並びに**電気の需要の最適化**を総合的に進める見地から，エネルギーの使用の合理化及び非化石エネルギーへの転換等に関する基本方針（以下「基本方針」という．）を定め，これを公表しなければならない．

（以下省略）

2）「法」第3条第4項は，以下のような条文となっている．

4　経済産業大臣は，基本方針を定めようとするときは，あらかじめ，輸送に係る部分，建築物に係る部分（建築材料の品質の向上及び表示に係る部分並びに建築物の外壁，窓等を通しての熱の損失の防止の用に供される建築材料の熱の損失の防止のための性能の向上及び表示に係る部分を除く．）及び**自動車の性能**に係る部分については国土交通大臣に協議しなければならない．

（以下省略）

3）平成30年11月30日経済産業省告示第234号（一部改正）の「基本方針」では，第一の一の（一）で工場等においてエネルギーを使用して事業を行う者が講ずべき措置として9項目を定めている．第一の一の（二）は以下のような条文になっている．

（二）　エネルギーの供給の事業を行う者は，（一）に掲げる各項目の実施を通じエネルギーの転換における効率の向上を図るとともに，エネルギーの供給のための施設全体としてのエネルギー消費効率が需要の変動に応じて最良となるような効率的な施設の運用及び**エネルギーの輸送**における損失の低減を図るものとする．

(3)　問題の初めに記された「法」,「令」,「則」から，特定事業者に指定する場合のエネルギー使用量の算出を求めていることがわかる．

1）2010年度施行の「法」改正における重要ポイントである「法」第7条「特定事業者」の指定に関連する問題である．この出題は毎年出題されており，過去8年間の用途は「圧延工場・精整加工工場」,「食品工場」,「食品製造工場」，「化学製品製造工場」，「機械部品製造工場」，「食品加工工場」，「化学工場」，「金属加工工場」である．そして今年は「化学工場」であり，用途による規定の違いはいまのところない．

問われる内容はほぼ同じで，工場内のエネルギー使用量の計算から事業所として法的規制を問う問題で，「法」第2条のエネルギーの「定義」や第7条以降の「特定事業者」や「エネルギー管理指定工場」，そして「エネルギー管理者」「エネルギー管理員」の選任などに関する規定について問われる計算問題である．計算の方法，根拠および判断の基準を明確に理解する必要がある．

エネルギー使用量の計算は，設問の化学工場においてはaのボイラで使用した都市ガス，bの電気事業者から購入した電気，cのガスタービンコージェネレーションの燃料として使用した都市ガスの量の合計である．電気事業者から購入して使用した電気，都市ガスは「法」第2条，「エネルギーの使用の合理化及び非化石エネルギーへの転換等に関する法律施行令」（以下「令」）第1条，「エネルギーの使用の合理化及び非化石エネルギーへの転換等に関する法律施行規則」（以下「則」）第2条から使用量に該当する．dの蒸気の凝縮水の一部による熱量，eの冷却水の熱量は，「法」第2条第1項，「令」第1条第1項に定める熱に該当しない．

事業者としてはfとhの本社事務所でのエネルギー使用量も加わり，「法」で定めるエネルギー使用量は電気事業者から購入して使用した電気，hの外部熱供給事業者から供給された冷温水に「則」第4条に定める原油換算量0.025 8 kL/GJを乗じて求めた使用量を加算する．gは，「法」第2条第1項から，使用量に該当しない．

化学工場のエネルギー使用量は

(aの都市ガス ＋ bの電気 ＋ cの都市ガス) GJ × 0.025 8 kL/GJ

＝(200 000 GJ ＋ 350 000 GJ ＋ 250 000 GJ) × 0.025 8 kL/GJ

＝ 20 640 kL

本社事務所のエネルギー使用量は

(fの電気 ＋ hの冷水と温水) GJ × 0.025 8 kL/GJ

＝(38 000 GJ ＋ 12 700 GJ ＋ 10 500 GJ) × 0.025 8 kL/GJ

＝ 1 578.96 ≒ 1 579 kL

事業者全体としてのエネルギー使用量は

(化学工場の使用量)＋(本社事務所の使用量)

＝ 20 640 kL ＋ 1 579 kL

＝ 22 219 kL

となり，事業者としては「法」第7条第1項,「令」第2条第1項に定めるところの1 500 kL を超えているため，この事業者は特定事業者に該当する．

2) 化学工場のエネルギー使用量は「法」第10条第1項, 第13条第1項,「令」第3条，第6条に定めるところにより3 000 kL 以上であるため，この工場は第一種エネルギー管理指定工場となる．また，本社事務所はエネルギー使用量が1 500 kL 以上であることから，第二種エネルギー管理指定工場に該当する．

3) この事業者は特定事業者であることから「法」第8条および第9条より「エネルギー管理統括者」と「エネルギー管理企画推進者」の選任が必要になるとともに，化学工場は第一種であるので,「法」第11条第1項から「エネルギー管理者」の選任の義務がある．エネルギー管理者の人数については,「令」第4条第1項第二号から20 000 kL 以上50 000 kL 未満なので，2名の選任が必要である．一方，本社事務所のエネルギー使用量は1 500 kL 以上であるため，第二種エネルギー管理指定工場に該当することから,「法」第14条からエネルギー管理員の選任が必要である．

事業者としての規定である「特定事業者」, 事業所としての規定である「エネルギー管理指定工場」，そしてそれぞれの第一種，第二種の規定，またそれに伴う資格者の選任に関する規定は複雑であるので，正確に覚えておくことが重要である．

なお，第一種特定事業者とは第一種エネルギー管理指定工場を設置する特定事業者であることも重要であるのでよく理解しておく必要がある．

また,「則」第17条により，エネルギー管理者の選任は，選任すべき事由が生じた日から6か月以内に行わなければならない．

(4) 「法」第16条は，特定事業者の定期の報告に関する規定である.「則」第36条から第38条が，これに関連する規定となっている.「則」第37条の条文は，以下のとおりである．

第37条　法第16条第1項，第28条第1項又は第40条第1項の経済産業省令で定める事項は，前年度における次に掲げる事項とする．

一　エネルギーの種類別の使用量及び販売した副生エネルギーの量並びにそれらの合計量

二　前年度のエネルギーの使用量が令第6条で定める数値以上の工場等(第一種エネルギー管理指定工場等，第二種エネルギー管理指定工場等，第一種連鎖化エネルギー管理指定工場等，第二種連鎖化エネルギー管理指定工場等，第一種管理統括エネルギー管理指定工場等，第二種管理統括エネルギー管理指定工場等，第一種管理関係エネルギー管理指定工場

等又は第二種管理関係エネルギー管理指定工場等を除く.）にあっては，その使用量

三　**エネルギーを消費する設備の新設，改造又は撤去の状況及び稼働状況**

四　エネルギーの使用の合理化に関する設備の新設，改造又は撤去の状況及び稼働状況

五　判断基準の遵守状況及び電気の需要の最適化に資する措置に関する法第 5 条第 3 項に規定する指針に従って講じた措置の状況その他のエネルギーの使用の合理化等に関し実施した措置

六　生産数量（これに相当する金額を含む.）又は建物延床面積その他のエネルギーの使用量と密接な関係をもつ値

七　**エネルギーの使用の効率**

八　判断基準に定めるベンチマーク指標に基づき算出される値

九　非化石エネルギーの使用状況

十　エネルギーの使用に伴って発生する二酸化炭素の排出量

したがって，設問の②と③が含まれることから，正解はエである.

(5)

1)「法」第 17 条に「エネルギーの使用の合理化に関する計画に係る指示及び命令」が規定されている.「法」第 17 条は以下のとおりである.

第 17 条　主務大臣は，特定事業者が設置している工場等におけるエネルギーの使用の合理化の状況が第 5 条第 1 項に規定する**判断の基準となるべき事項に照らして著しく不十分であると認めるときは**，当該特定事業者に対し，当該特定事業者のエネルギーを使用して行う事業に係る技術水準，同条第 3 項に規定する指針に従って講じた措置の状況その他の事情を勘案し，その判断の根拠を示して，エネルギーの使用の合理化に関する計画（以下「合理化計画」という.）を作成し，これを**提出すべき旨の指示をする**ことができる.

2　主務大臣は，合理化計画が当該特定事業者が設置している工場等に係るエネルギーの使用の合理化の適確な実施を図る上で**適切でないと認めるときは**，当該特定事業者に対し，**合理化計画を変更すべき旨の指示をする**ことができる.

3　主務大臣は，特定事業者が合理化計画を**実施していないと認めるときは**，当該特定事業者に対し，**合理化計画を適切に実施すべき旨の指示をする**ことができる.

4　主務大臣は，前 3 項に規定する指示を受けた特定事業者が**その指示に従わなかったときは**，**その旨を公表する**ことができる.

5　主務大臣は，第1項から第3項までに規定する指示を受けた特定事業者が，正当な理由がなくてその指示に係る措置をとらなかったときは，審議会等（国家行政組織法（昭和23年法律第120号）第8条に規定する機関をいう．以下同じ.）で政令で定めるものの意見を聴いて，当該特定事業者に対し，その指示に係る措置をとるべきことを命ずることができる．

以上のように，主務大臣は，特定事業者に合理化計画に係る指示をすることができ，提出した合理化計画に対して不適切であった場合には，それを是正する命令を出せると規定しているが，特定事業者が定期報告書および中長期計画書を提出しない場合の指示については規定されていない．

2)　前述のように「法」第17条第4項に「主務大臣は，前3項に規定する指示を受けた特定事業者がその指示に従わなかったときは，その旨を公表することができる」と規定されている．

解　答　(1)　**1-エ**

(2)　**2-エ，3-ウ，4-イ**

(3)　**A-20 640，B-1 579，5-イ，6-イ，7-キ**

(4)　**8-エ**

(5)　**9-ア，10-エ**

（エネルギー情勢・政策，エネルギー概論）

問題2　次の各文章の [1] ～ [9] の中に入れるべき最も適切な字句等をそれぞれの解答群から選び，その記号を答えよ．

また，[A $a.b \times 10^c$] に当てはまる数値を計算し，その結果を答えよ．ただし，解答は解答すべき数値の最小位の一つ下の位で四捨五入すること．（配点計50点）

(1)　国際単位系（SI）では，長さ（メートル［m］），質量（キログラム［kg］），時間（秒［s］），電流（アンペア［A］），熱力学温度（ケルビン［K］），光度（カンデラ［cd］）及び物質量（モル［mol］）の7つを基本単位としている．

これに対し，例えば単位時間当たりの仕事すなわち仕事率の単位であるワット［W］は，前述の7つの基本単位のうちのいくつかを組み合わせて [1] と表されるので，組立単位と呼ばれる．

また，電圧，起電力などを表す単位であるボルト［V］は，基本単位のアンペア［A］と組立単位のワット［W］を用いてW/Aと表されるが，組立単位のクーロン［C］とジュール［J］を用いて [2] と表すこともできる．これらの関係に基づくと，単3形のアルカリ乾電池が，起電力を1.5V一定

として1 000 mAの電流を1時間供給した場合，そのエネルギー量をジュール［J］に換算すると [A | $a.b \times 10^{c}$] ［J］となる．

〈[1] 及び [2] の解答群〉

ア　$kg\cdot m/s^2$　**イ**　$kg\cdot m^2/s^2$　**ウ**　$kg\cdot m^2/s^3$　**エ**　J·C

オ　C/J　**カ**　J/C

(2)　経済産業省のエネルギー白書2021によると，我が国の2019年度における最終エネルギー消費では，産業部門と運輸部門の合計で，全体の約 [3] ［%］に達している．一方，エネルギー供給における化石エネルギーの輸入先を見ると，石油は圧倒的に中東に依存しており，サウジアラビアと [4] が大きな割合を占めている．また，天然ガスの輸入先で最も大きな割合を占めているのは [5] であり，次いでマレーシア，カタールの順である．

〈[3] ～ [5] の解答群〉

ア　55　**イ**　70　**ウ**　85　**エ**　アラブ首長国連邦

オ　オーストラリア　**カ**　クウェート

キ　バーレーン　**ク**　米国

(3)　脱炭素技術の一つとして最近メタネーションが注目されている．この技術は，さまざまな排出源から回収した二酸化炭素に水素を触媒反応させてメタン（CH_4）を合成するもので，このメタンは，既存の天然ガスのインフラストラクチャーを活用して輸送・貯蔵・利用できる．メタネーションで1モルの二酸化炭素を全てメタンと水にするには，理論的に [6] モルの水素分子が必要になるので，この水素をどのように供給するかが鍵となり，再生可能エネルギー由来のいわゆる [7] 水素を主に供給することが前提となる．

ちなみに，化石燃料由来の水素であっても，水素を生成したときに発生した二酸化炭素の大気中への排出を抑える方法の一つである [8] を適用する場合は [9] 水素と呼ばれる．

〈[6] ～ [9] の解答群〉

ア　2　**イ**　3　**ウ**　4　**エ**　CCUS

オ　IGCC　**カ**　IPCC　**キ**　イエロー　**ク**　グリーン

ケ　グレー　**コ**　ブルー

解　説

(1)　国際単位系（SI）の基本単位と組立単位についての問題である．

国際単位系（SI）は，長さ［m］，質量［kg］，時間［s］，電流［A］，熱力学温度［K］，光度［cd］および物質量［mol］の7個を基本単位としている．これ以外の単位は基本単位を組み合わせて使用するので，組立単位と呼ばれる．例えば，単位時間当たりの仕事すなわち仕事率の単位ワット[W]は，単位時間［s］当たりの仕事［J］であるから，

$$[W]=[J/s]=[N\cdot m/s]=[kg\cdot m^2/(s^2\cdot s)]=[kg\cdot m^2/s^3]$$

となる．

また，電圧や起電力を表す単位のボルト［V］は，電流の単位［A］と仕事率の単位［W］から，［W/A］と表されるが，組立単位である電荷の単位クーロン［C］とエネルギーのジュール［J］を用いると，

$$[V]=[W/A]=[J/(A\cdot s)]$$

となる．ここで，クーロン［C］は電流と時間の積であり，

$$[C]=[A]\times[s]=[A\cdot s]$$

であるから

$$[V]=[J/C]$$

となる．

アルカリ乾電池の起電力が1.5 V で1 000 mA（＝1 A）の電流を1時間（＝3 600 s）供給した場合，前述の単位の換算から

$$[J]=[V][C]=[V][A\cdot s]$$

となるので，エネルギー量は

$$1.5\times1.0\times3\,600=5\,400\ J=5.4\times10^3\ J$$

となる．

(2)　経済産業省の「令和2年度エネルギーに関する年次報告（エネルギー白書2021)」によると，「第2部エネルギー動向　第1章　国内エネルギー動向」82ページの「【第211-1-1】最終エネルギー消費と実質GDPの推移」の棒グラフに日本の最終エネルギー消費は産業部門46.1 %，運輸部門23.2 %と記載されているので，両者の合計は69.3 %であり，約70 %となる．

エネルギー供給における原油の輸入先は，100ページの「【第213-1-3】原油の輸入先（2019年度)」に，上位2か国がサウジアラビア34.1 %，アラブ首長国連邦32.7 %と記載されている．天然ガスについては，105ページの「【第213-1-11】LNGの輸入先（2019年度)」に，第1位オーストラリア39.2 %，次いでマレーシア13.0 %，カタール11.2 %，ロシア8.3 %と記載されている．

(3)　メタネーションは，温室効果ガスの二酸化炭素に水素を触媒で反応させて，都市ガスの主成分のメタンを合成する技術である．すなわち，

$$CO_2+4H_2\rightarrow CH_4+H_2O$$

という化学反応になる．したがって，1 molの二酸化炭素をメタンと水にす

るためには 4 mol の水素が必要になる．

水素は自然界に存在しないので，これをどのように供給するかという問題が発生する．水素は生成方法によって，名称が「色分け」されて以下のように呼ばれている．

グレー水素：化石燃料（主として天然ガス）を改質して生成した水素．生成過程で二酸化炭素が発生する．

グリーン水素：再生可能エネルギーの余剰電力で水を電気分解して生成した水素．

ブルー水素：グレー水素の生成で発生した二酸化炭素を CCUS（二酸化炭素回収・利用・貯留：Carbon dioxide Capture, Utilization and Storage）で吸収．

イエロー水素：原子力発電で得た電力で水を電気分解して生成した水素．

解　答　(1)　**1-ウ，2-カ，A-5.4×10^{3}**

(2)　**3-イ，4-エ，5-オ**

(3)　**6-ウ，7-ク，8-エ，9-コ**

（エネルギー管理技術の基礎）

問題3　次の各文章は，「工場等におけるエネルギーの使用の合理化に関する事業者の判断の基準」（以下，『工場等判断基準』と略記）の内容及びそれに関連した管理技術の基礎について述べたものである．ここで，『工場等判断基準』は，令和 5 年 10 月 1 日時点で施行されているものである．

これらの文章において，『工場等判断基準』の本文に関連する事項については，その引用部を示す上で，「Ⅰ　エネルギーの使用の合理化の基準」の部分は，『基準部分』と略記する．特に「工場等（専ら事務所その他これに類する用途に供する工場等を除く）」における『基準部分』を，『基準部分（工場）』と略記する．

1 ～ 12 の中に入れるべき最も適切な字句等をそれぞれの解答群から選び，その記号を答えよ．

また，A ab ～ H a.b に当てはまる数値を計算し，その結果を答えよ．ただし，解答は解答すべき数値の最小位の一つ下の位で四捨五入すること．なお，単位の $\mathrm{m^3_N}$ は標準状態（0 ℃，1 気圧）における気体の体積を表す．（配点計 100 点）

(1)　『基準部分』の「Ⅰ-1 全ての事業者が取り組むべき事項」では，エネルギーを使用して事業を行う全ての事業者が取り組むべき事項として，次の 9 項目が定められている．事業者は設置している工場等全体を俯瞰《ふかん》し，これらの取組を行うことにより，適切なエネルギー管理を行うことが求められている．

① 取組方針の策定　　② [1] の整備
③ 責任者等の配置等　　④ 資金・人材の確保
⑤ 従業員への周知・教育　　⑥ 取組方針の [2] 状況の確認等
⑦ 取組方針の精査等　　⑧ [3] による状況把握
⑨ エネルギーの使用の合理化に資する取組に関する情報の開示

〈[1]～[3] の解答群〉

ア FEMS　　**イ** エネルギー使用設備　　**ウ** 管理体制
エ 管理標準　　**オ** 内部監査　　**カ** 文書管理
キ 遵守　　**ク** 進捗　　**ケ** 理解

(2) 熱と仕事は共にエネルギーの一形態であって互いに変換することができる．熱力学の第一法則は，閉じた系においては，系に外部から熱と仕事が加えられると，その総和は [4] の増加分となることを示すものである．

〈[4] の解答群〉

ア エンタルピー　　**イ** エントロピー　　**ウ** 内部エネルギー

(3) $1\ m^3_N$ のプロパン（C_3H_8）を，完全燃焼させるのに必要な理論空気量は，[A ab]［m^3_N］である．ただし，空気中の酸素濃度（体積割合）を 21 % とする．

(4) 炉壁内面温度が 800 ℃の炉で，炉壁外面温度を 80 ℃として側壁外面から周囲への放散熱量を 600 W/m^2 以下とするためには，熱伝導率が 0.25 W/(m·K) の炉壁材料を用いた場合，炉壁の厚さを [B ab]［cm］以上とする必要がある．

(5) 表面の放射率が 0.8 一定で，温度が 1 000 K 一定に保たれている球体がある．この球体表面から放散される単位面積当たりの放射エネルギーは，[C ab]［kW/m^2］である．ここで，ステファン・ボルツマン定数は，5.67×10^{-8} W/(m^2·K^4) とする．

(6) 高温の加熱炉の炉壁材として，耐火れんが，耐火断熱れんが，ファイバ系断熱材等が使用される．熱の供給停止に伴う炉内温度の急激な低下を抑止したい場合には，これらの炉壁材の中で，蓄熱性が最も高い [5] を炉内側に使用し，炉外側に高断熱性の炉壁材を使用して炉全体の断熱性を高めることが有効である．

〈[5] の解答群〉

ア ファイバ系断熱材　　**イ** 耐火れんが　　**ウ** 耐火断熱れんが

(7) ある温度及び圧力で，乾き度が 0.8 の湿り蒸気がある．その温度及び圧力のときの飽和水の比エンタルピーが 420 kJ/kg，乾き飽和蒸気の比エンタル

ピーが 2 670 kJ/kg であるとき，この湿り蒸気の比エンタルピーは，
[D a.b] $\times 10^3$ [kJ/kg] である．

(8) 加熱等を行う設備の新設・更新に当たっての措置の一つとして『基準部分（工場）』は，「ボイラー，冷凍機，ヒートポンプ等の熱利用設備を設置する場合には，[6] すること又は蓄熱設備を設けることによりエネルギーの使用の合理化が図れるときは，その方法を採用すること」を求めている．

〈[6] の解答群〉

ア 大型化し集約配置　　**イ** 小型化し分散配置

ウ 多段化しカスケード運用

(9) 空気調和設備の冷熱源のエネルギー性能を表す指標の一つとして成績係数が用いられる．

いま，一次エネルギーである燃料を熱源とする高発熱量基準の成績係数が 1.1 の吸収冷凍機と，電気使用量基準の成績係数が 3.4 の蒸気圧縮冷凍機がある．この 2 種類の冷凍機が同じ負荷で稼動したときのエネルギー使用量を一次エネルギー換算値で比較すると，吸収冷凍機は蒸気圧縮冷凍機の [E a.b] 倍使用していることになる．ただし，電気の高発熱量基準の受電端発電効率を 37 %とし，補機電力は考えないものとする．

(10) ある火力発電所が，高発熱量 40 MJ/L の A 重油を燃料として発電している．ある期間に使用した A 重油の量が 50 kL で，このときの高発熱量基準の発電端熱効率は 39.6 %であった．この場合，この期間の発生電力量は [F abc] [MW·h] である．

(11) ある平衡三相負荷の消費電力を求める．この負荷の線間電圧が 200 V，線電流が 60 A で力率が 80 %であった．このとき，この負荷の電力は [G ab] [kW] である．ここで，$\sqrt{3} = 1.73$ とする．

(12) 工場の受変電設備及び配電設備においては，線路抵抗の低減や線路電流の低減により配電損失を低減することが望まれる．『基準部分（工場）』は，「受変電設備の配置の適正化及び配電方式の変更による [7]，配電電圧の適正化等について管理標準を設定し，配電損失を低減すること．」を求めている．

〈[7] の解答群〉

ア 電圧不平衡の防止　　**イ** 配電線路の細分化　　**ウ** 配電線路の短縮

(13) 受変電設備及び配電設備に関して，『基準部分（工場）』は，「電気を使用する設備の稼働について管理標準を設定し，調整することにより，工場における電気の使用を平準化して最大電流を低減すること．」を求めている．電気の使用の平準化を行うための代表的な方法として，最大需要電力の低減がある．

1）　最大需要電力を低減するために，一般に［ 8 ］装置が用いられる．また，電気の使用の平準化を目的として蓄熱設備，蓄電設備なども用いられる．

〈［ 8 ］の解答群〉

ア　デマンド監視制御　　**イ**　電圧調整　　**ウ**　無効電力調整

2）　ある工場では，最大需要電力を 6 000 kW 以下に抑えることにしている．ある日の 9 時から 9 時 30 分までの 30 分間について考える．9 時から 9 時 20 分までに使用した電力量が 2 200 kW·h であるとすると，9 時 20 分から 9 時 30 分までの残り 10 分間の平均電力を［H｜a.b］ $\times 10^3$ ［kW］以下とする必要がある．ここで，最大需要電力は使用電力を 30 分ごとに区切ってその 30 分間の平均値で管理するものとする．

(14)　電動機では，回転運動によって電動機軸に負荷に応じたトルクが発生する．回転速度が n ［min^{-1}］で回転している電動機の軸動力が P ［W］であるとき，発生するトルクは［ 9 ］［N·m］である．

〈［ 9 ］の解答群〉

ア　$\dfrac{60P}{2\pi n}$　　**イ**　$\dfrac{Pn}{60}$　　**ウ**　$\dfrac{60P}{n}$

(15)　ポンプやファンなどの電動力応用設備は，負荷の大きさによらず発生する固定損が消費電力の数 10 %に達するものが多い．『基準部分（工場）』は，「電動力応用設備については，電動機の空転による電気の損失を低減するよう，始動電力量との関係を勘案して管理標準を設定し，［ 10 ］を行うこと．」を求めている．

〈［ 10 ］の解答群〉

ア　最低負荷の維持　　**イ**　始動方法の改善　　**ウ**　不要時の停止

(16)　電気加熱設備及び電解設備は一般に低電圧，大電流で運用されることが多い．そのために，『基準部分（工場）』は，「電気加熱設備及び電解設備は，配線の接続部分，開閉器の接触部分等における［ 11 ］を低減するように保守及び点検に関する管理標準を設定し，これに基づき定期的に保守及び点検を行うこと．」を求めている．

〈［ 11 ］の解答群〉

ア　周囲温度　　**イ**　抵抗損失　　**ウ**　漏れ磁束

(17)　室内の照明設備において，「作業を行う領域には所要の照度を与え，その他の領域には，これより低い照度を与える照明方式」を［ 12 ］照明という．この照明方式は，工場や業務用ビルの事務室など広い空間での省エネルギーに有効である．

〈 12 の解答群〉

ア　タスク・アンビエント　　**イ**　バランス　　**ウ**　間接

解　説

告示「工場等におけるエネルギーの使用の合理化に関する事業者の判断の基準」（以下「工場等判断基準」と略記）からの出題である．この告示は特に重要で毎年出題確率が高い．しかも告示そのものが多岐にわたるため，できるだけ読み込んで内容を理解しておく必要がある．計算問題も多いので，正確な計算も求められる．

(1)　告示「工場等判断基準」の「基準部分」「Ⅰ-1　全ての事業者が取り組むべき事項」では，以下の9項目の取組みが規定されている．

(1)　取組方針の策定
(2)　管理体制の整備
(3)　責任者等の配置等
(4)　資金・人材の確保
(5)　従業員への周知・教育
(6)　取組方針の遵守状況の確認等
(7)　取組方針の精査等
(8)　文書管理による状況把握
(9)　エネルギーの使用の合理化に資する取組に関する情報の開示

(2)　熱力学第一法則はエネルギー保存則であり，閉じた系において外部から熱と仕事が与えられると，その総和は内部エネルギーの増加分となることを示している．

(3)　プロパンを完全燃焼させるとき，

$$\underset{1\,\mathrm{mol}}{C_3H_8} + \underset{5\,\mathrm{mol}}{5O_2} \rightarrow 3CO_2 + 4H_2O$$

となる．したがって，1 molのプロパンを完全燃焼させるのに必要な理論酸素量は5 molとなる．1 molの気体の体積は等しいので，1 $m^3{}_N$のプロパンを完全燃焼させるのに必要な理論酸素量は5 $m^3{}_N$となる．空気中の酸素濃度を21 %とすると，必要な理論空気量は

$$\frac{5}{0.21} = 23.8 \fallingdotseq 24\ m^3{}_N$$

となる．

(4)　熱通過による炉の側壁外面から周囲への放散熱量をq［W/m²］，熱伝導率をλ［W/(m·K)］，炉壁の厚さをd［m］，炉壁内面温度をt_{si}［℃］，炉壁外

面温度を t_{so}［℃］とすると

$$q = \frac{\lambda}{d} \times (t_{si} - t_{so})$$

となるので，

$$600 = \frac{0.25}{d} \times (800 - 80)$$

である．したがって，炉壁の厚さは

$$d = 0.3\ \mathrm{m} = 30\ \mathrm{cm}$$

以上である．

(5)　ステファン・ボルツマンの法則により，物体の放射率が等しい場合，放射エネルギー q_R は表面温度（絶対温度）の 4 乗に比例する．

　したがって，表面の放射率が $\varepsilon = 0.8$，ステファン・ボルツマン定数が $\sigma = 5.67 \times 10^{-8}\ \mathrm{W/(m^2 \cdot K^4)}$，物体の表面温度が $T = 1\,000\ \mathrm{K}$ のとき，

$$q_R = \varepsilon\sigma T^4 = 0.8 \times 5.67 \times 10^{-8} \times 1\,000^4 = 45\,360\ \mathrm{W/m^2}$$

となる．したがって，45 kW/m^2 である．

(6)　耐火れんが，耐火断熱れんが，ファイバ系断熱材の中では，耐火れんがが最も密度が高く熱容量が大きいので，蓄熱性が最大である．耐火断熱れんがは，断熱性を向上させるために，内部に微細な気孔を有していることから，耐火れんがより密度が低く，熱容量が小さくなる．ファイバ系断熱材は，密度が非常に低く，熱容量は極めて小さい．

(7)　飽和水の比エンタルピーが 420 kJ/kg，乾き飽和蒸気の比エンタルピーが 2 670 kJ/kg のとき，湿り蒸気の比エンタルピーは

$$420 + (2\,670 - 420) \times 0.8 = 2\,220 = 2.2 \times 10^3\ \mathrm{kJ/kg}$$

となる．

(8)　告示「工場等判断基準」の「基準部分（工場）」Ⅰ-2　2-2　(2)　(2-1)

④　加熱等を行う設備の新設・更新に当たっての措置　イの(コ)では，以下のように規定している．

(コ)　ボイラー，冷凍機，ヒートポンプ等の熱利用設備を設置する場合には，小型化し分散配置すること又は蓄熱設備を設けることによりエネルギーの使用の合理化が図れるときは，その方法を採用すること．

(9)　電気の高発熱量基準の受電端発電効率を 37 % とすると，蒸気圧縮冷凍機の一次エネルギー換算の成績係数は

$$3.4 \times 0.37 = 1.258$$

となる．

　したがって，吸収冷凍機の成績係数 1.1 は一次エネルギー利用であること

から，

$$1.258/1.1 \fallingdotseq 1.14 = 1.1 \text{ 倍}$$

蒸気圧縮冷凍機の 1.1 倍エネルギー使用量が多いことになる．

⑽　火力発電所が高発熱量 40 MJ/L の A 重油を 50 kL 使用して，発電端熱効率が 39.6 % であったとき，

$$40 \times 10^3 \times 50 \times 0.396 = 792 \times 10^3 \text{ MJ}$$

の電力量を発生していることになる．

$$[\text{MW·h}] = [(\text{MJ/s}) \cdot 3\,600 \text{ s}] = 3\,600 \text{ MJ}$$

なので，発生電力量は

$$792 \times 10^3 / 3\,600 = 220 \text{ MW·h}$$

となる．

⑾　平衡三相負荷の線間電圧が 200 V，線電流が 60 A，力率が 80 % のとき，この負荷の電力は

$$\sqrt{3} \times 200 \times 60 \times 0.80 = 16\,608 \text{ W} \fallingdotseq 16.6 \text{ kW}$$

である．したがって，解答は 17 kW となる．

⑿　告示「工場等判断基準」の「基準部分（工場）」「I－2　2－2　(5)　(5－2)　①受変電設備及び配電設備の管理」イでは，抵抗等による電気の損失の防止として以下のように定めている．

イ．受変電設備の配置の適正化及び配電方式の変更による配電線路の短縮，配電電圧の適正化等について管理標準を設定し，配電損失を低減すること．

⒀　電気の使用の平準化を行うための代表的な方法として，最大需要電力（デマンド）の低減がある．

1)　デマンド監視制御装置は，最大需要電力を監視して，常時デマンド予測を行い，デマンドが目標電力を超えそうなときに警報を出したり，あらかじめ設定した機器（空調設備や照明など比較的優先度が低い機器）を自動的に停止したりして，契約電力超過を未然に防止する装置である．

また，電気使用の平準化のために，需要の少ない夜間電力を利用して蓄熱運転を行い，電気使用量の多い昼間に放熱運転を行う蓄熱式空調システムや，同様に蓄電と放電を行う蓄電池を利用することがある．

2)　最大需要電力が 6 000 kW のとき，9 時から 9 時 30 分までの 30 分間の最大使用電力量は

$$6\,000 \text{ kW} \times 0.5 \text{ h} = 3\,000 \text{ kW·h}$$

となる．9 時から 9 時 20 分までの使用電力量が 2 200 kW·h のとき，9 時 20 分から 9 時 30 分の使用電力量を

$$3\,000 - 2\,200 = 800 \text{ kW·h}$$

以下に抑える必要がある．この時間帯（10 分 ＝ 1/6 h）の平均電力を W[kW] とすると

$$W \times \frac{1}{6}\,\mathrm{h} = 800\ \mathrm{kW{\cdot}h}$$

から，

$$W = 4\,800\ \mathrm{kW} = 4.8 \times 10^3\ \mathrm{kW}$$

4.8×10^3 kW 以下にしなくてはならない．

⒁　電動機の回転速度を n [min^{-1}]，軸動力を P [W]，発生するトルクを T [N·m] とすると，軸動力は単位時間 [min]＝ 60 s 当たりの仕事 $W = 2\pi Tn$ なので，

$$P = \frac{2\pi Tn}{60}$$

となる．したがって，$T = \dfrac{60P}{2\pi n}$ となる．

⒂　告示「工場等判断基準」の「基準部分（工場）」では，「Ⅰ−2　2−2　(6)　(6−1)　①　電動力応用設備，電気加熱設備等の管理」アとして以下のように規定している．

ア．電動力応用設備については，電動機の空転による電気の損失を低減するよう，始動電力量との関係を勘案して管理標準を設定し，不要時の停止を行うこと．

⒃　告示「工場等判断基準」の「基準部分（工場）」では，「Ⅰ−2　2−2　(6)　(6−1)　③　電動力応用設備，電気加熱設備等の保守及び点検」ウとして，以下のように規定している．

ウ．電気加熱設備及び電解設備は，配線の接続部分，開閉器の接触部分等における抵抗損失を低減するように保守及び点検に関する管理標準を設定し，これに基づき定期的に保守及び点検を行うこと．

⒄　告示「工場等判断基準」では，「Ⅱ　1　1−1　(5)照明設備」として，以下のように規定している．

(5)　照明設備

照明設備に関しては，昼光を利用することができる場合には，減光が可能な照明器具の選択や照明自動制御装置の採用を検討すること．また，作業内容，周辺状況に応じたタスク・アンビエント照明の採用や照明設備を施した当初や光源の交換直後の高い照度を適正に補正し省電力を図ることができる照明設備の採用を検討すること．

タスク・アンビエント照明は，作業を行うゾーンの照明（タスク照明）で

は所要の照度を確保し，それ以外の全体的なゾーンの照明（アンビエント照明）では最低限の照度を確保する照明方式である．全体的な雰囲気が暗く感じられることがあるが，限定されたゾーンのみ所要の照度を確保することから，広い空間での省エネルギーには有効である．

解　答

(1)　**1-ウ，2-キ，3-カ**	(2)　**4-ウ**	(3)　**A-24**
(4)　**B-30**	(5)　**C-45**	(6)　**5-イ**
(7)　**D-2.2**	(8)　**6-イ**	(9)　**E-1.1**
(10)　**F-220**	(11)　**G-17**	(12)　**7-ウ**
(13)　**8-ア，H-4.8**	(14)　**9-ア**	(15)　**10-ウ**
(16)　**11-イ**	(17)　**12-ア**	

第 43 回　2021 年（令和 3 年）

（エネルギーの使用の合理化等に関する法律及び命令）

問題1　次の各文章は，「エネルギーの使用の合理化及び非化石エネルギーへの転換等に関する法律」及びそれに関連した命令について述べたものである．ここで，法令は令和 6 年 10 月 1 日時点で施行されているものである．

これらの文章において，

エネルギーの使用の合理化及び非化石エネルギーへの転換等に関する法律を『法』

エネルギーの使用の合理化及び非化石エネルギーへの転換等に関する法律施行令を『令』

エネルギーの使用の合理化及び非化石エネルギーへの転換等に関する法律施行規則を『則』

と略記する．

[1] ～ [10] の中に入れるべき最も適切な字句等をそれぞれの解答群から選び，その記号を答えよ．なお，[7] は複数箇所あるが，同じ記号が入る．

また，[A abcde] 及び [B abcd] に当てはまる数値を計算し，その結果を答えよ．ただし，解答は解答すべき数値の最小位の一つ下の位で四捨五入すること．（配点計 50 点）

(1)　「エネルギー管理統括者」及び「エネルギー管理企画推進者」に関する事項について

1)　特定事業者として指定された事業者は，『法』第 8 条により，次の①及び②を統括管理するエネルギー管理統括者を選任しなければならない．

①　『法』第 15 条第 1 項の [1] の作成事務

②　その設置している工場等におけるエネルギーの使用の合理化に関し，エネルギーを消費する設備の維持，エネルギーの使用の方法の改善及び監視その他経済産業省令で定める業務

なお,『則』では, ②の「その他経済産業省令で定める業務」の一つとして,「特定事業者が設置している工場等におけるエネルギーを消費する設備の [2] に関すること」が規定されている．

〈[1] 及び [2] の解答群〉

ア　エネルギー方針　　**イ**　経営計画　　**ウ**　合理化計画

エ　中長期的な計画　　**オ**　管理標準の整備　　**カ**　更新予算の確保

キ　新設，改造又は撤去　　**ク**　性能の向上

2)　特定事業者は，エネルギー管理統括者の選任に加えて，『法』第9条により，エネルギー管理企画推進者を選任しなければならない．エネルギー管理企画推進者に関する次の①～③の記述のうち，『法』，『則』の規定に従って正しいものを全て挙げると［ 3 ］である．

①　エネルギー管理企画推進者は，エネルギー管理統括者を補佐する．

②　エネルギー管理企画推進者の選任に当たっては，選任すべき事由が生じた日から6ヶ月以内に選任しなければならない．

③　エネルギー管理企画推進者は，エネルギー管理者又はエネルギー管理員の経験を有していなければならない．

〈［ 3 ］の解答群〉

ア　①　**イ**　②　**ウ**　③　**エ**　①と②　**オ**　①と③　**カ**　②と③

3)　特定事業者は，『法』第9条第1項により，エネルギー管理企画推進者を次に掲げる者のうちから選任しなければならない．

①　経済産業大臣又は指定講習機関が経済産業省令で定めるところにより行うエネルギーの使用の合理化に関し必要な知識及び技能に関する講習の課程を修了した者

②　エネルギー管理士免状の交付を受けている者

さらに，『法』第9条第2項では，『則』で定められた期間ごとに，当該エネルギー管理企画推進者に資質の向上を図るための講習を受けさせなければならない場合を規定しているが，その対象者となるのは［ 4 ］である．

〈［ 4 ］の解答群〉

ア　①から選任した場合のみ　**イ**　②から選任した場合のみ

ウ　①あるいは②から選任した場合の両方

(2)　エネルギーを使用する工場等における『法』の適用に関する事項について（『法』第2条，第7条～第14条及び関係する『令』，『則』の規定）

ある事業者が金属加工工場と，別の事業所として専ら事務所として使用されている本社事務所を有しており，これらがこの事業者の設置している施設の全てである．ここで，金属加工工場における前年度の燃料，電気などの使用量は，次のa～e，本社事務所における前年度の電気などの使用量は，次のf及びgのとおりであり，この事業者はこれら以外のエネルギーは使用していなかった．なお，この事業者は連鎖化事業者，認定管理統括事業者又は管理関係事業者のいずれにも該当していない．

[金属加工工場の燃料，電気などの使用量]

a：ボイラの燃料として都市ガスを使用した．その量を発熱量として換算し

た量が 11 万ギガジュールであった．また，そのボイラによる発生蒸気を利用した後の凝縮水の一部を回収してボイラ給水として使用した．その回収して使用した熱量が 4 千ギガジュールであった．

b：加熱炉の燃料として都市ガスを使用した．その量を発熱量として換算した量が 31 万ギガジュールであった．また，加熱炉の排熱を a のボイラの給水の昇温に利用した．その利用した排熱の熱量が 1 万ギガジュールであった．

c：b の加熱炉は，前年度の途中に断熱を強化する改造工事を実施した．この改造工事によって，b の加熱炉の改造後の都市ガスの使用量は，改造前に対して 10 %低減させることができていた．

d：b の加熱炉によって加熱した金属の冷却のために，工場内の排水処理場を経て循環利用している冷却水を使用している．この冷却水で金属を冷却した熱量は 3 万ギガジュールであった．

e：電気事業者から購入して使用した電気の量を熱量として換算した量が 42 万ギガジュールで，電気の購入先の電気事業者では，化石燃料によって発電された電気を販売していた．

[本社事務所の電気などの使用量]

f：電気事業者から購入して使用した電気の量を熱量として換算した量が 4 万 5 千ギガジュールで，電気の購入先の電気事業者では，化石燃料によって発電された電気を販売していた．

g：給湯には，電気を使用して加熱ヒーターとヒートポンプを稼働している．これらを稼働させるための電気は f の電気の一部であり，ヒートポンプによる空気中の熱の利用によって得られた熱量は 2 千ギガジュールであった．

1)　前年度に使用した，『法』で定めるエネルギーの使用量を原油の数量に換算した量は，金属加工工場では [A abcde] キロリットル，本社事務所では [B abcd] キロリットルである．この事業者のエネルギー使用量は，金属加工工場と本社事務所のエネルギー使用量の合計であり，その量から判断して，この事業者は特定事業者に該当する．

なお，『則』によれば，発熱量又は熱量 1 ギガジュールは原油 0.025 8 キロリットルとして換算することとされている．

2)　1)から求めた「前年度に使用した，『法』で定めるエネルギーの使用量」から判断して，この金属加工工場は，第一種エネルギー管理指定工場等に該当する．また，本社事務所は，[5]．

〈 5 の解答群〉

ア　第一種エネルギー管理指定工場等に該当する

イ　第二種エネルギー管理指定工場等に該当する

ウ　金属加工工場と合わせて，第一種エネルギー管理指定工場等に該当する

エ　エネルギー管理指定工場等に該当しない

3)　1)及び2)によって当該の指定を受けた後，この事業者が，事業者の単位で選任しなければならないのは，エネルギー管理統括者及びエネルギー管理企画推進者であり，工場等の単位で選任しなければならないのは，金属加工工場の 6 である．

〈 6 の解答群〉

ア　エネルギー管理者１名　　**イ**　エネルギー管理者２名

ウ　エネルギー管理者３名　　**エ**　エネルギー管理員

(3)　「定期の報告」に関する事項について

特定事業者は，『法』第16条に基づいて，毎年度，『則』で定めるところにより，その設置している工場等におけるエネルギーの使用量その他エネルギーの使用の状況並びにエネルギーを消費する設備及びエネルギーの使用の合理化に関する設備の設置及び改廃の状況に関し，『則』で定める事項を主務大臣に報告しなければならない．これを定期の報告という．

ここで，前述のエネルギーの使用の状況には，エネルギーの使用の効率及びエネルギーの使用に伴って発生する 7 に係る事項を含むとされている． 7 が挙げられているのは，エネルギーの使用と地球環境との関係によるものである．

〈 7 の解答群〉

ア　蒸気の使用量　　**イ**　電気の需要の変動

ウ　二酸化炭素の排出量　　**エ**　廃熱の排出量

(4)　「機械器具に係る措置」及び「熱損失防止建築材料に係る措置」に関連する事項について

1)　『法』第149条では，経済産業大臣（自動車及びこれに係る特定関係機器にあっては，経済産業大臣及び国土交通大臣）は，特定エネルギー消費機器等ごとに，そのエネルギー消費性能又はエネルギー消費関係性能の向上に関しそのエネルギー消費機器等製造事業者等の判断の基準となるべき事項を定め，これを公表するものとする，としている．

また，この判断の基準となるべき事項は，当該特定エネルギー消費機器等のうちエネルギー消費性能等が最も優れているもののそのエネルギー消費性能等，当該特定エネルギー消費機器等に関する 8 の将来の見通

しその他の事情を勘案して定めるものとし，これらの事情の変動に応じて必要な改定をするものとする，としている．

〈[8]の解答群〉

ア　技術開発　　**イ**　競争力　　**ウ**　生産コスト　　**エ**　部品調達

2)　『法』第154条では，熱損失防止建築材料のうち，我が国において[9]，かつ，建築物において熱の損失が相当程度発生する部分に主として用いられるものであって，『法』第153条に規定する性能の向上を図ることが特に必要なものとして『令』で定める特定熱損失防止建築材料については，経済産業大臣は，特定熱損失防止建築材料ごとに，『法』に規定する性能の向上に関し熱損失防止建築材料製造事業者等の判断の基準となるべき事項を定め，これを公表するものとする，としている．

〈[9]の解答群〉

ア　省エネルギー性能が低く　　**イ**　使用実績があり

ウ　生産あるいは輸入実績があり　　**エ**　大量に使用され

3)　特定エネルギー消費機器等あるいは特定熱損失防止建築材料として『令』の対象となっているものを，次の①～④のうちから二つ挙げると[10]である．

①　照明器具

②　熱交換器

③　複層ガラス

④　太陽光発電パネル

〈[10]の解答群〉

ア　①と②　　**イ**　①と③　　**ウ**　①と④　　**エ**　②と③

オ　②と④　　**カ**　③と④

解　説

(1)「エネルギーの使用の合理化及び非化石エネルギーへの転換等に関する法律」（以下「法」）の条文の内容を直接問う問題である．

1)「法」第8条からの出題である．例年，問題1は「法」からの出題が多く，(1) 1)2)3)はすべて法の条文のままの出題である．「法」第8条はエネルギー統括者に関する条文である．条文は，以下のとおりである．

第8条　特定事業者は，経済産業省令で定めるところにより，第15条第1項又は第2項の**中長期的な計画**の作成事務並びにその設置している工場等におけるエネルギーの使用の合理化に関し，エネルギーを消費する設備の維持，エネルギーの使用の方法の改善及び監視その他経済産業省令で定める業務を統括管理する者（以下この条及び次条第１項において「エネルギー管理統括者」という.）を選任しなければならない.

2　エネルギー管理統括者は，特定事業者が行う事業の実施を統括管理する者をもつて充てなければならない.

3　特定事業者は，経済産業省令で定めるところにより，エネルギー管理統括者の選任又は解任について経済産業大臣に届け出なければならない.

また，「則」第９条では，エネルギー管理統括者の業務を以下のように定めている.

第９条　法第８条第１項の経済産業省令で定める業務は，次のとおりとする.

一　特定事業者が設置している工場等におけるエネルギーを消費する設備の**新設，改造又は撤去**に関すること

二　特定事業者が設置している工場等におけるエネルギーの使用の合理化に関する設備の維持及び新設，改造又は撤去に関すること

三　エネルギー管理者及びエネルギー管理員等に対する指導等

四　第36条の報告書の作成事務及び法第166条第３項の報告の作成事務に関すること

2)「法」第９条の条文からの出題である．第９条はエネルギー管理企画推進者に関する規定である．条文は以下のとおりである.

第９条　特定事業者は，経済産業省令で定めるところにより，次に掲げる者のうちから，前条第１項に規定する業務（第15条第２項の中長期的な計画の作成事務を除く.）に関し，**エネルギー管理統括者を補佐する者**（以下この条において「エネルギー管理企画推進者」という.）を選任しなければならない.

一　経済産業大臣又はその指定する者（以下「指定講習機関」という.）が経済産業省令で定めるところにより行うエネルギーの使用の合理化に関し必要な知識及び技能に関する講習の課程を修了した者

二　エネルギー管理士免状（第55条に規定するエネルギー管理士免状をいう．以下この節において同じ.）の交付を受けている者

2　特定事業者は，前項第１号に掲げる者のうちからエネルギー管理企画推進者を選任した場合には，経済産業省令で定める期間ごとに，当該エネルギー管理企画推進者に経済産業大臣又は指定講習機関が経済産業省令で定めるところにより行うエネルギー管理企画推進者の資質の向上を図るための講習を受けさせなければならない.

3　特定事業者は，経済産業省令で定めるところにより，エネルギー管理企画推進者の選任又は解任について経済産業大臣に届け出なければならない.

また，「則」第13条第1項では，「エネルギー管理企画推進者を選任すべき事由が生じた日から6月以内に選任すること」と規定されている．設問の③については，「法」「則」に規定されていない．

したがって，正しいのは①と②である．

3)　「法」第9条第2項で規定しているのは，前述の条文（「法」第9条第1項の一　アンダーラインの部分）に規定されているように，設問の文章の①が該当する．

(2)　問題の初めに記された「法」,「令」,「則」から，特定事業者に指定する場合のエネルギー使用量の算出を求めていることがわかる．

1)　2010年度施行の「法」改正における重要ポイントである「法」第7条「特定事業者」の指定に関連する問題である．この出題は毎年出題されており，過去7年間の用途は「圧延工場・精整加工工場」,「食品工場」,「食品製造工場」,「化学製品製造工場」,「機械部品製造工場」,「食品加工工場」,「化学工場」である．そして今年は「金属加工工場」であり，用途による規定の違いはいまのところない．

問われる内容はほぼ同じで，工場内のエネルギー使用量の計算から事業所として法的規制を問う問題で，「法」第2条の「エネルギーの定義」や第7条以降の「特定事業者」や「エネルギー管理指定工場」,そして「エネルギー管理者」「エネルギー管理員」の選任などに関する規定について問われる計算問題である．計算の方法，根拠および判断の基準を明確に理解する必要がある．

エネルギー使用量の計算は，設問の金属加工工場においてはａのボイラで使用した都市ガス，ｂの加熱炉の燃料として使用した都市ガス，ｅの電気事業者から購入した電気の量の合計である．電気事業者から購入して使用した電気，Ａ重油および都市ガスは，「法」第2条,「エネルギーの使用の合理化及び非化石エネルギーへの転換等に関する法律施行令」(以下「令」)第1条,「エネルギーの使用の合理化及び非化石エネルギーへの転換等に関する法律施行規則」（以下「則」）第2条から使用量に該当する．ａのボイラの給水の昇温に利用したｂの加熱炉の排熱は,「法」第2条第2項の「化石燃料」に該当しない．ｃの記述は，前年度のエネルギー使用量の計算には関係しない．ｄの循環利用する冷却水による熱量は,「法」第2条第1項,「令」第1条第1項に定める熱に該当しない．

事業者としてはｆの本社事務所でのエネルギー使用量も加わり,「法」で定めるエネルギー使用量は電気事業者から購入して使用した電気に「則」第4条に定める原油換算量 0.025 8 kL/GJ を乗じて求めた使用量を加算する．ｇ

は，「法」第 2 条第 1 項から，使用量に該当しない．

金属加工工場のエネルギー使用量は，

(a の都市ガス ＋ b の都市ガス ＋ e の電気)［GJ］× 0.025 8 kL/GJ

＝ (110 000 GJ ＋ 310 000 GJ ＋ 420 000 GJ) × 0.025 8 kL/GJ

＝ 21 672 kL

本社事務所のエネルギー使用量は，

(f の電気)［GJ］× 0.025 8 kL/GJ

＝ (45 000 GJ) × 0.025 8 kL/GJ

＝ 1 161 kL

事業者全体としてのエネルギー使用量は

(金属加工工場の使用量) ＋ (本社事務所の使用量)

＝ 21 672 kL ＋ 1 161 kL

＝ 22 833 kL

となり，事業者としては「法」第 7 条第 1 項，「令」第 2 条第 1 項に定めるところの 1 500 kL を超えているため，この事業者は特定事業者に該当する．

2) 金属加工工場のエネルギー使用量は「法」第 7 条第 1 項，「法」第 13 条第 1 項，「令」第 2 条第 1 項，「令」第 6 条に定めるところにより 3 000 kL 以上であるため，この工場は第 1 種エネルギー管理指定工場となる．また，本社事務所はエネルギー使用量が 1 500 kL 未満であることから，エネルギー管理指定工場等に該当しない．

3) この事業者は特定事業者であることから「法」第 8 条および第 9 条より「エネルギー管理統括者」と「エネルギー管理企画推進者」の選任が必要になるとともに，金属加工工場は第 1 種であるので，「法」第 11 条第 1 項から「エネルギー管理者」の選任の義務がある．エネルギー管理者の人数については，「令」第 4 条の 2 から 20 000 kL 以上 50 000 kL 未満なので，2 名の選任が必要である．一方，本社事務所のエネルギー使用量は 1 500 kL 未満であるため，第 2 種エネルギー管理指定工場に該当しないことから，エネルギー管理者もエネルギー管理員も選任不要である．

事業者としての規定である「特定事業者」，事業所としての規定である「エネルギー管理指定工場」，そしてそれぞれの第 1 種，第 2 種の規定，またそれに伴う資格者の選任に関する規定は複雑であるので，正確に覚えておくことが重要である．

なお，第 1 種特定事業者とは第 1 種エネルギー管理指定工場を設置する特定事業者であることも重要であるのでよく理解しておく必要がある．

(3) 「法」第 16 条は，特定事業者の定期の報告に関する規定である．条文は，以下のとおりである．

第16条　特定事業者は，毎年度，経済産業省令で定めるところにより，その設置している工場等におけるエネルギーの使用量その他エネルギーの使用の状況（エネルギーの使用の効率及びエネルギーの使用に伴って発生する**二酸化炭素の排出量**に係る事項を含む．）並びにエネルギーを消費する設備及びエネルギーの使用の合理化に関する設備の設置及び改廃の状況に関し，経済産業省令で定める事項を主務大臣に報告しなければならない．

2　経済産業大臣は，前項の経済産業省令（エネルギーの使用に伴って発生する二酸化炭素の排出量に係る事項に限る．）を定め，又はこれを変更しようとするときは，あらかじめ，環境大臣に協議しなければならない．

エネルギー使用に伴う二酸化炭素の排出量が挙げられているのは，二酸化炭素が温室効果ガスとして最大の影響を気候変動（地球温暖化）に与えるためである．

(4)

1）「法」第149条に「エネルギー消費機器等製造事業者等の判断の基準となるべき事項」が規定されている．「法」第149条は以下のとおりである．

第149条　エネルギー消費機器等のうち，自動車（エネルギー消費性能の向上を図ることが特に必要なものとして政令で定めるものに限る．以下同じ．）その他我が国において大量に使用され，かつ，その使用に際し相当量のエネルギーを消費するエネルギー消費機器であってそのエネルギー消費性能の向上を図ることが特に必要なものとして政令で定めるもの（以下「特定エネルギー消費機器」という．）及び我が国において大量に使用され，かつ，その使用に際し相当量のエネルギーを消費するエネルギー消費機器に係る関係機器であってそのエネルギー消費関係性能の向上を図ることが特に必要なものとして政令で定めるもの（以下「特定関係機器」という．）については，経済産業大臣（自動車及びこれに係る特定関係機器にあっては，経済産業大臣及び国土交通大臣．以下この章及び第166条第10項において同じ．）は，特定エネルギー消費機器及び特定関係機器（以下「特定エネルギー消費機器等」という．）ごとに，そのエネルギー消費性能又はエネルギー消費関係性能（以下「エネルギー消費性能等」という．）の向上に関しエネルギー消費機器等製造事業者等の判断の基準となるべき事項を定め，これを公表するものとする．

2　前項に規定する判断の基準となるべき事項は，当該特定エネルギー消費機器等のうちエネルギー消費性能等が最も優れているもののそのエネルギー消費性能等，当該特定エネルギー消費機器等に関する**技術開発**の将来の見通しその他の事情を勘案して定めるものとし，これらの事情の変動に応じて必要な改定をするものとする．

2) 「法」第154条に「熱損失防止建築材料製造事業者等の判断の基準となるべき事項」が規定されている．「法」第154条は以下のとおりである．

第154条　熱損失防止建築材料のうち，我が国において**大量に使用され**，かつ，建築物において熱の損失が相当程度発生する部分に主として用いられるものであつて前条に規定する性能の向上を図ることが特に必要なものとして政令で定めるもの（以下「特定熱損失防止建築材料」という.）については，経済産業大臣は，特定熱損失防止建築材料ごとに，当該性能の向上に関し熱損失防止建築材料製造事業者等の判断の基準となるべき事項を定め，これを公表するものとする．

2　前項に規定する判断の基準となるべき事項は，当該特定熱損失防止建築材料のうち前条に規定する性能が最も優れているものの当該性能，当該特定熱損失防止建築材料に関する技術開発の将来の見通しその他の事情を勘案して定めるものとし，これらの事情の変動に応じて必要な改定をするものとする．

3) 「令」第18条では，特定エネルギー消費機器について規定して，三番目に「照明器具」が挙げられている．また，「令」第21条では，特定熱損失防止建築材料について規定していて，三番目に「複層ガラス」が挙げられている．

したがって，設問の選択肢で正しいのは，①と③である．

解　答　(1)　**1-エ，2-キ，3-エ，4-ア**

(2)　**A-21 672，B-1 161，5-エ，6-イ**

(3)　**7-ウ**

(4)　**8-ア，9-エ，10-イ**

（エネルギー情勢・政策，エネルギー概論）

問題2　次の各文章の[1]～[9]の中に入れるべき最も適切な字句等をそれぞれの解答群から選び，その記号を答えよ．なお，[6]は複数箇所あるが，同じ記号が入る．

また，[A　a.b×10^c]に当てはまる数値を計算し，その結果を答えよ．ただし，解答は解答すべき数値の最小位の一つ下の位で四捨五入すること．（配点計50点）

(1)　国際単位系（SI）では，長さ（メートル [m]），質量（キログラム [kg]），時間（秒［s］），電流（アンペア［A］），熱力学温度（ケルビン［K］），光度（カンデラ［cd］）及び物質量（モル［mol］）の7つを基本単位としている．これに対し，電荷の単位であるクーロン［C］は，前述の7つの基本単位のうちのいくつかを組み合わせて［ 1 ］と表されるので，組立単位と呼ばれる．

また，圧力の単位であるパスカル［Pa］も組立単位であり，基本単位を用いて［ 2 ］と表される．ここで，高さ10 mの水柱の底面にかかる水の圧力は，水の密度を1 000 kg/m^3，重力の加速度を9.8 m/s^2とすると［A　$a.b \times 10^c$］［Pa］となる．

〈［ 1 ］及び［ 2 ］の解答群〉

ア　A·s　　**イ**　A·m/s　　**ウ**　A/(m·s)

エ　kg·m/s^2　　**オ**　kg·m^2/s^2　　**カ**　kg/(m·s^2)

(2)　我が国の発電設備別の発電電力量の割合は，2011年の東日本大震災における原子力発電所事故の影響を強く受けて，この10年間で大きく変化している．2010年度には，火力と原子力の占める割合は［ 3 ］であり，水力を除く再生可能エネルギーは2％以下であったが，震災後は原子力が激減するとともに，大気中の二酸化炭素濃度の増加を抑制する観点から，再生可能エネルギーの導入が促進された．その結果，2020年版のエネルギー白書に示されている2018年度の実績では，水力を除く再生可能エネルギーの割合は約［ 4 ］［%］まで増加している．また，2018年度における火力の発電電力量を化石燃料別に比べると，多いものから順に［ 5 ］となっている．

〈［ 3 ］～［ 5 ］の解答群〉

ア　4　　**イ**　6　　**ウ**　9　　**エ**　石炭，石油，天然ガス

オ　石油，天然ガス，石炭　　**カ**　天然ガス，石炭，石油

キ　火力が約36％，原子力が約54％

ク　火力が約46％，原子力が約44％

ケ　火力が約64％，原子力が約26％

(3)　種々のエネルギー源を対象として，それらを利用する系が外界（多くの場合は環境）と平衡するまでに取り出せる最大の仕事量（Eとする）を［ 6 ］と呼ぶ．また，このEを全エネルギーで除した割合を［ 6 ］率（εとする）と呼ぶ．εの値は，電気エネルギーでは［ 7 ］である．また，化学エネルギーと，例えば1 500 ℃の熱エネルギーのεの値を比べると，一般に［ 8 ］．

一方，エネルギー利用機器におけるエネルギー効率を評価する上で，エネルギー源の起点を同一とした変換のプロセスを考慮することは重要であり，例えば蒸気圧縮冷凍機と吸収冷凍機のエネルギー効率を比較する際の［ 9 ］の評価に対しても，注意が必要である．

〈 6 〜 9 の解答群〉

ア　約 0.8（80 %）　　**イ**　約 0.9（90 %）　　**ウ**　1（100 %）

エ　エクセルギー　　**オ**　自由エネルギー　　**カ**　内部エネルギー

キ　エネルギー回収効率　　**ク**　温度効率　　**ケ**　成績係数

コ　化学エネルギーの方が高い　　**サ**　熱エネルギーの方が高い

シ　両者は同程度である

解　説

(1)　国際単位系（SI）の基本単位と組立単位についての問題である．

国際単位系（SI）は，長さ［m］，質量［kg］，時間［s］，電流［A］，熱力学温度［K］，光度［cd］および物質量［mol］の 7 個を基本単位としている．これ以外の単位は基本単位を組み合わせて使用するので，組立単位と呼ばれる．例えば，電荷の単位（クーロン［C］）は，電流と時間の積であり，これらを組み合わせて成り立つ．すなわち，

$$[\mathrm{C}] = [\mathrm{A}] \times [\mathrm{s}] = [\mathrm{A \cdot s}]$$

である．

圧力の単位（パスカル［Pa］）は単位面積当たりにかかる力で構成されるので，

$$[\mathrm{Pa}] = \frac{[\mathrm{N}]}{[\mathrm{m^2}]} = \frac{[\mathrm{kg \cdot m/s^2}]}{[\mathrm{m^2}]} = \left[\frac{\mathrm{kg}}{(\mathrm{m \cdot s^2})}\right]$$

である．

高さ 10 m の水柱の底面にかかる単位面積当たりの水圧は，重力加速度を 9.8 m/s^2 とすると，水の密度を 1 000 kg/m^3 として，

$$\frac{(1\,000\ \mathrm{kg/m^3} \times 10\ \mathrm{m^3} \times 9.8\ \mathrm{m/s^2})}{1\ \mathrm{m^2}} = 9.8 \times 10^4\ \mathrm{Pa}$$

となる．

(2)　2011 年の東日本大震災による福島第一原子力発電所の事故の影響で，その前後の日本の発電電力量は大きく変化している．事故前年の 2010 年度における資源エネルギー庁の電力調査統計表を参照すると，発電電力量の割合は，火力発電が約 60 %，原子力発電が約 30 %であり，再生可能エネルギー（太陽光，風力，地熱，バイオマス，廃棄物）が約 0.5 %となっている．2011 年度版エネルギー白書の 116 ページのグラフでも，2010 年度の発電電力量の構成は，石油等 8.3 %，LNG 27.2 %，石炭 23.8 %で火力が 59.3 %，原子力が 30.8 %，新エネ等（再生可能エネルギー）1.2 %で，同様の値となっている．設問でどの統計資料を参照にしているのか不明だが，設問の選択肢

に最も近いのは「ケ」の「火力が約 64 %，原子力が約 26 %」ということになる．

2020 年度版のエネルギー白書では，「第 1 部第 1 章　国内エネルギー動向」155 ページの図「【第 214−1−6】発電電力量の推移」の棒グラフに「新エネ等」と記載されている再生可能エネルギーの発電電力量の比率が 2018 年度として「9.2 %」となっている．また，154 ページの記述から火力発電の発電電力量の多い順に並べると，天然ガス（4 029 億 kW·h），石炭（3 324 億 kW·h），石油（737 億 kW·h）となる．

(3)　各種のエネルギー源を利用する系が環境と平衡状態になるまで取り出せる最大の仕事量を**エクセルギー（有効エネルギー）**という．エクセルギーを全エネルギーで除した割合を**エクセルギー率**という．電気エネルギーは環境温度に影響されずに利用できるので，エクセルギー率は 1（100 %）である．化学エネルギーと熱エネルギーのエクセルギー率は，前者の方が一般的に高い．

設問の蒸気圧縮冷凍機と吸収冷凍機の成績係数の比較の文章は，意図がわかりにくいかもしれない．一般的に，蒸気圧縮冷凍機の成績係数は 2.0 以上あり，最近のインバータターボ冷凍機では 10 以上になるものもある．一方，吸収冷凍機の成績係数は，1.0 を少し超える程度である．冷凍機の成績係数は，熱出力をエネルギー入力で除した数値である．ところで，蒸気圧縮冷凍機では電動式圧縮機がほとんどであり，エネルギー入力は 2 次エネルギーの電気エネルギーである．火力発電の場合，1 次エネルギーで換算すると，発電効率は 40 %程度しかない．吸収冷凍機では，直焚きの場合，エネルギー入力は 1 次エネルギーの都市ガス（天然ガス）である．すなわち，1 次エネルギー換算で評価すると，必ずしも蒸気圧縮冷凍機の方が吸収冷凍機より成績係数が高いとは限らないということである．

解答　(1)　**1- ア，2- カ，A-9.8 × 10^4**

(2)　**3- ケ，4- ウ，5- カ**

(3)　**6- エ，7- ウ，8- コ，9- ケ**

（エネルギー管理技術の基礎）

問題3　次の各文章は，「工場等におけるエネルギーの使用の合理化に関する事業者の判断の基準」（以下，『工場等判断基準』と略記）の内容及びそれに関連した管理技術の基礎について述べたものである．ここで，『工場等判断基準』は令和 5 年 10 月 1 日時点で施行されているものである．

これらの文章において，『工場等判断基準』の本文に関連する事項については，その引用部を示す上で，

「Ⅰ　エネルギーの使用の合理化の基準」の部分は『基準部分』，

「Ⅱ　エネルギーの使用の合理化の目標及び計画的に取り組むべき措置」の部分は『目標及び措置部分』

と略記し，特に「工場等（専ら事務所その他これに類する用途に供する工場等を除く）」における『基準部分』を『基準部分（工場）』，同じく『目標及び措置部分』を『目標及び措置部分（工場）』と略記する．

[1] ～ [14] の中に入れるべき最も適切な字句等をそれぞれの解答群から選び，その記号を答えよ．

また，[A ab] ～ [F ab] に当てはまる数値を計算し，その結果を答えよ．ただし，解答は解答すべき数値の最小位の一つ下の位で四捨五入すること．なお，単位の m^3_N は標準状態における気体の体積を表す．（配点計 100 点）

(1)　『工場等判断基準』のうちの『目標及び措置部分』では，事業者はエネルギーの使用の合理化の目標及び計画的に取り組むべき措置を最大限より効果的に講じていくことを目指して [1] 視点に立った計画的な取組に努めなければならない，と定められている．

『目標及び措置部分（工場）』においては，この措置を講ずべき対象としているエネルギー消費設備等は，「燃焼設備，熱利用設備，廃熱回収設備，[2] 設備，電気使用設備，空気調和設備・給湯設備・換気設備・昇降機等，照明設備及び FEMS」としている．

これらの中で，FEMS は「工場エネルギー管理システム」のことであり，措置を講ずべき対象のエネルギー消費設備等に関して，総合的な [3] について検討すること，が求められている．

〈[1] ～ [3] の解答群〉

ア　コージェネレーション　**イ**　熱供給専用　**ウ**　発電専用
エ　経済性　**オ**　制御　**カ**　性能
キ　恒久的　**ク**　短期的　**ケ**　中長期的

(2)　カルノーサイクルを，127 ℃の高温熱源と 27 ℃の低温熱源との間で作動させたときの熱効率は，[A ab] [%] である．ここで，0 ℃の熱力学温度を 273 K とする．

(3)　1 m^3_N のアセチレン（C_2H_2）を完全燃焼させるのに必要な理論酸素量は，[B a.b] [m^3_N] である．

(4)　50 ℃の温水と 20 ℃の空気が，平板を隔てて熱交換している．このときの熱通過における熱流束が 400 W/m^2 であれば，平板単位面積当たりの熱抵抗

は，[C a.b] $\times 10^{-2}$［K/W］である．

(5) 表面の放射率が温度によらず一定の物体から放散される放射エネルギーは，物体の表面温度が 600 K のとき，表面温度が 400 K のときと比べ約 [4] 倍となる．

〈[4] の解答群〉

ア 1.5　**イ** 2.3　**ウ** 5.1

(6) 圧力 0.2 MPa における飽和水の比エンタルピーは 505 kJ/kg，乾き飽和蒸気の比エンタルピーは 2 706 kJ/kg である．同温同圧で，乾き度 0.9 の湿り蒸気が保有する潜熱は [5] $\times 10^{3}$［kJ/kg］である．

〈[5] の解答群〉

ア 1.98　**イ** 2.20　**ウ** 2.49

(7) 燃料の燃焼の管理では，燃料の性状に応じた燃焼方法により，燃焼効率を高めることが求められる．この燃焼効率は，実際に燃焼過程で得られた熱量と，燃料の [6] との比で示されるのが一般的である．

〈[6] の解答群〉

ア 低発熱量　**イ** 比エントロピー　**ウ** 有効エネルギー

(8) 『工場等判断基準』の『基準部分（工場）』は，廃熱の回収利用の基準の一つとして，「加熱された固体若しくは流体が有する顕熱，[7]，圧力，可燃性成分等の回収利用は，回収を行う範囲について管理標準を設定して行うこと.」を求めている．

〈[7] の解答群〉

ア 温度　**イ** 質量　**ウ** 潜熱

(9) 空気調和設備の省エネルギーでは，空調負荷の低減と効率の高い空調設備の採用の両面で行うことが重要である．

1) 空調負荷の低減について，『工場等判断基準』の『基準部分（工場）』は，「工場内にある事務所等の空気調和の管理は，[8]，ブラインドの管理等による負荷の軽減及び区画の使用状況等に応じた設備の運転時間，室内温度，換気回数，湿度，外気の有効利用等についての管理標準を設定して行うこと.」を求めている．

〈[8] の解答群〉

ア 空気調和を施す区画を限定し　**イ** 熱源の台数制御を行い

ウ 冷水や冷却水の温度を管理し

2) 効率の高い空調設備の採用について，『工場等判断基準』の『基準部分（工場）』は，「特定エネルギー消費機器に該当する空気調和設備，給湯設備に係る機器を新設・更新する場合には，当該機器に関する性能の向上に関する製造事業者等の判断の基準に規定する [9] 以上の効率のものを採用すること.」を求めている.

〈[9] の解答群〉

ア 基準エネルギー消費効率　**イ** 基準廃熱回収効率

ウ 既設の空調設備の成績係数

(10) ある火力発電設備は，高発熱量 45 MJ/$m^3{}_N$ の天然ガスを燃料として発電しており，高発熱量基準の平均発電端熱効率は 39 %である．この発電設備において，毎時 10 万 kW·h の発電をしようとするとき，1 時間当たりの天然ガス使用量は [D a.b×10^c] [$m^3{}_N$] である.

(11) 工場配電設備では，受電端における力率を高く保つことが求められている.『工場等判断基準』の『基準部分（工場)』及び『目標及び措置部分（工場)』では，受電端における力率については，[10] とすることを求めている．ただし，発電所の所内補機を対象とする場合はこの限りでない.

〈[10] の解答群〉

ア 基準を 85 %以上，目標を 95 %以上

イ 基準を 90 %以上，目標を 95 %以上

ウ 基準を 95 %以上，目標を 98 %以上

(12) ある事業所の工場配電設備では，最大需要電力を使用電力の 30 分ごとの平均値で管理しており，その値を 5 000 kW 以下に抑えることにしている．ある日の 9 時から 9 時 30 分までの 30 分間で，9 時から 9 時 15 分までの電力使用量が 1 400 kW·h であるとすると，9 時 15 分から 9 時 30 分までの残り 15 分間の平均電力を [E abcd] [kW] 以下とする必要がある.

(13) 一定出力で稼働している三相誘導電動機の，線間電圧は 200 V，線電流は 45 A，使用電力は 12 kW であった．この場合，この電動機の力率は [F ab] [%] である．ここで，$\sqrt{3} = 1.73$ とする.

(14) 汎用の三相かご形誘導電動機が，電圧及び周波数が一定の交流電源に接続され，所定の負荷範囲内で稼働している．ここで，負荷が 50 %から 100 %に増加したときの電動機の回転速度は [11].

〈[11] の解答群〉

ア 2 倍に増加する　**イ** 半分に減少する　**ウ** ほぼ一定である

(15) 送風機について，JIS では，「羽根車の回転運動によって気体にエネルギーを与える機械で，単位質量当たりのエネルギーが 25 kN·m/kg 未満のもの」と定義している．この単位質量当たりのエネルギー 25 kN·m/kg は，気体が標準空気（密度が 1.2 kg/m^3）の場合，送風機の全圧 [12] [kPa] に相当する.

〈[12]の解答群〉

ア 21　　**イ** 25　　**ウ** 30

(16) 電気化学反応では電極界面においてイオンと電子の間で電気のやり取りが行われる．ファラデーの法則によれば，電流が通過することにより電極上において析出又は溶解する化学物質の質量は通過する電気量に比例する．また，同じ電気量によって析出又は溶解する化学物質の質量は，その物質の 1 mol 当たりの質量 M と反応電子数 z で決まり，[13] に比例する．

〈[13]の解答群〉

ア zM　　**イ** $\frac{M}{z}$　　**ウ** $\frac{z}{M}$

(17) LED ランプは，ランプ効率が年々向上して省エネルギーに大きく寄与している．40 W の直管形蛍光ランプに相当する光束を発する LED ランプ（大きさの区分 40 相当）で，光源色が昼光色，昼白色のランプ総合効率は，現状では概ね [14] [lm/W] の範囲にある．

〈[14]の解答群〉

ア 40 ～ 80　　**イ** 80 ～ 100　　**ウ** 100 ～ 200

解　説

告示「工場等におけるエネルギーの使用の合理化に関する事業者の判断の基準」（以下「工場等判断基準」と略記）からの出題である．この告示は特に重要で毎年出題確率が高い．しかも告示そのものが多岐に渡るため，できるだけ読み込んで内容を理解しておく必要がある．計算問題も多いので，正確な計算も求められる．

(1) 「工場等判断基準」の「基準部分」Ⅱでは，以下のように規定されている．

また，事業者は，将来に向けて，これらの措置を最大限より効果的に講じていくことを目指して，**中長期的**視点に立った計画的な取組に努めなければならないものとする．

Ⅱの 1-2「工場等（1-1 に該当するものを除く．）におけるエネルギーの使用の合理化の目標及び計画的に取り組むべき措置」には，以下の 8 項目が対象とされている．

(1) 燃焼設備
(2) 熱利用設備
(3) 廃熱回収設備
(4) コージェネレーション設備
(5) 電気使用設備

(6) 空気調和設備，給湯設備，換気設備，昇降機等

(7) 照明設備

(8) FEMS

また，(8) FEMS（工場エネルギー管理システム）については，

イ．燃焼設備，熱利用設備，廃熱回収設備，コージェネレーション設備，電気使用設備，空気調和設備，換気設備，給湯設備等の総合的な**制御**について検討すること．

と規定されている．

(2) カルノーサイクルの熱効率 η は，高温熱源の温度を T_H［K］，低温熱源の温度を T_L［K］とすると，

$$\eta = \left(1 - \frac{T_L}{T_H}\right) \times 100[\%]$$

で表される．したがって，

$$\eta = \left\{1 - \frac{(273 + 27)}{(273 + 127)}\right\} \times 100 = 25\ \%$$

となる．

(3) アセチレンを完全燃焼させるとき，

$$\underset{1\ \mathrm{mol}}{C_2H_2} + \underset{2.5\ \mathrm{mol}}{2.5O_2} \rightarrow 2CO_2 + H_2O$$

となる．したがって，1 mol のアセチレンを完全燃焼させるのに必要な理論酸素量は 2.5 mol となる．1 mol の気体の体積は等しいので，1 m^3_N のアセチレンを完全燃焼させるのに必要な理論酸素量は 2.5 m^3_N となる．

(4) 熱通過による熱流束を q［W/m^2］，平板単位面積当たりの熱抵抗を R［$m^2 \cdot K/W$］，温水温度を t_H［℃］，空気温度を t_a［℃］とすると，

$$q = \frac{1}{R} \times (t_H - t_a)$$

となるので，

$$400 = \frac{1}{R} \times (50 - 20)$$

である．したがって，$R = 0.075 = 7.5 \times 10^{-2}\ m^2 \cdot K/W$ である．設問では熱抵抗の単位が［K/W］となっているが，熱流束の単位と合わせるために単位を変えている．

(5) ステファン・ボルツマンの法則により，物体の放射率が等しい場合，放射エネルギーは表面温度（絶対温度）の 4 乗に比例する．したがって，物体の表面温度が 600 K のとき，400 K のときと比べて，

$$\frac{600^4}{400^4} = 5.1 \text{倍}$$

となる．

(6)　同温同圧のとき，湿り蒸気の比エンタルピーは，飽和水（乾き度 0）と乾き飽和蒸気（乾き度 1）の比エンタルピーを乾き度で比例配分したものと見なせる．そのため，乾き度 0.9 の湿り蒸気の比エンタルピーは，

$$505 + (2\,706 - 505) \times 0.9 = 2\,486 \text{ kJ/kg}$$

となる．設問は，この湿り蒸気が保有する「潜熱」を求めているので，これから飽和水の顕熱 505 kJ/kg を差し引くと，湿り蒸気の潜熱は，

$$2\,486 - 505 = 1\,981 = 1.98 \times 10^3 \text{ kJ/kg}$$

となる．

(7)　燃焼効率は，実際の燃焼過程で得られた熱量と燃料の低発熱量（低位発熱量）の比で示される．低発熱量は，燃料の全発熱量（高発熱量）から発生する水蒸気の凝縮潜熱を差し引いた数値である．一般の燃焼設備では，燃料の凝縮潜熱まで利用できないので，低発熱量を燃焼効率に用いるが，最近のガス給湯器では，燃焼排ガスから凝縮潜熱まで熱回収できるものがあるので，この場合は計算上燃焼効率が 1 を超えることがある．

(8)「工場等判断基準」の「基準部分（工場）」Ⅰ-2　2-2　(3)では，①廃熱の回収利用の基準として，以下のように規定されている．

エ．加熱された固体若しくは流体が有する顕熱，**潜熱**，圧力，可燃性成分等の回収利用は，回収を行う範囲について管理標準を設定して行うこと．

(9)

1)「工場等判断基準」の「基準部分（工場）」Ⅰ-2　2-2　(2)　(2-2)　では，①空気調和設備，給湯設備の管理として以下のように定めている．

イ．工場内にある事務所等の空気調和の管理は，**空気調和を施す区画を限定し**，ブラインドの管理等による負荷の軽減及び区画の使用状況等に応じた設備の運転時間，室内温度，換気回数，湿度，外気の有効利用等についての管理標準を設定して行うこと．なお，冷暖房温度については，政府の推奨する設定温度を勘案した管理標準とすること．

2)「工場等判断基準」の「基準部分（工場）」Ⅰ-2　2-2　(2)　(2-2)　④空気調和設備，給湯設備の新設・更新に当たっての措置では，効率の高い空気調和設備の採用について以下のように定めている．

エ．特定エネルギー消費機器に該当する空気調和設備，給湯設備に係る機器を新設・更新する場合には，当該機器に関する性能の向上に関する製造事業者等の判断の基準に規定する**基準エネルギー消費効率**以上の効率のもの

を採用すること．

(10) この火力発電所の平均発電端熱効率は 39 %なので，燃料の高発熱量の 39 %のみが発電に寄与する．したがって，天然ガス使用量を 1 時間当たり Q [$m^3{}_N$] とすると，

$$Q \times 45 \times 0.39 = 100\,000 \times 3.6\ \mathrm{MJ}$$

となる．したがって，$Q = 20\,512 = 2.1 \times 10^4\ m^3{}_N$ である．

(11) 「工場等判断基準」の「基準部分（工場）」および「目標及び措置部分（工場）」では受電端における力率について，以下のように規定している．

「基準部分（工場）」Ⅰ-2　2-2（5）（5-2）①受変電設備及び配電設備の管理

ウ．**受電端における力率については，95 %以上とすることを基準**として，別表第 4 に掲げる設備（同表に掲げる容量以下のものを除く.）又は変電設備における力率を進相コンデンサの設置等により向上させること．ただし，発電所の所内補機を対象とする場合は，この限りでない．

「目標及び措置部分（工場）」Ⅱ-1　1-2（5）②変電設備等

受電端における力率を 98 %以上とすることを目標として，別表第 4 に掲げる設備（同表に掲げる容量以下のものを除く.）又は変電設備における力率を進相コンデンサの設置等により向上させるよう検討すること．

(12) 最大需要電力が 5 000 kW のとき，9 時から 9 時 30 分までの 30 分間の最大使用電力量は，

$$5\,000\ \mathrm{kW} \times 0.5\ \mathrm{h} = 2\,500\ \mathrm{kW{\cdot}h}$$

となる．9 時から 9 時 15 分までの使用電力量が 1 400 kW·h のとき，9 時 15 分から 9 時 30 分の使用電力量を 2 500 − 1 400 = 1 100 kW·h に抑える必要がある．この時間帯（15 分 = 1/4 h）の平均電力を W [kW] とすると，

$$W \times \frac{1}{4}\ \mathrm{h} = 1\,100\ \mathrm{kW{\cdot}h}$$

から，$W = 4\,400$ kW 以下にしなくてはならない．

(13) 一定出力で稼働している三相誘導電動機の線間電圧が 200 V，線電流が 45 A，使用電力が 12 kW のとき，力率を ϕ [%] とすると

$$\sqrt{3} \times 200 \times 45 \times \frac{\phi/100}{1\,000} = 12\ \mathrm{kW}$$

である．したがって，$\phi = 77$ %となる．

(14) 汎用の三相かご形誘導電動機が電圧および周波数一定の交流電源に接続されて，所定の負荷範囲内で稼働しているとき，負荷が 50 %から 100 %に増加した場合の電動機の回転速度はほぼ一定である．交流電動機の回転速度 N_s [rpm] は，電源周波数を f [Hz]，電動機の極数を P とすると

$$N_s = \frac{120f}{P}$$

で表される．したがって，所定の負荷範囲内では，周波数一定，極数一定の場合，回転速度は負荷によらず一定である．

⒂　送風機の単位質量当たりのエネルギー 25 kN·m/kg は，対象とする気体が標準空気で密度 1.2 kg/m^3 の場合，送風機の全圧としては，

$$25\ \mathrm{kN \cdot m/kg} \times 1.2\ \mathrm{kg/m^3} = 30\ \mathrm{kN/m^2} = 30\ \mathrm{kPa}$$

となる．「JIS B0132：2005 送風機・圧縮機用語」にも，送風機として「単位質量当たりのエネルギー 25 kN·m/kg は，標準空気の場合の送風機全圧約 30 kPa に相当する」と示されている．

⒃　ファラデーの法則（電気分解の法則）によると，電流が通過することにより電極上に析出または溶解する化学物質の質量は通過する電気量に比例する．また，同一の電気量を通じたときに，電極で変化するイオンの物質量は，イオンの価数(反応電子数 z)に反比例する．したがって，同一の電気量によって析出または溶解する化学物質の質量は，その物質の 1 mol 当たりの質量 M と反応電子数 z に依存して，$\dfrac{M}{z}$ に比例することになる．

⒄　40 W の直管形蛍光ランプに相当する光束を発する LED ランプ（大きさの区分 40 相当）で，光源色が昼光色，昼白色のランプ総合効率は，LED 温度が 25 ℃のとき，「LED 照明推進協議会」の資料を参照すると，現状では概ね 100 ～ 200 lm/W の範囲である．この値は，年々向上している．

解　答

(1) **1- ケ，2- ア，3- オ**　　(2) **A-25**
(3) **B-2.5**　　(4) **C-7.5**
(5) **4- ウ**　　(6) **5- ア**
(7) **6- ア**　　(8) **7- ウ**
(9) **8- ア，9- ア**　　(10) **D-2.1 × 10^4**
(11) **10- ウ**　　(12) **E-4 400**
(13) **F-77**　　(14) **11- ウ**
(15) **12- ウ**　　(16) **13- イ**
(17) **14- ウ**

第 42 回　2020 年（令和 2 年）

（エネルギーの使用の合理化等に関する法律及び命令）

問題1　次の各問に答えよ．なお，法令は令和 6 年 10 月 1 日時点で施行されているものである．以下の問題文では

エネルギーの使用の合理化及び非化石エネルギーへの転換等に関する法律を『法』

エネルギーの使用の合理化及び非化石エネルギーへの転換等に関する法律施行令を『令』

エネルギーの使用の合理化及び非化石エネルギーへの転換等に関する法律施行規則を『則』

と略記する．

[1] ～ [10] の中に入れるべき最も適切な字句又は記述をそれぞれの解答群から選び，その記号を答えよ．なお，[1] は 3 箇所あるが，同じ記号が入る．

また，[A abcde] 及び [B abc] に当てはまる数値を計算し，その結果を答えよ．ただし，解答は解答すべき数値の最小位の一つ下の位で四捨五入すること．（配点計 50 点）

(1)　「事業者の判断の基準」及び「連携省エネルギー計画」に関連する事項

1)　事業者の判断の基準に関連する事項

『法』第 5 条第 1 項は次のように規定している．

「主務大臣は，工場等におけるエネルギーの使用の合理化の適切かつ有効な実施を図るため，次に掲げる事項並びにエネルギーの使用の合理化の [1]（エネルギーの使用の合理化が特に必要と認められる業種において達成すべき [1] を含む．）及び当該 [1] を達成するために計画的に取り組むべき措置に関し，工場等においてエネルギーを使用して事業を行う者の判断の基準となるべき事項を定め，これを公表するものとする．（以下略）」

『法』第 5 条第 3 項は次のように規定している．

「経済産業大臣は，工場等において電気を使用して事業を行う者による電気の需要の最適化に資する措置の適切かつ有効な実施を図るため，次に掲げる事項その他当該者が取り組むべき措置に関する指針を定め，これを公表するものとする．（以下略）」

また，『法』第5条第4項は次のように規定している．

「第1項及び第2項に規定する判断の基準となるべき事項並びに前項に規定する指針は，エネルギー需給の長期見通し，電気その他のエネルギーの需給を取り巻く環境，エネルギーの使用の合理化及び非化石エネルギーへの転換に関する技術水準，[2]エネルギーの使用の合理化及び非化石エネルギーへの転換の状況その他の事情を勘案して定めるものとし，これらの事情の変動に応じて必要な改定をするものとする．」

〈[1]及び[2]の解答群〉

ア　基準　　**イ**　方針　　**ウ**　目的　　**エ**　目標

オ　エネルギー管理指定工場等の　　**カ**　業種別の

キ　国際的な　　**ク**　優良な工場等における

2)　連携省エネルギー計画に関連する事項

『法』第50条は，複数の事業者が連携して省エネルギーを推進するときに，連携することで実現できる省エネルギー効果を適正に評価するための認定制度として，平成30年12月施行の『法』改正によって新設されたものである．

i)　第1項では，連携する事業者が共同で連携省エネルギー計画を作成し経済産業大臣に提出し，その連携省エネルギー計画が適当である旨の認定を受けることができる，と規定されている．審査を経て認定を受けることができれば，『法』第52条の特例によって，[3]において省エネルギー量を事業者間で分配して報告することができ，それぞれの事業者が公平に評価されることになる．

ii)　第2項は，認定を受けるために作成する連携省エネルギー計画に記載しなければならない事項として，次の一～三号を掲げている．

一　連携省エネルギー措置の目標

二　連携省エネルギー措置の内容及び実施期間

三　連携省エネルギー措置を行う者が設置している工場等において当該連携省エネルギー措置に関してそれぞれ使用したこととされるエネルギーの量の[4]

〈[3]及び[4]の解答群〉

ア　エネルギー使用届出書　　**イ**　中長期的な計画　　**ウ**　定期の報告

エ　連携省エネルギー計画　　**オ**　算出の方法　　**カ**　上限値

キ　平均値　　**ク**　予測の方法

(2)　エネルギーを使用する工場等における『法』の適用に関する事項

（『法』第2条，第7条～第14条及び関係する『令』，『則』の規定）

ある事業者が化学工場と，別の事業所として本社事務所を所有しており，これらがこの事業者の設置している施設の全てである．ここで，化学工場における前年度の燃料，電気などの使用量は，次のａ～ｅ，本社事務所における前年度の電気の使用量は，次のｆ及びｇのとおりであり，この事業者はこれら以外のエネルギーを使用していなかった．

なお，本社事務所は専ら事務所として使用されており，また，この事業者は，連鎖化事業者，認定管理統括事業者又は管理関係事業者のいずれにも該当していない．

ａ：化学工場において，ボイラで使用した都市ガスの量を発熱量として換算した量が９万６千ギガジュールであった．

ｂ：化学工場において，ボイラの燃料として，プラスチック廃棄物を使用した．その量を発熱量として換算した量が５千ギガジュールであった．

ｃ：化学工場において，ボイラの発生蒸気を利用した後の凝縮水の一部から熱を回収して使用した．その回収して使用した熱量が６千ギガジュールであった．

ｄ：化学工場において，地中熱を利用した電気式ヒートポンプを設置して空調に使用した．この電気式ヒートポンプによって地中から回収して使用した熱量は３千ギガジュールであった．

ｅ：化学工場において，小売電気事業者から購入して使用した電気の量を熱量として換算した量が53万ギガジュールで，電気の購入先の小売電気事業者では，化石燃料によって発電された電気を販売していた．

ｆ：本社事務所において，小売電気事業者から購入して使用した電気の量を熱量として換算した量が２万２千ギガジュールで，電気の購入先の小売電気事業者では，化石燃料によって発電された電気を販売していた．

ｇ：本社事務所において，太陽光発電装置を設置して，そこで発電した電気を本社事務所内で使用した．その使用した電気の量を熱量として換算した量が３千ギガジュールであった．

1)　前年度に使用したエネルギー使用量を『法』で定めるところにより原油の数量に換算した量は，化学工場が A abcde キロリットルであり，本社事務所では B abc キロリットルである．この事業者のエネルギー使用量は，化学工場と本社事務所のエネルギー使用量の合計であり，その量から判断して，この事業者は特定事業者に該当する．

　なお，『則』第４条によれば，発熱量又は熱量１ギガジュールは原油0.025 8キロリットルとして換算することとされている．

2)　1)より，前年度に使用した『法』で定めるエネルギー使用量から判断して，この化学工場は，[5].

〈[5]の解答群〉

ア 第一種エネルギー管理指定工場等に該当する

イ 第二種エネルギー管理指定工場等に該当する

ウ 本社事務所と合わせて第一種エネルギー管理指定工場等に該当する

エ エネルギー管理指定工場等に該当しない

3) 1)及び2)によって当該の指定を受けた後，この事業者が選任しなければならないのは，事業者としてはエネルギー管理統括者及びエネルギー管理企画推進者である. 一方, 各工場等のエネルギー管理者あるいはエネルギー管理員の選任については，次に示す①～④のうちから選択すると，化学工場については[6]であり，本社事務所については[7]である.

① エネルギー管理員の選任が必要

② エネルギー管理者 1 名の選任が必要

③ エネルギー管理者 2 名の選任が必要

④ どちらも選任不要

〈[6]及び[7]の解答群〉

ア ① **イ** ② **ウ** ③ **エ** ④

(3) 「機械器具に係る措置」及び「報告及び立入検査」に関連する事項

1) 機械器具に係る措置に関連する事項

『法』第 149 条では，経済産業大臣（自動車及びこれに係る特定関係機器にあっては，経済産業大臣及び国土交通大臣）は，特定エネルギー消費機器及び特定関係機器（以下「特定エネルギー消費機器等」という.）ごとに，そのエネルギー消費性能又はエネルギー消費関係性能の向上に関しそのエネルギー消費機器等製造事業者等の判断の基準となるべき事項を定め，これを公表するものとする，としている.

i) この判断の基準となるべき事項は，当該特定エネルギー消費機器等のうちエネルギー消費性能等が[8]のそのエネルギー消費性能等，当該特定エネルギー消費機器等に関する技術開発の将来の見通しその他の事情を勘案して定めるものとしている.

〈[8]の解答群〉

ア 改善されているもの **イ** 公表されているもの

ウ 認定されているもの **エ** 最も優れているもの

ii) この特定エネルギー消費機器として，『令』が規定している機器を，次の①～④のうちから挙げると[9]である.

① エアコンディショナー

② 複写機

③ 交流電動機

④ コンプレッサー

〈 9 の解答群〉

ア ①と②と③　　イ ①と②と④

ウ ①と③と④　　エ ②と③と④

2) 報告及び立入検査に関連する事項

『法』第166条は報告及び立入検査についての規定であり，工場等に係る措置に関しては，第1項～第3項に規定されている．いずれも，各項の規定の施行に必要な限度において事業者が設置している工場等について，各項に規定されている報告及び立入検査をさせることができるとする規定である．

これら第1項～第3項における規定内容から判断して，次の①～③のうち，下線部分が正しいのは 10 である．

① 第1項は特定事業者等の指定等に関するものであり，報告及び立入検査の対象となるのは，当該の指定を受けた事業者のみである．

② 第2項は特定事業者等が選任しなければならない者に関するものであり，特定事業者等に対して報告及び立入検査をさせることができるのは，経済産業大臣である．

③ 第3項は工場等に係る措置のうち，第1項及び第2項以外の措置に関するものであり，その措置の実施において，特定連鎖化事業者や連鎖化事業の加盟者に対して立入検査を行うとき，あらかじめ連鎖化事業の加盟者に承諾を得る必要はない．

〈 10 の解答群〉

ア ①　　イ ②　　ウ ③

解　説

(1) 「エネルギーの使用の合理化及び非化石エネルギーへの転換等に関する法律」（以下「法」）の条文の内容を直接問う問題である．

1) 「法」第1条からの出題である．例年，問題1は「法」からの出題が多く，(1) 1)2)3)はすべて法の条文のままの出題である．「法」第5条は事業者の判断の基準となるべき事項等に関する条文である．条文は，以下のとおりである．

第5条　主務大臣は，工場等におけるエネルギーの使用の合理化の適切かつ有効な実施を図るため，次に掲げる事項並びにエネルギーの使用の合理化の**目標**（エネルギーの使用の合理化が特に必要と認められる業種において達成すべき**目標**を含む.）及び当該**目標**を達成するために計画的に取り組むべき措置に関し，工場等においてエネルギーを使用して事業を行う者の判断の基準となるべき事項を定め，これを公表するものとする.

一　工場等であつて専ら事務所その他これに類する用途に供するものにおけるエネルギーの使用の方法の改善，第 149 条第 1 項に規定するエネルギー消費性能等が優れている機械器具の選択その他エネルギーの使用の合理化に関する事項

二　工場等（前号に該当するものを除く.）におけるエネルギーの使用の合理化に関する事項であって次に掲げるもの

イ　化石燃料及び非化石燃料の燃焼の合理化

ロ　加熱及び冷却並びに伝熱の合理化

ハ　廃熱の回収利用

ニ　熱の動力等への変換の合理化

ホ　放射，伝導，抵抗等によるエネルギーの損失の防止

ヘ　電気の動力，熱等への変換の合理化

（第 2 項，第 3 項　略）

4　第 1 項及び第 2 項に規定する判断の基準となるべき事項並びに前項に規定する指針は，エネルギー需給の長期見通し，電気その他のエネルギーの需給を取り巻く環境，エネルギーの使用の合理化及び非化石エネルギーへの転換に関する技術水準，**業種別の**エネルギーの使用の合理化及び非化石エネルギーへの転換の状況その他の事情を勘案して定めるものとし，これらの事情の変動に応じて必要な改定をするものとする.

このように条文のままで空欄を埋める出題が多く，基本的な条文はよく読み理解しておくことが必要であるが，もし条文の明確な記憶がない場合でも，法令の趣旨を理解していれば前後の文脈に合致する言葉を語群から選ぶことができる.

2)　「法」第 50 条の条文からの出題である．第 50 条は連携省エネルギー計画の認定である．条文は以下のとおりである.

第 50 条　工場等を設置している者は，他の工場等を設置している者と連携して工場等におけるエネルギーの使用の合理化を推進する場合には，共同で，その連携して行うエネルギーの使用の合理化のための措置（以下「連携省エネルギー措置」という.）に関する計画（以下「連携省エネルギー計画」という.）を作成し，経済産業省令で定めるところにより，これを経済産業大臣に提出して，その連携省エネルギー計画が適当である

旨の認定を受けることができる.

2　連携省エネルギー計画には，次に掲げる事項を記載しなければならない.

一　連携省エネルギー措置の目標

二　連携省エネルギー措置の内容及び実施期間

三　連携省エネルギー措置を行う者が設置している工場等（当該者が連鎖化事業者である場合にあつては当該者が行う連鎖化事業の加盟者が設置している当該連鎖化事業に係る工場等を含み，当該者が認定管理統括事業者である場合にあつてはその管理関係事業者が設置している工場等（当該管理関係事業者が連鎖化事業者である場合にあつては，当該者が行う連鎖化事業の加盟者が設置している当該連鎖化事業に係る工場等を含む.）を含む.）において当該連携省エネルギー措置に関してそれぞれ使用したこととされるエネルギーの量の**算出の方法**

（以下省略）

しかし，ここでは「法」第 52 条の「連携省エネルギー計画に係る**定期の報告**の特例等」という項目を参照しないと，3 の解答が得られないので，注意が必要である.

⑵　問題の初めに記された「法」,「令」,「則」から，特定事業者に指定する場合のエネルギー使用量の算出を求めていることがわかる.

1）　2010 年度施行の「法」改正における重要ポイントである「法」第 7 条「特定事業者」の指定に関連する問題である．この出題は毎年出題されており，過去 6 年間の用途は「圧延工場・精整加工工場」,「食品工場」,「食品製造工場」,「化学製品製造工場」,「機械部品製造工場」,「食品加工工場」である．そして今年は「化学工場」であり，用途による規定の違いはいまのところない.

問われる内容はほぼ同じで，工場内のエネルギー使用量の計算から事業所として法的規制を問う問題で,「法」第 2 条の「エネルギーの定義」や第 7 条以降の「特定事業者」や「エネルギー管理指定工場」, そして「エネルギー管理者」「エネルギー管理員」の選任などに関する規定について問われる計算問題である．計算の方法，根拠および判断の基準を明確に理解する必要がある.

エネルギー使用量の計算は，設問の化学工場においては a のボイラで使用した都市ガス，b のボイラで使用したプラスチック廃棄物，e の電気小売事業者から購入した電気の量の合計である．一般電気事業者から購入して使用した電気，A 重油および都市ガスは,「法」第 2 条,「エネルギーの使用の合理化及び非化石エネルギーへの転換等に関する法律施行令」（以下「令」）

第1条,「エネルギーの使用の合理化及び非化石エネルギーへの転換等に関する法律施行規則」(以下「則」)第2条から使用量に該当する. bのボイラの燃料として使用したプラスチック廃棄物は,「法」第2条第3項の「非化石燃料」に該当する. cの凝縮水から回収した熱は,「法」第2条第1項,「令」第1条第1項に定める熱に該当しない. また, dの電気式ヒートポンプによって地中から回収した熱は「法」第2条第1項,「令」第1条第1項に定める熱に該当しない.

事業者としてはfの本社事務所でのエネルギー使用量も加わり,「法」で定めるエネルギー使用量は, 一般電気事業者から購入して使用した電気に「則」第4条に定める原油換算量 0.025 8 kL/GJ を乗じて求めた使用量を加算する. gは,「法」第2条第4項から,「非化石エネルギー」に該当する.

化学工場のエネルギー使用量は

(aの都市ガス + bのプラスチック廃棄物 + eの電気)[GJ]

× 0.025 8 kL/GJ

=(96 000 GJ + 5 000 GJ + 530 000 GJ) × 0.025 8 kL/GJ

= 16 279.8 ≒ 16 280 kL

本社事務所のエネルギー使用量は

(fの電気 + gの電気)[GJ] × 0.025 8 kL/GJ

=(22 000 GJ + 3 000 GJ) × 0.025 8 kL/GJ

= 645 kL

事業者全体としてのエネルギー使用量は

(化学工場の使用量) + (本社事務所の使用量)

= 16 279.8 kL + 645 kL

= 16 924.8 ≒ 16 925 kL

となり, 事業者としては「法」第7条第1項,「令」第2条第1項に定めるところの 1 500 kL を超えているため, この事業者は特定事業者に該当する.

2) 化学工場のエネルギー使用量は「法」第7条第1項,「法」第10条第1項,「令」第2条第1項,「令」第3条に定めるところにより 3 000 kL 以上であるため, この工場は第1種エネルギー管理指定工場となる.

3) この事業者は特定事業者であることから「法」第8条および第9条より「エネルギー管理統括者」と「エネルギー管理企画推進者」の選任が必要になるとともに, 当該工場は第1種であるので,「法」第11条第1項から「エネルギー管理者」の選任の義務がある. また,「令」第4条より, エネルギー使用量 20 000 kL 未満なのでエネルギー管理者は1名必要である. 一方, 本社事務所のエネルギー使用量は 1 500 kL 未満であるため, 第2種エネルギー管理指定工場に該当しないことから，エネルギー管理者もエネルギー管理員も選任不要である．

事業者としての規定である「特定事業者」，事業所としての規定である「エネルギー管理指定工場」，そしてそれぞれの第 1 種，第 2 種の規定，またそれに伴う資格者の選任に関する規定は複雑であるので，正確に覚えておくことが重要である．

なお，第 1 種特定事業者とは第 1 種エネルギー管理指定工場等を設置する特定事業者であることも重要であるのでよく理解しておく必要がある．

(3)

1)　「法」第 149 条に「エネルギー消費機器等製造事業者等の判断の基準となるべき事項」が規定されている．「法」第 149 条は以下のとおりである．

第 149 条　エネルギー消費機器等のうち，自動車（エネルギー消費性能の向上を図ることが特に必要なものとして政令で定めるものに限る．以下同じ．）その他我が国において大量に使用され，かつ，その使用に際し相当量のエネルギーを消費するエネルギー消費機器であつてそのエネルギー消費性能の向上を図ることが特に必要なものとして政令で定めるもの（以下「特定エネルギー消費機器」という．）及び我が国において大量に使用され，かつ，その使用に際し相当量のエネルギーを消費するエネルギー消費機器に係る関係機器であつてそのエネルギー消費関係性能の向上を図ることが特に必要なものとして政令で定めるもの（以下「特定関係機器」という．）については，経済産業大臣（自動車及びこれに係る特定関係機器にあつては，経済産業大臣及び国土交通大臣．以下この章及び第 166 条第 10 項において同じ．）は，特定エネルギー消費機器及び特定関係機器（以下「特定エネルギー消費機器等」という．）ごとに，そのエネルギー消費性能又はエネルギー消費関係性能（以下「エネルギー消費性能等」という．）の向上に関しエネルギー消費機器等製造事業者等の判断の基準となるべき事項を定め，これを公表するものとする．

2　前項に規定する判断の基準となるべき事項は，当該特定エネルギー消費機器等のうちエネルギー消費性能等が**最も優れているもの**のそのエネルギー消費性能等，当該特定エネルギー消費機器等に関する技術開発の将来の見通しその他の事情を勘案して定めるものとし，これらの事情の変動に応じて必要な改定をするものとする．

また，「令」第 18 条では，特定エネルギー消費機器が 29 種類定められているが，設問の項目のうち，

二　エアコンディショナー

五　複写機

二十七　交流電動機

が該当する．

2)「法」第 166 条では，報告及び立入検査について規定している．

第 1 項では，「政令で定めるところにより，工場等においてエネルギーを使用して事業を行う者に対し，その設置している工場等における業務の状況に関し報告させ，又はその職員に，工場等に立ち入り，エネルギーを消費する設備，帳簿，書類その他の物件を検査させることができる」と規定されているので，対象は当該の指定を受けた事業者に限定しない．

第 2 項では，「経済産業大臣は，（省略）政令で定めるところにより，特定事業者，特定連鎖化事業者，認定管理統括事業者又は管理関係事業者に対し，その設置している工場等における業務の状況に関し報告させ，又はその職員に，工場等に立ち入り，エネルギーを消費する設備，帳簿，書類その他の物件を検査させることができる」としているので，設問の②は正しい．

第 3 項では，「ただし，当該特定連鎖化事業者が行う連鎖化事業の加盟者が設置している当該連鎖化事業に係る工場等に立ち入る場合においては，あらかじめ，当該加盟者の承諾を得なければならない」としているので，あらかじめ連鎖化事業の加盟者に承諾を得る必要がある．

解　答　(1)　**1-エ，2-カ，3-ウ，4-オ**

(2)　**A-16 280，B-645，5-ア，6-イ，7-エ**

(3)　**8-エ，9-ア，10-イ**

（エネルギー情勢・政策，エネルギー概論）

問題2　次の各文章の [1] ～ [9] の中に入れるべき最も適切な字句，数値又は記述をそれぞれの解答群から選び，その記号を答えよ．

また，[A $a.bc \times 10^{d}$] に当てはまる数値を計算し，その結果を答えよ．ただし，解答は解答すべき数値の最小位の一つ下の位を四捨五入すること．（配点計 50 点）

(1)　国際単位系（SI）では，長さ（メートル [m]），質量（キログラム [kg]），時間（秒 [s]），電流（アンペア [A]），[1]，光度（カンデラ [cd]）及び物質量（モル [mol]）の 7 つを基本単位としている．

これに対し，例えば単位時間当たりの仕事すなわち仕事率の単位であるワット [W] は，前述の 7 つの基本単位のうちのいくつかを組み合わせて [$kg\cdot m^2/s^3$] と表されるので，組立単位と呼ばれる．

クレーンが質量 1 000 kg の物体を 10 s 間で地表から鉛直方向に 15 m 持ち上げたとすると，このクレーンのこの間の平均的な仕事率は［A $a.bc \times 10^{d}$］[W] である．ここで重力の加速度を 9.8 m/s^2 とする．

〈［1］の解答群〉

ア　力（ニュートン [N]）　　**イ**　電位（ボルト [V]）

ウ　熱力学温度（ケルビン [K]）

(2)　地球に到達する太陽からの放射エネルギーは，大気圏の外側で太陽光線に垂直な単位面積当たり単位時間当たりに約［2］[kW/m^2] である．この太陽からの放射エネルギーと大気と地表面の作用で生じる温室効果において，主に関与する気体は二酸化炭素と水蒸気である．これらの気体は熱ふく射のうちの［3］の波長域に比較的強い吸収帯を有しており，それが温室効果の原因となる．二酸化炭素と水蒸気が温室効果（温度上昇）に及ぼしている影響の大きさを比べると，［4］．

〈［2］～［4］の解答群〉

ア　0.14　　**イ**　1.4　　**ウ**　14

エ　0.1 μm 以下　　**オ**　0.1 ～ 1 μm　　**カ**　1 μm 以上

キ　水蒸気の方が二酸化炭素より大きい

ク　二酸化炭素の方が水蒸気より大きい

ケ　両者はほぼ同等である

(3)　化石燃料の燃焼利用などに伴う大気中の二酸化炭素濃度の増加を抑制するために，水素を利用した発電設備や熱機関が注目されている．化石燃料は，自然界から直接人類に渡るエネルギーであることから，［5］エネルギーと呼ばれるが，それに対して水素は電気などと同様［6］エネルギーと呼ばれるように，自然界から直接得ることはできないので，まずその取得過程が重要である．水の電気分解などによる場合には，取得過程における二酸化炭素排出を極力抑制する視点から，電力源として［7］エネルギーや原子力エネルギーを利用することが効果的である．

ただし，化石燃料を利用する場合でも，そこから化学的に［8］して得た水素を用いるシステムで発電を高効率の［9］電池などにより行い，またシステム中で発生した熱エネルギーを有効に利用できれば，結果として二酸化炭素の排出抑制効果が期待できる．

〈［5］～［9］の解答群〉

ア　一次　　**イ**　二次　　**ウ**　リチウム　　**エ**　改質　　**オ**　還元

カ　酸化　　**キ**　再生可能　　**ク**　電磁　　**ケ**　燃料

解 説

(1)　国際単位系（SI）の基本単位と組立単位についての問題である．

国際単位系（SI）は，長さ［m］，質量［kg］，時間［s］，電流［A］，熱力学温度［K］，光度［cd］および物質量［mol］の 7 個を基本単位としている．これ以外の単位は基本単位を組み合わせて使用するので，組立単位と呼ばれる．例えば，力の単位ニュートン［N］は，質量と加速度の積であり，加速度は長さと時間から構成されているので，これらを組み合わせて成り立つ．すなわち

$$[\mathrm{N}] = [\mathrm{kg}] \times [\mathrm{m/s^2}] = [\mathrm{kg{\cdot}m/s^2}]$$

である．仕事の単位ジュール［J］は力と長さから構成され，

$$[\mathrm{J}] = [\mathrm{N}] \times [\mathrm{m}] = [\mathrm{kg{\cdot}m^2/s^2}]$$

である．仕事率ワット［W］は，仕事と時間から構成され，

$$[\mathrm{W}] = [\mathrm{J/s}] = [\mathrm{kg{\cdot}m^2/s^3}]$$

である．

クレーンが質量 1 000 kg の物体を 10 s で地表から鉛直方向に 15 m 持ち上げたとき，重力加速度を 9.8 m/s^2 とすると，仕事は

$$1\,000\ \mathrm{kg} \times 9.8\ \mathrm{m/s^2} \times 15\ \mathrm{m} = 1.47 \times 10^5\ \mathrm{J}$$

となり，仕事率は

$$\frac{1.47\times10^5\ \mathrm{J}}{10\ \mathrm{s}} = 1.47\times10^4\ \mathrm{W}$$

となる．

(2)　太陽の放射エネルギーの大きさは，地球の大気圏外の太陽光線に垂直な面で 1.36 kW/m^2 である．これを太陽定数という．太陽からの放射エネルギーは地表面から波長 1 μm 以上の赤外線として再放射されるが，赤外線は大気に含まれる二酸化炭素やメタンなどの温室効果ガスに吸収される．これが下方へ再放射されて，地表面の温度を上昇させる．これが温室効果である．温室効果ガスとしての影響は，二酸化炭素が 95 %程度で最大であるが，水蒸気による温室効果は二酸化炭素より大きい．水蒸気は水循環の過程で大気中に常時存在するため，通常は温室効果ガスに含めない．

(3)　石油・石炭・天然ガスという化石燃料の燃焼により大気中の二酸化炭素濃度が上昇し，気候変動の原因となっている．化石燃料は自然界から直接得られるエネルギーなので，一次エネルギーと呼ばれている．電気や水素は，一次エネルギーをエネルギー変換することによって得られるので，二次エネルギーという．水素は自然界には存在せず，水の電気分解で得られるが，電力として太陽光発電や風力発電などの再生可能エネルギーの余剰分を利用する

と，温室効果ガス排出削減に寄与できる．

石炭は固体燃料であるが，ガス化改質すると一酸化炭素と水素という気体燃料が得られる．ここで得た水素と大気中の酸素を利用して燃料電池を運転すると，直流電力を発電することができるが，この化学反応で発生した熱を回収して給湯や温水製造に熱利用することができる．これは，コジェネレーション（熱電併給）システムであり，発電と熱利用によって80％以上のエネルギー効率を達成することが可能である．

解答　(1)　**1-ウ，A-1.47 × 10^4**
(2)　**2-イ，3-カ，4-キ**
(3)　**5-ア，6-イ，7-キ，8-エ，9-ケ**

（エネルギー管理技術の基礎）

問題3　次の各文章は，令和5年10月1日時点で施行されている「工場等におけるエネルギーの使用の合理化に関する事業者の判断の基準」（以下，『工場等判断基準』と略記）の内容及びそれに関連した管理技術の基礎について述べたものである．

これらの文章において，『工場等判断基準』の本文に関連する事項については，その引用部を示す上で，

「Ⅰ　エネルギーの使用の合理化の基準」の部分は，
『基準部分』，
「Ⅱ　エネルギーの使用の合理化の目標及び計画的に取り組むべき措置」の部分は，
『目標及び措置部分』

と略記し，特に「工場等（専ら事務所その他これに類する用途に供する工場等を除く）」における『基準部分』を『基準部分（工場）』と略記する．

[1] ～ [14] の中に入れるべき最も適切な字句，数値又は式をそれぞれの解答群から選び，その記号を答えよ．

また，[A a.b] ～ [F abcd] に当てはまる数値を計算し，その結果を答えよ．ただし，解答は解答すべき数値の最小位の一つ下の位を四捨五入すること．（配点計100点）

(1)　『工場等判断基準』の『基準部分（工場）』は，次の6分野ごとに工場等で遵守すべき基準を示したものである．

①　[1] の合理化
②　加熱及び冷却並びに伝熱の合理化

③　[2]利用

④　熱の動力等への変換の合理化

⑤　放射，伝導，抵抗等によるエネルギーの損失の防止

⑥　電気の動力，熱等への変換の合理化

この 6 分野に関して，おのおのに「管理」,「計測及び記録」,「[3]」,「新設・更新に当たっての措置」の 4 項目について遵守内容が定められている.

〈[1]～[3]の解答群〉

ア　運営及び組織　**イ**　改善及び改造　**ウ**　保守及び点検

エ　高効率機器の有効　**オ**　自然エネルギーの有効　**カ**　生産プロセス

キ　熱と電気　**ク**　燃料の燃焼　**ケ**　廃熱の回収

⑵　熱交換器の熱媒体として，空気と水は広く使用される．この空気と水の流体としての特性を比較すると，温度の上昇とともに粘性が高まるのは，[4]である.

〈[4]の解答群〉

ア　空気　**イ**　水　**ウ**　空気と水の両方

⑶　炭化水素系の燃料が完全燃焼しているとき，供給された空気中の酸素と反応して，炭素からは CO_2，水素からは H_2O が生成される．このときの反応式から，1 mol のブタン（C_4H_{10}）を完全燃焼させるのに必要な理論酸素量を求めると，[A a.b]［mol］である.

⑷　外部から物体に放射エネルギーが与えられているとき，熱的な平衡状態にあれば，その物体の反射率，吸収率，透過率に関して，エネルギーの保存則から[5]の関係がある.

〈[5]の解答群〉

ア　吸収率 ＝ 反射率 － 透過率　**イ**　反射率 ＋ 吸収率 ＋ 透過率 ＝ 1

ウ　反射率 ＋ 吸収率 － 透過率 ＝ 1

⑸　加熱炉の平板炉壁の熱伝導について考える．厚さ 20 cm の断熱レンガを用い，炉内側の壁面温度が 660 ℃，外面温度が 60 ℃で，このときの通過熱流束が 750 W/m^2 であった．この断熱レンガの熱伝導率は [B a.b] $\times 10^{-1}$［W/(m·K)］である.

⑹　蒸気加熱では主に凝縮潜熱が利用されるが，使用される蒸気は湿り蒸気であることが多い.

『工場等判断基準』の『基準部分（工場）』の中でも，このような利用における蒸気の乾き度を適切に維持することが求められている．この乾き度とは，湿り蒸気全体に対する飽和蒸気の[6]割合を示すものである.

〈[6]の解答群〉

ア 質量　**イ** 体積　**ウ** エンタルピー

(7) ボイラの設備容量（大きさ）は，一般に定格蒸発量で表されるが，相対的な評価を行う上では換算蒸発量を用いる場合がある．これは，標準大気圧のもとで，100 ℃の飽和水を100 ℃の飽和蒸気にする場合の蒸発量（蒸発潜熱 = 2 257 kJ/kg）に換算して表したものである．

あるボイラの換算蒸発量 W［kg/h］は，実際の蒸発量 W'［kg/h］と，そのときの給水の比エンタルピー h_W［kJ/kg］及び発生蒸気の比エンタルピー h_S［kJ/kg］を用いて次式で求められる．

$$W = W' \times \boxed{\ 7\ }$$

〈[7]の解答群〉

ア $\dfrac{h_S}{2\,257}$　**イ** $\dfrac{h_S - h_W}{2\,257}$　**ウ** $\dfrac{2\,257}{h_S - h_W}$

(8) 『目標及び措置部分』の「その他エネルギーの使用の合理化に関する事項」の(1)項では，「熱の効率的利用を図るためには，有効エネルギー（エクセルギー）の観点からの総合的なエネルギー使用状況のデータを整備するとともに，熱利用の[8]的な整合性改善についても検討すること」が求められている．

〈[8]の解答群〉

ア 温度　**イ** 経済　**ウ** 時間

(9) ある工場で，省エネ法に定められたとおり，エネルギー使用量を原油の量に換算した量を，製品の生産数量で除した値をエネルギー消費原単位として管理している．この工場の前年度の原油換算のエネルギー使用量は4 000 kLで，生産数量は600個であった．

一方，今年度の原油換算のエネルギー使用量は4 500 kLで，生産数量は700個であった．その結果，この工場の今年度のエネルギー消費原単位は，前年度の[C ab.c][%]となる．

(10) エアコンディショナーのエネルギー消費性能の向上に関するエネルギー消費機器等製造事業者等の判断の基準等において，現在国内向けに出荷する業務の用に供するために製造されたエアコンディショナーは，エネルギー消費効率として[9]を用いることが定められている．この基準エネルギー消費効率の値は，冷房能力により異なるが，およそ[10]の範囲にある．

〈[9]及び[10]の解答群〉

ア 0.7 ～ 0.9　**イ** 2.3 ～ 3.0　**ウ** 3.9 ～ 6.0

エ 成績係数　**オ** 通年エネルギー消費効率

カ 冷房エネルギー消費効率

⑾ ある火力発電所の1時間当たりの発生電力量が150 000［kW·h］，このとき使用した燃料量が34 kL，燃料の高発熱量が40 MJ/Lであった．このときの火力発電所の高発熱量基準の平均熱効率は，［D ab.c］［%］である．

⑿ 三相誘導電動機が，線間電圧200 V，線電流200 A，力率80 %で稼働している．この電動機の効率を90 %とすると，軸出力は［E ab.c］［kW］である．ただし，$\sqrt{3}=1.73$とする．

⒀ ある工場では，最大需要電力を5 400 kW以下に抑えることにしている．ある日の9時から9時30分までの30分間について考える．9時から9時20分までの電力使用量が2 400 kW·hであるとすると，9時20分からの残り10分間の平均電力を［F abcd］［kW］以下とする必要がある．ここで，最大需要電力は使用電力の30分ごとの平均値で管理する．

⒁ 変圧器は，電圧を変えるのに用いられる．電力損失や漏れ磁束のない理想変圧器を考え，一次側の巻線の巻数をN_1，電圧をV_1，電流をI_1，二次側の巻線の巻数をN_2，電圧をV_2，電流をI_2とすると，これらの間には［11］の関係が成り立つ．

〈［11］の解答群〉

ア $\dfrac{N_1}{N_2}=\dfrac{V_1}{V_2}=\dfrac{I_2}{I_1}$　**イ** $\dfrac{N_1}{N_2}=\dfrac{V_1}{V_2}=\dfrac{I_1}{I_2}$　**ウ** $\dfrac{N_1}{N_2}=\dfrac{V_2}{V_1}=\dfrac{I_1}{I_2}$

エ $\dfrac{N_1}{N_2}=\dfrac{V_2}{V_1}=\dfrac{I_2}{I_1}$

⒂ 一般の電動機では，回転運動によって電動機軸に負荷に応じたトルクが発生する．回転速度がn［min^{-1}］で回転している電動機の軸出力がP［kW］であるとき，軸トルクTは円周率πを用いて，［12］$\times 10^3$［N·m］で表される．

〈［12］の解答群〉

ア $P\times\left(\dfrac{2\pi n}{60}\right)$　**イ** $\dfrac{2\pi n}{\left(\dfrac{P}{60}\right)}$　**ウ** $\dfrac{P}{\left(\dfrac{2\pi n}{60}\right)}$

⒃ 電気加熱には，被加熱物自身の発熱により，内部からの加熱ができる加熱方式がある．内部加熱ができる加熱方式のうち，誘導加熱は，コイルの内側に導電性の被加熱物を置き，コイルに交流電流を通じたときに被加熱物に誘起される［13］を利用するものである．

〈［13］の解答群〉

ア マイクロ波　**イ** 渦電流　**ウ** 誘電体損失

⒄　照明設備について，『工場等判断基準』の『基準部分（工場）』は，JIS の照明に関する規格及びこれに準ずる規格の規定するところにより管理標準を設定して使用すること，また，調光による減光又は消灯についての管理標準を設定し，過剰又は不要な照明をなくすことを求めている．JIS の「照明基準総則」では，事務所ビルにおける事務室の推奨照度範囲を 14 [lx] としている．

〈 14 の解答群〉

ア　150 〜 300　　**イ**　500 〜 1 000　　**ウ**　1 500 〜 2 000

解　説

告示「工場等におけるエネルギーの使用の合理化に関する事業者の判断の基準」（以下「工場等判断基準」と略記）からの出題である．この告示は特に重要で毎年出題確率が高い．しかも告示そのものが多岐にわたるため，できるだけ読み込んで内容を理解しておく必要がある．計算問題も多いので，正確な計算も求められる．

(1)　「工場等判断基準」の「基準部分」Ｉ－2　2　2－2「工場等（専ら事務所その他これに類する用途に供する工場等を除く）におけるエネルギーの使用の合理化に関する事項」（「基準部分（工場）」）には，以下の 6 項目が規定されている．

(1)　燃料の燃焼の合理化
(2)　加熱及び冷却並びに伝熱の合理化
(3)　廃熱の回収利用
(4)　熱の動力等への変換の合理化
(5)　放射，伝導，抵抗等によるエネルギーの損失の防止
(6)　電気の動力，熱等への変換の合理化

以上の 6 分野について，それぞれ「管理」，「計測及び記録」，「保守及び点検」，「新設・更新に当たっての措置」の 4 項目について遵守すべき内容が規定されている．

(2)　水の動粘性係数は温度が上昇すると小さくなるが，空気の動粘性係数は温度が上昇すると大きくなる．

(3)　ブタンを完全燃焼させるとき，

$$\underset{1\,\mathrm{mol}}{C_4H_{10}} + \underset{6.5\,\mathrm{mol}}{6.5O_2} \rightarrow 4CO_2 + 5H_2O$$

となる．したがって，1 mol のブタンを完全燃焼させるのに必要な理論酸素量は 6.5 mol となる．

(4) 外部から物体に放射エネルギーが入射するとき，熱平衡状態にある場合，このエネルギーは物体表面において反射，吸収，透過のいずれかとなるので，反射率 + 吸収率 + 透過率 = 1 になる．

(5) 加熱炉の平板炉壁に厚さ 20 cm の断熱レンガを用い，炉内側壁面温度が 660 ℃，外面温度が 60 ℃，通過熱流束が 750 W/m^2 のとき，通過熱流束は，断熱レンガの熱伝導率 λ [W/(m・K)] と温度差に比例し，断熱レンガの厚さに反比例する．したがって，

$$750 = \lambda \times \frac{660 - 60}{0.2}$$

したがって，

$$\lambda = 0.25 = 2.5 \times 10^{-1}\ \mathrm{W/(m \cdot K)}$$

となる．

(6) 湿り蒸気 = 乾き飽和蒸気（気体）+ 飽和液（粒子状の液体）である．乾き度 x は湿り蒸気中の乾き飽和蒸気の質量割合を示す．飽和液の質量割合 $(1 - x)$ を湿り度という．

(7) 換算蒸発量は，実際蒸発量を 100 ℃の飽和水が 100 ℃の飽和蒸気になるときの蒸発潜熱 2 257 kJ/kg に換算した量である．したがって，換算蒸発量 W は，実際蒸発量 W' に給水と発生蒸気の比エンタルピー差 $(h_S - h_W)$ [kJ/kg] と 2 257 kJ/kg の比を掛けたものになる．すなわち，

$$W = W' \times \frac{h_S - h_W}{2\,257}$$

となる．

(8) 「目標及び措置部分」の「その他エネルギーの使用の合理化に関する事項」の(1)項では，「熱の効率的利用を図るためには，有効エネルギー（エクセルギー）の観点からの総合的なエネルギー使用状況のデータを整備するとともに，熱利用の温度的な整合性改善についても検討すること」と規定されている．

(9) 前年度のエネルギー消費量は 4 000 kL，生産個数は 600 個なので，エネルギー消費原単位は

$$4\,000/600 = 6.67\ \mathrm{kL/個}$$

である．今年度のエネルギー消費量は 4 500 kL，生産個数は 700 個なので，エネルギー消費原単位は

$$4\,500/700 = 6.43\ \mathrm{kL/個}$$

である．したがって，この工場の今年度のエネルギー消費原単位は前年度に対して

$$6.43/6.67 = 0.964\,0 = 96.4\ \%$$

になる．

(10)　令和5年3月28日経済産業省告示第128号「エアコンディショナーのエネルギー消費性能の向上に関するエネルギー消費機器等製造事業者等の判断の基準等」において，業務用に製造されたエアコンディショナーは「通年エネルギー消費効率」を表示することと規定されている．この基準エネルギー消費効率の値は，冷房能力によって差異があるが，概ね3.9～6.0の範囲にある．

(11)　火力発電所で1時間当たり150 000 kW·h（＝150 MW·h）の発電量があり，燃料消費量が34 kL，燃料の高発熱量が40 MJ/Lのとき，高発熱量基準の平均熱効率は

$$\frac{150\ \mathrm{MW \cdot h} \times 3\,600}{40\ \mathrm{MJ/L} \times 34 \times 10^3\ \mathrm{L}} = 0.397\,0 = 39.7\ \%$$

となる．

(12)　三相誘導電動機が，線間電圧200 V，線電流200 A，力率80 %で稼働しているとき，電動機の効率を90 %とすると，軸出力は

$$\sqrt{3} \times 200 \times 200 \times 0.8 \times 0.9 = 49\,824\ \mathrm{W} = 49.8\ \mathrm{kW}$$

となる．

(13)　最大需要電力が5 400 kWのとき，9時から9時30分までの30分間の最大使用電力量は

$$5\,400\ \mathrm{kW} \times 0.5\ \mathrm{h} = 2\,700\ \mathrm{kW \cdot h}$$

となる．9時から9時20分までの使用電力量が2 400 kW·hのとき，9時20分から9時30分の使用電力量を

$$2\,700 - 2\,400 = 300\ \mathrm{kW \cdot h}$$

に抑える必要がある．この時間帯（10分＝1/6 h）の平均電力を W［kW］とすると

$$W \times 1/6\ \mathrm{h} = 300\ \mathrm{kW \cdot h}$$

から，$W = 1\,800$ kW以下にしなくてはならない．

(14)　電圧損失や漏れ磁束のない理想変圧器において，一次側の巻線の巻数を N_1，電圧を V_1，電流を I_1，二次側の巻線の巻数を N_2，電圧を V_2，電流を I_2 とすると，変圧比は巻数比に等しいので，

$$\frac{N_1}{N_2} = \frac{V_1}{V_2}$$

である．また，理想変圧器では一次側エネルギー $V_1 I_1$ と二次側エネルギー $V_2 I_2$ は等しいので，

$$V_1 I_1 = V_2 I_2$$

$$\frac{V_1}{V_2} = \frac{I_2}{I_1}$$

である．したがって，次のようになる．

$$\frac{N_1}{N_2} = \frac{V_1}{V_2} = \frac{I_2}{I_1}$$

⒂　電動機の軸トルクを T [N·m], 角速度を ω [rad/s], 回転速度を n [min^{-1}] とすると，軸出力 P [kW] は次式で表すことができる．

$$P = \omega T = \frac{2\pi n}{60} \times T$$

したがって，軸トルク T は次のようになる．

$$T = \frac{P}{\frac{2\pi n}{60}}$$

⒃　電気加熱では，被加熱物自体の発熱により加熱する内部加熱という加熱方式がある．内部加熱として誘電加熱，誘導加熱，直接抵抗加熱，マイクロ波加熱などがある．誘導加熱は，コイルの内側に導電性の被加熱物を置いて，コイルの交流電流を流したとき，被加熱物に渦電流が誘起されるという電磁誘導の原理を用いた加熱方式である．誘起された渦電流は，被加熱物の電気抵抗によってジュール熱を発生して加熱を行う．

⒄　「工場等判断基準」の「基準部分（工場）」の(6)（6－2）では，「①　照明設備，昇降機，事務用機器の管理」として，以下のように規定している．

ア　照明設備については，日本産業規格Z 9110（照度基準総則）又はZ 9125（屋内作業場の照明基準）及びこれらに準ずる規格に規定するところにより管理標準を設定して使用すること．また，調光による減光又は消灯についての管理標準を設定し，過剰又は不要な照明をなくすこと．

「JIS Z 9110：2011　照明基準総則」では，「5.3　事務所」で執務空間の事務室の維持照度を750 lxとしている．「4.3.2　推奨照度」では，「もし，視覚条件が通常と異なる場合には，設計照度の値は，推奨照度の値から4.3.3に示す照度段階で少なくとも1段階上下させて設定してもよい」となっているので，推奨照度範囲は500～1 000 lxである．

解　答　(1)　**1-ク，2-ケ，3-ウ**　　(2)　**4-ア**

(3)　**A-6.5**　　(4)　**5-イ**

(5)　**B-2.5**　　(6)　**6-ア**

(7) **7- イ**

(8) **8- ア**

(9) **C-96.4**

(10) **9- オ，10- ウ**

(11) **D-39.7**

(12) **E-49.8**

(13) **F-1 800**

(14) **11- ア**

(15) **12- ウ**

(16) **13- イ**

(17) **14- イ**

第 41 回　2019 年（令和元年）

（エネルギーの使用の合理化等に関する法律及び命令）

問題1　次の各問に答えよ．なお，法令は令和 6 年 10 月 1 日時点で施行されているものである．

以下の問題文では

エネルギーの使用の合理化及び非化石エネルギーへの転換等に関する法律を『法』

エネルギーの使用の合理化及び非化石エネルギーへの転換等に関する法律施行令を『令』

エネルギーの使用の合理化及び非化石エネルギーへの転換等に関する法律施行規則を『則』

エネルギーの使用の合理化及び非化石エネルギーへの転換等に関する基本方針を『基本方針』

と略記する．（配点計 50 点）

(1)　次の各文章の [1] ～ [4] の中に入れるべき最も適切な字句をそれぞれの解答群から選び，その記号を答えよ．

1)　『法』の目的に関する事項

『法』第 1 条は，『法』の目的について次のように定めている．

「我が国で使用されるエネルギーの相当部分を化石燃料が占めていること，非化石エネルギーの利用の必要性が増大していることその他の内外におけるエネルギーをめぐる経済的社会的環境に応じたエネルギーの有効な利用の確保に資するため，工場等，輸送，建築物及び機械器具等についてのエネルギーの使用の合理化及び非化石エネルギーへの転換に関する所要の措置，電気の [1] の最適化に関する所要の措置その他エネルギーの使用の合理化及び非化石エネルギーへの転換等を総合的に進めるために必要な措置等を講じることとし，もつて国民経済の健全な発展に寄与することを目的とする．」

2)　エネルギーの定義に関する事項

『法』第 2 条は，『法』における「エネルギー」とは，化石燃料及び非化石燃料並びに熱及び電気をいうとし，「化石燃料」とは，原油及び揮発油，重油その他経済産業省令で定める石油製品，可燃性天然ガス並びに石炭及びコークスその他経済産業省令で定める石炭製品であって， [2] その他の経済産業省令で定める用途に供するものをいう，と定めている．

〈[1] 及び [2] の解答群〉

ア 価格　**イ** 供給能力　**ウ** 原料　**エ** 産業用

オ 需要　**カ** 暖房　**キ** 燃焼　**ク** 品質

3）特定事業者，特定連鎖化事業者及び認定管理統括事業者に関する事項

特定事業者，特定連鎖化事業者，及び平成 30 年 12 月施行の『法』改正によって新設された認定管理統括事業者については，それぞれ『法』第 8 条，第 20 条及び第 32 条において，中長期的な計画の作成事務，対象として定められている工場等におけるエネルギーの使用の合理化に関し，[3] の維持，エネルギーの使用の方法の改善及び監視その他経済産業省令で定める業務を統括管理する者を選任しなければならない，と定められており，業務を統括管理する者を『法』では [4] という．

なお，対象として定められている工場等とは，特定事業者では「その設置している工場等」，特定連鎖化事業者では「その設置している工場等及び当該特定連鎖化事業者が行う連鎖化事業の加盟者が設置している当該連鎖化事業に係る工場等」，認定管理統括事業者では「その設置している工場等及びその管理関係事業者が設置している工場等」である．

〈[3] 及び [4] の解答群〉

ア エネルギー管理企画推進者　**イ** エネルギー管理統括者

ウ エネルギー管理者　**エ** 業務管理統括者

オ エネルギー関連の事業予算　**カ** エネルギーを消費する設備

キ 実施されている対策の効果　**ク** 推進体制

⑵ 次の各文章の [5] 及び [6] の中に入れるべき最も適切な字句又は記述をそれぞれの解答群から選び，その記号を答えよ．

また，[A abcd] 及び [B abc] に当てはまる数値を計算し，その結果を答えよ．ただし，解答は解答すべき数値の最小位の一つ下の位で四捨五入すること．

『法』第 2 条，第 7 条，第 10 条，第 13 条，第 14 条，及びこれらに関係する『令』及び『則』に関連する事項

ある事業者が食品加工工場と，別の事業所として本社事務所を所有しており，これらがこの事業者の設置している施設の全てである．ここで，食品加工工場における前年度の燃料，電気などの使用量は，次の a ～ e のとおり，本社事務所における前年度の電気などの使用量は，次の f 及び g のとおりであり，この事業者は a ～ g 以外のエネルギーは使用していなかった．また，本社事務所は，専ら事務所として使用されていた．

なお，この事業者は，連鎖化事業者，認定管理統括事業者又は管理関係事業者ではないものとする．

a：食品加工工場において，ボイラで使用した都市ガスの量を発熱量として換算した量が3万5千ギガジュールであった．

b：食品加工工場において，コージェネレーション設備を設置し，そこで使用した都市ガスの量を発熱量として換算した量が2万ギガジュールであった．

c：食品加工工場において，bのコージェネレーション設備で発電した電気を工場内で使用した．その電気の量を熱量として換算した量が8千ギガジュールであった．

d：食品加工工場において，bのコージェネレーション設備で発生させた蒸気を工場内で使用した．その蒸気の量を熱量として換算した量が7千ギガジュールであった．

e：食品加工工場において，小売電気事業者から購入して使用した電気の量を熱量として換算した量が5万ギガジュールで，その購入先の小売電気事業者が販売する電気は，化石燃料によって発電されたものであった．

f：本社事務所において，小売電気事業者から購入して使用した電気の量を熱量として換算した量が1万8千ギガジュールで，その小売電気事業者が販売する電気は，化石燃料及び太陽光発電によって発電されたものであった．

g：本社事務所において，熱供給事業者から購入して使用した温水及び冷水の熱量を燃料の発熱量に換算した量が9千ギガジュールで，その購入先の熱供給事業者では，都市ガス及び電気を用いて温水及び冷水を発生させていた．

1)　前年度に使用したエネルギー使用量を『法』で定めるところにより原油の数量に換算した量は，食品加工工場が [A abcd] キロリットル，本社事務所が [B abc] キロリットルとなり，この事業者は特定事業者に該当し，工場等単位でも指定の有無が判定される．

なお，『則』第4条によれば，発熱量又は熱量1ギガジュールは原油0.025 8キロリットルとして換算することとされている．

2)　1)の『法』で定めるエネルギー使用量によって当該の指定を受けた後，事業所について事業者が選任しなければならないのは，次に示す①から④のうちの [5] である．

① 食品加工工場のエネルギー管理者

② 食品加工工場のエネルギー管理員

③　本社事務所のエネルギー管理者

④　本社事務所のエネルギー管理員

〈 5 の解答群〉

ア　①のみ　**イ**　②のみ　**ウ**　①と③　**エ**　①と④

オ　②と③　**カ**　②と④　**キ**　①と②と③　**ク**　①と②と④

3)　この事業者の食品加工工場で，選任すべきエネルギー管理者又はエネルギー管理員に欠員が生じた場合，新たに選任しなければならない．このとき，選任すべき事由が生じた日以降， 6 選任しなければならない．

〈 6 の解答群〉

ア　遅滞なく　**イ**　3月以内に　**ウ**　6月以内に　**エ**　1年以内に

(3)　次の各文章の 7 ～ 10 の中に入れるべき最も適切な字句又は記述をそれぞれの解答群から選び，その記号を答えよ．

1)　合理化計画に関する事項

『法』第17条第1項によれば，主務大臣は特定事業者が設置している工場等におけるエネルギーの使用の合理化の状況が第5条第1項に規定する 7 に照らして著しく不十分であると認めるときは，当該特定事業者に対し，当該特定事業者のエネルギーを使用して行う事業に係る技術水準，第5条第3項に規定する指針に従って講じた措置の状況その他の事情を勘案し，その判断の根拠を示して，エネルギーの使用の合理化に関する計画（合理化計画という.）を作成し，これを提出すべき旨の指示をすることができる，と定めている．

この合理化計画に関して『法』第17条第2項で，主務大臣は，合理化計画が当該特定事業者が設置している工場等に係るエネルギーの使用の合理化の適確な実施を図る上で適切でないと認めるときは，当該特定事業者に対し，合理化計画を変更すべき旨の指示をすることができる，と定めている．

また，第3項では，主務大臣は，特定事業者が合理化計画を実施していないと認めるときは，当該特定事業者に対し， 8 すべき旨の指示をすることができる，と定めている．

さらに，第4項では，これら第1項から第3項に規定する指示を受けた特定事業者がその指示に従わなかったときはその旨を公表することができる，としている．

〈 7 及び 8 の解答群〉

ア　エネルギーの使用の合理化の基本方針　**イ**　ベンチマーク目標

ウ　主務大臣による指導及び助言　**エ**　判断の基準となるべき事項

オ　合理化計画の実施機関を設置　　**カ**　合理化計画を遅滞なく実施
キ　合理化計画を適切に実施　　**ク**　実施状況を継続的に報告

2)　中長期計画に関する事項

平成 30 年 12 月施行の『法』第 15 条では，従来どおり特定事業者は経済産業省令で定めるところにより，『法』第 5 条第 1 項の規定に基づき定められたエネルギーの使用の合理化の[9]に関し，その設置している工場等について，その達成のための中長期的な計画を作成し，主務大臣に提出しなければならない，とされている．ただし，計画の提出については，[10]に提出，と改定された．

〈[9]及び[10]の解答群〉

ア　改善命令　　**イ**　管理標準の策定　　**ウ**　基準
エ　目標　　**オ**　3 年毎　　**カ**　事業計画の作成と同時
キ　定期　　**ク**　定期の報告と同時

解　説

(1)「エネルギーの使用の合理化及び非化石エネルギーへの転換等に関する法律」(以下「法」) の条文の内容を直接問う問題である．

1)「法」第 1 条からの出題である．例年，問題 I は「法」からの出題が多く，(1) 1) 2) 3) はすべて法の条文のままの出題である．「法」第 1 条は「法」の目的に関する条文で，「法」の基本的な主旨として重要である．条文は，次のとおりである．

この法律は，我が国で使用されるエネルギーの相当部分を化石燃料が占めていること，非化石エネルギーの利用の必要性が増大していることその他の内外におけるエネルギーをめぐる経済的社会的環境に応じたエネルギーの有効な利用の確保に資するため，工場等，輸送，建築物及び機械器具等についてのエネルギーの使用の合理化及び非化石エネルギーへの転換に関する所要の措置，電気の需要の最適化に関する所要の措置その他エネルギーの使用の合理化及び非化石エネルギーへの転換等を総合的に進めるために必要な措置等を講ずることとし，もって国民経済の健全な発展に寄与することを目的とする．

このように条文のままで空欄を埋める出題が多く，基本的な条文はよく読み理解しておくことが必要であるが，もし条文の明確な記憶がない場合でも，趣旨を理解していれば前後の文脈に合致する言葉を語群から選ぶことができる．

2)「法」第 2 条の条文からの出題である．第 2 条は「エネルギー」の定義である．条文は次のとおりである．

この法律において「エネルギー」とは，化石燃料及び非化石燃料並びに熱(政令で定めるものを除く．以下同じ.）及び電気をいう．

2　この法律において「化石燃料」とは，原油及び揮発油，重油その他経済産業省令で定める石油製品，可燃性天然ガス並びに石炭及びコークスその他経済産業省令で定める石炭製品であって，**燃焼**その他の経済産業省令で定める用途に供するものをいう．

3　この法律において「非化石燃料」とは，前項の経済産業省令で定める用途に供する物であつて水素その他の化石燃料以外のものをいう．

4　この法律において「非化石エネルギー」とは，非化石燃料並びに化石燃料を熱源とする熱に代えて使用される熱（第5条第2項第二号ロ及びハにおいて「非化石熱」という.）及び化石燃料を熱源とする熱を変換して得られる動力を変換して得られる電気に代えて使用される電気（同号ニにおいて「非化石電気」という.）をいう．

5　この法律において「非化石エネルギーへの転換」とは，使用されるエネルギーのうちに占める非化石エネルギーの割合を向上させることをいう．

6　この法律において「電気の需要の最適化」とは，季節又は時間帯による電気の需給の状況の変動に応じて電気の需要量の増加又は減少をさせることをいう．

3)　特定事業者，特定連鎖化事業者および認定管理統括事業者に関する問題である．平成30年12月施行の「法」改正により，「第3章　工場等に係る措置等　第1節　工場等に係る措置」が第1款から第6款に分類されることになった．「第2款　特定事業者に係る措置」の「法」第8条は特定事業者におけるエネルギー管理統括者を規定し，「第3款　特定連鎖化事業者に係る措置」の「法」第20条は特定連鎖化事業者におけるエネルギー管理統括者を規定し，「第4款　認定管理統括事業者に係る措置」の「法」第32条は認定管理統括事業者におけるエネルギー管理統括者を規定している．

いずれにおいても，「中長期的な計画の作成事務並びにその設置している工場等におけるエネルギーの使用の合理化に関し，**エネルギーを消費する設備**の維持，エネルギーの使用の方法の改善及び監視その他経済産業省令で定める業務を統括管理する者を選任しなければならない」と定めている．以上の「業務を統括管理する者」を「法」第8条では「**エネルギー管理統括者**」という．

(2)　問題のはじめに記された「法」，「令」，「則」から，特定事業者に指定する場合のエネルギー使用量の算出を求めていることがわかる．

1）　2010 年度施行の「法」改正における重要ポイントである「法」第 7 条「特定事業者」の指定に関連する問題である．この問題は毎年出題されており，過去 5 年間の用途は「圧延工場・精整加工工場」，「食品工場」，「食品製造工場」，「化学製品製造工場」，「機械部品製造工場」である．そして今年は「食品加工工場」であり，用途による規定の違いはいまのところない．

問われる内容はほぼ同じで，工場内のエネルギー使用量の計算から事業所として法的規制を問う問題で，「法」第 2 条の「エネルギーの定義」や第 7 条以降の「特定事業者」や「エネルギー管理指定工場等」，そして「エネルギー管理士」「エネルギー管理員」の選任などに関する規定について問われる計算問題である．計算の方法，根拠および判断の基準を明確に理解する必要がある．

エネルギー使用量の計算は，食品加工工場においては a のボイラで使用した都市ガス，b のコージェネレーション設備で使用した都市ガス，e の電気小売事業者から購入した電気の量の合計である．一般電気事業者から購入して使用した電気，A 重油および都市ガスは「法」第 2 条，「エネルギーの使用の合理化及び非化石エネルギーへの転換等に関する法律施行令」（以下「令」）第 1 条，「エネルギーの使用の合理化及び非化石エネルギーへの転換等に関する法律施行規則」（以下「則」）第 2 条から使用量に該当する．c のコージェネレーション設備で発電した電気は，「法」第 2 条第 1 項に定める電気に該当しない．また，d のコージェネレーション設備で発生させた蒸気は「法」第 2 条第 1 項，「令」第 1 条第 1 項に定める熱に該当しない．

事業者としては f と g の本社事務所でのエネルギー使用量も加わり，「法」で定めるエネルギー使用量は小売電気事業者から購入して使用した電気に「則」第 4 条に定める原油換算量 0.025 8 kL/GJ を乗じて求めた使用量を加算する．

食品加工工場のエネルギー使用量は

(a の都市ガス ＋ b の都市ガス ＋ e の電気)[GJ]× 0.025 8 kL/GJ

＝(35 000 GJ ＋ 20 000 GJ ＋ 50 000 GJ)× 0.025 8 kL/GJ

＝ 2 709 kL

本社事務所のエネルギー使用量は

(f の電気 ＋ g の冷水と温水)[GJ]× 0.025 8 kL/GJ

＝(18 000 GJ ＋ 9 000 GJ)× 0.025 8 kL/GJ

＝ 697 kL

事業者全体としてのエネルギー使用量は

(食品加工工場の使用量)＋(本社事務所の使用量)

＝ 2 709 kL ＋ 697 kL

$= 3\,406\ \mathrm{kL}$

となり，事業者としては「法」第7条第1項,「令」第2条第1項に定めるところの1 500 kLを超えているため，この事業者は特定事業者に該当する.

2) 食品加工工場のエネルギー使用量は「法」第7条第1項,「法」第13条第1項,「令」第2条第1項,「令」第6条に定めるところにより1 500 kL以上であるため，この工場は第二種エネルギー管理指定工場等となる.

そして，この事業者は特定事業者であることから「法」第8条および第9条より「エネルギー管理統括者」と「エネルギー管理企画推進者」の選任が必要になるとともに，当該工場は第二種であるので,「法」第14条第1項から「エネルギー管理員」の選任の義務がある．一方,本社事務所のエネルギー使用量は1 500 kL以下であるため，第二種エネルギー管理指定工場等に該当しない.「法」第8条第1項には該当しないが，事業者として第二種エネルギー管理指定工場等をもつ特定事業者であるため,「法」第14条第1項により食品加工工場のエネルギー管理員を選任しなければならない.

事業者としての規定である「特定事業者」,事業所としての規定である「エネルギー管理指定工場等」，そしてそれぞれの第一種，第二種の規定，またそれに伴う資格者の選任に関する規定は複雑であるので，正確に覚えておくことが重要である.

なお，第二種特定事業者とは第二種エネルギー管理指定工場等を設置する特定事業者であることも重要であるのでよく理解しておく必要がある.

3) 「則」第17条第1項および第23条第1項にエネルギー管理者またはエネルギー管理員の選任について,「選任すべき事由が生じた日から**6月以内に**選任すること」と定められている.

(3)

1) 「法」第17条に「合理化計画に係る指示及び命令」が規定されている.「法」第17条は次のとおりである.

　主務大臣は，特定事業者が設置している工場等におけるエネルギーの使用の合理化の状況が第5条第1項に規定する**判断の基準となるべき事項**に照らして著しく不十分であると認めるときは，当該特定事業者に対し，当該特定事業者のエネルギーを使用して行う事業に係る技術水準，同条第3項に規定する指針に従って講じた措置の状況その他の事情を勘案し，その判断の根拠を示して，エネルギーの使用の合理化に関する計画（以下「合理化計画」という.）を作成し，これを提出すべき旨の指示をすることができる.

2　主務大臣は，合理化計画が当該特定事業者が設置している工場等に係るエネルギーの使用の合理化の適確な実施を図る上で適切でないと認めるときは，当該特定事業者に対し，合理化計画を変更すべき旨の指示をすることができる．

3　主務大臣は，特定事業者が合理化計画を実施していないと認めるときは，当該特定事業者に対し，**合理化計画を適切に実施**すべき旨の指示をすることができる．

4　主務大臣は，前 3 項に規定する指示を受けた特定事業者がその指示に従わなかったときは，その旨を公表することができる．

5　主務大臣は，第1項から第3項までに規定する指示を受けた特定事業者が，正当な理由がなくてその指示に係る措置をとらなかったときは，審議会等（国家行政組織法（昭和 23 年法律第 120 号）第 8 条に規定する機関をいう．以下同じ.）で政令で定めるものの意見を聴いて，当該特定事業者に対し，その指示に係る措置をとるべきことを命ずることができる．

2)　平成 30 年 12 月施行の「法」第 15 条では，中長期的な計画の作成について規定している．「法」第 15 条は次のとおりである．

　特定事業者は，経済産業省令で定めるところにより，**定期**に，その設置している工場等について第 5 条第 1 項に規定する判断の基準となるべき事項において定められたエネルギーの使用の合理化の**目標**に関し，その達成のための中長期的な計画を作成し，主務大臣に提出しなければならない．

2　特定事業者（その設置している全ての工場等における第 7 条第 2 項の政令で定めるところにより算定したエネルギーの年度の使用量から他の者に供給された熱又は電気を発生させるために使用された化石燃料及び非化石燃料の使用量を除いたエネルギーの年度の使用量の合計量が同条第 1 項の政令で定める数値未満である者を除く.）は，経済産業省令で定めるところにより，定期に，その設置している工場等について第 5 条第 2 項に規定する判断の基準となるべき事項において定められた非化石エネルギーへの転換（他の者に熱又は電気を供給する者にあつては，当該熱又は電気を発生させるために使用される化石燃料及び非化石燃料に係る部分を除く.）の目標に関し，その達成のための中長期的な計画を作成し，主務大臣に提出しなければならない．

3　主務大臣は，特定事業者による前 2 項の計画の適確な作成に資するため，それぞれ必要な指針を定めることができる．

4　主務大臣は，前項の指針を定めた場合には，これを公表するものとする．

　法改正前の第 14 条「中長期的な計画の作成」では，中長期的な計画の提出を「毎年度」としていた．

解 答 ⑴ **1-オ，2-キ，3-カ，4-イ**
⑵ **A-2 709，B-697，5-イ，6-ウ**
⑶ **7-エ，8-キ，9-エ，10-キ**

（エネルギー情勢・政策，エネルギー概論）

問題2 次の各文章の [1] ～ [9] の中に入れるべき最も適切な字句又は式をそれぞれの解答群から選び，その記号を答えよ．

また，[A $a.b\times10^{c}$] に当てはまる数値を計算し，その結果を答えよ．ただし，解答は解答すべき数値の最小位の一つ下の位で四捨五入すること．なお，円周率 π は 3.14 とする．（配点計 50 点）

⑴ 国際単位系（SI）では，長さ（メートル［m］），質量（キログラム［kg］），時間（秒［s］），[1]，熱力学温度（ケルビン［K］），光度（カンデラ［cd］）及び物質量（モル［mol］）の 7 個を基本単位としている．力やエネルギーなどの単位は基本単位にはなく，前述の 7 個の基本単位のうちのいくつかを組み合わせて表されるので，組立単位と呼ばれている．

LED や液晶プロジェクタの明るさを示すのに用いられるルーメン［lm］は組立単位であり，「光度 1 cd の均一な点光源から単位立体角 1 ステラジアンの中に放出する光束が 1 lm」と定義される．したがって，点光源から全ての方向（立体角 4π の全球方向）に一様に放出された光束の総和が 3 000 lm の場合，点光源の光度は [A $a.b\times10^{c}$] ［cd］である．

〈[1] の解答群〉

ア 電圧（ボルト［V］）　**イ** 電荷（クーロン［C］）
ウ 電流（アンペア［A］）

⑵ 気候変動枠組条約締約国会議（Conference of the Parties：COP）は 1995 年から毎年開催され，2018 年には 24 回目の会議（COP24）が開催されている．この間，地球温暖化問題への取り組みの第一歩として京都議定書が採択されたのは [2] であり，先進国を中心とした締約国に対し温室効果ガス排出量の削減が義務付けられた．その後，途上国を含む新たな枠組みとしてパリ協定が採択されたのは [3] であり，各国は 5 年ごとに温室効果ガス排出削減目標を提出することとなっている．なお，気候変動に関連する科学的知見を調査及び評価し，定期的に評価報告書にまとめている組織として [4] があり，現在第 5 次評価報告書までが公表されている．

〈[2] ～ [4] の解答群〉

ア 1995 年（COP1）　**イ** 1997 年（COP3）　**ウ** 2006 年（COP12）
エ 2015 年（COP21）　**オ** 気候変動に関する政府間パネル

カ　国際連合環境計画　　**キ**　世界気象機関

(3)　我が国の自動車の主な動力源としては，従来はガソリンエンジンとディーゼルエンジン，そして業務用車などの一部でガスエンジンの 3 種類が使用されてきた．ガソリンエンジンとディーゼルエンジンの機構上の顕著な違いは [5] 装置の有無である．

一方，最近では電動機を主な動力源とする自動車も増え，その主電源として [6] 電池のみを搭載するものや，水素を用いて発電する [7] 電池を搭載するものなどがある．

〈[5]～[7] の解答群〉

ア　一次　　**イ**　二次　　**ウ**　空気予圧　　**エ**　空気予熱

オ　点火　　**カ**　燃料

(4)　高温熱源と低温熱源の間で作動して動力を生み出す熱機関に対し，外部から動力を加えて低温熱源から高温熱源に熱を移動させるのがヒートポンプである．ヒートポンプの性能指標は通常 [8] と呼ばれ，その理論サイクルを逆カルノーサイクルとみなすと，高温熱源の熱力学温度が T_h，低温熱源の熱力学温度が T_c のとき，その値は式 [9] で計算される．

〈[8] 及び [9] の解答群〉

ア　$\dfrac{T_h + T_c}{T_h}$　　**イ**　$\dfrac{T_h}{T_h - T_c}$　　**ウ**　$\dfrac{T_h + T_c}{T_h - T_c}$　　**エ**　カルノー効率

オ　ジュール・トムソン係数　　**カ**　動作係数（成績係数）

解　説

(1)　国際単位系（SI）の基本単位と組立単位についての問題である．

国際単位系（SI）は，長さ［m］，質量［kg］，時間［s］，電流［A］，熱力学温度［K］，光度［cd］および物質量［mol］の 7 個を基本単位としている．これ以外の単位は基本単位を組み合わせて使用するので，組立単位と呼ばれる．たとえば，力の単位ニュートン（N）は，質量と加速度の積であり，加速度は長さと時間から構成されているので，これらを組み合わせて成り立つ．すなわち

$$1\,\mathrm{N} = 1\,\mathrm{kg} \times 1\,\mathrm{m/s^2} = 1\,\mathrm{kg{\cdot}m/s^2}$$

光度 1 カンデラ（cd）は，均一な点光源から単位立体角 1 ステラジアン（sr）のなかに放出された単位光束 1 ルーメン（lm）に相当するので，光度［cd］は光束［lm］と立体角［sr］の商になる．すなわち

$$1\,\mathrm{cd} = 1\,\mathrm{lm/sr}$$

となる．設問では，点光源の全光束が 3 000 lm で，これがすべての方向（立

体角 4π）に放出されたときの光度は

$$\frac{3\,000}{4\pi} = 238.9 = 2.4 \times 10^2 \text{ cd}$$

(2)　1992 年，ブラジルのリオで開催された「環境と開発に関する国連会議」において，大気中の温室効果ガスの濃度を安定化させることを究極の目標とする「国連気候変動枠組条約」が採択された．同条約に基づき，国連気候変動枠組条約締約国会議（COP）が 1995 年から毎年開催されている．1997 年に 3 回目の会議（COP3）が京都で開催され，そこで採択された京都議定書では先進国に温室効果ガス削減の数値目標を義務づけている．2015 年にはパリで開催された COP21 でパリ協定が採択されて，先進国および途上国がともに温室効果ガス排出削減目標を 5 年ごとに提出することとなった．

気候変動に関する政府間パネル（IPCC，Intergovernmental Panel on Climate Change）は，人為起源による気候変動，影響，適応および緩和方策に関し，科学的，技術的，社会経済学的な見地から包括的な評価を行うことを目的として，1988 年に国連環境計画（UNEP）と世界気象機関（WMO）により共同設立された組織である．第 1 次報告書が 1990 年に発行され，それ以降 5 ～ 6 年ごとに報告書が発行され，第 5 次報告書が 2013 年に発行されている．

(3)　ガソリンエンジンとディーゼルエンジンは，いずれも容積形内燃機関であるが，ガソリンエンジンは空気と燃料の混合気を圧縮してから，プラグで点火する火花点火機関であり，ディーゼルエンジンは，空気を圧縮して高温高圧になったところへ燃料を噴射して自己着火させる圧縮着火機関である．そのため，ガソリンエンジンには着火装置が必要であるが，ディーゼルエンジンには不要である．

(4)　ヒートポンプは，外部から圧縮機に動力を加えて低温熱源から高温熱源に熱移動を行う熱機関である．ヒートポンプの熱効率は，動作係数（成績係数，COP, Coefficient of Performance）という．ヒートポンプの理論サイクルは，逆カルノーサイクルで示される．高温熱源から低温熱源への熱移動によって動力を生み出すカルノーサイクルの熱効率 η_c は，高温熱源の熱力学温度を T_h［K］，低温熱源の熱力学温度を T_c［K］とすると

$$\eta_c = \frac{T_h - T_c}{T_h} = 1 - \frac{T_c}{T_h}$$

となる．逆カルノーサイクルでは，これが逆数になるので，逆カルノーサイクルの熱効率 η_{rc} は

$$\eta_{\mathrm{rc}} = \frac{T_{\mathrm{h}}}{T_{\mathrm{h}} - T_{\mathrm{c}}}$$

となる．

解　答　(1)　**1- ウ，A-2.4×10^{2}**

(2)　**2- イ，3- エ，4- オ**

(3)　**5- オ，6- イ，7- カ**

(4)　**8- カ，9- イ**

（エネルギー管理技術の基礎）

問題3　次の各文章は，令和 5 年 10 月 1 日時点で施行されている「工場等におけるエネルギーの使用の合理化に関する事業者の判断の基準」（以下，『工場等判断基準』と略記）の内容及びそれに関連した管理技術の基礎について述べたものである．

これらの文章において，『工場等判断基準』の本文に関連する事項については，その引用部を示す上で，

「Ⅰ　エネルギーの使用の合理化の基準」の部分を，『基準部分』，

「Ⅱ　エネルギーの使用の合理化の目標及び計画的に取り組むべき措置」の部分を，『目標及び措置部分』

と略記し，特に「工場等（専ら事務所その他これに類する用途に供する工場等を除く）」における『基準部分』を『基準部分（工場）』と略記する．

[1] ～ [13] の中に入れるべき最も適切な字句，数値又は記述をそれぞれの解答群から選びその記号を答えよ．なお，[1] は 3 箇所あるが，同じ記号が入る．

また，[A ab.c] ～ [G abcd] に当てはまる数値を計算し，その結果を答えよ．ただし，解答は解答すべき数値の最小位の一つ下の位で四捨五入すること．（配点計 100 点）　　　　（告示改正により改題）

(1)　『工場等判断基準』の『基準部分』のⅠ-1「全ての事業者が取り組むべき事項」では，エネルギーを使用して事業を行う全ての事業者が取り組むべき事項として，次の 9 項目が定められている．

事業者は設置している全ての工場等を俯《ふ》瞰《かん》し，これらの取組を行うことにより，適切なエネルギー管理を行うことが求められている．

①　[1] の策定

②　管理体制の整備

③　[2] の配置等

④　資金・人材の確保
⑤　従業員への周知・教育
⑥　[1] の遵守状況の確認等
⑦　[1] の精査等
⑧　文書管理による状況把握
⑨　エネルギーの使用の合理化に資する取組に関する情報の開示

〈[1] 及び [2] の解答群〉

ア　管理標準　　**イ**　責任者等　　**ウ**　中長期計画
エ　取組方針　　**オ**　内部監査等　　**カ**　保全組織等

(2)　『工場等判断基準』の『目標及び措置部分』では，事業者は，その設置している全ての工場等全体として又は工場等ごとにエネルギー消費原単位又は電気需要最適化評価原単位を [3] 以上低減させることを目標とすること，が求められている．

〈[3] の解答群〉

ア　過去 3 年間について年平均 1 パーセント
イ　中長期的にみて年平均 1 パーセント　　**ウ**　毎年 1 パーセント

(3)　液化天然ガス（LNG）は都市ガスの原料や火力発電用燃料などに使用されており，その主成分はメタンである．

メタン（CH_4）1 m^3_N が完全燃焼しており，供給されている燃焼用空気の空気比が 1.1 であるとき，その空気量は，[A ab.c] [m^3_N] である．ただし，空気中の酸素濃度（体積割合）を 21 %とする．なお，m^3_N は標準状態の体積を表す．

(4)　平板壁の両側に温度の異なる流体が流れているときの熱通過量を求める場合には，高温流体と平板の間の熱伝達における熱抵抗，平板内の熱伝導抵抗，及び平板と低温流体の間の熱伝達における熱抵抗の合計を熱通過抵抗として求めて，その逆数を熱通過率として計算することができる．

ここで，平板の厚さを 10 mm，平板の熱伝導率を 1.75 $W/(m\cdot K)$ とし，高温流体と平板の間の熱伝達率を 80 $W/(m^2\cdot K)$，低温流体と平板の間の熱伝達率を 20 $W/(m^2\cdot K)$ としたときの熱通過率は，[4] [$W/(m^2\cdot K)$] である．

〈[4] の解答群〉

ア　0.173　　**イ**　1.58　　**ウ**　14.7

(5)　表面温度が 800 K で一定に保たれている物体の表面から放射される単位時間，単位面積当たりの放射エネルギーは，[B ab.c] [kW/m^2] である．ただし，この物体の表面の放射率を 0.7 とし，ステファン・ボルツマン定数は，5.67×10^{-8} $W/(m^2\cdot K^4)$ とする．

(6)　水は，エネルギーの移動に係る熱媒体として汎用性の高い物質である．図は，大気圧下における加熱に伴う水の固体（氷），液体（水）及び気体（水蒸気）の三態への状態変化を示したものである．ここで，縦軸は水の温度，横軸は 0 ℃の水の持つ熱量を基準（0 kJ/kg）とした水の保有熱量を示すものとする．

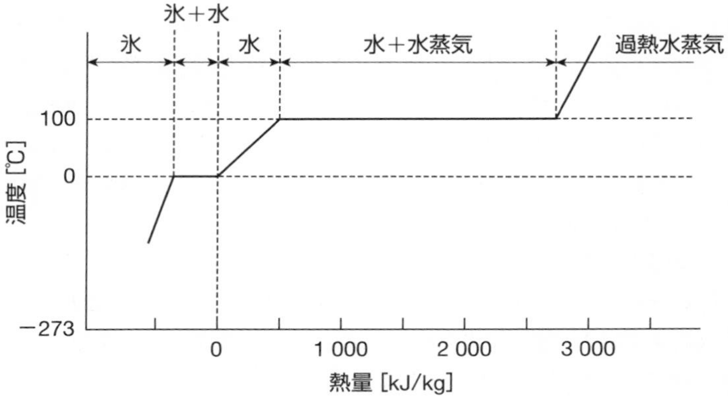

図

1)　この図で，100 ℃で水が液体から気体へ状態変化しており，この状態変化をしている間は温度が一定となる．この温度を [5] という．

〈[5] の解答群〉

ア　三重点　　**イ**　沸点　　**ウ**　融点

2)　この図から，水の三態における比熱［kJ/(kg·K)］を比較すると，[6] 値を示すことが分かる．

〈[6] の解答群〉

ア　液体のときに最も大きい　　**イ**　気体のときに最も大きい

ウ　固体のときに最も大きい　　**エ**　すべてで同等の

(7)　質量 20 kg，温度 30 ℃の水を圧力一定で加熱し，温度 120 ℃の乾き飽和蒸気とするのに必要な熱量は，[C　$a.bc \times 10^{d}$]［kJ］である．

ここで，30 ℃の水の比エンタルピーを 125.8 kJ/kg，120 ℃における飽和水の比エンタルピーを 503.8 kJ/kg，蒸発潜熱を 2 202 kJ/kg とする．

(8)　排熱の回収や未利用エネルギーの有効活用を検討する際には，その対象とする保有熱量から，どれだけのエネルギーを取り出し得るかを評価することが重要である．評価の一手法として，対象とする熱源と周囲環境との間で可逆サイクルを利用して取り出し得る最大の動力エネルギーを，有効エネルギーとして評価する方法がある．この有効エネルギーは，[7] と呼ばれる．

〈[7] の解答群〉

ア　エクセルギー　　**イ**　エンタルピー　　**ウ**　エントロピー

(9)　空気調和設備の省エネルギーでは，対象となる部屋の空気調和負荷の低減に加え，高効率熱源機を採用することが重要である．

1)　空気調和設備の負荷の低減に関して，『工場等判断基準』の『基準部分（工場）』は，「工場内にある事務所等の空気調和の管理は，空気調和を施す区画を限定し，ブラインドの管理等による負荷の軽減及び区画の使用状況等に応じた [8]，室内温度，換気回数，湿度，外気の有効利用等についての管理標準を設定して行うこと.」及び「冷暖房温度については，政府の推奨する設定温度を勘案した管理標準とすること.」を求めている．

〈[8] の解答群〉

ア　設備の運転時間　　**イ**　熱源機の成績係数　　**ウ**　冷却水温度

2)　空気調和設備の主な冷熱源である，燃料を直焚《だ》きしてエネルギー源とする吸収冷凍機と，電気をエネルギー源とする電動チラー（蒸気圧縮冷凍機）の消費エネルギーを比較評価する．ここで，電動チラーは電気の受電端発電効率を 37 %とした 1 次エネルギー換算値で評価する．

負荷が等しい条件で運転している吸収冷凍機の COP が 1.2，電動チラーの COP が 3.6 であり，両者とも補機の消費エネルギーは COP には含まれていないものとする．

消費エネルギーを，この COP から算出される 1 次エネルギー換算値で比較すると，吸収冷凍機は電動チラーの [D a.b] ［倍］となる．

(10)　ある火力発電設備が，A 重油を燃料として電気出力 350 MW の一定出力で稼働している．A 重油の高発熱量を 39 MJ/L，この発電設備の，この出力における高発熱量基準の熱効率を 41 %とすると，1 時間当たりの燃料使用量は [E ab.c] ［kL］である．

(11)　一定出力で稼働している三相誘導電動機について計測を行ったところ，線間電圧は 400 V，線電流は 40 A，電力は 24 kW であった．この場合，この電動機の力率は [F ab.c] ［%］である．ここで，$\sqrt{3} = 1.732$ として計算すること．

(12)　誘導電動機の選定に当たっては，負荷に見合った適正な容量の機器を選定し，それを効率の高い出力の範囲で用いることが省エネルギーにつながる．

『工場等判断基準』の『基準部分（工場）』は，「複数の電動機を使用するときは，それぞれの電動機の部分負荷における効率を考慮して，電動機全体の効率が高くなるように管理標準を設定し，[9] 及び負荷の適正配分を行うこと.」を求めている.

〈 9 の解答群〉

ア　稼働台数の調整　　**イ**　電動機の大型化　　**ウ**　電動機の高速化

(13)　ある工場では，最大需要電力を 3 600 kW に抑えることにしている．この最大需要電力が大きくなることが予想される，ある日の 9 時から 9 時 30 分までの時間帯に着目する．9 時から 9 時 20 分までの使用電力量が 1 300 kW·h であった．需要電力を 3 600 kW に抑えるためには，残りの 10 分間の平均電力を G abcd [kW] とする必要がある．ここで，需要電力は使用電力の 30 分間平均値とする．

(14)　電圧及び周波数が一定の商用電源で運転されている一般動力用誘導電動機の，負荷トルクと回転速度の関係について考える．ここで，通常の負荷範囲内で運転されている電動機の負荷トルクが大きくなり，たとえば 1.2 倍になったとする．このとき，回転速度は 10 .

〈 10 の解答群〉

ア　ほぼ 1.2 倍になる　　**イ**　ほぼ $\frac{1}{1.2}$ 倍になる

ウ　ほとんど変化しない

(15)　電動力応用の流体機械の省エネルギーを行うとき，電動機の負荷を低減することが重要である．この電動機の負荷の低減に関して，『工場等判断基準』の『基準部分（工場）』では，ポンプ，ファン，ブロワ，コンプレッサ等の流体機械については， 11 を行い，負荷に応じた運転台数の選択，回転数の変更等に関する管理標準を設定し，電動機の負荷を低減すること，を求めている．また，負荷変動幅が定常的な場合は，配管やダクトの変更，インペラーカット等の対策を実施すること，を求めている．

〈 11 の解答群〉

ア　機械効率の見直し　　**イ**　使用端圧力及び吐出量の見直し

ウ　配管やダクトの小口径化への見直し

(16)　電気加熱は，燃料の燃焼による加熱にはない特徴をもっており，その一つが，被加熱物自身の発熱による内部加熱ができることである．この加熱方式として，誘電加熱，マイクロ波加熱，直接抵抗加熱，誘導加熱などがある．これらの方式のうち，導電性の金属の加熱には 12 加熱や直接抵抗加熱が用いられる．

〈 12 の解答群〉

ア　マイクロ波　　**イ**　誘電　　**ウ**　誘導

(17)　照明設備において，点光源の下に水平な被照面がある．被照面上で光源の真下にある点Pにおける照度は，光源と被照面上の点Pとの距離の 13 乗に反比例する．ここで，点光源の光束は全方位に均等に発散されるものとし，また，壁や天井などでの反射は考えない．

〈 13 の解答群〉

ア 0.5　**イ** 2　**ウ** 3

解 説 告示「工場等におけるエネルギーの使用の合理化に関する事業者の判断の基準」（以下「工場等判断基準」と略記）からの出題である．この告示は特に重要で毎年出題確率が高い．しかも告示そのものが多岐にわたるため，できるだけ読み込んで内容を理解しておく必要がある．計算問題も多いので，正確な計算も求められる．

(1)「工場等判断基準」の「基準部分」I－1「全ての事業者が取り組むべき事項」には，「エネルギーを使用して事業を行う全ての事業者が取り組むべき事項」として次の9項目が規定されている．

(1) **取組方針**の策定

事業者は，その設置している全ての工場等におけるエネルギーの使用の合理化に関する取組方針（特定事業者，特定連鎖化事業者（当該特定連鎖化事業者が認定管理統括事業者又は管理関係事業者である場合を除く．以下同じ.）及び認定管理統括事業者にあっては中長期的な計画を含む．管理関係事業者にあっては認定管理統括事業者が作成する中長期的な計画を含む．以下「取組方針」という.）を定めること．その際，取組方針には，エネルギーの使用の合理化に関する目標並びに当該目標を達成するための設備の運用，新設及び更新に対する方針を含むこと．

(2) 管理体制の整備

事業者は，その設置している全ての工場等について，全体として効率的かつ効果的なエネルギーの使用の合理化を図るための管理体制を整備すること．管理関係事業者にあっては，その認定管理統括事業者と一体でエネルギーの使用の合理化を図るための管理体制とすること．

(3) **責任者等**の配置等

事業者は，(2)で整備された管理体制には責任者（特定事業者，特定連鎖化事業者及び認定管理統括事業者にあっては「エネルギー管理統括者」．管理関係事業者にあっては「その認定管理統括事業者が選任するエネルギー管理統括者」．以下同じ.），責任者を補佐する者（特定事業者，特定連鎖化事業者及び認定管理統括事業者にあっては「エネルギー管理企画推進者」．管理関係事業者にあっては「その認定管理統括事業者が選任するエネルギー管理企画推進者」．以下同じ．）及び現場実務を管理する者（第1種エネルギー管理指定工場等，第2種エネルギー管理指定工場等，第1種連鎖化エネルギー管理指定工場等，第2種連鎖化エネルギー管理指定工場等，第1種管理統括エネルギー管理指定工場等，第2種管理統括エネルギー管理指定工場等，第1種管理関係エネルギー管理指定工場等及び第2種管理関係エネルギー管理指定工場等にあっては「エネルギー管理者」及び「エネルギー管理員」．以下同じ．）を配置し，以下の役割分担に基づいてそれぞれの者がエネルギーの使用の合理化に関する責務を果たすこと．

①　責任者の責務

ア．その設置している全ての工場等におけるエネルギーの使用の合理化に関する業務（エネルギーを消費する設備及びエネルギーの使用の合理化に関する設備の維持，新設，改造及び撤去並びにエネルギーの使用の方法の改善及び監視）の実施状況等を把握すること．

イ．取組方針に従い，現場実務を管理する者に対し取り組むべき業務を指示するなど，当該取組方針に掲げるエネルギーの使用の合理化に関する目標の達成に係る監督を行うこと．

ウ．取組方針の遵守状況や現場実務を管理する者からの報告等を踏まえ，次期の取組方針の案を取りまとめ，取締役会等の業務執行を決定する機関への報告を行うこと．

エ．エネルギーの使用の合理化に資する人材(現場実務を管理する者等)を育成すること．

②　責任者を補佐する者の責務

責任者と現場実務を管理する者の間の意思疎通の円滑化を図ること等により責任者の業務を補佐すること．

③　現場実務を管理する者の責務

ア．その設置している工場等ごとにおけるエネルギーの使用の合理化に関する業務（エネルギーを消費する設備及びエネルギーの使用の合理化に関する設備の維持並びにエネルギーの使用の方法の改善及び監視）の実施状況等を把握すること．

イ．取組方針や責任者からの指示等を踏まえ，エネルギーの使用の合理化に関する業務を確実に実施すること．

ウ．ア．のエネルギー管理を踏まえた工場等のエネルギーの使用の合理化の状況に係る分析結果について責任者に対する報告を行うこと．

(4)　資金・人材の確保

事業者は，エネルギーの使用の合理化を図るために必要な資金・人材を確保すること．

(5) 従業員への周知・教育

事業者は，その設置している全ての工場等における従業員に取組方針の周知を図るとともに，工場等におけるエネルギーの使用の合理化に関する教育を行うこと．

(6) **取組方針**の遵守状況の確認等

事業者は，客観性を高めるため内部監査等の手法を活用することの必要性を検討し，その設置している工場等における取組方針の遵守状況を確認するとともに，その評価を行うこと．なお，その評価結果が不十分である場合には改善を行うこと．

(7) **取組方針**の精査等

事業者は，取組方針及び遵守状況の評価方法を定期的に精査し，必要に応じ変更すること．

(8) 文書管理による状況把握

事業者は，(1)**取組方針**の策定，(2)管理体制の整備，(3)**責任者等**の配置等，(6)**取組方針**の遵守状況の確認等及び(7)**取組方針**の精査等の結果を記載した書面を作成，更新及び保管することにより，状況を把握すること．

(9) エネルギーの使用の合理化に資する取組に関する情報の開示

エネルギーの使用の合理化及び非化石エネルギーへの転換等に関する法律に基づく定期の報告におけるエネルギー消費原単位等に関する情報の開示について検討すること．

したがって，設問の 1 には「取組方針」，2 には「責任者等」が該当するものと考えられる．

(2) 「工場等判断基準」の「目標及び措置部分」には，事業者の目標として次のように規定されている．

事業者は，上記 I に掲げる諸基準を遵守するとともに，その設置している全ての工場等におけるエネルギー消費原単位及び電気の需要の最適化に資する措置を評価したエネルギー消費原単位（別表第 4 の 2(A) に掲げる時間帯別電気需要最適化係数又は別表第 4 の 2(B) に掲げる換算係数を用いて算出する原単位をいう．以下「電気需要最適化評価原単位」という．）を管理し，その設置している全ての工場等全体として又は工場等ごとにエネルギー消費原単位又は電気需要最適化評価原単位を**中長期的にみて年平均 1 パーセント以上**低減させることを目標として，技術的かつ経済的に可能な範囲内で，1 及び 2 に掲げる諸目標及び措置の実現に努めるものとする．

(3)　メタンを完全燃焼させるとき，

$$\underset{1\,\mathrm{mol}}{CH_4} + \underset{2\,\mathrm{mol}}{2O_2} \rightarrow CO_2 + 2H_2O$$

となる．1 mol の気体の体積は同じなので，メタン 1 $m^3{}_N$ に対して，酸素 2 $m^3{}_N$ が必要になる．空気中の酸素濃度は 21 % なので，$2/0.21 = 9.5\ m^3{}_N$ の理論空気量が必要である．燃焼用空気の空気比は 1.1 なので，実際空気量は，$9.5 \times 1.1 = 10.5\ m^3{}_N$ となる．

(4)　熱伝導率が $\lambda = 1.75$ W/(m·K)，板厚 $d = 10$ mm の平板があり，高温流体側の対流熱伝達率を $\alpha_1 = 80$ W/(m^2·K)，低温側の対流熱伝達率を $\alpha_2 = 20$ W/(m^2·K) としたとき，熱抵抗 R は

$$R = \frac{1}{\alpha_1} + \frac{d}{\lambda} + \frac{1}{\alpha_2} = \frac{1}{80} + \frac{0.01}{1.75} + \frac{1}{20}$$

$$= 0.012\,5 + 0.005\,7 + 0.05 = 0.068\,2\ \mathrm{m^2 \cdot K/W}$$

となる．熱通過率 U は熱抵抗の逆数なので，

$$U = \frac{1}{R} = 14.7\ \mathrm{W/(m^2 \cdot K)}$$

(5)　灰色体からの単位面積当たりの放射エネルギー q ［W/m^2］は放射率 ε，ステファン・ボルツマン定数 $\sigma = 5.67 \times 10^{-8}$ W/(m^2·K^4) と表面温度（熱力学温度）T ［K］の 4 乗に比例する．したがって，

$$q = \varepsilon\sigma T^4 = 0.7 \times 5.67 \times 10^{-8} \times 800^4 = 16\,300\ \mathrm{W/m^2}$$
$$= 16.3\ \mathrm{kW/m^2}$$

(6)

1)　水は 1 気圧において 100 ℃ で液体から気体へ状態変化をするが，この状態を沸騰といい，この温度を沸点という．沸騰をしている間は，蒸発潜熱が奪われているので，温度は上昇せず，一定の値となる．

2)　設問の図から，横軸と縦軸を入れ換えて熱量変化の温度勾配をみると，水のときに最も大きい勾配を示すことがわかる．熱量変化［kJ/kg］の温度勾配［K］は比熱［kJ/(kg·K)］であるから，水は液体のときに最も比熱が大きいことになる．

(7)　30 ℃ の水のエンタルピーを 125.8 kJ/kg，120 ℃ の飽和水のエンタルピーを 503.8 kJ/kg，蒸発潜熱を 2 202 kJ/kg とすると，温度 120 ℃ の乾き飽和蒸気にするのに必要な熱量は，30 ℃ の水を 120 ℃ の飽和水に加熱する熱量に，120 ℃ の飽和水を 120 ℃ の飽和蒸気にする熱量を加えたものになるので，

$$20 \times \{(503.8 - 125.8) + 2\,202\} = 51\,600 = 5.16 \times 10^4\ \mathrm{kJ}$$

(8)　周囲の温度や圧力と異なる系が周囲と平衡状態になるまでに力学的仕事として取り出すことのできるエネルギーをエクセルギーという．有効エネルギーともいう．

(9)

1)　「工場等判断基準」の「基準部分（工場）」には，次のように規定されている．

2－2　工場等におけるエネルギーの使用の合理化に関する事項

(2)　加熱及び冷却並びに伝熱の合理化

(2－2)　空気調和設備，給湯設備（(2－2)－2 に該当するものを除く．）

①　空気調和設備，給湯設備の管理

イ．工場内にある事務所等の空気調和の管理は，空気調和を施す区画を限定し，ブラインドの管理等による負荷の軽減及び区画の使用状況等に応じた**設備の運転時間**，室内温度，換気回数，湿度，外気の有効利用等についての管理標準を設定して行うこと．なお，冷暖房温度については，政府の推奨する設定温度を勘案した管理標準とすること．

2)　吸収冷凍機は燃料を直だきしてエネルギー源とするので，単位エネルギー消費量に対して一次エネルギー換算値は，COP が 1.2 であることから，$1/1.2 = 0.83$ となる．蒸気圧縮冷凍機は二次エネルギーである電力をエネルギー源とするので，COP が 3.6 であることから一次エネルギー換算値は，$(1/3.6)/0.37 = 0.75$ となる．したがって，吸収冷凍機は電動チラーの $0.83/0.75 = 1.1$ 倍の一次エネルギー換算値になる．

(10)　火力発電設備が A 重油を燃料として 350 MW の出力で稼働しているとき，A 重油の高位発熱量を 39 MJ/L，熱効率を 41 % としたとき，1 時間当たりの燃料消費量は

$$\frac{350\ \mathrm{MJ/s} \times 3\,600\ \mathrm{s/h}}{39\ \mathrm{MJ/L} \times 0.41} = 78\,800\ \mathrm{L/h} = 78.8\ \mathrm{kL/h}$$

(11)　一定出力で稼働している三相誘導電動機の線間電圧が 400 V，線電流が 40 A，消費電力が 24 kW のとき，力率は図の $\cos\theta$ で表される．有効電力は消費電力の 24 kW であり，皮相電力は，$400 \times 40 \times \sqrt{3} = 27\,700$ W $= 27.7$ kW から，力率は

$$\cos\theta = \frac{24}{27.7} = 0.866 = 86.6\ \%$$

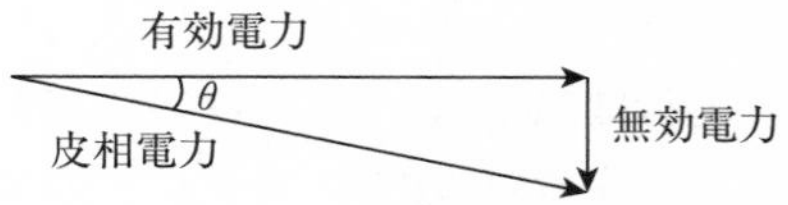

(12)　「工場等判断基準」の「基準部分（工場）」には，以下のように規定されている．

(6)　電気の動力，熱等への変換の合理化

　(6－1)　電動力応用設備，電気加熱設備等

　　①　電動力応用設備，電気加熱設備等の管理

　　　ア．電動力応用設備については，電動機の空転による電気の損失を低減するよう，始動電力量との関係を勘案して管理標準を設定し，不要時の停止を行うこと．

　　　イ．複数の電動機を使用するときは，それぞれの電動機の部分負荷における効率を考慮して，電動機全体の効率が高くなるように管理標準を設定し，**稼働台数の調整**及び負荷の適正配分を行うこと．

(13)　最大需要電力が 3 600 kW のとき，30 分間の最大使用電力量は

$$3\,600\ \mathrm{kW} \times 0.5\ \mathrm{h} = 1\,800\ \mathrm{kW{\cdot}h}$$

となる．9 時から 9 時 20 分までの使用電力量が 1 300 kW·h のとき，9 時 20 分から 9 時 30 分の使用電力量を 1 800 － 1 300 ＝ 500 kW·h に抑える必要がある．この時間帯（10 分 ＝ 1/6 h）の平均電力を W［kW］とすると

$$W \times \frac{1}{6}\ \mathrm{h} = 500\ \mathrm{kW{\cdot}h}$$

から，$W = 3\,000$ kW 以下にしなくてはならない．

(14)　電圧と周波数が一定の商用電源で運転されている誘導電動機では，最大トルクより小さい通常の負荷トルクの範囲では，負荷トルクが 1.2 倍になっても回転速度はほとんど変化しない．

(15)　「工場等判断基準」の「基準部分（工場）」には，(12)で示した文に続いて次のように規定されている．

　ウ．ポンプ，ファン，ブロワー，コンプレッサー等の流体機械については，**使用端圧力及び吐出量の見直し**を行い，負荷に応じた運転台数の選択，回転数の変更等に関する管理標準を設定し，電動機の負荷を低減すること．なお，負荷変動幅が定常的な場合には，配管やダクトの変更，インペラーカット等の対策を実施すること．

(16)　電気加熱では，被加熱物自体を発熱する内部加熱が可能という特徴があり，この加熱方式として誘電加熱，誘導加熱，直接抵抗加熱，マイクロ波加熱などがある．導電性金属の加熱には，コイルにより発生した渦電流によるジュール熱で金属を加熱する誘導加熱や電極を被加熱物に接触させて発生したジュール熱で加熱する直接抵抗加熱が使用される．

(17)　点光源の光束を F［lm］とすると，点光源の下部の被照面の照度 E［lx］は，光源と被照面との距離 d の 2 乗に反比例する．すなわち

$$E = \frac{F}{d^2}\,[\mathrm{lx}]$$

となる．照度は，単位面積に入射する光束の量［lm/m^2］で表される．たとえば，距離が 2 倍になると，同一光束を受光する面積が 4 倍になるので，入射光束の面積密度（＝照度）が 1/4 になるということである．

解　答　(1)　**1-エ，2-イ**

(2)　**3-イ**

(3)　**A-10.5**

(4)　**4-ウ**

(5)　**B-16.3**

(6)　**5-イ，6-ア**

(7)　**C-5.16 × 10^4**

(8)　**7-ア**

(9)　**8-ア，D-1.1**

(10)　**E-78.8**

(11)　**F-86.6**

(12)　**9-ア**

(13)　**G-3 000**

(14)　**10-ウ**

(15)　**11-イ**

(16)　**12-ウ**

(17)　**13-イ**

第 40 回　2018 年（平成 30 年）

（エネルギーの使用の合理化等に関する法律及び命令）

問題1　次の各問に答えよ．なお，法令は令和 6 年 10 月 1 日時点で施行されているものである．

以下の問題文では

エネルギーの使用の合理化及び非化石エネルギーへの転換等に関する法律を『法』

エネルギーの使用の合理化及び非化石エネルギーへの転換等に関する法律施行令を『令』

エネルギーの使用の合理化及び非化石エネルギーへの転換等に関する法律施行規則を『則』

と略記する．（配点計 50 点）　　　　（法改正により改題）

(1)　次の各文章の [1] ～ [3] の中に入れるべき最も適切な字句をそれぞれの解答群から選び，その記号を答えよ．

1)　『法』第 1 条の条文

この法律は，我が国で使用されるエネルギーの相当部分を化石燃料が占めていること，非化石エネルギーの利用の必要性が増大していることその他の内外におけるエネルギーをめぐる経済的社会的環境に応じた [1] の有効な利用の確保に資するため，工場等，輸送，建築物及び機械器具等についてのエネルギーの使用の合理化及び非化石エネルギーへの転換に関する所要の措置，電気の需要の最適化に関する所要の措置その他エネルギーの使用の合理化及び非化石エネルギーへの転換等を総合的に進めるために必要な措置等を講ずることとし，もつて国民経済の健全な発展に寄与することを目的とする．

〈[1] の解答群〉

ア　希少原材料　　**イ**　石油及び天然ガス

ウ　熱エネルギー及び電気　　**エ**　エネルギー

2)　『法』第 4 条の条文

[2] は，基本方針の定めるところに留意して，エネルギーの使用の合理化及び非化石エネルギーへの転換に努めるとともに，電気の需要の最適化に資する措置を講ずるよう努めなければならない．

〈 2 の解答群〉

ア エネルギーを使用する者　**イ** 工場等において事業を行う者

ウ 複数のエネルギーを使用する者

エ 法で定める量以上のエネルギーを使用する者

3) 『法』第 8 条の条文

特定事業者は，経済産業省令で定めるところにより，第 15 条第 1 項又は第 2 項の中長期的な計画の作成事務並びにその設置している工場等におけるエネルギーの使用の合理化に関し，エネルギーを消費する設備の維持，エネルギーの使用の方法の改善及び監視その他経済産業省令で定める業務を統括管理する者（以下「エネルギー管理統括者」という.）を選任しなければならない.

2 エネルギー管理統括者は，特定事業者が行う 3 を統括管理する者をもつて充てなければならない.

3 特定事業者は，経済産業省令で定めるところにより，エネルギー管理統括者の選任又は解任について経済産業大臣に届け出なければならない.

〈 3 の解答群〉

ア エネルギーの供給　**イ** エネルギーの使用

ウ 事業の実施　**エ** 法令の遵守

(2) 次の各文章の 4 ～ 6 の中に入れるべき最も適切な字句をそれぞれの解答群から選び，その記号を答えよ.

また，A abcd 及び B abcd に当てはまる数値を計算し，その結果を答えよ．ただし，解答は解答すべき数値の最小位の一つ下の位で四捨五入すること.

『法』第 2 条，第 7 条，第 8 条，第 9 条，第 10 条，第 11 条，第 12 条，第 13 条及び第 14 条，『令』第 1 条，第 2 条，第 3 条，第 4 条，第 5 条及び第 6 条，『則』第 4 条及び第 8 条関連の文章

ある事業者が機械部品製造工場と，別の事業所として本社事務所を所有しており，これらがこの事業者の設置している施設の全てである．ここで，機械部品製造工場における前年度の燃料，電気などの使用量は，次の a ～ e のとおり，本社事務所における前年度の電気などの使用量は，次の f 及び g のとおりであり，この事業者は a ～ g 以外のエネルギーは使用していなかった．なお，本社事務所は，専ら事務所として使用されていた.

a：機械部品製造工場において，加熱炉で使用した都市ガスの量を発熱量として換算した量が 10 万 5 千ギガジュール

b：機械部品製造工場において，コージェネレーション設備を設置し，そこ

で使用した都市ガスの量を発熱量として換算した量が 7 万 9 千ギガジュール

c：機械部品製造工場において，a の加熱炉からの排熱を温水として回収して使用した．その回収して使用した熱の量を燃料の発熱量に換算した量が 1 万 5 千ギガジュール

d：機械部品製造工場において，b のコージェネレーション設備で発生させた電気と蒸気を工場内で使用した．その電気の量を熱量として換算した量が 3 万 1 千ギガジュールで，蒸気の量を熱量として換算した量が 2 万 5 千ギガジュール

e：機械部品製造工場において，小売電気事業者から購入して使用した電気の量を熱量として換算した量が 7 万 3 千ギガジュールで，その購入先の電気小売事業者では，専ら化石燃料によって発電した電気を販売していた．

f：本社事務所において，小売電気事業者から購入して使用した電気の量を熱量として換算した量が 5 万 7 千ギガジュールで，その購入先の小売電気事業者では，専ら化石燃料によって発電した電気を販売していた．

g：本社事務所において，熱供給事業者から購入して使用した温水及び冷水の熱量を燃料の発熱量に換算した量が 6 千ギガジュールで，その購入先の熱供給事業者では，都市ガス及び専ら化石燃料によって発電した電気を用いて温水及び冷水を発生させていた．

1)　この機械部品製造工場が前年度に使用した『法』で定めるエネルギー使用量は，前述の a ～ e のうち [4] を合算することになる．

〈[4] の解答群〉

ア　a と b	**イ**　a と c	**ウ**　a と d	**エ**　a と e
オ　a と b と c	**カ**　a と b と d	**キ**　a と b と e	**ク**　a と c と e

2)　前年度に使用したエネルギー使用量を『法』で定めるところにより原油の数量に換算した量は，機械部品製造工場が [A abcd] キロリットル，本社事務所が [B abcd] キロリットルであり，その量から判断してこの事業者は特定事業者に該当する．

なお，『則』第 4 条によれば，発熱量又は熱量 1 ギガジュールは原油 0.025 8 キロリットルとして換算することとされている．

3)　2)によって当該の指定を受けた後，この事業者が選任しなければならないのは，エネルギー管理統括者，エネルギー管理企画推進者の他に，次に示す①から④のうちの [5] である．

①　機械部品製造工場のエネルギー管理者

② 機械部品製造工場のエネルギー管理員

③ 本社事務所のエネルギー管理者

④ 本社事務所のエネルギー管理員

〈 5 の解答群〉

ア ①　**イ** ②　**ウ** ①と③　**エ** ①と④

オ ②と③　**カ** ②と④　**キ** ①と②と③　**ク** ①と②と④

4) この事業者のエネルギー管理統括者が欠員となり，新たに選任しなければならない場合，選任すべき事由が生じた日以降， 6 選任しなければならない．

〈 6 の解答群〉

ア 遅滞なく　**イ** 3月以内に　**ウ** 6月以内に　**エ** 1年以内に

(3) 次の各文章の 7 ～ 10 の中に入れるべき最も適切な字句をそれぞれの解答群から選び，その記号を答えよ．なお， 9 は2箇所あるが，同じ記号が入る．

1) 『法』第149条，『令』第18条に関連する文章

『法』第149条では，経済産業大臣（自動車及びこれに係る特定関係機器にあっては，経済産業大臣及び国土交通大臣）は，特定エネルギー消費機器及び特定関係機器（以下「特定エネルギー消費機器等」という．）ごとに，そのエネルギー消費性能又はエネルギー消費関係性能の向上に関し，そのエネルギー消費機器等の製造事業者等の判断の基準となるべき事項を定めて公表するものとする，としている．また，この判断の基準となるべき事項は，当該特定エネルギー消費機器等のうちエネルギー消費性能等が最も優れているもののそのエネルギー消費性能等，当該特定エネルギー消費機器等に関する 7 の将来の見通しその他の事情を勘案して定めるものとする，としている．

この特定エネルギー消費機器として，『令』第18条が規定している機器を，次のa～dのうちからすべて挙げると 8 である．

a. 乗用自動車

b. シュレッダ

c. 交流電動機

d. 加工用レーザ発振器

〈 7 及び 8 の解答群〉

ア a　**イ** b　**ウ** c

エ d　**オ** aとb　**カ** aとc

キ aとd　**ク** bとc　**ケ** bとd

コ　c と d　　**サ**　a と b と c　　**シ**　b と c と d
ス　機器の生産量等　　**セ**　技術開発　　**ソ**　使用環境の変化
タ　普及率

2）『法』第 163 条，『則』第 38 条関連の文章

『法』第 163 条では，経済産業大臣は，この法律の施行に当たっては，我が国全体のエネルギーの使用の合理化及び非化石エネルギーへの転換等を図るために事業者が自主的に行う技術の提供，助言，[9]，エネルギー消費性能等が優れている機械器具の導入の支援等による他の者のエネルギーの使用の合理化及び非化石エネルギーへの転換等の促進に寄与する取組を促進するよう適切な配慮をするものとする，としている．

また，『則』第 38 条では，特定事業者等は，主務大臣に対して行う [10] において，『則』第 37 条の規定する事項の報告に併せて，上述の技術の提供，助言，[9] 等による他の者のエネルギーの使用の合理化の促進に寄与する取組を報告することができる，としている．

〈[9] 及び [10] の解答群〉
ア　エネルギーの使用状況の届出
イ　エネルギーの使用の合理化に関する計画の提出
ウ　研究開発　　**エ**　事業の連携
オ　資金の提供　　**カ**　人材の育成
キ　中長期的な計画の提出　　**ク**　定期の報告

解　説

(1)「エネルギーの使用の合理化及び非化石エネルギーへの転換等に関する法律」（以下「法」）の条文の内容を直接問う問題である．

1）「法」第 1 条からの出題である．例年，問題 1 は「法」からの出題が多く，(1)　1)2)3) はすべて法の条文のままの出題である．「法」第 1 条は「法」の目的に関する条文で，「法」の主旨として重要である．

この問題のように条文のままで空欄を埋める出題が多く，基本的な条文はよく読み理解しておくことが必要であるが，もし条文の明確な記憶がない場合でも，趣旨を理解していれば前後の文脈に合致する言葉を語群から選ぶことができる．

2）「法」第 4 条の条文からの出題である．第 4 条は「エネルギー使用者の努力」を規定している．ここでは，「**エネルギーを使用する者**は，基本方針の定めるところに留意して，エネルギーの使用の合理化及び非化石エネルギーへの転換に努めるとともに，電気の需要の最適化に資する措置を講ずるよう

努めなければならない.」となっている.

3) 「法」第8条からの出題であり，エネルギー管理統括者の義務について規定した条文である.

(2) 問題の初めに記された「法」,「令」,「則」から，特定事業者に指定する場合のエネルギー使用量の算出を求めていることがわかる.

1) 2010年度施行の省エネ法改正における重要ポイントである「法」第7条「特定事業者」の指定に関連する問題である．この出題は毎年出題されており，過4年間の用途は「圧延工場・精整加工工場」,「食品工場」,「食品製造工場」,「化学製品製造工場」，そして2018年は「機械部品製造工場」であり，用途による規定の違いはいまのところない.

問われる内容はほぼ同じで，工場内のエネルギー使用量の計算から事業所として法的規制を問う問題で,「法」第2条のエネルギーの「定義」や第7条以降の「特定事業者」や「エネルギー管理指定工場等」，そして「エネルギー管理士」「エネルギー管理員」の選任などに関する規定について問われる計算問題である．計算の方法，根拠および判断の基準を明確に理解しておかなければならない.

エネルギー使用量の計算は，機械部品製造工場においてはaの加熱炉で使用した都市ガス，bのコージェネレーション設備で使用した都市ガス，eの小売電気事業者から購入した電気の量の合計である．小売電気事業者から購入して使用した電気，A重油および都市ガスは「法」第2条,「エネルギーの使用の合理化及び非化石エネルギーへの転換等に関する法律施行令」(以下「令」) 第1条,「エネルギーの使用の合理化及び非化石エネルギーへの転換等に関する法律施行規則」(以下「則」) 第2条から使用量に該当する．cの温排水からの排熱回収は,「法」第2条第2項に定める化石燃料に該当しない．また，dは「法」第2条第1項,「令」第1条第1項から使用量に該当しない.

2) 事業者としてはfとgの本社事務所でのエネルギー使用量も加わり,「法」で定めるエネルギー使用量は小売電気事業者から購入して使用した電気に「則」第4条に定める原油換算量0.025 8 kL/GJを乗じて求めた使用量を加算する.

機械部品製造工場のエネルギー使用量は

$$(\text{aの都市ガス} + \text{bの都市ガス} + \text{eの電気})[\text{GJ}] \times 0.025\,8\ \text{kL/GJ}$$
$$= (105\,000\ \text{GJ} + 79\,000\ \text{GJ} + 73\,000\ \text{GJ}) \times 0.025\,8\ \text{kL/GJ}$$
$$= 6\,630.6 = 6\,631\ \text{kL}$$

本社事務所のエネルギー使用量は

(f の電気 ＋ g の冷水と温水)［GJ］× 0.025 8 kL/GJ

＝(57 000 GJ ＋ 6 000 GJ)× 0.025 8 kL/GJ

＝ 1 625.4 ＝ 1 625 kL

事業者全体としてのエネルギー使用量は

(機械部品製造工場の使用量)＋(本社事務所の使用量)

＝ 6 630.6 kL ＋ 1 625.4 kL

＝ 8 256 kL

となり，事業者としては「法」第 7 条第 1 項，「令」第 2 条第 1 項に定めるところの 1 500 kL を超えているため，この事業者は特定事業者に該当する．

3)　機械部品製造工場のエネルギー使用量は「法」第 10 条第 1 項，「令」第 3 条に定めるところにより 3 000 kL 以上であるため，この工場は第 1 種エネルギー管理指定工場等となる．

そして，この事業者は特定事業者であることから「法」第 8 条および第 9 条より「エネルギー管理統括者」と「エネルギー管理企画推進者」の選任が必要になるとともに，当該工場は第 1 種エネルギー管理指定工場等であるので，「法」第 11 条第 1 項からエネルギー管理者の選任の義務がある．一方，本社事務所のエネルギー使用量は 1 500 kL 以上であるため，第 2 種エネルギー管理指定工場等となる．「法」第 11 条第 1 項には該当しないが，事業者として第 1 種エネルギー管理指定工場をもつ第 1 種特定事業者であるため，「法」第 12 条，第 14 条によりエネルギー管理員を選任しなければならない．

事業者としての規定である「特定事業者」，事業所としての規定である「エネルギー管理指定工場等」，そしてそれぞれの第 1 種，第 2 種の規定，またそれに伴う資格者の選任に関する規定は複雑であるので，正確に覚えておくことが重要である．

なお，第 1 種特定事業者とは，第 1 種エネルギー管理指定工場等を設置する特定事業者であることも重要であるのでよく理解しておく必要がある．

4)　「則」第 8 条第 1 項に「エネルギー管理統括者を選任すべき事由が生じた日以後**遅滞なく**選任すること．」と定められている．

(3)

1)　「法」第 149 条，「令」第 18 条*に「エネルギー消費機器等製造事業者等の判断の基準となるべき事項」が規定されている．

「令」第 18 条では，29 種類の特定エネルギー消費機器が挙げられているが，設問中でこれに該当するのは，「乗用自動車」と「交流電動機」である．

注：*設問で条文番号の間違いがあり，8 の設問は全員が正解となった．

2)　「法」第 163 条および「則」第 38 条は「この法律の施行に当たつての配慮」

である．

「則」第 36 条，第 37 条および第 38 条は「定期の報告」という項目なので，設問の空欄に該当するのは「定期の報告」である．

解　答　⑴ **1–エ，2–ア，3–ウ**

⑵ **4–キ，A–6 631，B–1 625，5–エ，6–ア**

⑶ **7–セ，8–カ，9–エ，10–ク**

（エネルギー情勢・政策，エネルギー概論）

問題2　次の各文章の [1] ～ [9] の中に入れるべき最も適切な字句又は数値をそれぞれの解答群から選び，その記号を答えよ．

また，[A　$a.b\times10^c$] に当てはまる数値を計算し，その結果を答えよ．ただし，解答は解答すべき数値の最小位の一つ下の位で四捨五入すること．（配点計 50 点）

⑴　国際単位系（SI）では，長さ（メートル［m］），質量（キログラム［kg］），時間（秒［s］），電流（アンペア［A］），熱力学温度（ケルビン［K］），光度（カンデラ［cd］）及び物質量（モル［mol］）の 7 個を基本単位としている．力やエネルギーなどの単位は基本単位にはなく，前述の 7 個の基本単位を組み合わせて表されるので，組立単位と呼ばれている．

組立単位の中には固有の名称を持つ単位もあり，例えば，エネルギーを表す組立単位の一つであるジュール［J］は，ある物を，ある力でその方向にある距離を動かしたときの仕事に相当するので，基本単位のみを用いると [1] と表される．電荷を表す単位のクーロン［C］は，その定義から，同様に基本単位のみを用いると [2] と表される．さらに，基本単位や固有の名称を持つ組立単位を用いると，電圧［V］は [3] と表すことができ，熱力学で重要となるエントロピーの単位は [4] と表すことができる．

〈[1] ～ [4] の解答群〉

ア　A·s　**イ**　A/s　**ウ**　J·K　**エ**　J/C　**オ**　J/K

カ　J/s　**キ**　kg·m/s　**ク**　$kg\cdot m/s^2$　**ケ**　$kg\cdot m^2/s^2$

⑵　我が国の一次エネルギー供給源としては，石油，天然ガスなどの化石燃料が全体の 90 % 以上を占めている．

石油については，エネルギー白書 2017（経済産業省編）によると，我が国は 2015 年度において原油のほぼ全てを輸入に依存しており，輸入原油の中東依存度は約 [5] [%] である．このような背景から，安定供給のために国内に備蓄されている石油（石油製品を含む）の量は，2017 年 1 月時点で民間備蓄と国家備蓄を合わせて約 [6] 分が確保されている．

一方，液化天然ガスについても，同白書によれば，石油同様にほぼ全てを輸入に依存しており，その輸入元を国別に見ると，2015年度の輸入量が最も多いのは [7] で，マレーシアやカタールがそれに続いている．

〈 [5] ～ [7] の解答群〉

ア 50　**イ** 65　**ウ** 80　**エ** 1ヶ月　**オ** 半年　**カ** 2年
キ インドネシア　**ク** オーストラリア　**ケ** ロシア

(3) 熱を蓄える際に水は優れた媒体である．これは，冷熱を蓄熱する場合を考えたとき，液体の水を氷に相変化させるときの潜熱が「液体の水の温度変化1℃当たりに要する顕熱」の約 [8] 倍であることが理由の一つである．

一方，電気を蓄える二次電池については，ナトリウム硫黄電池，ニッケル水素電池，リチウムイオン電池，鉛蓄電池が主なものである．これらの二次電池のうち，現在，動作温度は比較的高いが，単位質量当たりの蓄電量（エネルギー密度）が比較的高く，蓄電量当たりの設備費も比較的安価で，大規模な電力貯蔵用に最も実績があるのは [9] である．二次電池では，エネルギー密度としてW·h/kgという単位が用いられ，例えば，質量1kgでエネルギー密度が100W·h/kgの二次電池があった場合，その電気エネルギーを自身の位置エネルギーに換算すると，[A　$a.b \times 10^c$]［m］の高さ分に相当する．ただし，重力の加速度を $9.8\ m/s^2$ とする．

〈 [8] 及び [9] の解答群〉

ア 20　**イ** 40　**ウ** 80　**エ** ナトリウム硫黄電池
オ ニッケル水素電池　**カ** リチウムイオン電池　**キ** 鉛蓄電池

解　説

(1) 国際単位系（SI）の基本単位と組立単位についての問題である．

エネルギーを表す組立単位のジュール［J］は，ある物体に力を加えて一定の距離移動させたときの仕事に相当するので，力［N］と長さ［m］の積になる．力［N］は質量［kg］と加速度［m/s^2］の積であることから，

$$[\mathrm{J}] = [\mathrm{N}][\mathrm{m}] = [\mathrm{kg \cdot m/s^2}][\mathrm{m}] = [\mathrm{kg \cdot m^2/s^2}]$$

となる．

また，電荷の組立単位クーロン［C］は電流［A］と時間［s］を用いると，両者の積であることから

$$[\mathrm{C}] = [\mathrm{A}][\mathrm{s}] = [\mathrm{A \cdot s}]$$

となる．

電圧［V］は，電力［W］を電流［A］で除したものであるから

$$[V]=[W/A]=[J/s][A^{-1}]=[J/(A\cdot s)]=[J/C]$$

となる．

熱力学で用いるエントロピー dS は微小な熱量変化 dq［J］を絶対温度 T［K］で除したものであるから，単位は［J/K］となる．

(2)　2017 年版のエネルギー白書の「国産と輸入原油供給量の推移」を見ると，日本の原油自給率は 0.3 % であり，ほとんどを輸入に依存していることがわかる．また，原油の中東依存度は約 80 % となっている．IEA は加盟国に対して 90 日分の石油備蓄を義務づけているが，日本は 2017 年 1 月時点で 176 日分の備蓄を保有している．

液化天然ガスについても輸入率は 97.5 % であり，ほとんどを輸入に依存している．輸入元の 1 位はオーストラリア（22.9 %）であり，2 位マレーシア（18.7 %），3 位カタール（15.8 %）となっている．

(3)　水の凝固熱（融解熱）は 334 kJ/kg であり，水の比熱は 4.2 kJ/(kg·K) であることから，水を 1 K 温度変化させるのに必要な熱量 4.2 kJ/kg と比較すると，水の凝固熱（融解熱）は約 80 倍になる．したがって，氷蓄熱（潜熱蓄熱）をする場合，水蓄熱（顕熱蓄熱）より大量の熱を蓄えることができる．

二次電池（蓄電池）として，現在太陽光発電の余剰電力の蓄電用などに用いられているのは，NaS 電池（ナトリウム硫黄電池）である．大容量，高エネルギー密度，長寿命を特長とし，鉛蓄電池の約 1/3 のコンパクトサイズで，長期にわたって安定した電力供給が可能である．

質量 1 kg でエネルギー密度が 100 W·h/kg の二次電池がある場合，この二次電池の電気エネルギーは

$$100\times1=100\ \mathrm{W\cdot h}=100\ \mathrm{J/s}\times3\,600\ \mathrm{s}=3.6\times10^5\ \mathrm{J}$$

である．

この電気エネルギーと質量 $m=1$ kg の二次電池の高さ h［m］の位置エネルギーが等しいとすると，

$$mgh=1\times9.8\times h=3.6\times10^5$$

$$h=3.67\times10^4$$

が成り立つ．したがって，$h=3.7\times10^4$ m となる．

解　答　(1)　**1–ケ，2–ア，3–エ，4–オ**

(2)　**5–ウ，6–オ，7–ク**

(3)　**8–ウ，9–エ，A–3.7×10^4**

（エネルギー管理技術の基礎）

問題3　次の各文章は，令和 5 年 10 月 1 日時点で施行されている「工場等におけるエネルギーの使用の合理化に関する事業者の判断の基準」（以下，『工場等判断基準』と略記）の内容及びそれに関連した管理技術の基礎について述べたものである．

これらの文章において，「工場等（専ら事務所その他これらに類する用途に供する工場等を除く）」における『工場等判断基準』の本文に関連する事項の引用部を示す上で，

「I　エネルギーの使用の合理化の基準」の部分は『基準部分（工場）』，
「II　エネルギーの使用の合理化の目標及び計画的に取り組むべき措置」の部分は『目標及び措置部分（工場）』

と略記する．

[1] ～ [15] の中に入れるべき最も適切な字句，数値又は式をそれぞれの解答群から選び，その記号を答えよ．

また，[A a.b] ～ [E abcd] に当てはまる数値を計算し，その結果を答えよ．ただし，解答は解答すべき数値の最小位の一つ下の位を四捨五入すること．

（配点計 100 点）　　　　　　　　　　　　　　　　　（告示改正により改題）

(1)　『工場等判断基準』の『目標及び措置部分（工場）』では，事業者がエネルギーの使用の合理化の目標の実現に向けて中長期的に努力し，計画的に取り組むべき措置が定められている．

この措置を講ずべき対象としている設備・装置は，燃焼設備，熱利用設備，廃熱回収設備，[1] 設備，電気使用設備，空気調和設備・給湯設備・換気設備・昇降機等，照明設備及び FEMS である．

FEMS については，次の①～③の措置を講じることにより，エネルギーの効率的利用の実施について検討することが求められている．

①　過去の実績と比較したエネルギーの消費動向等が把握できるよう検討する．

②　各設備の総合的な制御について検討する．

③　機器や設備の [2]，運転時間，運転特性値等を比較検討し，機器や設備の劣化状況，保守時期等が把握できるよう検討する．

〈[1] 及び [2] の解答群〉

ア　コージェネレーション　　　**イ**　コンバインドサイクル発電
ウ　再生可能エネルギー発電　　**エ**　稼働率
オ　故障発生率　　　　　　　　**カ**　保守状況

(2)　再生可能エネルギーによる発電の一つとして風力発電がある．風力発電シ

ステムは，風の運動エネルギーを電気エネルギーに変換するシステムであり，その発電電力は，原理的には風速の [3] 乗に比例する．

〈[3] の解答群〉

ア $\frac{1}{2}$　　**イ** 2　　**ウ** 3

(3) 気体の比熱として，定圧比熱と定容比熱が定義されている．理想気体では，定圧比熱と定容比熱の差は，[4] となり，気体の種類によって決まる一定の値をとる．

〈[4] の解答群〉

ア アボガドロ数　　**イ** ガス定数　　**ウ** 比熱比

(4) 1 m^3_N の水素を，酸素濃度（体積割合）が 30 % の酸素富化空気で完全燃焼させる際に必要となる酸素富化空気量は，[5] ［m^3_N］である．なお，m^3_N はガスの標準状態での体積であることを表している．

〈[5] の解答群〉

ア 0.15　　**イ** 1.67　　**ウ** 3.33

(5) 周囲環境と熱的に平衡状態にある物体の表面では，周囲環境からの放射エネルギーに対して，エネルギー保存の法則から，反射率，吸収率及び透過率には次式の関係が成り立つ．

反射率 ＋ 吸収率 ＋ 透過率 ＝ 1

これらの中で，物体の表面の放射率に等しいのは，[6] である．

〈[6] の解答群〉

ア 吸収率　　**イ** 透過率　　**ウ** 反射率

(6) 熱伝導率が 50 W/(m·K) で，板厚が 10 mm の平坦な鋼板がある．この鋼板の片面に温風を通し，反対の面に冷風を通して熱交換を行っている．この鋼板の両面における熱伝達率がそれぞれ 10 W/(m²·K) で等しいとき，温風から鋼板を通して冷風へ熱が移動するときの熱通過率は，[A a.b] ［W/(m²·K)］である．

(7) 『工場等判断基準』の『目標及び措置部分（工場）』では，熱利用設備に対する措置の一つとして，温水媒体による加熱設備では，真空蒸気媒体を用いた加熱についても検討することを求めている．

たとえば，80 ℃の乾き飽和蒸気を考えるとき，その比エンタルピーは 2 643 kJ/kg であり，常圧で同じ 80 ℃の温水の比エンタルピーの約 [7] 倍と保有熱量が大きい．さらに，蒸気の凝縮熱伝達により伝熱が促進され，均一加熱も可能となる．

〈[7] の解答群〉

ア 8　　**イ** 16　　**ウ** 33

(8) 『工場等判断基準』の『基準部分（工場）』は，加熱及び冷却並びに伝熱の合理化について，「加熱，熱処理等を行う工業炉については，設備の構造，被加熱物の特性，加熱，熱処理等の前後の工程等に応じて，熱効率を向上させるように管理標準を設定し，[8] を改善すること.」を求めている.

〈[8] の解答群〉

ア ヒートパターン　　**イ** 生産量変動　　**ウ** 設備レイアウト

(9) 『工場等判断基準』の「エネルギーの使用の合理化の目標及び計画的に取り組むべき措置」のうちの「その他エネルギーの使用の合理化に関する事項」では，自然界に存する熱（太陽熱，地熱，温泉熱及び雪氷熱を除く.）及び廃熱等の活用を検討することを求めている．それらの熱活用のためには，そのうち活用できる有効エネルギー（エクセルギー）を事前に検討しておくことが望ましい.

いま，温度が 80 ℃の大量の温排水があり，この温排水と 20 ℃の周囲環境との間でカルノーサイクルを働かせて動力を得ることを考える．温排水の温度が 80 ℃一定に保たれるものとすれば，温排水 1 000 kJ の熱量に対して，このカルノーサイクルで得られる最大仕事として定義されるエクセルギーは，[B abc] [kJ] である．なお，0 ℃は 273.15 K である.

(10) 空気調和において，対象とする部屋の換気による外気負荷は空気調和設備の負荷の中で大きな割合を占めるため，換気量を適正量まで低減することにより大きな省エネルギーを図ることができる.

1) 『工場等判断基準』の『目標及び措置部分（工場）』は，「二酸化炭素センサー等による [9] の採用により，外気処理に伴う負荷の削減を検討すること．また，夏期以外の期間の冷房については，冷却塔により冷却された水を利用した冷房を行う等により熱源設備が消費するエネルギーの削減を検討すること.」を求めている.

2) 空気調和の対象とする部屋の二酸化炭素濃度が 600 ppm で，環境基準値に対して余裕があった．また，そのときの外気の二酸化炭素濃度は 400 ppm であった．そこで，換気量を低減して二酸化炭素濃度を 900 ppm まで許容することにした．換気における空気の取入れ量と排出量とは等しいので，低減後の換気量は低減前の換気量のおよそ [10] [%] に抑えることができ，大幅な外気負荷の削減が可能となる．ここで，部屋内の二酸化炭素の発生量は一定で，二酸化炭素の濃度は均等に分布しているものとし，換気量は体積流量，二酸化炭素濃度は空気中の二酸化炭素の体積割合とする．

〈$\boxed{9}$ 及び $\boxed{10}$ の解答群〉

ア　40　**イ**　60　**ウ**　80

エ　外気導入量制御　**オ**　外気冷房　**カ**　空調立上がり時の外気カット

(11)　ある火力発電設備が，天然ガスを燃料として電気出力 200 MW の一定出力で運転されている．1 時間当たりの燃料使用量は 42 000 $m^3{}_N$/h，燃料の高発熱量は 45 MJ/$m^3{}_N$ である．このときの平均発電端熱効率は高発熱量基準では $\boxed{\text{C}\ \ \text{ab.c}}$ [%] である．

(12)　線間電圧 200 V の対称三相交流電源に接続されている平衡三相負荷の消費電力が 30 kW，力率が 80 %（遅れ）であった．この三相負荷に並列にコンデンサを接続し，力率を 100 % に改善するのに必要なコンデンサの三相分の容量は，この負荷の無効電力分に相当し，$\boxed{\text{D}\ \ \text{ab.c}}$ [kvar] である．

(13)　三相交流は，単相交流に比べ，同一容量における電力輸送の損失が少なく，また，機器を小型化できるなど優れた特徴を持っており，発電，送配電，需要設備のいずれにおいても広く採用されている．この三相交流の電圧は線間電圧又は相電圧で表されるが，一般に，線間電圧で扱うことが多い．対称三相交流回路において，線間電圧は，星形結線（Y 結線）で考えた場合の相電圧の $\boxed{11}$ 倍である．

〈$\boxed{11}$ の解答群〉

ア　$\sqrt{2}$　**イ**　$\sqrt{3}$　**ウ**　3

(14)　ある工場では，最大需要電力を 3 000 kW に抑えることにしている．ある日の 14 時からの 30 分間について考える．14 時から 14 時 15 分までの使用電力量が 1 000 kW·h であったとすると，残りの 14 時 15 分から 14 時 30 分までの 15 分間の平均電力を $\boxed{\text{E}\ \ \text{abcd}}$ [kW] 以下とする必要がある．ここでは，需要電力は使用電力の 30 分間の平均値とする．

(15)　変圧器の損失は，負荷の大きさに依存しない無負荷損と，負荷電流の大きさによって変動する負荷損に分けられ，負荷電流の大きさにより効率は変化する．負荷の力率が変わらないとしたとき，変圧器の効率は $\boxed{12}$ になる負荷のときに最も高くなる．

〈$\boxed{12}$ の解答群〉

ア　負荷損 = 無負荷損　**イ**　負荷損 = $\sqrt{2}$ × 無負荷損

ウ　負荷損 = $\sqrt{3}$ × 無負荷損

(16)　送風機の所要動力 P [kW] は，風量を Q [m³/min]（質量流量 G [kg/min]），風圧（吐出側と吸込側の全圧の差）を H [Pa]，送風機の効率を η [%] とすると，$\boxed{13}$ × 10^{-3} [kW] で表される．

〈[13] の解答群〉

ア　$\dfrac{GH}{60} \times \dfrac{100}{\eta}$　　**イ**　$\dfrac{GH}{60} \times \dfrac{\eta}{100}$

ウ　$\dfrac{QH}{60} \times \dfrac{100}{\eta}$　　**エ**　$\dfrac{QH}{60} \times \dfrac{\eta}{100}$

⑰　電気化学反応では，電極界面においてイオンと電子の間で電気のやり取りが行われる．ファラデーの法則によれば，電流が通過することにより電極上において析出又は溶解する化学物質の質量は，通過する電気量に比例する．また，同じ電気量によって析出又は溶解する化学物質の質量はその物質の式量 M と反応電子数 z で決まり，[14] に比例する．

〈[14] の解答群〉

ア　$M + z$　　**イ**　Mz　　**ウ**　$\dfrac{M}{z}$　　**エ**　$\dfrac{z}{M}$

⑱　照明設備について，『工場等判断基準』の『基準部分（工場）』は，日本産業規格の照度基準等に規定するところにより管理標準を設定して使用すること，また，調光による減光又は消灯についての管理標準を設定し，過剰又は不要な照明をなくすことを求めている．

JIS Z 9110：2011「照明基準総則」では，事務所ビルにおける事務室の推奨照度範囲は [15] ［lx］としている．

〈[15] の解答群〉

ア　150 ～ 300　　**イ**　500 ～ 1 000　　**ウ**　1 500 ～ 2 000

解　説

告示「工場等におけるエネルギーの使用の合理化に関する事業者の判断の基準」（以下「工場等判断基準」と略記）からの出題である．この告示は特に重要で毎年出題確率が高い．しかも告示そのものが多岐にわたるため，できるだけ読み込んで内容を理解しておく必要がある．計算問題も多いので，正確な計算も求められる．

⑴　「工場等判断基準」の「工場等（専ら事務所その他これらに類する用途に供する工場等を除く）」における「Ⅱ　エネルギーの使用の合理化の目標及び計画的に取り組むべき措置」部分（以下「目標及び措置部分（工場）」と略記）に記されている，「この措置を講ずべき対象としている設備・装置」は以下の 8 項目である．

⑴　燃焼設備

⑵　熱利用設備

(3) 廃熱回収設備

(4) コージェネレーション設備

(5) 電気使用設備

(6) 空気調和設備，給湯設備，換気設備，昇降機等

(7) 照明設備

(8) FEMS

FEMSについては，「目標及び措置部分（工場）」の「(8) FEMS」に規定されている．

(2) 風力発電は風の運動エネルギーを電気エネルギーに変換するシステムで，風に垂直な単位面積に対する発電量 P_W [W/m^2] は，空気の密度を ρ [kg/m^3]，平均風速を U [m/s] とすると，

$$P_W = \frac{1}{2}\rho U^3$$

となる．

(3) 理想気体において，圧力 P 一定で加熱した場合の状態変化は容積 V 一定で加熱した場合の状態変化より，気体が膨張するときの仕事 PV [J] の分だけ大きくなることから，定圧比熱 c_p と定容比熱 c_v の間には，

$$c_p - c_v = R$$

の関係がある．R をガス定数という．

(4) 水素を完全燃焼させるとき，

$$\underset{2\,\text{mol}}{2H_2} + \underset{1\,\text{mol}}{O_2} \rightarrow 2H_2O$$

となる．1 molの気体の体積は同じなので，水素 1 m^3_N に対して，酸素 0.5 m^3_N が必要になる．酸素富化空気の酸素濃度は 30 % なので，

$$0.5/0.3 = 1.67\ m^3_N$$

の空気量が必要である．

(5) 物体の表面に入射した放射エネルギーは，反射，吸収，透過のいずれかとなるので

反射率 + 吸収率 + 透過率 = 1

となる．

キルヒホッフの法則によると，同じ温度の黒体の放射率と吸収率は等しい．

(6) 熱伝導率が $\lambda = 50$ W/(m·K)，板厚 $d = 10$ mm の鋼板があり，両面の対流熱伝達率が $\alpha_1 = \alpha_2 = 10$ W/(m^2·K) のとき，熱抵抗 R は

$$R = \frac{1}{\alpha_1} + \frac{d}{\lambda} + \frac{1}{\alpha_2} = \frac{1}{10} + \frac{0.01}{50} + \frac{1}{10} = 0.2\ \text{m}^2\cdot\text{K/W}$$

となる．熱通過率 U は熱抵抗の逆数なので，

$$U = 1/R = 1/0.2 = 5.0\ \mathrm{W/(m^2{\cdot}K)}$$

である．

(7)　水の比熱は4.2 kJ/(kg·K) であるから，80 ℃の温水の比エンタルピーは0 ℃の水を基準とすると，

$$4.2 \times 80 = 336\ \mathrm{kJ/kg}$$

となる．したがって，80 ℃の乾き飽和蒸気の比エンタルピー 2 643 kJ/kg は，80 ℃の温水の比エンタルピー 336 kJ/kg の約 8 倍である．

(8)「工場等判断基準」の「工場等（専ら事務所その他これらに類する用途に供する工場等を除く）」における「I　エネルギーの使用の合理化の基準」部分（以下「基準部分（工場）」と略記）「(2)　(2－1)　①　加熱及び冷却並びに伝熱の管理」イでは，加熱及び冷却並びに伝熱の合理化について規定している．

(9)　カルノーサイクルの理論効率 η_{th} は

$$\eta_{\mathrm{th}} = \frac{W}{Q_{\mathrm{H}}} = 1 - \frac{T_{\mathrm{L}}}{T_{\mathrm{H}}}$$

である．ここで，W は有効エネルギー（エクセルギー）[kJ]，Q_{H} は高温側熱量 [kJ]，T_{L} は低温側温度 [K]，T_{H} は高温側温度 [K] である．したがって，

$$W = Q_{\mathrm{H}}\left(1 - \frac{T_{\mathrm{L}}}{T_{\mathrm{H}}}\right) = 1\,000 \times \left(1 - \frac{273.15 + 20}{273.15 + 80}\right) = 169.9 = 170\ \mathrm{kJ}$$

となる．

(10)

1)「工場等判断基準」の「目標及び措置部分（工場）」「(6)　①　空気調和設備」イでは，空気調和設備について規定している．

2)　空気調和対象室の二酸化炭素濃度が600 ppmのときの換気量（外気導入量）を Q_1 [m³/h]，二酸化炭素発生量を M [m³/h] とすると，ザイデルの式から

$$Q_1 = \frac{M}{(600 - 400) \times 10^{-6}}$$

となる．二酸化炭素濃度を 900 ppm としたときの換気量を Q_2 [m³/h] とすると

$$Q_2 = \frac{M}{(900 - 400) \times 10^{-6}}$$

となるので，$Q_2 = 0.4Q_1$ となる．

(11)　燃料の燃焼により発生する熱量（入力）は

$$\frac{42\,000 \times 45}{3\,600} = 525\ \mathrm{MW}$$

である．したがって，平均発電端熱効率は，電気出力が 200 MW であるから

$$\frac{200}{525} = 0.380\,9 = 38.1\ \%$$

となる．

(12)　平衡三相負荷の消費電力が 30 kW，力率が 80 % のとき，力率は図の $\cos\theta$ で表される．したがって，有効電力は消費電力 P の 30 kW であり，皮相電力 S は，$\cos\theta = 0.8$ から，

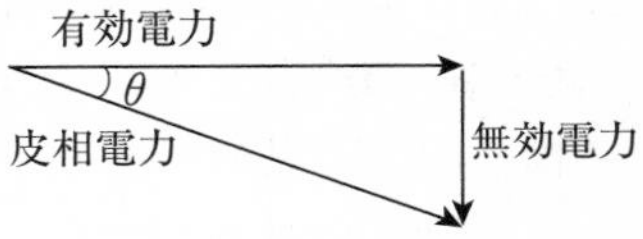

$$S = \frac{P}{\cos\theta} = \frac{30}{0.8} = 37.5\ \mathrm{kV{\cdot}A}$$

となる．

並列にコンデンサを接続して力率を 100 % にするためには，無効電力 Q の

$$Q = \sqrt{37.5^2 - 30^2} = 22.5\ \mathrm{kvar}$$

を 0 にする必要がある．したがって，並列に接続するコンデンサの 3 相分の合計容量は 22.5 kvar となる．

(13)　対称交流三相回路において，星形結線（Y 結線）の線間電圧は相電圧の $\sqrt{3}$ 倍になる．

(14)　最大需要電力が 3 000 kW のとき，30 分間の最大使用電力量は

$$3\,000\ \mathrm{kW} \times 0.5\ \mathrm{h} = 1\,500\ \mathrm{kW{\cdot}h}$$

となる．14 時から 14 時 15 分までの使用電力量が 1 000 kW·h のとき，14 時 15 分から 14 時 30 分の使用電力量を

$$1\,500 - 1\,000 = 500\ \mathrm{kW{\cdot}h}$$

に抑える必要がある．この時間帯（15 分 = 0.25 h）の平均電力を W [kW] とすると

$$W \times 0.25\ \mathrm{h} = 500\ \mathrm{kW{\cdot}h}$$

から，$W = 2\,000$ kW 以下にしなくてはならない．

(15)　変圧器の損失は，無負荷損，負荷損，補機損（全損失には含めない）に分けられる．負荷の力率が変わらない場合，負荷損 = 無負荷損のときの負荷率で変圧器の効率は最大効率となる．

⒃　送風機の所要動力（軸動力）P［kW］は，風量 Q［m^3/min］と風圧 H［Pa］に比例し，送風機効率 η［%］に反比例することから

$$P = \frac{QH}{60} \times \frac{100}{\eta} \times 10^{-3}\ [\mathrm{kW}]$$

となる．

⒄　ファラデーの電気分解の法則によると，同一の電気量で析出または溶解する化学物質の質量 m［kg］は，その物質の式量 M［kg/kmol］に比例し，イオンの価数（反応電子数）z に反比例する．したがって，M/z に比例することになる．

⒅　「JIS Z 9110：2011　照明基準総則」では，「照明要件一覧表」が建物用途ごとに規定されている．事務所ビルの執務空間における推奨照度は，電子計算機室などで 500 lx，事務室などで 750 lx となっている．したがって，設問の解答に最も近いのは，イの 500 ～ 1 000 lx である．

解　答
- ⑴　**1- ア，2- カ**
- ⑵　**3- ウ**
- ⑶　**4- イ**
- ⑷　**5- イ**
- ⑸　**6- ア**
- ⑹　**A-5.0**
- ⑺　**7- ア**
- ⑻　**8- ア**
- ⑼　**B-170**
- ⑽　**9- エ，10- ア**
- ⑾　**C-38.1**
- ⑿　**D-22.5**
- ⒀　**11- イ**
- ⒁　**E-2 000**
- ⒂　**12- ア**
- ⒃　**13- ウ**
- ⒄　**14- ウ**
- ⒅　**15- イ**

第 39 回　2017 年（平成 29 年）

（エネルギーの使用の合理化等に関する法律及び命令）

問題1　次の各問に答えよ．なお，法令は令和 6 年 10 月 1 日時点で施行されているものである．

以下の問題文では

エネルギーの使用の合理化及び非化石エネルギーへの転換等に関する法律を『法』

エネルギーの使用の合理化及び非化石エネルギーへの転換等に関する法律施行令を『令』

エネルギーの使用の合理化及び非化石エネルギーへの転換等に関する法律施行規則を『則』

と略記する．（配点計 50 点）　　（法改正により改題）

(1)　次の各文章の［ 1 ］～［ 4 ］の中に入れるべき最も適切な字句をそれぞれの解答群から選び，その記号を答えよ．

1）『法』第 5 条の条文の一部

主務大臣は，工場等におけるエネルギーの使用の合理化の適切かつ有効な実施を図るため，次に掲げる事項並びにエネルギーの使用の合理化の目標（エネルギーの使用の合理化が特に必要と認められる業種において達成すべき目標を含む．）及び当該目標を達成するために計画的に取り組むべき措置に関し，工場等においてエネルギーを使用して事業を行う者の判断の基準となるべき事項を定め，これを公表するものとする．

一　略

二　略

2　経済産業大臣は，工場等における非化石エネルギーへの転換の適切かつ有効な実施を図るため，次に掲げる事項並びに非化石エネルギーへの転換の目標及び当該目標を達成するために計画的に取り組むべき措置に関し，工場等においてエネルギーを使用して事業を行う者の判断の基準となるべき事項を定め，これを公表するものとする．

一　略

二　略

3　経済産業大臣は，工場等において電気を使用して事業を行う者による電気の需要の最適化に資する措置の適切かつ有効な実施を図るため，次に掲げる事項その他当該者が取り組むべき措置に関する指針を定め，これを公表するものとする.

一　略

二　電気需要最適化時間帯を踏まえた電気を消費する[1]を使用する時間の変更

4　第1項及び第2項に規定する判断の基準となるべき事項並びに前項に規定する指針は，エネルギー需給の[2]，電気その他のエネルギーの需給を取り巻く環境，エネルギーの使用の合理化及び非化石エネルギーへの転換に関する技術水準，業種別のエネルギーの使用の合理化及び非化石エネルギーへの転換の状況その他の事情を勘案して定めるものとし，これらの事情の変動に応じて必要な改定をするものとする.

〈[1]及び[2]の解答群〉

ア　機械器具　**イ**　空調機器　**ウ**　給湯機器　**エ**　蓄熱装置
オ　価格体系　**カ**　喫緊の課題　**キ**　長期見通し　**ク**　不一致

2)　『法』第11条の条文

第一種特定事業者は，経済産業省令で定めるところにより，その設置している第一種エネルギー管理指定工場等ごとに，政令で定める基準に従つて，エネルギー管理士免状の交付を受けている者のうちから，第一種エネルギー管理指定工場等におけるエネルギーの使用の合理化に関し，エネルギーを消費する設備の維持，エネルギーの使用の方法の改善及び[3]その他経済産業省令で定める業務を管理する者（次項において「エネルギー管理者」という.）を選任しなければならない．ただし，第一種エネルギー管理指定工場等のうち次に掲げるものについては，この限りでない.

〈[3]の解答群〉

ア　監視　**イ**　記録　**ウ**　研究開発　**エ**　人材の育成

3)　『法』第48条の条文

第11条第1項，第23条第1項，第35条第1項及び第44条第1項に規定するエネルギー管理者（次項において単に「エネルギー管理者」という.）並びに第12条第1項，第14条第1項，第24条第1項，第26条第1項，第36条第1項，第38条第1項，第45条第1項及び前条第1項に規定するエネルギー管理員（次項において単に「エネルギー管理員」という.）は，その職務を誠実に行わなければならない.

2　第8条第1項，第20条第1項及び第32条第1項に規定する[4]は，エネルギー管理者又はエネルギー管理員（次項において「エネルギー管理者等」という.）のその職務を行う工場等におけるエネルギーの使用の合理化に関する意見を尊重しなければならない.

3　エネルギー管理者等が選任された工場等の従業員は，これらの者がその職務を行う上で必要であると認めてする指示に従わなければならない.

〈[4]の解答群〉

ア　エネルギー管理企画推進者　　**イ**　エネルギー管理統括者

ウ　工場等の代表者　　**エ**　特定事業者

(2)　次の各文章の[5]～[8]の中に入れるべき最も適切な字句又は数値をそれぞれの解答群から選び，その記号を答えよ.

『法』第2条，第7条，第8条，第9条，第10条，第11条，第12条，第13条，第14条，『令』第1条，第2条，第3条，第4条，第5条，第6条，『則』第4条関連の文章

ある化学工業の事業者が，化学製品製造工場と，別の事業所として本社事務所を所有しており，これらが事業者の設置している施設のすべてである. ここで，化学製品製造工場における前年度の燃料，電気などの使用量は，次のa～eのとおり，本社事務所における前年度の電気の使用量は，次のf及びgのとおりであり，a～g以外のエネルギーは使用していなかった. なお，本社事務所は，専ら事務所として使用されていた.

a：工場において，ボイラと加熱炉で燃料として使用したA重油の量を発熱量として換算した量が22万ギガジュール.

b：工場において，aとは別のボイラで燃料として使用した木材チップの量を熱量として換算した量が2万8千ギガジュール.

c：工場において，コージェネレーション設備で使用した都市ガスの量を発熱量として換算した量が7万5千ギガジュール.

d：工場において，cのコージェネレーション設備で発生した電気と蒸気を使用した. その使用した電気の量を熱量として換算した量が1万6千ギガジュール，蒸気の量を熱量として換算した量が3万8千ギガジュール.

e：工場において，小売電気事業者から購入して使用した電気の量を熱量として換算した量が18万5千ギガジュールで，その購入先の小売電気事業者では，専ら化石燃料によって発電した電気を販売していた.

f：本社事務所において，小売電気事業者から購入して使用した電気の量を熱量として換算した量が5万5千ギガジュールで，その購入先の小売電気事業者では，専ら化石燃料によって発電した電気を販売していた.

g：本社事務所では，太陽光発電装置を設置して，そこで発電した電気を本社事務所内で使用した. その使用した電気の量を熱量として換算した量が6千ギガジュール.

1)　前年度に使用したエネルギー使用量を『法』で定めるところにより原油の数量に換算した量は，工場が [5] キロリットル，本社事務所が [6] キロリットルとなる．事業者全体におけるエネルギー使用量はそれらの合計であり，その量から判断してこの事業者は特定事業者に該当する．

〈[5] 及び [6] の解答群〉

ア　1 419　**イ**　1 574　**ウ**　1 600　**エ**　1 711
オ　10 862　**カ**　12 384　**キ**　12 565　**ク**　13 106
ケ　13 777　**コ**　14 500

2)　1)によって特定事業者としての指定を受けた後，この事業者が選任しなければならないのは，次に示す①から⑥のうちの [7] である．

①　工場のエネルギー管理員
②　工場のエネルギー管理者
③　本社事務所のエネルギー管理員
④　本社事務所のエネルギー管理者
⑤　エネルギー管理統括者
⑥　エネルギー管理企画推進者

〈[7] の解答群〉

ア　①と③と⑤　**イ**　①と③と⑥　**ウ**　①と⑤と⑥
エ　②と③と⑥　**オ**　②と⑤と⑥　**カ**　②と③と⑤と⑥
キ　②と④と⑤と⑥

3)　2)において，工場については，選任しなければならないのはエネルギー管理員かエネルギー管理者のいずれかであるが，選任すべき人数は [8] 名である．

〈[8] の解答群〉

ア　1　**イ**　2　**ウ**　3　**エ**　4

(3)　次の各文章の [9] ～ [12] の中に入れるべき最も適切な字句又は記述をそれぞれの解答群から選び，その記号を答えよ．

1)　『法』第 17 条関連の文章

『法』第 17 条第 1 項によれば，主務大臣は，特定事業者が設置している工場等におけるエネルギーの使用の合理化の状況が第 5 条第 1 項に規定する判断の基準となるべき事項に照らして著しく不十分であると認めるときは，当該特定事業者に対し，当該特定事業者のエネルギーを使用して行う事業に係る技術水準，第 5 条第 3 項に規定する指針に従って講じた措置の状況その他の事情を勘案し，その判断の根拠を示して，エネルギーの使用の合理化に関する計画（以下「合理化計画」という．）を作成し，これを提出すべき旨の指示をすることができる.

この合理化計画に関して,『法』第17条第2項から第4項の規定によれば,主務大臣は更に次のことをすることができる.

① 合理化計画が当該特定事業者が設置している工場等に係るエネルギーの使用の合理化の適確な実施を図る上で適切でないと認めるときは，当該特定事業者に対し，[9] すべき旨の指示をすること.

② 特定事業者が合理化計画を実施していないと認めるときは，当該特定事業者に対し，合理化計画を適切に実施すべき旨の指示をすること.

③ 前述の指示を受けた特定事業者がその指示に従わなかったときは，[10] すること.

〈[9] 及び [10] の解答群〉

ア 合理化計画を変更　　**イ** 事業を一時停止
ウ 実施するよう指導　　**エ** 責任者を解任
オ その旨を公表　　**カ** その理由を説明
キ 立ち入りにより検査　　**ク** 罰則を適用

2) 『法』第 4 章関連の文章

『法』第 4 章は，貨物輸送事業者，荷主，[11]，航空輸送事業者に関する規定を設け，エネルギーの使用の合理化の目標及び当該目標を達成するために計画的に取り組むべき措置に関する判断の基準となるべき事項に係る措置を規定している.

ここで，貨物輸送事業者とは，本邦内の各地間において発着する他人又は自らの [12] の輸送を，業として，エネルギーを使用して行う者をいい，荷主とは，自らの事業（貨物の輸送の事業を除く.）に関して [12] を継続して貨物輸送事業者に輸送させる者，又は，自らの事業に関して他の事業者が継続して貨物輸送事業者に行わせる [12] の輸送について当該他の事業者との契約その他の取決めにより当該 [12] の輸送の方法等を実質的に決定している者として経済産業省令で定める要件に該当する者をいう.

〈[11] 及び [12] の解答群〉

ア 貨物集配事業者　　**イ** 旅客輸送事業者
ウ 連鎖化貨物輸送事業者　　**エ** 長距離
オ 商品　　**カ** 貨物

解　説

(1) 「エネルギーの使用の合理化及び非化石エネルギーへの転換等に関する法

律」（以下「法」）の条文の内容を直接問う出題である．

1）「法」第5条からの出題である．例年，問題1は「法」からの出題が多く，(1) 1) 2) 3)はすべて法の条文のままの出題である．「法」第5条は「事業者の判断の基準となるべき事項等」に関する条文で，工場等に係る措置として重要である．

第3項第二号は，電気需要最適化時間帯を踏まえた電気を消費する機械器具を使用する時間の変更と規定されている．

第4項は，エネルギー需給の長期見通しやエネルギー需給を取り巻く環境など，大局的な判断を基に，経済産業大臣は判断基準となるべき事項や指針を定めると規定している．

このように条文のままで空欄を埋める出題が多く，基本的な条文はよく読み理解しておくことが必要であるが，もし条文の明確な記憶がない場合でも，趣旨を理解していれば前後の文脈に合致する言葉を語群から選ぶことができる．

2）「法」第11条の条文からの出題である．第11条は「エネルギー管理者の職務」を規定している．ここでは,「エネルギー管理者は，第一種エネルギー管理指定工場等におけるエネルギーの使用の合理化に関し，エネルギーを消費する設備の維持，エネルギーの使用の方法の改善及び監視その他経済産業省令で定める業務を管理する」となっている．

3）「法」第48条からの出題であり,「エネルギー管理者等の義務」について規定した条文である．第2項で,「エネルギー管理統括者は，エネルギー管理者又はエネルギー管理員のその職務を行う工場等におけるエネルギーの使用の合理化に関する意見を尊重しなければならない」と規定している．

(2) 問題の初めに記された「法」,「令」,「則」から，特定事業者に指定する場合のエネルギー使用量の算出を求めていることがわかる．

1） 2010年度施行の省エネ法改正における重要ポイントである「法」第7条「特定事業者」の指定に関連する問題である．この出題は毎年出題されており，過去3年間の用途は「圧延工場・精整加工工場」,「食品工場」,「食品製造工場」，そして2017年は「化学製品製造工場」であり，用途による規定の違いはいまのところない．

問われる内容はほぼ同じで，工場内のエネルギー使用量の計算から事業所として法的規制を問う問題で,「法」第2条の「エネルギーの定義」や第7条以降の「特定事業者」や「エネルギー管理指定工場等」，そして「エネルギー管理士」「エネルギー管理員」の選任などに関する規定について問われる計算問題である．計算の方法，根拠および判断の基準を明確に理解しておかなければならない．

エネルギー使用量の計算は，化学工場においては a の A 重油，b の木材チップ，c のコージェネレーション設備で使用した都市ガス，e の小売電気事業者から購入した電気の量の合計である．

小売電気事業者から購入して使用した電気，A 重油および都市ガスは「法」第 2 条，「エネルギーの使用の合理化及び非化石エネルギーへの転換等に関する法律施行令」（以下「令」）第 1 条，「エネルギーの使用の合理化及び非化石エネルギーへの転換等に関する法律施行規則」（以下「則」）第 2 条から使用量に該当する．b の木材チップは，「法」第 2 条第 3 項に定める非化石燃料に該当する．また，d は「法」第 2 条第 1 項，「令」第 1 条第 1 項からエネルギー使用量に該当しない．

事業者としては f と g の本社事務所でのエネルギー使用量も加わり，「法」で定めるエネルギー使用量は小売電気事業者から購入して使用した電気と太陽光発電装置で発電した電気に「則」第 4 条に定める原油換算量 0.025 8 kL/GJ を乗じて求めた使用量を加算する．

化学工場のエネルギー使用量は

(a の A 重油 +b の木材チップ ＋ c の都市ガス ＋ e の電気) [GJ]
×0.025 8 kL/GJ
＝ (220 000 GJ ＋ 28 000GJ ＋ 75 000 GJ ＋ 185 000 GJ)×0.025 8 kL/GJ
＝ 13 106.4 ＝ 13 106 kL

本社事務所のエネルギー使用量は

(f の電気 ＋ g の電気) [GJ]×0.025 8 kL/GJ
＝ 55 000 GJ ＋ 6 000 GJ ×0.025 8 kL/GJ
＝ 1 573.8 ≒ 1 574 kL

事業者全体としてのエネルギー使用量は

(化学工場の使用量)＋(本社事務所の使用量)
＝ 13 106.4 kL ＋ 1 573.8 kL
＝ 14 680.2 ≒ 1 4680 kL

となり，事業者としては「法」第 7 条第 1 項，「令」第 2 条第 1 項に定めるところの 1 500 kL を超えているため，この事業者は特定事業者に該当する．

2)　化学工場のエネルギー使用量は「法」第 10 条第 1 項，「令」第 3 条に定めるところにより 3 000 kL 以上であるため，この工場は第 1 種エネルギー管理指定工場等となる．

そして，この事業者は特定事業者であることから「法」第 8 条および第 9 条より「エネルギー管理統括者」と「エネルギー管理企画推進者」の選任が必要になるとともに，当該工場は第 1 種エネルギー管理指定工場等であるので，「法」第 11 条第 1 項からエネルギー管理者の選任の義務がある．一方，本社事務所は指定工場に該当しないためエネルギー管理員の選任も必要ない．

事業者としての規定である「特定事業者」，事業所としての規定である「エネルギー管理指定工場」，そしてそれぞれの第 1 種，第 2 種の規定，またそれに伴う資格者の選任に関する規定は複雑であるので，正確に覚えておくことが重要である．

なお，第 1 種特定事業者とは第 1 種エネルギー管理指定工場等を設置する特定事業者であることも重要であるのでよく理解しておく必要がある．

3)「令」第 4 条にエネルギー管理者の選任基準が定められている．第 4 条第 1 項第二号の規定で，20 000 kL 未満の第 1 種エネルギー管理指定工場等では，エネルギー管理者は 1 人でよい．

(3)

1)「法」第 17 条に「合理化計画に係る指示及び命令」が規定されている．

第 2 項で，「主務大臣は，合理化計画が当該特定事業者が設置している工場等に係るエネルギーの使用の合理化の適確な実施を図る上で適切でないと認めるときは，当該特定事業者に対し，合理化計画を変更すべき旨の指示をすることができる」と定めている．

第 4 項では，「主務大臣は，前三項に規定する指示を受けた特定事業者がその指示に従わなかったときは，その旨を公表することができる」と定めている．

2)「法」第 4 章は，「輸送に係る措置」についての規定である．ここでは，第 1 節第 1 款に貨物輸送事業者，第 1 節第 2 款に荷主，第 2 節に旅客輸送事業者，第 4 節に航空輸送事業者に関する規定を設けている．

「法」第 103 条に，貨物輸送事業者は「本邦内の各地間において発着する他人又は自らの貨物の輸送を，業として，エネルギーを使用して行う者をいう」と定義している．また，「法」第 109 条に，荷主とは「自らの事業（貨物の輸送の事業を除く．）に関して貨物を継続して貨物輸送事業者に輸送させる者，又は，自らの事業に関して他の事業者が継続して貨物輸送事業者に行わせる貨物の輸送について当該他の事業者との契約その他の取決めにより当該貨物の輸送の方法等を実質的に決定している者として経済産業省令で定める要件に該当する者」と定義している．

解答　(1)　**1-ア，2-キ，3-ア，4-イ**

(2)　**5-ク，6-イ，7-オ，8-ア**

(3)　**9-ア，10-オ，11-イ，12-カ**

（エネルギー情勢・政策，エネルギー概論）

問題2　次の各文章の [1] ～ [9] の中に入れるべき最も適切な字句又は数値をそれぞれの解答群から選び，その記号を答えよ．

また，[A　$a.b\times10^{c}$] に当てはまる数値を計算し，その結果を答えよ．ただし，解答は解答すべき数値の最小位の一つ下の位で四捨五入すること．（配点計 50 点）

⑴　国際単位系（SI）では，長さ（メートル [m]），質量（キログラム [kg]），時間（秒 [s]），電流（アンペア [A]），熱力学温度（ケルビン [K]），光度（カンデラ [cd]）及び物質量（モル [mol]）の 7 個の量を基本単位としている．力やエネルギーなどの単位は基本単位にはなく，前述の 7 個の基本単位を組み合わせて表されるので，組立単位と呼ばれている．例えば，力を表す組立単位の一つであるニュートン [N] は [1] と表される．また，抵抗の組立単位オーム [Ω] は，電力の組立単位ワット [W] とアンペアを用いて [2] と表される．

いま，単相 100 V 電源で抵抗式電熱器を用いて加熱する電気ポットがある．その電気ポットを用いて定格の 500 W で加熱しているときの電熱器の抵抗は [A　$a.b\times10^{c}$] [Ω] である．

〈[1] 及び [2] の解答群〉

ア　$kg\cdot m/s^2$　　**イ**　$kg\cdot m^2/s^2$　　**ウ**　$kg\cdot m^2/s^3$

エ　W·A　　**オ**　W/A　　**カ**　W/A^2

⑵　2016 年版のエネルギー白書に示されている「我が国のエネルギーバランス・フロー概要（2014 年度）」によると，一次エネルギー国内供給の中で，石炭・石油・天然ガスなどの化石燃料が占める割合は発熱量ベースでは約 [3] [%] であり，これらのうち一番割合が高いものは [4] である．また，最終エネルギー消費の内訳を，運輸，産業，民生（家庭＋業務）の 3 部門について比較すると，多い順に [5] となる．

〈[3] ～ [5] の解答群〉

ア　72　　**イ**　82　　**ウ**　92

エ　石油　　**オ**　石炭　　**カ**　天然ガス

キ　運輸 ＞ 産業 ＞ 民生　　**ク**　産業 ＞ 運輸 ＞ 民生

ケ　産業 ＞ 民生 ＞ 運輸

⑶　太陽から地球に到達する電磁波の強さの波長分布におけるピークは [6] 領域にあるが，地球から宇宙に放射される電磁波の強さのピークは [7] 領域にある．二酸化炭素は，後者の波長領域に吸収帯を有し，地球温暖化へ与える影響が大きいとされている．その大気中濃度は 2016 年現在で約

[8] [ppm] である．なお，1 ppm は [9] [%] である．

〈[6] ～ [9] の解答群〉

ア	0.000 01	**イ**	0.000 1	**ウ**	0.001	**エ**	300	**オ**	400
カ	500	**キ**	可視光	**ク**	紫外線	**ケ**	赤外線		

解　説

(1)　国際単位系（SI）の基本単位と組立単位についての問題である．

力を表す組立単位のニュートン［N］は，力が質量［kg］と加速度［m/s^2］の積であることから，

$$[\mathrm{N}] = [\mathrm{kg \cdot m/s^2}]$$

となる．

また，抵抗の組立単位［Ω］は電力の組立単位［W］と電流［A］を用いると，電力は電圧［V］と電流［A］の積であり，電圧［V］は電流［A］と抵抗［Ω］の積であることから

$$[\mathrm{W}] = [\mathrm{V}] \times [\mathrm{A}] = [\mathrm{A^2}] \times [\Omega]$$

となるので，

$$[\Omega] = [\mathrm{W/A^2}]$$

となる．

単相 100 V 電源で 500 W の電力で電気ポットを使用しているとき，電流は 500/100 = 5 A になる．したがって，抵抗は

$$500/5^2 = 20\ \Omega$$

となる．

(2)　2016 年版のエネルギー白書の「我が国のエネルギーバランス・フロー概要（2014 年度）」を見ると，一次エネルギー国内供給で，石炭・石油・天然ガスなどの化石燃料が占める割合は，発熱量ベースで約 92 % である．化石燃料の内訳は，石炭が $5\,117 \times 10^{15}$ J，石油が $8\,306 \times 10^{15}$ J，天然ガスが $5\,063 \times 10^{15}$ J，全体が $20\,059 \times 10^{15}$ J である．したがって，石油が最も多いことになる．

最終エネルギー消費の内訳を比較すると，多い順に産業＞民生＞運輸になる．

(3)　太陽から地球に到達する電磁波の波長分布のピークは 500 nm 付近にあるため，可視光領域（380 ～ 780 nm）に当たる．地球から宇宙に放射される電磁波の波長分布のピークは 10 μm（= 10 000 nm）であり，可視光領域より長波長の赤外線領域になる．二酸化炭素が吸収する電磁波の卓越波長は 4.3 μm であり，この波長領域の赤外線を吸収することから，大気中の二酸

化炭素濃度の増加は，大気による赤外線放射の吸収と再放射の増加から，地球温暖化に大きな影響を与える．二酸化炭素の大気中濃度は，産業革命後の 280 ppm から増加を続け，現在では約 400 ppm である．1 ppm は，“part per million”を意味し，1/100 万であることから，百分率の 1/10 000 ということになる．したがって，1 ppm ＝ 0.000 1 % である．

解　答　(1)　**1- ア，2- カ，A-2.0 × 10^1**
(2)　**3- ウ，4- エ，5- ケ，**
(3)　**6- キ，7- ケ，8- オ，9- イ**

（エネルギー管理技術の基礎）

問題3　次の各文章は，令和 5 年 10 月 1 日時点で施行されている「工場等におけるエネルギーの使用の合理化に関する事業者の判断の基準」（以下，『工場等判断基準』と略記）の内容及びそれに関連した管理技術の基礎について述べたものである．

これらの文章において，『工場等判断基準』の本文に関連する事項の引用部を示す上で，

「Ⅰ　エネルギーの使用の合理化の基準」の部分は『基準部分』，

「Ⅱ　エネルギーの使用の合理化の目標及び計画的に取り組むべき措置」の部分は『目標及び措置部分』

と略記する．

[1] ～ [11] の中に入れるべき最も適切な字句，数値，式又は記述をそれぞれの解答群から選び，その記号を答えよ．

また，[A | a.b] ～ [H | ab] に当てはまる数値を計算し，その結果を答えよ．ただし，解答は解答すべき数値の最小位の一つ下の位で四捨五入すること．（配点計 100 点）　（告示改正により改題）

(1)　『工場等判断基準』の『基準部分』では，工場又は事務所その他の事業場においてエネルギーを使用して事業を行う者に対して，燃料（化石燃料及び非化石燃料をいう．以下同じ．）並びに熱及び電気の合計のエネルギーの使用の合理化を図るため，燃料並びに熱及び電気の特性を十分に考慮するとともに，その設置している全ての工場等を俯瞰し，次の①～⑨に定める取組を行うことにより，適切なエネルギー管理を行うこととしている．

①　取組方針の策定

事業者は，その設置している全ての工場等におけるエネルギーの使用の合理化に関する取組方針を定めること．その際，取組方針には，エネルギー

の使用の合理化に関する目標，当該目標を達成するための設備の運用，新設及び更新に対する方針を含むこと．

② 管理体制の整備

事業者は，その設置している全ての工場等について，全体として効率的かつ効果的なエネルギーの使用の合理化を図るための管理体制を整備すること．管理関係事業者にあっては，その認定管理統括事業者と一体でエネルギーの使用の合理化を図るための管理体制とすること．

③ 責任者等の配置等

事業者は，②で整備された管理体制には責任者，責任者を補佐する者及び現場実務を管理する者を配置し，以下の役割分担に基づいてそれぞれの者がエネルギーの使用の合理化に関する責務を果たすこと．

(i) 責任者の責務

(ii) 責任者を補佐する者の責務

(iii) 現場実務を管理する者の責務

④ 資金・人材の確保

事業者は，エネルギーの使用の合理化を図るために必要な資金・人材を確保すること．

⑤ 従業員への周知・教育

事業者は，その設置している全ての工場等における従業員に取組方針の周知を図るとともに，工場等におけるエネルギーの使用の合理化に関する教育を行うこと．

⑥ 取組方針の遵守状況の確認等

事業者は，客観性を高めるため内部監査等の手法を活用することの必要性を検討し，その設置している工場等における取組方針の遵守状況を確認するとともに，その評価を行うこと．なお，その評価結果が不十分である場合には改善を行うこと．

⑦ 取組方針の精査等

事業者は，取組方針及び遵守状況の［ 1 ］を定期的に精査し，必要に応じ変更すること．

⑧ 文書管理による状況把握

事業者は，①取組方針の策定，②管理体制の整備，③責任者等の配置等，⑥取組方針の遵守状況の確認等及び⑦取組方針の精査等の結果を記載した書面を作成，更新及び保管することにより，状況を把握すること．

⑨ エネルギーの使用の合理化に資する取組に関する情報の開示

エネルギーの使用の合理化及び非化石エネルギーへの転換等に関する法

律に基づく定期の報告におけるエネルギー消費原単位等に関する情報の開示について検討すること．

〈[1] の解答群〉

ア　管理結果　　**イ**　評価結果　　**ウ**　評価方法

(2)　再生可能エネルギーとして，バイオエタノール等が主に燃料として使用されてきている．

エタノール（C_2H_5OH）を酸素で完全燃焼させると，H_2O と CO_2 が生成する．エタノール 1 mol を完全燃焼させるのに必要な理論酸素量は，[A a.b] [mol] である．

(3)　ある物体表面の温度が 60 ℃で放射率が 0.8 であるとき，この物体表面の単位面積からの単位時間当たりの放射エネルギーは，[B a.b] $\times 10^2$ [W/m^2] である．ただし，0 ℃は絶対温度 273 K とし，ステファン・ボルツマン定数は 5.67×10^{-8} W/(m^2·K^4) とする．

(4)　炉壁外面の温度が 80 ℃で，周囲空気の温度が 20 ℃であるとき，炉壁外面における対流熱伝達率を 5 W/(m^2·K) とすると，この炉壁外面の単位面積から放散される対流伝熱による単位時間当たりの損失熱量は，[C a.b] $\times 10^2$ [W/m^2] である．

(5)　炉壁内面温度が 880 ℃である加熱炉の炉壁外面温度を，『工場等判断基準』の「工場等（専ら事務所その他これに類する用途に供する工場等を除く）」に対する『基準部分』で求められる「基準炉壁外面温度」の 80 ℃以下としたい．熱伝導率が温度によらず 0.2 W/(m·K) で一定な炉壁材を使用することとし，炉壁の通過熱流束を 640 W/m^2 とすると，炉壁外面温度が 80 ℃となる炉壁材の厚さは [D a.b] $\times 10^2$ [mm] となり，これ以上の厚みにする必要がある．

(6)　熱膨張が小さい固体や液体の比熱は一つの比熱で代表されるが，熱膨張の大きい気体では，定圧比熱と定容比熱を区別している．定圧比熱を定容比熱で除した値を比熱比と呼び，これはすべての気体で [2]．

(7)　エネルギー管理を遂行する上では各種流体の流量計測が必要となることが多く，管内流れの流量計測には，安価で取り扱いが容易なものとしてオリフィス流量計が広く用いられている．この流量計では，流量がオリフィス前後の圧力差の [3] 乗に比例することを利用して測定している．

〈[2] 及び [3] の解答群〉

ア　$\frac{1}{2}$　　**イ**　2　　**ウ**　3

エ　1 より小さくなる　　**オ**　1 となる　　**カ**　1 より大きくなる

(8)　『工場等判断基準』の『目標及び措置部分』のうちの，「その他エネルギーの使用の合理化に関する事項」は，「熱の効率的利用を図るためには，有効エネルギー（エクセルギー）の観点からの総合的なエネルギー使用状況のデータを整備するとともに，熱利用の［4］な整合性改善についても検討すること.」を求めている.

エクセルギーは，周囲環境を基準にして有効なエネルギーを評価するものである. いま，温度が T [K] で熱量 Q を保有する高温熱源があるとき，エクセルギー E は，低温熱源である温度 T_0 [K] の周囲環境との間で得られる最大の機械的仕事に相当し，カルノーサイクルの効率から，式［5］で定義される.

〈［4］及び［5］の解答群〉

ア　$E = Q\dfrac{T_0}{T}$　　**イ**　$E = Q\dfrac{T}{T_0}$　　**ウ**　$E = Q\left(1-\dfrac{T_0}{T}\right)$

エ　温度的　　**オ**　経済的　　**カ**　熱的

(9)　ある自家用火力発電設備が，高発熱量 39 MJ/L の A 重油を燃料として運転されている. この発電設備の，ある期間における燃料使用量が 1 200 kL であった. 高発熱量基準の平均発電端熱効率を 38 % とすると，この間の発電電力量は［E　$a.b \times 10^c$］[MW·h] である.

(10)　空気調和設備の省エネルギー推進には，負荷の低減，高効率設備の採用及び熱搬送設備を含めた設備の高効率運用を考慮することが重要である.

1)　熱源設備や熱搬送設備，空気調和機設備について，効率の向上を図るために設備ごとに個別に効率向上を図るだけでは，他の設備の効率が低下してしまうことがある. そのために，これらの設備の総合的なエネルギー効率の向上を図る必要がある.

『工場等判断基準』の『基準部分』は，「空気調和設備の熱源設備が複数の同機種の熱源機で構成され，又は使用するエネルギーの種類の異なる複数の熱源機で構成されている場合は，外気条件の季節変動や負荷変動等に応じ，［6］又は稼働機器の選択により熱源設備の総合的なエネルギー効率を向上させるように管理標準を設定して行うこと.」を求めている.

2)　冷房時，中央方式で冷水を供給する熱源設備及び熱搬送設備を運転するとき，負荷が同一の場合，一般に次の関係がある. 熱源機から負荷に送る冷水の温度を高くすると，熱源機の効率は［7］. 冷水の温度を高くすると，冷水ポンプの流量を増加させる必要があり，所要動力は大きくなる. これらのことを考慮して，総合的なエネルギー効率を向上させることが求められる.

〈[6] 及び [7] の解答群〉

ア	稼働台数の調整	**イ**	変流量制御の採用	**ウ**	冷却水温度の調整
エ	高くなる	**オ**	低くなる	**カ**	変わらない

(11)　ある工場の受電点において，三相 3 線式配電線の線間電圧が 6 600 V，線電流が 150 A，力率が 85 % であった．ここで，受電点の電源側は対称三相電源，負荷側は平衡三相負荷とみなすことができるものとする．この負荷に並列にコンデンサを接続して力率を 100 % にするためには，このコンデンサの三相分の合計容量を [F a.b×10^{c}] [kvar] とする必要がある．ただし，$\sqrt{3}=1.73$ とする．

(12)　ある工場で，最大需要電力低減のために，ある日の 14 時から 14 時 30 分までの平均電力を 1 200 kW に抑えることにした．14 時から 14 時 20 分までの使用電力量が 540 kW·h であった．この場合，残りの 14 時 20 分から 14 時 30 分までの 10 分間の平均電力を [G abc] [kW] とする必要がある．

(13)　三相誘導電動機が，線間電圧 200 V，線電流 200 A，力率 80 % で稼働している．この電動機の効率を 90 % とすると，軸動力は [H ab] [kW] である．ただし，$\sqrt{3}=1.73$ とする．

(14)　電動機では，回転運動によって電動機軸に負荷に応じたトルクが発生する．回転速度が N [min^{-1}] で回転している電動機の軸動力が P [W] であるとき，発生するトルクは，[8] [N·m] である．

(15)　送風機の軸動力は，効率を一定とすれば送風機の風量と全圧との積に比例して変化する．送風機の回転速度を変えると，軸動力は理論的には回転速度の [9] 乗に比例して変化する．

〈[8] 及び [9] の解答群〉

ア	1	**イ**	2	**ウ**	3
エ	$\dfrac{PN}{60}$	**オ**	$\dfrac{60P}{N}$	**カ**	$\dfrac{60P}{2\pi N}$

(16)　電気加熱は，燃料の燃焼による加熱にはない特徴を持っており，その一つが，被加熱物自身の発熱による内部加熱ができることである．この加熱方式として，直接抵抗加熱，誘電加熱，誘導加熱などがある．これらの方式のうち，木材やプラスチックなど電気的に絶縁物に近い物質の加熱には [10] 加熱がよく用いられる．

(17)　照明において，照度は光源によって照らされている場所の明るさの程度を表す測光量であり，その単位は SI 組立単位では [11] で表され，ルクス [lx] という固有の名称で呼ばれる．

〈 10 及び 11 の解答群〉

ア cd/m^2 **イ** lm/m^2 **ウ** W/m^2
エ 直接抵抗 **オ** 誘電 **カ** 誘導

解　説

告示「工場等におけるエネルギーの使用の合理化に関する事業者の判断の基準」(以下「工場等判断基準」と略記) からの出題である．この告示は特に重要で毎年出題確率が高い．しかも告示そのものが多岐にわたるため，できるだけ読み込んで内容を理解しておく必要がある．計算問題も多いので，正確な計算も求められる．

(1) 告示「工場等判断基準」の「Ⅰ　エネルギーの使用の合理化の基準」(以下,「基準部分」) の「Ⅰ－1 (7) 取組方針の精査等」には,「事業者は，取組方針及び遵守状況の評価方法を，定期的に精査し，必要に応じ変更すること」と記されている．

(2) エタノール (C_2H_5OH) を酸素で完全燃焼させると, H_2O と CO_2 が生成する．化学反応式は,

$$C_2H_5OH + 3O_2 \rightarrow 3H_2O + 2CO_2$$

であるから, エタノール 1 mol を完全燃焼させるのに必要な理論酸素量は 3.0 mol となる．

(3) ステファン・ボルツマンの法則から，完全黒体からの放射エネルギーを E [W/m^2] とすると,

$$E = \sigma T^4$$

となり，物体表面の絶対温度 T [K] の 4 乗に比例する．ただし，σ はステファン・ボルツマン定数 (5.67×10^{-8} W/(m^2·K^4)) である．灰色体の場合は，放射率を ε とすると,

$$E = \varepsilon\sigma T^4$$

となる．したがって，放射率 ε を 0.8 とすると,

$$E = 0.8 \times 5.67 \times 10^{-8} \times (273 + 60)^4$$
$$= 5.57 \times 10^2 \fallingdotseq 5.6 \times 10^2 \text{ W/m}^2$$

である．

(4) 対流伝熱による損失熱量 q は, 対流熱伝達率と温度差の積で表されるので,

$$q = 5 \times (80-20) = 300 = 3.0 \times 10^2 \text{ W/m}^2$$

となる．

(5) 炉壁の通過熱流束 q は，熱伝導率 λ と温度差 ΔT の積に比例し，炉壁材の厚さ d に反比例するので,

$$q = \frac{\lambda \Delta T}{d} = \frac{0.2 \times (880 - 80)}{d} = 640\ \mathrm{W/m^2}$$

より，

$$d = \frac{0.2 \times (880 - 80)}{640} = 0.25\ \mathrm{m}$$

したがって，$d = 250 = 2.5 \times 10^2$ mm 以上の厚さにしなくてはならない．

⑹　気体の比熱比は定圧比熱を定容比熱で除した値であるが，定圧比熱の方が定容比熱より大きいので，比熱比の値は 1 より大きくなる．

⑺　オリフィス流量計は，オリフィス前後の圧力差は流量の 2 乗に比例することから，流量は圧力差の 1/2 乗に比例するという原理を利用している．

⑻　告示「工場等判断基準」の「Ⅱ　エネルギーの使用の合理化の目標及び計画的に取り組むべき措置」（以下，「目標及び措置部分」の「2　その他エネルギーの使用の合理化に関する事項」の「⑴　熱エネルギーの効率的利用のための検討」で，「熱の効率的利用を図るためには，有効エネルギー（エクセルギー）の観点からの総合的なエネルギー使用状況のデータを整備するとともに，熱利用の温度的な整合性改善についても検討すること」と規定している．

ここで，エクセルギー E は，周辺温度を基準にした有効なエネルギーを意味し，熱量 Q を保有する温度 T［K］の高温熱源と温度 T_0［K］の低温熱源との間で得られる最大の機械的仕事に相当する．エクセルギー E は，カルノーサイクルの熱効率から，

$$E = Q\left(1 - \frac{T_0}{T}\right)$$

で表される．

⑼　自家用火力発電設備のある期間の燃料使用量が 1 200 kL，A 重油の高発熱量が 39 MJ/L，高発熱量基準の平均発電端熱効率を 38 % とすると，発電電力量 E は，

$$E = 1\,200 \times 10^3 \times 39 \times 0.38 = 1.77 \times 10^7 = 1.8 \times 10^7\ \mathrm{MJ}$$

となる．ここで，J/s ＝ W から，1 MW·h ＝ 3 600 MJ なので，

$$E = \frac{1.77 \times 10^7}{3\,600} = 4.91 \times 10^3 \fallingdotseq 4.9 \times 10^3\ \mathrm{MW \cdot h}$$

である．

⑽

1）　告示「工場等の判断基準」の「基準部分」のうち，Ⅰ　2　2−1　⑴「①空気調和設備，換気設備の管理」エ，およびⅠ　2　2−2　⑵　（2−2）では，

「空気調和設備，給湯設備の管理」として，「空気調和設備の熱源設備が複数の同機種の熱源機で構成され，又は使用するエネルギーの種類の異なる複数の熱源機で構成されている場合は，外気条件の季節変動や負荷変動等に応じ，稼働台数の調整又は稼働機器の選択により熱源設備の総合的なエネルギー効率を向上させるように管理標準を設定して行うこと」と規定している．

2)　一般に，熱源機（冷凍機）から供給する冷水温度を上げると，蒸発器の蒸発温度が上昇して冷却量が増加するので，熱源機の効率（成績係数）は高くなる．一方，冷水温度が上がると，空調機の冷却コイルの熱交換効率が下がるので，同じ冷却量を得るためには冷水流量を増やす必要があり，冷水ポンプの所要動力は大きくなる．以上を勘案して，総合的なエネルギー効率の向上を図らなくてはならない．

(11)　ある工場の受電点で三相3線式配電線の線間電圧が6 600 V，線電流が150 A，力率が85 %のとき，図のようになる．

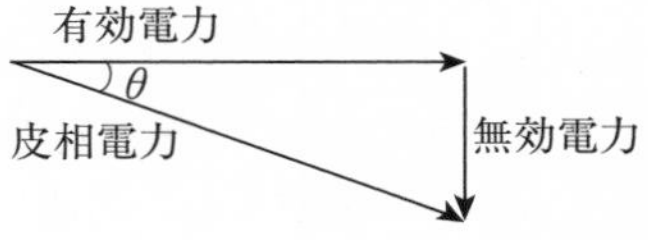

力率は図の $\cos\theta$ で表される．したがって，皮相電力は

$$6.6 \times 150 \times \sqrt{3} = 1\,714.73\ \mathrm{kV{\cdot}A}$$

であり，有効電力は，$\cos\theta = 0.85$ から，

$$1\,714.73 \times 0.85 = 1\,457.520\ \mathrm{kV{\cdot}A}$$

となる．

並列にコンデンサを接続して力率を100 %にするためには，無効電力の

$$\sqrt{1\,714.73^2 - 1\,457.52^2} = 903.290 \fallingdotseq 900\ \mathrm{kvar}$$

を0にする必要がある．したがって，並列に接続するコンデンサの3相分の合計容量は 9.0×10^2 kvar となる．

(12)　14時から14時30分までの平均電力を1 200 kWに抑制するとき，使用できる積算電力量は，

$$1\,200 \times 0.5 = 600\ \mathrm{kW{\cdot}h}$$

である．14時から14時20分の使用電力量が540 kW·hのとき，14時20分から14時30分まで（= 1/6 h）の平均電力を P [kW] とすると，

$$540 + P \times 1/6 \leqq 600\ \mathrm{kW{\cdot}h}$$

とする必要があるので，$P \leqq 360$ kW となる．

(13)　三相誘導電動機が線間電圧 $V = 200$ V，線電流 $I = 200$ A，力率80 %で稼働しているとき，軸動力 P は，これらの積に電動機の効率90 %を乗じたものになるので，

$$P = \sqrt{3}\,VI\cos\theta \times 効率$$

より，

$$\sqrt{3} \times 200 \times 200 \times 0.8 \times 0.9 = 49\,824\ \mathrm{W}$$

であるから，50 kW となる．

(14) 電動機のトルク T は，軸動力 P [W] を角速度 ω rad^{-1} で除したものであるから，[W] = [J/s] = [N·m/s] より，

$$T = \frac{P}{\omega}\ [\mathrm{N \cdot m}]$$

となる．ここで，角速度 ω [rad^{-1}] は回転速度 N [min^{-1}] に 2π rad を乗じたものであり，単位を [s] に換算すると，

$$T = \frac{60P}{2\pi N}\ [\mathrm{N \cdot m}]$$

となる．

(15) 送風機の相似則から，送風機の風量は回転速度に比例し，全圧は回転速度の 2 乗に比例する．送風機の軸動力は，風量と全圧の積に比例するので，回転速度の 3 乗に比例することになる．

(16) 木材やプラスティックなどの電気的に絶縁材料に近い物質を加熱する場合，誘電加熱が用いられる．被加熱物（誘電体）を電極の内側に置くと，被加熱物内部で分極を起こして電荷が生じるが，この現象を誘電現象と呼ぶ．この電界の向きは周波数の速度で変化し，分子は激しい内部摩擦を起こすことで発熱が生じて，被加熱物が加熱される．これを誘電加熱という．電子レンジは，マイクロ波による誘電加熱の原理を用いている．

(17) 照明による照度は，光源から照射された光束 [lm] が単位面積 [m^2] の面に入射する光束の面積密度を示す．したがって，照度の SI 組立単位は [lm/m^2] となる．これは，ルクス [lx] とも呼ばれる．

解答

(1) **1-ウ**	(2) **A-3.0**
(3) **B-5.6**	(4) **C-3.0**
(5) **D-2.5**	(6) **2-カ**
(7) **3-ア**	(8) **4-エ，5-ウ**
(9) **E-4.9 × 10^3**	(10) **6-ア，7-エ**
(11) **F-9.0 × 10^2**	(12) **G-360**
(13) **H-50**	(14) **8-カ**
(15) **9-ウ**	(16) **10-オ**
(17) **11-イ**	

第 38 回　2016 年（平成 28 年）

（エネルギーの使用の合理化等に関する法律及び命令）

問題1　次の各問に答えよ．なお，法令は令和 6 年 10 月 1 日時点で施行されているものである．

以下の問題文では

エネルギーの使用の合理化及び非化石エネルギーへの転換等に関する法律を『法』

エネルギーの使用の合理化及び非化石エネルギーへの転換等に関する法律施行令を『令』

エネルギーの使用の合理化及び非化石エネルギーへの転換等に関する法律施行規則を『則』

と略記する．（配点計 50 点）　　　　　　　　　　　（法改正により改題）

(1)　次の各文章の [1] ～ [4] の中に入れるべき最も適切な字句をそれぞれの解答群から選び，その記号を答えよ．なお，[1] は 3 箇所あるが，同じ記号が入る．

1)　『法』第 3 条第 1 項及び第 2 項の条文

経済産業大臣は，工場又は事務所その他の事業場（以下「工場等」という．），輸送，建築物，機械器具等に係るエネルギーの使用の合理化及び非化石エネルギーへの転換並びに電気の需要の最適化を総合的に進める見地から，エネルギーの使用の合理化及び非化石エネルギーへの転換等に関する [1]（以下「[1]」という．）を定め，これを公表しなければならない．

2　[1] は，エネルギーの使用の合理化及び非化石エネルギーへの転換のためにエネルギーを使用する者等が講ずべき措置に関する基本的な事項，電気の需要の最適化を図るために電気を使用する者等が講ずべき措置に関する基本的な事項，エネルギーの使用の合理化及び非化石エネルギーへの転換等の促進のための施策に関する基本的な事項その他エネルギーの使用の合理化及び非化石エネルギーへの転換等に関する事項について，[2]，電気その他のエネルギーの需給を取り巻く環境，エネルギーの使用の合理化及び非化石エネルギーへの転換に関する技術水準その他の事情を勘案して定めるものとする．

〈[1] 及び [2] の解答群〉

ア　エネルギー需給の長期見通し　　**イ**　技術基準　　**ウ**　基本方針

エ　経済成長の見込み　　**オ**　国民のライフスタイル　　**カ**　産業構造
キ　分野別指針　　**ク**　目標達成計画

2）『法』第 12 条第 1 項及び第 2 項の条文

第一種特定事業者のうち前条第 1 項各号に掲げる工場等を設置している者（以下この条において「第一種指定事業者」という.）は，経済産業省令で定めるところにより，その設置している当該工場等ごとに，第 9 条第 1 項各号に掲げる者のうちから，前条第 1 項各号に掲げる工場等におけるエネルギーの使用の合理化に関し，エネルギーを消費する設備の維持，エネルギーの使用の方法の改善及び監視その他経済産業省令で定める業務を管理する者（以下この条において「エネルギー管理員」という.）を選任しなければならない.

2　第一種指定事業者は，第 9 条第 1 項第一号に掲げる者のうちからエネルギー管理員を選任した場合には，経済産業省令で定める期間ごとに，当該エネルギー管理員に経済産業大臣又は指定講習機関が経済産業省令で定めるところにより行うエネルギー管理員の [3] を図るための講習を受けさせなければならない.

〈[3] の解答群〉
ア　エネルギー管理士免状の更新　　**イ**　技能の維持　　**ウ**　資格の継続
エ　資質の向上

3）『法』第 15 条第 1 項の条文

特定事業者は，経済産業省令で定めるところにより，定期に，その設置している工場等について第 5 条第 1 項に規定する判断の基準となるべき事項において定められたエネルギーの使用の合理化の目標に関し，その達成のための [4] を作成し，主務大臣に提出しなければならない.

〈[4] の解答群〉
ア　実施計画　　**イ**　中長期的な計画　　**ウ**　投資計画　　**エ**　取組方針

(2)　次の各文章の [5] ～ [8] の中に入れるべき最も適切な字句，数値又は記述をそれぞれの解答群から選び，その記号を答えよ.

『法』第 2 条，『法』第 7 条，『法』第 10 条，『法』第 12 条，『法』第 13 条，『法』第 14 条，『令』第 1 条，『令』第 2 条，『令』第 3 条，『令』第 6 条，『則』第 4 条，『則』第 23 条関連の文章

ある事業者が保有する食品製造工場における前年度の燃料，電気などの使用量は，次の a ～ e のとおりであった．また，この事業者には，食品製造工場とは別の事業所として本社事務所があり，そこでの前年度の電気などの使用量は，次の f 及び g のとおりであった．これらが，この事業者の設置し

ている事業所のすべてであり，この事業者は，a ～ g 以外のエネルギーは使用していなかった．なお，本社事務所は，専ら事務所として使用されていた．

a：食品製造工場において，ボイラで使用した都市ガスの量を発熱量として換算した量が 6 万 4 千ギガジュール

b：食品製造工場において，a のボイラの発生蒸気を利用した後の凝縮水の一部から熱回収して使用した．その回収して使用した熱量が 1 万ギガジュール

c：食品製造工場において，ボイラの燃料として使用したプラスチック廃棄物の発熱量の合計値が 8 千ギガジュール

d：食品製造工場において，風力発電装置を設置して発電し，その電気を工場内で使用した．その電気の量を熱量として換算した量が 4 千ギガジュール

e：食品製造工場において，小売電気事業者から購入して使用した電気の量（6 ％が水力発電で残りは化石燃料を用いた発電による）を熱量として換算した量が 5 万ギガジュール

f：本社事務所において，小売電気事業者から購入して使用した電気の量（化石燃料を用いた発電による）を熱量として換算した量が 2 万ギガジュール

g：本社事務所において，熱供給事業者から都市ガスを燃料として製造した温水及び冷水を購入して使用した熱量を，当該熱を発生するために使用した燃料の発熱量に換算した量が 3 千ギガジュール

1)　この食品製造工場が前年度に使用した『法』で定めるエネルギー使用量は，前述の a ～ e のうち [5] を合算することになる．

〈[5] の解答群〉

ア　a と b	**イ**　a と c	**ウ**　a と d	**エ**　a と e
オ　a と b と c	**カ**　a と b と d	**キ**　a と b と e	**ク**　a と c と e
ケ　a と b と c と e	**コ**　a と c と d と e		

2)　この事業者全体での，「前年度に使用したエネルギーの使用量を『法』で定めるところにより原油の数量に換算した量」は，食品製造工場と本社事務所それぞれの「前年度に使用したエネルギーの使用量を『法』で定めるところにより原油の数量に換算した量」を合算することにより求められる．この事業者の原油換算エネルギー使用量は [6] キロリットルであり，この事業者は，『法』で定めるエネルギー使用量から判断して特定事業者に該当する．

〈[6] の解答群〉

ア　3 096	**イ**　3 457	**ウ**　3 535	**エ**　3 741
オ　3 792	**カ**　3 844	**キ**　3 999	**ク**　4 102

3)　この事業者は，特定事業者に係る指定を受けた後，食品製造工場について［ 7 ］を選任しなければならない．その選任は，選任すべき事由が生じた日から［ 8 ］行わなければならない．

〈［ 7 ］及び［ 8 ］の解答群〉

ア　1名のエネルギー管理者　　**イ**　2名のエネルギー管理者

ウ　エネルギー管理員　　**エ**　エネルギー管理士

オ　3月以内に　　**カ**　6月以内に

キ　遅滞することなく　　**ク**　次の定期の報告までの間に

(3)　次の各文章の［ 9 ］～［ 11 ］の中に入れるべき最も適切な字句をそれぞれの解答群から選び，その記号を答えよ．なお，［ 9 ］は2箇所あるが，同じ記号が入る．

1)　『法』第8条，『則』第9条関連の文章

『法』第8条は，特定事業者は，［ 9 ］を選任しなければならないとしている．その［ 9 ］が，特定事業者の設置している工場等におけるエネルギーの使用の合理化に関し統括管理する業務は，『法』第8条及び『則』第9条によって規定されている．その業務を次のa～dの項目からすべて挙げると［ 10 ］である．

a　二酸化炭素排出量の削減に関すること

b　エネルギーの使用の方法の改善及び監視

c　特定事業者が設置している工場等におけるエネルギーを消費する設備の新設，改造又は撤去に関すること

d　定期の報告に係る報告書の作成事務に関すること

〈［ 9 ］及び［ 10 ］の解答群〉

ア　aとb　　**イ**　cとd

ウ　aとbとc　　**エ**　aとbとd

オ　aとcとd　　**カ**　bとcとd

キ　エネルギー管理企画推進者　　**ク**　エネルギー管理統括者

ケ　エネルギー管理の推進責任者　　**コ**　エネルギー管理の統括責任者

2)　『法』第149条，『令』第18条関連の文章

『法』第149条は，特定エネルギー消費機器及び特定関係機器について，そのエネルギー消費性能又はエネルギー消費関係性能の向上に関する判断の基準となるべき事項を定め，公表するものとしている．

この特定エネルギー消費機器として，『令』第18条が規定している機器を，次のa～dのうちからすべて挙げると，［ 11 ］である．

a　直流電動機

b　エアコンディショナー

c　変圧器

d　ポンプ

〈 11 の解答群〉

ア　aとb	**イ**　aとc	**ウ**　aとd
エ　bとc	**オ**　bとd	**カ**　cとd
キ　aとbとc	**ク**　aとcとd	**ケ**　bとcとd

解　説

(1)「エネルギーの使用の合理化及び非化石エネルギーへの転換等に関する法律」（以下「法」）の条文の内容を直接問う出題である．

1)「法」第 3 条第 1 項および第 2 項からの出題である．例年，問題 1 は「法」からの出題が多く，(1) 1) 2) 3) はすべて法の条文のままの出題である．「法」第 3 条は「エネルギーの使用の合理化及び非化石エネルギーへの転換等に関する基本方針」に関する条文で，法の基本として特に重要である．

ここでは時代の趨《すう》勢に着目した出題がされることが多いので，社会情勢，特にエネルギー問題に関しては普段から知識を習得していることが肝要である．

なお，このように条文のままで空欄を埋める出題が多く，基本的な条文はよく読み理解しておくことが必要であるが，もし条文の明確な記憶がない場合でも，趣旨を理解していれば前後の文脈に合致する言葉を語群から選ぶことができる．

2)「法」第 12 条第 1 項および第 2 項からの出題である．第 12 条は「エネルギー管理員」の選任についての問題で，第 11 条の「エネルギー管理者」の選任と区別して覚えておきたい．

第 11 条は第一種指定事業者を除く第一種エネルギー管理指定工場におけるエネルギー管理者の選任を規定し，第 12 条は第一種エネルギー管理指定工場等で第一種指定事業者の場合のエネルギー管理員の選任を規定している．この場合はエネルギー管理士免状の交付を受けている者のほかにエネルギー管理講習修了者（経済産業省令で定めるところにより行うエネルギーの使用の合理化に関し必要な知識および技能に関する講習の課程を修了した者）でも選任できるが，このエネルギー管理講習修了者は経済産業省令で定める講習を定める期間ごとに受けなければならないことが規定されている．

3)「法」第 15 条第 1 項からの出題であり，エネルギー合理化目標達成のための中長期的な計画の作成・提出を義務づけている条文である．エネルギー管理者，管理員の選任，管理標準の策定などとともに，この法律における行動すべき重要項目の一つである．

(2) 2010年度施行の省エネ法改正における重要ポイントである「法」第7条「特定事業者」の指定に関連する問題である．この問題は毎年出題されており，過去2年間の用途は「圧延工場・精整加工工場」「食品工場」そして2016年も「食品製造工場」であり，用途による規定の違いはいまのところない．

問われる内容はほぼ同じで，工場内のエネルギー使用量の計算から事業所として法的規制を問う問題で，「法」第2条の「エネルギーの定義」や第7条以降の「特定事業者」や「エネルギー管理指定工場等」，そして「エネルギー管理士」「エネルギー管理員」の選任などに関する規定について問われる計算問題である．計算の方法，根拠および判断の基準を明確に理解しておかなければならない．

1) エネルギー使用量の計算は，食品製造工場においてはaの都市ガスとcのプラスチック廃棄物，dの風力で発電した電気とeの小売電気事業者から購入した電気の量の合計である．小売電気事業者から購入して使用した電気，A重油，プラスチック廃棄物，風力発電および都市ガスは「法」第2条，「エネルギーの使用の合理化及び非化石エネルギーへの転換等に関する法律施行令」（以下「令」）第1条,「エネルギーの使用の合理化及び非化石エネルギーへの転換等に関する法律施行規則」（以下「則」）第2条からエネルギー使用量に該当し，「法」第2条第1項，「令」第1条第1項からエネルギー使用量に該当しない．

2) 事業者としてはfとgの本社事務所でのエネルギー使用量も加わり，「法」で定めるエネルギー使用量は，電気事業者から購入して使用した電気に「則」第4条に定める原油換算量 0.025 8 kL/GJ を乗じて求めた使用量を加算する．

食品製造工場のエネルギー使用量は

(aの都市ガス ＋ cのプラスチック廃棄物 ＋ dの電気 ＋ eの電気) [GJ]
　×0.025 8 kL/GJ
＝ (64 000 GJ ＋ 8 000GJ ＋ 4 000GJ ＋ 50 000 GJ)×0.025 8 kL/GJ
＝ 3 250.8 kL

本社事務所のエネルギー使用量は

(fの電気 ＋ gの都市ガス) [GJ]×0.025 8 kL/GJ
＝ (20 000 GJ ＋3 000 GJ)×0.025 8 kL/GJ
＝ 593.4 kL

事業者全体としてのエネルギー使用量は

(食品製造工場の使用量)＋(本社事務所の使用量)

＝ 3 250.8 kL ＋ 593.4 kL

＝ 3 844.2 kL ≒ 3 844 kL

となり，事業者としては「法」第7条第1項，「令」第2条第1項に定めるところの1 500 kLを超えているため特定事業者となる．

3)　食品製造工場のエネルギー使用量は「法」第10条第1項，「令」第3条に定めるところにより3 000 kL以上であるため，この工場は第1種エネルギー管理指定工場等となる．

そして，この事業者は特定事業者であることから「法」第8条および第9条より「エネルギー管理統括者」と「エネルギー管理企画推進者」の選任が必要になるとともに，「法」第10条と第11条，「令」第4条第2項および「則」第17条第1項から第1種エネルギー管理指定工場等として「1名のエネルギー管理者」を選任すべき事由が生じてから6月以内に選任しなければならない．ここで，本社事務所は指定工場に該当しないためエネルギー管理員の選任は必要ない．

事業者としての規定である「特定事業者」，事業所としての規定である「エネルギー管理指定工場等」，そしてそれぞれの第1種，第2種の規定，またそれに伴う資格者の選任に関する規定は複雑であるので，正確に覚えておくことが重要である．

なお，第1種特定事業者とは第1種エネルギー管理指定工場等をもつ特定事業者であることも重要であるのでよく理解しておく必要がある．

(3)　この問題は条文そのものではなく，「法」「令」「則」などを組み合わせた関連問題であり，毎年出題されている形式である．組合せの問題であるので条文そのものの問題よりやや複雑で条文の趣旨をよく理解しておくことが重要である．

1)　「法」第8条，「則」第9条関連の出題である．「法」第8条「エネルギー管理統括者」についての出題で，前問にも絡み特定事業者の指定条件，資格者選任義務や資格者の資格要件などをよく理解しておく必要がある．

また，その業務については「法」と「則」にそれぞれ複数の記載があり，その内容を問われていて理解していないと難しい問題である．この法律は省エネ主体であるので二酸化炭素削減についての表現は少なく，その点から解答することも可能である．

なお，条文には期間などの数字が出ており，これがブランクとなって穴埋めする問題も予想されるため，主要な数字は正確に理解しておく必要がある．

2)　「法」第149条，「令」第18条関連の出題である．「法」第149条は，第

148条とともに「機械器具に係る措置」に関するもので，第148条は「エネルギー消費機器等製造事業者等の努力」，第149条は「エネルギー消費機器等製造事業者等の判断の基準となるべき事項」についてである．「令」第18条には「特定エネルギー消費機器」についてかなり詳細に記述されており，機器製造メーカ（製造事業者）に関する問題は最近の出題傾向の高い問題といえる．このように出題によっては法や令，則のかなり詳細なところまで及ぶので，できるだけ目を通しておくことが重要である．ただし，必ずしも文そのものを記憶していなくても，質問の内容，文脈を理解すれば正解を語群から選択することができる．

解答 ⑴ **1-ウ，2-ア，3-エ，4-イ**
⑵ **5-エ，6-ウ，7-ア，8-カ**
⑶ **9-ク，10-カ，11-エ**

（エネルギー情勢・政策，エネルギー概論）

問題2 次の各文章の [1] ～ [9] の中に入れるべき最も適切な字句又は数値をそれぞれの解答群から選び，その記号を答えよ．

また，[A a.b×10^c] に当てはまる数値を計算し，その結果を答えよ．ただし，解答は解答すべき数値の最小位の一つ下の位で四捨五入すること．（配点計50点）

⑴ 国際単位系（SI）では，長さ（メートル［m］），質量（キログラム［kg］），時間（秒［s］），電流（アンペア［A］），熱力学温度（ケルビン［K］），光度（カンデラ［cd］）及び物質量（モル［mol］）の7個の量を基本単位としている．力やエネルギーなどの単位は基本単位にはなく，前述の7個の基本単位を組み合わせて表されるので，組立単位と呼ばれている．

圧力の単位は，日常的には［気圧］を用いることもあるが，SIでは，組立単位であるパスカル［Pa］を用いる．パスカルは，基本単位を用いると [1] と表される．標準大気圧（1気圧）は，約 [2] ［Pa］である．

ダムの水深が180 mであり，大気圧が標準大気圧のとき，底部に加わる圧力は [A a.b×10^c] ［Pa］である．ただし，水の密度を1 000 kg/m^3，重力の加速度を9.8 m/s^{2}とする．

〈[1] 及び [2] の解答群〉

ア 10^3　**イ** 10^4　**ウ** 10^5
エ kg/(m·s^2)　**オ** kg/(m^2·s)　**カ** kg/(m^2·s^2)

⑵ 近年注目されている「再生可能エネルギー」の原語（英語）は [3]

energy である．再生可能エネルギーの中で，発電利用の面から，現在，我が国で水力発電に次いで年間発電量が多いのは，ここ数年で急速な増加傾向にある [4] 発電である．また，エネルギー形態の面から，化学エネルギーを貯蔵していると考えられるのは [5] である．

なお，再生可能エネルギーの発電への利用を促進するため，我が国で 2012 年 7 月に導入されたのが，[6] である．

〈[3] ～ [6] の解答群〉

ア	recycle	**イ**	regenerative	**ウ**	renewable
エ	バイオマス	**オ**	太陽光	**カ**	地熱
キ	風力	**ク**	グリーン投資減税	**ケ**	固定価格買取制度
コ	電力小売自由化	**サ**	発送電分離制度		

(3) 一次エネルギーの選択に当たっては，埋蔵量やコスト，供給安定性，環境負荷などが重要な因子である．

埋蔵量については，2015 年のエネルギー白書における 2013 年の統計データによると，主な化石エネルギーである石炭，石油，天然ガスの中で，確認可採埋蔵量を年生産量で除した可採年数が最も長いのは [7] である．

また，社会情勢を反映した供給安定性について考慮すると，我が国への安定した供給が最も懸念されるのは [8] である．

一方，環境負荷においては，発電利用で考えると，単位発電量当たりの二酸化炭素排出量が最も多いのは石炭であるが，熱効率向上によりこの点を抑制する新技術として [9] が期待されている．

〈[7] ～ [9] の解答群〉

ア	石炭	**イ**	石油	**ウ**	天然ガス
エ	石炭ガス化複合発電	**オ**	石炭液化複合発電	**カ**	石炭石油混焼発電

解　説

(1) 国際単位系（SI）の基本単位と組立単位についての問題で，関連の問題としては出題頻度が高い問題である．

パスカル［Pa］は 1 m^2 当たりの力［N］であるので

$$\mathrm{Pa} = \frac{\mathrm{N}}{\mathrm{m}^2} = \frac{\mathrm{kg \cdot m}}{\mathrm{s}^2 \cdot \mathrm{m}^2} = \frac{\mathrm{kg}}{\mathrm{m \cdot s}^2}$$

となる．

また，標準大気圧（1 気圧）は 1 013 hPa であるので

$$1\,013\ \mathrm{hPa} = 101\,300\ \mathrm{Pa} \fallingdotseq 10^5\ \mathrm{Pa}$$

となる．

次に水深 180 m の底部に加わる圧力は大気圧に水の圧力を加える．

$$101\,300\ \mathrm{Pa}+(1\,000\ \mathrm{kg/m^3}\times 9.8\ \mathrm{m/s^2}\times 180\ \mathrm{m})\ [\mathrm{Pa}]$$

$$=1\,865\,300\ \mathrm{Pa}\fallingdotseq 1.9\times 10^{6}\ \mathrm{Pa}$$

となる．

⑵　近年建物の ZEB（Net Zero Energy Building）化が話題になっている．正味エネルギー消費ゼロの建物であるが，この実現には再生可能エネルギーの利用は欠かせない．したがって，この関係の出題の可能性は高い．

再生可能エネルギーは原語の直訳であるので正解「renewable」はすぐわかる．植物系の燃焼エネルギーである「バイオマス」は化学エネルギーを貯蔵していると考えられ，また，制度としては「固定価格買取制度」が重要である．発電量が多いものとしては「太陽光」が挙げられ，そのほかに「地熱」「小水力」などがあり，それぞれの特徴は覚えておく必要がある．

⑶　一次エネルギーの選択についての問題である．近年石炭が重要視されているが，一方で地球温暖化ガスである二酸化炭素排出量が多いことが問題である．その抑制方法である「石炭ガス化複合発電」や，オイルショックでわかる石油の安定供給への懸念などが理解できれば解答できるので，エネルギー情勢に関する知識は常に習得しておきたい．

解　答　⑴　**1-エ，2-ウ，A-1.9×10^{6}**

⑵　**3-ウ，4-オ，5-エ，6-ケ**

⑶　**7-ア，8-イ，9-エ**

（エネルギー管理技術の基礎）

問題3　次の各文章は「工場等におけるエネルギーの使用の合理化に関する事業者の判断の基準」（以下，『工場等判断基準』と略記）の内容及びそれに関連した管理技術の基礎について述べたものである．（『工場等判断基準』は，令和 5 年 10 月 1 日時点で施行されているもの）

これらの文章において，「工場等（専ら事務所その他これに類する用途に供する工場等を除く）における『工場等判断基準』に関する事項」について，

「Ⅰ　エネルギーの使用の合理化の基準」の部分は『基準部分（工場）』

「Ⅱ　エネルギーの使用の合理化の目標及び計画的に取り組むべき措置」の部分は『目標及び措置部分（工場）』

と略記する．

$\boxed{1}$～$\boxed{13}$の中に入れるべき最も適切な字句，数値，式又は記述をそれぞれの解答群から選び，その記号を答えよ．

また，[A ab.c] ～[G ab] に当てはまる数値を計算し，その結果を答えよ．

ただし，解答は解答すべき数値の最小位の一つ下の位で四捨五入すること．（配点計100点）　（告示改正により改題）

(1)　『工場等判断基準』の『基準部分（工場）』は，事業者が遵守すべき基準を示したものであり，次の六つの分野ごとにその基準が示されている．

①　燃料の燃焼の合理化

②　[　1　] の合理化

③　廃熱の回収利用

④　熱の動力等への変換の合理化

⑤　放射，伝導，抵抗等によるエネルギーの損失の防止

⑥　電気の動力，熱等への変換の合理化

また，6分野に関して，おのおのに「管理及び基準」，「[　2　]」，「保守及び点検」及び「新設に当たっての措置」の4項目に関する遵守内容が示されている．

(2)　コージェネレーション設備は，エネルギー使用の高効率化や電源供給源の分散化等の目的から，その普及が進んでいる．

『工場等判断基準』の『基準部分（工場）』は，その新設・更新に当たっての措置に関して，「[　3　] と将来の動向について十分な検討を行い，年間を総合して廃熱及び電力の十分な利用が可能であることを確認し，適正な種類及び規模のコージェネレーション設備の設置を行うこと．」を求めている．

〈[　1　] ～ [　3　] の解答群〉

ア　運営及び組織　　**イ**　エネルギーコストの実績

ウ　エネルギー情勢　　**エ**　エネルギー変換

オ　加熱及び放熱　　**カ**　加熱及び冷却並びに伝熱

キ　計測及び記録　　**ク**　事業者の責務及び義務

ケ　熱及び電力の需要実績

(3)　圧力が0.5 MPaの乾き飽和蒸気を，質量が300 kgで温度が20 ℃の水と混合し，50 ℃の温水にするとき，必要な蒸気量は [A ab.c] [kg] である．ただし，圧力0.5 MPaの乾き飽和蒸気の比エンタルピーは2 748.1 kJ/kgとする．また，20 ℃の水の比エンタルピーは83.9 kJ/kg，50 ℃の温水の比エンタルピーは209.3 kJ/kgで，混合の際，蒸気の持つ熱エネルギーは，すべて水の加熱に用いられるものとする．

(4)　加熱炉が設置されている工場があり，加熱炉外壁の表面温度が127 ℃のとき，加熱炉外壁から周囲への単位面積，単位時間当たりの放射エネルギー

は [B $a.bc \times 10^d$] [W/m^2] である．ただし，0 ℃ ＝273 K とし，この外壁表面の放射率は 0.8，ステファン・ボルツマン定数は 5.67×10^{-8} W/(m^2·K^4) とする．

(5)　メタン（CH_4）は都市ガス（13A）の主成分であり，燃焼時の反応式は次のように表すことができる．

$$CH_4 + 2O_2 \rightarrow CO_2 + 2H_2O$$

反応式より，メタン 1 m^3_N を燃焼させるときの理論空気量は [C $a.bc$] [m^3_N] となる．ただし，空気中の酸素濃度は 21 % とする．ここで，単位 m^3_N は標準状態の下での体積であることを表す．

(6)　燃焼設備においては，燃料の燃焼状態を適切に管理することが重要である．

『工場等判断基準』の『基準部分（工場）』は，「燃焼設備ごとに，燃料の供給量，[4]，排ガス中の残存酸素量その他の燃料の燃焼状態の把握及び改善に必要な事項の計測及び記録に関する管理標準を設定し，これに基づきこれらの事項を定期的に計測し，その結果を記録すること．」を求めている．

〈[4] の解答群〉

ア　液中燃焼　**イ**　拡散燃焼　**ウ**　旋回燃焼
エ　生産量　**オ**　燃焼に伴う排ガスの温度　**カ**　燃料の物性

(7)　蒸気輸送配管系統の計画時等には，放熱面積の低減を考慮する必要がある．

『工場等判断基準』の『基準部分（工場）』は，「熱利用設備を新設・更新する場合には，熱媒体を輸送する配管の経路の合理化，[5] 等により，放熱面積を低減すること．」を求めている．

(8)　廃熱の回収利用は，大きな効果が期待できる省エネルギー対策である．

『工場等判断基準』の『基準部分（工場）』は，廃熱回収設備の新設・更新に当たっての措置として，「廃熱の排出状況等を調査するとともに，廃熱回収率を高めるため，伝熱面の [6] の改善，伝熱面積の増加等の措置を講じること．また，蓄熱設備やヒートポンプ等の採用等により，廃熱利用が可能となる場合にはこれらを採用すること．」を求めている．

〈[5] 及び [6] の解答群〉

ア　温度差　**イ**　加熱特性　**ウ**　シール性
エ　性状及び形状　**オ**　熱源設備の集約化　**カ**　熱源設備の分散化
キ　廃熱回収の実施　**ク**　ボイラ等の高効率化

(9)　空気調和設備に関して省エネルギーを推進するには，空気調和負荷の低減が重要である．

『工場等判断基準』の『基準部分（工場）』は，「工場内にある事務所等の空気調和の管理は，空気調和を施す区画を限定し，ブラインドの管理等による負荷の軽減及び区画の使用状況等に応じた[7]，室内温度，換気回数，湿度，外気の有効利用等についての管理標準を設定して行うこと.」及び「冷暖房温度については，政府の推奨する設定温度を勘案した管理標準とすること.」を求めている.

〈[7]の解答群〉

ア　設備の運転時間　　**イ**　熱源機の成績係数

ウ　冷却水温度や冷温水温度

(10)　ある火力発電設備が，A 重油を燃料として電気出力 150 MW の一定出力で稼動している．A 重油の高発熱量を 39 MJ/L，この発電設備における，高発熱量基準の平均発電端熱効率を 39 % とすると，1 時間当たりの燃料使用量は[D a.bc×10^{d}] [L] である.

(11)　線間電圧が 200 V の対称三相電源に，平衡三相負荷が接続されている．Y 結線された三相負荷の 1 相分が，3 Ω の抵抗と 4 Ω の誘導性リアクタンスが直列に接続したものであるとき，この三相負荷の消費電力は[E a.b] [kW] である．なお，$\sqrt{3}=1.73$ としてよい.

(12)　ある工場で，節電のために，14 時から 14 時 30 分の間の平均電力を 1 000 kW に抑えることにした．14 時から 14 時 20 分までの使用電力量が 350 kW·h であった．この場合，残りの 14 時 20 分から 14 時 30 分までの間の平均電力は[F abc] [kW] にする必要がある.

(13)　工場の受変電設備及び配電設備においては，送配電線路における電力損失を低減するために，力率を高く維持することが求められる.

1)　『工場等判断基準』の『基準部分（工場）』は，「受電端における力率については，[8]パーセント以上とすることを基準として，別表第 4 に掲げる設備（同表に掲げる容量以下のものを除く.）又は変電設備における力率を進相コンデンサの設置等により向上させること.」を求めている.

〈[8]の解答群〉

ア　85　　**イ**　90　　**ウ**　95

2)　ある負荷の使用電力を測定したところ，有効電力が 40 kW，無効電力が 30 kvar であった．このとき，この負荷の力率は[G ab] [%] である.

(14)　流体機械に関しては，要求される使用端圧力及び流量に応じて，流体機械の吐出圧力，吐出流量を適正に保つことが求められる.

『工場等判断基準』の『基準部分（工場）』は，「ポンプ，ファン，ブロワー，コンプレッサー等の流体機械については，使用端圧力及び吐出量の見直しを行い，負荷に応じた運転台数の選択，[9]等に関する管理標準を設定し，電動機の負荷を低減すること．なお，負荷変動幅が定常的な場合には，配管やダクトの変更，インペラーカット等の対策を実施すること.」を求めている.

(15) ファンを用いて空気を搬送するダクト系統において，ダンパを通過する空気量が Q [m³/min]，空気の密度が ρ [kg/m³]，ダンパによる圧力損失が P [kPa] であったとき，この圧力損失を，単位時間当たりのエネルギーに換算すると， 10 [kW] となる．ここで，圧力変化による空気の密度変化は無視するものとする.

〈 9 及び 10 の解答群〉

ア PQ **イ** $\frac{PQ}{60}$ **ウ** ρPQ **エ** $\frac{\rho PQ}{60}$

オ 回転数の変更 **カ** 圧力変動の低減 **キ** 吐出圧力の高圧化

(16) 電気加熱には，被加熱物自身の発熱により，内部からの加熱ができる加熱方式がある．内部加熱ができる加熱方式のうち，誘導加熱は，コイルの中に被加熱材を置き，コイルに交流を通じたときに被加熱物に誘起される 11 を利用するものである.

(17) 照明設備において，最近，光源のランプ効率の高い LED ランプが急速に普及している．現在の直管 LED ランプの固有エネルギー消費効率（ランプ総合効率に相当）は，汎用品の大きさ区分 40 タイプ（昼白色）直管蛍光ランプ相当の照明器具で考えると， 12 [lm/W] 程度である.

〈 11 及び 12 の解答群〉

ア 30 ～ 80 **イ** 130 ～ 200 **ウ** 250 ～ 300

エ 渦電流 **オ** 誘電体損失 **カ** マイクロ波

解 説

告示「工場等におけるエネルギーの使用の合理化に関する事業者の判断の基準」（以下「工場等判断基準」と略記）からの出題である．この告示は特に重要で毎年出題確率が高い．しかも告示そのものが多岐にわたるため，できるだけ読み込んで内容を理解しておく必要がある.

(1) 告示「工場等判断基準」の事業者が遵守すべき規準は出題頻度が高く，よく理解しておく必要がある．特に①～⑥の項目は「法」第5条の条文であり必ず覚えておく.

この告示には設備ごとに「管理及び基準」「計測及び記録」「保守および点検」「新設に当たっての措置」について詳細に記載されている.

また,「工場等（専ら事務所その他これらに類する用途に供する工場等を除く)」における「Ⅱ エネルギーの使用の合理化の目標及び計画的に取り組むべき措置」（以下「目標及び措置部分（工場）」と略記）からのエネルギー消費原単位または電気需要最適化評価原単位低減の目標年平均１％以上と定めている箇所からも出題が多いので注意されたい．

⑵　告示「工場等判断基準」における「工場等（専ら事務所その他これらに類する用途に供する工場等を除く）」における「Ｉ　エネルギーの使用の合理化の基準」（以下「基準部分（工場）」）「⑷　(4－3)　④コージェネレーション設備の新設・更新に当たっての措置」からの出題である．

告示「工場等判断基準」では，廃熱回収設備，燃焼設備，熱交換器など，運用や管理・新設において合理化に効果のある設備の問題の出題傾向が高く，またこの設問のようにかなり細かな内容を問われてくるので関係箇所はよく読み込んでおく必要がある．

⑶　例年，蒸気のエンタルピーに関する出題があり，注意を要する問題である．

題意より，0.5 MPa の乾き飽和蒸気が 50 ℃の温水になるまでの放出される熱エネルギーが水に伝わり，20 ℃の水が 50 ℃になるという計算である．

質量 300 kg の 20 ℃の水が 50 ℃になるために必要な熱エネルギーは

$$(209.3\ \mathrm{kJ/kg} - 83.9\ \mathrm{kJ/kg}) \times 300\ \mathrm{kg} = 37\,620\ \mathrm{kJ}$$

乾き飽和蒸気が 50 ℃の温水になるときの放熱量は

$$2\,748.1\ \mathrm{kJ/kg} - 209.3\ \mathrm{kJ/kg} = 2\,538.8\ \mathrm{kJ/kg}$$

したがって必要蒸気量は

$$\frac{37\,620\ \mathrm{kJ}}{2\,538.8\ \mathrm{kJ/kg}} = 14.81 \fallingdotseq 14.8\ \mathrm{kg}$$

となる．

⑷　放射エネルギーに関する計算問題で出題率が高い．

加熱炉外壁の表面温度は絶対温度［K］で表すと

$$127\ ℃ + 273\ ℃ = 400\ \mathrm{K}$$

であり，ステファン・ボルツマン定数が $5.67 \times 10^{-8}\ \mathrm{W/(m^2 \cdot K^4)}$ であるので，周囲への単位面積，単位時間当たりの放射エネルギーは，

$$5.67 \times 10^{-8}\ \mathrm{W/(m^2 \cdot K^4)} \times 400^4\ \mathrm{K} \times 0.8$$
$$= 5.67 \times 10^{-8}\ \mathrm{W/(m^2 \cdot K^4)} \times 2.56 \times 10^{10}\ \mathrm{K} \times 0.8$$
$$= 1\,161.2 = 1.16 \times 10^3\ \mathrm{W/m^2}$$

となる．

⑸　メタン（CH_4）の燃焼問題である．課目Ⅰというより課目Ⅲ「燃料と燃焼」の勉強をしていれば解ける問題である．

メタンの燃焼方程式は

$$CH_4 + 2O_2 = CO_2 + 2H_2O$$

Ⅰ Ⅱ Ⅲ Ⅳ
第46回 2024（令和6年） 第45回 2023（令和5年） 第44回 2022（令和4年） 第43回 2021（令和3年） 第42回 2020（令和2年） 第41回 2019（令和元年） 第40回 2018（平成30年） 第39回 2017（平成29年） 第38回 2016（平成28年） 第37回 2015（平成27年）

であるので，メタン $1\ \mathrm{m^3}_{\mathrm{N}}$ の燃焼に対しては 2 倍の酸素が必要である．

したがって，空気中の酸素濃度は 21 % であるので，理論空気量は

$$\frac{1\ \mathrm{m}^3 \times 2}{0.21} = 9.523 = 9.52\ \mathrm{m^3}_{\mathrm{N}}$$

となる．

(6) 告示「工場等判断基準」における「基準部分（工場）」「(1) ②燃料の燃焼に関する計測及び記録」からの出題である．合理化の効果の高い燃焼系の出題傾向が高い．関係箇所をよく理解しておくことが重要である．

(7) 告示「工場等判断基準」における「基準部分（工場）」「(5) (5−1) ④熱利用設備の新設・更新に当たっての措置」ウからの出題である．前問同様かなり細かなところまで問われていることに注意を要する．

(8) 告示「工場等判断基準」における「基準部分（工場）」「(3) ④廃熱回収設備の新設・更新に当たっての措置」イからの出題である．かなり細かなところまで問われていることに注意を要する．

(9) 告示「工場等判断基準」における「基準部分（工場）」「(2) (2−2) ①空気調和設備，給湯設備の管理」イからの出題である．連続して 4 問，かなり細かなところまで問われていることに注意を要する．

ただし，語群の選択肢はよく考えればわかる列記になっており，直接的に覚えていなくてもよく考えれば正解を導き出せる．

(10) W = J/s であるので，電気出力 150 MW を発熱量に換算すると

$$150\ \mathrm{MW} \times 3\,600\ \mathrm{s/h} = 5.4 \times 10^5\ \mathrm{MJ/h}$$

A 重油の高位発熱量が 39 MJ/L であるので，1 時間当たりの燃料消費量は，

$$\frac{5.4 \times 10^5\ \mathrm{MJ/h}}{39\ \mathrm{MJ/L} \times 0.39} = 35\,503\ \mathrm{L} = 3.55 \times 10^4\ \mathrm{L}$$

となる．

(11) 抵抗と誘導性リアクタンスの直列の場合，1 相当たりの等価回路より，抵抗を R，リアクタンスを X_{L} とした場合の合成インピーダンスを Z とすると力率 $\cos\theta$ は，次のようになる．

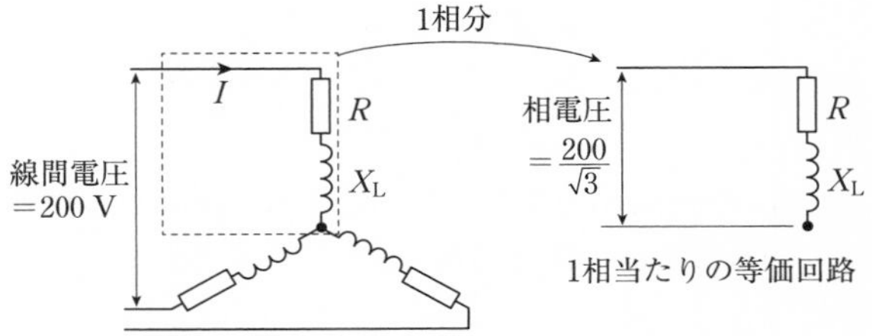

$$\cos\theta = \frac{R}{Z} = \frac{R}{\sqrt{R^2 + {X_\mathrm{L}}^2}}$$

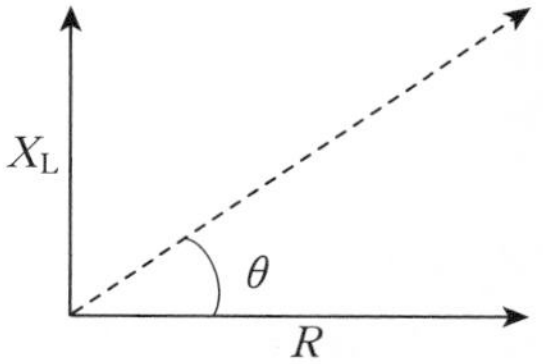

$$= \frac{3}{\sqrt{3^2 + 4^2}} = \frac{3}{\sqrt{25}} = \frac{3}{5} = 0.6$$

ここで，相電圧を V とすると，$V=$ 線間電圧 $/\sqrt{3}$ になるので，平衡三相負荷の 1 相当たりの消費電力 p は下式で表される．

$$p = \frac{V^2}{Z}\cos\theta = \frac{\left(\frac{200}{\sqrt{3}}\right)^2}{5} \times 0.6 = 1600\ \mathrm{W} = 1.6\ \mathrm{kW}$$

となる．

よって，3 相分の消費電力 P は

$$P = 3p = 3 \times 1.6 = 4.8\ \mathrm{kW}$$

⑿　30 分間で平均電力 1 000 kW であるので，30 分間では 500 kW·h 使用可能である．14 時から 14 時 20 分までの間に 350 kW·h 使用したので，残りの 14 時 30 分までの 10 分間では 500 kW·h －350 kW·h ＝ 150 kW·h が使用可能である．

したがって，10 分間で 150 kW·h であるので 60 分に換算すると次式となる．

150 kW × 60 min/10 min ＝ 900 kW

⒀　1)　告示「工場等判断基準」における「基準部分（工場）」「(5)　(5－2)　①受変電設備及び配電設備の管理」ウからの出題である．

前年はイからの出題でこの項目が連続して出題されている．数字が問われているので，条文に数字がある場合は注意を要する．

2)　力率は $\cos\theta$ であるので

$$力率 \cos\theta = \frac{40}{\sqrt{30^2 + 40^2}} = \frac{40}{50}$$

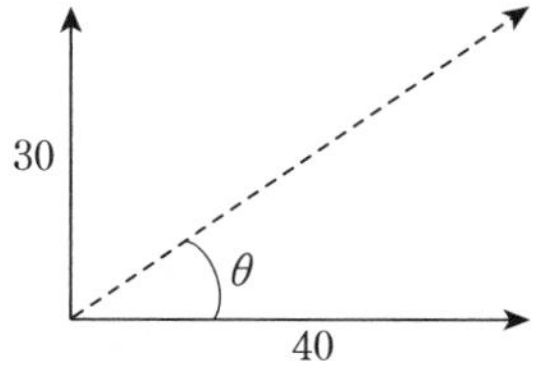

$$= 0.8 = 80\ \%$$

となる．

⒁　告示「工場等判断基準」における「基準部分（工場）」「(6)　(6－1)　①電動力応用設備，電気加熱設備等の管理」ウからの出題である．

細かなところからの出題であるが，題意をよく考えれば語群からの選択は難しくない．

⒂　告示「工場等判断基準」から離れた問題である．

ファンの動力 L は空気の密度差や送風機効率を無視すると次式で表される．

$$L = \frac{PQ}{60}$$

ここで，L：ファンの動力 [kW]

Q：風量 [m^3/min]

P：圧力損失 [kPa]

(16) これも「工場等判断基準」から離れた問題である．IH 調理器に用いられている原理で，交流電流を流したコイルの周辺に発生する磁力線により近くの金属に渦電流が流れジュール熱が発生するのが誘導加熱で，電子レンジの原理である誘電加熱とは異なる．

(17) これも「工場等判断基準」から離れた問題である．通常蛍光灯の固有エネルギー消費効率は省エネ法に定められていて

蛍光灯に装着する蛍光ランプの全光束/その蛍光灯器具の定格消費電力

で表される．

一方，LED 照明は蛍光灯とは異なり光源を交換できないため，照明器具が放出する全光束で計算する．また，LED 照明の寿命は明らかに長いが時間経過とともに劣化で光束が低下することも覚えておきたい．

解答
(1) **1-カ，2-キ**
(2) **3-ケ**
(3) **A-14.8**
(4) **B-1.16×10^3**
(5) **C-9.52**
(6) **4-オ**
(7) **5-カ**
(8) **6-エ**
(9) **7-ア**
(10) **D-3.55×10^4**
(11) **E-4.8**
(12) **F-900**
(13) **8-ウ，G-80**
(14) **9-オ**
(15) **10-イ**
(16) **11-エ**
(17) **12-イ**

第 37 回　2015 年（平成 27 年）

（エネルギーの使用の合理化等に関する法律及び命令）

問題1　次の各問に答えよ．なお，法令は令和 6 年 10 月 1 日時点で施行されているものである．

以下の問題文では

エネルギーの使用の合理化及び非化石エネルギーへの転換等に関する法律を「法」

エネルギーの使用の合理化及び非化石エネルギーへの転換等に関する法律施行令を「令」

エネルギーの使用の合理化及び非化石エネルギーへの転換等に関する法律施行規則を「則」

と略記する．（配点計 50 点）　　（法改正により改題）

(1)　次の各文章の [1] ～ [4] の中に入れるべき最も適切な字句をそれぞれの解答群から選び，その記号を答えよ．

1)　「法」第 2 条第 6 項の条文

この法律において「電気の需要の最適化」とは， [1] 又は時間帯による電気の需給の状況の変動に応じて電気の需要量の増加又は減少をさせることをいう．

2)　「法」第 16 条第 1 項の条文

特定事業者は，毎年度，経済産業省令で定めるところにより，その設置している工場等におけるエネルギーの使用量その他エネルギーの使用の状況（エネルギーの使用の効率及びエネルギーの使用に伴つて発生する二酸化炭素の排出量に係る事項を含む．）並びにエネルギーを消費する設備及び [2] に関する設備の設置及び改廃の状況に関し，経済産業省令で定める事項を主務大臣に報告しなければならない．

〈[1] 及び [2] の解答群〉

ア　エネルギーの供給　　**イ**　エネルギーの使用の合理化

ウ　エネルギーの貯蔵　　**エ**　エネルギーの変換

オ　前年度に対する変化　　**カ**　増加を防止すること

キ　季節　　**ク**　総量

3)　「法」第 17 条第 1 項の条文

主務大臣は，特定事業者が設置している工場等におけるエネルギーの使用の合理化の状況が第5条第1項に規定する [3] に照らして著しく不十分であると認めるときは，当該特定事業者に対し，当該特定事業者のエネルギーを使用して行う事業に係る技術水準，同条第3項に規定する指針に従つて講じた措置の状況その他の事情を勘案し，その判断の根拠を示して，エネルギーの使用の合理化に関する計画（以下「合理化計画」という.）を作成し，これを提出すべき旨の指示をすることができる.

4）「法」第159条第1項の条文の一部

電気事業者（経済産業省令で定める要件に該当する者を除く．次項において同じ.）は，基本方針の定めるところに留意して，次に掲げる措置その他の電気を使用する者による電気の需要の最適化に資する取組の効果的かつ効率的な実施に資するための措置の実施に関する計画を作成しなければならない.

一　その供給する電気を使用する者による電気の需要の最適化に資する取組を促すための [4] その他の供給条件の整備

二　（以下略）

〈[3] 及び [4] の解答群〉

ア　蓄電設備	**イ**　配電設備	**ウ**　発電効率
エ　目標水準	**オ**　電気の料金	**カ**　義務
キ　報告すべき事項	**ク**　判断の基準となるべき事項	

(2)　次の文章の [5] ～ [7] の中に入れるべき最も適切な字句又は数値をそれぞれの解答群から選び，その記号を答えよ.

「法」第2条,「法」第7条,「法」第10条,「法」第11条,「法」第12条,「法」第13条,「法」第14条,「令」第1条,「令」第2条,「令」第3条,「令」第6条,「則」第4条関連の文章

ある事業者が保有する食品工場における前年度の燃料，電気などの使用量は次のa～fのとおりであった．また，この事業者には，食品工場のほかに，別の事業所として本社事務所があり，そこでの前年度の電気使用量は，次のgであった．これらが，この事業者の設置している事業所のすべてであり，この事業者は，a～g以外のエネルギーは使用していなかった．また，本社事務所としてのみ使用されていた.

a：食品工場で，小売電気事業者から購入して使用した電気の量を熱量に換算した量が4万8千ギガジュール

b：食品工場で，乾燥設備及びその他の設備で燃料として使用したA重油の量を熱量に換算した量が3万8千ギガジュール

c：食品工場で，都市ガスの供給を受けてコージェネレーション設備によっ

て発電を行って，その電気を使用し，また熱を蒸気として使用した．そのコージェネレーション設備で使用した都市ガスの量を熱量に換算した量が 2 万 5 千ギガジュール

d：食品工場で，c のコージェネレーション設備によって発電され，使用した電気の量を熱量に換算した量が 8 千ギガジュール

e：食品工場で，c のコージェネレーション設備によって製造され，使用した蒸気の熱量が 1 万ギガジュール

f：食品工場で，太陽光発電装置を設置して，そこで発電した電気は全量を工場内で使用した．その電気の量を熱量に換算した量が 2 千ギガジュール

g：本社事務所で，小売電気事業者から購入して使用した電気の量を熱量に換算した量が 1 万 5 千ギガジュール

1)　この事業者全体での，前年度に使用したエネルギー使用量を「法」で定めるところにより原油の数量に換算した量は，[5] キロリットルとなり，この事業者は，そのエネルギー使用量から判断して特定事業者に該当する．

〈[5] の解答群〉

ア	2 659	**イ**	2 701	**ウ**	3 165	**エ**	3 251	**オ**	3 302
カ	3 504	**キ**	3 818	**ク**	3 870	**ケ**	4 159	**コ**	4 215

2)　前年度に使用した「法」で定めるエネルギー使用量から判断して，この食品工場は，[6] エネルギー管理指定工場等に該当する．

3)　1)及び2)によって当該の指定を受けた後，この事業者が選任しなければならないのは，次に示す①から⑥のうちの [7] である．

①　食品工場のエネルギー管理員

②　食品工場のエネルギー管理者

③　本社事務所のエネルギー管理員

④　本社事務所のエネルギー管理者

⑤　エネルギー管理企画推進者

⑥　エネルギー管理統括者

〈[6] 及び [7] の解答群〉

ア	特定	**イ**	第一種	**ウ**	第二種
エ	第三種	**オ**	①と③と⑤	**カ**	①と③と⑥
キ	①と⑤と⑥	**ク**	②と③と⑥	**ケ**	②と⑤と⑥
コ	②と③と⑤と⑥	**サ**	②と④と⑤と⑥		

(3)　次の各文章の [8] ～ [11] の中に入れるべき最も適切な字句をそれぞれの解答群から選び，その記号を答えよ．なお，[10] は 2 箇所あるが，同

じ記号が入る.

1) 「法」第 11 条,「則」第 17 条関連の文章

第一種特定事業者は，第一種エネルギー管理指定工場等ごとに，[8]の交付を受けている者のうちから，第一種エネルギー管理指定工場等におけるエネルギーの使用の合理化に関し, エネルギーを消費する設備の維持, エネルギーの使用の方法の改善及び監視その他経済産業省令で定める業務を管理する者（次項において「エネルギー管理者」という.）を選任しなければならない．ただし，製造業その他政令で定める業種以外の業種に属する事業の用に供する工場等や，製造業その他政令で定める業種に属する事業の用に供する工場等であっても，専ら事務所その他これに類する用途に供するもののうち政令で定めるものは除く.

エネルギー管理者の選任は，エネルギー管理者を選任すべき事由が生じた日から 6 月以内に選任しなければならない.

2) 「法」第 149 条,「令」第 18 条関連の文章

エネルギー消費機器等のうち，特定エネルギー消費機器及び特定関係機器については，経済産業大臣（自動車及びこれに係る特定関係機器にあっては経済産業大臣及び国土交通大臣.）は，特定エネルギー消費機器及び特定関係機器ごとに，そのエネルギー消費性能又はエネルギー消費関係性能の向上に関しエネルギー消費機器等製造事業者等の判断の基準となるべき事項を定め，公表するものとされているが，この特定エネルギー消費機器には，[9]が含まれている.

〈[8]及び[9]の解答群〉

ア エレベータ　**イ** 交流電動機
ウ 小型貫流ボイラ　**エ** 床暖房機器
オ エネルギー管理研修修了証　**カ** エネルギー管理講習修了証
キ エネルギー管理士試験合格証　**ク** エネルギー管理士免状

3) 「法」第 156 条,「則」第 95 条関連の文章

[10]建築材料製造事業者等は，特定[10]建築材料のうちの断熱材については，経済産業大臣が定める方法により測定した[11]を表示しなければならない.

〈[10]及び[11]の解答群〉

ア 熱損失防止　**イ** 強度　**ウ** 蓄熱可能量　**エ** 熱伝導率
オ 密度　**カ** 外装用　**キ** 蓄熱用　**ク** 内装用

解　説

(1)

1)「エネルギーの使用の合理化及び非化石エネルギーへの転換等に関する法律」（以下「法」）第 2 条第 6 項からの出題である．例年，問題 1 は「法」からの出題が多く，(1) 1) 2) 3) および4) はすべて法の条文のままの出題である．「法」第 2 条はこの法で扱うエネルギーの「定義」に関する条文で，法の基本として特に重要である．

また第 6 項からの出題というのがポイントで，近年の電力エネルギー供給に関する課題から「電気の需要の最適化」が出題されたと思われる．このように時代の趨《すう》勢に着目した出題がされることが多いので，社会情勢，特にエネルギー問題に関しては普段から知識を習得していることが肝要である．第 1 項から第 6 項まで重要な内容である．

なお，このように条文のままで空欄を埋める出題が多く，基本的な条文はよく読み理解しておくことが必要であるが，もし条文の明確な記憶がない場合でも，趣旨を理解していれば前後の文脈に合致する言葉を語群から選ぶことができる．

2)「法」第 16 条第 1 項からの出題である．第 16 条は 2010 年度改正の重要ポイントである特定事業者に関する条文で，その「定期の報告」の義務についての記述である．特定事業者については出題傾向が高いので第 7 条の「特定事業者の指定」に関する条文や次の設問の第 17 条などをよく理解しておく必要がある．

3)「法」第 17 条第 1 項からの出題であり 3 年連続の出題である．第 17 条は「合理化計画に係る指示及び命令」についての記述であるが，実は第 5 条の「事業者の判断の基準となるべき事項等」について間接的に問われている問題である．第 5 条も特に重要なので第 1 項第二号イ～へのエネルギー使用の合理化及び非化石エネルギーへの転換の事項については明確に記憶しておく必要がある．

4)「法」第 159 条第 1 項からの出題である．この項は電気事業者に課せられた規定であり，特に第 7 章は「電気の需要の最適化」に資するための取組みを促す規定である．「電気の需要の最適化」は重要なキーワードであるので注意を要する．

また，「エネルギー消費効率」などは今回の問題 3 にも出題されており，第 148 条から第 159 条まで注意を要するテーマである．

(2) 2010 年度施行の省エネ法改正における重要ポイントである「法」第 7 条「特定事業者」の指定に関連する問題である．この出題は毎年出題されており，前年の用途は「圧延工場・精整加工工場」そして 2015 年は「食品工場」というように変化はしているが，用途による規定の違いはいまのところない．

問われる内容はほぼ同じで，工場内のエネルギー使用量の計算から事業所として法的規制を問う問題で，「法」第2条の「エネルギーの定義」や第7条以降の「特定事業者」や「エネルギー管理指定工場等」，そして「エネルギー管理士」「エネルギー管理員」の選任などに関する規定について問われる計算問題である．計算の方法，根拠および判断の基準を明確に理解しておかなければならない．

エネルギー使用量の計算は食品工場においてはａ～ｃの一般電気事業者から購入して使用した電気，Ａ重油および都市ガスは「法」第2条，「エネルギーの使用の合理化及び非化石エネルギーへの転換等に関する法律施行令」（以下「令」）第1条，「エネルギーの使用の合理化及び非化石エネルギーへの転換等に関する法律施行規則」（以下「則」）第2条からエネルギー使用量に該当し，ｄおよびｅのコージェネレーション設備によって製造された電気や蒸気は「法」第2条第1項，「令」第1条第1項からエネルギー使用量に該当しない．ｆの太陽光発電により発電された電気は「法」第2条第1項からエネルギー使用量に該当する．ｇの本社事務所での小売電気事業者から購入して使用した電気は工場ではなく事業者としての使用量に該当する．

したがって，食品工場としての「法」で定めるエネルギー使用量はａの電気とｂのＡ重油とｃの都市ガスとｆの電気の合算となり，「則」第4条に定める原油換算量 0.025 8 kL/GJ を乗じて求める．

さらに，事業者としてはｇの本社事務所でのエネルギー使用量も加わり，「法」で定めるエネルギー使用量は一般電気事業者から購入して使用した電気に「則」第4条に定める原油換算量 0.025 8 kL/GJ を乗じて求めた使用量を加算する．

食品工場のエネルギー使用量は

（ａの電気＋ｂのＡ重油＋ｃの都市ガス ＋ｆの電気）[GJ]

× 0.025 8 kL/GJ

＝ (48 000 GJ ＋ 38 000 GJ ＋ 25 000 GJ ＋ 2 000 GJ)× 0.025 8 kL/GJ

＝ 2 915.4 kL

事業者全体としてのエネルギー使用量は

（食品工場のエネルギー使用量）＋（本社事務所のエネルギー使用量）

＝ 2 915.4 kL ＋ 15 000 GJ × 0.025 8 kL/GJ

＝ 2 915.4 kL ＋ 387 kL

＝ 3 302.4 kL ≒ 3 302 kL

となり，事業者としては「法」第7条第1項，「令」第2条第1項に定めるところの 1 500 kL を超えているため特定事業者となる．

また，食品工場のエネルギー使用量は「法」第 10 条第 1 項，「法」第 13 条第 1 項，「令」第 2 条第 1 項，「令」第 6 条に定めるところにより 1 500 kL 以上 3 000 kL 未満であるため，この食品工場は第 2 種エネルギー管理指定工場等となる．

そして，この事業者は特定事業者であることから「法」第 8 条および第 9 条より「エネルギー管理統括者」と「エネルギー管理企画推進者」の選任が必要になり，「法」第 13 条と第 14 条から第二種エネルギー管理指定工場等として「エネルギー管理員」の選任が必要である．ここで，当該工場は第二種エネルギー管理指定工場等であるのでエネルギー管理者の選任の義務はなく，また本社事務所は指定工場に該当しないためエネルギー管理員の選任も必要ない．

事業者としての規定である「特定事業者」，事業所としての規定である「エネルギー管理指定工場等」，そしてそれぞれの第一種，第二種の規定，またそれに伴う資格者の選任に関する規定は複雑であるので，正確に覚えておくことが重要である．

なお，第一種特定事業者とは第一種エネルギー管理指定工場等をもつ特定事業者であることも重要であるのでよく理解しておく必要がある．

(3)　この問題は条文そのものではなく，「法」「令」そして「則」などを組み合わせた関連問題であり，毎年出題されている形式である．組み合わせの問題であるので条文そのものの問題よりやや複雑で，条文の趣旨をよく理解しておくことが重要である．

1)　「法」第 11 条，「則」第 17 条関連の出題である．「法」第 11 条「エネルギー管理者」についての出題で，前問にも絡み指定工場の資格者選任義務や資格者の資格要件などをよく理解しておく必要がある．また，条文には期間などの数字が出ており，これがブランクとなって穴埋めする問題も予想されるため主要な数字は正確に理解しておく必要がある．

2)　「法」第 149 条，「令」第 18 条関連の出題である．「法」第 149 条は，第 148 条とともに「機械器具に係る措置」に関するもので，第 148 条は「エネルギー消費機器等製造事業者等の努力」，第 149 条は「エネルギー消費機器等製造事業者等の判断の基準となるべき事項」についてである．「令」第 18 条には「特定エネルギー消費機器」についてかなり詳細に記述されており，機器製造メーカ（製造事業者）に関する問題は問題 1 (1)4) や次問にも出題されているとおり，最近の出題傾向の高い問題といえる．このように出題によっては条文や令，則のかなり詳細なところまで及ぶのでできるだけ目を通しておくことが重要である．ただし，必ずしも条文そのものを記憶していなくても，質問の内容，文脈を理解すれば正解を語群から選択することができる．

3)　この問題も「製造事業者」についての問題である．「法」第 156 条，「則」第 95 条の関連問題である．この条文を含む「法」第 6 章は「製造事業者」の「機械器具等に係る措置」に関する条文で，第 1 節，第 2 節とも「令」「則」に関連付けてよく理解しておく必要がある．

解答　(1)　**1-キ，2-イ，3-ク，4-オ**

(2)　**5-オ，6-ウ，7-キ**

(3)　**8-ク，9-イ，10-ア，11-エ**

（エネルギー情勢・政策，エネルギー概論）

問題2　次の各文章の [1] ～ [10] の中に入れるべき最も適切な字句又は数値をそれぞれの解答群から選び，その記号を答えよ．なお，[1] は 3 箇所，[2] は 2 箇所あるが，それぞれ同じ記号が入る．

また，[A a.b×10^{c}] に当てはまる数値を計算し，その結果を答えよ．ただし，解答は解答すべき数値の最小位の一つ下の位で四捨五入すること．なお，円周率 π＝3.14 とする．（配点計 50 点）

(1)　国際単位系（SI）では，長さ（メートル [m]），質量（キログラム [kg]），時間（秒 [s]），電流（アンペア [A]），熱力学温度（ケルビン [K]），光度（カンデラ [cd]）及び物質量（モル [mol]）の 7 個の量を基本単位としている．基本単位にはない力やエネルギーなどの単位は，前述の 7 個の基本単位を組み合わせて表されるので組立単位と呼ぶ．

組立単位の一つである [1] は，「全ての方向に対して 1 カンデラの光度を持つ標準の点光源が，1 ステラジアンの立体角内に放出する光束を 1 [1] とする」と定義される．したがって，60 W 級白熱電球が発する全光束が 800 [1] の場合，電球が点光源からなる完全な球であるとすると，光源の光度は [A a.b×10^{c}] [cd] である．なお，球に対する全立体角は，円に対する全平面角が円周長さを半径で除したものであるのと同様に，球表面積を半径の 2 乗で除したものである．

〈[1] の解答群〉

ア　ガウス [G]　　**イ**　ルーメン [lm]　　**ウ**　ルクス [lx]

(2)　家庭用の高効率コージェネレーションシステムとして徐々に普及が始まっている燃料電池には [2] 形や [3] 形があり，燃料にはいずれも都市ガスなどの燃料ガスを [4] して得られる水素を用いる．一方，2014 年末に市販が開始された燃料電池乗用車に搭載される燃料電池は [2] 形であり，搭載される水素燃料は約 [5] [MPa] の圧力で圧力容器に充填される．

〈[2] ～ [5] の解答群〉

ア	固体高分子	**イ**	固体酸化物	**ウ**	リン酸
エ	圧力スイング吸着	**オ**	改質	**カ**	深冷分離
キ	7	**ク**	70	**ケ**	700

(3)　発電関連機器の性能向上には，冷却が重要な役割を果たすことが少なくない．

コンバインドサイクルの高温側であるガスタービンでは，従来から圧縮空気による膜冷却が広く用いられてきたが，最新鋭機では [6] 冷却も導入されている．

また，大容量の発電機の冷却には，気体でも熱伝導率の高い [7] も用いられている．

〈[6] 及び [7] の解答群〉

ア	水蒸気	**イ**	水素	**ウ**	窒素
エ	アルゴン	**オ**	ヘリウム		

(4)　原油量の単位としてはバレルが慣用的に用いられる．1 バレルは約 [8] リットルである．また，原油の価格は，エネルギー・経済統計要覧などで報告されているように，2011 ～ 2013 年には 1 バレル当たり [9] ドル付近で推移していた．その後，2014 年には原油安の進行が見られるが，これは [10] の増産が一因となっていると考えられる．

〈[8] ～ [10] の解答群〉

ア	天然ガス	**イ**	シェールオイル	**ウ**	メタンハイドレート
エ	50	**オ**	100	**カ**	160
キ	230				

解　説

(1)　国際単位系（SI）の基本単位「カンデラ [cd]」と組立単位「ルーメン [lm]」についての問題で，ここ数年では初めての出題である．熱分野での受験者はどちらかというと電気系の問題は不得手であるが，問題のなかにヒントがあるので落ち着いて問題に向かうことが肝要である．

題意から全光束は光源の光度が全立体角に放出される光束の合計であることがわかる．

また，球に対する立体角が，球表面積を半径の 2 乗で除したものであることもわかる．

球の表面積は $4\pi r^2$ であるので，球に対する全立体角［sr］は

$$4\pi r^2/r^2=4\pi$$

となり，全光束 F［lm］は光源の光度 I［cd］とすると

$$F\,[\mathrm{lm}]=4\pi\,[\mathrm{sr}]\times I\,[\mathrm{cd}]$$

$$I\,[\mathrm{cd}]=F\,[\mathrm{lm}]/4\pi\,[\mathrm{sr}]$$

$$=800\ \mathrm{lm}/(4\times 3.14)$$

$$=63.6\fallingdotseq 6.4\times 10^1\ \mathrm{cd}$$

となる．

(2)　電力エネルギー供給状況の課題から燃料電池や太陽光発電などの分散型電源が近年話題になっている．これはその一つである家庭用燃料電池についての問題である．太陽光発電なども含めて分散型電源の仕組み，特徴，採用上の留意点などはよく理解しておく必要がある．

(3)　これも電力供給に関わる問題で，コンバインドサイクル発電関連機器についての出題である．前問同様，エネルギー供給問題に関わる既存技術の高効率化や新技術などはよく注意して知識を得ておく必要がある．

(4)　これはエネルギー供給源である原油に関するおおもとの問題である．原子力発電がほとんど期待できない現状では化石燃料に頼る割合は大きく，この種の問題もトレンドといえる．この内容は原油価格についてのいわば経済的な情勢を問う問題で，ある意味常識問題である．エネルギー管理士を目指す者として普段からの知識の習得が肝要である．

解　答　(1)　**1-イ，A-6.4×10^1**

(2)　**2-ア，3-イ，4-オ，5-ク**

(3)　**6-ア，7-イ**

(4)　**8-カ，9-オ，10-イ**

（エネルギー管理技術の基礎）

問題3　次の各文章は「工場等におけるエネルギーの使用の合理化に関する事業者の判断の基準」（以下，「工場等判断基準」と略記）の内容に関連したもので，令和５年10月１日時点で施行されているものである．これらの文章において「工場等（専ら事務所その他これに類する用途に供する工場等を除く）に関する事項」について，

「Ⅰ　エネルギーの使用の合理化の基準」の部分は「基準部分（工場）」

「Ⅱ　エネルギーの使用の合理化の目標及び計画的に取り組むべき措置」の

部分は「目標及び措置部分（工場）」と略記する．

[1] ～ [13] の中に入れるべき最も適切な字句，数値又は式をそれぞれの解答群から選び，その記号を答えよ．なお，[1] は 2 箇所あるが，同じ記号が入る．

また，[A abc] ～[G abc] に当てはまる数値を計算し，その結果を答えよ．ただし，解答は解答すべき数値の最小位の一つ下の位で四捨五入すること．（配点計 100 点）

（告示改正により改題）

(1)「工場等判断基準」の「基準部分（工場）」は，事業者が遵守すべき基準を示したものであり，次の 6 つの分野ごとにその基準が示されている．

① 燃料の燃焼の合理化

② 加熱及び冷却並びに伝熱の合理化

③ 廃熱の回収利用

④ 熱の動力等への [1]

⑤ 放射，伝導，抵抗等によるエネルギーの損失の防止

⑥ 電気の動力，熱等への [1]

また，「Ⅱ　エネルギーの使用の合理化の目標及び計画的に取り組むべき措置」は，その設置している全ての工場等におけるエネルギー消費原単位及び電気需要最適化評価原単位を管理し，その設置している全ての工場等全体として又は工場等ごとにエネルギー消費原単位又は電気需要最適化評価原単位を中長期的にみて年平均 [2] パーセント以上低減させることを目標として，技術的かつ経済的に可能な範囲内で，「1 エネルギー消費設備等に関する事項」及び「2 その他エネルギーの使用の合理化に関する事項」に掲げる諸目標及び措置の実現に努めるものとしている．

(2) 廃熱の回収利用を図ることは，有効な省エネルギー対策である．

「工場等判断基準」の「基準部分（工場）」は，廃熱を排出する設備から廃熱回収設備に廃熱を輸送する煙道，管等を新設・更新する場合には，空気の侵入の防止，断熱の強化その他の廃熱の温度を高く維持するための措置を講じること，を求めている．また，加熱された固体若しくは流体が有する顕熱，潜熱，[3]，可燃性成分等の回収利用は，回収を行う範囲について管理標準を設定して行うこと，を求めている．

〈[1] ～ [3] の解答群〉

ア	圧力	**イ**	放射熱	**ウ**	変換損失の防止		
エ	変換の高度化	**オ**	変換の合理化	**カ**	エントロピー		
キ	0.5	**ク**	1	**ケ**	3	**コ**	5

(3) 圧力 0.5 MPa の乾き飽和蒸気と，同じ圧力で乾き度が 0.9 の湿り蒸気の比エンタルピーの差は，A abc [kJ/kg] である．ただし，同圧力の，飽和水の比エンタルピーは 640.2 kJ/kg，乾き飽和蒸気の比エンタルピーは 2 748.1 kJ/kg とする．

(4) 熱処理炉に厚さ 400 mm の耐火断熱材を施工している．耐火断熱材の炉内側表面温度が 950 ℃，炉外側表面温度が 90 ℃で，耐火断熱材を平板状とした場合，厚さ方向の熱流束は B abc [W/m^2] である．ただし，耐火断熱材の熱伝導率は 0.35 W/(m·K) とする．

(5) 燃焼設備においては，空気比を低くし過ぎると不完全燃焼による未燃損失が発生し，高くし過ぎると排ガス顕熱損失が増大する．したがって，燃焼設備の管理では，未燃損失がないようにするとともに，できるだけ排ガス顕熱損失を少なくすることが重要である．

「工場等判断基準」の「基準部分（工場）」は，燃料の燃焼の管理に関して，燃焼設備及び 4 に応じて，空気比についての管理標準を設定して行うこと，を求めている．

〈 4 の解答群〉

ア 使用する燃料の種類　**イ** 蒸気負荷等の変動　**ウ** 外気温の条件

(6) 熱交換器の交換熱量は，熱通過率，伝熱面積，対数平均温度差の積で表される．Δt_1，Δt_2 を熱交換器の両端部での流体間温度差とすると，対数平均温度差 Δt_m は，$\Delta t_m = \dfrac{\Delta t_1 - \Delta t_2}{\ln \dfrac{\Delta t_1}{\Delta t_2}}$ で表される．

高温側と低温側が同一の流体で，比熱が温度によらず一定の場合，図に示すように，高温側の入口温度が 250 ℃，出口温度が 150 ℃，低温側の入口温度が 50 ℃で 流量比$=\dfrac{高温側流量（Q_H）}{低温側流量（Q_L）}=1.5$ のとき，対数平均温度差は C ab.c [K] となる．

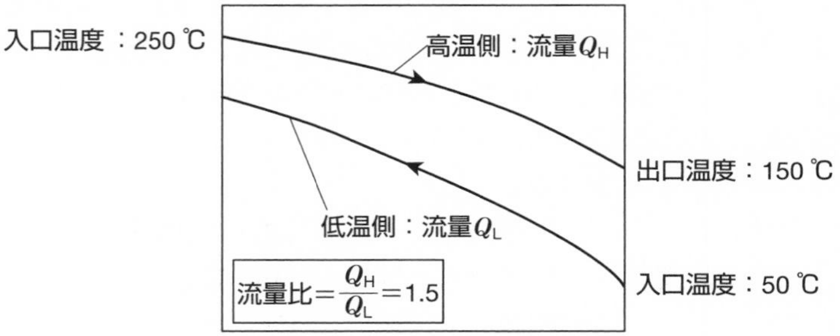

図 熱交換流体の温度変化

ただし，熱交換器は定常状態で外部への放熱はないものとする．また，対数の計算においては表の値を用いること．

表　対数の値

N	$\frac{1}{2}$	$\frac{1}{1.5}$	1.5	2
$\ln N$	−0.693 1	−0.405 5	0.405 5	0.693 1

(7)　加熱，熱処理を行う工業炉に関しては，生産負荷等が変化する場合があり，常に，条件に応じた管理の最適化が必要である．

「工場等判断基準」の「基準部分（工場）」は，加熱，熱処理等を行う工業炉については，設備の構造，[5]，加熱，熱処理等の前後の工程等に応じて，熱効率を向上させるように管理標準を設定し，ヒートパターン（被加熱物の温度の時間の経過に対応した変化の態様をいう）を改善すること，を求めている．

〈[5]の解答群〉

ア　燃料の使用量　　**イ**　設備の運転時間　　**ウ**　被加熱物の特性

(8)　ボイラの水質管理が不適切であると，伝熱管の内部にスケールが付着するようになる．例えば，スケールの熱伝導率が 0.5 W/(m·K) の場合，鋼管の熱伝導率に比べて概ね [6] 程度であるので，伝熱性能の低下に加えて，最悪の場合，伝熱管の過熱により材質が劣化して設備トラブル等に至る場合もある．

「工場等判断基準」の「基準部分（工場）」は，ボイラへの給水は，伝熱管へのスケールの付着及びスラッジ等の沈殿を防止するよう水質に関する管理標準を設定して行うこと，を求めている．

(9)　工場等において，加熱等に用いる蒸気については，乾き度の維持が重要である．

「工場等判断基準」の「目標及び措置部分（工場）」は，加熱等を行う設備で用いる蒸気であって，乾き度を高めることによりエネルギーの使用の合理化が図れる場合には，輸送段階での放熱防止及び [7] の採用により熱利用設備での乾き度を高めることを検討すること，を求めている．

〈[6] 及び [7] の解答群〉

ア　アキュムレータ　　**イ**　スチームセパレータ　　**ウ**　温度センサ

エ　$\frac{1}{1\,000}$　　**オ**　$\frac{1}{100}$　　**カ**　$\frac{1}{10}$　　**キ**　$\frac{1}{3}$

(10)　ある火力発電所の 1 時間の発生電力量が 150 000［kW·h］で，高発熱量が 40 MJ/L である燃料のこの時間における使用量が 34 kL であった．このときの火力発電所の高発熱量ベースの平均熱効率は [D ab.c] [%] である．

(11) 我が国では，近年，業務部門や家庭部門のエネルギー使用量の増加が顕著であり，特に，エネルギー使用量の多い空気調和設備における省エネルギーを図ることが求められている．

1) 「エアコンディショナーのエネルギー消費性能の向上に関するエネルギー消費機器等製造事業者等の判断の基準等」（令和 4 年 5 月 31 日告示）に定められている業務用のエアコンディショナの導入を図ることにした．対象となるエアコンディショナは，冷房能力 14 kW，暖房能力 16 kW で，通年エネルギー消費効率が 6.0，冷房の定格時成績係数が 3.5，暖房の定格時成績係数が 3.9 であった．法で定められている通年エネルギー消費効率の算定に用いられる条件と同じ条件で運転したときの，冷房時の期間負荷を 10 240 kW·h，暖房時の期間負荷を 8 900 kW·h としたとき，このエアコンディショナの年間使用電力量は [E a.bc] $\times 10^3$ [kW·h] となる．

2) 空気調和設備は，外気条件の変化などによる軽負荷時には，それに合った高効率運転を行うことが必要である．

「工場等判断基準」の「基準部分（工場）」は，空気調和設備を構成する熱源設備，熱搬送設備，空気調和機設備の管理は，外気条件の季節変動等に応じ，[8]，圧力等の設定により，空気調和設備の総合的なエネルギー効率を向上させるように管理標準を設定して行うこと，を求めている．

〈[8] の解答群〉

ア 冷却水温度や冷温水温度　**イ** 室内の湿度　**ウ** 二酸化炭素濃度

(12) 負荷としての交流電気設備は，抵抗と誘導性リアクタンスを直列に接続したものとして表されるものが多い．抵抗が 40 Ω，誘導性リアクタンスが 30 Ω である単相負荷の力率は [F ab] [%] である．

(13) 電動機は，一般に，負荷が低くなると効率が低くなる特性がある．

「工場等判断基準」の「基準部分（工場）」は，電動力応用設備において，複数の電動機を使用するときは，それぞれの電動機の部分負荷における効率を考慮して，電動機全体の効率が高くなるように管理標準を設定し，[9] 及び負荷の適正配分を行うこと，を求めている．

(14) 工場の受変電設備及び配電設備においては，線路抵抗の低減や線路電流の低減により配電損失を低減することが望まれる．

「工場等判断基準」の「基準部分（工場）」は，受変電設備の配置の適正化及び配電方式の変更による配電線路の短縮，[10] 等について管理標準を設定し，配電損失を低減すること，を求めている．

〈[9] 及び [10] の解答群〉

ア　入力電圧の調整　　　**イ**　力率の調整

ウ　稼働台数の調整　　　**エ**　電気の使用の平準化

オ　電圧不平衡の防止　　**カ**　配電電圧の適正化

(15)　ある工場で，節電のために，14時から15時の間の平均電力を500 kW（この時間の使用電力量を500 kW·h）に抑えることにした．このとき，14時から14時40分までの使用電力量が350 kW·hであったとすると，残りの14時40分から15時までの平均電力は [G abc] [kW] にする必要がある．

(16)　変圧器の損失は無負荷損と負荷損に分けられる．無負荷損は負荷の大きさによらず一定であり，負荷損は負荷電流の大きさの [11] に比例する．その結果，変圧器の効率は，無負荷損と負荷損の大きさが等しい負荷のときに最大となる．

(17)　電気化学反応では電極界面において，イオンと電子の間で電気のやり取りが行われる．ファラデーの法則によれば，電流が通過することにより電極上において析出又は溶解する化学物質の質量は，通過する電気量に比例する．また，同じ電気量によって析出又は溶解する化学物質の質量は，その物質の式量 M と反応電子数 z で決まり，[12] に比例する．

〈[11] 及び [12] の解答群〉

ア　$\frac{1}{2}$乗　　**イ**　1乗　　**ウ**　2乗　　**エ**　Mz　　**オ**　$\frac{M}{z}$　　**カ**　$\frac{z}{M}$

(18)　照明設備において，光源の下に水平な被照面がある．被照面上の光源の真下の点Pにおける照度は，光源と被照面上の点Pとの距離の [13] に反比例する．ここで，簡単のために，光源は点光源であり，光束は全方位に均等に発散されるものとし，また，壁や天井などでの反射は考えない．

〈[13] の解答群〉

ア　1乗　　**イ**　2乗　　**ウ**　3乗

解　説

告示「工場等におけるエネルギーの使用の合理化に関する事業者の判断の基準」（以下「工場等判断基準」と略記）からの出題である．この告示は特に重要で毎年出題確率が高い．しかも告示そのものが多岐にわたるため，できるだけ読み込んで内容を理解しておく必要がある．

(1)　告示「工場等判断基準」の事業者が遵守すべき基準は出題頻度が高く，よく理解しておく必要がある．特に①～⑥の項目は「法」第5条の条文であり必ず覚えておく．

また，後半の問題はこの告示のなかでも特に重要で「Ⅱ　エネルギーの使用の合理化の目標及び計画的に取り組むべき措置」におけるエネルギー低減の努力目標年平均1%と定めている箇所からの出題であり，2年連続で出題された．

(2)　告示「工場等判断基準」における「基準部分（工場）」の「(3)　④廃熱回収設備の新設・更新に当たっての措置」アおよび「(3)　①　廃熱の回収利用の基準」エからの出題である．「工場等判断基準」では，廃熱回収設備，燃焼設備，熱交換器など，運用や管理において合理化に効果のある設備の問題の出題傾向が高く，またこの設問のようにかなり細かな内容を問われてくるので関係箇所はよく読みこんでおく必要がある．

(3)　前年も蒸気のエンタルピーに関する出題があり，注意を要する問題である．

乾き度が0.9の湿り蒸気の比エンタルピーは乾き飽和蒸気が0.9，飽和水が0.1なので

乾き度0.9の飽和蒸気の比エンタルピー

$= 2\,748.1\ \mathrm{kJ/kg} \times 0.9 + 640.2\ \mathrm{kJ/kg} \times 0.1$

$= 2\,537.31\ \mathrm{kJ/kg}$

したがって，乾き飽和蒸気との比エンタルピーの差は

$2\,748.1\ \mathrm{kJ/kg} - 2\,537.31\ \mathrm{kJ/kg} = 210.79 \fallingdotseq 211\ \mathrm{kJ/kg}$

となる．

(4)　耐火断熱材の熱流束計算である．熱伝導率が0.35 W/(m·K)の断熱材の厚さが1 mのとき熱流束は

温度差［K］× 熱伝導率［W/(m·K)］

であるので，

$(950\ ℃ - 90\ ℃) \times 0.35\ \mathrm{W/(m\cdot K)} = 301\ \mathrm{W/m^2}$

であり，厚さが400 mm = 0.4 mであるので熱流束は

$301\ \mathrm{W/m^2} \times 1\ \mathrm{m} / 0.4\ \mathrm{m} = 752.5\ \mathrm{W/m^2} \fallingdotseq 753\ \mathrm{W/m^2}$

となる．

(5)　告示「工場等判断基準」における「基準部分（工場）」の「(1)　①燃料の燃焼の管理」アからの出題である．燃焼設備の効率化には空気比が大きく関与しており，また調整することができることから管理の重要性がいたるところに登場するので関係箇所をよく理解しておくことが重要である．

(6)　熱交換器の効率化も合理化には重要なので出題傾向が高い．

高温側と低温側の流量比は1.5であるので低温側の出口温度は

低温側出口温度 $= (250\ ℃ - 150\ ℃) \times 1.5 + 50\ ℃ = 200\ ℃$

したがって

$$\Delta t_1 = 250\ ℃ - 200\ ℃ = 50\ ℃$$

$$\Delta t_2 = 150\ ℃ - 50\ ℃ = 100\ ℃$$

であるので，対数平均温度差 Δt_m は

$$\Delta t_m = \frac{\Delta t_1 - \Delta t_2}{\ln\dfrac{\Delta t_1}{\Delta t_2}} = \frac{50 - 100}{\ln\dfrac{50}{100}}$$

ここで与えられた表から

$$\ln\frac{50\ °\mathrm{C}}{100\ °\mathrm{C}} = \ln\frac{1}{2} = -0.693\,1$$

であるから

$$\Delta t_m = \frac{-50\ °\mathrm{C}}{-0.693\,1} = 72.13 \fallingdotseq 72.1\ \mathrm{K}$$

となる．

⑺　告示「工場等判断基準」における「基準部分（工場）」の「⑵　(2−1)　①加熱及び冷却並びに伝熱の管理」イからの出題である．熱損失が大きいことから工業炉に関する問題も出題傾向が高い．関係箇所をよく理解しておくことが重要である．

⑻　告示「工場等判断基準」における「基準部分（工場）」の「⑵　(2−1)　①加熱及び冷却並びに伝熱の管理」キでは，伝熱管へのスケール付着およびスラッジ等の沈殿を防止するよう管理標準を設定して行うことを求めているが，この問題はそれに関係してスケールの物性値を問う応用問題である．このように必ずしも条文からの出題とは限らず，幅広い知識と常識的な判断が求められている．

⑼　告示「工場等判断基準」における「目標及び措置部分（工場）」の「⑵　①　加熱設備等」イからの出題である．かなり細かなところまで問われていることに注意を要する．

⑽　1 時間の発生電力量を発熱量に変換すると，W = J/s であるので

$$150\,000\ \mathrm{kW{\cdot}h} \times 3\,600\ \mathrm{s/h} = 540\,000\,000\ \mathrm{kJ} = 540\,000\ \mathrm{MJ}$$

となり，燃料の高発熱量は使用量が 34 kL = 34 000 L であるので

$$40\ \mathrm{MJ/L} \times 34\,000\ \mathrm{L} = 1\,360\,000\ \mathrm{MJ}$$

となり，平均熱効率は

$$(540\,000\ \mathrm{MJ}/1\,360\,000\ \mathrm{MJ}) \times 100 = 39.7\ \%$$

となる．

⑾　この問題の主題は，近年エアコンディショナの年間性能を表す「通年エネルギー消費効率（APF）」についての出題である．「通年エネルギー消費効

率（APF）」は年間熱負荷を年間使用電力量で割ったものなので，年間使用電力量は次式で表される．

$$\text{年間使用電力量 [kW·h]} = \frac{\text{年間熱負荷}}{\text{通年エネルギー消費効率（APF）}}$$

$$= \frac{10\,240\ \text{kW·h} + 8\,900\ \text{kW·h}}{6.0}$$

$$= 3\,190 = 3.19 \times 10^3\ \text{kW·h}$$

となる．すなわち，問題に示された冷房能力，暖房能力，そしてそれぞれの成績係数は答えの算出には不要であるので混乱しやすく，ある意味ひっかけ問題である．

(12)　抵抗と誘導性リアクタンスの直列の場合，単相負荷の力率は下記のように表される．抵抗を R，リアクタンスを X_L とした場合の合成インピーダンスを Z とすると力率 $\cos\theta$，

$$\cos\theta = \frac{R}{Z} = \frac{R}{\sqrt{R^2 + X_L{}^2}}$$

$$= \frac{40}{\sqrt{40^2 + 30^2}} = \frac{40}{\sqrt{2\,500}}$$

$$= \frac{40}{50} = 0.8$$

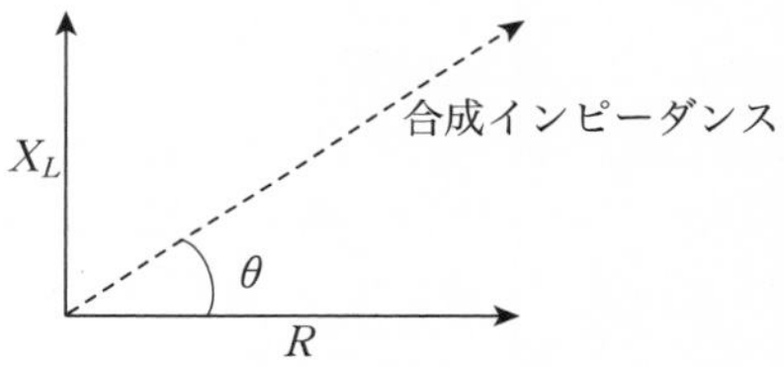

となる．

(13)　告示「工場等判断基準」における「基準部分（工場）」の「(6)　(6−1) ①電動力応用設備，電気加熱設備等の管理」イからの出題である．

今回，電動機に関する問題は「工場等判断基準」からの出題であった．電動機については例年計算問題も多く出題されているので，有効電力と無効電力，トルクと所用電力など，過去問題を見直すことが重要である．

(14)　告示「工場等判断基準」における「基準部分（工場）」の「(5)　(5−2) ①受変電設備及び配電設備の管理」イからの出題である．

かなり詳細まで入り込んで問われているので全般の理解が必要である．

(15)　14 時から 14 時 40 分までの間に 350 kW·h 使用したので，残りの 15 時までの 20 分間では

$$500\ \text{kW} - 350\ \text{kW} = 150\ \text{kW}$$

が使用可能である．

したがって，20 分間で 150 kW であるので 60 分に換算すると

$$150\ \text{kW} \times 60\ \text{min}/20\ \text{min} = 450\ \text{kW}$$

となる．

⒃　この問題は告示「工場等判断基準」からではなく，変圧器の基礎知識についてである．

負荷損が無負荷損を上回ることがあるので，変圧器の効率は無負荷損と負荷損の大きさが等しいときに最大になる．

⒄　これも告示「工場等判断基準」から離れた問題である．「ファラデーの法則」のしかも基礎的な質問なので熱分野での受験者にとって常識的に知識がなければ難しい問題である．できれば電気の基礎の勉強も取り組んでいただきたい．

⒅　これも告示「工場等判断基準」から離れた問題である．「被照面上の光源の真下の点Ｐにおける照度は，光源と被照面上の点Ｐとの距離の２乗に反比例する」ことを常識的に覚えておきたい．

解　答
- ⑴　**1-オ，2-ク**
- ⑵　**3-ア**
- ⑶　**A-211**
- ⑷　**B-753**
- ⑸　**4-ア**
- ⑹　**C-72.1**
- ⑺　**5-ウ**
- ⑻　**6-オ**
- ⑼　**7-イ**
- ⑽　**D-39.7**
- ⑾　**E-31.9，8-ア**
- ⑿　**F-80**
- ⒀　**9-ウ**
- ⒁　**10-カ**
- ⒂　**G-450**
- ⒃　**11-ウ**
- ⒄　**12-オ**
- ⒅　**13-イ**

課目 II

熱と流体の流れの基礎

の 10年間

★年度の出題分野（出題数）

●熱力学の基礎（2 問題）

●流体工学の基礎（1 問題）

●伝熱工学の基礎（1 問題）

第46回　2024年（令和6年）

（熱力学の基礎）

問題4　次の各文章の $\boxed{\ 1\ }$ ～ $\boxed{\ 11\ }$ の中に入れるべき最も適切な字句等をそれぞれの解答群から選び，その記号を答えよ．

また，$\boxed{\text{A}\ \ \text{a.bc}}$ ～ $\boxed{\text{G}\ \ \text{a.bc}}$ に当てはまる数値を計算し，その結果を答えよ．ただし，解答は解答すべき数値の最小位の一つ下の位で四捨五入すること．（配点計50点）

ある質量の空気を作動流体とする，理想的な熱機関としてのカルノーサイクルの T–S 線図を図1に示す．ここで，作動流体である空気の T は絶対温度，P は圧力，V は体積，S はエントロピーを表し，図中の1～4は作動流体の熱力学的状態点を示す．また，熱量を Q で表し，Q_{12} は1サイクル中の高温熱源からの受熱量，Q_{34} は低温熱源への放熱量とする．なお，高温熱源の温度を T_H，低温熱源の温度を T_L とする．

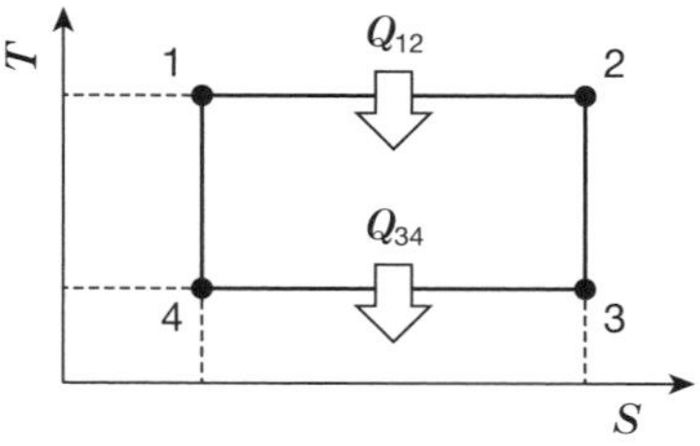

図1　T–S 線図

1)　このカルノーサイクルは，図に示すような四つの $\boxed{\ 1\ }$ 過程からなるサイクルである．

〈$\boxed{\ 1\ }$ の解答群〉

ア　可逆　　**イ**　不可逆

2)　このカルノーサイクルの熱効率を求める．

i）　カルノーサイクルの熱効率を η とすると，1サイクル中になされた仕事量を W とすれば，η は W を用いて次式で表される．

$\eta = \boxed{\ 2\ }$ ……………………①

ii）　1から2，3から4の過程における Q_{12} と Q_{34} の算定式から，温度を用いた式に式①を置き換えると，η は次式で表すことができる．

$\eta = 1 - \boxed{\ 3\ }$ ……………………②

〈$\boxed{\ 2\ }$及び$\boxed{\ 3\ }$の解答群〉

ア $\dfrac{Q_{12}}{W}$　**イ** $\dfrac{Q_{34}}{W}$　**ウ** $\dfrac{W}{Q_{12}}$　**エ** $\dfrac{W}{Q_{34}}$

オ $\dfrac{T_{\mathrm{L}}}{Q_{12}}$　**カ** $\dfrac{T_{\mathrm{L}}}{Q_{34}}$　**キ** $\dfrac{T_{\mathrm{H}}}{T_{\mathrm{L}}}$　**ク** $\dfrac{T_{\mathrm{L}}}{T_{\mathrm{H}}}$

3）いま，このカルノーサイクルにおいて，高温熱源の温度 T_{H} を 800 K，低温熱源の温度 T_{L} を 300 K とし，1 サイクル中の受熱量 Q_{12} が 120 kJ，放熱量が Q_{34}［kJ］であるときの熱効率，仕事量及びエントロピーの変化の値を求める．

i）熱効率 η の値は，式②より $\eta=\boxed{\text{A}\ \ \text{a.bc}}\times10^{-1}$ と求められる．η の値が求められれば，式①に代入することによって，仕事量 W の値は $W=\boxed{\text{B}\ \ \text{a.bc}}\times10^{1}$［kJ］と求められる．

ii）作動流体である空気が高温熱源から受熱するときの，1 から 2 のエントロピー変化 ΔS_{12} を求める．ただし，エントロピー変化については，1 のエントロピーを S_1，2 のエントロピーを S_2 としたとき，$\Delta S_{12}=S_2-S_1$ であるものとし，以降も同じ扱いとする．

1 から 2 は$\boxed{\ 4\ }$過程であり，ΔS_{12} は次式で表される．

$$\Delta S_{12}=\boxed{\ 5\ }\qquad\cdots\cdots③$$

式③より，その値は $\boxed{\text{C}\ \ \text{a.bc}}\times10^{-1}$［kJ/K］と求められる．

〈$\boxed{\ 4\ }$及び$\boxed{\ 5\ }$の解答群〉

ア $\displaystyle\int_1^2 \mathrm{d}Q$　**イ** $\displaystyle\int_1^2 P\mathrm{d}V$　**ウ** $\displaystyle\int_1^2 V\mathrm{d}P$　**エ** $\displaystyle\int_1^2 \frac{\mathrm{d}Q}{T}$　**オ** $\displaystyle\int_1^2 \frac{\mathrm{d}W}{T}$

カ 断熱　**キ** 等圧　**ク** 等温　**ケ** 等容

iii）低温熱源に放熱するときの 3 から 4 のエントロピー変化 ΔS_{34} を求める．3 から 4 の過程は 1 から 2 と同様の過程で，ΔS_{34} は次式で表される．

$$\Delta S_{34}=\boxed{\ 6\ }\times(-Q_{34})=\frac{\boxed{\ 7\ }}{T_{\mathrm{L}}}\qquad\cdots\cdots④$$

式④より，その値は $\Delta S_{34}=-\boxed{\text{D}\ \ \text{a.bc}}\times10^{-1}$［kJ/K］と求められる．

〈$\boxed{\ 6\ }$及び$\boxed{\ 7\ }$の解答群〉

ア $\dfrac{1}{T_{\mathrm{H}}}$　**イ** $-\dfrac{1}{T_{\mathrm{H}}}$　**ウ** $\dfrac{1}{T_{\mathrm{L}}}$　**エ** $-\dfrac{1}{T_{\mathrm{L}}}$

オ $Q_{12}-W$　**カ** $Q_{34}-W$　**キ** $W-Q_{12}$　**ク** $W-Q_{34}$

iv）最後に，1 サイクル全体にわたるエントロピー変化 ΔS_{T} を求める．2 から 3 と 4 から 1 は$\boxed{\ 8\ }$過程であり，2 から 3 のエントロピー変化を ΔS_{23}，4 から 1 のエントロピー変化を ΔS_{41} とすると，両者のエントロピー

変化は式 $\boxed{\ 9\ }$ で表される.

これより, 1 サイクル全体での ΔS_{T}（$= \Delta S_{12} + \Delta S_{23} + \Delta S_{34} + \Delta S_{41}$）は, 式 $\boxed{\ 10\ }$ で表される.

〈$\boxed{\ 8\ }$ ～ $\boxed{\ 10\ }$ の解答群〉

ア　$\Delta S_{\mathrm{T}} = 0$　　**イ**　$\Delta S_{\mathrm{T}} > 0$　　**ウ**　$\Delta S_{\mathrm{T}} < 0$

エ　$\Delta S_{23} = \Delta S_{41} = 0$　　**オ**　$\Delta S_{23} > \Delta S_{41}$　　**カ**　$\Delta S_{23} < \Delta S_{41}$

キ　断熱　　**ク**　等圧　　**ケ**　等温　　**コ**　等容

4）　図 1 のカルノーサイクルを逆に回して, 温熱を取り出すヒートポンプとして用いることを考える. 外から与えるヒートポンプの仕事を W' としたとき, 温熱として取り出す熱量を Q_{21} とする. ここで, 取り出す温熱の温度 T'_{H} を 350 K, 吸熱する低温熱源の温度 T'_{L} を 270 K とし, 1 サイクル中の低温熱源からの吸熱量 Q_{43} を 15 kJ とする.

i）　作動流体である空気が低温熱源から吸熱する過程となる 4 から 3 のエントロピー変化 ΔS_{43} の値は, $\Delta S_{43} = \boxed{\mathrm{E}\ \ \mathrm{a.bc}} \times 10^{-2}$ [kJ/K] と求められる.

ii）　1 サイクル当たりの温熱として取り出す熱量 Q_{21} の値は, $Q_{21} = \boxed{\mathrm{F}\ \ \mathrm{a.bc}} \times 10^{1}$ [kJ] と求められる.

iii）　このヒートポンプの成績係数を ε とすると, ε は式 $\varepsilon = \boxed{\ 11\ }$ で表され, その値は $\boxed{\mathrm{G}\ \ \mathrm{a.bc}}$ と求められる.

〈$\boxed{\ 11\ }$ の解答群〉

ア　$\dfrac{Q_{21}}{Q_{43}}$　　**イ**　$\dfrac{Q_{21}}{W'}$　　**ウ**　$\dfrac{Q_{43}}{W'}$

解　説

1）　熱力学を理解するうえで最も基本的なサイクルがカルノーサイクルで, 四つの可逆過程からなるサイクルである.

2）

i）　熱効率を η とすると, η は W を用いて次式で表される.

$$\eta = \frac{W}{Q_{12}} \qquad ①$$

ii）　1 から 2, 3 から 4 の等温過程における Q_{12} と Q_{34} は, $\dfrac{Q_{34}}{Q_{12}} = \dfrac{T_{\mathrm{L}}}{T_{\mathrm{H}}}$ の関係にある. この算定式から, 温度を用いた式に式①を置き換えると, η は次式で表すことができる.

$$\eta = \frac{W}{Q_{12}} = \frac{Q_{12} - Q_{34}}{Q_{12}} = 1 - \frac{Q_{34}}{Q_{12}} = 1 - \frac{T_L}{T_H} \quad ②$$

3)

i) 熱効率 η の値は，式②より次のように求められる．

$$\eta = 1 - \frac{T_L}{T_H} = 1 - \frac{300}{800} = 0.625 = 6.25 \times 10^{-1}$$

η の値が求められれば，式①に代入することによって，仕事量 W の値は次のように求められる．

$$W = \eta Q_{12} = 0.625 \times 120 = 75 = 7.50 \times 10^1 \text{ kJ}$$

ii) 1から2は等温過程であり，ΔS_{12} は次式で表される．

$$\Delta S_{12} = \int_1^2 \frac{\mathrm{d}Q}{T} = \frac{Q_{12}}{T_H} = \frac{120}{800} = 0.15 = 1.50 \times 10^{-1} \text{ kJ/K} \quad ③$$

iii) 3から4の過程は1から2と同様の過程で，ΔS_{34} は次式で表される．

$$\Delta S_{34} = \frac{1}{T_L} \times (-Q_{34}) = \frac{W - Q_{12}}{T_L} \quad ④$$

式④より，ΔS_{34} の値は次のように求められる．

$$\Delta S_{34} = \frac{W - Q_{12}}{T_L} = \frac{75 - 120}{300} = -0.15 = -1.50 \times 10^{-1} \text{ kJ/K}$$

iv) 2から3と，4から1は断熱過程であり，エントロピー変化は0であり，式 $\Delta S_{23} = \Delta S_{41} = 0$ で表される．

これより，1サイクル全体での ΔS_T（$= \Delta S_{12} + \Delta S_{23} + \Delta S_{34} + \Delta S_{41} = 0.15 + 0 - 0.15 + 0 = 0$）は，式 $\Delta S_T = 0$ で表される．

4)

i) 低温熱源から吸熱する過程となる4から3のエントロピー変化の値は，次のように求められる．

$$\Delta S_{43} = \frac{Q_{43}}{T_L} = \frac{15}{270} = 0.055\,55 \fallingdotseq 5.56 \times 10^{-2} \text{ kJ/K}$$

ii) 1サイクル当たりの温熱として取り出す熱量 Q_{21} の値は，i)で求めた ΔS_{43}，

および可逆過程では $\dfrac{Q_{43}}{T_L} = \dfrac{Q_{21}}{T_H}$ よりエントロピーは変化しないため，次のように求められる．

$$Q_{21} = \Delta S_{43} \times T_H = 0.055\,55 \times 350 = 19.44 \fallingdotseq 1.94 \times 10^1 \text{ kJ}$$

iii) このヒートポンプの成績係数を ε とすると，ε は式 $\varepsilon = \dfrac{Q_{21}}{W'}$ で表される．

またその値は次のように求められる．

$$\varepsilon = \frac{Q_{21}}{W'} = \frac{Q_{21}}{Q_{21} - Q_{43}} = \frac{1}{1 - \dfrac{Q_{43}}{Q_{21}}} = \frac{1}{1 - \dfrac{T'_{\mathrm{L}}}{T'_{\mathrm{H}}}} = \frac{T'_{\mathrm{H}}}{T'_{\mathrm{H}} - T'_{\mathrm{L}}}$$

$$= \frac{350}{350 - 270} = 4.375 \fallingdotseq 4.38$$

解　答　**1)　1- ア**

2)　2- ウ，3- ク

3)　A-6.25，B-7.50，4- ク，5- エ，C-1.50，6- ウ，7- キ，D-1.50，8- キ，9- エ，10- ア

4)　E-5.56，F-1.94，11- イ，G-4.38

（熱力学の基礎）

問題5　次の各文章の［ 1 ］～［ 10 ］の中に入れるべき最も適切な字句等をそれぞれの解答群から選び，その記号を答えよ．

また，水蒸気の状態量を用いる計算には表 1 及び表 2 の値を用いること．ここで，符号 ′ は飽和水，符号 ″ は乾き飽和蒸気の状態を表す．（配点計 50 点）

図 1 に蒸気原動所の基本的な構成を，図 2 にその作動流体である蒸気のサイクルにおける温度 T と比エントロピー s の関係を示す．図 2 において，C.P. は臨界点を示しており，臨界点より左側の破線は飽和液線を，右側の破線は飽和蒸気線を示している．ここで，図中の a ～ d（b′，b″を含む）は作動流体の熱力学的状態点を示す．また，作動流体の比エンタルピーを h とし，各状態点の状態量を表す記号にはその状態点の記号（a ～ d）を添字として用いる．

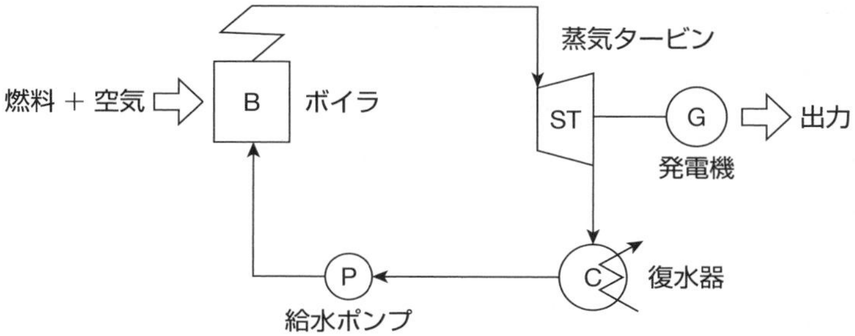

図 1

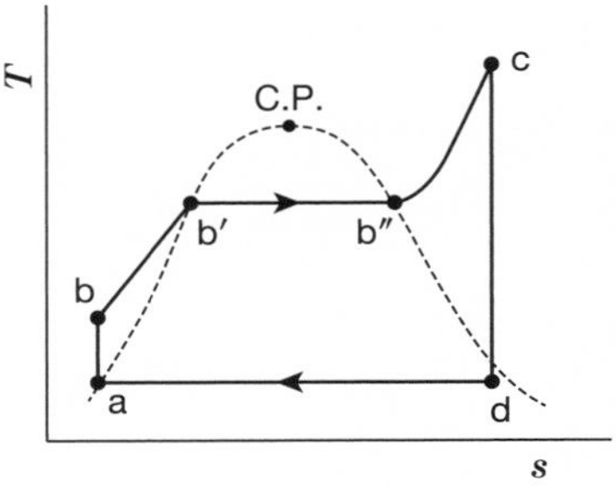

図 2

1）　このサイクルは，$\boxed{\ 1\ }$ サイクルと呼ばれている．

〈$\boxed{\ 1\ }$ の解答群〉

ア　オットー　　**イ**　カルノー　　**ウ**　サバテ　　**エ**　ランキン

2）　いま，図 2 に示す a–b–b′–b″–c–d–a の基本サイクルを考える．

本蒸気原動所では，まず a の圧力 0.008 MPa の飽和水が，給水ポンプでの断熱変化（等エントロピー変化）で 6.0 MPa まで加圧されて b（温度 41.7 ℃）の状態になり，ボイラで c まで加熱される．この間，b′から b″の間で水は蒸発し，b″では全て水蒸気となる．そしてさらに加熱され，c では 400 ℃の過熱蒸気となる．この過熱蒸気は蒸気タービンに送られ，発電を行う．蒸気タービン内では，水蒸気は断熱変化（等エントロピー変化）し，0.008 MPa まで減圧して d の状態となる．d は，飽和液線と飽和蒸気線の間にあり，湿り蒸気の状態となることを示している．その後，復水器により冷却されて a の状態に戻る．

i）　d の乾き度 χ は，比エントロピー s と乾き度 χ の関係式 $\boxed{\ 2\ }$ を用いて求められ，その値は $\boxed{\ 3\ }$ となる．

ii）　d の比エンタルピー h_{d} の値は，$\boxed{\ 4\ }$ × 10³［kJ/kg］となる．

iii）　このとき，理論熱効率 η_{th} は，式 $\eta_{\mathrm{th}} = \boxed{\ 5\ }$ により求めることができ，その値は $\boxed{\ 6\ }$ となる．

〈$\boxed{\ 2\ }$ ～ $\boxed{\ 6\ }$ の解答群〉

ア　0.35　　**イ**　0.38　　**ウ**　0.41　　**エ**　0.44　　**オ**　0.66　　**カ**　0.72

キ　0.78　　**ク**　0.84　　**ケ**　1.6　　**コ**　1.8　　**サ**　2.0　　**シ**　2.2

ス　$s = s' + \chi s''$　　　**セ**　$s = \chi(s'' - s')$

ソ　$s = s' + \chi(s'' - s')$　　　**タ**　$s = s' + \dfrac{\chi}{s'' - s'}$

チ　$\dfrac{(h_{\mathrm{c}} - h_{\mathrm{d}}) + (h_{\mathrm{b}} - h_{\mathrm{a}})}{h_{\mathrm{c}} - h_{\mathrm{b}}}$　　　**ツ**　$\dfrac{(h_{\mathrm{c}} - h_{\mathrm{d}}) - (h_{\mathrm{b}} - h_{\mathrm{a}})}{h_{\mathrm{c}} - h_{\mathrm{b}}}$

テ　$\dfrac{h_c - h_b}{(h_c - h_d) + (h_b - h_a)}$　　**ト**　$\dfrac{h_c - h_b}{(h_c - h_d) - (h_b - h_a)}$

3)　図 3 は，図 2 の基本サイクルの効率を向上させたサイクルである．図中の a ～ g（b′，b″を含む）は，図 2 と同様に作動流体の状態点を示す．

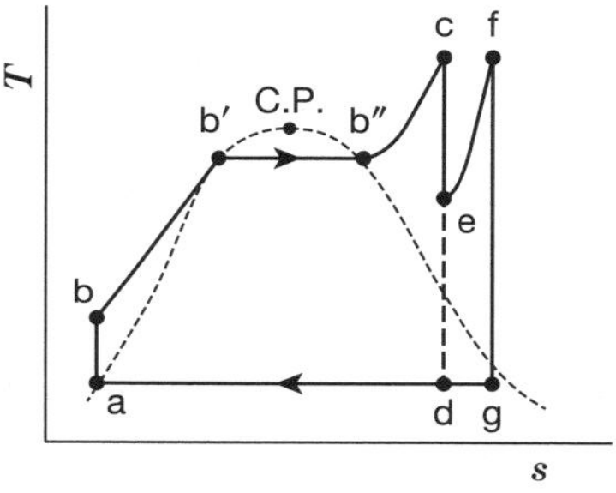

図 3

i ）　このサイクルでは，c から e に膨張後，水蒸気はボイラ内に設けられた [7] に送られ，[8] 過程において再加熱された後，c と同じ温度の f の状態に回復する．その後，再び蒸気タービンに戻り，蒸気タービン内で仕事に変換され，出口の g の状態となる．

〈[7] 及び [8] の解答群〉

ア　加熱器　　**イ**　再熱器　　**ウ**　節炭器　　**エ**　等圧

オ　等容　　**カ**　等温　　**キ**　等エントロピー

ii)　図 2 の基本サイクルの理論熱効率計算と同様に，この効率向上を取り入れたサイクルの理論熱効率を求める．ここで，[9] の仕事は他の仕事に比べて非常に小さく，この仕事を無視すると $h_b = h_a$ となるので，サイクルの熱効率は式 $\eta_{th} =$ [10] と表すことができる．

〈[9] 及び [10] の解答群〉

ア　$\dfrac{(h_c - h_e) + (h_f - h_e)}{(h_{b'} - h_a) + (h_f - h_g)}$　　**イ**　$\dfrac{(h_c - h_e) + (h_f - h_e)}{(h_c - h_a) + (h_f - h_g)}$

ウ　$\dfrac{(h_c - h_e) + (h_f - h_g)}{(h_{b'} - h_a) + (h_f - h_e)}$　　**エ**　$\dfrac{(h_c - h_e) + (h_f - h_g)}{(h_c - h_a) + (h_f - h_e)}$

オ　給水ポンプ　　**カ**　ボイラ　　**キ**　蒸気タービン　　**ク**　復水器

表1　飽和蒸気表

圧力 [MPa]	飽和温度 [℃]	比エンタルピー [kJ/kg]		比エントロピー [kJ/(kg·K)]	
		h'	h''	s'	s''
0.008	41.5	173.9	2 577.1	0.592 5	8.229 6
6.0	275.59	1 213.73	2 784.6	3.027 4	5.890 1

表2　圧縮水及び過熱蒸気表

圧力 [MPa]	温度 [℃]	比エンタルピー [kJ/kg]	比エントロピー [kJ/(kg·K)]
6.0	41.7	178.9	0.592 5
	400	3 178.2	6.543 1

解　説

1)　化学エネルギーなどから得られる熱エネルギーを利用し，気液相変化を経て生成される蒸気を作動流体として機械的エネルギーに変換するシステムを蒸気原動所と呼び，そのサイクルはランキンサイクルである．

2)

i)　dの乾き度 χ_d は，比エントロピー s と乾き度 χ の関係式 $s = s' + \chi(s'' - s')$ を用いて求めることができ，次のようになる．

$$\chi_d = \frac{s_c - s'}{s'' - s'} = \frac{6.543\,1 - 0.592\,5}{8.229\,6 - 0.592\,5} = 0.779\,1 \fallingdotseq 0.78$$

ii)　dの比エンタルピー h_d は次のように求められる．

$$h_d = h' + \chi(h'' - h')$$
$$= 173.9 + 0.779\,1 \times (2\,577.1 - 173.9) = 2\,046 \fallingdotseq 2.0 \times 10^3\ \mathrm{kJ/kg}$$

iii)　このとき，理論熱効率 η_{th} は，式 $\eta_{th} = \dfrac{(h_c - h_d) - (h_b - h_a)}{h_c - h_b}$ により求めることができ，その値は次のようになる．

$$\eta_{th} = \frac{(h_c - h_d) - (h_b - h_a)}{h_c - h_b} = \frac{(3\,178.2 - 2\,046) - (178.9 - 173.9)}{3\,178.2 - 178.9}$$
$$= 0.375 \fallingdotseq 0.38$$

3)

i)　このサイクルは，断熱膨張過程の途中で水蒸気を蒸気タービンより取り出し，再びボイラに送って再加熱する再熱サイクルである．cからeに膨張後，水蒸気はボイラ内に設けられた再熱器に送られ，等圧過程において再加熱された後，c と同じ温度の f の状態に回復する．その後，再び蒸気タービンに戻り，蒸気タービン内で仕事に変換され，出口の g の状態となる．

ii)　効率向上を取り入れた再熱サイクルの理論熱効率を求める．ここで，給水ポンプの仕事はほかの仕事に比べて非常に小さく，この仕事を無視すると $h_\mathrm{b} = h_\mathrm{a}$ となるので，熱効率は式 $\eta_\mathrm{th} = \dfrac{(h_\mathrm{c} - h_\mathrm{e}) + (h_\mathrm{f} - h_\mathrm{g})}{(h_\mathrm{c} - h_\mathrm{a}) + (h_\mathrm{f} - h_\mathrm{e})}$ と表すことができる．

解　答　**1)　1-エ**

2)　2-ソ，3-キ，4-サ，5-ツ，6-イ，

3)　7-イ，8-エ，9-オ，10-エ

（流体工学の基礎）

問題6　次の各文章の [1] ～ [13] の中に入れるべき最も適切な字句等をそれぞれの解答群から選び，その記号を答えよ．（配点計 50 点）

(1)　管路の流れについて考える．

1)　断面が円形で直径が D，長さが L の直管の中を，密度 ρ の流体が断面平均流速 w で流れる際の摩擦による圧力損失 ΔP は，管摩擦係数 f を用いると，式 $\Delta P =$ [1] $\times \dfrac{1}{2}\rho w^2$ で表すことができる．f は流速や管壁の粗さの条件によって変化する係数であるが，流速との関係は流れが層流と乱流では異なり，次のようになる．

・層流：f は，流速 [2]．

・乱流：f は，管壁が完全に粗い場合，流速 [3]．

〈[1] ～ [3] の解答群〉

ア　$f\dfrac{D}{L}$　　**イ**　$f\dfrac{L}{D}$　　**ウ**　$\dfrac{1}{f}\dfrac{L}{D}$

エ　に比例する　　**オ**　に反比例する

カ　の -0.25 乗に比例する　　**キ**　には関係なくほぼ一定値となる

2)　断面が円形以外の直管での圧力損失は，水力直径又は [4] 直径と呼ばれる寸法 D_e を，1)の円管直径 D の代わりに用いることで，断面が円形で直径 D_e の直管に近似させて扱うことができる．D_e は，A を管路の断面積，L_p を管路断面が流体に接している壁の周方向の長さとすると，[5] で定義される．例えば，同心で内管外径が D_1，外管内径が D_2 の 2 重円管からなる環状流路の場合の D_e は，式 $D_\mathrm{e} =$ [6] となる．

〈[4]～[6]の解答群〉

ア $D_2 - D_1$　**イ** $\dfrac{D_2 + D_1}{2}$　**ウ** $\dfrac{D_2 - D_1}{2}$　**エ** $\dfrac{4A}{L_p}$　**オ** $\dfrac{A}{L_p}$

カ $\dfrac{A}{4L_p}$　**キ** 等価　**ク** 非円形　**ケ** みなし

3)　管路断面がゆるやかに縮小した後，徐々に拡大する管をベンチュリ管と呼び，管路の流量測定に用いることができる．ベンチュリ管での流量を求める関係式は，ベルヌーイの式と[7]保存則を連立させることで理論的に導くことができる．ただし，実際の流れではエネルギー損失があるため，流量は前述の方法で求めた理論式による値よりも[8]なる．

〈[7]及び[8]の解答群〉

ア エネルギー　**イ** 運動量　**ウ** 質量

エ 大きく　**オ** 小さく

(2)　流体の輸送について考える．

1)　一般に，流体の輸送にはポンプが用いられるが，その中でも最も広く用いられるのはターボ形ポンプである．ターボ形ポンプは，ケーシング内で羽根を回転させることで液体に運動エネルギーを与える形式のポンプであり，遠心ポンプ，軸流ポンプ，斜流ポンプに大別される．

図は，これら3種類のターボ形ポンプの適用範囲について，横軸を吐出し量，縦軸を全揚程としてa，b及びcの三つのパターンで概念的に示したものである．ここで，aは[9]ポンプ，bは[10]ポンプを示す．

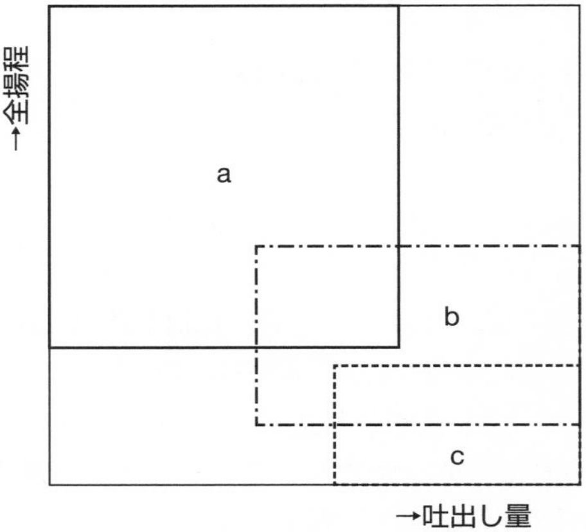

図　ポンプの適用範囲の概念

〈[9]及び[10]の解答群〉

ア　遠心　　**イ**　軸流　　**ウ**　斜流

2)　遠心ポンプの一つとして渦巻ポンプがあり，上水道・工業用水・ビル用水の圧送用として広く使用されている．このポンプは，吐出し量を増加させていったとき，その軸動力は[11]．軸流ポンプは，遠心ポンプや斜流ポンプより回転速度を大きくすることができるため，小型となる．しかし，一般に最高効率点の約 50 %の吐出し量以下になると失速現象を起こし，動作が不安定になるので注意が必要である．

〈[11]の解答群〉

ア　徐々に減少する　　**イ**　徐々に増加する　　**ウ**　ほぼ一定となる

3)　ポンプの運転中に，液体の流体が低圧状態となり，気化して気泡が発生して起きる現象を[12]という．これが発生すると，揚程が急激に低下し，この状態を長時間続けると羽根の部分に壊食が発生する．

〈[12]の解答群〉

ア　キャビテーション　　**イ**　サージング　　**ウ**　水撃作用

4)　形が相似で大きさの異なるポンプにおいて，内部における流れが相似である条件は，[13]が一致することである．

〈[13]の解答群〉

ア　回転速度　　**イ**　軸動力　　**ウ**　比速度

解　説

(1)

1)　断面が円形で直径が D，長さが L の直管の中を，密度 ρ の流体が断面平均流速 w で流れる際の摩擦による圧力損失 ΔP は管摩擦係数 f を用いると，次式で表すことができる．

$$\Delta P = f\frac{L}{D} \times \frac{1}{2}\rho w^2$$

層流の場合，f は $f = \dfrac{64}{Re}$ $\left(ここで\ Re = \dfrac{wD}{\nu}\right)$ より流速 w に反比例する．

乱流の場合，f は，管壁が完全に粗い場合，レイノルズ数 Re には関係なく，すなわち流速 w には関係なくほぼ一定値となる．

2)　断面が円形以外の直管での圧力損失は，水力直径または等価直径 D_e を用いることで，断面が円形で直径 D_e の直管に近似させて扱うことができる．

D_e は，A を管路の断面積，L_P を管路断面が流体に接している壁の周方向の長さとすると，$\dfrac{4A}{L_P}$ で定義される．

例えば，同心で内管外径が D_1，外管内径が D_2 の 2 重円管からなる環状流路の場合の D_e は，式 $D_e = D_2 - D_1$ となる．

3)　ベンチュリ管での流量を求める関係式は，ベルヌーイの式と質量保存則を連立させることで理論的に導くことができる．

実際の流れではエネルギー損失があるため，流量は前述の方法で求めた理論式による値よりも小さくなる．

(2)

1)　問題のポンプの適用範囲の概念の図について，a の範囲は遠心ポンプ，b の範囲は斜流ポンプ，c の範囲は軸流ポンプを示す．

2)　遠心ポンプは，吐出し量を増加させていったとき，その軸動力は徐々に増加する．

3)　ポンプの運転中に，液体の流体が低圧状態となり，気化して気泡が発生して起きる現象をキャビテーションという．

キャビテーションは，ポンプ設置位置が高く，水の温度が高ければ高いほど発生しやすくなる．

4)　一つの羽根車を相似的に大きさを変え，1 m の揚程 H において 1 m^3/min の吐出し量 Q を生じさせるようにしたときの回転速度 n ［min^{-1}］の値を，比速度 n_s という．

$$n_s = n\frac{Q^{1/2}}{H^{3/4}}$$

相似な形状のポンプは大きさ，回転速度に関係なく n_s の値は同じになる．

解　答　(1)　**1-イ，2-オ，3-キ，4-キ，5-エ，6-ア，7-ウ，8-オ**

(2)　**9-ア，10-ウ，11-イ，12-ア，13-ウ**

（伝熱工学の基礎）

問題7　次の各文章の [1] ～ [15] の中に入れるべき最も適切な字句等をそれぞれの解答群から選び，その記号を答えよ．なお，[5] は複数箇所あるが，それぞれ同じ記号が入る．（配点計 50 点）

(1)　図 1 のように，炉内の高温ガスから炉外の室温空気への伝熱を考える．炉壁は耐火材，断熱材，鋼板で構成されており，十分に大きな平板形状である．これらの部材の熱伝導率は鋼板，耐火材，断熱材の順に大きい．伝熱は定常状態にあり，部材間の接触熱抵抗は考えないものとする．

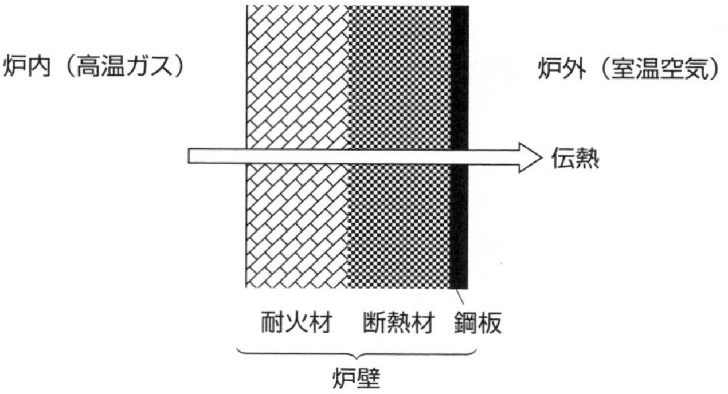

図 1　炉内から炉外への伝熱

1)　炉内の高温ガスから耐火材への強制対流伝熱と放射伝熱が生じている．強制対流伝熱に着目すると，その熱伝達率が重要である．熱伝達率を高温ガスの［ 1 ］で除し，代表長さを乗じて得られる無次元数がヌセルト数である．強制対流におけるヌセルト数は，レイノルズ数とプラントル数の関数として表される．レイノルズ数は対流の強さを表す無次元数であり，プラントル数は流体の動粘性係数を［ 2 ］で除して得られる無次元数である．

〈［ 1 ］及び［ 2 ］の解答群〉

ア　温度伝導率　　**イ**　熱伝導率　　**ウ**　粘性率

エ　比熱　　**オ**　密度

2)　耐火材，断熱材，鋼板の内部では伝導伝熱が生じており，各部材における熱流束は［ 3 ］の式によって各部材の熱伝導率と温度勾配から計算される．図 1 に示した定常状態では，各部材における熱流束の大きさには，［ 4 ］の関係がある．

〈［ 3 ］及び［ 4 ］の解答群〉

ア　カルノー　　**イ**　プランク　　**ウ**　フーリエ　　**エ**　ボルツマン

オ　鋼板での熱流束 ＞ 耐火材での熱流束 ＞ 断熱材での熱流束

カ　鋼板での熱流束 ＞ 断熱材での熱流束 ＞ 耐火材での熱流束

キ　耐火材での熱流束 ＝ 断熱材での熱流束 ＝ 鋼板での熱流束

ク　耐火材での熱流束 ＞ 断熱材での熱流束 ＞ 鋼板での熱流束

ケ　断熱材での熱流束 ＞ 耐火材での熱流束 ＞ 鋼板での熱流束

3)　炉壁外面では鋼板と室温空気との間の自然対流伝熱が生じている．自然対流の強さを表す無次元数が［ 5 ］数であり，温度差を用いて表される定義式に含まれる流体の物性値は [6] の二つである．自然対流のヌセルト数は [5] 数とプラントル数の関数で表される．

〈[5] 及び [6] の解答群〉

ア　グラスホフ　　**イ**　フルード　　**ウ**　ペクレ　　**エ**　マッハ

オ　体膨張率と熱伝導率　　**カ**　動粘性係数と体膨張率

キ　熱伝導率と比熱　　**ク**　比熱と動粘性係数

(2)　黒体放射について考える．

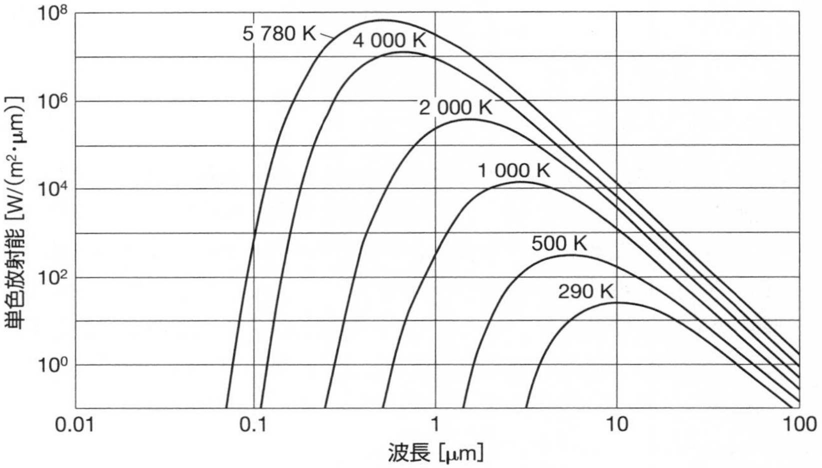

図 2　黒体面からの単色放射能の波長分布

1)　黒体の単色放射能は，統計力学から導かれた [7] で与えられる．図 2 の黒体放射能の波長分布はこの法則を表したものであり，この温度特性とスペクトルは全波長領域において成立する．また，この法則は現在の量子力学における基本法則の一つとなっている．

2)　図 2 は 290 K ～ 5 780 K の黒体面からの単色放射能の波長分布を示している．この図を見ると，単色放射能の極大値を示す波長は温度が低下すると共に長波長側に移動する．特に極大波長と黒体面温度の関係を表す法則を [8] という．自然環境温度にある物質が放出する単色放射能の極大値の波長は 10 μm 程度の [9] 領域にある．

〈[7] ～ [9] の解答群〉

ア　可視光線　　**イ**　紫外線　　**ウ**　赤外線　　**エ**　X 線

オ　ウィーンの変位則　　**カ**　ステファン・ボルツマンの法則

キ　ビアの法則　　**ク**　プランクの法則

ケ　ランバートの余弦法則

3)　物質表面に電磁波として到達した熱放射エネルギーは，一部は反射され，一部は物体を透過し，残りが物体に吸収される．物体の反射率を ρ，透過率を τ，吸収率を α とすると，これらには式 [10] の関係がある．

4)　黒体は，反射率及び吸収率について式 [11] で表される理想物質のことである．入射した熱放射エネルギーを透過しない物質について考えると，実際の物体が同じ温度の黒体と比較して，どの程度の強さの熱放射エネルギーを放出するかを表す係数を放射率という．放射伝熱におけるキルヒホッフの法則から，放射率は [12] 率と等しい．

〈[10] ～ [12] の解答群〉

ア　$\rho+\tau+\alpha=0$　　**イ**　$\rho+\tau+\alpha=1$　　**ウ**　$\rho+\tau+\alpha=1.5$

エ　$\rho=0$，$\alpha=0$　　**オ**　$\rho=0$，$\alpha=1$　　**カ**　$\rho=0.5$，$\alpha=0.5$

キ　吸収　　**ク**　透過　　**ケ**　反射

(3)　図 3 に示すように，半径 r，長さ L，温度 T_h の円柱が，温度 T_c の外気にさらされている．このとき，円柱の温度は均一で変化しないものとし，円柱の両端面における熱の授受はないものとする．ここで，円周率 π を 3.14，$\ln 1.4=0.336\,5$ とする．

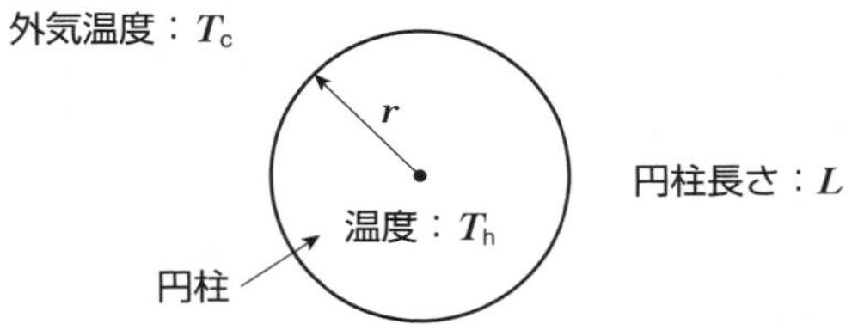

図 3　円柱の断面

1)　図 3 において，円柱の半径 r が 5 mm，長さ L が 2 m であり，円柱の温度 T_h が 380 K，外気温度 T_c が 300 K であった．円柱の表面と外気の間の熱伝達率を 5 W/(m^2·K) とするとき，単位時間当たりの放熱量は [13] [W] である．

〈[13] の解答群〉

ア　0.031 4　　**イ**　25.1　　**ウ**　5 020　　**エ**　31 400

2)　次に，図 3 で示す円柱の周りに，図 4 のように熱伝導率 k で厚さ s の材料を円筒状に巻く．

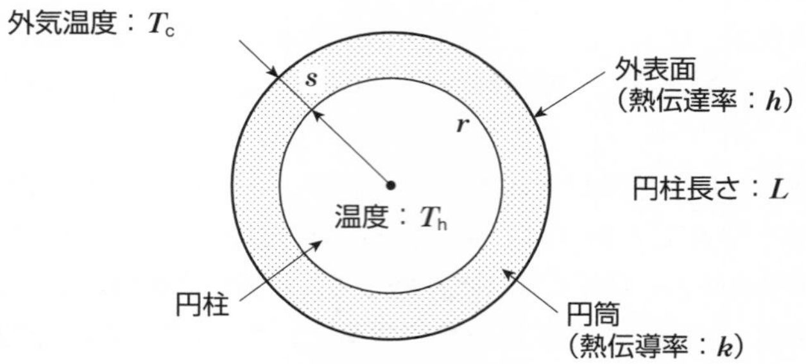

図 4　円柱と円筒状材料の断面

i）単位時間当たりの放熱量 Q は，円筒の外表面と外気の間の熱伝達率を h とすると，次式で表される．

$$Q=\frac{(T_h-T_c)L}{\dfrac{1}{2\pi k}\ln\dfrac{r+s}{r}+\boxed{14}}$$

〈$\boxed{14}$ の解答群〉

ア $2\pi(r+s)h$　**イ** $2\pi(r+s)k$　**ウ** $\dfrac{1}{2\pi(r+s)h}$　**エ** $\dfrac{1}{2\pi(r+s)k}$

ii）全長 2 m にわたり，円柱の周りに熱伝導率 0.2 W/(m·K)，厚さ 2 mm のゴムを巻いた．ゴムの外表面から外気への熱伝達率を 5 W/(m²·K) とするとき，単位時間当たりの放熱量は $\boxed{15}$ [W] である．ただし，円柱の形状，温度及び外気温度はゴムを巻く前と変わらないものとする．

〈$\boxed{15}$ の解答群〉

ア 0.703　**イ** 33.2　**ウ** 328　**エ** 578

解　説

(1)

1）ヌセルト数は対流伝熱による熱伝達率が，熱伝導率に比べどのくらい大きいかを示す無次元数である．

プラントル数は流体の動粘性係数を温度伝導率で除して得られ，流れの中で，運動量と温度のどちらが速く伝播しうるかを表す無次元数である．

2）物体内のある位置での熱の流れに直角な面を考え，その単位面積を単位時間に通過する熱量（熱流束 [W/m²]）を $\dot{q}$ とすると，$\dot{q}$ はその位置における温度勾配に比例する．すなわち，温度を T [K]，熱の流れる方向の距離を x [m]，比例定数を $\varkappa$ [W/(m·K)] で表すと，

$$\dot{q} = -\varkappa \frac{\mathrm{d}T}{\mathrm{d}x}$$

となる．これは熱伝導の基本的な関係式であり，フーリエの式といわれる．比例定数 $\varkappa$ は熱伝導率と呼ばれ，その物質に固有の値（物性値）である．

問題図 1 に示した定常状態では，各部材における熱流束の大きさには，耐火材での熱流束 = 断熱材での熱流束 = 鋼板での熱流束の関係がある．

3)　自然対流の強さを表す無次元数がグラスホフ数 Gr であり，温度差を用いて表される定義式に含まれる流体の物性値は動粘性係数 ν と体膨張率 β の二つである．

$$Gr = \frac{g\beta l^3 \Delta T}{\nu^2}$$

ここで，重力加速度 g，体膨張率 β，体積 l^3，温度差 ΔT，動粘性係数 ν である．

自然対流のヌセルト数はグラスホフ数とプラントル数の関数で表される．

(2)

1)　黒体の単色放射能は，統計力学から導かれたプランクの法則で与えられる．

2)　極大波長と黒体面温度の関係を表す法則をウィーンの変位則という．

自然環境温度にある物質が放出する単色放射能の極大値の波長は 10 μm 程度の赤外線領域にある．赤外線は肉眼で感知できる光（可視光，波長範囲 0.4 ～ 0.7 μm）より長い波長の光である．

3)　物体の反射率を ρ，透過率を τ，吸収率を α とすると，これらには式 $\rho + \tau + \alpha = 1$ の関係がある．

4)　黒体は，反射率および吸収率について式 $\rho = 0$，$\alpha = 1$ で表される理想物質のことである．

放射伝熱におけるキルヒホッフの法則から，放射率は吸収率と等しい．

(3)

1)　単位時間当たりの放熱量 Q [W] は熱伝達率を h として次式で求められる．

$$Q = \frac{(T_\mathrm{h} - T_\mathrm{c})L}{\dfrac{1}{2\pi rh}} = \frac{(380 - 300) \times 2}{\dfrac{1}{2 \times 3.14 \times 5 \times 10^{-3} \times 5}} = 25.12 \fallingdotseq 25.1\ \mathrm{W}$$

2)

i)，ii)　単位時間当たりの放熱量 Q [W] は次式で求められる．

$$Q = \frac{(T_\mathrm{h} - T_\mathrm{c})L}{\dfrac{1}{2\pi\varkappa}\ln\dfrac{r+s}{r} + \dfrac{1}{2\pi(r+s)h}}$$

$$= \frac{(380 - 300) \times 2}{\frac{1}{2 \times 3.14 \times 0.2} \ln 1.4 + \frac{1}{2 \times 3.14 \times (5 + 2) \times 10^{-3} \times 5}}$$

$$= 33.21 \fallingdotseq 33.2 \text{ W}$$

解　答　(1)　**1-イ，2-ア，3-ウ，4-キ，5-ア，6-カ**

(2)　**7-ク，8-オ，9-ウ，10-イ，11-オ，12-キ**

(3)　**13-イ，14-ウ，15-イ**

第 45 回　2023 年（令和 5 年）

（熱力学の基礎）

問題4　次の各文章の［1］～［10］の中に入れるべき最も適切な字句等をそれぞれの解答群から選び，その記号を答えよ．なお，一つの解答群から同じ記号を 2 回以上使用してもよい．

また，［A a.bc］～［F a.bc］に当てはまる数値を計算し，その結果を答えよ．ただし，解答は解答すべき数値の最小位の一つ下の位で四捨五入すること．（配点計 50 点）

いずれも空気を作動流体とし，最大圧力と最大温度が等しいオットーサイクルとディーゼルサイクルについて考える．この両サイクルの P–v 線図と T–s 線図を，オットーサイクルは図 1 に，ディーゼルサイクルは図 2 に示す．ここで，作動流体の状態量として，P は圧力，v は比体積，T は絶対温度，s は比エントロピーを示し，κ は比熱比を表す．各図の 1 ～ 4 は作動流体の熱力学的状態点の番号であり，各状態点の状態量を表す記号にはその状態点の番号を添字として用いる．また，両サイクルとも状態点 1 を初期状態とし，その状態量は同じであるとする．

なお，指数の計算においては表の数値を用いることとするが，表中の X に計算で求められた値を適用するときは，表中で最も近い値に対する指数の値を用いることとする．

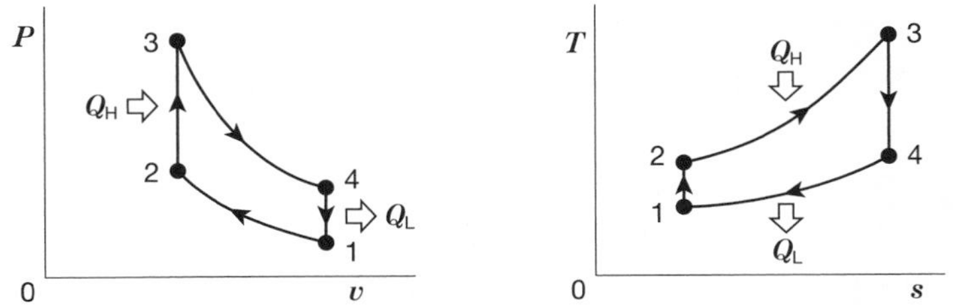

(A)　P–v 線図　　(B)　T–s 線図

図 1　オットーサイクルの線図

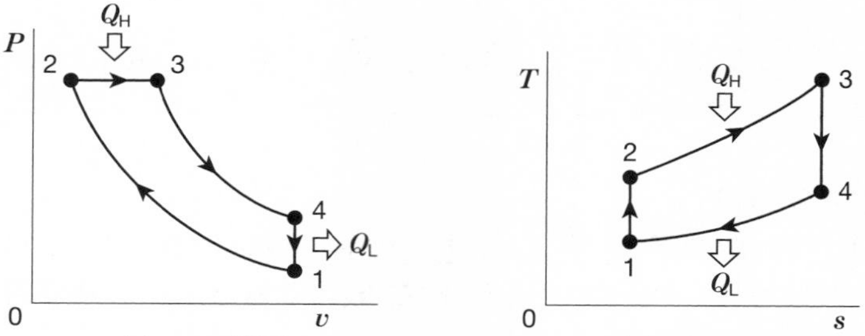

Ⓐ　P–v 線図　　　Ⓑ　T–s 線図

図 2　ディーゼルサイクルの線図

1）　この両サイクルについて，図 3 Ⓐ は P–v 線図上に重ねて示したものであり，図 3 Ⓑ は T–s 線図上に重ねて示したものである．ここで，オットーサイクルは a–b′–c–d–a，ディーゼルサイクルは a–b–c–d–a で表される．

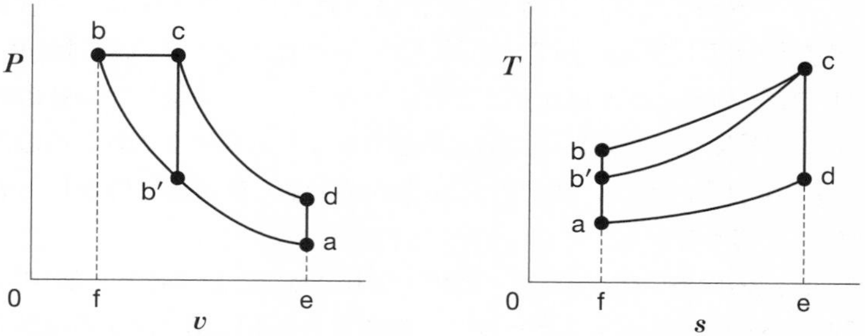

Ⓐ　P–v 線図　　　Ⓑ　T–s 線図

図 3　オットーサイクルとディーゼルサイクルを重ねた線図

i）　それぞれのサイクルにおいて，Q_H の熱が供給され，Q_L の熱が放出されるとき，サイクルの熱効率 η は，式 $\eta =$ $\boxed{\ 1\ }$ と表される．

〈$\boxed{\ 1\ }$ の解答群〉

ア　$\dfrac{Q_L}{Q_H}$　　**イ**　$1-\dfrac{Q_L}{Q_H}$　　**ウ**　$\dfrac{Q_H}{Q_L}-1$

ii）　図 3 Ⓑ の T–s 線図において，両サイクルともに放熱量 Q_L は，図中の $\boxed{\ 2\ }$ で囲まれる部分で同一量であるが，供給熱量 Q_H はオットーサイクルでは $\boxed{\ 3\ }$ で囲まれる部分，ディーゼルサイクルでは $\boxed{\ 4\ }$ で囲まれる部分となる．

〈$\boxed{\ 2\ }$ ～ $\boxed{\ 4\ }$ の解答群〉

ア　a–b–c–d–a　　**イ**　a–b′–c–d–a　　**ウ**　b′–b–c–b′

エ　f–a–d–e–f　　**オ**　f–b–c–e–f　　**カ**　f–b′–c–e–f

iii)　Q_L が等しいので，Q_H の大きいサイクルの方が熱効率は［ 5 ］なる．よって，本条件では，オットーサイクルに対してディーゼルサイクルの熱効率は［ 6 ］なる．

〈［ 5 ］及び［ 6 ］の解答群〉

ア　高く　　**イ**　低く　　**ウ**　同等と

2)　この両サイクルの理論熱効率を求める．ここで，吸気温度 T_1 を 300 K，吸気圧力 P_1 を 0.1 MPa，最大温度 T_3 を 2 660 K，最大圧力 P_3 を 4.43 MPa とし，比熱比 κ は 1.4 とする．

i)　ディーゼルサイクルの熱効率を求める．

圧縮比 $\varepsilon\left(=\dfrac{v_1}{v_2}\right)$ を求める．状態点 1 →状態点 2 は断熱変化なので，式 $\dfrac{P_2}{P_1}=$［ 7 ］となり，$P_2=P_3$ であることから，ε の値は［A a.bc］$\times 10$ となる．さらに，T_2 は ε を用いて，式 $T_2=$［ 8 ］と表せることから，その値は［B a.bc］$\times 10^2$ [K] となる．

これより，締切比 $\sigma\left(=\dfrac{T_3}{T_2}\right)$ の値を求めると，［C a.bc］となる．また，$T_4=\sigma^{\kappa}T_1$ が成り立つので，T_4 は［D a.bc］$\times 10^3$ [K] となる．

ディーゼルサイクルの熱効率 η_D は，1)で求めた効率算定式中の熱量 Q_H 及び Q_L を，各状態点の温度と比熱を用いて整理すると，式 $\eta_D=$［ 9 ］で表すことができ，その値を計算すると，［E a.bc］$\times 10^{-1}$ と求められる．

〈［ 7 ］～［ 9 ］の解答群〉

ア　$\left(\dfrac{v_2}{v_1}\right)^{\kappa}$　　**イ**　$\left(\dfrac{v_1}{v_2}\right)^{\kappa}$　　**ウ**　$\left(\dfrac{v_2}{v_1}\right)^{\kappa-1}$　　**エ**　$\left(\dfrac{v_1}{v_2}\right)^{\kappa-1}$

オ　$\varepsilon^{\kappa}T_1$　　**カ**　$\varepsilon^{\kappa-1}T_1$　　**キ**　$\varepsilon^{\frac{\kappa-1}{\kappa}}T_1$

ク　$1-\dfrac{T_4-T_1}{\kappa(T_3-T_2)}$　　**ケ**　$1-\dfrac{T_4-T_1}{\varepsilon^{\kappa-1}(T_3-T_2)}$

コ　$1-\dfrac{T_4-T_1}{\kappa\varepsilon^{\kappa-1}(T_3-T_2)}$　　**サ**　$1-\dfrac{T_4-T_1}{\sigma\varepsilon^{\kappa-1}(T_3-T_2)}$

ii)　オットーサイクルの熱効率を求める．

この条件では，オットーサイクルの放熱量はディーゼルサイクルと同じなので，T_4 はディーゼルサイクルと同じである．

また，オットーサイクルの熱効率 η_O はディーゼルサイクルと同様に，1)で求めた効率算定式の熱量を各状態点の温度と比熱から計算し，さらに断熱変化による条件 $\dfrac{T_1}{T_2}=\dfrac{T_4}{T_3}$ を加味して整理すると，式 $\eta_O=$ [10] で表され，その値は [F a.bc] × 10^{-1} と求められる．

〈[10] の解答群〉

ア $1-\dfrac{T_1}{T_3}$　イ $1-\dfrac{T_4}{T_3}$　ウ $1-\dfrac{T_4}{T_2}$　エ $\dfrac{T_3}{T_1}-1$

表　指数計算の値

X	0.1	0.43	4.43	44.3
$X^{\frac{1}{1.4}}$	0.193 1	0.547 3	2.895	15.00

X	3	10	15	44.3
$X^{1.4}$	4.656	25.12	44.31	201.8

X	3	10	15	44.3
$X^{0.4}$	1.552	2.512	2.954	4.556

解　説

1)

i）熱効率 η は次式で表される．

$$\eta=1-\frac{Q_L}{Q_H}$$

ii）両サイクルともに放熱量 Q_L は，図 3(B) 中の f–a–d–e–f 部分で同一量である．

供給熱量 Q_H はオットーサイクルでは f–b′–c–e–f で囲まれる部分，ディーゼルサイクルでは f–b–c–e–f で囲まれた部分となる．

iii）放熱量 Q_L が等しいので，供給熱量 Q_H の大きいサイクルの方が熱効率は高くなる．よって，本条件では，オットーサイクルに対してディーゼルサイクルの熱効率は高くなる．

2)

i）ディーゼルサイクルの熱効率を求める．

はじめに圧縮比 $\varepsilon\left(=\dfrac{v_1}{v_2}\right)$ を求める．状態点 1→状態点 2 は断熱変化なので，式 $\dfrac{P_2}{P_1}=\left(\dfrac{v_1}{v_2}\right)^{\kappa}$ となり，$P_2=P_3$ であることから，圧縮比 ε の値は次のようになる．

$$\varepsilon = \frac{v_1}{v_2} = \left(\frac{P_2}{P_1}\right)^{\frac{1}{\kappa}} = \left(\frac{P_3}{P_1}\right)^{\frac{1}{\kappa}} = \left(\frac{4.43}{0.1}\right)^{\frac{1}{1.4}} = 15.00 = 1.50 \times 10^1$$

さらに，T_2 は ε を用いて，式 $T_2 = \varepsilon^{\kappa-1}T_1$ と表せることから，その値は次のようになる．

$$T_2 = \varepsilon^{\kappa-1}T_1 = 15.00^{1.4-1} \times 300 = 2.954 \times 300$$
$$= 886.2 \fallingdotseq 8.86 \times 10^2\ \mathrm{K}\ \text{となる．}$$

これより，締切比 $\sigma\left(= \dfrac{T_3}{T_2}\right)$ の値を求めると，次のようになる．

$$\sigma = \frac{T_3}{T_2} = \frac{2\,660}{886.2} = 3.001 \fallingdotseq 3.00$$

また，$T_4 = \sigma^{\kappa}T_1$ が成り立つので，T_4 は次のようになる．

$$T_4 = \sigma^{\kappa}T_1 = 3.00^{1.4} \times 300 = 4.656 \times 300$$
$$= 1\,396.8 \fallingdotseq 1.40 \times 10^3\ \mathrm{K}$$

ディーゼルサイクルの熱効率 η_{D} は，1) で求めた効率算定式中の熱量 Q_{H} および Q_{L} を，各状態点の温度と比熱を用いて整理すると，式 $\eta_{\mathrm{D}} = 1 - \dfrac{T_4 - T_1}{\kappa(T_3 - T_2)}$ で表すことができ，その値を計算すると，次のように求められる．

$$\eta_{\mathrm{D}} = 1 - \frac{T_4 - T_1}{\kappa(T_3 - T_2)} = 1 - \frac{1\,396.8 - 300}{1.4 \times (2\,660 - 886.2)}$$
$$= 0.558\,3 \fallingdotseq 5.58 \times 10^{-1}$$

ii)　オットーサイクルの熱効率を求める．1) で求めた効率算定式の熱量を各状態点の温度と比熱から計算し，さらに断熱変化による条件を加味して整理すると，次のように表される．

状態点 1 → 2 と状態点 3 → 4 の断熱変化について，次の関係が成り立つ．

$$\frac{T_1}{T_2} = \left(\frac{V_2}{V_1}\right)^{\kappa-1} = \left(\frac{1}{\varepsilon}\right)^{\kappa-1} = \frac{1}{\varepsilon^{\kappa-1}}$$

$$\frac{T_4}{T_3} = \left(\frac{V_3}{V_4}\right)^{\kappa-1} = \left(\frac{V_2}{V_1}\right)^{\kappa-1} = \left(\frac{1}{\varepsilon}\right)^{\kappa-1} = \frac{1}{\varepsilon^{\kappa-1}}$$

よって，

$$\eta_{\mathrm{O}} = 1 - \frac{1}{\varepsilon^{\kappa-1}} = 1 - \frac{T_1}{T_2} = 1 - \frac{T_4}{T_3}$$

$$\eta_{\mathrm{O}} = 1 - \frac{T_4}{T_3} = 1 - \frac{1\,396.8}{2\,660} = 0.474\,8 \fallingdotseq 4.75 \times 10^{-1}$$

解　答　**1)　1-イ，2-エ，3-カ，4-オ，5-ア，6-ア**

2)　7-イ，A-1.50，8-カ，B-8.86，C-3.00，D-1.40，9-ク，E-5.58，10-イ，F-4.75

(熱力学の基礎)

問題5　次の各文章の［ 1 ］～［ 15 ］の中に入れるべき最も適切な字句等をそれぞれの解答群から選び，その記号を答えよ．なお，［ 4 ］及び［ 13 ］は複数箇所あるが，それぞれ同じ記号が入る．

また［A　a.bc］～［C　a.b］に当てはまる数値を計算し，その結果を答えよ．ただし，解答は解答すべき数値の最小位の一つ下の位で四捨五入すること．（配点計 50 点）

図に，ある蒸気原動所の理論サイクルの P–v 線図を示す．ここで，P は圧力，v は比体積である．C.P. は臨界点を示しており，臨界点より左側の一点鎖線は飽和液線を，右側の一点鎖線は飽和蒸気線を示している．図中の状態点 1 ～ 4 は作動流体の状態点を示し，状態点 3 の温度は 400 ℃である．また，各状態点の比エンタルピー h，比エントロピー s などの状態量を示す記号にはその状態点の番号を添字として用いる．

なお，計算には表 1 及び表 2 の数値を用いることとし，表中の符号′は飽和水の状態，″は乾き飽和蒸気の状態を表す．

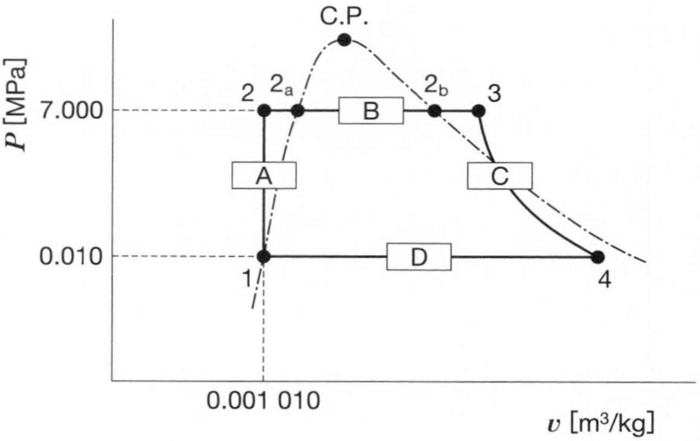

図　P–v 線図

1)　図中，状態点 1 は飽和水である．その飽和水は，装置 A で［ 1 ］され，状態点 2 の［ 2 ］となる．状態点 2 の作動流体には装置 B で熱が供給され，状態点 3 の［ 3 ］になる．この間，状態点 2_a と 2_b の間の作動流体は［ 4 ］と呼ばれている．状態点 3 の作動流体は装置 C で［ 5 ］され，状態

点　4　の

[4] となる．その後，装置 D において，[6] 過程で熱を外部に放出し，状態点 1 に戻る．

〈[1]～[6] の解答群〉

ア　圧縮水　**イ**　過熱蒸気　**ウ**　乾き飽和蒸気
エ　湿り蒸気　**オ**　蒸留水　**カ**　等エンタルピー圧縮
キ　等エンタルピー膨張　**ク**　等エントロピー圧縮
ケ　等エントロピー膨張　**コ**　等温圧縮
サ　等温膨張　**シ**　等温等圧

2)　1)で説明した蒸気原動所のサイクルにおいて，装置 A は [7]，装置 B は [8]，装置 C は [9]，装置 D は [10] である．

〈[7]～[10] の解答群〉

ア　ディフューザ　**イ**　ノズル　**ウ**　ボイラ　**エ**　給水ポンプ
オ　蒸気タービン　**カ**　復水器

3)　状態点 1，2 及び 3 の状態量は，状態点 3 の温度が 400 ℃であること，及び図に示されている圧力，比体積を用いて表 1，表 2 より直接に読み取ることができる．残る状態点 4 の状態量を求めるためには，その乾き度を知る必要がある．状態点 4 の乾き度 χ_4 は，比エントロピー s と乾き度 χ の関係式 [11] を用いて求めることができ，[A a.bc] $\times 10^{-1}$ となる．したがって，状態点 4 の比エンタルピー h_4 は，[B a.bc$\times 10^{d}$] [kJ/kg] となる．このとき，蒸気原動所の理論熱効率 η_S は，式 $\eta_S =$ [12] を用いて求めることができ，[C a.b] $\times 10^{-1}$ となる．

〈[11] 及び [12] の解答群〉

ア　$s = s' + \chi s''$　**イ**　$s = s' + \chi(s' - s'')$
ウ　$s = s' + \chi(s'' - s')$　**エ**　$s = s'' + \chi(s'' - s')$

オ　$\dfrac{(h_3 - h_2) - (h_4 - h_3)}{h_3 - h_2}$　**カ**　$\dfrac{(h_3 - h_2) - (h_4 - h_1)}{h_3 - h_2}$

キ　$\dfrac{(h_4 - h_3) - (h_2 - h_1)}{h_3 - h_2}$　**ク**　$\dfrac{(h_4 - h_3) - (h_3 - h_2)}{h_3 - h_2}$

4)　蒸気原動所は，近年，ガスタービンと併用して熱効率の向上を目指す [13] サイクルに使用されている．このサイクルでは，ガスタービンからの排熱を，[14] を用いて蒸気原動所の熱として利用する．その際，ガスタービンからの排熱のうち，蒸気原動所の熱として利用される割合を η_R とする．そして，[13] サイクルの熱効率 η_C は，蒸気原動所の熱効率を η_S，ガスタービンの熱効率を η_G とすると，式 $\eta_C =$ [15] となる．現在，η_C は最高では

60 %を超えるレベルに達している．

〈 13 ～ 15 の解答群〉

ア　$\eta_G + (1 - \eta_G)\eta_S\eta_R$　**イ**　$\eta_G - (1 + \eta_G)\eta_S\eta_R$

ウ　$\eta_G - (1 - \eta_G)\eta_S\eta_R$　**エ**　高温給水加熱器　**オ**　背圧タービン

カ　排熱回収ボイラ　**キ**　再生　**ク**　再熱

ケ　複合

表 1　飽和蒸気表

飽和圧力 [MPa]	飽和温度 [℃]	比体積 [m³/kg]		比エンタルピー [kJ/kg]		比エントロピー [kJ/(kg・K)]	
		v'	v''	h'	h''	s'	s''
0.010	45.83	0.001 010	14.67	191.8	2 584.8	0.649 3	8.151 1
7.000	285.79	0.001 351	0.027 37	1 267.4	2 773.5	3.121 9	5.816 2

表 2　圧縮水及び過熱蒸気表

圧力 [MPa]	温度 [℃]	比体積 [m³/kg]	比エンタルピー [kJ/kg]	比エントロピー [kJ/(kg・K)]
7.000	51.4	0.001 010	221.1	0.716 4
	400	0.039 92	3 161.2	6.453 6

解　説

1)2)　理論サイクルはランキンサイクルである．図中，状態点 1 は飽和水である．その飽和水は，給水ポンプで等エントロピー圧縮され，状態点 2 の圧縮水となる．状態点 2 の作動流体にはボイラで熱が供給され，状態点 3 の過熱蒸気になる．この間，状態点 2_a と 2_b の間の作動流体は湿り蒸気と呼ばれている．状態点 3 の作動流体は蒸気タービンで等エントロピー膨張され，状態点 4 の湿り蒸気となる．その後，復水器において，等温等圧過程で熱を外部に放出し，状態点 1 に戻る．

3)　状態点 4 の乾き度 χ_4 は，比エントロピー s と乾き度 χ の関係式 $s = s' + \chi(s'' - s')$ を用いて求めることができ，次のようになる．

$$\chi_4 = \frac{s_3 - s'}{s'' - s'} = \frac{6.453\,6 - 0.649\,3}{8.151\,1 - 0.649\,3} = 0.773\,7 \fallingdotseq 7.74 \times 10^{-1}$$

したがって，状態点 4 の比エンタルピー h_4 は次のように求められる．

$$h_4 = h' + \chi(h'' - h') = 191.8 + 0.773\,7 \times (2\,584.8 - 191.8)$$
$$= 2\,043.26 \fallingdotseq 2.04 \times 10^3\ \mathrm{kJ/kg}$$

このとき，蒸気原動所の理論熱効率 η_S は，式 $\eta_S = \dfrac{(h_3 - h_2) - (h_4 - h_1)}{h_3 - h_2}$ を用いて求めることができ，次のようになる．

$$\eta_S = \frac{(h_3 - h_2) - (h_4 - h_1)}{h_3 - h_2} = \frac{(3\,161.2 - 221.1) - (2\,043.26 - 191.8)}{3\,161.2 - 221.1}$$

$$= 0.370 \fallingdotseq 3.7 \times 10^{-1}$$

4)　蒸気原動所は，近年，ガスタービンと併用して熱効率の向上を目指す複合サイクルに使用されている．このサイクルでは，ガスタービンからの排熱を，排熱回収ボイラを用いて蒸気原動所の熱として利用する．

複合サイクルの熱効率 $\eta_C\left(= \dfrac{Q_{oC}}{Q_{iC}}\right)$ は，ガスタービンからの排熱のうち，排熱回収ボイラを用いて蒸気原動所の熱として利用される割合を $\eta_R\left(= \dfrac{Q_{oR}}{Q_{iR}}\right)$，蒸気原動所の熱効率を $\eta_S\left(= \dfrac{Q_{oS}}{Q_{iS}}\right)$，ガスタービンの熱効率を $\eta_G\left(= \dfrac{Q_{oG}}{Q_{iG}}\right)$ とすると，次式で表すことができる（ここで Q_i を投入熱量，Q_o を取り出せた熱量とする）．

複合サイクルはガスタービンの排熱で蒸気タービンを回しているため投入はガスタービンのみとなり，また出力はガスタービンと蒸気タービンであり，以下となる．

$$Q_{iC} = Q_{iG}$$

$$Q_{oC} = Q_{oG} + Q_{oS}$$

次に，ガスタービンの排熱はガスタービンの出力の残り $Q_{iG} - Q_{oG}$ であり，これが排熱回収ボイラの入力 Q_{iR} となる．ボイラの出力 Q_{oR} はボイラ効率より，

$$Q_{oR} = Q_{iR} \times \eta_R = (Q_{iG} - Q_{oG}) \times \eta_R$$

そしてこれが蒸気タービンの入力 Q_{iS} になるため，

$$Q_{oR} = Q_{iS}$$

$$Q_{oS} = Q_{iS} \times \eta_S = (Q_{iG} - Q_{oG}) \times \eta_R \times \eta_S$$

となり，複合サイクルの出力 Q_{oC} は以下となる．

$$Q_{oC} = Q_{oG} + (Q_{iG} - Q_{oG}) \times \eta_R \times \eta_S$$

よって，複合サイクルの熱効率 η_C は，

$$\eta_C = \frac{Q_{oC}}{Q_{iC}} = \frac{Q_{oG} + (Q_{iG} - Q_{oG}) \times \eta_R \times \eta_S}{Q_{iG}}$$

$$= \frac{Q_{oG}}{Q_{iG}} + \left(\frac{Q_{iG}}{Q_{iG}} - \frac{Q_{oG}}{Q_{iG}} \right) \eta_R \eta_S = \eta_G + (1 - \eta_G) \eta_S \eta_R$$

となる.

解　答　**1)　1-ク，2-ア，3-イ，4-エ，5-ケ，6-シ**
2)　7-エ，8-ウ，9-オ，10-カ
3)　11-ウ，A-7.74，B-2.04 × 10^3，12-カ，C-3.7
4)　13-ケ，14-カ，15-ア

(流体工学の基礎)

問題6　次の各文章の［1］～［10］の中に入れるべき最も適切な字句等をそれぞれの解答群から選び，その記号を答えよ.

また［A　a.b×10^c］及び［B　a.b×10^c］に当てはまる数値を計算し，その結果を答えよ．ただし，解答は解答すべき数値の最小位の一つ下の位で四捨五入すること.（配点計 50 点）

(1)　断面積が一定で水平な直円管の管路の圧力損失について考える.

内径 D の円管の中を密度 ρ のニュートン流体が平均速度 w で流れており，距離 L の間に圧力が P_1 から P_2 へと変化（低下）する．このとき，圧力差と流体速度の間には，エネルギーの保存則から次式が成り立つ．ただし，f は管摩擦係数である.

$$P_1 - P_2 = f \frac{L}{D} \frac{\rho w^2}{2} \quad \cdots\cdots ①$$

管摩擦係数 f の値は，流れが層流であるか乱流であるかによって異なるとともに，管内壁の粗さの影響を受ける場合がある.

1)　管内の流れが十分に発達した層流の場合には，代表長さを円管内径，流体の代表速度を管内平均速度としたときのレイノルズ数を Re とすると，次の式が成り立つ.

$f =$ ［1］

層流の場合には管壁の粗さの影響を受けないことが知られている.

2)　管内の流れが十分に発達した乱流の場合には，管壁の粗さの影響を受け，実験結果から f に関する様々な式が提案されている．管壁が滑らかな円管の場合には，次のブラジウスの式が使われている.

$f =$ ［2］

〈 1 及び 2 の解答群〉

ア $\dfrac{12}{Re}$　イ $\dfrac{64}{Re}$　ウ $\dfrac{0.5}{Re^{\frac{1}{2}}}$　エ $\dfrac{32}{Re^{\frac{1}{2}}}$　オ $\dfrac{0.155}{Re^{\frac{1}{3}}}$

カ $\dfrac{0.3164}{Re^{\frac{1}{4}}}$

3)　管摩擦係数 f に与えるレイノルズ数 Re と管壁の粗さの影響を示すグラフとして，図 1 に示すムーディ線図が作成されている．ムーディ線図では，円管の管壁の粗さについては，平均の管壁粗さ（等価粗さ）を ε とし，円管内径 D に対する ε の比 $\left(\dfrac{\varepsilon}{D}\right)$ をパラメータとしている．

ここで，D が 100 mm，ε が 1 mm の円管の中を，ニュートン流体が平均速度 0.3 m/s で流れているときの圧力損失を求めてみる．流体の粘度は 1×10^{-3} Pa·s，密度は 1×10^{3} kg/m^3 であるとする．

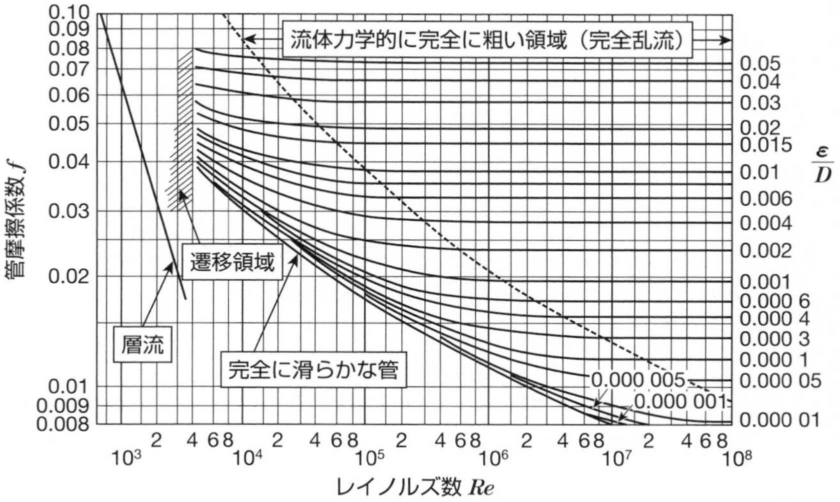

図 1　ムーディ線図

i)　図 1 のムーディ線図の横軸のレイノルズ数 Re は，代表長さを円管内径，流体の代表速度を管内平均速度として定義されており，Re = A a.b×10^c と求められる．さらに，パラメータとなる $\dfrac{\varepsilon}{D}$ の値を計算すると 0.01 となるので，図 1 から管摩擦係数 f の値を読み取ると，

[3] である.

〈[3] の解答群〉

ア 0.038　**イ** 0.040　**ウ** 0.042　**エ** 0.049

ii)　円管長さ 1 m 当たりの圧力損失は，式①を用いて [B a.b×10^c] [Pa] と求められる.

(2)　図 2 のような十分大きな容器があり，容器の横に小さな孔が開いていて，通常時, 孔は閉止されている．容器の中には密度 ρ の液体が貯留されており，液面から孔までの深さは h である．ここで，孔を開放して液が流出したときについて考える．ただし，重力の加速度を g とし，液が流出する過程で，液体上部の圧力と液面の位置は変化がなく，縮流などによるエネルギー損失はないものとする.

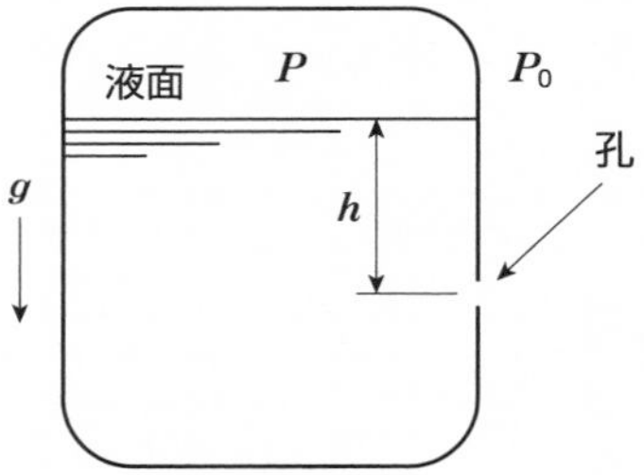

図 2

1)　液面より上部の気体部分の圧力 P が外部圧力 P_0 と等しい状態で，孔を開放した．そのときの，孔から流出する液体の流速は [4] となる.

〈[4] の解答群〉

ア $\sqrt{gh}$　**イ** $\sqrt{2gh}$　**ウ** $\sqrt{2\rho gh}$

2)　次に，孔を閉止して液面より上部の気体部分の圧力 P を P_0 以上に保った. 液面と孔の深さが h であることを確認して孔を開放した. そのときの，孔から流出する液体の流速は [5] となる.

〈[5] の解答群〉

ア $\sqrt{2gh + 2\rho(P - P_0)}$　**イ** $\sqrt{gh + \dfrac{(P - P_0)}{\rho}}$

ウ $\sqrt{2gh + \dfrac{2(P - P_0)}{\rho}}$

(3)　液体用ポンプで液体を汲み上げるときについて考える.

1)　液体用ポンプの全揚程とは，ポンプが液体に与える全エネルギーを指している．全エネルギーは，次の①～④などを総合したものである．

① [6] に相当する位置エネルギー

② 管路摩擦によるエネルギー損失

③ 吸込み部と吐出し部の液体の運動エネルギーの差

④ 吸込み部と吐出し部の圧力差に相当するエネルギー

ここで，②は摩擦損失水頭，③は [7] 水頭，④は圧力水頭と呼ばれている．

〈[6] 及び [7] の解答群〉

ア 運動　**イ** 速度　**ウ** 流量　**エ** 管路の最高部の位置

オ 吸込み部と吐出し部の鉛直方向の位置の差　**カ** 吐出し部の位置

2) ポンプの性能曲線は，ポンプの吐出し量に対する全揚程，軸動力，効率などの関係を線図で表したものである．渦巻ポンプ，軸流ポンプ及び斜流ポンプのうち，締切り点での軸動力が最小で，吐出し量の増加とともに徐々に増加する特性を持つのは [8] ポンプであり，反対に締切り点での軸動力が最大となるのは [9] ポンプである．残る一つのポンプの軸動力は吐出し量に対してほとんど変化しない特性を持っている．

3) ポンプの比速度とは，遠心式羽根車の特性や形状を表す特性数である．たとえば，相似な形状を持つ遠心式ポンプは，同じ比速度を示す．比速度は有次元の特性数であるため，SI 単位系で無次元化した [10] が使用される場合もある．

〈[8]～[10] の解答群〉

ア グラスホフ数　**イ** ターボ数　**ウ** 形式数　**エ** 渦巻

オ 軸流　**カ** 斜流

解　説

(1)

1) 管内の流れが十分に発達した層流の場合の管摩擦係数 f は，レイノルズ数 Re をとすると，次の式が成り立つ．

$$f = \frac{64}{Re}$$

2) 管内の流れが十分に発達した乱流で，管壁が滑らかな円管の場合には，次のブラジウスの式が使われている．

$$f = \frac{0.316\,4}{Re^{\frac{1}{4}}}$$

3)

i)　レイノルズ数 Re は，代表長さを円管内径 D，流体の代表速度を管内平均速度 w として定義されており，題意より次のように求められる．

$$Re = \frac{\rho w D}{\mu} = \frac{1 \times 10^3\,\mathrm{kg/m^3} \times 0.3\,\mathrm{m/s} \times 0.1\,\mathrm{m}}{1 \times 10^{-3}\,\mathrm{Pa{\cdot}s}} = 30\,000 = 3.0 \times 10^4$$

ここで，密度を ρ，流体の粘度を μ とする．

次に管摩擦係数 f は，図 1 より読み取ると，0.040 である．

ii)　円管長さ 1 m 当たりの圧力損失は，式①を用いて次のように求められる．

$$P_1 - P_2 = f\frac{L}{D}\frac{\rho w^2}{2} = 0.040 \times \frac{1}{0.1} \times \frac{1 \times 10^3 \times 0.3^2}{2}$$

$$= 18 = 1.8 \times 10^1\,\mathrm{Pa}$$

(2)

1)　孔から流出する液体の流速を w_0 とし，液面と孔との間にベルヌーイの式を適用して次のように求められる．

$$\frac{P}{\rho} + 0 + gh = \frac{P_0}{\rho} + \frac{{w_0}^2}{2} + 0$$

$P = P_0$ より，

$$w_0 = \sqrt{2gh}$$

2)　孔から流出する液体の流速を w とし，1) 同様に液面と孔との間にベルヌーイの式を適用して次のように求められる．

$$\frac{P}{\rho} + 0 + gh = \frac{P_0}{\rho} + \frac{w^2}{2} + 0$$

$$w = \sqrt{2gh + \frac{2(P - P_0)}{\rho}}$$

(3)

1)　①は，吸込み部と吐出し部の鉛直方向の位置の差に相当する位置エネルギー．

吸込み部と吐出し部の液体の運動エネルギーの差は，速度水頭と呼ばれている．

2)　渦巻ポンプは，水量増加とともに軸動力は漸次増加していく．

軸流ポンプは，締切り軸動力が最大となる．

3)　一つの羽根車を相似的に大きさを変え，1 m の揚程 H において 1 $\mathrm{m^3/min}$ の吐出し量 Q を得るようにしたときの回転速度 n [$\mathrm{min^{-1}}$] の値を，比速度 n_s という．

$$n_s = n\frac{Q^{1/2}}{H^{3/4}}$$

なお，n_s の代わりに無次元数である形式数 $K = 2\pi n\sqrt{Q/(gH)}^{3/4}$ が使用される場合もある．

解 答　(1)　**1- イ，2- カ，A-3.0 × 10⁴，3- イ，B-1.8 × 10¹**
(2)　**4- イ，5- ウ**
(3)　**6- オ，7- イ，8- エ，9- オ，10- ウ**

（伝熱工学の基礎）

問題7　次の各文章の [1] ～ [13] の中に入れるべき最も適切な字句等をそれぞれの解答群から選び，その記号を答えよ．なお，[5]，[8] 及び [10] は複数箇所あるが，それぞれ同じ記号が入る．

また [A　a.b×10ᶜ] 及び [B　ab] に当てはまる数値を計算し，その結果を答えよ．ただし，解答は解答すべき数値の最小位の一つ下の位で四捨五入すること．（配点計 50 点）

(1)　伝熱には，熱伝導，対流伝熱及び放射伝熱という三つの形態がある．

1)　熱伝導による熱流束（単位時間・単位面積当たりの熱移動量）は [1] の式によって表わされ，熱流束は温度の [2] に比例し，その比例係数は [3] である．

2)　流れる流体と固体面との間の対流伝熱による熱流束は「流体の代表温度と固体表面温度との温度差」と「[4]」の積で表わされる．

〈[1] ～ [4] の解答群〉

ア　フーリエ　**イ**　ニュートン　**ウ**　ヌセルト　**エ**　温度伝導率
オ　拡散係数　**カ**　熱伝達率　**キ**　熱伝導率　**ク**　逆数
ケ　勾配　**コ**　絶対値

3)　放射伝熱では，照射された電磁波を全て吸収する理想物体のことを [5] と呼び，その放射エネルギー量（射出能）は物体の絶対温度の 4 乗に比例する．二つの [5] の表面間の正味の放射伝熱量は，幾何学的関係だけから決定される [6] を用いて算出される．

〈[5] 及び [6] の解答群〉

ア　ステファン・ボルツマン定数　**イ**　形態係数　**ウ**　放射率
エ　黒体　**オ**　灰色体　**カ**　標準物質

(2)　相変化を伴う熱伝達について考える．

1)　液体を容器に入れて静かに加熱した場合の伝熱面の過熱度と熱流束との

関係を図示したものを沸騰曲線と呼ぶ．沸騰曲線の横軸は過熱度であり，過熱度は伝熱面温度と液体の [7] 温度との差として定義される．

〈[7] の解答群〉

ア 標準　**イ** 飽和　**ウ** 臨界

2)　遷移状態を除くと沸騰形態には [8] 沸騰と [9] 沸騰の 2 種類があり，より高い熱伝達率を生じるのが [8] 沸騰である．

〈[8] 及び [9] の解答群〉

ア プール　**イ** 核　**ウ** 膜

3)　冷却面への蒸気の凝縮を考えると，凝縮形態には [10] 凝縮と [11] 凝縮の 2 種類があり，より高い熱伝達率を生じるのが [10] 凝縮である．

〈[10] 及び [11] の解答群〉

ア 過熱蒸気　**イ** 直接接触　**ウ** 滴状　**エ** 膜状

(3)　建物の省エネルギー性を高めるために二重ガラスの窓が用いられることがある．ここで，ガラス窓を通しての熱伝達と熱伝導による熱の移動を，一枚ガラスの場合と二重ガラスの場合で考える．なお，ガラスの厚さは 3.2 mm，熱伝導率は 1.1 W/(m·K) とする．

1)　図 1 に示すようなガラスが一枚の場合において，ガラスの厚さを l_G [m]，熱伝導率を k_G [W/(m·K)] とし，高温側の空気温度を T_H [℃]，熱伝達率を h_H [W/(m²·K)]，低温側の空気温度を T_L [℃]，熱伝達率を h_L [W/(m²·K)] とする．

放射による伝熱を無視した場合，ガラス窓を通しての熱の伝わりやすさを示す熱通過率を K [W/(m²·K)] とすると，K は一般に次式で与えられる．

$$K = \frac{1}{\dfrac{1}{h_H} + \dfrac{l_G}{k_G} + \dfrac{1}{h_L}} \quad \cdots\cdots ①$$

また，そのときの単位面積・単位時間当たりの通過熱量 q [W/m²] は，熱通過率 K を用いて次式で与えられる．

$$q = \boxed{12} \quad \cdots\cdots ②$$

例えば，冬の夜に室温が 20 ℃，外気温が 5 ℃のとき，一枚ガラスの場合は，このガラス窓を通して熱伝達と熱伝導により室内から室外に放出される単位面積・単位時間当たりの通過熱量 q は，式②より [A $a.b \times 10^{c}$] [W/m²] となる．ただし，ガラス表面での熱伝達率は，室内側が 10 W/(m²·K)，室外側が 20 W/(m²·K) であるとする．

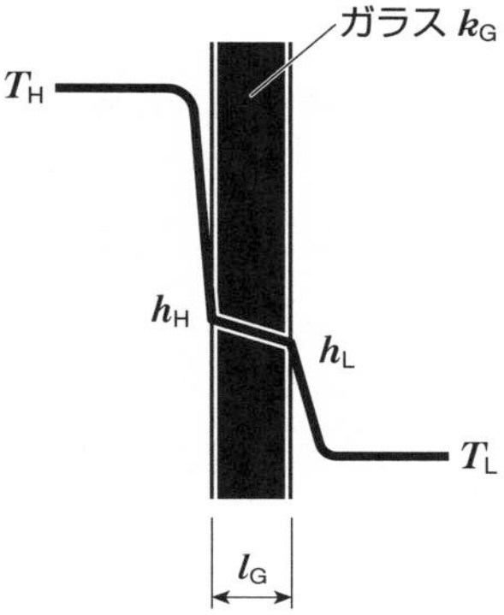

図 1　一枚ガラスの場合

2)　次に，図 2 に示すような二重ガラスにした場合において，1)で与えた条件に加えガラス間の隙間の大きさを l_A [m]，空気の熱伝導率を k_A [W/(m·K)] とする．ガラス間の隙間での空気の対流を無視し，一枚ガラスと同様に放射による伝熱を無視すると，二重ガラス窓を通しての熱通過率 K' [W/(m²·K)] は，次式で与えられる．

$K' =$ [13] ……………………③

ガラス間の隙間 l_A を 5.6 mm，空気の熱伝導率 k_A を 0.025 W/(m·K) として，それ以外の条件を一枚ガラスの場合と同じとした場合，二重ガラス窓を通して熱伝達と熱伝導により室内から室外に放出される単位時間・単位面積当たりの通過熱量は，ガラス一枚の場合の [B ab] [%] となる．

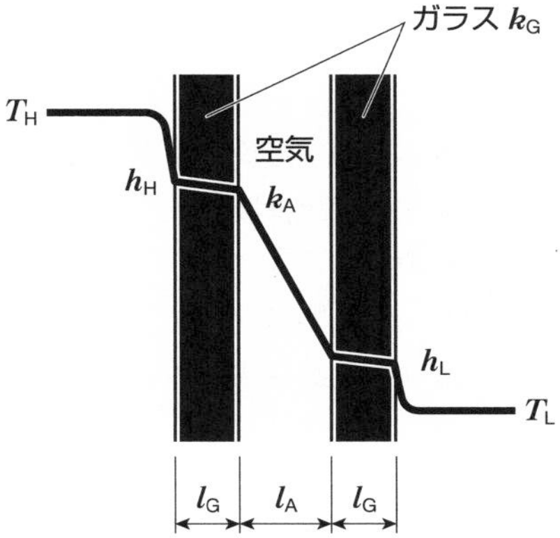

図 2　二重ガラスの場合

〈 12 及び 13 の解答群〉

ア $K(T_{\mathrm{H}}+T_{\mathrm{L}})$　イ $K(T_{\mathrm{H}}-T_{\mathrm{L}})$　ウ $K\dfrac{(T_{\mathrm{H}}+T_{\mathrm{L}})}{2}$

エ $\dfrac{1}{\dfrac{1}{h_{\mathrm{H}}}+\dfrac{l_{\mathrm{G}}}{k_{\mathrm{G}}}+\dfrac{l_{\mathrm{A}}}{k_{\mathrm{A}}}+\dfrac{1}{h_{\mathrm{L}}}}$　オ $\dfrac{1}{\dfrac{1}{h_{\mathrm{H}}}+\dfrac{2l_{\mathrm{G}}}{k_{\mathrm{G}}}+\dfrac{l_{\mathrm{A}}}{k_{\mathrm{A}}}+\dfrac{1}{h_{\mathrm{L}}}}$

カ $\dfrac{1}{\dfrac{1}{h_{\mathrm{H}}}+\dfrac{l_{\mathrm{G}}}{2k_{\mathrm{G}}}+\dfrac{l_{\mathrm{A}}}{k_{\mathrm{A}}}+\dfrac{1}{h_{\mathrm{L}}}}$

解 説

(1)

1) 物体内のある位置での熱の流れに直角な面を考え，その単位面積を単位時間に通過する熱量（熱流束［W/m²］）を $\dot{q}$ とすると，$\dot{q}$ はその位置における温度勾配に比例する．すなわち，温度を T［K］，熱の流れる方向の距離を x［m］，比例定数を k［W/(m·K)］で表すと，

$$\dot{q}=-k\frac{\mathrm{d}T}{\mathrm{d}x}$$

となる．これは熱伝導の基本的な関係式であり，フーリエの式といわれる．比例定数 k は熱伝導率と呼ばれ，その物質に固有の値（物性値）である．

2) 流れる流体と固体面との間の対流熱伝達による熱流束は「流体の代表温度と固体表面温度との温度差」と「熱伝達率」の積で表される．

3) 放射伝熱では照射された電磁波をすべて吸収する理想物体を黒体と呼ぶ．
形態係数は幾何学的な関係だけで決定される値である．

(2)

1) 過熱度は伝熱面温度と液体の飽和温度との差として定義される．

2) 遷移状態を除くと沸騰形態には核沸騰と膜沸騰の 2 種類があり，より高い熱伝達率を生じるのが核沸騰である．

膜沸騰は沸騰面表面が薄い蒸気膜に覆われている状況にあり，蒸気の熱伝導率は一般に低いので，膜沸騰の熱伝達率は低い．

3) 冷却面が濡れにくい場合で，凝縮液は膜状に広がらずに，表面張力の作用で多数の液滴となって凝縮する．液滴は引き続く凝縮で成長したり，あるいはいくつかの液滴が合体して大きくなり，ある大きさになると重力によって流れ落ちる．このような形態を滴状凝縮という．

ほかの一つは凝縮した液が冷却面をよく濡らしている場合であり，凝縮液は冷却面上に膜状に広がって流れ落ち，蒸気は引き続きその液膜上に凝縮す

る．このような形態を膜状凝縮という．

熱伝達率の面からこの二つの凝縮形態を比較すると，滴状凝縮は膜状凝縮よりもかなり熱伝達率が大きく，約 6 倍程度の大きさであるといわれている．

(3)

1)　単位面積・単位時間当たりの通過熱量 q ［$\mathrm{W/m^2}$］ は，熱通過率 K を用いて次式で与えられる．

$$q = K(T_{\mathrm{H}} - T_{\mathrm{L}})$$

式②より以下となる．

$$q = K(T_{\mathrm{H}} - T_{\mathrm{L}}) = \frac{1}{\dfrac{1}{h_{\mathrm{H}}} + \dfrac{l_{\mathrm{G}}}{k_{\mathrm{G}}} + \dfrac{1}{h_{\mathrm{L}}}}(T_{\mathrm{H}} - T_{\mathrm{L}})$$

$$= \frac{1}{\dfrac{1}{10} + \dfrac{0.003\,2}{1.1} + \dfrac{1}{20}}(20 - 5)$$

$$= 98.09 \fallingdotseq 9.8 \times 10^{1}\ \mathrm{W/m^2}$$

2)　二重ガラス窓を通しての熱通過率 K'［$\mathrm{W/(m^2{\cdot}K)}$］は，次式で与えられる．

$$K' = \frac{1}{\dfrac{1}{h_{\mathrm{H}}} + \dfrac{2l_{\mathrm{G}}}{k_{\mathrm{G}}} + \dfrac{l_{\mathrm{A}}}{k_{\mathrm{A}}} + \dfrac{1}{h_{\mathrm{L}}}}$$

二重ガラス窓を通して室内から室外に放出される単位時間・単位面積当たりの通過熱量 q' は，次のように求められる．

$$q' = K'(T_{\mathrm{H}} - T_{\mathrm{L}}) = \frac{1}{\dfrac{1}{h_{\mathrm{H}}} + \dfrac{2l_{\mathrm{G}}}{k_{\mathrm{G}}} + \dfrac{l_{\mathrm{A}}}{k_{\mathrm{A}}} + \dfrac{1}{h_{\mathrm{L}}}}(T_{\mathrm{H}} - T_{\mathrm{L}})$$

$$= \frac{1}{\dfrac{1}{10} + \dfrac{2 \times 0.003\,2}{1.1} + \dfrac{0.005\,6}{0.025} + \dfrac{1}{20}}(20 - 5)$$

$$= 39.49\ \mathrm{W/m^2}$$

$$\frac{q'}{q} \times 100 = \frac{39.49}{98.09} \times 100 = 40.2 \fallingdotseq 40\ \%$$

したがって，二重ガラスの通過熱量は，ガラス 1 枚の場合の 40 %となる．

解　答　(1)　**1- ア，2- ケ，3- キ，4- カ，5- エ，6- イ**

(2)　**7- イ，8- イ，9- ウ，10- ウ，11- エ**

(3)　**12- イ，A-9.8 × 10^1，13- オ，B-40**

第 44 回　2022 年（令和 4 年）

（熱力学の基礎）

問題4　次の各文章の［1］～［6］の中に入れるべき最も適切な字句等をそれぞれの解答群から選び，その記号を答えよ．

また，［A　a.bc］～［H　a.bc］に当てはまる数値を計算し，その結果を答えよ．ただし，解答は解答すべき数値の最小位の一つ下の位で四捨五入すること．（配点計 50 点）

図のように，質量が M_{P}［t］の円盤状のピストンが付いた十分高い円筒状のタンクがあり，内部には質量 m が 100 kg，温度 T_0 が 300 K で理想気体と見なされる空気が充填されている．ピストンはその自重とバランスした状態で静止しており，そのときのピストン周囲の圧力 P_{e} は 100 kPa，タンク内の空気の圧力 P_0 は 105 kPa であった．また，円筒状のタンクの底面積及びピストンの面積は共に 10 $\mathrm{m^2}$ であり，ピストンは全く変形せずに可逆的に自由かつ円滑に上下に移動するものとし，移動による空気の漏えいもないものとする．

このとき，図に示すようにピストンが静止している初期の状態（状態 0）から，ピストンを外から力を加えて動かない状態にして定容で加熱し（状態 1），その後ピストンを外力なしにバランスするまで可逆断熱変化させた状態（状態 2）へ移行する過程について考える．

ここで，空気の圧力を P，体積を V，絶対温度を T とし，各状態の状態量を表す記号にはその状態番号を添え字として用いる．また，空気のガス定数 R を 0.287 2 kJ/(kg·K)，比熱比 $\varkappa$ を 1.4 とし，共に温度によらず一定値とする．なお，重力の加速度 g を 9.81 $\mathrm{m/s^2}$ とし，対数計算及び指数計算には表 1 及び表 2 の値を用いることとする．

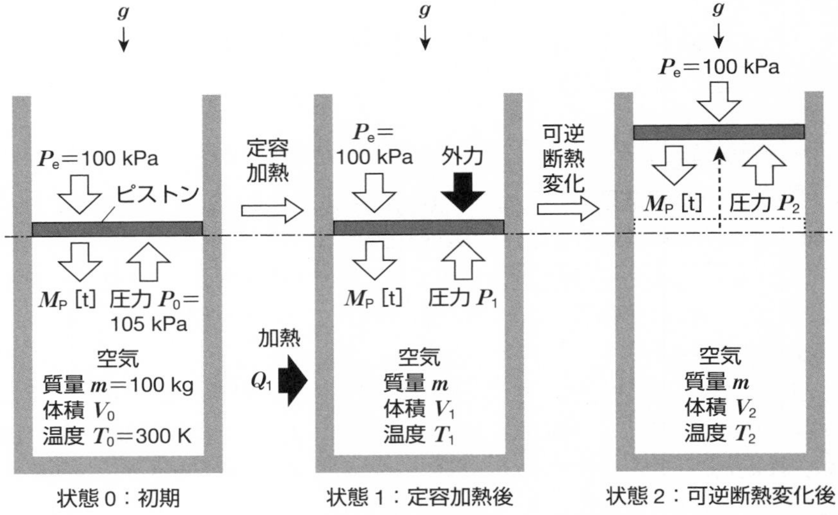

図　ピストン付き円筒状タンクの状態変化の過程

1)　まず，図の状態 0 で示される初期状態について考える．

i)　ピストン自体の質量 M_P を知る．

周囲圧力 P_e [Pa] があるので，ピストンの質量 M_P と釣り合う圧力は [A a.bc] $\times 10^3$ [Pa] である．ピストン面積が 10 m² であることから，M_P は [B a.bc] [t] であることが分かる．

ii)　タンク内の空気の体積 V_0 は，式 $V_0 =$ [1] から，[C ab.c] [m³] となる．

〈[1] の解答群〉

ア $\dfrac{mT_0P_0}{R}$　　**イ** $\dfrac{mRT_0}{P_0}$　　**ウ** $\dfrac{mRP_0}{T_0}$

2)　次に，状態 0 から，図の状態 1 で示されるピストンを動かないようにして加熱したときの変化について考える．

ピストンを固定し，タンク内の空気の体積を一定に保ったまま外部から熱を加えた結果，内部圧力 P_1 [Pa] が初期圧力 P_0 の 1.2 倍に上昇した．このときのタンク内の空気の温度 T_1 は，状態方程式から [D abc] [K] となる．また，定容比熱 c_v は R と κ を用いて，式 $c_v =$ [2] として求められるので，空気に与えられた熱量 Q_1 は [E a.bc] $\times 10^6$ [J] となる．

この定容変化の過程では，エントロピーの増減については [3] となり，その変化量については，空気の比エントロピー変化量 Δs が，式 Δs

＝ [4] で表されるので，質量 m が 100 kg の空気ではその値は [F a.bc] $\times 10^4$［J/K］となる．

〈[2]～[4] の解答群〉

ア $\dfrac{1}{\varkappa+1}R$　　イ $\dfrac{1}{\varkappa-1}R$　　ウ $\dfrac{\varkappa}{\varkappa-1}R$　　エ $c_v \ln(T_1 - T_0)$

オ $c_v \ln\dfrac{T_1}{T_0}$　　カ $c_v \ln\dfrac{T_0}{T_1}$　　キ 減少　　ク 増加

3）最後に，状態 1 から，図の状態 2 でピストンを動けるようにしたときの変化について考える．

状態 1 からピストンを動けるようして，破線で示すようにタンク内の圧力 P_2［Pa］が初期圧力 P_0 と等しくなるまで可逆断熱変化させた．

この変化前後におけるタンク内の空気の圧力 P と体積 V の関係は [5] の条件が適用でき，変化後のタンク内の体積 V_2 は [G ab.c]［m³］となる．

この変化が外部に対して成した仕事 W は，「圧力 × 体積」の変化すなわち式 [6] に，比熱比 $\varkappa$ の関係式 $\dfrac{1}{1-\varkappa}$ を乗じることで求めることができ，[H a.bc] $\times 10^6$［J］となる．

〈[5] 及び [6] の解答群〉

ア $P_0V_2 - P_1V_0$　　イ $P_0V_2 - P_1V_2$　　ウ $P_1V_2 - P_0V_2$

エ $PV^{\varkappa} =$ 一定　　オ $PV^{\frac{1}{\varkappa}} =$ 一定　　カ $PV^{-\varkappa} =$ 一定

表 1　対数計算の値

N	2	3	4	5	6	7	8	9
$\ln N$	0.693 1	1.098 6	1.386 3	1.609 4	1.791 8	1.945 9	2.079 4	2.197 2

表 2　指数計算の値

N	2	3	4	5	6	7	8	9
$N^{\frac{1}{1.4}}$	1.640 7	2.191 8	2.691 8	3.156 9	3.596 0	4.014 6	4.416 4	4.804 0

解　説

1）

i）ピストンの質量 M_P と釣り合う圧力は，周囲圧力があるので，次のようになる．

$$P_0 - P_e = 105 - 100 = 5\,\text{kPa} = 5.00 \times 10^3\,\text{Pa}$$

ピストンの質量 M_P は，ピストン面積が $10\,\text{m}^2$ であることから，次のようになる$\left(\mathrm{Pa} = \dfrac{\mathrm{kg{\cdot}m}}{\mathrm{s^2}} \cdot \dfrac{1}{\mathrm{m^2}}\right)$.

$$M_{\mathrm{P}} = \frac{5.00 \times 10^3\,\mathrm{Pa} \times 10\,\mathrm{m^2}}{9.81\,\dfrac{\mathrm{m}}{\mathrm{s^2}}} = 5\,096.8\,\mathrm{kg} \fallingdotseq 5.10\,\mathrm{t}$$

ii) タンク内の空気の体積 V_0 は，状態方程式から次式のように求められる.

$$V_0 = \frac{mRT_0}{P_0} = \frac{100 \times 0.287\,2 \times 300}{105} = 82.05 \fallingdotseq 82.1\,\mathrm{m^3}$$

2) 状態 1 のときのタンク内の空気の温度 T_1 は，状態方程式から次のようになる.

$$\frac{P_0}{T_0} = \frac{P_1}{T_1}$$

$$T_1 = \frac{P_1 T_0}{P_0} = \frac{1.2 \times 105 \times 300}{105} = 360\,\mathrm{K}$$

また定容比熱 c_v は，次式のように求められる.

$$c_v = \frac{1}{\varkappa - 1} R = \frac{1}{1.4 - 1} \times 0.287\,2 = 0.718$$

空気に与えられた熱量 Q_1 は次式のように求められる.

$$Q_1 = mc_v(T_1 - T_0) = 100 \times 0.718 \times (360 - 300)$$
$$= 4\,308\,\mathrm{kJ} \fallingdotseq 4.31 \times 10^6\,\mathrm{J}$$

この定容変化の過程では，エントロピーは増加となり，空気の比エントロピー変化量 Δs は，次式のように表される.

$$\Delta s = c_v \ln \frac{T_1}{T_0}$$

質量 m が 100 kg の空気では次のようになる.

$$100 \times 0.718 \times \ln \frac{360}{300} = 100 \times 0.718 \times (\ln 6 - \ln 5)$$
$$= 100 \times 0.718 \times (1.791\,8 - 1.609\,4)$$
$$= 13.096\,\mathrm{kJ/K} \fallingdotseq 1.31 \times 10^4\,\mathrm{J/K}$$

3) 可逆断熱変化におけるタンク内の空気の圧力 P と体積 V の関係は次の条件が適用できる.

$$PV^{\varkappa} = \text{一定}$$

変化後のタンク内の体積 V_2 は次のようになる.

$$P_1 {V_0}^{\varkappa} = P_0 {V_2}^{\varkappa}$$

$$\left(\frac{V_2}{V_0}\right)^{\varkappa}=\frac{P_1}{P_0}$$

$$\frac{V_2}{V_0}=\left(\frac{P_1}{P_0}\right)^{\frac{1}{\varkappa}}$$

$$V_2=\left(\frac{P_1}{P_0}\right)^{\frac{1}{\varkappa}}V_0=\left(\frac{1.2\times 105}{105}\right)^{\frac{1}{1.4}}\times 82.05=\left(\frac{6}{5}\right)^{\frac{1}{1.4}}\times 82.05$$

$$=\frac{3.596\,0}{3.156\,9}\times 82.05=93.46\fallingdotseq 93.5\ \mathrm{m}^3$$

この変化が外部に対して成した仕事 W は，「圧力 × 体積」の変化すなわち式 $P_0V_2-P_1V_0$ に，比熱比 $\varkappa$ の関係式 $\dfrac{1}{1-\varkappa}$ を乗じることで次のように求めることができる．

$$W=\frac{1}{1-\varkappa}(P_0V_2-P_1V_0)$$

$$W=\frac{1}{\varkappa-1}(P_1V_0-P_0V_2)$$

$$=\frac{1}{1.4-1}(1.2\times 105\times 82.05-105\times 93.46)$$

$$=1\,312.5\ \mathrm{kJ}\fallingdotseq 1.31\times 10^6\ \mathrm{J}$$

解　答　**1)　A-5.00，B-5.10，1-イ，C-82.1**

2)　D-360，2-イ，E-4.31，3-ク，4-オ，F-1.31

3)　5-エ，G-93.5，6-ア，H-1.31

（熱力学の基礎）

問題5　次の各文章の［ 1 ］～［ 14 ］の中に入れるべき最も適切な字句等をそれぞれの解答群から選び，その記号を答えよ．

また，［A　a.bc×10^{d}］～［D　a.bc］に当てはまる数値を計算し，その結果を答えよ．ただし，解答は解答すべき数値の最小位の一つ下の位で四捨五入すること．（配点計 50 点）

蒸気圧縮冷凍機の冷凍サイクルについて考える．

図は，ある蒸気圧縮冷凍機の冷凍サイクルの各過程を，圧力 P と比エンタルピー h で示した P–h 線図上に示したものである．ここで，図中の 1 ～ 4 は作動流体である冷媒の熱力学的状態点を示す番号であり，各状態点の比エンタルピーを表す記号にはその状態点の番号を添字として用いる．

なお，計算には表 1 及び表 2 の数値を用いることとし，表中の符号 ′ は飽和液状態，符号 ″ は飽和蒸気状態を表す．

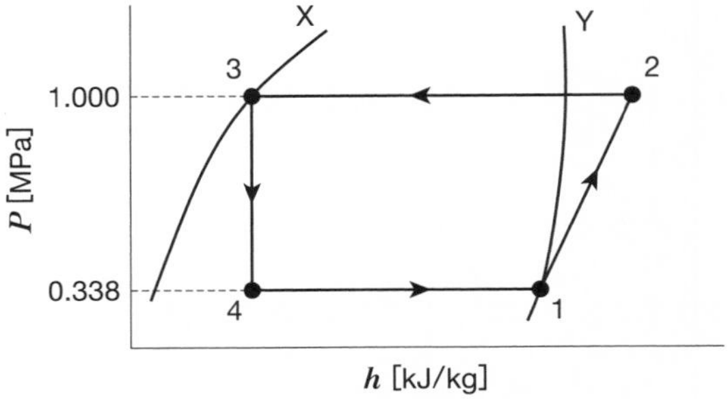

図　P–h 線図上の蒸気圧縮冷凍サイクル

1)　図の P–h 線図において，線 X は冷媒の [1]，線 Y は冷媒の [2] を示している．

〈[1] 及び [2] の解答群〉

ア　飽和液線　　**イ**　飽和蒸気線　　**ウ**　湿り蒸気線

2)　図において，冷凍機内を流れる冷媒は，1 では飽和状態の気体であり，1 から 2 への過程で圧縮機の働きによって可逆断熱圧縮（等エントロピー変化）され，[3] 蒸気となる．この気体の冷媒は，2 から 3 への過程で凝縮して飽和液となり，熱を [4] する．そして，3 から 4 への過程で，[5] の働きによって等エンタルピー変化し，[6] 蒸気となる．4 から 1 に移動する間に，[7] の働きによって熱を [8] し，冷媒は液体から気体へと状態変化する．

〈[3] ～ [8] の解答群〉

ア　過熱　　**イ**　湿り　　**ウ**　飽和　　**エ**　凝縮器
オ　蒸発器　　**カ**　復水器　　**キ**　膨張弁　　**ク**　周囲から吸収
ケ　周囲に放出

3)　図において，比エンタルピー h を用いて，吸収熱量は [9]，圧縮仕事は [10]，放出熱量は [11] で表される．ここで，冷凍機から見ると吸収熱量は冷却熱量，放出熱量は凝縮熱量である．

〈[9] ～ [11] の解答群〉

ア　$h_1 - h_4$　　**イ**　$h_2 - h_1$　　**ウ**　$h_2 - h_3$

4)　冷凍サイクルの性能は，動作係数（成績係数）で評価することができ，これを $\boldsymbol{\varepsilon}$ で表す．冷凍機として用いる場合を $\boldsymbol{\varepsilon}_{\mathrm{R}}$ とすると，$\boldsymbol{\varepsilon}_{\mathrm{R}}$ は式 $\boldsymbol{\varepsilon}_{\mathrm{R}} =$ [12] と表すことができ，また，ヒートポンプとして用いる場合を $\boldsymbol{\varepsilon}_{\mathrm{H}}$ とすると，

ε_H は式 ε_H = [13] と表すことができる.

〈[12] 及び [13] の解答群〉

ア $\dfrac{h_1 - h_4}{h_2 - h_1}$　**イ** $\dfrac{h_2 - h_3}{h_2 - h_1}$　**ウ** $\dfrac{h_1 - h_4}{h_2 - h_4}$　**エ** $\dfrac{h_2 - h_3}{h_2 - h_4}$

5)　図において，1 は線 Y 上で圧力が 0.338 MPa，2 は圧力が 1 MPa，3 は線 X 上で圧力が 1 MPa であるとしたときの冷凍機の性能を，冷媒 1 kg 当たりで求める.

まず，冷却熱量は次のように計算される.

冷却熱量 = [A　a.bc × 10^d] [kJ/kg]

さらに，1 から 2 への変化は等エントロピー変化であることから，2 の比エンタルピー h_2 は，表 1 及び表 2 の比エントロピーの値を用いて線形補間して，h_2 = [14] [kJ/kg] と求められるので，圧縮仕事及び凝縮熱量はそれぞれ次のように計算される.

圧縮仕事 = [B　a.bc × 10^d] [kJ/kg]

凝縮熱量 = [C　a.bc × 10^d] [kJ/kg]

また，ε_R の値は [D　a.bc] となる.

〈[14] の解答群〉

ア 267.97　**イ** 268.68　**ウ** 269.41　**エ** 271.95

オ 280.19

表 1　冷媒の飽和表

圧力 [MPa]	温度 [℃]	比エンタルピー [kJ/kg]		比エントロピー [kJ/(kg·K)]	
		h'	h''	s'	s''
0.338	4.00	55.35	249.53	0.216 2	0.916 9
1.000	39.39	105.29	267.97	0.383 8	0.904 3

表 2　冷媒の過熱蒸気表

圧力 [MPa]	温度 [℃]	比エンタルピー h [kJ/kg]	比エントロピー s [kJ/(kg·K)]
1.000	40	268.68	0.906 6
	50	280.19	0.942 8

解　説

1)　図の線 X は冷媒の飽和液線，線 Y は冷媒の飽和蒸気線を示している.

2)　冷凍機内を流れる冷媒は，1 では飽和状態の気体であり，1 から 2 への過程で圧縮機の働きによって可逆断熱圧縮され，過熱蒸気となる．

この気体の冷媒は，2 から 3 への過程で凝縮して飽和液となり，熱を周囲に放出する．そして，3 から 4 への過程で，膨張弁の働きによって等エンタルピー変化し，湿り蒸気となる．4 から 1 に移動する間に，蒸発器の働きによって熱を周囲から吸収し，冷媒は液体から気体へと状態変化する．

3） 図において，吸収熱量，圧縮仕事，放出熱量は比エンタルピー h を用いて，それぞれ以下のように表される．

吸収熱量：$h_1 - h_4$

圧縮仕事：$h_2 - h_1$

放出熱量：$h_2 - h_3$

4） 冷凍機として用いる場合の動作係数（成績係数）ε_{R} は次式で表すことができる．

$$\varepsilon_{\mathrm{R}} = \frac{h_1 - h_4}{h_2 - h_1}$$

また，ヒートポンプとして用いる場合の動作係数（成績係数）ε_{H} は，放出熱量に着目することになるので次式で表すことができる．

$$\varepsilon_{\mathrm{H}} = \frac{h_2 - h_3}{h_2 - h_1}$$

5） 冷却熱量は題意より次のように計算される．

3）より，冷却熱量 = 吸収熱量（$h_1 - h_4$）．

1 は飽和蒸気のため，

$$h_1 = h'' = 249.53$$

4 は飽和液のため，

$$h_4 = h' = 105.29$$

$$冷却熱量 = h_1 - h_4 = 249.53 - 105.29 = 144.24 \fallingdotseq 1.44 \times 10^2\ \mathrm{kJ/kg}$$

2 の比エンタルピー h_2 は題意より，40 ℃と 50 ℃のときの比エンタルピーをそれぞれ h_{40}，h_{50}，同様に比エントロピーを s_{40}，s_{50} とすると次のように求められる．

$$\begin{aligned} h_2 &= h_{40} + (h_{50} - h_{40}) \times \frac{s'' - s_{40}}{s_{50} - s_{40}} \\ &= 268.68 + (280.19 - 268.68) \times \frac{0.916\,9 - 0.906\,6}{0.942\,8 - 0.906\,6} \\ &= 271.954 \fallingdotseq 271.95\ \mathrm{kJ/kg} \end{aligned}$$

圧縮仕事および凝縮熱量は，それぞれ次のように計算される．

$$圧縮仕事 = h_2 - h_1 = 271.954 - 249.53 = 22.424 \fallingdotseq 2.24 \times 10^1\ \mathrm{kJ/kg}$$

3）より，凝縮熱量 $=$ 放出熱量（$h_2 - h_3$）

3 は飽和液のため，

$$h_3 = h' = 105.29$$

$$\text{凝縮熱量} = h_2 - h_3 = 271.954 - 105.29 = 166.664 \fallingdotseq 1.67 \times 10^2 \text{ kJ/kg}$$

また ε_R は次のようになる．

$$\varepsilon_R = \frac{h_1 - h_4}{h_2 - h_1} = \frac{144.24}{22.424} = 6.432 \fallingdotseq 6.43$$

解　答　**1)　1-ア，2-イ**

2)　3-ア，4-ケ，5-キ，6-イ，7-オ，8-ク

3)　9-ア，10-イ，11-ウ

4)　12-ア，13-イ

5)　A-1.44 × 10^2，14-エ，B-2.24 × 10^1，C-1.67 × 10^2，D-6.43

（流体工学の基礎）

問題6　次の各文章の [1] ～ [13] の中に入れるべき最も適切な字句等をそれぞれの解答群から選び，その記号を答えよ．なお，[3] 及び [5] は複数箇所あるが，それぞれ同じ記号が入る．

また，[A a.bc] ～ [C a.b] に当てはまる数値を計算し，その結果を答えよ．ただし，解答は解答すべき数値の最小位の一つ下の位で四捨五入すること．ここで，重力の加速度 g を 9.81 m/s^2，円周率 π を 3.14 とする．（配点計 50 点）

(1)　送風機について考える．

1)　気体にエネルギーを与え，その圧力と速度を高めることによって気体を送り出す機械が送風機や圧縮機であり，吐出し圧力によって区分されている．

送風機は，羽根車が回転することによって気体を送り出すターボ形送風機と，吸い込んだ気体をピストンやローラで圧縮して送り出す [1] 送風機に分類される．ターボ形送風機の形式の分類には [2] が用いられ，その値は幾何学的に相似な羽根車に対して，大きさや回転速度とは無関係に一定の値となる．

〈[1] 及び [2] の解答群〉

ア　圧縮比　　**イ**　断熱ヘッド　　**ウ**　比速度　　**エ**　風量

オ　遠心形　　**カ**　軸流形　　**キ**　断熱形　　**ク**　容積形

2)　ターボ形送風機を部分風量で運転する場合，サージングの発生に注意する必要がある．一般にサージングの発生は，用いられる送風機の特性曲線における［ 3 ］の曲線を見ることによって判断できる．［ 3 ］が流量係数に対して［ 4 ］となる領域では，風量の自励振動が発生する恐れがあるためである．

〈［ 3 ］及び［ 4 ］の解答群〉

ア 圧縮効率　**イ** 圧力係数　**ウ** 全圧効率　**エ** 動力係数

オ 一定　**カ** 右上がり　**キ** 右下がり

(2) 円管内の流れについて考える．

円管内の流れが十分に発達した層流の場合，速度分布は放物線形となり，管摩擦係数は無次元数である［ 5 ］数のみの関数で与えられる．一方，流れが乱流の場合，管摩擦係数は管壁の粗さによっても変化する．摩擦を伴う円管内の流れを扱うとき，「［ 5 ］数」，「管径に対する管壁の粗さの比」及び「管摩擦係数」を関係付けた［ 6 ］線図が広く用いられている．

〈［ 5 ］及び［ 6 ］の解答群〉

ア ハーゲン・ポアズイユ　**イ** パスカル　**ウ** ブラジウス

エ プラントル　**オ** マッハ　**カ** ムーディー

キ モリエ　**ク** レイノルズ

(3) 図のように，差圧計を用いて水ポンプの効率を測定することを考える．

ポンプの吸込み口 1 の直径と吐出し口 2 の直径は共に 150 mm であり，差圧を測定している高さの差 $z_2 - z_1$ は 400 mm である．ここで，水の密度 ρ を 1 000 kg/m^3 とする．

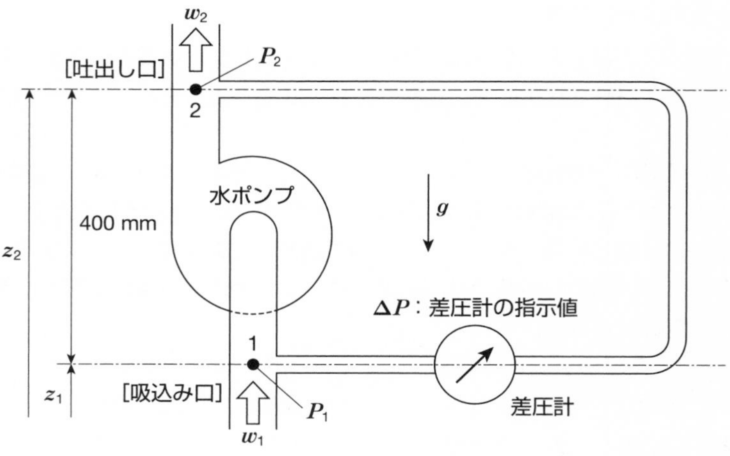

図

1)　ポンプの効率は，ポンプの運転によって単位時間当たりに水が得たエネルギーを，ポンプの軸動力で除すことで得られる．一般に軸動力はポンプの吐出し量に依存して変化するが，$\boxed{\ 7\ }$ ポンプの軸動力は吐出し量に対してほとんど変化せず，安定した運転が可能である．

　単位時間当たりに水が得たエネルギーは，水が得た単位体積当たりのエネルギーに $\boxed{\ 8\ }$ を乗じることによって計算される．単位体積当たりのエネルギーの単位は $\boxed{\ 9\ }$ である．

〈$\boxed{\ 7\ }$ ～ $\boxed{\ 9\ }$ の解答群〉

ア　J	**イ**　N	**ウ**　Pa	**エ**　W
オ　渦巻	**カ**　斜流	**キ**　軸流	**ク**　回転速度
ケ　全揚程	**コ**　体積流量	**サ**　密度	

2)　水が得た単位体積当たりのエネルギーは，吐出し口と吸込み口における単位体積の水が保有するエネルギーの差であり，これらのエネルギーは一般化された $\boxed{\ 10\ }$ の式を用いて評価される．

3)　吸込み口 1 における水の圧力を P_1，流速を w_1，吸込み口の高さを z_1 とすると，吸込み口において単位体積の水が保有するエネルギー E_1 は，次式で与えられる．

$$E_1 = \boxed{\ 11\ } \qquad \cdots\cdots\cdots\cdots ①$$

　吐出し口 2 における水の圧力を P_2，流速を w_2，吐出し口の高さを z_2 とすると，吐出し口において単位体積の水が保有するエネルギー E_2 は式①と同様の式で与えられる．

〈$\boxed{\ 10\ }$ 及び $\boxed{\ 11\ }$ の解答群〉

ア　$P_1 + \frac{1}{2}\rho w_1{}^2 + g z_1$　　**イ**　$P_1 + \frac{1}{2}\rho w_1{}^2 - g z_1$

ウ　$P_1 + \frac{1}{2}\rho w_1{}^2 + \rho g z_1$　　**エ**　$P_1 + \frac{1}{2}\rho w_1{}^2 - \rho g z_1$

オ　オイラー　　**カ**　ブラジウス　　**キ**　フーリエ　　**ク**　ベルヌーイ

4)　ポンプの吸込み口の流速 w_1 と吐出し口の流速 w_2 に関しては，吸込み口直径と吐出し口直径が等しいため $w_1 = w_2$ となる．この関係は，流路を流れる流体の $\boxed{\ 12\ }$ 保存則において，水は非圧縮性流体とみなせることから導かれる．

5)　吸込み口 1 と同じ高さにある差圧計の指示値 ΔP と P_1 及び P_2 の関係は次式で与えられる．

$$\Delta P = P_2 - P_1 + \boxed{\ 13\ } \qquad \cdots\cdots\cdots\cdots ②$$

〈 12 及び 13 の解答群〉

ア $g(z_2 - z_1)$　**イ** $g(z_1 - z_2)$　**ウ** $\rho g(z_2 - z_1)$

エ $\rho g(z_1 - z_2)$　**オ** エントロピー　**カ** 運動量

キ 角運動量　**ク** 質量

6) 図において，吐出し量が 2 000 L/min のとき，ポンプの軸動力は 3 kW，差圧計の指示値 ΔP は 71 kPa であった．

i) この吐出し量の条件では，ポンプ吐出し口における流速は A a.bc [m/s] であり，ポンプ吸込み口における流速も同じ値となる．

ii) ポンプの運転によって単位時間当たりに水が得たエネルギーは B a.bc [kW] であり，ポンプ効率は C a.b $\times 10^{-1}$ となる．

解　説

(1)

1) 容積形送風機は吸い込んだ気体をピストンやローラで圧縮して送り出すものである．

ターボ形送風機の形式の分類には比速度 N_s が用いられる．

遠心ファン $N_s = 300 \sim 1\,000$

軸流ファン $N_s = 1\,000 \sim 2\,500$

2) 送風機の特性曲線の右上がり流量域で運転すると激しい脈動，振動が発生し，ついには運転不能になることがある．この現象をサージングと呼ぶ．

サージングは，送風機の特性曲線において，圧力係数が流量係数に対して右上がりとなる領域で発生するおそれがある．

(2) 円管内の流れが十分に発達した層流の場合，管摩擦係数は無次元数であるレイノルズ数のみの関数で与えられる．

摩擦を伴う円管内の流れを扱うとき，「レイノルズ数」，「管径に対する管壁の粗さの比」および「管摩擦係数」を関係づけたムーディー線図が用いられる．

(3)

1) 斜流ポンプの軸動力は吐出し量に対しほとんど変化しないため，広い流量域で安定した運転が可能である．

単位時間当たりに水が得たエネルギーは，水が得た単位体積当たりのエネルギーに体積流量を乗じることで計算され，単位は Pa である．

2) 水が得た単位体積当たりのエネルギーは，一般化されたベルヌーイの式を用いて評価される．

3) 吸込み口 1 において単位体積の水が保有するエネルギー E_1 は，次式で与えられる.

$$E_1 = P_1 + \frac{1}{2}\rho {w_1}^2 + \rho g z_1$$

4)　流路を流れる流体の質量保存則では，水は非圧縮性流体とみなせる.

5)　吸込み口1と同じ高さにある差圧計の指示値ΔPとP_1およびP_2の関係は，次式で与えられる.

$$\Delta P = \left(P_2 + \frac{1}{2}\rho {w_2}^2 + \rho g z_2\right) - \left(P_1 + \frac{1}{2}\rho {w_1}^2 + \rho g z_1\right)$$

ここで，$w_1 = w_2$より，

$$\Delta P = P_2 - P_1 + \rho g(z_2 - z_1)$$

6)

i)　ポンプ吐出し口における流速w_2は，吐出し量（体積流量）Q［m³/s］，吸込み口1と吐出し口2の断面積をA［m²］，直径をd［mm］とすると次のように求められる.

吐き出し量2 000 L/mを単位換算して［m³/s］とする.

$$2\,000\ \mathrm{L/min} \times \frac{1}{1\,000}\ \mathrm{m^3/L} \times \frac{1}{60}\ \mathrm{min/s} \rightarrow 2\,000 \times \frac{1}{1\,000} \times \frac{1}{60}\ \mathrm{m^3/s}$$

$$w_2 = \frac{Q}{A} = \frac{Q}{\dfrac{d^2}{4}\pi} = \frac{2\,000 \times \dfrac{1}{1\,000} \times \dfrac{1}{60}}{\dfrac{0.15^2}{4} \times 3.14}$$

$$= 1.887 \fallingdotseq 1.89\ \mathrm{m/s}$$

ii)　単位時間当たりに水が得たエネルギーは，次のように求められる$\left(\mathrm{Pa} = \dfrac{\mathrm{kg{\cdot}m}}{\mathrm{s^2}}\dfrac{1}{\mathrm{m^2}}\right)$.

$$2\,000 \times \frac{1}{1\,000} \times \frac{1}{60} \times 71\,000\ \mathrm{Pa}$$

$$= 2\,366.6\ \frac{\mathrm{kg{\cdot}m}}{\mathrm{m^2}}\frac{\mathrm{m}}{\mathrm{s}} = 2\,366.6\ \frac{\mathrm{J}}{\mathrm{s}} = 2\,366.6\ \mathrm{W} \fallingdotseq 2.37\ \mathrm{kW}$$

また，ポンプ効率は次のようになる.

$$\frac{2.366\ \mathrm{kW}}{3\ \mathrm{kW}} = 0.788 = 7.9 \times 10^{-1}$$

解答 (1) **1-ク，2-ウ，3-イ，4-カ**

(2) **5-ク，6-カ**

(3) **7-カ，8-コ，9-ウ，10-ク，11-ウ，12-ク，13-ウ，A-1.89，B-2.37，C-7.9**

（伝熱工学の基礎）

問題7 次の各文章の [1] ～ [11] の中に入れるべき最も適切な字句等をそれぞれの解答群から選び，その記号を答えよ．なお，[2] は複数箇所あるが，同じ記号が入る．

また，[A ab.c] に当てはまる数値を計算し，その結果を答えよ．ただし，解答は解答すべき数値の最小位の一つ下の位で四捨五入すること．（配点計 50 点）

(1) 対流熱伝達について考える．

1) 熱伝達率は，流体とその流れを特徴付ける無次元数とヌセルト数（Nu）との関係式を用いて，ヌセルト数を求めることにより知ることができる．

例えば，壁温一定の平板が空気中にある場合には，流れが強制対流であるか自然対流であるかによってその関係式は異なる．強制対流の場合のヌセルト数は，流速に関係する無次元数である [1] 数と，動粘性率と熱拡散率の比である [2] 数の関数として表される．自然対流の場合のヌセルト数は，浮力に関係する [3] 数と [2] 数の関数として表される．

〈[1] ～ [3] の解答群〉

ア グラスホフ　**イ** プラントル　**ウ** フルード　**エ** レイノルズ

2) 一様な流れの中に，流れと平行に置かれた平板に沿う流れの速度分布を見ると，図 1 のように平板表面近傍では速度が急激に変化する領域がある．これを速度境界層と呼び，境界層の外側では一様な流れとなる．境界層は平板の先端から流れの方向に沿って図 1 の破線のように発達する．また，平板が加熱され流体と平板との間に温度差がある場合には，加熱平板の表面近傍では温度が急激に変化する領域である温度境界層が形成される．

この速度と温度の二つの境界層の厚さの相対的な関係は無次元数である [4] 数により決まり，その無次元数の値が 1 より充分小さいときは，図 2 の A が [5] 境界層で B がもう一方の境界層となり，1 より充分大きいときにはその逆となる．

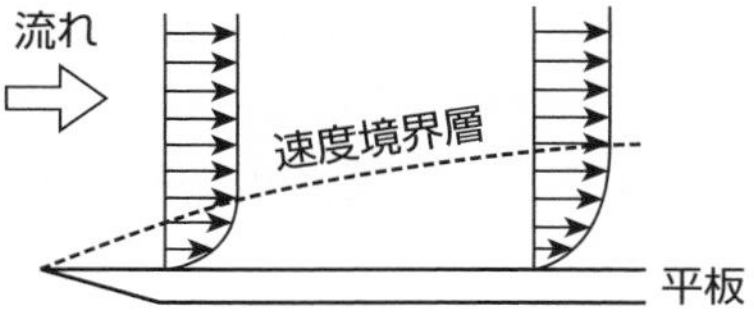

図 1　平板に沿う流れの速度分布

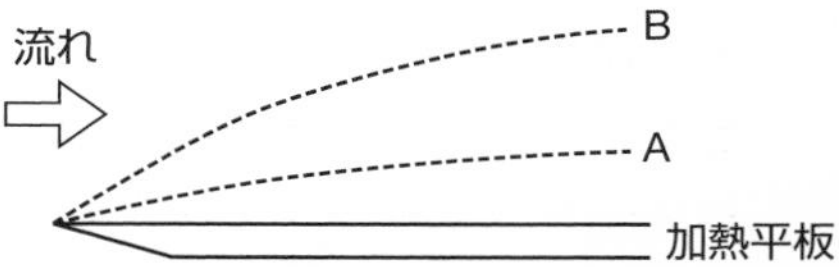

図 2　加熱平板に沿う速度境界層と温度境界層の相対関係

〈[4] 及び [5] の解答群〉

ア　グラスホフ　　**イ**　プラントル　　**ウ**　フルード　　**エ**　レイノルズ

オ　温度　　**カ**　速度

(2)　2 面間の放射伝熱について考える．ここで，面 1 の面積を A_1，表面の絶対温度を T_1，放射率を ε_1，面 2 の面積を A_2，表面の絶対温度を T_2，放射率を ε_2 とし，ステファン・ボルツマン定数を σ とする．

1)　十分に広く面積の等しい平行 2 面間の放射伝熱量 Q は，面積 A_1 を用いると次式で与えられる．

$$Q = \boxed{\ 6\ } \times \sigma(T_1{}^4 - T_2{}^4)$$

2)　凹部のない面 1 が十分に大きな面 2 に完全に囲まれている場合の放射伝熱量 Q は，次式で与えられる．

$$Q = \boxed{\ 7\ } \times \sigma(T_1{}^4 - T_2{}^4)$$

〈[6] 及び [7] の解答群〉

ア　$A_1\varepsilon_1$　　**イ**　$A_1\varepsilon_2$　　**ウ**　$A_2\varepsilon_1$

エ　$A_1\varepsilon_1\varepsilon_2$　　**オ**　$A_1(\varepsilon_1 + \varepsilon_2 - \varepsilon_1\varepsilon_2)$　　**カ**　$\dfrac{A_1}{\dfrac{1}{\varepsilon_1} + \dfrac{1}{\varepsilon_2} - 1}$

(3)　沸騰熱伝達について考える．

1)　沸騰は液体の流動状況によって大きく二種類に分けられ，容器内などの液体を強制的に流動させない場合の沸騰を [8] 沸騰と呼ぶ．

〈[8] の解答群〉

ア　サブクール　　**イ**　プール　　**ウ**　飽和

2)　液体と接した伝熱面を液体の飽和温度以上に加熱した際の過熱度 ΔT_{s} と熱流束 q の関係を表す図 3 のような曲線を沸騰曲線と呼ぶ．

図 3 において，A 点から伝熱面を加熱して過熱度を増加させて行くと，B 点で沸騰が始まる．さらに過熱度を増加させると熱流束が急激に増大し，C 点を経て D 点に至る．ここで，B 点から D 点までの領域を [9] 沸騰領域と呼ぶ．さらに伝熱面を加熱していくと，過熱度が急激に上昇し突然

F点に移行する．したがって，D点以上の過熱度では，場合によっては伝熱面が溶融する危険があることを示しており，D点のことを[10]点と呼ぶ．F点でも伝熱面の融点を超えない場合には，過熱度と熱流束の関係はA→B→C→D→F→Gのように変化していく．

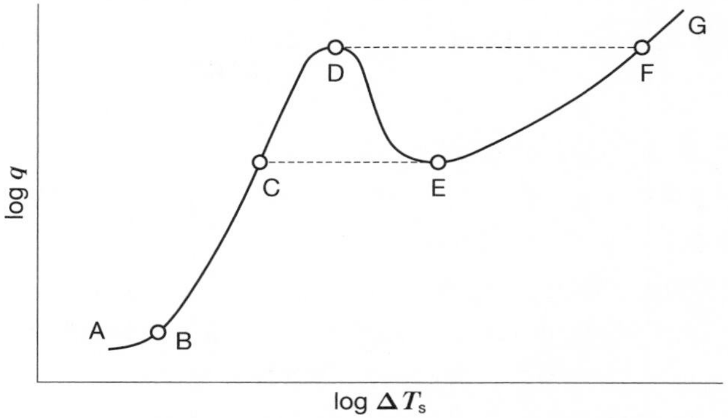

図3　沸騰曲線

〈[9]及び[10]の解答群〉

ア　バーンアウト　　**イ**　核　　**ウ**　遷移

エ　膜　　**オ**　溶融　　**カ**　臨界

(4)　図4は並流形熱交換器における二つの流体の温度変化を示したものである．ここで，T_{Hi}は高温流体の入口温度，T_{Ho}は高温流体の出口温度，T_{Ci}は低温流体の入口温度，T_{Co}は低温流体の出口温度を示す．このときの交換熱量は，熱交換器の伝熱面積A，熱通過率Kと対数平均温度差ΔT_mの積で求めることができる．

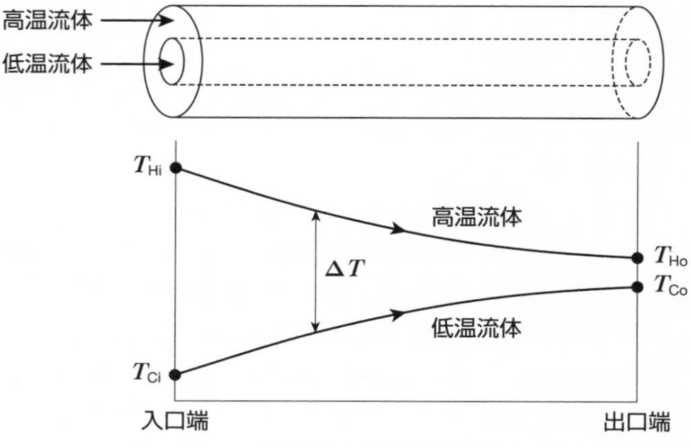

図4　並流形熱交換器の温度分布

1)　対数平均温度差は次式のように表される．

$$\Delta T_{\mathrm{m}} = \frac{\boxed{\ 11\ }}{\ln\left(\dfrac{T_{\mathrm{Hi}} - T_{\mathrm{Ci}}}{T_{\mathrm{Ho}} - T_{\mathrm{Co}}}\right)}$$

〈 11 の解答群〉

ア　$(T_{\mathrm{Hi}} + T_{\mathrm{Ho}})-(T_{\mathrm{Ci}} + T_{\mathrm{Co}})$　　**イ**　$(T_{\mathrm{Hi}} - T_{\mathrm{Co}})-(T_{\mathrm{Ho}} - T_{\mathrm{Ci}})$

ウ　$(T_{\mathrm{Hi}} - T_{\mathrm{Ci}})-(T_{\mathrm{Ho}} - T_{\mathrm{Co}})$

2)　いま，熱交換器において，伝熱面積 A が 2 m^2 で熱通過率 K が 1.2 kW/(m^2·K) であるとして，入口温度が 80 ℃の高温流体と 20 ℃の低温流体を熱交換し，出口温度は，高温流体が 50 ℃，低温流体が 40 ℃となった．このときの交換熱量は A ab.c [kW] と求められる．ただし，ln 6 =1.792 とする．

解　説

(1)

1)　強制対流の場合のヌセルト数はレイノルズ数とプラントル数の関数として表される．

自然対流の場合のヌセルト数は，グラスホフ数とプラントル数の関数として表される．

2)　速度と温度の二つの境界層の厚さの相対的な関係は，流体の動粘性率 ν と熱拡散率 α の比であるプラントル数 P_r により決まる．

プラントル数が 1 より十分小さいときは，図 2 の A が速度境界層で B が温度境界層となる．

(2)

1)　十分に広く面積の等しい平行 2 面間の放射伝熱量 Q は面積 A_1 を用いると次式で与えられる．

$$Q = \frac{A_1}{\dfrac{1}{\varepsilon_1} + \dfrac{1}{\varepsilon_2} - 1} \times \sigma(T_1{}^4 - T_2{}^4)$$

2)　凹部のない面 1 が十分に大きな面 2 に完全に囲まれている場合の放射伝熱量 Q は，次式で与えられる（面積 $A_1 \ll$ 面積 A_2）．

$$Q = A_1\varepsilon_1 \times \sigma(T_1{}^4 - T_2{}^4)$$

(3)

1)　容器内などの液体を強制的に流動させない場合の沸騰をプール沸騰と呼ぶ．一方，液体をポンプなどにより強制的に流動させる場合の沸騰を強制対流沸騰と呼ぶ.

2)　B 点を沸騰開始点，D 点をバーンアウト点（限界熱流束点）と呼び，B 点から D 点までの領域を核沸騰領域と呼ぶ.

(4)

1)　対数平均温度差 ΔT_{m} は次式のように表される.

$$\Delta T_{\mathrm{m}} = \frac{(T_{\mathrm{Hi}} - T_{\mathrm{Ci}}) - (T_{\mathrm{Ho}} - T_{\mathrm{Co}})}{\ln \dfrac{T_{\mathrm{Hi}} - T_{\mathrm{Ci}}}{T_{\mathrm{Ho}} - T_{\mathrm{Co}}}}$$

2)　交換熱量を Q とすると，次式のように表され，題意より，次のように求められる.

$$Q = KA\Delta T_{\mathrm{m}}$$

$$= KA\frac{(T_{\mathrm{Hi}} - T_{\mathrm{Ci}}) - (T_{\mathrm{Ho}} - T_{\mathrm{Co}})}{\ln \dfrac{T_{\mathrm{Hi}} - T_{\mathrm{Ci}}}{T_{\mathrm{Ho}} - T_{\mathrm{Co}}}}$$

$$= 1.2 \times 2 \times \frac{(80 - 20) - (50 - 40)}{\ln \dfrac{80 - 20}{50 - 40}}$$

$$= 1.2 \times 2 \times \frac{60 - 10}{\ln 6} = 1.2 \times 2 \times \frac{50}{1.792} = 66.96 \fallingdotseq 67.0\ \mathrm{kW}$$

解答　(1)　**1-エ，2-イ，3-ア，4-イ，5-カ**

(2)　**6-カ，7-ア**

(3)　**8-イ，9-イ，10-ア**

(4)　**11-ウ，A-67.0**

第 43 回　2021 年（令和 3 年）

（熱力学の基礎）

問題4　次の各文章の［ 1 ］～［ 11 ］の中に入れるべき最も適切な字句等をそれぞれの解答群から選び，その記号を答えよ．なお，［ 7 ］は複数箇所あるが，同じ記号が入る．

また，［A ab.c］～［D a.b］に当てはまる数値を計算し，その結果を答えよ．ただし，解答は解答すべき数値の最小位の一つ下の位で四捨五入すること．（配点計 50 点）

理想気体を作動流体とする，次の P−v 線図に示すディーゼルサイクルの理論熱効率を求める．

ここで，作動流体の状態量として，T は絶対温度，P は圧力，v は比体積を示す．さらに，c_p は定圧比熱，c_v は定容比熱，κ は比熱比を表すものとし，比熱の値は一定とする．

また，図の 1 ～ 4 は作動流体であるガスの熱力学的状態点の番号であり，各状態点の状態量を表す記号にはその状態点の番号を添字として用いる．

ただし，指数の計算においては表の数値を用いること．

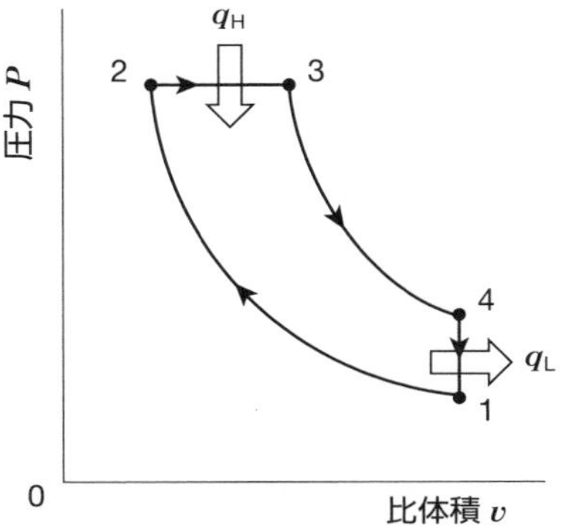

図　P−v 線図

1)　ディーゼルサイクルは二つの断熱変化，一つの等圧変化及び一つの等容変化で構成される．

シリンダに吸入されたガスは，図の状態点 1 から状態点 2 で断熱圧縮された後に着火して，状態点 2 から状態点 3 の変化で等圧燃焼し，ガスの温

度は T_2 から T_3 へ変化する．その際，単位質量当たり q_{H}［J/kg］の熱が供給される．その後，ピストンの下降と共に断熱膨張し，状態点 4 から状態点 1 の等容変化で排気されて，ガスの温度は T_4 から T_1 へ変化し，単位質量当たり q_{L}［J/kg］の熱が放出される．

ガスの温度の変化及び比熱から，供給熱 q_{H} 及び放出熱 q_{L} は式①及び式②で表される．

$q_{\mathrm{H}} = \boxed{\ 1\ }$ [J/kg]　……………………①

$q_{\mathrm{L}} = \boxed{\ 2\ }$ [J/kg]　……………………②

式①及び式②より，比熱比 κ を用いて理論熱効率 η は次式で表される．

$\eta = \boxed{\ 3\ }$　……………………③

〈$\boxed{\ 1\ }$ ～ $\boxed{\ 3\ }$ の解答群〉

ア $c_p(T_3 - T_2)$　**イ** $c_p(T_3 - T_4)$　**ウ** $c_p(T_4 - T_1)$

エ $c_v(T_3 - T_2)$　**オ** $c_v(T_3 - T_4)$　**カ** $c_v(T_4 - T_1)$

キ $1 - \dfrac{T_3 - T_2}{\kappa(T_4 - T_1)}$　**ク** $1 - \dfrac{T_4 - T_1}{\kappa(T_3 - T_2)}$

ケ $1 - \dfrac{\kappa(T_3 - T_2)}{T_4 - T_1}$　**コ** $1 - \dfrac{\kappa(T_4 - T_1)}{T_3 - T_2}$

2）　圧力 P_1，比体積 v_1 の状態点 1 から，圧力 P_2，比体積 v_2 の状態点 2 への圧縮行程は可逆断熱で行われるので，圧力と比体積には $Pv^{\kappa} =$ 一定の関係がある．ここで，$\dfrac{v_1}{v_2}$ を ε とおき，この ε を圧縮比と呼ぶ．このとき，圧力の比 $\dfrac{P_2}{P_1}$ は ε を用いて次式で表すことができる．

$\dfrac{P_2}{P_1} = \boxed{\ 4\ }$　……………………④

〈$\boxed{\ 4\ }$ の解答群〉

ア ε　**イ** ε^{κ}　**ウ** $\varepsilon^{\kappa-1}$

3）　状態点 1 から状態点 2 への変化と同様に，状態点 3 から状態点 4 への変化も可逆断熱変化となるので，両変化における温度 T_1 ～ T_4 と比体積 v_1 ～ v_4 の関係は，式⑤及び式⑥で表される．

$\dfrac{T_2}{T_1} = \boxed{\ 5\ }$　……………………⑤

$\dfrac{T_4}{T_3} = \boxed{\ 6\ }$　……………………⑥

4)　状態点 2 から状態点 3 への変化は等圧で行われるので，$\frac{T_3}{T_2}$ は次式で表される．

$$\frac{T_3}{T_2}=\boxed{\quad 7 \quad} \qquad \cdots\cdots ⑦$$

式⑦中の $\boxed{\ 7\ }$ を σ とおき，この σ を締切比と呼ぶ．

〈$\boxed{\ 5\ }$ ～ $\boxed{\ 7\ }$ の解答群〉

ア $\frac{v_1}{v_2}$　　イ $\frac{v_2}{v_3}$　　ウ $\frac{v_3}{v_2}$　　エ $\frac{v_3}{v_4}$

オ $\left(\frac{v_1}{v_2}\right)^{\kappa-1}$　　カ $\left(\frac{v_1}{v_2}\right)^{\frac{\kappa-1}{\kappa}}$　　キ $\left(\frac{v_3}{v_4}\right)^{\kappa-1}$　　ク $\left(\frac{v_3}{v_4}\right)^{\frac{\kappa-1}{\kappa}}$

5)　状態点 2 ～状態点 4 の温度 T_2 ～ T_4 は，状態点 1 の温度 T_1 を用いて，それぞれ式⑧～式⑩のように表すことができる．

$$T_2=\boxed{\quad 8 \quad}\times T_1 \ \text{[K]} \qquad \cdots\cdots ⑧$$

$$T_3=\boxed{\quad 9 \quad}\times T_1 \ \text{[K]} \qquad \cdots\cdots ⑨$$

$$T_4=\boxed{\quad 10 \quad}\times T_1 \ \text{[K]} \qquad \cdots\cdots ⑩$$

したがって，理論熱効率 η は式③に式⑧～式⑩を代入することによって，ε，σ，κ を使って次式で表される．

$$\eta=\boxed{\quad 11 \quad} \qquad \cdots\cdots ⑪$$

〈$\boxed{\ 8\ }$ ～ $\boxed{\ 11\ }$ の解答群〉

ア ε^{κ}　　イ $\varepsilon^{\kappa-1}$　　ウ σ^{κ}　　エ $\varepsilon\sigma^{\kappa-1}$　　オ $\sigma\varepsilon^{\kappa-1}$

カ $1-\frac{\sigma^{\kappa}-1}{\varepsilon^{\kappa}\kappa(\sigma-1)}$　　キ $1-\frac{\sigma^{\kappa}-1}{\varepsilon^{\kappa-1}\kappa(\sigma-1)}$　　ク $1-\frac{\sigma^{\kappa-1}-1}{\varepsilon^{\kappa-1}\kappa(\sigma-1)}$

6)　このサイクルにおいて，圧縮開始時の圧力 P_1 が 0.1 MPa，温度 T_1 が 300 K であるとし，圧縮後の圧力 P_2 が 5.0 MPa，燃焼終了時の最高温度 T_3 が 1 836 K であるとする．また，比熱比 κ を 1.4 とする．

このときの，圧縮比 ε の値は式④から求めることができ，

$$\varepsilon=\boxed{\text{A} \ \text{ab.c}}$$

となる．圧縮後の圧力 P_2 から圧縮後の温度 T_2 の値を求めると，

$$T_2=\boxed{\text{B} \ \text{abc}} \ \text{[K]}$$

となる．また，締切比 σ の値は，

$$\sigma=\boxed{\text{C} \ \text{a.bc}}$$

となる．これらから理論熱効率 η の値を求めると，

$$\eta=\boxed{\text{D} \ \text{a.b}}\times 10^{-1}$$

となる．

表　指数計算の値

X	0.1	5	50	300	1 836
$X^{\frac{1}{1.4}}$	0.193	3.16	16.4	58.8	214

X	2	5	50	300	1 836
$X^{1.4}$	2.64	9.52	239	2.94×10^3	3.71×10^4

X	0.193	3.16	16.4	58.8	214
$X^{0.4}$	0.518	1.58	3.06	5.10	8.55

解　説

1)　ディーゼルサイクルは，等圧燃焼サイクルとも呼ばれ，ディーゼルエンジンの理論サイクルである．

供給熱 q_{H} および放出熱 q_{L} は式①および式②で表される．

$$q_{\mathrm{H}} = c_{\mathrm{p}}(T_3 - T_2) \quad ①$$

$$q_{\mathrm{L}} = c_{\mathrm{v}}(T_4 - T_1) \quad ②$$

式①および式②より，比熱比 $\varkappa = \dfrac{c_{\mathrm{p}}}{c_{\mathrm{v}}}$ を用いて理論熱効率 η は次式で表される．

$$\eta = 1 - \frac{q_{\mathrm{L}}}{q_{\mathrm{H}}} = 1 - \frac{c_{\mathrm{v}}(T_4 - T_1)}{c_{\mathrm{p}}(T_3 - T_2)} = 1 - \frac{T_4 - T_1}{\varkappa(T_3 - T_2)} \quad ③$$

2)　題意より，次式で表すことができる．

$$\frac{P_2}{P_1} = \left(\frac{v_1}{v_2}\right)^{\varkappa} = \varepsilon^{\varkappa} \quad ④$$

3)　状態点 1 から状態点 2 への変化，状態点 3 から状態点 4 への変化も可逆断熱変化となるため，温度 $T_1 \sim T_4$ と比体積 $v_1 \sim v_4$ の関係は，式⑤および式⑥で表される．

$$\frac{T_2}{T_1} = \left(\frac{v_1}{v_2}\right)^{\varkappa - 1} \quad ⑤$$

$$\frac{T_4}{T_3} = \left(\frac{v_3}{v_4}\right)^{\varkappa - 1} \quad ⑥$$

4)　状態点 2 から状態点 3 への変化は等圧で行われるので，次式で表される．

$$\frac{v_2}{T_2} = \frac{v_3}{T_3}$$

$$\frac{T_3}{T_2} = \frac{v_3}{v_2} \quad ⑦$$

5)　状態点 2 ～状態点 4 の温度 $T_2 \sim T_4$ は，状態点 1 の温度 T_1 を用いて，それぞれ式⑧～式⑩で表すことができる．

$$T_2 = \left(\frac{v_1}{v_2}\right)^{\kappa-1} \times T_1 = \varepsilon^{\kappa-1} \times T_1 \qquad ⑧$$

$$T_3 = \frac{v_3}{v_2} \times T_2 = \sigma\varepsilon^{\kappa-1} \times T_1 \qquad ⑨$$

T_4 は，式⑥および式⑨より，

$$T_4 = \left(\frac{v_3}{v_4}\right)^{\kappa-1} \times T_3 = \left(\frac{v_3}{v_4}\right)^{\kappa-1} \times \sigma\varepsilon^{\kappa-1} \times T_1$$

$\dfrac{v_3}{v_4} = \dfrac{v_3}{v_1} = \dfrac{1}{\varepsilon}$，$\dfrac{T_3}{T_2} = \dfrac{v_3}{v_2} = \sigma$ より，

$$T_4 = \left(\frac{v_2}{v_1}\frac{v_3}{v_2}\right)^{\kappa-1} \times \sigma\varepsilon^{\kappa-1} \times T_1 = \left(\frac{\sigma}{\varepsilon}\right)^{\kappa-1} \times \sigma\varepsilon^{\kappa-1} \times T_1 = \sigma^{\kappa} \times T_1 \qquad ⑩$$

$$\eta = 1 - \frac{T_4 - T_1}{\kappa(T_3 - T_2)} = 1 - \frac{\sigma^{\kappa} T_1 - T_1}{\kappa(\sigma\varepsilon^{\kappa-1}T_1 - \varepsilon^{\kappa-1}T_1)}$$

$$= 1 - \frac{T_1(\sigma^{\kappa-1})}{T_1\varepsilon^{\kappa-1}\kappa(\sigma - 1)} = 1 - \frac{\sigma^{\kappa} - 1}{\varepsilon^{\kappa-1}\kappa(\sigma - 1)} \qquad ⑪$$

6)　圧縮比 ε は，表の指数計算の値と式④より求められる．

$$\frac{P_2}{P_1} = \varepsilon^{\kappa}$$

$$\varepsilon = \left(\frac{P_2}{P_1}\right)^{\frac{1}{\kappa}} = \left(\frac{5.0}{0.1}\right)^{\frac{1}{1.4}} = (50)^{\frac{1}{1.4}} = 16.4$$

圧縮後の圧力 P_2 から圧縮後の温度 T_2 の値は，式⑤と表の値より次のように求められる．

$$\frac{P_2}{P_1} = \varepsilon^{\kappa} \quad \rightarrow \varepsilon = \left(\frac{P_2}{P_1}\right)^{\frac{1}{\kappa}} = \frac{v_1}{v_2} \text{より，}$$

$$T_2 = T_1\left(\frac{v_1}{v_2}\right)^{\kappa-1} = T_1\varepsilon^{\kappa-1} = 300 \times 16.4^{0.4} = 300 \times 3.06 = 918$$

また，締切比 σ の値は，式⑦より次のように求められる．

$$\sigma = \frac{T_3}{T_2} = \frac{1\,836}{918} = 2.00$$

これらから理論熱効率 η の値を求めると，次のようになる．

$$\eta = 1 - \frac{\sigma^{\kappa} - 1}{\varepsilon^{\kappa-1}\kappa(\sigma - 1)} = 1 - \frac{2.00^{1.4} - 1}{16.4^{0.4} \times 1.4 \times (2.00 - 1)}$$

$$= 1 - \frac{2.64 - 1}{3.06 \times 1.4} = 0.617 \fallingdotseq 6.2 \times 10^{-1}$$

解答　**1）1-ア，2-カ，3-ク**
2）4-イ
3）5-オ，6-キ
4）7-ウ
5）8-イ，9-オ，10-ウ，11-キ
6）A-16.4，B-918，C-2.00，D-6.2

（熱力学の基礎）

問題5　次の各文章の [1] ～ [4] の中に入れるべき最も適切な字句等をそれぞれの解答群から選び，その記号を答えよ．

また，[A abcd] については表から読み取り，[B ab.c] ～ [H a.bc] については当てはまる数値を計算し，その結果を答えよ．ただし，解答は解答すべき数値の最小位の一つ下の位で四捨五入すること．（配点計 50 点）

ボイラで発生した蒸気が，絞り弁で減圧されて熱交換器の熱源に利用されるシステムについて考える．なお，水及び蒸気の状態量を用いる計算には表 1 及び表 2 の数値を用いること．ここで，v は比体積，h は比エンタルピー，s は比エントロピーとし，符号 $'$ 飽和水状態，符号 $''$ は乾き飽和蒸気状態を表す．

1）絞り弁で減圧する前の圧力 1.0 MPa の湿り蒸気を断熱状態で絞り膨張させたところ，減圧後の圧力が 0.2 MPa で温度が 140 ℃の過熱蒸気となった．

i）絞り膨張過程は，運動エネルギーの変化を無視できると考えられることから，[1] 変化として扱うことができるので，絞り膨張により減圧する前の湿り蒸気の比エンタルピーは，[A abcd] [kJ/kg] となる．また，減圧した後の過熱蒸気の過熱度は [B ab.c] [K] となる．

〈[1] の解答群〉

ア　等エンタルピー　　**イ**　等エントロピー　　**ウ**　等圧
エ　等温　　**オ**　等容

ii）減圧する前の湿り蒸気の乾き度 x を求めたい．乾き度 x は，湿り蒸気の比エンタルピー h，飽和水の比エンタルピー h' 及び乾き飽和蒸気の比エンタルピー h'' を用いて，式 [2] で求められる．したがって，表の値を用いて，$x=$ [C a.bc] $\times 10^{-1}$ となる．

〈[2] の解答群〉

ア　$x=\dfrac{h''-h'}{h''}$　　**イ**　$x=\dfrac{h-h'}{h''-h'}$

ウ　$x=\dfrac{h''-h'}{h-h'}$　　**エ**　$x=\dfrac{h''-h}{h-h'}$

iii）減圧する前の湿り蒸気の比体積及び比エントロピーは乾き度 x を用いて計算できるので，絞り膨張過程で減圧したことにより，蒸気の比体積の増減については [D a.bc] ×10⁻¹ [m³/kg] の増加となり，比エントロピーの増減については [E a.bc] ×10⁻¹ [kJ/(kg·K)] の [3] となることが分かる.

〈[3] の解答群〉

ア 増加　　**イ** 減少

2）減圧された圧力 0.2 MPa の過熱蒸気を，圧力一定のもとで熱交換器の加熱源として利用した結果，過熱蒸気は飽和水の状態まで冷却された.

i）このとき加熱用に使われた熱量は，過熱蒸気 1 kg 当たり [F abcd] [kJ/kg] となる．この熱量は，減圧せずに圧力 1.0 MPa のまま飽和水の状態まで加熱源として用いた場合の熱量と比較して，蒸気 1 kg 当たり [G abc] [kJ/kg] の [4] となる.

〈[4] の解答群〉

ア 増加　　**イ** 減少

ii）加熱用に使われたこの過熱蒸気の流量が 1 時間当たり 4 000 kg であるとすると，加熱能力は [H a.bc] [MW] と計算される.

表 1　飽和蒸気表

圧力 [MPa]	飽和温度 [℃]	比体積 [m³/kg]		比エンタルピー [kJ/kg]		比エントロピー [kJ/(kg·K)]	
		v'	v''	h'	h''	s'	s''
0.2	120.2	0.001 061	0.885 74	504.68	2 706.24	1.530 1	7.126 9
1.0	179.9	0.001 127	0.194 35	762.68	2 777.12	2.138 4	6.585 0

表 2　過熱蒸気表

圧力 [MPa]	温度 [℃]	比体積 [m³/kg]	比エンタルピー [kJ/kg]	比エントロピー [kJ/(kg·K)]
0.2	140.0	0.935 28	2 748.31	7.231 2

解　説

1）

i）絞り膨張過程では，運動エネルギーの変化を無視できると考えられることから，等エンタルピー変化として扱うことができる.

絞り膨張により減圧する前の湿り蒸気の比エンタルピーは減圧後の湿り蒸気の比エンタルピーと等しいため，表の値より，次のようになる.

$$2\,748.31 \fallingdotseq 2\,748\ [\mathrm{kJ/kg}]$$

過熱度は過熱蒸気の温度と同一圧力での飽和温度との温度差であるため，表の値より，

$$(140 + 273.15) - (120.2 + 273.15) = 19.8\ \mathrm{K}$$

ii）乾き度 χ は，湿り蒸気の比エンタルピー h，飽和水の比エンタルピー h' および飽和蒸気の比エンタルピー h'' を用いて次式のようになる．

$$h = h' + \chi(h'' - h')$$

$$\chi = \frac{h - h'}{h'' - h'}$$

したがって，表の値を用いて，次のようになる．

$$\chi = \frac{h - h'}{h'' - h'} = \frac{2\,748.31 - 762.68}{2\,777.12 - 762.68} = 0.985\,6 \fallingdotseq 9.86 \times 10^{-1}$$

iii）減圧する前の湿り蒸気の比体積および比エントロピーは乾き度 χ を用いてそれぞれ次のようになる．

$$v = v' + \chi(v'' - v') = 0.001\,127 + 0.985\,6 \times (0.194\,35 - 0.001\,127)$$
$$= 0.191\,56$$
$$s = s' + \chi(s'' - s') = 2.138\,4 + 0.985\,6 \times (6.585\,0 - 2.138\,4)$$
$$= 6.520\,96$$

絞り膨張過程で減圧したことにより，蒸気の比体積の増減について，上記で計算した値と表の値より，次のような増加となる．

$$0.935\,28 - 0.191\,56 = 0.743\,7 \fallingdotseq 7.44 \times 10^{-1}\ \mathrm{m^3/kg}$$

また比エントロピーの増減について，上記で計算した値と表の値より，次のような増加となる．

$$7.231\,2 - 6.520\,96 = 0.710\,24 \fallingdotseq 7.10 \times 10^{-1}\ \mathrm{kJ/(kg{\cdot}K)}$$

2)

i）加熱用に使われた熱量は，表の値より，過熱蒸気 1 kg 当たり次のようになる．

$$2\,748.31 - 504.68 = 2\,243.63 \fallingdotseq 2\,244\ \mathrm{kJ/kg}$$

次に，減圧せずに加熱源として用いた場合の熱量は，表の値より，過熱蒸気 1 kg 当たり次のようになる．

$$2\,748.31 - 762.68 = 1\,985.63\ \mathrm{kJ/kg}$$

したがって，減圧せずに加熱源として用いた場合の熱量と比較して，蒸気 1 kg 当たり次のような増加となる．

$$2\,243.63 - 1\,985.63 = 258\ \mathrm{kJ/kg}$$

ii）加熱用に使われたこの過熱蒸気の流量が 1 時間当たり 4 000 kg であるとすると，加熱能力は次式のように計算される．

$$2\,243.63 \times \frac{4\,000}{3\,600} = 2\,492.9\ \mathrm{kW} \fallingdotseq 2.49\ \mathrm{MW}$$

解　答　**1）1-ア，A-2 748，B-19.8，2-イ，C-9.86，D-7.44，E-7.10，3-ア**

2）F-2 244，G-258，4- ア，H-2.49

（流体工学の基礎）

問題6　次の各文章の [1] ～ [12] の中に入れるべき最も適切な字句等をそれぞれの解答群から選び，その記号を答えよ．なお，[2]，[3] 及び [5] は複数箇所あるが，それぞれ同じ記号が入る．

また，[A a.bc] ～ [D a.bc] に当てはまる数値を計算し，その結果を答えよ．ただし，解答は解答すべき数値の最小位の一つ下の位で四捨五入すること．なお，重力の加速度は g [m/s²] で表すこととする．（配点計 50 点）

(1)　ピトー管による空気流速測定について考える．

1）　ピトー管は [1] の式を利用して，流れの [2] 圧と静圧の差から流速を求める計測器である．測定点における流れの [2] 圧を P_0 [Pa]，静圧を P [Pa] とし，そこでの流速を w [m/s]，空気の密度を ρ [kg/m³] とすると，次式が成り立つ．

$P_0 = P +$ [3]　…………………………①

ここで，式①の右辺の第 2 項の [3] は [4] 圧である．式①を w について解けば，差圧 $(P_0 - P)$ の測定から流速 w を求めることができる．

〈[1] ～ [4] の解答群〉

ア　ρw　　**イ**　$\frac{1}{2}\rho w$　　**ウ**　ρw^2　　**エ**　$\frac{1}{2}\rho w^2$　　**オ**　ニュートン

カ　ベルヌーイ　　**キ**　静水　　**ク**　全　　**ケ**　動

2）　差圧 $(P_0 - P)$ の測定に，U 字管内の液体の液面高さ位置の差から差圧を求めることを原理とする [5] を用いる場合，[5] に封入した液体の密度を ρ' [kg/m³] とし，空気の密度が液体の密度より十分小さく無視できるものとすると，液面高さ位置の差 Δy [m] を用いて次式が成り立つ．

$P_0 - P =$ [6]　…………………………②

式①と式②より，流速 w は Δy を用いて次式で求めることができる．

$w =$ [7] [m/s]　…………………………③

〈[5] ～ [7] の解答群〉

ア　$g\Delta y$　　**イ**　$\rho' g\Delta y$　　**ウ**　$\sqrt{\rho' g\Delta y}$

エ $\sqrt{2\rho' g\Delta y}$　　**オ** $\sqrt{2\dfrac{\rho}{\rho'}g\Delta y}$　　**カ** $\sqrt{2\dfrac{\rho'}{\rho}g\Delta y}$

キ オリフィス　　**ク** マノメータ　　**ケ** 流量計

(2) ファン（送風機）について考える.

1) 断熱ヘッド H [m] で体積流量 V [m^3/s] を送風しているファンがある. 空気の密度を ρ [kg/m^3], このファンのファン効率を η とする.

このファンから空気が単位時間当たりに有効に受け取るエネルギーは $\boxed{\;8\;}$ [W] である. よって, 駆動軸動力は $\boxed{\;9\;}$ [W] と表される.

〈$\boxed{\;8\;}$ 及び $\boxed{\;9\;}$ の解答群〉

ア $\rho g V^2$　　**イ** $\rho g H V$　　**ウ** $\dfrac{\rho g H}{V}$

エ $\rho g H V \eta$　　**オ** $\dfrac{\rho g H \eta}{V}$　　**カ** $\dfrac{\rho g H V}{\eta}$

2) 軸流送風機の運転上の注意点について考える. 部分風量運転によって動翼がはく離に近い状態にあるとき, はく離領域が回転方向に翼の回転速度よりも低い一定回転速度で移動する現象を $\boxed{\;10\;}$ といい, 圧力変動が激しくなり動翼が破損する場合がある.

〈$\boxed{\;10\;}$ の解答群〉

ア キャビテーション　　**イ** サージング

ウ チョーキング　　**エ** 旋回失速

(3) 内直径 D が 25.4 mm で水平に置かれた直円管内にポンプで水あるいは油を流し, 直円管の入口から十分に離れた位置に一つ目の静圧孔を設け, その下流方向に二つ目の静圧孔を設けて, その間の圧力差 ΔP [Pa] を計測した. ここで, 二つの静圧孔間の距離 L は 1.55 m である.

ただし, 水の密度を 997 kg/m^3, 水の粘性係数を 8.54×10^{-4} Pa·s, 油の密度を 867 kg/m^3, 油の粘性係数を 1.02×10^{-2} Pa·s, 円周率 π を 3.142 とする.

1) 二つの静圧孔間の圧力差 ΔP は, ダルシー・ワイスバッハの式によると, 管内の流体の平均流速を w, 密度を ρ, 管摩擦係数を f とすると, 次式で表される.

$\Delta P = \boxed{\;11\;}$ [Pa] ……………………④

2) 水を流したときを考える.

水を体積流量 1.31×10^{-4} m^3/s で流し, 圧力差 ΔP を計測したところ 68.7 Pa であった.

管内の平均流速 w は $\boxed{\text{A}\;\;\text{a.bc}}$ $\times10^{-1}$ [m/s] であるため, 式④から

管摩擦係数 f の値を計算すると [B　a.bc] $\times 10^{-2}$ となる．また，代表長さを内直径としたときのレイノルズ数 Re の値を計算すると [C　$a.bc \times 10^{d}$] となり，流れは乱流であることがわかる．

3)　油を流したときを考える．

油をある体積流量で流し，圧力差 ΔP を計測したところ水の場合と同じく 68.7 Pa であり，円管内の流れは層流であった．

流れが層流のときの管摩擦係数 f は，レイノルズ数 Re を用いて [12] と表されるので，式④を用いて，油の流れの平均流速は [D　a.bc] $\times 10^{-2}$ [m/s] と計算できる．

〈[11] 及び [12] の解答群〉

ア　$64Re$　　**イ**　$\dfrac{64}{Re}$　　**ウ**　$64Re^2$　　**エ**　$\dfrac{64}{Re^2}$

オ　$f\dfrac{L}{D}\rho w^2$　　**カ**　$f\dfrac{D}{L}\rho w^2$　　**キ**　$f\dfrac{L}{D}\dfrac{1}{2}\rho w^2$　　**ク**　$f\dfrac{D}{L}\dfrac{1}{2}\rho w^2$

解　説

(1)

1)　ピトー管は，ベルヌーイの式を利用して，流れの全圧 P_0 と静圧 P の圧力差から流速を求める計測器である．

$$P_0 = P + \frac{1}{2}\rho\omega^2 \qquad ①$$

ここで式①の右辺の第2項は動圧である．

2)　全圧 P_0 と静圧 P の差圧は，U字管内の液体の液面高さ位置の差から差圧を求めることを原理とするマノメータを用いて測定することができる．

題意より，次式が成り立つ．

$$P_0 - P = \rho' g \Delta y \qquad ②$$

式①と式②より，流速 w は Δy を用いて次式で求めることができる．

$$\omega = \sqrt{2\frac{\rho'}{\rho}g\Delta y} \qquad ③$$

(2)

1)　題意より，ファンから有効に受け取るエネルギーは ρgHV [W] となる．

また駆動軸動力は $\dfrac{\rho gHV}{\eta}$ と表される．

2)　旋回失速は軸流送風機や軸流圧縮機にみられるもので，部分風量運転によって動翼が失速に近い状態にあるとき，一つの翼が失速を起こすと順次，回転方向に翼の回転速度より低い一定回転速度で失速領域が移動する現象で，圧力変動が激しくなり動翼は破損する．

(3)

1)　$\Delta P = f\dfrac{L}{D}\times\dfrac{1}{2}\rho\omega^2$　④

ダルシー・ワイスバッハの式は，円管に流れる流体と管壁の摩擦に起因する損失水頭，もしくは圧力損失を表している．

2)　管内の平均流速 w は，体積流量と円管断面積より次式のようになる．

$$w = \frac{1.31\times10^{-4}}{\dfrac{0.025\,4\times0.025\,4\times3.142}{4}} = 0.258\,49 = 2.58\times10^{-1}\ \mathrm{m/s}$$

式④から管摩擦係数 f の値を計算すると，次のようになる．

$$f = 2\Delta P\frac{D}{L}\times\frac{1}{\rho}\times\frac{1}{\omega^2} = \frac{2\times68.7\times0.025\,4}{1.55\times997\times0.258\,49^2}$$

$$= 0.033\,79 \fallingdotseq 3.38\times10^{-2}$$

また，代表長さを内直径としたときのレイノルズ数 Re の値を計算すると，次のようになる．

$$Re = \frac{\rho\omega D}{\mu} = \frac{997\times0.258\,49\times0.025\,4}{8.54\times10^{-4}} = 7\,665 \fallingdotseq 7.67\times10^3$$

3)　流れが層流のときの管摩擦係数 f は，レイノルズ数 Re を用いて，$\dfrac{64}{Re}$ と表されるので，式④を用いて，油の流れの平均流速は次のように計算できる．

$$\Delta P = \frac{64}{Re}\times\frac{L}{D}\times\frac{1}{2}\rho\omega^2 = 64\frac{\mu}{\rho\omega D}\times\frac{L}{D}\times\frac{1}{2}\rho\omega^2 = 32\frac{\mu L\omega}{D^2}$$

$$\omega = \frac{\Delta P D^2}{32\mu L} = \frac{68.7\times0.025\,4\times0.025\,4}{32\times1.02\times10^{-2}\times1.55} = 0.087\,60 \fallingdotseq 8.76\times10^{-2}\ \mathrm{m/s}$$

解　答　(1)　**1-カ，2-ク，3-エ，4-ケ，5-ク，6-イ，7-カ**

(2)　**8-イ，9-カ，10-エ**

(3)　**11-キ，A-2.58，B-3.38，C-7.67 × 10^3，12-イ，D-8.76**

（伝熱工学の基礎）

問題7　次の各文章の［ 1 ］～［ 9 ］の中に入れるべき最も適切な字句等をそれぞれの解答群から選び，その記号を答えよ．

また，［A a.b×10^C］～［D a.b］に当てはまる数値を計算し，その結果を答

えよ．ただし，解答は解答すべき数値の最小位の一つ下の位で四捨五入すること．（配点計 50 点）

(1)　円管内の十分発達した流れの対流伝熱について考える．

滑らかな円管内を流れる流体の十分発達した流れの熱伝達率は，流れの様相によって異なり，壁面温度一定の場合，熱伝達率を求めるための無次元数の関係は次の式で表されることが知られている．

層流の場合：$Nu = 3.66$

乱流の場合：$Nu = 0.023 Re^{0.8} Pr^{\frac{1}{3}}$（コルバーンの式）

ただし，Nu はヌセルト数，Re はレイノルズ数，Pr はプラントル数である．

いま，温度が 120 ℃の水蒸気雰囲気の中に，内直径 D が 50.0 mm で肉厚が極めて薄い円管が置かれており，管内を平均流速 w［m/s］で空気が流れている．空気の各物性値は次のとおりであり，温度に関わらず一定とする．

密度 ρ：1.18 kg/m^3

定圧比熱 c_p：1.00 kJ/(kg·K)

熱伝導率 λ：0.027 0 W/(m·K)

動粘度 ν：1.61×10^{-5} m^2/s

プラントル数 Pr：$0.720 (Pr^{\frac{1}{3}} = 0.896)$

円管壁の熱伝導は十分大きく，円管と水蒸気の間の熱伝達率は十分大きいと考え，円管外壁温度と内壁温度は共に水蒸気温度と等しいとする．

1)　熱伝達率を α とすると，ヌセルト数 Nu の定義は，式 $Nu =$ [1] であり，円管内を流れる空気のレイノルズ数 Re の定義は，式 $Re =$ [2] である．管内の平均流速 w を 2.00 m/s とすると，レイノルズ数 Re の値は [A a.b×10^C] となる．

管内流が層流か乱流かを判断する臨界レイノルズ数の値は，[3] 程度であるため，円管の入口から流れが発達していると仮定すると，管内の流れは [4] である．この場合には，ヌセルト数 Nu の値は [B a.b×10^C] となり，熱伝達率 α の値は [C a.b×10^C]［W/(m^2·K)］となる．

2)　空気の入口温度が 10 ℃のとき，出口温度が 30 ℃になるような円管の長さ L を求めたい．簡略化のために管壁と空気流の伝熱量については算術平均温度差を用いて計算すると考えると，管壁と空気の間の算術平均温度差は [5]［℃］である．円管の長さは，管内の空気流が受け取る熱と管壁からの伝熱量が等しいという関係式から求めることができ，L の値は [D a.b] ×10^{-1}［m］となる．

なお，指数の計算が必要なときは表の数値を使用すること．

表　指数計算の値

X	3.70	3.11×10^3	6.21×10^3	1.24×10^5
$X^{0.8}$	2.85	6.23×10^2	1.08×10^3	1.19×10^4

〈[1]～[5]の解答群〉

ア 20　**イ** 100　**ウ** 110　**エ** 500　**オ** 2 300

カ 10 000　**キ** $\dfrac{\alpha D}{\lambda}$　**ク** $\dfrac{\alpha D}{w}$　**ケ** $\dfrac{wD}{\lambda}$　**コ** $\dfrac{wD}{\nu}$

サ $\dfrac{wD}{\nu^2}$　**シ** $\dfrac{\alpha}{\lambda w\rho}$　**ス** 層流　**セ** 乱流　**ソ** 遷移流

(2) 円筒における熱伝導について考える．

図のような内半径 r_1，外半径 r_2 の無限に長い円筒があり，その内表面温度が T_1，外表面温度が T_2 である．軸方向に長さ L の円筒を考え，図中の破線で示す半径 r で温度が T の円筒面を内側から外側に向けて通過する熱流量を Q とする．円筒の熱伝導率を λ として，熱伝導に関する[6]の式を適用すると，熱は温度が下降する方向に流れるので，Q は次式で表される．

$Q =$ [7] ……………………①

温度分布が定常であるとすると，Q は r によらず一定と見なすことができ，この式を積分して，次に示す境界条件から Q や積分定数を定めることができる．

境界条件 1：$r = r_1$ で $T = T_1$

境界条件 2：$r = r_2$ で $T = T_2$

式①は変数分離型の微分方程式の形をしているので，両辺を積分できる形に変形し，積分して積分定数を C とすると，次式を得る．

$Q \ln r = -2\pi L\lambda T + C$ ……………………②

式②に境界条件 1 を代入した式と境界条件 2 を代入した式を書き，2 つの式の差をとって C を消去すると，Q を r_1，r_2，T_1，T_2，λ，L を使って表すことができ，次式となる．

$Q =$ [8] ……………………③

同様に，半径 r の点の温度 T は，r，r_1，r_2，T_1，T_2 を使って表すと，次式となる．

$T =$ [9] ……………………④

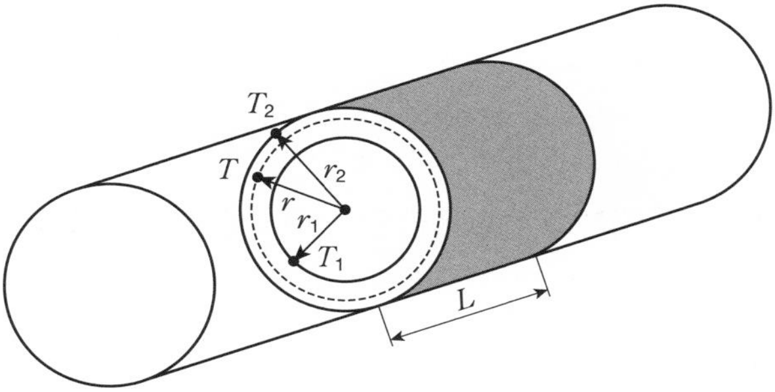

図

〈 6 ～ 9 の解答群〉

ア　$2\pi rL\lambda\dfrac{\mathrm{d}T}{\mathrm{d}r}$　　**イ**　$-2\pi rL\lambda\dfrac{\mathrm{d}T}{\mathrm{d}r}$　　**ウ**　$\pi r^2L\lambda\dfrac{\mathrm{d}T}{\mathrm{d}r}$

エ　$\dfrac{\pi L\lambda(T_2-T_1)}{\dfrac{1}{r_1}-\dfrac{1}{r_2}}$　　**オ**　$\dfrac{2\pi L\lambda(T_1-T_2)}{\ln\dfrac{r_2}{r_1}}$　　**カ**　$\dfrac{2\pi L\lambda(T_2-T_1)}{\ln\dfrac{r_2}{r_1}}$

キ　$T_1-\dfrac{(T_2-T_1)}{\dfrac{1}{r_1}-\dfrac{1}{r_2}}\left(-\dfrac{1}{r}+\dfrac{1}{r_1}\right)$　　**ク**　$T_1-\dfrac{(T_1-T_2)}{\ln\dfrac{r_2}{r_1}}\ln\dfrac{r}{r_1}$

ケ　$T_1-\dfrac{(T_2-T_1)}{\ln\dfrac{r_2}{r_1}}\ln\dfrac{r}{r_1}$　　**コ**　カルマン

サ　フーリエ　　**シ**　ボルツマン

解　説

(1)

1)　ヌセルト数 Nu は，熱伝達率を内直径と流体の熱伝導率を用いて無次元化したものである．

$$Nu=\frac{\alpha D}{\lambda}$$

レイノルズ数 Re は，管内平均流速 w，代表長さ l，動粘性係数 ν より表される．ここで題意より十分に発達した流れでは代表長さを内直径とし，次式となる．

$$Re = \frac{wD}{\nu}$$

また，その値は次のようになる．

$$Re = \frac{wD}{\nu} = \frac{2.00\times 0.05}{1.61\times 10^{-5}} = 6\,211 \fallingdotseq 6.2\times 10^{3}$$

十分に発達した円管内流の臨界レイノルズ数 Re_{c} は下記となる．

$Re_{\mathrm{c}} = 2\,300$（$2\,000 \sim 4\,000$）

円管の入口から流れが発達していると仮定すると，管内の流れは乱流である．この場合には，ヌセルト数 Nu の値，熱伝達率の値は次のようになる．

$$Nu = 0.023Re^{0.8}Pr^{\frac{1}{3}} = 0.023\times 1.08\times 10^{3}\times 0.896 = 22.25 \fallingdotseq 2.2\times 10^{1}$$

$$Nu = \frac{\alpha D}{\lambda}$$

$$\rightarrow \alpha = \frac{\lambda Nu}{D} = \frac{0.027\,0\times 22.3}{0.05} = 12.015 = 1.2\times 10^{1}\ \mathrm{W/(m^2\cdot K)}$$

2) 算術平均温度差 ΔT_{m} は次のようになる．

$$\Delta T_{\mathrm{m}} = 120 - \frac{10+30}{2} = 100$$

円管の長さは，管内の空気流が受け取る熱と管壁からの伝熱量が等しいという関係式から求めることができ，空気出入口温度差を ΔT とすると，L の値は次のように求められる．

$$\frac{D^2}{4}\pi\rho c_{\mathrm{p}}\Delta T_{\mathrm{w}}w = \alpha\pi DL\Delta T_{\mathrm{m}}$$

$$L = \frac{\frac{D^2}{4}\pi\rho c_{\mathrm{p}}\Delta T_{\mathrm{w}}w}{\alpha\pi D\Delta T_{\mathrm{m}}} = \frac{\frac{0.05^2}{4}\times 3.142\times 1.18\times 1.00\times(30-10)\times 2.00}{\frac{12.015\times 3.142\times 0.05\times 100}{1\,000}}$$

$$= 0.491\,0 \fallingdotseq 4.9\times 10^{-1}\ \mathrm{m}$$

(2) フーリエの式は熱伝導の基本的な関係式であり，熱伝導によって生じる熱流束 $\dot{q}$［$\mathrm{W/m^2}$］は温度勾配に比例する．熱の流れる方向を x とし，温度を T で表せば，次式（フーリエの式）が成り立つ．

$$\dot{q} = -k\frac{\partial T}{\partial x}$$

ここで k は熱伝導率と呼ばれ，物質の種類，温度，圧力を指定すると定まる物性値である．円筒の熱伝導率を λ として，熱伝導に関するフーリエの式を適用すると，熱は温度が下降する方向に流れるため，Q は，円筒の表面積 $2\pi rL$ より次式で表される．

$$Q = -\,2\pi rL\lambda\frac{\mathrm{d}T}{\mathrm{d}r} \qquad ①$$

式①を設問のように，変数分離（r と T）して積分すると，熱量と温度は次式となる．

$$Q = \frac{2\pi rL\lambda(T_1 - T_2)}{\ln\dfrac{r_2}{r_1}} \qquad ③$$

$$T = T_1 - \frac{(T_1 - T_2)}{\ln\dfrac{r_2}{r_1}}\ln\frac{r}{r_1} \qquad ④$$

解 答　(1)　**1-キ，2-コ，A-6.2×10^3，3-オ，4-セ，B-2.2×10^1，C-1.2×10^1，5-イ，D-4.9**

(2)　**6-サ，7-イ，8-オ，9-ク**

第 42 回　2020 年（令和 2 年）

（熱力学の基礎）

問題4　次の各文章の [1] ～ [10] の中に入れるべき最も適切な字句又は式をそれぞれの解答群から選び，その記号を答えよ．なお，一つの解答群から同じ記号を 2 回以上使用してもよい．

また，[A abc] ～ [D a.bc] に当てはまる数値を計算し，その結果を答えよ．ただし，解答は解答すべき数値の最小位の一つ下の位で四捨五入すること．（配点計 50 点）

ピストン・シリンダからなる系のカルノーサイクルの $T-S$ 線図を図に示す．ここで作動流体の絶対温度を T，圧力を P，エントロピーを S で表す．図中の 1 ～ 4 はいずれも作動流体であるガスの熱力学的状態点を示す番号である．さらに，T 軸上で状態 2 及び状態 3 の温度を示す点を a とし，その値を T_H，状態 1 及び状態 4 の温度を示す点を b とし，その値を T_L，S 軸上で状態 3 及び状態 4 のエントロピーを示す点を c とし，その値を S_H，状態 1 及び状態 2 のエントロピーを示す点を d とし，その値を S_L とする．また，温度 T_L は 300 K，1 サイクルでなされた仕事 ΔW は 100 J，高温熱源から受熱するときに動作ガスのエントロピーは 0.2 J/K 増大するものとする．

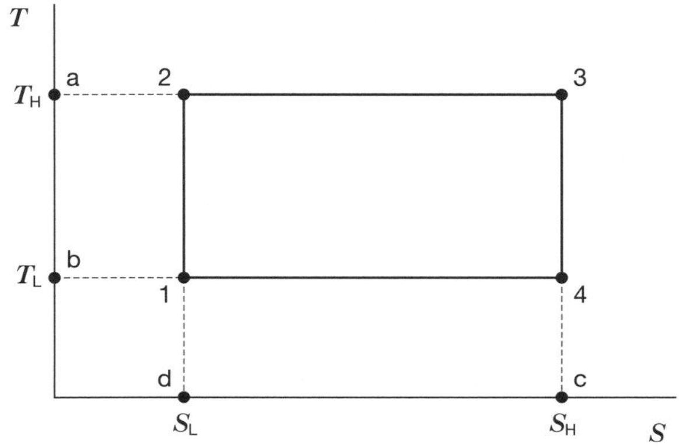

図　$T-S$ 線図

1)　このカルノーサイクルの状態変化の過程と熱効率について考える．

i)　カルノーサイクルは二つの等温変化と二つの [1] 変化で構成される．

シリンダ内のガスは，状態 1 から 2 で [2] 圧縮され，状態 2 から 3 で熱量 Q_{23}（四角形 [3] の面積に相当）が等温加熱で供給される．次いで，状態 3 から 4 で [4] 膨張し，状態 4 から 1 で熱量 Q_{41}（四角形 [5] の面積に相当）が等温冷却で放出される．状態 1 から 4 の 1 サイクルでなす仕事 ΔW は，四角形 [6] の面積で表される．

〈[1] ～ [6] の解答群〉

ア 2–3–4–1　**イ** 1–4–c–d　**ウ** 2–3–c–d　**エ** a–3–4–b

オ 可逆断熱　**カ** 等圧　**キ** 等温　**ク** 等容

ii）このカルノーサイクルの熱効率 η は，式 $\eta =$ [7] で表される．η を求めるためにまず T_H を求める．i）から，仕事 ΔW は $\Delta W =$ [8] の関係式で表され，それが 100 J であることから，T_H の値は [A abc] [K] となる．よって，η の値は [B a.bc] $\times 10^{-1}$ となる．

2）カルノーサイクルを逆方向に回して，逆カルノーサイクルヒートポンプを実現する．ここで，温度 T_L は 300 K，温度 T_H は 900 K とする．

低温熱源から 1 サイクル中に 6 000 J の熱を吸収した．このときのエントロピーの変化量（$S_H - S_L$）を求める．

低温熱源から吸収する熱量 ΔQ_L を求める式は $\Delta Q_L =$ [9] で表すことができるので，（$S_H - S_L$）の値は [C ab.c] [J/K] となる．一方，高温熱源へ汲み上げる熱量 ΔQ_H を求める式 $\Delta Q_H =$ [10] より，数値を代入して計算すると ΔQ_H の値は [D a.bc] $\times 10^4$ [J] となる．

〈[7] ～ [10] の解答群〉

ア $\dfrac{T_H - T_L}{T_H}$　**イ** $\dfrac{T_H - T_L}{T_L}$　**ウ** $\dfrac{T_L}{T_H - T_L}$

エ $S_H \times T_H$　**オ** $S_L \times T_H$　**カ** $S_H \times (T_H - T_L)$

キ $(S_H - S_L) \times T_H$　**ク** $(S_H - S_L) \times T_L$　**ケ** $(S_H - S_L) \times (T_H - T_L)$

解 説

1）

i）カルノーサイクルは二つの等温変化と二つの可逆断熱変化で構成される．

ガスは，状態 1 から 2 で可逆断熱圧縮され，状態 2 から 3 で熱量 Q_{23}（四角形 2–3–c–d の面積相当）が等温加熱で供給される．

次いで，状態 3 から 4 で可逆断熱膨張し，状態 4 から 1 で熱量 Q_{41}（四角形 1–4–c–d の面積相当）が等温冷却で放出される．

状態 1 から 4 の 1 サイクルでなす仕事 ΔW は，四角形 2–3–4–1 の面積で表される．

ii)　カルノーサイクルの熱効率 η は式 η で表される．

$$\eta = \frac{T_H - T_L}{T_H}$$

まず T_H を求める．i）より ΔW は次式で表され，題意より T_H の値は次のようになる．

$$\Delta W = (S_H - S_L) \times (T_H - T_L)$$

$$T_H = \frac{\Delta W}{S_H - S_L} + T_L = \frac{100}{0.2} + 300 = 800\ \mathrm{K}$$

よって，η の値は次のようになる．

$$\eta = \frac{T_H - T_L}{T_H} = \frac{800 - 300}{800} = 0.625 = 6.25 \times 10^{-1}$$

2)　低温熱源から吸収する熱量 ΔQ_L を求める式は次式で表すことができるので，$(S_H - S_L)$ の値は次のようになる．

$$\Delta Q_L = (S_H - S_L) \times T_L$$

$$S_H - S_L = \frac{\Delta Q_L}{T_L} = \frac{6\,000}{300} = 20\ \mathrm{J/K}$$

一方，高温熱源へ汲み上げる熱量 ΔQ_H を求める式は次式となり，値は次のようになる．

$$\Delta Q_H = (S_H - S_L) \times T_H = 20 \times 900 = 18\,000 = 1.80 \times 10^4\ \mathrm{J}$$

解　答　**1）　1- オ，2- オ，3- ウ，4- オ，5- イ，6- ア，7- ア，8- ケ，A-800，B-6.25**
2）　9- ク，C-20.0，10- キ，D-1.80

（熱力学の基礎）

問題5　次の各文章の [1] ～ [14] の中に入れるべき最も適切な字句又は式をそれぞれの解答群から選び，その記号を答えよ．なお，[2] 及び [4] は 2 箇所あるが，それぞれ同じ記号が入る．

また，[A a.bc] ～ [D a.bc] に当てはまる数値を計算し，その結果を答えよ．ただし，解答は解答すべき数値の最小位の一つ下の位で四捨五入すること．（配点計 50 点）

図は，ある蒸気原動所の理論サイクルを，温度 T と比エントロピー s の関係で示した T−s 線図である．ここで，実線は作動流体のサイクルの過程を示し，a ～ f はサイクル上の作動流体の熱力学的状態点を示す．また，作動流体の比エンタルピーを h とし，各状態点での熱力学的状態量を表すそれらの記号には，その状態点の記号を添え字として用いる．

なお，計算に用いる作動流体の比エンタルピー h 及び比エントロピー s は表 1 及び表 2 の数値を用いることとする．ここで，符号′ は飽和水の状態，符号″ は乾き飽和蒸気の状態を表す．

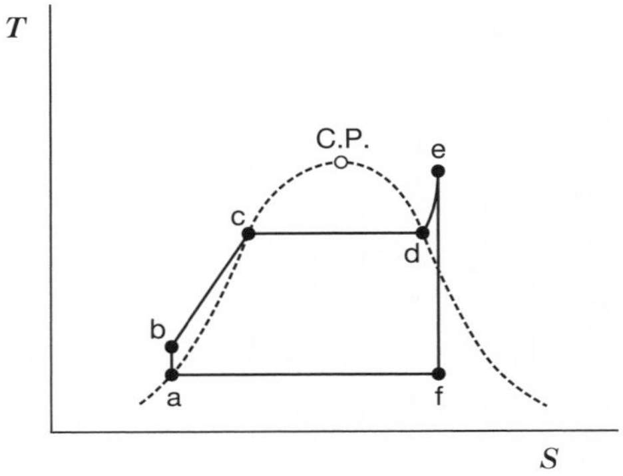

図　$T-s$ 線図

1)　このサイクルは [1] サイクルと呼ばれる．図中において，C.P. は臨界点を示しており，C.P. より左側の破線が飽和液線，右側の破線が飽和蒸気線を表している．

〈[1] の解答群〉

ア　オットー　　**イ**　ディーゼル　　**ウ**　ブレイトン　　**エ**　ランキン

2)　次のような条件で作動する例で，このサイクルについてその過程を考える．

i)　まず，状態点 a で作動流体は [2] の状態である．このときの圧力は 0.007 MPa である．

ii)　状態点 a の作動流体は給水ポンプにより加圧され，状態点 b で圧力が 5 MPa，温度が 39.2 ℃の [3] となる．この過程は [4] 変化である．

iii)　状態点 b の作動流体は，ボイラに投入され，状態点 c 及び d を経て状態点 e まで加熱される．この状態点 b−e の過程は [5] 変化である．

この間，状態点 c で [2] となった作動流体は，状態点 d までの間で [6] し，状態点 d では [7] となる．

さらに，ボイラで状態点 e まで加熱されて，温度が 360 ℃の [8] となる．

iv)　状態点 e の作動流体は蒸気タービンに送られ，そこで状態点 e−f の過程において動力を発生し発電を行い，蒸気タービン出口の状態点 f では [9] となる．この過程は [4] 変化である．

v)　状態点 f の作動流体は凝縮器で [10] され，状態点 a で完全に復水した状態となる．これを繰り返すことによりサイクルは作動する．

〈[2] ～ [10] の解答群〉

ア 圧縮水	**イ** 過熱水蒸気	**ウ** 乾き飽和水蒸気
エ 湿り水蒸気	**オ** 飽和水	**カ** 加熱
キ 冷却	**ク** 蒸発	**ケ** 等エントロピー
コ 等圧	**サ** 等温	**シ** 等容

3)　このサイクルの理論熱効率について考える．

i)　このサイクルにおける作動流体による単位質量当たりの出力 W [kJ/kg] を求める．

この出力 W は，状態点 e と状態点 f の [11] の差で求められるが，状態点 f の乾き度 x を求める必要がある．

状態点 f の乾き度 x の値は，式 $x =$ [12] から求めることができ，表を用いて計算すると [A a.bc] $\times 10^{-1}$ となる．

求めたこの乾き度を用いて，単位質量当たりの出力値は $W =$ [B a.bc] $\times 10^{3}$ [kJ/kg] と求められる．

〈[11] 及び [12] の解答群〉

ア $\dfrac{s - s'}{s'' - s'}$	**イ** $\dfrac{s'' - s}{s'' + s'}$	**ウ** $\dfrac{s'' - s}{s'' - s'}$
エ 比エンタルピー	**オ** 比エントロピー	**カ** 比体積

ii)　サイクルの理論熱効率 η_{th} を求める．

このサイクルにおける作動流体への単位質量当たりの投入熱量 Q は，ボイラ内で作動流体に与えられた熱量となり，式 $Q =$ [13] [kJ/kg] で表される．

したがって，理論熱効率は式 $\eta_{th} =$ [14] で表される．この式から，理論熱効率 η_{th} の値は [C a.bc] $\times 10^{-1}$ と求められる．

〈[13] 及び [14] の解答群〉

ア $h_e - h_a$	**イ** $h_e - h_b$	**ウ** $h_d - h_c$
エ $\dfrac{h_e - h_f}{h_e - h_a}$	**オ** $\dfrac{h_e - h_f}{h_e - h_b}$	**カ** $\dfrac{(h_e - h_f) - (h_b - h_a)}{h_e - h_a}$
キ $\dfrac{(h_e - h_f) - (h_b - h_a)}{h_e - h_b}$		

4)　この原動所における発電出力を求める．

この原動所の作動流体の流量 G は 800 kg/s である．この原動所の発電機効率を 90 %とし，ポンプ動力分は無視できるとすると，原動所において得られる発電出力は D a.bc $\times 10^5$ [kW] となる．

表1 飽和蒸気表

圧力 [MPa]	飽和温度 [℃]	比エンタルピー [kJ/kg]		比エントロピー [kJ/(kg·K)]	
		h'	h''	s'	s''
0.007	39.0	163.4	2 571.7	0.559 1	8.274 6
5.0	263.9	1 154.5	2 794.2	2.920 8	5.973 7

表2 圧縮水及び過熱蒸気表

圧力 [MPa]	温度 [℃]	比エンタルピー h [kJ/kg]	比エントロピー s [kJ/(kg·K)]
5.0	39.2	168.5	0.559 1
	360.0	3 095.6	6.493 4

解　説

1)　化学エネルギー等から得られる熱エネルギーを利用し，気液相変化を経て生成される蒸気を作動流体として機械的エネルギーに変換するシステムを蒸気原動所と呼び，そのサイクルをランキンサイクルと呼んでいる．

2)　状態点 a では作動流体は飽和水の状態にある．この作動流体は，給水ポンプを用いて断熱的に加圧されて状態点 b となる．状態点 b では圧縮水となり，この過程は等エントロピー変化である．

状態点 b の作動流体はボイラにおいて燃焼により熱が与えられ，状態点 c および d を経て，等圧変化により温度が上昇し状態点 e となる．

この間，状態点 c で飽和水となった作動流体は，状態点 d までの間で蒸発し，状態点 d では乾き飽和水蒸気となり，さらにボイラで状態点 e まで加熱されて，過熱水蒸気となる．

状態点 e の作動流体は蒸気タービンに送られ，状態点 e–f の過程において動力を発生し発電を行い，蒸気タービン出口の状態点 f では湿り水蒸気となる．この過程は等エントロピー変化である．

状態点 f の作動流体は凝縮器で冷却され，状態点 a で完全に復水した状態となる．

3)

i)　単位質量当たりの出力値 W は，状態点 e と状態点 f の比エンタルピーの差で求められる．

状態点 f の乾き度 x は次式で求められる．

$$x = \frac{s - s'}{s'' - s'} = \frac{6.493\,4 - 0.559\,1}{8.274\,6 - 0.559\,1} = 0.769\,1 \fallingdotseq 7.69 \times 10^{-1}$$

状態点 f の比エンタルピー h_f は，次式となる．

$$\begin{aligned} h_f &= h' + x(h'' - h') \\ &= 163.4 + 0.769\,1 \times (2\,571.7 - 163.4) \\ &= 2\,015.6\ \mathrm{kJ/kg} \end{aligned}$$

したがって，求めた h_f の値と既知の状態点 e の比エンタルピーの差から単位質量当たりの出力値 W は次のようになる．

$$\begin{aligned} W &= h_e - h_f = 3\,095.6 - 2\,015.6 \\ &= 1\,080 \fallingdotseq 1.08 \times 10^3\ \mathrm{kJ/kg} \end{aligned}$$

ii)　このサイクルにおける作動流体への単位質量当たりの投入熱量 Q は式 Q で表される．

$$Q = h_e - h_b$$

したがって，理論熱効率は式 η_{th} で表される．

$$\eta_{th} = \frac{(h_e - h_f) - (h_b - h_a)}{h_e - h_b}$$

この式から，理論熱効率 η_{th} の値は次のように求められる．

$$\begin{aligned} \eta_{th} &= \frac{(h_e - h_f) - (h_b - h_a)}{h_e - h_b} \\ &= \frac{(3\,095.6 - 2\,015.6) - (168.5 - 163.4)}{3\,095.6 - 168.5} \\ &= 0.367\,2 \fallingdotseq 3.67 \times 10^{-1} \end{aligned}$$

4)　3)で求めた単位質量当たりの出力値 W と題意より，原動所において得られる発電出力 L は次式となる．

$$L = 800 \times 1.08 \times 10^3 \times 0.9 = 777\,600 \fallingdotseq 7.78 \times 10^5\ \mathrm{kW}$$

解　答　**1)　1- エ**

2)　2- オ，3- ア，4- ケ，5- コ，6- ク，7- ウ，8- イ，9- エ，10- キ

3)　11- エ，12- ア，A-7.69，B-1.08，13- イ，14- キ，C-3.67

4)　D-7.78

（流体工学の基礎）

問題6　次の各文章の 1 ～ 14 の中に入れるべき最も適切な字句，数値又は式をそれぞれの解答群から選び，その記号を答えよ．

また，[A a.b] に当てはまる数値を計算し，その結果を答えよ．ただし，解答は解答すべき数値の最小位の一つ下の位で四捨五入すること．(配点計 50 点)

(1) 図 1 に示すような傾斜した円管内を水が流れており，A 点（管の内径 200 mm）での断面平均流速が 1 m/s である．A 点での静圧を測る液柱計 1 の液柱と，A 点から 500 mm の高さにある B 点（管の内径 100 mm）での静圧を測る液柱計 2 の液柱の高さの差 Δh を求めたい．この場合，粘性の影響を無視できるとすると，ベルヌーイの式を用いることができる．

ベルヌーイの式は，流れのある点における流体の密度を ρ，断面平均流速を w，圧力を p，基準面からの高さを z，重力の加速度を g とすると，式 [1] で表すことができる．ここで，B 点での断面平均速度は，A 点での速度が既知なので [2] の式から求められる．この二つを組み合わせると，Δh の値は [A a.b] $\times 10^{-1}$ [m] と求められる．ただし，g を 9.8 m/s^2 とする．

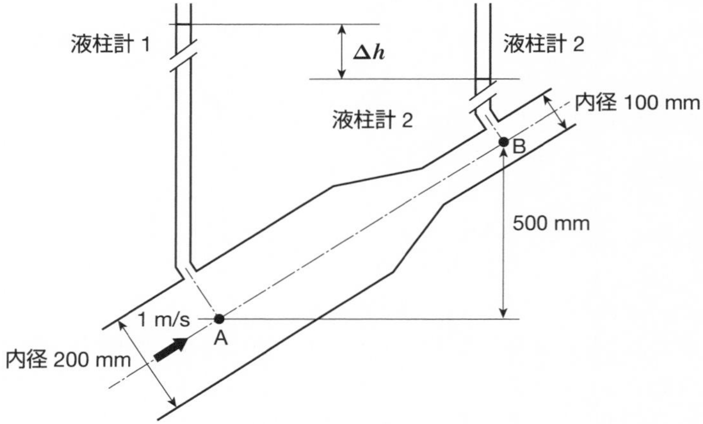

図 1

〈[1] 及び [2] の解答群〉

ア $\dfrac{\rho w^2}{2} + p + gz = 一定$　　**イ** $\dfrac{\rho w^2}{2} + p + \rho gz = 一定$

ウ $\dfrac{\rho w^2}{2} + \dfrac{p}{\rho} + gz = 一定$　　**エ** オイラー

オ ナビエ・ストークス　　**カ** 質量保存

(2) 流体の流れを考えるとき，流体の運動方程式を無次元化して考えると便利である．

非圧縮性で自由表面がない流れの場合では，レイノルズ数が流れを支配する無次元数であり，非圧縮性流体における層流と乱流の境界はレイノルズ数で判断できる．レイノルズ数の物理的な意味は，流体に働く粘性力と［ 3 ］の比である．

層流が乱流へ遷移するときのレイノルズ数を臨界レイノルズ数という．その値は，例えば管内流のような内部流では，代表長さを管内径としたとき［ 4 ］程度，流れに並行に置かれた平板周りの流れのような外部流では，平板先端から乱れが始まるまでの距離を代表長さとしたとき，［ 5 ］程度となることが実験で知られている．

〈［ 3 ］～［ 5 ］の解答群〉

ア　200　**イ**　2 000　**ウ**　20 000　**エ**　10^5　**オ**　10^7

カ　10^9　**キ**　慣性力　**ク**　重力　**ケ**　弾性力

(3)　流体が管路を流れる際のエネルギーの損失は，圧力損失を ΔP として，ρ を流体の密度，w を管断面平均流速，K を損失係数とすると，$\Delta P = K\dfrac{\rho w^2}{2}$ で表すことができる．

図 2 は壁面に対して垂直に取り付けられている管路の入口の各種形状を示したものである．図の(a)～(e)を損失係数 K が小さい順から並べると［ 6 ］，［ 7 ］，(a)，［ 8 ］，［ 9 ］となる．

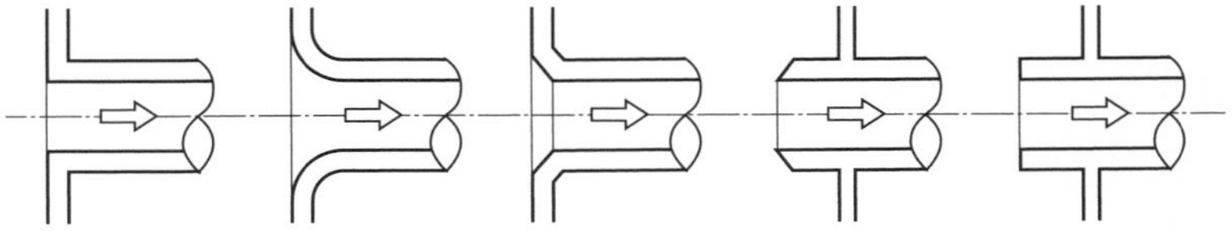

(a)　(b)　(c)　(d)　(e)

図 2

〈［ 6 ］～［ 9 ］の解答群〉

ア　(b)　**イ**　(c)　**ウ**　(d)　**エ**　(e)

(4)　送風機の種類，特性及び風量制御について考える．

1)　遠心式ファンは羽根車出口の角度により多翼ファン（90° 以上），ラジアルファン（90°），ターボファン（90° 以下）に分けられる．

これらのうち，ファンの効率が最も高いのは［ 10 ］ファンである．

また，一般に圧力曲線に谷があり，風量が増大するに従って軸動力が最も大きく増大するのは［ 11 ］ファンである．

〈［ 10 ］及び［ 11 ］の解答群〉

ア　ターボ　**イ**　ラジアル　**ウ**　多翼

2)　送風機の軸動力 L は，流体の密度を ρ，体積流量を Q，送風機の断熱ヘッドを H_{ad}，効率を η とし，重力の加速度を g とすると，次式で与えられる.

$L =$ [12] ……………………①

回転速度制御では，理論上，軸動力 L は回転速度の 3 乗に比例する.このことは，式①において，回転速度と流量及び回転速度と断熱ヘッドの関係を考慮すると理解することができる.

〈[12] の解答群〉

ア　$\rho Q H_{\mathrm{ad}} \eta$　　**イ**　$\rho g Q H_{\mathrm{ad}} \eta$　　**ウ**　$\dfrac{\rho g Q H_{\mathrm{ad}}}{\eta}$

3)　図 3 は，送風機の風量制御において，吐出し管系の抵抗制御，吸込み管系の抵抗制御及び回転速度制御を用いて A 点から B 点に風量を絞るときの概念を示したものであり，実線が送風機特性曲線，破線が吐出し管系の抵抗曲線である．これらの制御の中で，風量を絞ったときの送風機の軸動力の低減率が最も劣るのは [13] 制御であり，その風量制御の概念は図 3 の [14] のように示される.

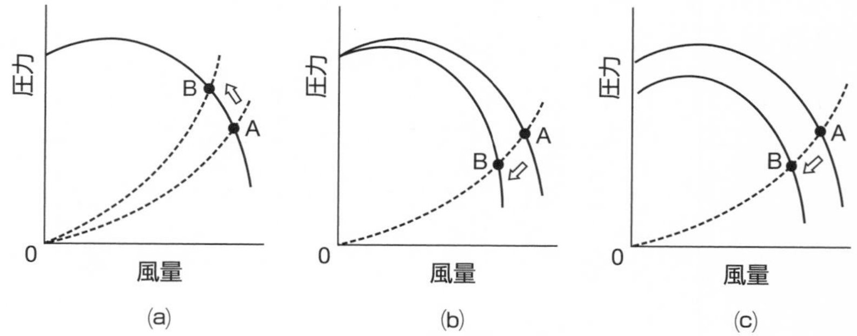

図 3　各風量制御の概念

〈[13] 及び [14] の解答群〉

ア　(a)　　**イ**　(b)　　**ウ**　(c)

エ　回転速度　　**オ**　吸込み管系の抵抗　　**カ**　吐出し管系の抵抗

解　説

(1)　ベルヌーイの式は，流れのある点における流体の密度を ρ，断面平均流速を w，圧力を p，基準面からの高さを z，重力加速度を g とすると，次式で表すことができる.

$$\frac{\rho w^2}{2} + p + \rho g z = 一定$$

B 点での断面平均速度は，A 点での速度が既知なので質量保存の法則から求められる．

A 点での流速，内径をそれぞれ w_A，d_A，B 点での流速，内径をそれぞれ w_B，d_B とすると，次のように求められる．

$$\rho w_A \frac{\pi {d_A}^2}{4} = \rho w_B \frac{\pi {d_B}^2}{4}$$

$$w_B = \frac{{d_A}^2}{{d_B}^2} w_A = \frac{0.2^2}{0.1^2} \times 1 = 4.0\ \mathrm{m/s}$$

この二つを組み合わせると，Δh の値は，次のように求められる．

A 点での静圧を P_A，A 点での液柱高さを h_A，B 点での静圧を P_B，B 点での液柱高さを h_B とすると，静圧は式①のように表される．

$$P_A = \rho g h_A,\ P_B = \rho g(h_B - 0.5) \qquad ①$$

また，A 点，B 点に対し，ベルヌーイの式に代入すると式②のように表される．

$$\frac{{w_A}^2}{2g} + \frac{P_A}{\rho g} + z_A = \frac{{w_B}^2}{2g} + \frac{P_B}{\rho g} + z_B \qquad ②$$

式②に式①を代入，$z_B = z_A + 0.5$ より整理すると次のようになる．

$$\frac{{w_A}^2}{2g} + h_A + z_A = \frac{{w_B}^2}{2g} + h_B - 0.5 + z_A + 0.5$$

$$h_A - h_B = \Delta h = \frac{{w_B}^2}{2g} - \frac{{w_A}^2}{2g} = \frac{4^2}{2 \times 9.8} - \frac{1^2}{2 \times 9.8}$$

$$= 0.765 \fallingdotseq 7.7 \times 10^{-1}\ \mathrm{m}$$

(2)　レイノルズ数の物理的な意味は，流体に働く粘性力と慣性力の比である．

臨界レイノルズ数について，管内流のような内部流では，一般的に約 2 300（2 000 ～ 4 000）であるため，解答群より 2 000 となる．

また，平板周りの流れのような外部流では，$3.2 \times 10^5 \sim 5 \times 10^5$ であるため，解答群より 10^5 となる．

(3)　損失係数は，ほぼ管路の入口の形状によって定まる．管路入口付近で流れが一度収縮したあと，再び管内に広がる際の損失であり，入口の角の丸みの影響が大きい．

したがって，小さい順から，(b)→(c)→(a)→(e)→(d)となる．

(4)

1)　ターボファンは，効率が高く騒音も低い．一方，多翼ファンは，風量が増加するに従って軸動力が増大する．効率が低く，騒音も大きい．

2)　送風機の軸動力 L は，題意より次式で与えられる．

$$L=\frac{\rho g Q H_{\mathrm{ad}}}{\eta L}$$

3)　風量を絞ったときの送風機の軸動力の低減率が劣る順は，吐出し管系の抵抗制御，吸込み管系の抵抗制御，回転速度制御である．

吐出し管系の抵抗制御は吐出し側の抵抗を増大して行うため最も低減率が劣る．

また，風量制御の概念図は，(a)吐出し管系の抵抗制御，(b)吸込み管系の抵抗制御，(c)回転速度制御である．

解　答　(1)　**1-イ，2-カ，A-7.7**
(2)　**3-キ，4-イ，5-エ**
(3)　**6-ア，7-イ，8-エ，9-ウ**
(4)　**10-ア，11-ウ，12-ウ，13-カ，14-ア**

(伝熱工学の基礎)

問題7　次の各文章の [1] ～ [14] の中に入れるべき最も適切な字句又は数値をそれぞれの解答群から選び，その記号を答えよ．なお，[1]，[5]，[6]，[11] 及び [14] は2箇所あるが，それぞれ同じ記号が入る．

また，[A　a.bc×10^{d}] 及び [B　a.bc×10^{d}] に当てはまる数値を計算し，その結果を答えよ．ただし，解答は解答すべき数値の最小位の一つ下の位で四捨五入すること．（配点計50点）

(1)　熱伝導によって生じる熱流束は温度勾配に比例し，[1] の式で表される．ここで，熱流束の単位は [2] であり，[1] の式に含まれる比例係数は熱伝導率と呼ばれる物性値である．

機械材料としてよく使われる炭素鋼，ステンレス鋼，ジュラルミンの中では，一般に [3] の熱伝導率が最も大きく，熱を伝えやすい材料である．

熱伝導率を [4] と定圧比熱で除したものが温度伝導率であり，非定常熱伝導における重要なパラメータである．温度伝導率の単位は [5] の単位と同じであり，[5] を温度伝導率で除した無次元数はプラントル数となる．

〈[1] ～ [5] の解答群〉

ア　W	**イ**　W/m	**ウ**　W/m^2	**エ**　W/(m·K)
オ　ニュートン	**カ**　フーリエ	**キ**　ベルヌーイ	**ク**　ラプラス

ケ　ジュラルミン　　**コ**　ステンレス鋼　　**サ**　炭素鋼
シ　線膨張係数　　**ス**　弾性率
セ　動粘性係数（あるいは動粘性率）　　**ソ**　比熱比　　**タ**　密度

(2)　物体から放射された電磁波は，空間を伝播して他の物体に到達し，そこで反射，透過，吸収が起こる．黒体は [6] が 1 である理想的な物体であり，黒体が放射する電磁波の波長ごとの強さは [7] の式で与えられる．黒体の絶対温度と放射される電磁波の強さの極大を与える波長との関係は [8] の変位則として知られており，黒体の絶対温度が 300 K から 2 000 K へ変化すると，電磁波の強さが極大となる波長は概ね [9] へ変化する．実際の物体は黒体より弱い電磁波しか放出せず，放射率（あるいは射出率）は 0 ～ 1 の間の値を取る．一般に，物体の放射率は [6] に等しく，この関係は [10] の法則と呼ばれる．

〈[6] ～ [10] の解答群〉
ア　0.1 μm から 0.015 μm　　**イ**　1 μm から 0.15 μm
ウ　10 μm から 1.5 μm　　**エ**　100 μm から 15 μm
オ　ウィーン　　**カ**　キルヒホッフ　　**キ**　シュミット
ク　ステファン・ボルツマン　　**ケ**　プランク　　**コ**　吸収率
サ　透過率　　**シ**　反射率

(3)　温度の高い鉛直平板に接した流体は加熱され，一般に密度が減少して軽くなるため，平板に沿って上昇する流れが生じる．これを自然対流と呼ぶ．自然対流において，流体に働く浮力と粘性力の比を表す無次元数が [11] 数である．その定義式には平板の長さの [12] 乗が含まれる．

[11] 数とプラントル数を掛け合わせた無次元数が [13] 数であり，自然対流による熱伝達率を与える式の中に用いられることが多い．

〈[11] ～ [13] の解答群〉
ア　0.5　　**イ**　1　　**ウ**　2　　**エ**　3
オ　グラスホフ　　**カ**　シュミット　　**キ**　ビオ
ク　マッハ　　**ケ**　ルイス　　**コ**　レイリー

(4)　円管内の強制対流の乱流熱伝達は，伝熱において重要な現象の一つである．強制対流熱伝達を支配する無次元数はヌセルト数で，熱伝達率を管径と流体の [14] を用いて無次元化したものである．

発達した円管内乱流のヌセルト数を与える代表的な式であるコルバーンの式は次のとおりである．

$$Nu = 0.023Re^{0.8}Pr^{\frac{1}{3}} \qquad \cdots\cdots ①$$

ここで，Nu はヌセルト数，Re はレイノルズ数，Pr はプラントル数である．プラントル数は流体ごとに決まる物性値で，常温常圧の空気のプラントル数は約 0.7 である．

いま，円管内を常温常圧の空気が流れていて，管内平均流速を 50 m/s，代表長さとする円管内径を 30 mm，動粘性係数を 1.5×10^{-5} m²/s とすると，レイノルズ数は A $\mathrm{a.bc}\times10^{\mathrm{d}}$ となり，流れは乱流であると判断される．

常温常圧の空気のプラントル数を 0.7 とし，指数計算には必要に応じて表を用いると，式①よりヌセルト数は B $\mathrm{a.bc}\times10^{\mathrm{d}}$ となり，さらに空気の 14 の値を与えれば熱伝達率を求めることができる．

表

X	1.5×10^{-5}	30×10^{-3}	0.7	50
$X^{0.8}$	1.383×10^{-4}	6.049×10^{-2}	—	2.287×10^{1}
$X^{\frac{1}{3}}$	—	—	0.887 9	—

〈 14 の解答群〉

ア　熱伝導率　　**イ**　比熱　　**ウ**　密度

解　説

(1)　熱伝導によって生じる熱流束 $\dot{q}$ ［W/m²］は温度勾配に比例する．熱の流れる方向を x とし，温度を T で表せば，次式（フーリエの式）が成り立つ．

$$\dot{q} = -k\frac{\partial T}{\partial x}$$

ここで k は熱伝導率と呼ばれ，物質の種類，温度，圧力を指定すると定まる重要な物性値の一つである．

熱伝導率の大きい順に，ジュラルミン，炭素鋼，ステンレス鋼であり，ジュラルミンは熱を伝えやすい材料である．

温度伝導率 a ［m²/s］は，熱伝導率 k を密度 ρ と定圧比熱 C_{p} で除したものであり，次式で表される．

単位は動粘性係数 v ［m²/s］と同じである．

$$a = \frac{k}{\rho C_{\mathrm{p}}}$$

動粘性係数 v を温度伝導率 a で除した無次元数はプラントル数 Pr となる．

$$Pr = \frac{v}{a}$$

(2)　黒体は吸収率が 1 である理想的な物体であり，黒体が放射する電磁波の波長ごとの強さ $E_{\lambda b}$ はプランクの式で与えられる．

$$E_{\lambda b} = \frac{C_1 \lambda^{-5}}{\exp\left(\dfrac{C_2}{\lambda T}\right) - 1}$$

ここで，C_1，C_2 は定数である．

黒体の絶対温度と放射される電磁波の強さの極大を与える波長との関係は次式に示すウィーンの変位則として知られている．

$$\lambda_{max} \cdot T = 2.897\,5 \times 10^{-3}$$

黒体の絶対温度が 300 K から 2 000 K へ変化すると，電磁波の強さが極大となる波長は概ね 10 μm から 1.5 μm へ変化する．

物体の放射率 ε は吸収率 α に等しく，この関係はキルヒホッフの法則と呼ばれる．

(3)　自然対流において，流体に働く浮力と粘性力の比を表す無次元数がグラスホフ数 Gr である．

その定義式には平板の長さ l の 3 乗が含まれる．

$$Gr = \frac{g\beta l^3 \Delta T}{v^2}$$

グラスホフ数 Gr とプラントル数 $Pr\left(= \dfrac{v}{a}\right)$ を掛け合わせた無次元数がレイリー数 Ra である．

$$Ra = Gr \cdot Pr = \frac{g\beta l^3 \Delta T}{v^2} \times \frac{v}{a} = \frac{g\beta l^3 \Delta T}{va}$$

a：熱拡散率（温度伝導率），g：重力加速度，l：長さ，ΔT：温度差，v：動粘性率（動粘性係数）

(4)　ヌセルト数 Nu は，熱伝達率を管径と流体の熱伝導率を用いて無次元化したものである．

レイノルズ数 Re は，管内平均流速 w，代表長さ l，動粘性係数 v より次式で表される．

$$Re = \frac{wl}{v} = \frac{50 \times 0.03}{1.5 \times 10^{-5}} = 100\,000 = 1.00 \times 10^5$$

ヌセルト数は題意と式①より，次のように求められる．

$$Nu = 0.023 Re^{0.8} Pr^{\frac{1}{3}}$$

$$= 0.023 \times \frac{50^{0.8} \times 0.03^{0.8}}{(1.5 \times 10^{-5})^{0.8}} \times 0.7^{\frac{1}{3}}$$

$$= 0.023 \times \frac{2.287 \times 10^{1} \times 6.049 \times 10^{-2}}{1.383 \times 10^{-4}} \times 0.887\,9$$

$$= 204.2 \fallingdotseq 2.04 \times 10^{2}$$

さらに空気の熱伝導率の値を与えれば熱伝達率を求めることができる.

解　答　(1)　**1-カ，2-ウ，3-ケ，4-タ，5-セ**

(2)　**6-コ，7-ケ，8-オ，9-ウ，10-カ**

(3)　**11-オ，12-エ，13-コ**

(4)　**14-ア，A-1.00 × 10^5，B-2.04 × 10^2**

第 41 回　2019 年（令和元年）

（熱力学の基礎）

問題4　次の各文章の [1] 及び [2] の中に入れるべき最も適切な式を〈[1] 及び [2] の解答群〉から選び，その記号を答えよ．

また，[A　a.bc] ～ [I　a.bc×10^d] に当てはまる数値を計算し，その結果を答えよ．ただし，解答は解答すべき数値の最小位の一つ下の位で四捨五入することとし，対数の計算においては表の数値を用いること．（配点計 50 点）

ピストンの付いたシリンダ内に，圧力 2 MPa，温度 300 K の空気が 10 kg 入っており，ピストンが静止するように外から力が加えられている．

ピストンは可逆的に動き，空気の漏れは全くないものとし，空気は理想気体として考えられるものとする．

ここで，空気の定容比熱 c_v を 0.717 1 kJ/(kg·K)，ガス定数 R を 0.287 2 kJ/(kg·K) とする．

なお，空気について，P は圧力，T は温度，V は体積，S はエントロピー，U は内部エネルギーを示し，各状態点での熱力学的状態量を表すそれらの記号には，その状態点の番号を添え字として用いることとする．

1）　初期の状態を状態 1 とすると，このときのシリンダ内の空気の圧力 P_1 が 2 MPa，温度 T_1 が 300 K であることから，体積 V_1 は [A　a.bc] $\times 10^{-1}$ [m³] である．

2）　ピストンにさらに外から力を加えることにより，シリンダ内の空気が，状態 1 から等温の状態で圧縮され，圧力が 4 MPa となった．この状態を状態 2 とすると，このときのシリンダ内の空気の圧力 P_2 が 4 MPa，温度 T_2 が 300 K であることから，体積 V_2 は [B　a.bc] $\times 10^{-1}$ [m³] であり，状態 1 から状態 2 へ変化する間に外部から空気に付与された仕事 L_{12} は [C　a.bc×10^d] [kJ] である．

3）　次に，状態 2 から内部の空気を等圧のもとで加熱したところ，温度が 300 K から 400 K となった．この状態を状態 3 とすると，このとき空気に加えられた熱量 Q は空気の定圧比熱を用いて求めることができる．ここで，空気の定圧比熱 c_p は，関係式 [1] から求めることができ，その値は [D　a.bcd] [kJ/(kg·K)] となる．したがって，Q は [E　a.bc×10^d] [kJ] となる．

また，この加熱による空気の内部エネルギーの増加量 ΔU は [F　a.bc×10^d]

［kJ］であり，空気が外部になした仕事 L_{23} は $\boxed{\text{G}\ \ \text{a.bc}\times 10^{\text{d}}}$ ［kJ］である．さらに，エントロピーの増加量 ΔS は $\boxed{\text{H}\ \ \text{a.bc}\times 10^{\text{d}}}$ ［kJ/K］となる．

4)　状態 3 の空気が有する有効エネルギーについて考える．

シリンダ内の空気が周囲環境と平衡状態になるまでに得られる最大仕事が有効エネルギーである．したがって，状態 3 の空気が有する有効エネルギー E は，周囲環境の状態量を添え字 e で示すこととすると，次式で表すことができる．

$$E = \boxed{\ \ 2\ \ }$$

ここで，周囲環境の圧力 P_e が 100 kPa，温度 T_e が 300 K であるとすると，状態 3 の圧力 P_3 が 4 MPa，温度 T_3 が 400 K なので，有効エネルギー E の値は $\boxed{\text{I}\ \ \text{a.bc}\times 10^{\text{d}}}$ ［kJ］となる．

〈$\boxed{\ \ 1\ \ }$ 及び $\boxed{\ \ 2\ \ }$ の解答群〉

ア　$c_p = c_v + R$　　　**イ**　$c_p = c_v - R$

ウ　$c_p = \dfrac{c_v + R}{2}$　　　**エ**　$(U_3 - U_e) + P_e(V_3 - V_e)$

オ　$(U_3 - U_e) - T_e(S_3 - S_e)$

カ　$(U_3 - U_e) + P_e(V_3 - V_e) + T_e(S_3 - S_e)$

キ　$(U_3 - U_e) + P_e(V_3 - V_e) - T_e(S_3 - S_e)$

表　自然対数表

N	2	3	4	5	6	7	8	9	10
ln N	0.693 1	1.098 6	1.386 3	1.609 4	1.791 8	1.945 9	2.079 4	2.197 2	2.302 6

解　説

1)　理想気体の状態方程式より，次式のようになる．

$$P_1V_1 = mRT_1$$

$$V_1 = \frac{mRT_1}{P_1} = \frac{10 \times 0.287\,2 \times 300}{2 \times 10^3} = 0.430\,8 \fallingdotseq 4.31 \times 10^{-1}\ \mathrm{m^3}$$

2)　等温変化では，$P_1V_1 = P_2V_2$ であるため，体積 V_2 は次式で表される．

$$V_2 = \frac{P_1V_1}{P_2} = \frac{2 \times 10^3 \times 0.430\,8}{4 \times 10^3} = 0.215\,4 = 2.15 \times 10^{-1}\ \mathrm{m^3}$$

また状態 1 から状態 2 へ変化する間（等温圧縮）に外部から空気に付与された仕事 L_{12} は次式で表される．

$$L_{12} = mRT \ln\frac{V_1}{V_2} = 10 \times 0.287\,2 \times 300 \times \ln\frac{0.430\,8}{0.215\,4}$$

$$= 10 \times 0.287\,2 \times 300 \times \ln 2 = 10 \times 0.287\,2 \times 300 \times 0.693\,1$$

$$= 597.17 \fallingdotseq 5.97 \times 10^2\ \mathrm{kJ}$$

3)　空気の定圧比熱 c_p は，次の関係式から求めることができ，その値は次のようになる．

$$c_p = c_v + R = 0.717\,1 + 0.287\,2 = 1.004\,3 \fallingdotseq 1.004\ \mathrm{kJ/(kg{\cdot}K)}$$

したがって，等圧変化において状態 2 から状態 3 へ変化する間に空気に加えられた熱量 Q は次式で表される．

$$Q = mc_p(T_3 - T_2) = 10 \times 1.004\,3 \times (400 - 300) = 1\,004.3$$

$$\fallingdotseq 1.00 \times 10^3\ \mathrm{kJ}$$

またこの加熱による空気の内部エネルギーの増加量 ΔU，空気が外部になした仕事 L_{23} はそれぞれ次式で表される．

$$\Delta U = mc_v(T_3 - T_2) = 10 \times 0.717\,1 \times (400 - 300) = 717.1$$

$$\fallingdotseq 7.17 \times 10^2\ \mathrm{kJ}$$

$$L_{23} = mR(T_3 - T_2) = 10 \times 0.287\,2 \times (400 - 300) = 287.2$$

$$\fallingdotseq 2.87 \times 10^2\ \mathrm{kJ}$$

さらにエントロピーの増加量 ΔS は次式で表される．

$$\Delta S = mc_p(\ln T_3 - \ln T_2) = 10 \times 1.004\,3 \times (\ln 400 - \ln 300)$$

$$= 10 \times 1.004\,3 \times \{\ln(2^4 \times 5^2) - \ln(3 \times 10^2)\}$$

$$= 10 \times 1.004\,3 \times (4 \ln 2 + 2 \ln 5 - \ln 3 - 2 \ln 10)$$

$$= 10 \times 1.004\,3 \times (4 \times 0.693\,1 + 2 \times 1.609\,4 - 1.098\,6 - 2 \times 2.302\,6)$$

$$= 2.886 \fallingdotseq 2.89 \times 10^0\ \mathrm{kJ/K}$$

4)　状態 3 の空気が有する有効エネルギー E は内部エネルギーの変化量 ΔU，周囲環境に対して行う体積仕事 $P_0 \Delta V$，周囲環境の受け取る熱量 $T_0 \Delta S$ より，

$$E = -\Delta U - P_e \Delta V + T_e \Delta S \qquad (1)$$

となり，これを状態 3 から周囲環境の状態まで積分することにより，次式のようになる．

$$E = -\int_{U_3}^{U_e} \mathrm{d}U - \int_{V_3}^{V_e} P_e \mathrm{d}V + \int_{S_3}^{S_e} T_e \mathrm{d}S \qquad (2)$$

$$E = (U_3 - U_e) + P_e(V_3 - V_e) - T_e(S_3 - S_e) \qquad (3)$$

ここで，題意の有効エネルギー E は，温度と圧力が変化する場合であり，式（2）と

$$\mathrm{d}U = mc_v \mathrm{d}T$$

$$\mathrm{d}S = m\left(c_p \frac{\mathrm{d}T}{T} - R \frac{\mathrm{d}P}{P}\right)$$

より，次式で表される．

$$E = mc_vT_\text{e}\left(\frac{T_3}{T_\text{e}} - 1 + \frac{c_p}{c_v}\ln\frac{T_\text{e}}{T_3}\right) + mRT_\text{e}\left(\frac{T_3P_\text{e}}{T_\text{e}P_3} - 1 - \ln\frac{P_\text{e}}{P_3}\right)$$

$$= mc_vT_\text{e}\left(\frac{T_3}{T_\text{e}} - 1 + \frac{c_p}{c_v}\ln\frac{300}{400}\right) + mRT_\text{e}\left(\frac{T_3P_\text{e}}{T_\text{e}P_3} - 1 - \ln\frac{100}{4\,000}\right)$$

$$= mc_vT_\text{e}\left(\frac{T_3}{T_\text{e}} - 1 + \frac{c_p}{c_v}\ln\frac{3\times10^2}{2^4\times5^2}\right) + mRT_\text{e}\left(\frac{T_3P_\text{e}}{T_\text{e}P_3} - 1 - \ln\frac{10^2}{2^4\times5^2\times10}\right)$$

$$= mc_vT_\text{e}\left\{\frac{T_3}{T_\text{e}} - 1 + \frac{c_p}{c_v}(\ln 3 + 2\ln 10 - 4\ln 2 - 2\ln 5)\right\}$$

$$+ mRT_\text{e}\left\{\frac{T_3P_\text{e}}{T_\text{e}P_3} - 1 - (2\ln 10 - 4\ln 2 - 2\ln 5 - \ln 10)\right\}$$

$$= 10\times0.717\,1\times300\left\{\frac{300}{400} - 1 + \frac{1.004\,3}{0.717\,1}(1.098\,6 + 2\times2.302\,6\right.$$

$$\left. - 4\times0.693\,1 - 2\times1.609\,4)\right\}$$

$$+ 10\times0.287\,2\times300\left\{\frac{400\times100}{300\times40\,000} - 1 - (2\times2.302\,6 - 4\right.$$

$$\left.\times0.693\,1 - 2\times1.609\,4 - 2.302\,6)\right\}$$

$$= 2\,196 \fallingdotseq 2.20\times10^3\ \text{kJ}$$

解 答

1) A-4.31

2) B-2.15，C-5.97 × 10^2

3) 1-ア，D-1.004，E-1.00 × 10^3，F-7.17 × 10^2，G-2.87 × 10^2，H-2.89 × 10^0

4) 2-キ，I-2.20 × 10^3

（熱力学の基礎）

問題5 次の各文章の $\boxed{\ 1\ }$ ～ $\boxed{\ 9\ }$ の中に入れるべき最も適切な字句又は式をそれぞれの解答群から選び，その記号を答えよ．なお，一つの解答群から同じ記号を2回以上使用してもよい．

また，$\boxed{\text{A}\ \ \text{a.bc}}$ ～ $\boxed{\text{C}\ \ \text{a.bc}}$ に当てはまる数値を計算し，その結果を答えよ．ただし，解答は解答すべき数値の最小位の一つ下の位で四捨五入すること．（配点計50点）

ある蒸気原動所のシステム構成を図1に，その理論サイクルの $T-s$ 線図を

図 2 に示す．ここで，図中の番号は状態点を示す．

作動流体について，T は温度，h は比エンタルピー，s は比エントロピーを示し，各状態点での熱力学的状態量を表すそれらの記号には，その状態点の番号を添え字として用いることとする．

なお，計算に用いる作動流体の比エンタルピー h 及び比エントロピー s は表 1 及び表 2 の数値を用いること．また，符号 ′ は飽和水の状態，符号 ″ は乾き飽和蒸気の状態を表す．

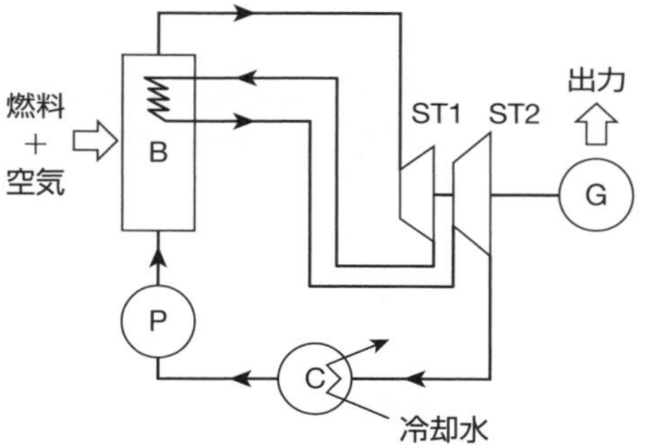

B：ボイラ
G：発電機
C：復水器
P：給水ポンプ
ST1，ST2：蒸気タービン

図 1　システム構成

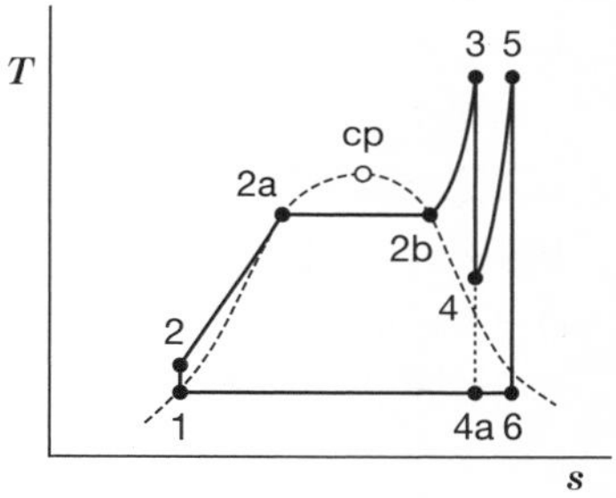

図 2　サイクルの T−s 線図

1)　このサイクルは [1] サイクルと呼ばれる．

〈[1] の解答群〉

ア　再生　　**イ**　再熱　　**ウ**　複合

2)　図 2 において，状態 1 では作動流体は圧力 P_1 が 0.007 MPa の飽和水の状態にある．この作動流体は，給水ポンプを用いて断熱的に圧力 P_2 が 7 MPa となるまで加圧されて状態 2 となる．

状態 2 の作動流体は，ボイラにおいて燃焼により熱が与えられ [2] 変化により温度が上昇し，温度 T_3 が 370 ℃の状態 3 となる．

ここで，状態 2 から 2a までの間は圧縮水，状態 2a から 2b までの間は [3]，2b から 3 までの間は [4] である．

3)　状態 3 の作動流体は，図 1 の蒸気タービン ST1 で [5] 変化により，熱は仕事に変換され，圧力 3 MPa の状態 4 になる．蒸気タービン ST1 から排出された状態 4 の作動流体は再びボイラへ送られ，温度が 370 ℃の状態 5

まで加熱される．状態 5 の作動流体は ST2 へ送られ，状態 3 から状態 4 への変化と同様に，熱は仕事に変換され状態 6 になる．

4)　蒸気タービン ST2 から排出された状態 6 の作動流体は復水器に送られ，冷却水で熱を奪われて等温変化かつ [6] 変化により状態 1 に戻る．

〈[2] ～ [6] の解答群〉

ア　過熱蒸気　　**イ**　乾き飽和蒸気　　**ウ**　湿り蒸気　　**エ**　飽和水

オ　断熱　　**カ**　等圧　　**キ**　等温　　**ク**　等容

5)　ここで，蒸気タービン ST2 がないサイクルを想定し，図 2 のサイクルと熱効率を比較する．

蒸気タービン ST2 がないサイクルは，図 1 で ST1 を出た蒸気が直接復水器に送られる単純化されたシステムとなり，図 2 で作動流体は状態 3 から状態 4a に変化し，状態 1 に戻ることになる．

i)　蒸気タービン ST2 がない場合

サイクルの理論効率 η_1 は次の式①で表すことができる．

$\eta_1 =$ [7]　　……①

ここで，簡略化のため給水ポンプによる仕事は無視するものとして式①を計算すると，η_1 の値は 0.382 となる．

ii)　蒸気タービン ST2 がある場合

サイクルの理論効率 η_2 は，給水ポンプによる仕事を無視すると，次の式②で表すことができる．

$\eta_2 =$ [8]　　……②

ここで，作動流体の比エンタルピー h は，その状態の乾き度を x とすると，乾き飽和蒸気の比エンタルピー h'' と飽和水の比エンタルピー h' を用いて，$h = h' + x(h'' - h')$ より求めることができる．一方，状態 6 のときの乾き度 x_6 は，状態 6 の圧力における乾き飽和蒸気の比エントロピー s''，飽和水の比エントロピー s' 及び状態 5 の比エントロピー s_5 を用いて，式 [9] で表され，[A a.bc] $\times 10^{-1}$ と計算されることから，状態 6 の比エンタルピー h_6 は [B a.bc $\times 10^{d}$] [kJ/kg] となる．

したがって，求めた h_6 の値とその他の既知の比エンタルピーの値を式②に代入して計算すると，η_2 の値は [C a.bc] $\times 10^{-1}$ となり，ST2 がある場合の方が理論効率は高くなる．

〈[7] ～ [9] の解答群〉

ア　$\dfrac{(h_3 - h_{4a}) - (h_2 - h_1)}{h_3 - h_2}$　　**イ**　$\dfrac{(h_3 - h_2) - (h_2 - h_1)}{h_3 - h_{4a}}$

ウ　$\dfrac{(h_3 - h_{4a}) + (h_2 - h_1)}{h_3 - h_2}$　　エ　$\dfrac{(h_3 - h_4) + (h_5 - h_6)}{(h_3 - h_1) + (h_5 - h_4)}$

オ　$\dfrac{(h_3 - h_4) - (h_5 - h_6)}{(h_3 - h_1) - (h_5 - h_4)}$　　カ　$\dfrac{(h_3 - h_4) - (h_5 - h_6)}{(h_3 - h_1) + (h_5 - h_4)}$

キ　$x_6 = \dfrac{s_5 - s''}{s'}$　　ク　$x_6 = \dfrac{s_5 - s'}{s''}$

ケ　$x_6 = \dfrac{s_5 - s'}{s'' - s'}$

表 1　各状態点の比エンタルピー及び比エントロピー

状態点	比エンタルピー h［kJ/kg］	比エントロピー s［kJ/(kg·K)］
3	3 076	6.328
4	2 877	6.328
5	3 163	6.819

表 2　飽和水と飽和蒸気表

圧力［MPa］	温度［℃］	比エンタルピー［kJ/kg］		比エントロピー［kJ/(kg·K)］	
		h'	h''	s'	s''
0.007	39.03	163.4	2 573	0.559 1	8.277
3	233.9	1 008	2 803	2.646	6.186
7	285.8	1 267	2 773	3.122	5.815

解　説

1)　ランキンサイクルの理論熱効率は，蒸気タービン入口の初圧を高めることで改善できるが，それに伴って排気の湿り乾き度が低下する欠点がある．この欠点を解決するために，断熱膨張過程の途中で水蒸気をタービンより取り出し，再びボイラに送って再加熱する，これを**再熱**サイクルという．

2)　状態 1 では作動流体は飽和水の状態にある．この作動流体は，給水ポンプを用いて断熱的に加圧されて状態 2 となる．

状態 2 の作動流体はボイラにおいて燃焼により熱が与えられ**等圧**変化により温度が上昇し，状態 3 となる．

ここで，状態 2 から 2a までの間は圧縮水，状態 2a から 2b までの間は**湿り蒸気**，2b から 3 までの間は**過熱蒸気**である．

3)　状態 3 の作動流体は蒸気タービン ST1 で**断熱**変化により，熱は仕事に変換され，状態 4 になる．

4)　蒸気タービン ST2 から排出された状態 6 の作動流体は復水器に送られ，

冷却水で熱を奪われて等温変化かつ等圧変化により状態1に戻る．

5)

i) 蒸気タービンST2がない場合のサイクルの理論効率 η_1 は次式①で表される．

$$\eta_1 = \frac{(h_3 - h_{4a}) - (h_2 - h_1)}{h_3 - h_2} \qquad ①$$

ii) 蒸気タービンST2がある場合のサイクルの理論効率 η_2 は給水ポンプによる仕事を無視すると，次式②で表される．

$$\eta_2 = \frac{(h_3 - h_4) + (h_5 - h_6)}{(h_3 - h_1) + (h_5 - h_4)} \qquad ②$$

状態6のときの乾き度 x_6 は次式で表され，表1，2より計算される．

$$x_6 = \frac{s_5 - s'}{s'' - s'} = \frac{6.819 - 0.559\,1}{8.277 - 0.559\,1} = 0.811\,0 \fallingdotseq 8.11 \times 10^{-1}$$

状態6の比エンタルピー h_6 は，次式となる．

$$h_6 = h' + x(h'' - h') = 163.4 + 0.811\,0 \times (2\,573 - 163.4) = 2\,117$$
$$\fallingdotseq 2.12 \times 10^3\ \mathrm{kJ/kg}$$

したがって，求めた h_6 の値とその他の既知の比エンタルピーの値を式②に代入して計算すると，η_2 の値は次のようになる．

$$\eta_2 = \frac{(h_3 - h_4) + (h_5 - h_6)}{(h_3 - h_1) + (h_5 - h_4)} = \frac{(3\,076 - 2\,877) + (3\,163 - 2\,117)}{(3\,076 - 163.4) + (3\,163 - 2\,877)}$$
$$= 0.389\,2 \fallingdotseq 3.89 \times 10^{-1}$$

解答
1) 1-イ
2) 2-カ，3-ウ，4-ア
3) 5-オ
4) 6-カ
5) 7-ア，8-エ，9-ケ，A-8.11，B-2.12 × 10³，C-3.89

(流体工学の基礎)

問題6 次の各文章の 1 ～ 13 の中に入れるべき最も適切な字句，数値又は式をそれぞれの解答群から選び，その記号を答えよ．(配点計50点)

(1) 管路を流れる流体のエネルギー損失について考える．

1) 図1のように，水平に置かれた管の断面積が滑らかに拡大するディフューザを考える．断面積の変化は十分緩やかで，流体は非圧縮性かつ非粘性であるとすると，流体の保有するエネルギーの損失はないと考えることができる．非圧縮性，非粘性流体の定常流れに対して成り立つエネルギー保存式を [1] といい，断面1と断面2の流速は一様と仮定し，断面1の流速を w_1，圧力を P_1，断面2の流速を w_2，圧力を P_2，流体の密度を ρ とすると，次の関係式が成り立つ．

[2]

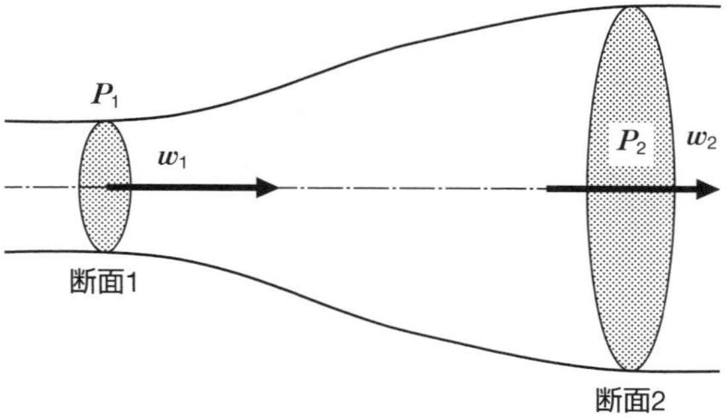

図1　ディフューザの流れ

〈[1] 及び [2] の解答群〉

ア　$P_1 + w_1{}^2 = P_2 + w_2{}^2$　　**イ**　$\dfrac{P_1}{\rho} + w_1{}^2 = \dfrac{P_2}{\rho} + w_2{}^2$

ウ　$\dfrac{P_1}{\rho} + \dfrac{1}{2}w_1{}^2 = \dfrac{P_2}{\rho} + \dfrac{1}{2}w_2{}^2$　　**エ**　ニュートンの法則

オ　フーリエの式　　**カ**　ベルヌーイの式

2)　図2のように，水平に置かれた管の断面積が急拡大する管路を考える．非圧縮性流体の定常流れであれば，管路の急拡大に伴う [3] によりエネルギーが散逸する．いま，破線で囲まれた検査体積を考え，検査体積の左端の断面1に流入する流速を w_1，圧力を P_1，右端の断面2から流出する流速を w_2，圧力を P_2，流体の密度を ρ とすると，それらを用いて単位質量当たりのエネルギー損失 E_{loss} は次式で表される．

$E_{\mathrm{loss}} =$ [4]　　……①

断面1と断面2の間の運動量の保存は，質量流量を $\dot{m}$，断面2の面積を A とすると，圧力 P_1 が断面1における急拡大直後の面積 A に作用すると考えれば，流速，圧力，管断面積及び質量流量を用いて次式で表される．

[5]　　……②

質量流量は $\dot{m} = \rho A w_2$ と表されることを考慮し，式①に式②の関係を

代入して P_1 と P_2 を消去すると，エネルギー損失 E_{loss} は，断面 1 と断面 2 の流速のみを用いて次式で表される．

$E_{\mathrm{loss}} = \boxed{\ 6\ }$

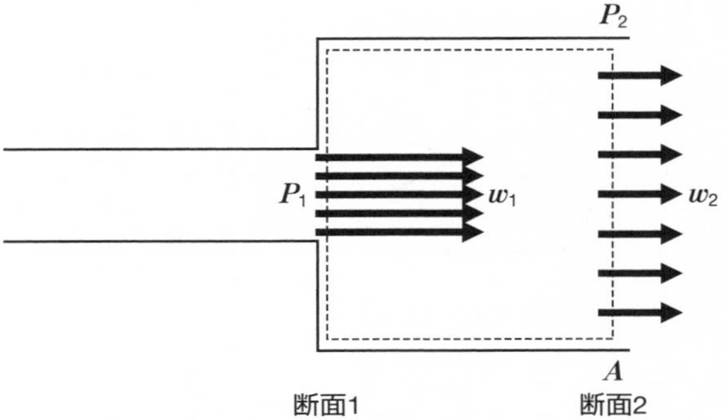

図 2　急拡大管路の流れ

〈$\boxed{\ 3\ }$ ～ $\boxed{\ 6\ }$ の解答群〉

ア　$w_1(w_1 - w_2)$

イ　$\dfrac{1}{2} w_1(w_1 - w_2)$

ウ　$\dfrac{1}{2}(w_1 - w_2)^2$

エ　$P_1 - P_2 + (w_1^2 - w_2^2)$

オ　$\dfrac{P_1 - P_2}{\rho} + (w_1^2 - w_2^2)$

カ　$\dfrac{P_1 - P_2}{\rho} + \dfrac{1}{2}(w_1^2 - w_2^2)$

キ　$P_1 + \dot{m}w_1 = P_2 + \dot{m}w_2$

ク　$P_1A + \dot{m}w_1 = P_2A + \dot{m}w_2$

ケ　$P_1A + \dfrac{1}{2}\dot{m}w_1 = P_2A + \dfrac{1}{2}\dot{m}w_2$

コ　コリオリ力

サ　渦

シ　重力効果

3)　管路を流れる流体のエネルギー損失を表すとき，指標としてヘッドが用いられる場合がある．ヘッドとは，流体の保有するエネルギーを位置エネルギーの大きさに換算したもので，エネルギー損失のヘッド H_{loss} は，単位質量当たりのエネルギー損失 E_{loss} と重力の加速度 g を用いて $\boxed{\ 7\ }$ と表される．

〈$\boxed{\ 7\ }$ の解答群〉

ア　$H_{\mathrm{loss}} = E_{\mathrm{loss}}\,g$

イ　$H_{\mathrm{loss}} = \dfrac{E_{\mathrm{loss}}}{g}$

ウ　$H_{\mathrm{loss}} = \sqrt{\dfrac{E_{\mathrm{loss}}}{g}}$

(2)　管路を流れる流体の圧力損失について考える．

1)　管路内を流れる流体の摩擦による圧力損失は層流か乱流かによって大きく異なる．流れが層流か乱流かはレイノルズ数の大きさによって判断できる．層流から乱流へ遷移するときのレイノルズ数の値は [8] の範囲にある．

〈[8] の解答群〉

ア　100 ～ 200　　**イ**　2 000 ～ 4 000　　**ウ**　8 000 ～ 10 000

2)　水平円管内の十分発達した流れの圧力損失 ΔP は，管路長を L，内径を D，平均流速を w，流体密度を ρ，管摩擦係数を λ とすると，次の式で求められる．

$$\Delta P = \lambda \frac{L}{D} \frac{\rho w^2}{2}$$

水平円管内を流体が層流で流れるとき，十分発達した区間の管摩擦係数は，代表長さを D としたときのレイノルズ数を Re とすると，[9] で表される．

流れが発達した乱流の場合の管摩擦係数は，管壁が滑らかな場合はブラジウスの式 [10] が使われる場合が多い．乱流の場合は，管摩擦係数は管壁の粗さの影響を受けることが知られており，設計においては管壁の粗さにも注意をする必要がある．

円管の管摩擦係数，レイノルズ数及び管壁の粗さの関係を示した図を [11] という．

〈[9] ～ [11] の解答群〉

ア　$0.316Re^{0.8}$　　**イ**　$64Re^{0.8}$　　**ウ**　$\dfrac{0.316}{Re}$

エ　$\dfrac{64}{Re}$　　**オ**　$\dfrac{64}{Re^2}$　　**カ**　$\dfrac{0.316}{Re^{\frac{1}{4}}}$

キ　NTU 線図　　**ク**　ファンの特性線図　　**ケ**　ムーディー線図

3)　断面が円形以外の管路を流れる流体の圧力損失は，円管と同等な圧力損失となる直径（等価直径）を定義して，円管と同じ式を使って計算する場合が多い．断面が円形以外の管の内部の流体が流れる部分の断面積を A，管断面において流体が接する管壁部分全ての長さ（ぬれ縁長さ）を L とすると，等価直径は [12] と定義される．

例えば，図 3 のように直径が D_1，D_2 の同心の二重円管からなる環状流路の等価直径は，管壁の厚さを無視すると，[13] となる．

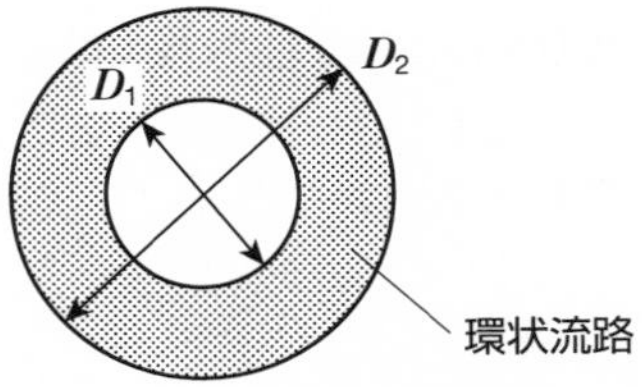

図 3　二重円管の環状流路

〈 12 及び 13 の解答群〉

ア $\dfrac{A}{L}$	**イ** $\dfrac{4A}{L}$	**ウ** $\dfrac{A}{L^2}$
エ $D_2 - D_1$	**オ** $\dfrac{1}{4}(D_2 - D_1)$	**カ** $\dfrac{{D_2}^2}{D_1}$

解　説

(1)

1)　非圧縮性，非粘性流体の定常流れに対して成り立つエネルギー保存式を**ベルヌーイの式**という．また題意より，次の関係式が成り立つ．

$$\frac{P_1}{\rho} + \frac{1}{2}{w_1}^2 = \frac{P_2}{\rho} + \frac{1}{2}{w_2}^2$$

2)　管路の急拡大に伴う**渦**によりエネルギーが散逸する．渦は断面が急変したり，管が曲がったりするときに発生し，そのエネルギー損失 E_{loss} は次式で表される．

$$\frac{P_1}{\rho} + \frac{1}{2}{w_1}^2 - E_{\text{loss}} = \frac{P_2}{\rho} + \frac{1}{2}{w_2}^2$$

$$E_{\text{loss}} = \frac{P_1 - P_2}{\rho} + \frac{1}{2}({w_1}^2 - {w_2}^2) \qquad ①$$

次に断面 1 と断面 2 の間の運動量の保存は，題意より次式で表される．

$$P_1 A + \dot{m} w_1 = P_2 A + \dot{m} w_2 \qquad ②$$

式②に $\dot{m} = \rho A w_2$ を代入して変形すると式②′となる．

$$P_1 A + \rho A w_2 w_1 = P_2 A + \rho A w_2 w_2$$

$$P_1 - P_2 = \rho w_2 (w_2 - w_1) \qquad ②'$$

式②′を式①に代入すると，

$$E_{\text{loss}} = \frac{\rho w_2 (w_2 - w_1)}{\rho} + \frac{1}{2}({w_1}^2 - {w_2}^2) = \frac{1}{2}{w_1}^2 - w_1 w_2 + \frac{1}{2}{w_2}^2$$

$$= \frac{1}{2}(w_1 - w_2)^2$$

3)　エネルギー損失のヘッド H_{loss} は，単位質量当たりのエネルギー損失 E_{loss} と重力の加速度 g を用いて次式のように表される．

$$H_{\mathrm{loss}} = \frac{E_{\mathrm{loss}}}{g}$$

(2)

1)　層流から乱流へ遷移するときのレイノルズ数の値は 2 000 ～ 4 000 の範囲にある．レイノルズ数が 2 000 以下では，管の長さをいかに長くしても乱流への遷移はなく，流れは層流のままである．

2)　流体が層流で流れるときの管摩擦係数 λ は，代表長さ D とレイノルズ数 Re から次のように表される．

$$\lambda = \frac{64}{Re}$$

また流れが発達した乱流の場合の管摩擦係数 λ は，管壁が滑らかな場合は，次のように表される．

$$\lambda = \frac{0.316}{Re^{\frac{1}{4}}}$$

円管の管摩擦係数，レイノルズ数および管壁の粗さの関係を示した図は**ムーディー線図**である．

3)　等価直径 D_{e} の定義は次式で表される．

$$D_{\mathrm{e}} = \frac{4A}{L}$$

環状流路の等価直径は次のようになる．

$L = \pi(D_1 + D_2)$，$A = \dfrac{\pi}{4}(D_2{}^2 - D_1{}^2)$ より，

$$\frac{4\frac{\pi}{4}(D_2 - D_1)^2}{\pi(D_2 + D_1)} = \frac{(D_2 + D_1)(D_2 - D_1)}{D_2 + D_1} = D_2 - D_1$$

解　答　**(1)　1- カ，2- ウ，3- サ，4- カ，5- ク，6- ウ，7- イ**
(2)　8- イ，9- エ，10- カ，11- ケ，12- イ，13- エ

（伝熱工学の基礎）

問題7　次の各文章の [1] ～ [11] の中に入れるべき最も適切な字句，式又は記述をそれぞれの解答群から選び，その記号を答えよ．

また，[A ab.c] ～ [F ab.c] に当てはまる数値を計算し，その結果を答えよ．ただし，解答は解答すべき数値の最小位の一つ下の位で四捨五入すること．（配点計 50 点）

(1)　相変化を伴う熱伝達について考える．

1)　沸騰熱伝達について考える．

容器内の静止した液体（水）中に白金線を設置し通電加熱をすると，白金線の温度（伝熱面温度）が液体の飽和温度以下では [1] による熱伝達が起こる．さらに加熱し伝熱面温度が飽和温度以上になると，伝熱面表面で蒸気の気泡が発生するようになる．これが沸騰である．

伝熱面温度と飽和温度との温度差を過熱度と呼ぶ．過熱度がある程度大きくなると，沸騰が開始して蒸気の気泡が発生し，過熱度の増大とともに気泡の発生点数と発生頻度が増していく．このような沸騰形態を [2] と呼び，この領域では過熱度とともに熱流束の値は急激に増大し，ついには熱流束が極大点に達する．

さらに過熱度を増大させると，薄くかつ安定な蒸気が伝熱面を覆い，伝熱面から離れた気液界面で蒸発が生じる．これを [3] と呼ぶ．

2)　凝縮熱伝達について考える．

蒸気がその飽和温度以下の冷却面に接触すると，蒸気はその面上に凝縮する．鉛直冷却面を考えると，冷却面が凝縮液によって濡れにくい場合には [4] 凝縮が起こりやすい．

一方，凝縮液が冷却面をよく濡らす場合には [5] 凝縮が起こりやすい．この後者の場合の熱伝達率は前者よりも低い値となる．この理由は，[6] が熱抵抗要素になるためである．

〈[1] ～ [6] の解答群〉

ア　液滴	**イ**　液膜	**ウ**　蒸気膜	**エ**　核沸騰
オ　遷移沸騰	**カ**　膜沸騰	**キ**　強制対流	**ク**　共存対流
ケ　自然対流	**コ**　滴状	**サ**　膜状	

(2)　十分に大きな二つの平行な壁面間での放射伝熱量を考える．高温側壁面 1 の壁温を T_1 [K]，低温側壁面 2 の壁温を T_2 [K] とし，面積は両壁面で等しく A [m^2] である．また，ステファン・ボルツマン定数を σ [W/(m^2·K^4)] とする．

1)　両壁面が黒体として扱える場合，二壁面間での放射伝熱量 Q_b は次の式

①で表される．

$Q_{\mathrm{b}}=$ 〔 7 〕 [W]　……①

2)　一方，両壁面が灰色体として扱える場合，壁面1の射出率（放射率）を ε_1，壁面2の射出率を ε_2 とすると，そのときの二壁面間での放射伝熱量 Q_{g} は次の式②で表される．

$Q_{\mathrm{g}}=$ 〔 8 〕 [W]　……②

灰色体の射出率は1より小さい値をとるので，式②から，灰色体間の放射伝熱量は黒体間の放射伝熱量よりも小さいことがわかる．

〈〔 7 〕及び〔 8 〕の解答群〉

ア　$\sigma(T_1{}^4-T_2{}^4)$　　**イ**　$\sigma A(T_1{}^4-T_2{}^4)$　　**ウ**　$\varepsilon_1\sigma A(T_1{}^4-T_2{}^4)$

エ　$\dfrac{\sigma(T_1{}^4-T_2{}^4)}{\dfrac{1}{\varepsilon_1}+\dfrac{1}{\varepsilon_2}-1}$　　**オ**　$\dfrac{\sigma A(T_1{}^4-T_2{}^4)}{\dfrac{1}{\varepsilon_1}+\dfrac{1}{\varepsilon_2}}$　　**カ**　$\dfrac{\sigma A(T_1{}^4-T_2{}^4)}{\dfrac{1}{\varepsilon_1}+\dfrac{1}{\varepsilon_2}-1}$

3)　2)において，二つの壁面間に平行に金属板を挿入したときの放射伝熱量について考える．この金属板表面の放射率を両面とも ε_3 とし，金属板が薄くて熱伝導の熱抵抗が無視できるとすると，この場合の放射伝熱量 Q_{gi} は次の式③で表され，放射伝熱量は減少する．

$Q_{\mathrm{gi}}=$ 〔 9 〕 [W]　……③

なお，式③より明らかなように，挿入金属板の放射率を低下させると，放射伝熱量は〔 10 〕．

〈〔 9 〕及び〔 10 〕の解答群〉

ア　$\dfrac{\sigma(T_1{}^4-T_2{}^4)}{\dfrac{1}{\varepsilon_1}+\dfrac{1}{\varepsilon_2}+\dfrac{2}{\varepsilon_3}-2}$　　**イ**　$\dfrac{\sigma A(T_1{}^4-T_2{}^4)}{\dfrac{1}{\varepsilon_1}+\dfrac{1}{\varepsilon_2}+\varepsilon_3-1}$

ウ　$\dfrac{\sigma A(T_1{}^4-T_2{}^4)}{\dfrac{1}{\varepsilon_1}+\dfrac{1}{\varepsilon_2}+\dfrac{1}{\varepsilon_3}-1}$　　**エ**　$\dfrac{\sigma A(T_1{}^4-T_2{}^4)}{\dfrac{1}{\varepsilon_1}+\dfrac{1}{\varepsilon_2}+\dfrac{2}{\varepsilon_3}-2}$

オ　減少する　　**カ**　増加する　　**キ**　変化しない

(3)　向流形熱交換器を考える．高温流体の比熱は 2.05 kJ/(kg·K) であり，質量流量 0.990 kg/s，入口温度 94.5 ℃で熱交換器に流入する．低温流体の比熱は 4.18 kJ/(kg·K) であり，質量流量 0.152 kg/s，入口温度 25.5 ℃で熱交換器に流入し，出口温度は 84.5 ℃であった．熱交換器での熱損失はないものとする．

1)　熱交換器での交換熱量は高温流体側と低温流体側で等しいので，低温流体側から，交換熱量は〔A　ab.c〕[kW] と算出される．この交換熱量を用いて，高温流体側のエネルギーのつり合い式より，高温流体の出口温度は [B ab.c] [℃] となる．また，このときの低温流体側の温度効率は [C ab.c] [%] である．

2) 次に，エネルギー効率を計算する．ここで，高温，低温両流体の熱容量流量を計算すると，高温流体が [D $a.bc \times 10^{d}$] [W/K]，低温流体が [E $a.bc \times 10^{d}$] [W/K] となる．この熱交換器の交換可能な最大熱量は，[11] の熱容量流量から求められ，この交換可能な最大熱量と，1)で求めた交換熱量から，エネルギー効率は [F ab.c] [%] と計算される．

〈[11] の解答群〉

ア 熱容量流量の大きい流体　　**イ** 熱容量流量の小さい流体

ウ 両流体の熱容量流量の算術平均

解　説

(1)

1) **自然対流**は密度差などにより自然に起こる流れ．

核沸騰では気泡が発生・離脱を繰り返すことにより，沸騰面近くの境界層のかく乱が起こるとともに，発生気泡の底部に形成される薄い液膜の蒸発などが起こるため，気泡の発生点数や発生頻度の増大とともに熱流束が高くなる．

膜沸騰では，核沸騰と異なり，沸騰面は蒸気膜に覆われているため気泡の発生点など影響がなく，また発生した蒸気は蒸気膜内を流れる．

2) 冷却面表面のぬれやすさにより決まる．冷却面がぬれやすい場合には，凝縮した液体は面上に液膜として広がり，凝縮液膜が形成される．これを**膜状凝縮**という．一方，油脂などが吸着した面などのようにぬれにくい面では，凝縮した液体は広がることができず，液滴として面に付着する．これを**滴状凝縮**という．

膜状凝縮の熱伝達率は，滴状凝縮の熱伝達率よりも低い値となり，この理由は凝縮**液膜**が熱抵抗要素になるためである．

(2)

1) 題意より，放射伝熱量 Q_{b} は次式①で表される．

$$Q_{\mathrm{b}} = \sigma A(T_1{}^4 - T_2{}^4) \qquad ①$$

2) 題意より，放射伝熱量 Q_{g} は次式②で表される．

$$Q_{\mathrm{g}} = \frac{\sigma A(T_1{}^4 - T_2{}^4)}{\dfrac{1}{\varepsilon_1} + \dfrac{1}{\varepsilon_2} - 1} \qquad ②$$

3)　二つの壁面間に平行に金属板を挿入したときの放射伝熱量 Q_{gi} は次式③で表される．

$$Q_{gi} = \frac{\sigma A(T_1{}^4 - T_2{}^4)}{\dfrac{1}{\varepsilon_1} + \dfrac{1}{\varepsilon_2} + \dfrac{2}{\varepsilon_2} - 2} \quad ③$$

式③より挿入金属板の放射率を低下させると，放射伝熱量は**減少する**．

(3)

1)　題意より，低温流体側の交換熱量 Q_c は，次式で表される．

$$Q_c = (T_{ci} - T_{co}) \times c_c \times m_c = (84.5 - 25.5) \times 4.18 \times 0.152$$
$$= 37.48 \fallingdotseq 37.5\ \mathrm{kW}$$

高温流体の出口温度 T_{ho} は，題意より次式で表される．

$$T_{ho} = T_{hi} - \frac{Q_c}{c_h m_h} = 94.5 - \frac{37.48}{2.05 \times 0.990} = 76.03 \fallingdotseq 76.0\ ℃$$

また，このときの低温流体側の温度効率 η_c は次式で表される．

$$\eta_c = \frac{T_{co} - T_{ci}}{T_{hi} - T_{ci}} = \frac{84.5 - 25.5}{94.5 - 25.5} = 0.855\,0 \fallingdotseq 85.5\ \%$$

2)　高温，低温両流体の熱容量流量 C_h，C_c は，次式で表される．

$$C_h = c_h m_h = 2.05 \times 0.990 = 2.029\ \mathrm{kW/K} \fallingdotseq 2.03 \times 10^3\ \mathrm{W/K}$$
$$C_c = c_c m_c = 4.18 \times 0.152 = 0.635\,3\ \mathrm{kW/K} \fallingdotseq 6.35 \times 10^2\ \mathrm{W/K}$$

この熱交換器の交換可能な最大熱量 Q_{max} は，**熱容量流量の小さい流体**の熱容量流量から求められ，最大熱量 Q_{max} と，1)で求められた交換熱量から，エネルギー効率 ε は，次式で表される．

$$\varepsilon = \frac{Q_c}{Q_{max}} = \frac{C_c}{C_{min}}\eta_c = \frac{0.635\,3}{0.635\,3} \times 0.855\,0 = 0.855\,0 \fallingdotseq 85.5\ \%$$

解　答　**(1)　1-ケ，2-エ，3-カ，4-コ，5-サ，6-イ**

(2)　7-イ，8-カ，9-エ，10-オ

(3)　A-37.5，B-76.0，C-85.5，D-2.03 × 10^3，E-6.35 × 10^2，11-イ，F-85.5

第 40 回　2018 年（平成 30 年）

（熱力学の基礎）

問題4　次の各文章の 1 ～ 7 の中に入れるべき最も適切な式をそれぞれの解答群から選び，その記号を答えよ．

また，A a.bc ～ E a.bc に当てはまる数値を計算し，その結果を答えよ．ただし，解答は解答すべき数値の最小位の一つ下の位で四捨五入することとし，対数の計算においては表の数値を用いること．（配点計 50 点）

理想気体を作動流体とするオットーサイクルの $P-v$ 線図を図 1 に，$T-s$ 線図を図 2 に示す．ここで，T は絶対温度，P は圧力，v は比体積，s は比エントロピー，c_p は定圧比熱，c_v は定容比熱，κ は比熱比を表すものとする．また，各図の 1 ～ 4 はいずれも作動流体である気体の熱力学的状態点を示す番号であり，それらの状態点における熱力学的状態量の記号には，その番号を添字として用いるものとする．ここで，c_p 及び c_v は温度によらず一定であるものとする．

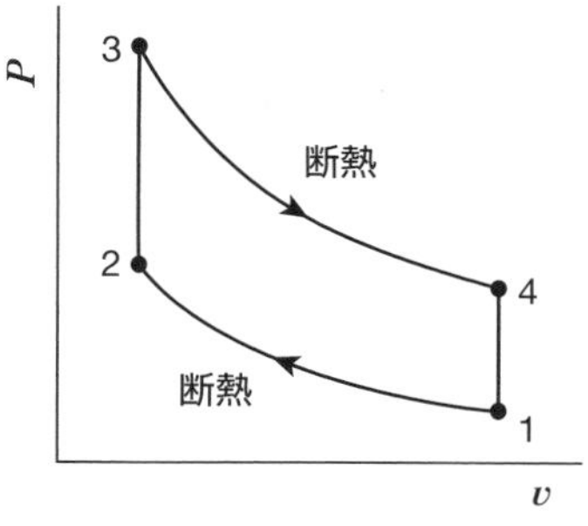

図 1

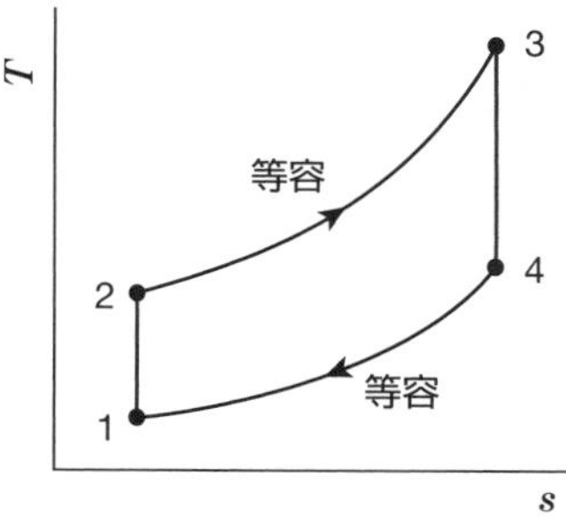

図 2

1)　オットーサイクルは 2 つの等容変化と 2 つの断熱変化で構成される．シリンダに吸入された気体は，図 1 の 1 から 2 への変化で断熱圧縮された後，上死点で点火されて瞬時に燃焼し 2 から 3 へ等容変化する．その際，気体の単位質量当たり q_H［J/kg］の熱が供給され圧力が上昇する．その後，気体の断熱膨張によりピストンが移動し，外部に対して仕事をする．気体は，4 から 1 への等容変化で排気され，単位質量当たり q_L［J/kg］の熱が放熱される．

このサイクルの理論熱効率を求める．

i)　等容変化中に q_{H} の熱が供給され，q_{L} の熱が放熱されるので，q_{H} は次の式①で，q_{L} は次の式②で表される．

$q_{\mathrm{H}} = \boxed{\ 1\ }$ ……………………………………………………… ①

$q_{\mathrm{L}} = \boxed{\ 2\ }$ ……………………………………………………… ②

式①，式②より，理論熱効率 η_{th} は次式で求められる．

$\eta_{\mathrm{th}} = \boxed{\ 3\ }$ ……………………………………………………… ③

〈$\boxed{\ 1\ }$～$\boxed{\ 3\ }$の解答群〉

ア　$c_p(T_3 - T_2)$　　**イ**　$c_p(T_4 - T_1)$　　**ウ**　$c_v(T_3 - T_4)$

エ　$c_v(T_3 - T_2)$　　**オ**　$c_v(T_4 - T_1)$　　**カ**　$1 - \dfrac{T_4 - T_1}{T_3 - T_2}$

キ　$1 - \dfrac{T_4 - T_1}{T_3 - T_1}$　　**ク**　$1 - \dfrac{T_4 - T_1}{T_3 - T_4}$　　**ケ**　$1 - \dfrac{T_3 - T_2}{T_4 - T_1}$

ii)　また，2 から 3 へ及び 4 から 1 への変化は等容変化なので $v_2 = v_3$，$v_4 = v_1$ の関係式が成り立ち，1 から 2 へ及び 3 から 4 への変化は可逆断熱で行われるので，式 $\boxed{\ 4\ }$ で表される関係式が成り立つ．これらの関係式を用いると次の式④が求められる．

$\dfrac{T_1}{T_2} = \dfrac{T_4}{T_3} = \boxed{\ 5\ }$ ……………………………………………………… ④

ここで，圧縮比 $\dfrac{v_1}{v_2}$ を ε で表すと，式③の理論熱効率 η_{th} は，式④から ε を用いて次の式⑤で表すことができる．

$\eta_{\mathrm{th}} = \boxed{\ 6\ }$ ……………………………………………………… ⑤

〈$\boxed{\ 4\ }$～$\boxed{\ 6\ }$の解答群〉

ア　$PT^{\kappa} =$ 一定　　**イ**　$Pv^{\kappa} =$ 一定　　**ウ**　$P^{\kappa}v =$ 一定　　**エ**　$\left(\dfrac{v_2}{v_1}\right)^{\kappa}$

オ　$\left(\dfrac{v_2}{v_1}\right)^{\kappa-1}$　　**カ**　$\left(\dfrac{v_2}{v_1}\right)^{\frac{\kappa-1}{\kappa}}$　　**キ**　$\left(\dfrac{v_2}{v_1}\right)^{\frac{\kappa}{\kappa-1}}$　　**ク**　$1 - \dfrac{1}{\varepsilon^{\kappa}}$

ケ　$1 - \dfrac{1}{\varepsilon^{\kappa-1}}$　　**コ**　$1 - \dfrac{1}{\varepsilon^{\frac{\kappa-1}{\kappa}}}$

2)　このサイクルにおいて，圧縮開始時の圧力 P_1 は 0.1 MPa，温度 T_1 は 300 K であり，圧縮後の温度 T_2 が 700 K となり，さらに等容加熱によって最高温度 T_3 が 2 100 K となった．ここで，定圧比熱 c_p を 1.008 kJ/(kg·K)，比熱比 κ を 1.4 とする．

i)　この作動流体の定容比熱 c_v は $\boxed{\text{A}\ \ \text{a.bc}}$ $\times 10^{-1}$ ［kJ/(kg·K)］である．

ii)　単位質量当たりの供給熱量 $q_{\rm H}$ の値は，式①より [B　a.bc] $\times 10^3$ [kJ/kg] と算出される．

iii)　等容変化における比エントロピー変化 Δs は次の式⑥で表される．

$$\Delta s = \boxed{\ 7\ } \quad \cdots\cdots\cdots\cdots ⑥$$

したがって，その値は，式⑥と表より [C　a.bc] $\times 10^{-1}$ [kJ/(kg·K)] と算出される．

〈[7] の解答群〉

ア　$c_p \ln\left(\dfrac{T_3}{T_1}\right)$　イ　$c_p \ln\left(\dfrac{T_1}{T_3}\right)$　ウ　$c_v \ln\left(\dfrac{T_3}{T_1}\right)$　エ　$c_v \ln\left(\dfrac{T_1}{T_3}\right)$

オ　$c_p \ln\left(\dfrac{T_3}{T_2}\right)$　カ　$c_p \ln\left(\dfrac{T_2}{T_3}\right)$　キ　$c_v \ln\left(\dfrac{T_3}{T_2}\right)$　ク　$c_v \ln\left(\dfrac{T_2}{T_3}\right)$

iv)　理論熱効率 $\eta_{\rm th}$ は式⑤より求められるが，式④を用いれば温度を用いて表すことができ，その値は [D　a.bc] $\times 10^{-1}$ と算出される．

v)　単位質量当たりの仕事量 w の値は，$q_{\rm H}$ と $\eta_{\rm th}$ から [E　a.bc] $\times 10^2$ [kJ/kg] と算出される．

表　対数計算の値

N	$\dfrac{1}{7}$	$\dfrac{1}{3}$	3	7
$\ln N$	−1.946	−1.099	1.099	1.946

解　説

1)

i)　題意より，式①と式②は次のように表される．

$$q_{\rm H} = c_{\rm v}(T_3 - T_2) \qquad ①$$

$$q_{\rm L} = c_{\rm v}(T_4 - T_1) \qquad ②$$

式①，式②より，理論熱効率 $\eta_{\rm th}$ は次式で求められる．

$$\eta_{\rm th} = 1 - \frac{q_{\rm L}}{q_{\rm H}} = 1 - \frac{T_4 - T_1}{T_3 - T_2} \qquad ③$$

ii)　断熱変化では圧力と体積の関係は次のようになる．

$$Pv^{\kappa} = 一定$$

1 から 2 は断熱変化であるから，温度は理想気体の状態変化の計算から求めることができ，次式となる．

$$T_2 = T_1\left(\frac{v_1}{v_2}\right)^{\kappa - 1} \qquad (1)$$

3 から 4 も断熱変化であるから，同様に次式となる．

$$T_4 = T_3\left(\frac{v_3}{v_4}\right)^{\varkappa-1} \tag{2}$$

上式(1)と式(2)，等容変化 $v_2 = v_3$，$v_4 = v_1$ の関係式より，次の式④が求められる．

$$\frac{T_1}{T_2} = \frac{T_4}{T_3} = \left(\frac{v_2}{v_1}\right)^{\varkappa-1} \tag{④}$$

式③を変形して，式③′とする．

$$\eta_{\mathrm{th}} = 1 - \frac{q_{\mathrm{L}}}{q_{\mathrm{H}}} = 1 - \frac{T_4 - T_1}{T_3 - T_2} = 1 - \frac{T_1}{T_2}\frac{\dfrac{T_4}{T_1} - 1}{\dfrac{T_3}{T_2} - 1} \tag{③′}$$

また，式④を変形し，式④′とする．

$$\frac{T_4}{T_1} = \frac{T_3}{T_2} = \left(\frac{v_2}{v_1}\right)^{\varkappa-1} \tag{④′}$$

式③′に式④と式④′を代入し，圧縮比を ε で表すと，式⑤で表すことができる．

$$\eta_{\mathrm{th}} = 1 - \frac{T_1}{T_2}\frac{\dfrac{T_4}{T_1} - 1}{\dfrac{T_3}{T_2} - 1} = 1 - \left(\frac{v_2}{v_1}\right)^{\varkappa-1} = 1 - \left(\frac{1}{\varepsilon}\right)^{\varkappa-1} \tag{⑤}$$

2)

i)　比熱比 $\varkappa$ は次のように定義されるため，定容比熱 c_{v} は次のように求める．

$$c_{\mathrm{v}} = \frac{c_{\mathrm{p}}}{\varkappa} = \frac{1.008}{1.4} = 0.72 = 7.20 \times 10^{-1}\ \mathrm{kJ/(kg{\cdot}K)}$$

ii)　式①より次のように求める．

$$q_{\mathrm{H}} = c_v(T_3 - T_2) = 0.72 \times (2\,100 - 700)$$
$$= 1\,008 \fallingdotseq 1.01 \times 10^3\ \mathrm{kJ/kg}$$

iii)　等容変化における比エントロピー変化 Δs は次の式⑥で表され，その値は式⑥と表より次のように算出される．

$$\Delta s = c_v \ln\left(\frac{T_3}{T_2}\right)$$
$$= 0.72 \times \ln\frac{2\,100}{700} = 0.72 \times \ln 3$$
$$= 0.72 \times 1.099 = 0.791\,2$$

$$\fallingdotseq 7.91 \times 10^{-1}\ \mathrm{kJ/(kg{\cdot}K)}$$

iv)　題意より，次のように求める．

$$\eta_{\mathrm{th}} = 1 - \left(\frac{1}{\varepsilon}\right)^{\kappa-1} = 1 - \frac{T_1}{T_2} = 1 - \frac{300}{700} = 0.571\,4$$

$$\fallingdotseq 5.71 \times 10^{-1}$$

v)　単位質量当たりの仕事量 w の値は，q_{H} と η_{th} から次のように算出される．

$$w = q_{\mathrm{H}} \times \eta_{\mathrm{th}} = 1\,008 \times 0.571\,4 = 575.9 \fallingdotseq 5.76 \times 10^2\ \mathrm{kJ/kg}$$

解　答　(1)　**1-エ，2-オ，3-カ，4-イ，5-オ，6-ケ**

(2)　**A-7.20，B-1.01，7-キ，C-7.91，D-5.71，E-5.76**

（熱力学の基礎）

問題5　次の各文章の [1] ～ [21] の中に入れるべき最も適切な字句又は式をそれぞれの解答群から選び，その記号を答えよ．なお，[4] は 2 箇所あるが，同じ記号が入る．（配点計 50 点）

(1)　図 1 に，ある理論サイクルの T−s 線図を示す．

ここで，T は絶対温度，s は比エントロピー，h は比エンタルピーを表すものとする．また，図の 1 ～ 4（2′及び 2″を含む）はいずれも作動流体の熱力学的状態点を示す番号であり，それらの状態点における作動流体の熱力学的状態量の記号には，その番号を添字として用いるものとする．

1)　図 1 のサイクルは [1] サイクルと呼ばれる．

〈[1] の解答群〉

ア　エリクソン　　**イ**　カルノー　　**ウ**　ブレイトン　　**エ**　ランキン

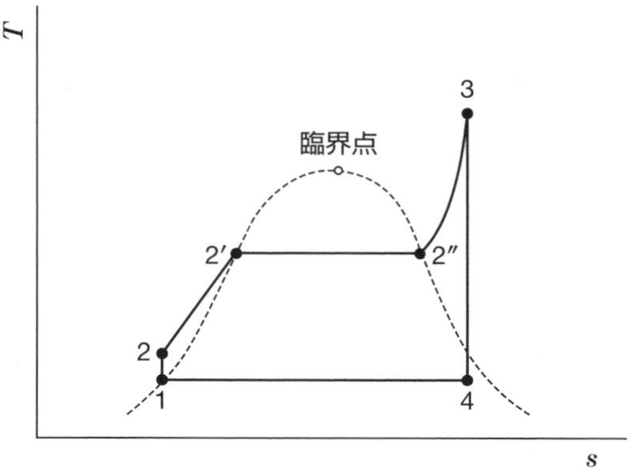

図 1　T−s 線図

2)　図 1 中，状態点 1 の作動流体は $\boxed{2}$ の出口にある．この作動流体は，$\boxed{3}$ を用いて $\boxed{4}$ に送られる．$\boxed{4}$ では，燃料の燃焼により外部から作動流体に熱が供給されて，状態点 3 の状態になる．状態点 3 の作動流体は $\boxed{5}$ に送られ，外部に仕事を発生する．

〈$\boxed{2}$ ～ $\boxed{5}$ の解答群〉

ア　タービン　　**イ**　ボイラ　　**ウ**　ポンプ　　**エ**　復水器

3)　図 1 において，状態点 3 ～ 4 の変化と状態点 1 ～ 2 の変化は等エントロピー変化である．また，状態点 2 ～ 3 の変化と状態点 4 ～ 1 の変化は $\boxed{6}$ 変化である．状態点 1 の作動流体は $\boxed{7}$ の状態であるが，状態点 3 の作動流体は $\boxed{8}$ の状態になる．

〈$\boxed{6}$ ～ $\boxed{8}$ の解答群〉

ア　ポリトロープ　　**イ**　等圧　　**ウ**　等温　　**エ**　等容

オ　過熱蒸気　　**カ**　湿り蒸気　　**キ**　飽和蒸気　　**ク**　飽和水

4)　このとき，このサイクルの理論熱効率 η_{th} は，次式で表される．

$$\eta_{th} = \boxed{9}$$

〈$\boxed{9}$ の解答群〉

ア　$\dfrac{h_4 - h_1}{h_3 - h_2}$　　**イ**　$\dfrac{h_3 - h_4}{h_3 - h_2}$

ウ　$\dfrac{(h_3 - h_4)-(h_2 - h_1)}{h_3 - h_2}$　　**エ**　$\dfrac{(h_3 - h_4)+(h_2 - h_1)}{h_3 - h_2}$

(2)　図 2 に，ある理論サイクルの P−h 線図を示す．

ここで，P は圧力，h は比エンタルピーを表すものとする．また，図の 5 ～ 8 はいずれも作動流体の熱力学的状態点を示す番号であり，それらの状態点における作動流体の熱力学的状態量の記号には，その番号を添字として用いるものとする．

1)　図 2 のサイクルは $\boxed{10}$ サイクルと呼ばれる．

〈$\boxed{10}$ の解答群〉

ア　逆エリクソン　　**イ**　逆カルノー

ウ　逆ブレイトン　　**エ**　逆ランキン

2)　図 2 で，状態点 5 の作動流体は $\boxed{11}$ により状態点 6 に移動し，$\boxed{12}$ により外部に熱を放出して状態点 7 に至る．さらに，状態点 7 から $\boxed{13}$ により状態点 8 に至る．そして $\boxed{14}$ に送られ，外部から熱を吸収して状態点 5 にもどる．

〈$\boxed{11}$ ～ $\boxed{14}$ の解答群〉

ア　圧縮機　　**イ**　凝縮器　　**ウ**　再生器

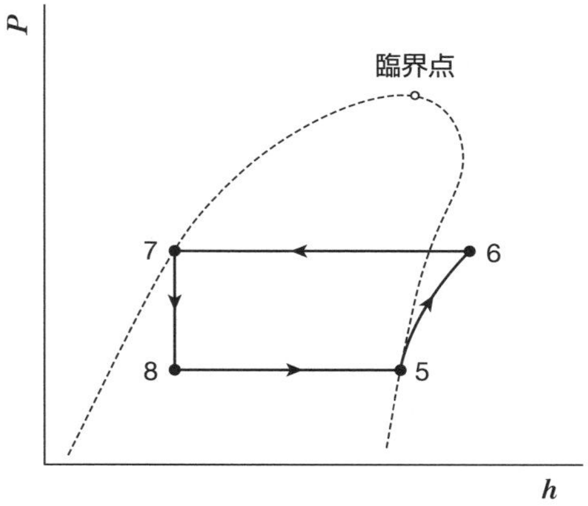

図2　P−h 線図

エ　蒸発器　　**オ**　膨張弁

3)　図 2 において，状態点 6 ～ 7 の変化及び状態点 8 ～ 5 の変化は等圧変化，状態点 7 ～ 8 の変化は等エンタルピー変化である．また，状態点 5 ～ 6 の変化は [15] 変化である．状態点 5 の作動流体は [16] の状態にあり，状態点 6 では [17] の状態となる．そして状態点 6 ～ 7 の間に熱を外部に放出し，状態点 7 において [18] の状態となる．状態点 8 では [19] となり，状態点 5 に戻る．

〈[15] ～ [19] の解答群〉

ア　等圧　　**イ**　等エントロピー　　**ウ**　等温　　**エ**　等容

オ　過熱蒸気　　**カ**　湿り蒸気　　**キ**　飽和液　　**ク**　飽和蒸気

4)　このサイクルの理論成績係数は，冷凍機として用いる場合には [20]，ヒートポンプとして用いる場合，[21] となる．

〈[20] 及び [21] の解答群〉

ア　$\dfrac{h_6 - h_5}{h_5 - h_8}$　　**イ**　$\dfrac{h_6 - h_5}{h_6 - h_7}$　　**ウ**　$\dfrac{h_5 - h_8}{h_6 - h_5}$　　**エ**　$\dfrac{h_6 - h_7}{h_6 - h_5}$

解　説

(1)

1)　化学エネルギー等から得られる熱エネルギーを利用し，気液相変化を経て生成される蒸気を作動流体として機械的エネルギーに変換するシステムを蒸気原動所と呼び，そのサイクルはランキンサイクルと呼ばれている．

2)　状態点 1 の作動流体は復水器の出口にある．この作動流体は，ポンプを用いてボイラに送られる．ボイラでは，燃料の燃焼により外部から作動流体に熱が供給されて，状態点3の状態になる．状態点3の作動流体はタービンに送られ，外部に仕事を発生する．

3）状態点2～3の変化と状態点4～1の変化は等圧変化である．

状態点1の作動流体は復水器において等圧のもとで冷却され飽和水になる．

ボイラにおいて等圧のもとで加熱されることにより，状態点2′において飽和液，状態点2″において飽和蒸気になるが，この後さらに過熱器に入り，状態点3の作動流体は過熱蒸気の状態となってボイラを出る．

4）ランキンサイクルの理論熱効率 η_{th} は，次式で表される．

$$\eta_{\mathrm{th}}=\frac{(h_3-h_4)-(h_2-h_1)}{h_3-h_2}$$

(2)

1）外部から仕事を加えることにより熱を移動させるものを冷凍サイクルまたはヒートポンプサイクルという．冷凍機とヒートポンプのサイクルはランキンサイクルと全く同じであり，方向が反対になっているだけである．このため，逆ランキンサイクルと呼ばれる．

2）状態点5の作動流体は圧縮機により状態点6に移動し，凝縮器により外部に熱を放出して状態点7に至る．さらに，状態点7から膨張弁により状態点8に至る．そして蒸発器に送られ，外部から熱を吸収して状態点5に戻る．

3）状態点5～6の変化は等エントロピー変化である．状態点5の作動流体は飽和蒸気の状態にあり，圧縮機で断熱圧縮され状態点6では高温高圧の過熱蒸気の状態となる．そして，状態点6～7の間に凝縮器で等圧のもとで熱を外部に放出し，状態点7において飽和液の状態となる．膨張弁で絞り膨張して状態点8では湿り蒸気となり，状態点5に戻る．

4）このサイクルの理論成績係数は，冷凍機として用いる場合，蒸発器で奪う熱量から $\dfrac{h_5-h_8}{h_6-h_5}$ となる．ヒートポンプとして用いる場合，凝縮器からの放熱量（加熱能力）から $\dfrac{h_6-h_7}{h_6-h_5}$ となる．

解答 (1) **1-エ，2-エ，3-ウ，4-イ，5-ア，6-イ，7-ク，8-オ，9-ウ**

(2) **10-エ，11-ア，12-イ，13-オ，14-エ，15-イ，16-ク，17-オ，18-キ，19-カ，20-ウ，21-エ**

（流体工学の基礎）

問題6　次の各文章の [1] ～ [20] の中に入れるべき最も適切な字句，数値又は式をそれぞれの解答群から選び，その記号を答えよ．（配点計 50 点）

(1)　図 1 は，密度 ρ_o の油で満たされた円筒容器とピストンで構成される装置を示したもので，大小二つの円筒容器は接続管でつながれている．ここで，断面積 A_1 のピストンには F_1 の力が，断面積 A_2 のピストンには F_2 の力が加えられており，両ピストンはその底面の高さの差 ΔH のところで静止している．また，重力の加速度を g とし，ピストンの質量は無視でき，ピストンは滑らかに動くものとする．

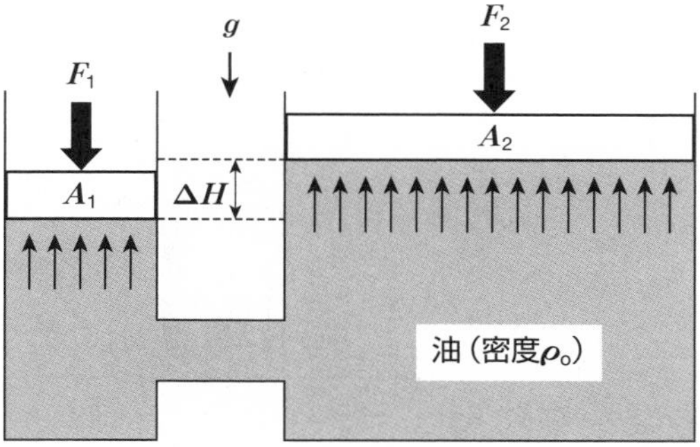

図 1

1)　流体の圧力はすべての方向に同じ強さで伝わり，任意の面に垂直に働く．これを [1] の原理という．

〈[1] の解答群〉

ア　アルキメデス　　**イ**　ニュートン　　**ウ**　パスカル　　**エ**　ラプラス

2)　仮にピストンの高さの差がなければ（即ち $\Delta H = 0$），F_2 は次の式①で与えられる．

$F_2 =$ [2] ……………………………………………………… ①

3)　図 1 のようにピストンの高さの差がある場合，F_2 は式①で与えられる値より [3] だけ小さくなる．

〈[2] 及び [3] の解答群〉

ア　$g\Delta H$　　**イ**　$\rho_o \Delta H A_2$　　**ウ**　$\rho_o g \Delta H$　　**エ**　$\rho_o g \Delta H A_2$

オ　$\dfrac{A_2}{A_1}$　　**カ**　$\dfrac{A_1}{A_2}$　　**キ**　$\dfrac{A_2}{A_1}F_1$　　**ク**　$\dfrac{A_1}{A_2}F_1$

4)　ヘッドは水柱の高さを意味し，水頭とも呼ばれる．[4] やエネルギーはそれらに相当するヘッドに置き換えて表すことができる．水以外の液体においても同様であり，たとえば質量 m の液体のヘッドを高さ Δz だけ変化させたときの位置エネルギーの変化は，[5] で与えられる．

〈[4] 及び [5] の解答群〉

ア　$m\Delta z$　　**イ**　$\sqrt{m\Delta z}$　　**ウ**　$mg\Delta z$　　**エ**　$\sqrt{mg\Delta z}$

オ　圧力　　**カ**　効率　　**キ**　流速　　**ク**　流量

(2)　図2は，ピトー管を用いて水平な円管内を流れる密度 ρ_a の水の流速を測定する概念を模式的に示したものである．圧力差の測定のために，水には不溶で水より重い密度 ρ_b の液体がU字部に入れられており，それ以外の部分は水で満たされている．ここで，w はピトー管先端に向かう流速，P_0 はピトー管先端での流れの全圧，P はピトー管先端の位置の流れの静圧，z_1 と z_2 は液体の左右の液面の高さ，P_1 は液面高さ z_1 での静圧，P_2 は液面高さ z_2 での静圧である．ここで，重力の加速度を g とする．

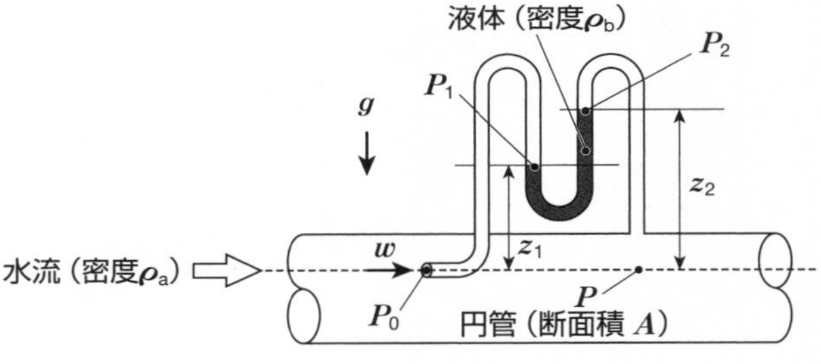

図2

1)　ピトー管は，流れの全圧 P_0 と静圧 P の圧力差から流速を求める流速計である．図2より，P_0 は，P を用いて次の式②で与えられ，この関係式から w を求めることができる．

$P_0=$ [6]　…………………………………………………… ②

式②は [7] の式から導くことができる．

〈[6] 及び [7] の解答群〉

ア　$\frac{1}{2}w^2+P$　　**イ**　$\frac{1}{2}w^2-P$　　**ウ**　$\frac{1}{2}\rho_a w^2+P$

エ　$\frac{1}{2}\rho_a w^2-P$　　**オ**　ベルヌーイ　　**カ**　ベンチュリー

キ　マッハ　　**ク**　レイノルズ

2)　図2のように，全圧 P_0 と静圧 P の圧力差は [8] を用いて測定することができる．

このとき，P_0 と P_1 の間には次の式③が成り立ち，P と P_2 の間には式

④が成り立つ．

$P_0 = P_1 + \rho_a g z_1$ …………………………………… ③

$P =$ [9] …………………………………………………… ④

一方，液面の高さの差から，次の式⑤が成立する．

$P_1 - P_2 =$ [10] ……………………………………… ⑤

〈[8]～[10]の解答群〉

ア $P_2 + \rho_a g z_2$	**イ** $P_2 - \rho_a g z_2$	**ウ** $P_2 + \rho_b g z_2$
エ $P_2 - \rho_b g z_2$	**オ** $\rho_a g(z_2 - z_1)$	**カ** $\rho_b g(z_2 - z_1)$
キ $\rho_a g(z_2 - z_1) + P$	**ク** $\rho_b g(z_2 - z_1) + P$	**ケ** オリフィス
コ ブルドン管	**サ** ベンチュリ管	**シ** マノメータ

3)　式③，式④及び式⑤の関係から，P_0 と P の差は次の式⑥で求めることができる．

$P_0 - P =$ [11] ……………………………………… ⑥

この式⑥と式②から w を求めることができる．

〈[11]の解答群〉

ア $\rho_a g(z_2 - z_1)$	**イ** $\rho_a g z_1 + \rho_b g z_2$
ウ $\rho_b g z_2 - \rho_a g z_1$	**エ** $(\rho_b - \rho_a) g(z_2 - z_1)$

4)　円管断面積を A とし，水の体積流量を $\dot{V}$ とすると，管断面平均流速 w_{AVE} は式 $w_{AVE} =$ [12] で与えられる．十分発達した円管内の層流では，速度分布が [13] 分布になることが知られている．その場合，管断面平均流速は管中心速度の [14] 倍となる．

〈[12]～[14]の解答群〉

ア $\dfrac{1}{4}$	**イ** $\dfrac{1}{3}$	**ウ** $\dfrac{1}{2}$	**エ** $\dfrac{3}{4}$
オ $\dfrac{\dot{V}}{A}$	**カ** $\dfrac{\rho_a \dot{V}}{A}$	**キ** $\dfrac{\dot{V}}{\rho_a A}$	**ク** $\dfrac{\rho_a A}{\dot{V}}$
ケ $\dfrac{1}{7}$乗則	**コ** 双曲線	**サ** 対数	**シ** 放物線

5)　体積流量 $\dot{V}$ に流体の [15] を乗じると質量流量が得られる．

〈[15]の解答群〉

ア 粘度	**イ** 動粘度	**ウ** 比熱	**エ** 密度

(3)　送風機の風量制御及び運転特性について考える．

1)　送風機は広範囲に風量を制御する必要があることが多く，風量制御における省エネルギーへの取り組みが重要である．風量制御には送風機の種類に応じて次のような種々の方法がある．

i）　軸流送風機に特有な方法で，広範な風量に対して所要動力を小さくできることから，大型ボイラやトンネル換気用の大型軸流送風機に広く用いられているのは［16］制御である．

ii）　遠心送風機に多用され，流体に羽根車の回転と同方向の予旋回を与える方法は［17］制御である．

iii）　送風機の全機種に適用できる方法で，部分負荷時の軸動力を広範な風量にわたり軽減することができるため，風量制御の中で最も省エネルギー効果が高いとされているのは［18］制御である．

〈［16］～［18］の解答群〉

ア　インレットガイドベーン　　**イ**　回転速度　　**ウ**　吸込ダンパ

エ　動翼可変ピッチ　　**オ**　吐出しダンパ

2）　送風機を部分風量で運転すると，圧力を縦軸，風量を横軸とした送風機の特性曲線図において，運転点が圧力曲線の右上がりの部分に入って，自励振動を伴う［19］が発生することがある．また，軸流送風機では，動翼における流れのはく離に起因する［20］が生じると，圧力変動が過大になって動翼が破損することがある．

〈［19］及び［20］の解答群〉

ア　サージング　　**イ**　ダウンバースト

ウ　旋回失速　　**エ**　非失速フラッタ

解　説

(1)

1）　液体の圧力はすべての方向に同じ強さで伝わり，任意の面に垂直に働く．これをパスカルの原理という．

2）　パスカルの原理より液体の圧力Pは，次式となる．

$$P\,[\mathrm{Pa}] = \frac{F\,[\mathrm{N}]}{A\,[\mathrm{m^2}]} = \frac{F_1}{A_1} = \frac{F_2}{A_2}$$

題意より，

$$\frac{F_1}{A_1} = \frac{F_2}{A_2}$$

$$F_2 = \frac{A_2}{A_1}F_1$$

3）　図1のようにピストンの高さに差がある場合の圧力差は次式で与えられる．

$$P_1 - P_2 = \rho_0 g \Delta H$$

$$\frac{F_1}{A_1} - \frac{F_2}{A_2} = \rho_0 g \Delta H$$

$$F_2 = \frac{A_2}{A_1} F_1 - \rho_0 g \Delta H A_2$$

したがって，F_2 は，式①で与えられる値より $\rho_0 g \Delta H A_2$ だけ小さくなる．

4)　ヘッドとは，液体の高さの意味で，圧力の尺度に用いたりエネルギーの尺度に用いたりする．

質量 m の液体のヘッドを高さ Δz だけ変化させたときの位置エネルギーの変化は，$mg\Delta z$ で与えられる．

(2)

1)　ピトー管は，ベルヌーイの式を利用して，流れの全圧 P_0 と静圧 P の圧力差から流速を求める流速計である．

$$P_0 = \frac{1}{2} \rho_a w^2 + P$$

2)　全圧 P_0 と静圧 P の圧力差はマノメータを用いて測定することができる．

P と P_2 の間には式④が成り立つ．

$$P = P_2 + \rho_a g z_2 \qquad ④$$

一方，液面の高さの差から，次の式⑤が成立する．

$$P_1 - P_2 = \rho_b g (z_2 - z_1) \qquad ⑤$$

3)　式③，式④および式⑤の関係から，P_0 と P の差は次の式⑥で求めることができる．

$$P_0 = P - \rho_a g z_2 + \rho_b g (z_2 - z_1) + \rho_a g z_1$$

$$P_0 - P = -\rho_a g z_2 + \rho_b g (z_2 - z_1) + \rho_a g z_1$$

$$P_0 - P = (\rho_b - \rho_a) g (z_2 - z_1) \qquad ⑥$$

4)　円管断面積を A とし，水の体積流量を $\dot{V}$ とすると，管断面積平均流速 w_{AVE} は，次式で与えられる．

$$w_{AVE} = \frac{\dot{V}}{A}$$

十分に発達した円管内の層流では，速度分布が放物線分布になる．

円管内層流の速度分布として次式が得られる．

ここで，r_0，r，L，ΔP，μ，w_C は下記を表す．

r_0：円管の半径

r：管内流体中心軸上の円柱の半径

L：円柱の長さ

ΔP：円柱の両端面の圧力差

μ：流体の粘度

w_C：管中心速度

$$w = \frac{\Delta P}{4\mu L}(r_0{}^2 - r^2)$$

速度分布は管の中心（$r = 0$）で最大となり，

$$w_C = \frac{\Delta P r_0{}^2}{4\mu L}$$

で与えられる．

また，円管の平均流速は次式で与えられ，すなわち，管断面積平均速度 w_{AVE} は，管中心速度 w_C の $\frac{1}{2}$ 倍となる．

$$w_{AVE} = \frac{\Delta P r_0{}^2}{8\mu L} = \frac{1}{2} w_C$$

5)　体積流量 $\dot{V}$ [m^3/s] に密度 ρ [kg/m^3] を乗じると，質量流量 $\dot{m}$ [kg/s] が得られる．

(3)

1) i)　可変ピッチ動翼付き軸流送風機の動翼ピッチを変化させて制御を行う．

ii)　インレットガイドベーン（IGV）付き送風機のIGVの角度を変化させて制御を行う．

iii)　インバータ制御モータを用い，回転速度を変化させて制御を行う．

2)　回転速度一定のもとで吐出し弁を絞っていくと吐出し圧力は増大し，極大値を経て圧力曲線の右上がりの部分に入ると，急に流れが不安定になり，風量，圧力が脈動を起こし，送風機本体およびダクト系を含む大きな自励振動が起こる．これをサージングという．

旋回失速は軸流送風機や軸流圧縮機に見られるもので，部分風量運転によって動翼が失速に近い状態にあるとき，一つの翼が失速を起こすと順次，回転方向に翼の回転速度より低い一定回転速度で失速領域が移動する現象で，圧力変動が激しくなり動翼は破損する．

解　答　(1)　**1-ウ，2-キ，3-エ，4-オ，5-ウ**

(2)　**6-ウ，7-オ，8-シ，9-ア，10-カ，11-エ，12-オ，13-シ，14-ウ，15-エ**

(3)　**16-エ，17-ア，18-イ，19-ア，20-ウ**

（伝熱工学の基礎）

問題7　次の各文章の [1] ～ [16] の中に入れるべき最も適切な字句，数値，式又は記述をそれぞれの解答群から選び，その記号を答えよ．なお，[1] 及び [5] は 2 箇所あるが，それぞれ同じ記号が入る．（配点計 50 点）

(1)　固体壁面とその面上を流れる流体との熱移動は熱伝達と呼ばれる．

1)　ヌセルト数は，熱伝達率に代表長さを乗じて，[1] 率で除したものとして定義されるが，その物理的な意味は，対流による熱伝達が [1] によるものに比べてどの位大きいかを示すものである．ヌセルト数の代表長さとしては，例えば，流れに直交する円管の管外側の熱伝達では円管の [2] が用いられる．

円管内の流れが層流の場合の熱伝達において，流れ場及び温度場が共に十分に発達している領域では，ヌセルト数は流れ方向の距離の増加に対して [3].

対流による熱伝達におけるヌセルト数は，強制対流の熱伝達では [4] 及び [5] の関数として，自然対流の熱伝達では [6] 及び [5] の関数として表される．

〈[1] ～ [6] の解答群〉

ア　グラスホフ数　　**イ**　シャーウッド数　　**ウ**　ビオ数
エ　プラントル数　　**オ**　レイノルズ数　　**カ**　外径
キ　内径　　**ク**　長さ　　**ケ**　熱拡散
コ　熱伝導　　**サ**　熱放射　　**シ**　単調に増加する
ス　単調に減少する　　**セ**　一定となる

2)　沸騰伝熱において，流体の温度が飽和温度以下の場合をサブクール沸騰という．サブクール沸騰熱伝達の際の熱伝達率は，一般に「熱流束」を「伝熱面温度と流体の [7] 温度との差」で除したものとして扱われる．

〈[7] の解答群〉

ア　主流　　**イ**　飽和　　**ウ**　膜

3)　熱伝達率の値は物質，流動状態，伝熱形態など様々な条件によって大きく変わる．このため，その値がこれらの条件によってどの程度の範囲にあるかを知っておくことは重要である．

次の表は伝熱現象とそれに対応する熱伝達率の概略値の一例を示したものである．

表

流体の種類	伝熱の形態	熱伝達率の概略値 [W/(m²·K)]	条件
水	自然対流	500	20 ℃の水中に 50 ℃の鉛直平板
	強制対流	8	内径 5 cm，130 ℃の円管内，40 ℃の水 1 m/s の流れ
	沸騰	9	0.1 MPa，熱流束 1 MW/m² 付近（バーンアウト付近）
空気	自然対流	5	0.1 MPa，20 ℃の空気中に 50 ℃の鉛直平板
	強制対流	10	内径 5 cm，130 ℃の円管内，40 ℃の空気 10 m/s の流れ

〈 8 ～ 10 の解答群〉

ア 0.5　**イ** 40　**ウ** 5 000　**エ** 60 000　**オ** 500 000

(2) 放射伝熱は電磁波によるエネルギーの移動である．ここで，平行して向かい合う面積の異なる二つの黒体表面間で単位時間当たりに移動する熱量 Q について考える．一方を絶対温度 T_1 の面 1，もう一方を絶対温度 T_2 の面 2 とする．面 1 の面積を A_1，面 1 から面 2 を見た形態係数を F_{12} とし，面 2 の面積を A_2，面 2 から面 1 を見た形態係数を F_{21} とすると，Q は次式で表される．なお，$T_1 > T_2$ とし，ステファン・ボルツマン定数を σ とする．

$Q =$ 11

〈 11 の解答群〉

ア $\sigma(T_1{}^4 - T_2{}^4)A_1F_{12}$　**イ** $\sigma(T_1{}^4 - T_2{}^4)A_1F_{21}$

ウ $\sigma(T_1 - T_2)^4A_1F_{12}$　**エ** $\sigma(T_1{}^4 - T_2{}^4)(A_1F_{12} - A_2F_{21})$

オ $\sigma(T_1{}^4 - T_2{}^4)\dfrac{A_2F_{21}}{A_1F_{12}}$

(3) 図 1 のように，内部に温度 T_1 の温水が流れる外半径 r_1 で長さ L の円管があり，その周りに外半径 r_2 で熱伝導率 k の断熱材が巻かれている．断熱材の外周側から温度 T_2 の周囲空気へ対流熱伝達による放熱があり，その熱伝達率は h である．なお，円管内から断熱材内表面までの熱抵抗は十分に小さいものとして無視し，円管外表面温度は T_1 で均一とする．

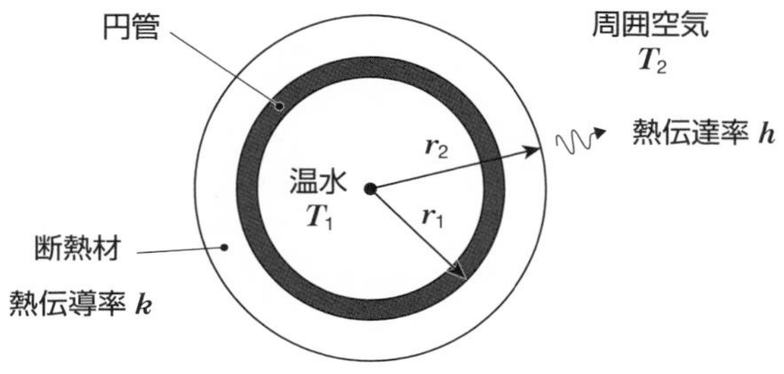

図1

1)　円管から周囲空気への単位時間当たりの放熱量 Q は，式 $Q=$ [12] で求めることができる．

2)　熱伝導率 k を 0.04 W/(m·K)，熱伝達率 h を 4 W/(m²·K) とした場合，外半径 r_1 が 7.95 mm の円管に対して，温水の温度 T_1 を 60 ℃，周囲空気の温度 T_2 を 20 ℃とすると，円管の長さ 1 m 当たりの周囲空気への単位時間当たりの放熱量は，次のように求められる．ただし，π＝3.142，$\ln\dfrac{995}{795}=0.224\,4$ とする．

①　断熱材がない場合：8.0 W

②　厚さ 2 mm の断熱材を巻いた場合：[13] [W]

③　厚さ 8 mm の断熱材を巻いた場合：7.6 W

このように，周囲空気の条件や断熱材の厚さによっては断熱材が効果を示さない場合があるので注意が必要である．

〈[12] 及び [13] の解答群〉

ア 7.6　**イ** 7.8　**ウ** 8.0　**エ** 8.2　**オ** 8.4

カ $\dfrac{2\pi L(T_1-T_2)}{\left\{\dfrac{\ln\left(\dfrac{r_2}{r_1}\right)}{k}\right\}}$　**キ** $\dfrac{2\pi L(T_1-T_2)}{\left\{\dfrac{\ln\left(\dfrac{r_2}{r_1}\right)}{k}+\dfrac{1}{r_2h}\right\}}$　**ク** $\dfrac{2\pi L(T_1-T_2)}{\left\{\dfrac{\ln\left(\dfrac{r_2}{r_1}\right)}{k}+r_2h\right\}}$

(4)　熱交換器を流体の流れ方により分類すると，向流形，並流形及び直交流形の三つに分類される．それらのエネルギー効率 ε の値を形式別に大きい順に並べると，[14] である．

伝熱面積，熱通過率が既知である隔壁式熱交換器の交換熱量は，熱交換器入口における両流体の比熱，質量流量及び温度が分かれば，出口温度が不明であっても [15] を用いて求めることができる．

図2は，高温側流体の入口を1，出口を2としたときの，高温，低温両流

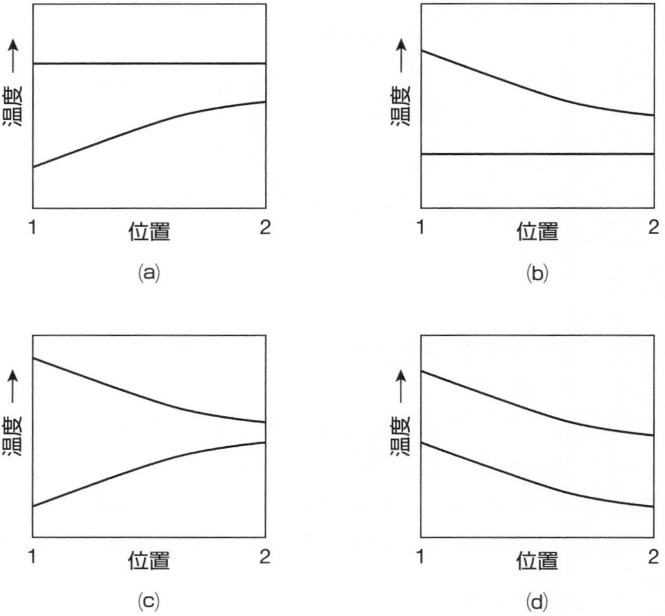

図2

体のおおよその温度変化のパターンをいくつか模式的に示したものである．この(a)〜(d)の中で，凝縮器用の並流形熱交換器（凝縮側では相変化のみ起こるとする）のパターンに相当するのは 16 である．

〈 14 〜 16 の解答群〉

ア (a)　**イ** (b)　**ウ** (c)　**エ** (d)

オ 向流形—直交流形—並流形　**カ** 向流形—並流形—直交流形

キ 並流形—直交流形—向流形　**ク** 対数平均温度差

ケ ε—NTU（伝熱単位数）の関係式

コ 対数平均温度差—NTU（伝熱単位数）の関係式

解 説

(1)

1) ヌセルト数 Nu は，熱伝達率 h に代表長さ l を乗じて，熱伝導率 κ で除したものとして定義される．その物理的な意味は，対流による熱伝達が熱伝導によるものに比べてどのくらい大きいかを示すものである．

ヌセルト数 Nu の代表長さとしては，流れに直交する円管の管外側の熱伝達では円管の外径が用いられる．

円管の流れが層流の場合の熱伝達において，ヌセルト数 Nu は一定となる．

対流伝熱では，ヌセルト数 Nu，レイノルズ数 Re，プラントル数 Pr，グラフホフ数 Gr の四つの無次元数を用いて，熱伝達率と流れを表す．

強制対流の熱伝達では，ヌセルト数 Nu をレイノルズ数 Re およびプラントル数 Pr の関数として，$Nu=f(Re,\ Pr)$ の形で表現し，自然対流の熱伝達ではグラフホフ数を用いて，$Nu=f(Gr,\ Pr)$ の形で表現する．

2)　サブクール沸騰熱伝達の際の熱伝達率は，一般に「熱流束」を「伝熱面温度と流体の飽和温度との差」（サブクール度）で除したものとして扱われる．

3)　代表的な伝熱過程に関する熱伝達率の概略値は問題の表のような値となる．

流体種類が「水」で伝熱の形態が「強制対流」の場合，熱伝達率の概略値は 5 000 W/(m²·K)，伝熱の形態が「沸騰」の場合，熱伝達率の概略値は 60 000 W/(m²·K) となる．

また，流体種類が「空気」で伝熱の形態が「強制対流」の場合，熱伝達率の概略値は 40 W/(m²·K) となる．

(2)　題意より，単位時間当たりに移動する熱量 Q は，次式で表される．

$$Q = \sigma T_1{}^4 A_1 F_{12} - \sigma T_2{}^4 A_2 F_{21}$$

ここで形態係数は，二つの面の相対的な幾何学的関係だけで決定される値であり，

$$A_1 F_{12} = A_2 F_{21}$$

という関係がある．したがって，次式となる．

$$Q = \sigma(T_1{}^4 - T_2{}^4)A_1 F_{12}$$

(3)

1)　円管から周囲空気への単位時間当たりの放熱量 Q は，熱通過率 K と円管表面積 $A = 2\pi r_2 L$ から次のように表される．

$$Q = KA(T_1 - T_2) = K \cdot 2\pi r_2 L(T_1 - T_2)$$

ここで，K は円管内からの断熱材内表面までの熱抵抗は十分小さいものとして無視し，円管外表面温度は T_1 で均一とすることから，次式で表される．

$$K = \frac{1}{\dfrac{r_2}{k}\ln\dfrac{r_2}{r_1} + \dfrac{1}{h}}$$

したがって，

$$Q = \frac{2\pi L\,(T_1 - T_2)}{\dfrac{\ln\dfrac{r_2}{r_1}}{k} + \dfrac{1}{r_2 h}}$$

2)② 厚さ 2 mm の断熱材を巻いた場合，題意と式 Q より次のように求められる．

$$Q=\frac{2\times 3.142\times 1(60-20)}{\dfrac{\ln\dfrac{995}{795}}{0.04}+\dfrac{1}{9.95\times 10^{-3}\times 4}}=\frac{251.36}{\dfrac{0.2244}{0.04}+25.1256}$$

$$=\frac{251.36}{5.61+25.1256}=8.178\fallingdotseq 8.2\ \mathrm{W}$$

(4) 熱交換器の性能を表す基準をエネルギー効率（熱通過有効度）ε で表示する．エネルギー効率 ε は交換熱量に着目したもので，交換可能な最大熱量 $\dot{Q}_{\mathrm{max}}$ に対する実際の交換熱量 $\dot{Q}$ の割合として次式で定義される．

$$\varepsilon=\frac{\dot{Q}}{\dot{Q}_{\mathrm{max}}}=\frac{\dot{C}_{\mathrm{h}}}{\dot{Q}_{\mathrm{min}}}\eta_{\mathrm{h}}=\frac{\dot{C}_{\mathrm{c}}}{\dot{Q}_{\mathrm{min}}}\eta_{\mathrm{c}}$$

ここで，$\dot{C}_{\mathrm{h}}$ と η_{h} は高温流体の熱容量流量と温度効率，$\dot{C}_{\mathrm{c}}$ と η_{c} は低温流体の熱容量流量と温度効率であり，$\dot{Q}_{\mathrm{min}}$ は $\dot{C}_{\mathrm{h}}$ と $\dot{C}_{\mathrm{c}}$ のうち小さい方を意味する．

上記エネルギー効率 ε と後述する伝熱単位数 NTU の線図，並流，向流，直交流形に対して計算された曲線から，エネルギー効率 ε の値を大きい順に並べると，向流形－直交流形－並流形となる．

設問の隔壁式熱交換器の交換熱量は，出口温度が不明であっても，ε－NTU（伝熱単位数）の関係式を用いて求めることができる．

NTU は熱通過率 K と伝熱面積 A から，次式で定義される無次元数である．

$$NTU=\frac{KA}{\dot{Q}_{\mathrm{min}}}$$

凝縮器用の並流形熱交換器の温度変化のパターンに相当するのは，(a)となる．題意より，凝縮側では相変化のみ起こるとするとあるので，高温側流体は凝縮潜熱が利用されたものとなる．

解答 **(1) 1-コ，2-カ，3-セ，4-オ，5-エ，6-ア，7-イ，8-ウ，9-エ，10-イ**

(2) 11-ア

(3) 12-キ，13-エ

(4) 14-オ，15-ケ，16-ア

第 39 回　2017 年（平成 29 年）

（熱力学の基礎）

問題4　次の各文章の［ 1 ］～［ 10 ］の中に入れるべき最も適切な式又はグラフをそれぞれの解答群から選び，その記号を答えよ．（配点計 50 点）

図に示すように，ストッパ付きのシリンダ内を上下するピストンを用いて，封入された空気を加熱あるいは冷却することにより，質量 W の重りを高さ h（ピストンのストロークに等しい）の位置へ重力に逆らって連続的に移動させることを考える．ここで，封入された空気の質量を m，ピストンの質量を w，ピストンの底面積を A とする．また，空気のガス定数を R，重力の加速度を g とする．ただし，シリンダ内に封入された空気の漏れはなく，摩擦によるエネルギーの損失はないものとする．

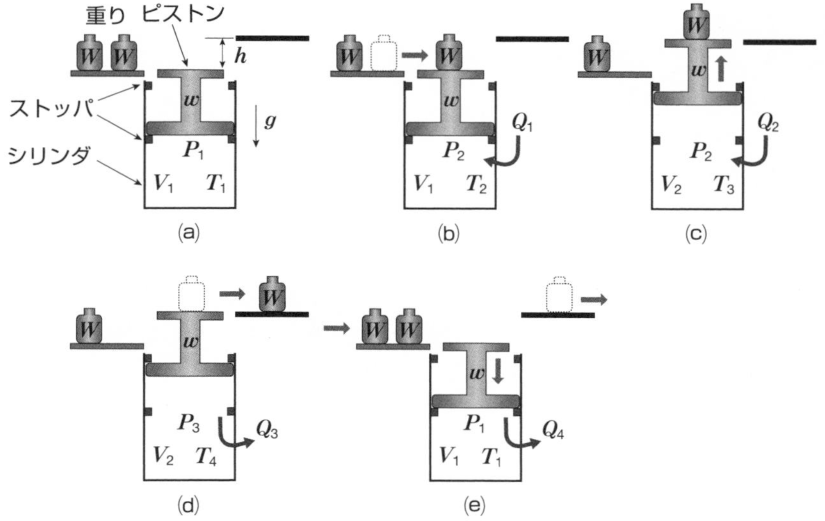

図

1）　図(a)に示すように，ピストンが最下位にある初期の状態におけるシリンダ内の容積を V_1，絶対温度を T_1，圧力を P_1 とする．このとき，圧力 P_1 はピストンの自重をちょうど支えており，ストッパには力が加わっていない状態である．

このとき，状態方程式は次の式①で表すことができる．

[1] ……………………………………………………………… ①

ここで，圧力 P_1 は $P_1=\dfrac{wg}{A}$ で表すことができる.

2) 次に，図(b)に示すように，ピストン上部のテーブルに質量 W の重りを載せる．ピストンはストッパに支えられ，図(a)と同じ位置にある．その状態からシリンダ内の空気に熱量 Q_1 を与え，圧力をピストンと重りの合計質量と釣り合う圧力 P_2 まで上昇させる．それに伴い温度は T_2 となる.

このとき，シリンダ内の容積は V_1 で不変であるが，ストッパからピストンへ力は加わっていない状態となるので，状態方程式は次の式②で表すことができる.

[2] ……………………………………………………………… ②

3) このとき，ピストンと重りの質量を用いて $P_2=\dfrac{(W+w)g}{A}$ であることから，式①，式②及び $P_1=\dfrac{wg}{A}$ を用いて温度 T_2 は次の式③で表すことができる.

$T_2=$ [3] ……………………………………………………………… ③

〈[1]～[3]の解答群〉

ア	$P_1V_1=RT_1$	イ	$P_1T_1=mRV_1$	ウ	$P_1V_1=mRT_1$
エ	$P_2V_1=mRT_1$	オ	$P_2V_1=RT_2$	カ	$P_2V_1=mRT_2$
キ	$\dfrac{(W+w)}{w}T_1$	ク	$\dfrac{w}{(W+w)}T_1$	ケ	$\dfrac{(W+w)}{w}V_1T_1$

4) さらに，図(c)に示すように，シリンダ内の空気に熱を加えるとシリンダが上昇を始め，2)で加えた熱量 Q_1 から更に熱量 Q_2 を与えたところで，重りがちょうどピストンのストローク分の高さ h まで持ち上げられ，かつ，ストッパへ力が加わらない状態で停止する．このとき，シリンダ内容積は V_2 となり，温度は T_3 となる.

このときの温度 T_3 は次の式④で表すことができる.

$T_3=$ [4] ……………………………………………………………… ④

5) その後，図(d)に示すように，重りをテーブルから移動させ，シリンダ内の空気から Q_3 だけ放熱させ，容積は V_2 そのままで，ストッパへ力が加わらずにピストンのみをちょうど支えられる圧力 $P_3=P_1$ まで低下させる.

$T_4=$ [5] ……………………………………………………………… ⑤

〈[4] 及び [5] の解答群〉

ア $\dfrac{V_2}{V_1}T_1$　　**イ** $\dfrac{(W+w)}{A}gT_1$　　**ウ** $(W+w)g\dfrac{V_2}{V_1}T_1$

エ $\dfrac{(W+w)}{w}V_2T_1$　　**オ** $\dfrac{(W+w)}{w}\dfrac{V_2}{V_1}T_1$　　**カ** $\dfrac{w}{(W+w)}\dfrac{V_2}{V_1}T_1$

6)　さらに，図(e)に示すように，Q_4 だけ放熱させ，ピストンを下げ，図(a)の状態へと戻る．これらの過程を繰り返すことで，連続的に重りを高さ h まで運ぶガスサイクルとなる．

このサイクルの $P-V$ 線図は [6]，$T-S$（温度－エントロピー）線図は [7] のように表される．

〈[6] 及び [7] の解答群〉

ア

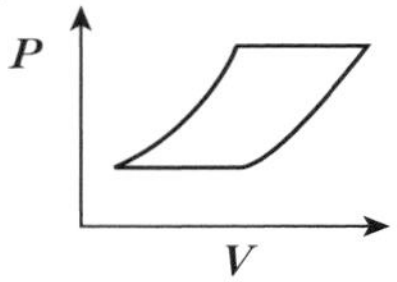

イ

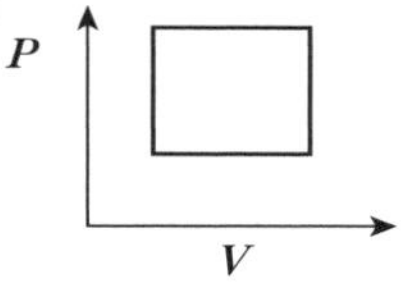

ウ

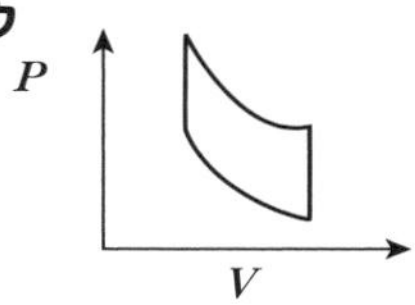

エ

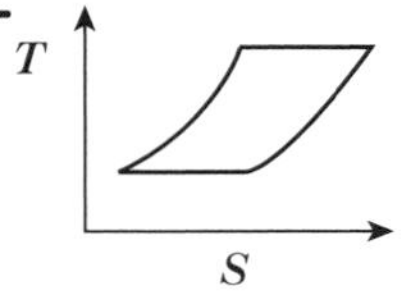

オ

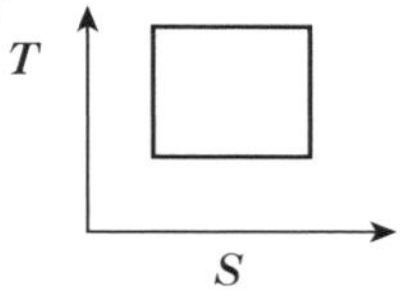

カ

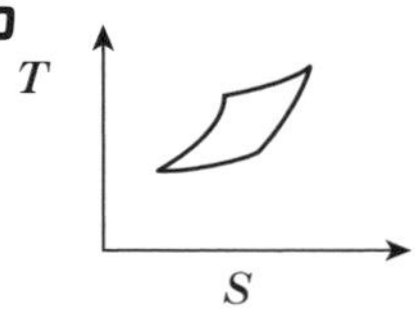

7)　このガスサイクルの熱効率を次のように求める．

投入エネルギー Q_1+Q_2 は，定容比熱を c_v，定圧比熱を c_p とすると，次の式⑥で表すことができる．

$Q_1+Q_2=$ [8] ……………………………… ⑥

一方，放熱量 Q_3+Q_4 は，次の式⑦で表すことができる．

$Q_3+Q_4=$ [9] ……………………………… ⑦

したがって，このガスサイクルの熱効率 η は，次の式⑧となる．

$\eta=$ [10] ……………………………… ⑧

〈[8] ～ [10] の解答群〉

ア $mc_p(T_2-T_1)+mc_v(T_3-T_2)$　　**イ** $mc_v(T_2-T_1)+mc_p(T_3-T_2)$

ウ $mc_p(T_3-T_2)+mc_v(T_4-T_1)$　　**エ** $mc_p(T_3-T_4)+mc_v(T_4-T_1)$

オ $mc_v(T_3-T_4)+mc_p(T_4-T_1)$　　**カ** $\dfrac{R(P_2-P_1)(V_2-V_1)}{c_vV_1P_1+c_pP_2V_2}$

キ $\dfrac{RWgh}{c_pV_1(P_2-P_1)+c_vP_2(V_2-V_1)}$　　**ク** $\dfrac{RWgh}{c_vV_1(P_2-P_1)+c_pP_2(V_2-V_1)}$

解 説

1) 題意より，状態方程式は次の式①で表される．

$$P_1V_1 = mRT_1 \qquad ①$$

2) 題意より，状態方程式は次の式②で表される．

$$P_2V_1 = mRT_2 \qquad ②$$

3) $P_2 = \dfrac{(W+w)g}{A}$，式①，式②および $P_1 = \dfrac{wg}{A}$ を用いて，温度 T_2 を求める．

式①に $P_1 = \dfrac{wg}{A}$ を代入すると次式となる．

$$\frac{wg}{A}V_1 = mRT_1$$

変形して

$$V_1 = \frac{A}{wg}mRT_1$$

同様に，式②に $P_2 = \dfrac{(W+w)g}{A}$ と $V_1 = \dfrac{A}{wg}mRT_1$ を代入すると，式③となる．

$$\frac{(W+w)g}{A}\frac{A}{wg}mRT_1 = mRT_2$$

$$T_2 = \frac{W+w}{w}T_1 \qquad ③$$

4) 題意より，状態方程式は次式となる．

$$P_2V_2 = mRT_3$$

$$T_3 = \frac{P_2V_2}{mR}$$

これに，式②より P_2，さらに式③より T_2 を代入すると，式④となる．

$$T_3 = \frac{mRT_2}{V_1}\frac{V_2}{mR} = \frac{W+w}{w}\frac{V_2}{V_1}T_1 \qquad ④$$

5) 題意より，状態方程式は次式となる．

$$P_3V_2 = mRT_4$$

$$T_4 = \frac{P_3V_2}{mR}$$

ここで，$P_1 = P_3$ なので，式①より P_1 を代入すると，式⑤となる．

$$T_4 = \frac{mRT_1}{V_1}\frac{V_2}{mR} = \frac{V_2}{V_1}T_1 \qquad ⑤$$

6) このガスサイクルは，定容変化，定圧変化を繰り返すサイクルであり，

$P-V$ 線図は，解答群イの図，$T-S$（温度 − エントロピー）線図は解答群カのように表される．

7）投入エネルギー Q_1+Q_2 は，定容比熱 c_v，定圧比熱 c_p とすると，式⑥で表される．

$$Q_1+Q_2=mc_v(T_2-T_1)+mc_p(T_3-T_2) \qquad ⑥$$

放熱量 Q_3+Q_4 は，同様に定容比熱 c_v，定圧比熱 c_p とすると，式⑦で表される．

$$Q_3+Q_4=mc_v(T_3-T_4)+mc_p(T_4-T_1) \qquad ⑦$$

このガスサイクルの熱効率 η は，投入エネルギーと放熱量より，次式で求められる．

$$\eta=\frac{\text{投入エネルギー}-\text{放熱量}}{\text{投入エネルギー}}=\frac{(Q_1+Q_2)-(Q_3+Q_4)}{Q_1+Q_2}$$

$$=\frac{\{mc_v(T_2-T_1)+mc_p(T_3-T_2)\}-\{mc_v(T_3-T_4)+mc_p(T_4-T_1)\}}{mc_v(T_2-T_1)+mc_p(T_3-T_2)}$$

状態方程式を用いて，T_1，T_2，T_3，T_4 を求めると，

$$\eta=\frac{\left\{mc_v\left(\frac{P_2V_1}{mR}-\frac{P_1V_1}{mR}\right)+mc_p\left(\frac{P_2V_2}{mR}-\frac{P_2V_1}{mR}\right)\right\}}{mc_v\left(\frac{P_2V_1}{mR}-\frac{P_1V_1}{mR}\right)+mc_p\left(\frac{P_2V_2}{mR}-\frac{P_2V_1}{mR}\right)}*$$

$$*\frac{-\left\{mc_v\left(\frac{P_2V_2}{mR}-\frac{P_1V_2}{mR}\right)+mc_p\left(\frac{P_1V_2}{mR}-\frac{P_1V_1}{mR}\right)\right\}}{}$$

$$=\frac{\{c_vV_1(P_2-P_1)+c_pP_2(V_2-V_1)\}-\{c_vV_2(P_2-P_1)+c_pP_1(V_2-V_1)\}}{c_vV_1(P_2-P_1)+c_pP_2(V_2-V_1)}$$

$$=\frac{(c_p-c_v)(P_2-P_1)(V_2-V_1)}{c_vV_1(P_2-P_1)+c_pP_2(V_2-V_1)}$$

ここで，定容比熱 c_v，定圧比熱 c_p の間の関係式 $c_p-c_v=R$，$P=\dfrac{wg}{A}$，$P_2=\dfrac{(W+w)g}{A}$，ピストンの底面積 A と高さ h から $V_2-V_1=Ah$ より，式⑧となる．

$$\eta=\frac{R\left\{\frac{(W+w)g}{A}-\frac{wg}{A}\right\}\times Ah}{c_vV_1(P_2-P_1)+c_pP_2(V_2-V_1)}$$

$$=\frac{RWgh}{c_vV_1(P_2-P_1)+c_pP_2(V_2-V_1)} \qquad ⑧$$

解　答　1)　**1- ウ**
2)　**2- カ**
3)　**3- キ**
4)　**4- オ**
5)　**5- ア**
6)　**6- イ，7- カ**
7)　**8- イ，9- オ，10- ク**

（熱力学の基礎）

問題5　次の各文章の［ 1 ］～［ 11 ］の中に入れるべき最も適切な字句又は式をそれぞれの解答群から選び，その記号を答えよ．なお，［ 5 ］は4箇所，［ 9 ］は3箇所あるが，それぞれ同じ記号が入る．

また，［A a.bc］～［F a.b］に当てはまる数値を計算し，その結果を答えよ．ただし，解答は解答すべき数値の最小位の一つ下の位で四捨五入すること．（配点計50点）

蒸気を作動流体として仕事をする蒸気原動所のサイクルについて考える．図は，蒸気原動所の理論サイクルを $T-s$（温度 − 比エントロピー）線図上に示したものである．

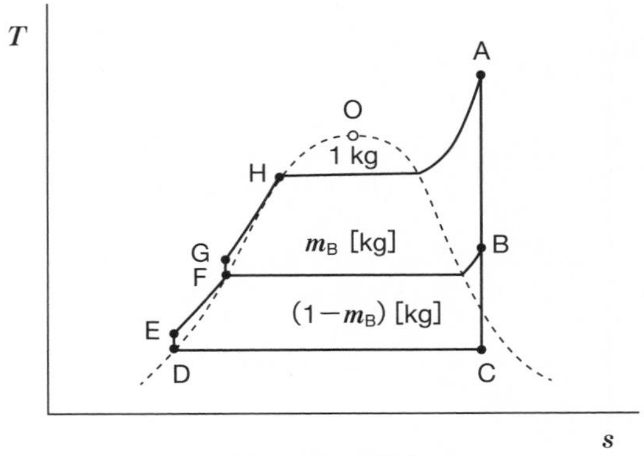

図　$T-s$ 線図

1)　図中の実線で蒸気の状態変化を示したサイクルは，一段の［ 1 ］である．

〈［ 1 ］の解答群〉

ア　再生サイクル　　**イ**　再熱サイクル　　**ウ**　再熱再生サイクル

2)　図中の破線は，蒸気の［ 2 ］を示したものであり，状態点0は臨界点である．この状態点0より左側の曲線部分は［ 3 ］，右側の曲線部分は

[4] と呼ばれる.

〈[2] ～ [4] の解答群〉

ア	過熱曲線	**イ**	等圧曲線	**ウ**	飽和曲線
エ	過熱液線	**オ**	等圧液線	**カ**	飽和液線
キ	過熱蒸気線	**ク**	等圧蒸気線	**ケ**	飽和蒸気線

3）　以降においては，作動流体を水蒸気としたときについて考える．図のサイクルにおいて，水蒸気の状態変化は次のとおりとする．

i）　タービン入口に流入する蒸気量 1 kg の [5] は状態点 A で示される．そのときの A 点の圧力を 5 MPa，温度を 500 ℃とする．

ii）　タービンに流入した [5] は，状態点 B で m_B ［kg］ 抽気された後，残りの $(1-m_B)$ ［kg］ は，圧力 5 kPa の状態点 C まで [6] を行う．したがって，この状態点 A から C までの間，比エントロピーは変化しない．効率向上を図るため，状態点 B で抽気された m_B ［kg］ の [5] は，混合給水加熱器に送られる．

iii）　一方，タービン出口である状態点 C で [7] に流入した $(1-m_B)$ [kg] の [8] は，凝縮されて状態点 D で [9] となり，状態点 E まで給水ポンプ 1 により昇圧され，混合給水加熱器を経て状態点 F で 1 kg の [9] になるものとする．この [9] は，さらに給水ポンプ 2 によりボイラ圧力 5 MPa まで昇圧され，ボイラに送られて状態点 H を経て，状態点 A の [5] となり，タービンに送気される．

〈[5] ～ [9] の解答群〉

ア	圧縮水	**イ**	過熱水	**ウ**	飽和水	**エ**	過熱蒸気
オ	乾き飽和蒸気	**カ**	湿り蒸気	**キ**	絞り膨張	**ク**	断熱膨張
ケ	等温膨張	**コ**	加熱器	**サ**	再生器	**シ**	復水器

4）　このサイクルにおいて，給水ポンプの仕事はいずれも無視できるものとして，次の値を求める．ただし，状態点 A，B，D 及び F の比エンタルピー h 及び比エントロピー s は表 1 の値を，圧力 5 kPa 及び 5 MPa における飽和水の比エンタルピー h' 及び比エントロピー s'，飽和蒸気の比エンタルピー h'' 及び比エントロピー s'' は表 2 の値を用いること．

i）　圧力 5 kPa の状態点Cの乾き度 x は，式 [10] から求めることができ，[A a.bc] $\times 10^{-1}$ となる．

　また，状態点 C の比エンタルピー h は，乾き度 x の値を用いて求めると [B a.bc$\times 10^{d}$] ［kJ/kg］ となる．

ii）　タービン内の状態点 B で抽出されるタービン流入蒸気 1 kg 当たりの

抽気量 m_B [kg] は，抽気蒸気によりボイラ入口給水の状態点が状態点 D より状態点 F にシフトできたことから，式 $m_B =$ [11] で求めることができ，[C a.bc] ×10^{-1} [kg] となる．

iii)　このように抽気を給水予熱に利用した場合のサイクルの理論熱効率 η_1 は，[D a.bc] ×10^{-1} となる．

iv)　ここで，抽気をしない場合のサイクルの理論熱効率 η_0 を，状態点 A，C 及び D の比エンタルピーを用いて求めると，[E a.bc] ×10^{-1} となる．

v)　iii) 及び iv) より，抽気をしない場合のサイクルの理論熱効率 η_0 を基準とした効率向上率 $\left(\dfrac{\eta_1 - \eta_0}{\eta_0}\right) \times 100$ は，約 [F a.b] [%] となる．

〈[10] 及び [11] の解答群〉

ア　$s = s' + xs''$　　**イ**　$s = s' + x(s'' - s')$　　**ウ**　$s = (1 - x)s' + s''$

エ　$\dfrac{h_F - h_D}{h_A - h_B}$　　**オ**　$\dfrac{h_F - h_D}{h_B - h_D}$　　**カ**　$\dfrac{h_F - h_D}{h_B - h_F}$

表 1　各状態点の比エンタルピー及び比エントロピー

状態点	比エンタルピー h [kJ/kg]	比エントロピー s [kJ/(kg·K)]
A	3 434.48	6.977 8
B	2 780.62	6.977 8
D	137.77	0.476 3
F	610.89	1.790 9

表 2　飽和水と飽和蒸気表

圧力 [kPa]	温度 [℃]	比エンタルピー [kJ/kg]		比エントロピー [kJ/(kg·K)]	
		h'	h''	s'	s''
5	32.875	137.77	2 560.77	0.476 3	8.383 9
5 000	263.94	1 154.50	2 794.23	2.920 8	5.973 7

解　説

1)　再生サイクルは，蒸気タービン内で膨張の途中，蒸気の一部をタービン外に抽出し（この操作を抽気と呼ぶ），給水を加熱するのに用いる．このような抽気による給水加熱の段数は，通常 1 ～ 8 段である．

2)　図中の破線は，飽和曲線（飽和限界曲線）であり，状態点 O は臨界点である．臨界点より左側の曲線部分は飽和液線，臨界点より右側の曲線部分は飽和蒸気線と呼ばれる．

3)　図のサイクルにおける水蒸気の状態変化は以下である．

タービンに流入した過熱蒸気（状態点A）は，状態点Bで抽気された後，状態点Cまで断熱膨張を行う．

一方，タービン出口である状態点Cで復水器に流入した湿り蒸気は，凝縮されて状態点Dで飽和水となり，状態点Eまで給水ポンプ1により昇圧され，混合給水加熱器を経て状態点F，さらにこの飽和水は給水ポンプ2により昇圧され，ボイラに送られて状態点Hを経て，状態点Aの過熱蒸気となり，タービンに送気される．

4)　状態点Cの乾き度χは次式で表される．

$$s = s' + \chi(s'' - s')$$

$$\chi = \frac{s - s'}{s'' - s'} = \frac{6.977\,8 - 0.476\,3}{8.383\,9 - 0.476\,3} = 0.822\,1 \fallingdotseq 8.22 \times 10^{-1}$$

状態点Cの比エンタルピーは，乾き度χの値を用いて求めると，次式のようになる．

$$h = h' + \chi(h'' - h') = 137.77 + 0.822\,1 \times (2\,560.77 - 137.77)$$
$$= 2\,129.718\,3 \fallingdotseq 2.13 \times 10^{3}\ \mathrm{kJ/kg}$$

抽気蒸気によりボイラ入口給水の状態点が状態点Dより状態点Fにシフトできたことから，抽気量m_{B}は次式で求められる．

$$m_{\mathrm{B}} = \frac{h_{\mathrm{F}} - h_{\mathrm{D}}}{h_{\mathrm{B}} - h_{\mathrm{D}}} = \frac{610.89 - 137.77}{2\,780.62 - 137.77}$$
$$= 0.179\,0 \fallingdotseq 1.79 \times 10^{-1}\ \mathrm{kg}$$

抽気を給水予熱に利用した場合のサイクルの理論熱効率η_1は次式で求められる．

$$\eta_1 = \frac{(h_{\mathrm{A}} - h_{\mathrm{C}}) - m_{\mathrm{B}}(h_{\mathrm{B}} - h_{\mathrm{C}})}{h_{\mathrm{A}} - h_{\mathrm{F}}}$$
$$= \frac{(3\,434.48 - 2\,129.718) - 0.179\,0 \times (2\,780.62 - 2\,129.718)}{3\,434.48 - 610.89}$$
$$= 0.420\,8 \fallingdotseq 4.21 \times 10^{-1}$$

抽気をしない場合のサイクルの理論熱効率η_0は次式で表される．

$$\eta_0 = \frac{h_{\mathrm{A}} - h_{\mathrm{C}}}{h_{\mathrm{A}} - h_{\mathrm{D}}} = \frac{3\,434.48 - 2\,129.718}{3\,434.48 - 137.77} = 0.395\,7 \fallingdotseq 3.96 \times 10^{-1}$$

抽気をしない場合のサイクルの理論熱効率η_0を基準とした効率向上率は次式で表される．

$$\frac{\eta_1 - \eta_0}{\eta_0} = \frac{0.420\,8 - 0.395\,7}{0.395\,7} = 0.063\,4 \fallingdotseq 6.3\ \%$$

解答　**1)　1- ア**

2)　2- ウ，3- カ，4- ケ

3)　5- エ，6- ク，7- シ，8- カ，9- ウ

4)　10- イ，A-8.22，B-2.13 × 10^3，11- オ，C-1.79，D-4.21，E-3.96，F-6.3

(流体工学の基礎)

問題6　次の各問に答えよ．（配点計 50 点）

(1)　次の文章の［1］～［4］の中に入れるべき最も適切な字句又は式を〈［1］～［4］の解答群〉から選び，その記号を答えよ．なお，［1］は 2 箇所あるが，同じ記号が入る．

図 1 に示すように，ゆるやかに縮小したあと，徐々に拡大するような管を［1］管と呼ぶ．ここで，断面積が最小となる部分をのど部という．［1］管では直前の直管部（圧力 p_A［Pa]）とのど部（圧力 p_B［Pa]）での圧力差（$p_A - p_B$）を測定することにより，流量を計測することができる．この測定原理は，流体のエネルギー保存を表す［2］の式によるものである．

いま，流れる流体を水とし，水の密度を ρ_W［kg/m^3]，マノメータの読み値を H［m]，重力の加速度を g［m/s^2］として，内部に流体 C（水とは混ざらず，密度 ρ_C［kg/m^3］が水より大きい）が入ったマノメータで圧力差を計測すると，圧力差 $(p_A - p_B)$=［3］［Pa］と表されるので，流体 C と水の密度差を［4］することで，マノメータの読み値を大きくして測定精度を上げることができることがわかる．

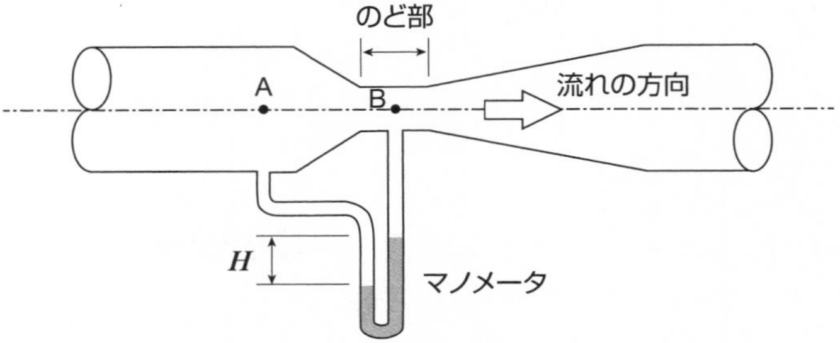

図1

〈［1］～［4］の解答群〉

ア　$\rho_C g H$	**イ**　$(\rho_c - \rho_W)H$	**ウ**　$(\rho_C - \rho_W) g H$
エ　オリフィス	**オ**　ニュートン	**カ**　ブルドン
キ　ベルヌーイ	**ク**　ベンチュリ	**ケ**　レイノルズ

コ　小さく　　**サ**　大きく　　**シ**　等しく

⑵　次の各文章の [5] ～ [12] の中に入れるべき最も適切な字句をそれぞれの解答群から選び，その記号を答えよ．なお，[5]，[7] 及び [8] は 2 箇所あるが，それぞれ同じ記号が入る．

図 2 に示すように，液体を輸送するポンプが吸込水面からある高さの位置に設置されている場合について考える．

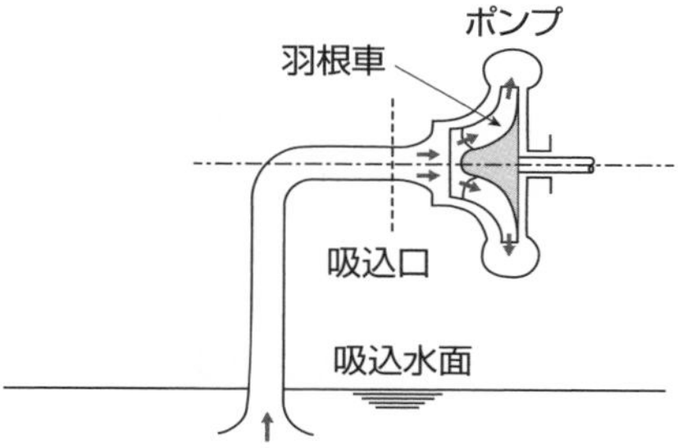

図2

1)　ポンプ吸込口の静圧については，吸込水面で保有していた圧力（大気圧）のエネルギーが位置のエネルギー，損失エネルギー，及び [5] に変化した分だけ，その圧力が大気圧よりも低くなる．ここで損失エネルギーとは，吸込管の流体摩擦や曲がり部による [6] を表す．水は羽根車の中に吸い込まれるときに羽根車によって加速されるので，[5] が増加した分だけ更に圧力が低くなる．

〈 [5] 及び [6] の解答群〉

ア　運動エネルギー　　**イ**　運動量　　**ウ**　有効エネルギー

エ　圧力損失　　**オ**　温度損失　　**カ**　速度損失

2)　ポンプ吸込口の圧力が [7] より高くても，羽根車入口部圧力（最低圧力）が [7] に達すれば [8] が発生し，揚程が急激に低下して，弁を開いても流量が増大しなくなる．幾何学的に相似なポンプにおける [8] の発生条件は [9] によって表すことができる．

3)　その他の運転上の注意としては，ポンプを揚程曲線（縦軸を全揚程，横軸を吐出し量とするグラフ）の [10] の部分で運転すると，配管を含む自励振動（激しい脈動，振動）が発生し，ついには運転不能になることがある．これを [11] という．また，停電などによってポンプが急停止すると，管路の流速や圧力の急激な変化によって [12] が起こり，発生した高圧力によって，送水管を破壊することもある．

〈 [7] ～ [12] の解答群〉

ア キャビテーション　**イ** サージング　**ウ** チョーキング
エ 水撃作用　**オ** 旋回失速　**カ** 定常圧力
キ 飽和圧力　**ク** 臨界圧力　**ケ** ポンプ効率
コ 吸込比速度　**サ** 全揚程　**シ** 右上がり
ス 右下がり　**セ** 水平

(3)　次の文章の [13] の中に入れるべき最も適切な式を〈[13] の解答群〉から選び，その記号を答えよ．

また，[A a.b]～[C a.b×10^c] に当てはまる数値を計算し，その結果を答えよ．ただし，解答は解答すべき数値の最小位の一つ下の位で四捨五入すること．ここで，水の密度 ρ を 997 kg/m^3，粘性係数 μ を 8.54×10^{-4} Pa·s，重力の加速度を 9.81 m/s^2 とする．

十分に大きなタンクがあり，内部に水が入っている．タンク最下部にある流出口からタンク内の水面までの鉛直方向の高さは 4.5 m で一定に保たれており，タンク上部は大気に解放されている．損失のない理想的な場合には，この最下部の流出口から直接大気中に流出する水の流速 U_1 は [A a.b] [m/s] となる．

次に，この流出口に管内直径 D が 40 mm，長さ L が 100 m の直円管を水平につないだ場合を考える．円管において摩擦抵抗による圧力損失のみが生じるとすると，円管出口から流出する水の流速 U_2 は [B a.b] [m/s] となる．ここで管摩擦係数を 0.020 とする．この円管内の流れのレイノルズ数 Re は，式 $Re=$ [13] と定義されるので，その値を計算すると [C a.b×10^c] であり，この円管内の流れは乱流域にあることがわかる．

〈[13] の解答群〉

ア $\dfrac{U_2D}{\left(\dfrac{\mu}{\rho}\right)}$　**イ** $\dfrac{U_2D}{\left(\dfrac{\rho}{\mu}\right)}$　**ウ** $\dfrac{U_2L}{\left(\dfrac{\mu}{\rho}\right)}$

解　説

(1)　図 1 に示す拡大縮小管をベンチュリ管といい，直前の直管部 A とのど部 B の圧力差を測定することで流量を計測するものである．

測定原理は，流体のエネルギー保存を表すベルヌーイの式によるものである．

題意より，

$$p_A - p_B = (\rho_C - \rho_W)gH$$

マノメータは，液頭差を圧力として読み取る計測装置である．

流体Cの密度が水の密度のX倍とすると，同じ圧力で比較した場合，水を用いた方が流体Cを用いた場合よりも液頭差がX倍になる．

例えば，小さな圧力を計測するとき，流体Cでは液頭差が少なすぎてほとんど読めない場合でも，水を使った場合には液頭差が存在して読めることになる．すなわち，流体Cと水の密度差を小さくすることでマノメータの読み値を大きくして測定精度を上げることができる．

(2)

1)　ポンプ吸込口の静圧については，吸込水面で保有していた圧力のエネルギーが位置エネルギー，損失エネルギー，運動エネルギーに変化した分だけ，その圧力が大気圧より低くなる．また，水は羽根車の中に吸い込まれるときに羽根車によって加速されるので，運動エネルギーが増加した分だけさらに圧力が低くなる．

損失エネルギーとは，吸込管の流体摩擦や管路曲がり部による圧力損失として表される．

2)　ポンプ吸込口の圧力が飽和圧力より高くても，羽根車入口部圧力（最低圧力）が飽和圧力に達すればキャビテーションが発生する．

キャビテーションが発生すると，騒音を発生し，揚程が急激に低下し，弁を開いても流量が増大せず，この状態で長時間運転すると羽根入口部分に浸食作用が起こる．

吸込比速度N_{ss}は次式で定義され，キャビテーション状態を表す一つのパラメータである．

$$N_{ss} = \frac{NV^{\frac{1}{2}}}{H_{SV}^{\frac{3}{4}}}$$

ここで，$NPSH$（有効吸込揚程）をH_{sv}［m］，吐出し量をV［m^3/min］，回転数をN［rpm］とする．

3)　ポンプを揚程曲線の右上がりの部分で運転すると激しい脈動，振動が発生し，ついには運転不能になることがあり，この現象をサージングという．

サージングを防止するためには，ポンプに近い仕切り弁によって水量を調整したり，送水管の途中の弁や曲がり部など複雑な形状をなるべく少なくして，空気だまりができないようにする．

停電などによってポンプが急に停止した場合，管路の流速，圧力が急激に変化して水撃作用が起こることがある．防止方法としては，緩閉式逆止弁や仕切り弁の設置や，停電時に作動する自動水圧調整弁の設置等がある．

(3)　題意より，重力加速度をg，流出口からタンク水面までの鉛直方向の高さをHとすると，流出する水の流速U_1は次式で表される．

$$U_1=\sqrt{2gH}=\sqrt{2\times9.81\times4.5}=9.39\fallingdotseq9.4\ \mathrm{m/s}$$

タンク水面（状態 0）と流出口（状態 2）との間には次式が適用される.

$$P_0+\frac{1}{2}\rho U_0{}^2+\rho gz_0=P_2+\frac{1}{2}\rho U_2{}^2+\rho gz_2+\Delta P_{\mathrm{loss}}$$

P_0：タンク表面の圧力，P_2：流水口の圧力，z_0：タンク水面の高さ，z_2：流水口の高さ，ΔP_{loss}：摩擦抵抗による圧力損失.

題意より，$U_0=0$，$P_0=P_2=$ 大気圧，$H=z_0-z_2=4.5\ \mathrm{m}$，$\Delta P_{\mathrm{loss}}$ は，摩擦圧力損失 $\Delta P=\frac{1}{2}f\frac{L}{D}\rho U_2{}^2$（$f$：管摩擦係数）として与えられるため，次式となる.

$$\rho gH=\frac{1}{2}\rho U_2{}^2+\frac{1}{2}f\frac{L}{D}\rho U_2{}^2$$

$$=\frac{1}{2}\rho\left(1+f\frac{L}{D}\right)U_2{}^2$$

$$U_2{}^2=\frac{2gH}{1+f\dfrac{L}{D}}$$

$$U_2=\sqrt{\frac{2gH}{1+f\dfrac{L}{D}}}=\sqrt{\frac{2\times9.81\times4.5}{1+0.020\times\dfrac{100}{0.04}}}$$

$$=1.31\fallingdotseq1.3\ \mathrm{m/s}$$

この円管内の流れのレイノルズ数 Re は，次式と定義され，その値を計算すると，次のように求まる.

$$Re=\frac{\rho U_2D}{\mu}=\frac{U_2D}{\dfrac{\mu}{\rho}}=\frac{1.31\times0.04}{\dfrac{8.54\times10^{-4}}{997}}$$

$$=61\,174.2\fallingdotseq6.1\times10^4$$

解　答　(1)　**1-ク，2-キ，3-ウ，4-コ**

(2)　**5-ア，6-エ，7-キ，8-ア，9-コ，10-シ，11-イ，12-エ**

(3)　**A-9.4，B-1.3，13-ア，C-6.1×10⁴**

（伝熱工学の基礎）

問題7　次の各問に答えよ.（配点計 50 点）

(1)　次の各文章の［ 1 ］～［ 7 ］の中に入れるべき最も適切な字句を〈［ 1 ］

～ [7] の解答群〉から選び，その記号を答えよ．なお，一つの解答群から同じ記号を 2 回以上使用してもよい．

1)　伝熱の基本性質に関する次の①～③の各文章の中で明らかに間違った記述を含むものは [1] である．

①　一般的な固体内の熱伝導において，電気を通しやすい物質の熱伝導率は大きく，電気を通しにくい物質の熱伝導率は小さいという性質がある．

②　管の中に冷たい液体を流して管外部を冷却する装置がある．液体は相変化をしないとすると，流速が遅い方が管内壁の熱伝達率は大きい．

③　黒体表面から放出される熱放射は，その絶対温度の 4 乗に比例する．

2)　放射伝熱に関する次の①～③の各文章の中で明らかに間違った記述を含むものは [2] である．

①　気体中の熱放射線は直進する．

②　凹部のない小さな物体 1 が大きな容器 2 の中に置かれ，完全に囲まれている．物体 1 表面から容器 2 表面を見たときの形態係数は 1 である．

③　研磨された銅板表面の射出率は，酸化膜で覆われた銅板表面の射出率より大きい．

3)　熱伝導に関する次の①～③の各文章の中で明らかに間違った記述を含むものは [3] である．

①　固体中の熱伝導は温度勾配に比例する．これをフーリエの法則と呼ぶ．

②　発泡ウレタンなどの断熱材の内部には発泡剤の空隙が多数存在する．これは，気体の熱伝導率が固体に比べて小さいことを利用して，断熱性能を向上させるためである．

③　直径 25 mm 程度の円管を断熱するために，円管の周りを円筒状の断熱材で囲むとき，円筒状の断熱材の厚さを 2 倍にすると，熱伝導抵抗は半分になる．

4)　対流伝熱に関する次の①～③の各文章の中で明らかに間違った記述を含むものは [4] である．

①　管の中を強制的に水が流れる十分発達した対流伝熱において，水は管内で相変化はしないものとすると，層流の場合のヌセルト数はプラントル数の関数で表される．

②　管の中を強制的に水が流れる十分発達した対流伝熱において，水は管内で相変化はしないものとすると，乱流の場合のヌセルト数はレイノルズ数とプラントル数の関数で表される．

③　固体壁近傍の流れにおいて，粘性により流体は固体壁に引っ張られ，流速が低い領域が存在する．この粘性の影響を強く受ける流れの領域を

境界層と呼ぶ.

5)　沸騰伝熱に関する次の①～③の各文章の中で明らかに間違った記述を含むものは [5] である.

①　一般的な液体の沸騰熱伝達率は，強制対流熱伝達率よりも大きい.

②　液体を容器内にためて沸騰させるプール沸騰を考える．沸騰形態を壁面の熱流束と過熱度を座標軸として表示した図を沸騰曲線という.

③　プール沸騰について，壁面過熱度が小さくて，壁面が蒸気膜で覆われた沸騰形態を膜沸騰という.

6)　凝縮伝熱する次の①～③の各文章の中で明らかに間違った記述を含むものは [6] である.

①　濡れやすい伝熱面に蒸気が凝縮するときには,膜状凝縮になりやすい.

②　滴状凝縮は，濡れにくい伝熱面で起きやすい凝縮形態である.

③　膜状凝縮においては，凝縮液膜が厚くなるほど凝縮熱伝達率は大きくなる.

7)　熱交換器に関する次の①～③の各文章の中で明らかに間違った記述を含むものは [7] である.

①　チューブ内を冷媒が流れ，外部を空気が流れるフィンチューブ式熱交換器を用いた蒸発器を考える．冷媒側の伝熱抵抗は空気側の伝熱抵抗より大きいので,性能向上のためには冷媒側の伝熱促進が最も重要である.

②　2 流体の間で熱変換をする熱交換器を設計するとき，2 流体の出口温度が分からない場合は，エネルギー効率（熱通過有効度）－NTU 法を用いると反復計算をする必要がない.

③　向流形熱交換器と並流形熱交換器を比較すると，一般に向流形熱交換器の方が良好な熱交換を行うことができる.

〈[1] ～ [7] の解答群〉

ア ①　　**イ** ②　　**ウ** ③

(2)　次の各文章の [8] の中に入れるべき最も適切な式を〈[8] の解答群〉から選び，その記号を答えよ.

また, [A ab] ～ [D ab] に当てはまる数値を計算し，その結果を答えよ．ただし，解答は解答すべき数値の最小位の一つ下の位で四捨五入することとし，自然対数の計算においては，表 3 の数値を用いること.

流体 A と流体 B が熱交換をする向流形熱交換器がある．流体 A，B 共に相変化することなく熱を伝えており，熱交換器内の温度を模式的に示すと図のようになっている．各流体の比熱及び流量は表 1 のとおりであり，熱交換器の各流体の入口温度及び出口温度は表 2 のように与えられている. ただし,熱損失はないものとする．

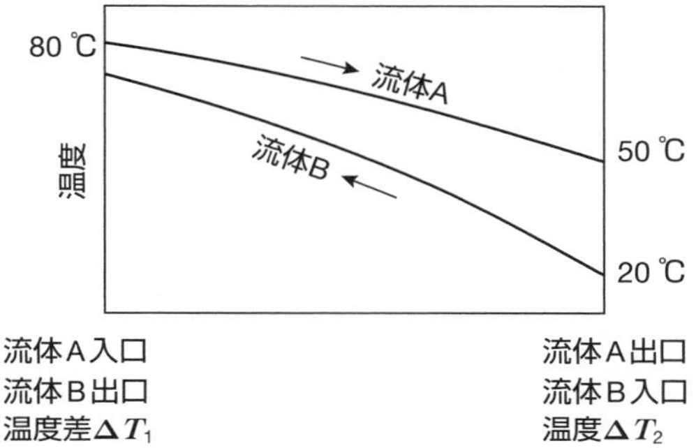

図

表 1

	流体 A	流体 B
比熱 [kJ/(kg·K)]	4.2	3.0
流量 [kg/s]	2.0	1.5

表 2

	流体 A	流体 B
入口温度 [℃]	80	20
出口温度 [℃]	50	未知

1)　与えられた条件から求められる交換熱量から流体 B の出口温度を求めると [A ab] [℃] となる．

2)　与えられた条件から算術平均温度差を求めると [B ab] [K] となる．

3)　熱交換器の熱通過率が 1.5 kW/(m^2·K) のとき，2)で求めた算術平均温度差を用いて熱交換器の伝熱面積を求めると [C a.b] [m^2] と算出される．

4)　図のとおり，左端の流体 A 入口と流体 B 出口の温度差を ΔT_1，右端の流体 A 出口と流体 B 入口の温度差を ΔT_2 とする．ΔT_1 及び ΔT_2 を用いて対数平均温度差を表すと，式 [8] で表される．

5)　与えられた条件から対数平均温度差を求めると [D ab] [K] となる．

〈[8] の解答群〉

ア　$(\Delta T_2 - \Delta T_1)\ln\left(\dfrac{\Delta T_2}{\Delta T_1}\right)$　　**イ**　$\dfrac{\Delta T_2 - \Delta T_1}{\ln\left(\dfrac{\Delta T_2}{\Delta T_1}\right)}$

ウ　$\dfrac{\Delta T_2 - \Delta T_1}{\ln\left(\dfrac{\Delta T_2 - \Delta T_1}{\Delta T_1}\right)}$

表 3　自然対数の値

N	1.0	1.5	2.0	2.5	3.0	3.5	4.0	4.5	5.0	5.5	6.0
$\ln N$	0	0.405	0.693	0.916	1.10	1.25	1.39	1.50	1.61	1.70	1.79
N	6.5	7.0	7.5	8.0	8.5	9.0	9.5	10.0	11.0	12.0	13.0
$\ln N$	1.87	1.95	2.01	2.08	2.14	2.20	2.25	2.30	2.40	2.48	2.56

解　説

(1)

1)　流速が速い方が管内壁の熱伝達率は大きい．

2)　研磨された銅板表面の射出率（0.023）は酸化膜で覆われた銅板表面の射出率（0.78）より小さい．

3)　円筒状の断熱材の厚さを 2 倍にすると，熱伝導抵抗も 2 倍になる．

4)　層流の場合のヌセルト数は一定である．

5)　壁面過熱度は大きい．壁面過熱度が小さい間は対流伝熱が起こっており，過熱度を大きくしていくと核沸騰域，壁面が蒸気膜で覆われた沸騰形態の膜沸騰と遷移していく．

6)　凝縮液膜が薄いほど凝縮熱伝達率は大きくなる．

7)　伝熱抵抗は，空気側の方が大きい．

(2)

1)　題意より，流体 A と流体 B の単位時間当たりの熱容量 c_{A}，c_{B} を求める．

$$c_{\mathrm{A}} = 4.2 \times 2.0 = 8.4\ \mathrm{kJ/K}$$

$$c_{\mathrm{B}} = 3.0 \times 1.5 = 4.5\ \mathrm{kJ/K}$$

流体 A と B の出入口温度をそれぞれ，T_{Ao}，T_{Ai}，T_{Bo}，T_{Bi} とし，流体 B 出口温度 T_{Bo} を求める．

$$c_{\mathrm{A}}(T_{\mathrm{Ai}} - T_{\mathrm{Ao}}) = c_{\mathrm{B}}(T_{\mathrm{Bo}} - T_{\mathrm{Bi}})$$

$$T_{\mathrm{Bo}} = T_{\mathrm{Bi}} + \frac{c_{\mathrm{A}}}{c_{\mathrm{B}}}(T_{\mathrm{Ai}} - T_{\mathrm{Ao}}) = 20 + \frac{8.4}{4.5}(80 - 50)$$

$$= 75.9 \fallingdotseq 76\ {}^\circ\mathrm{C}$$

2)　算術平均温度差は次式で表される．

$$\frac{\Delta T_1 + \Delta T_2}{2} = \frac{4 + 30}{2} = 17\ \mathrm{K}$$

3)　熱交換器内で単位時間当たりの交換熱量 Q，熱通過率 K と2)で求めた算術平均温度差を用いて，伝熱面積 A は次式のようになる．

$$Q = c_A(T_{Ai} - T_{Ao}) = c_B(T_{Bo} - T_{Bi}) = KA\frac{\Delta T_1 + \Delta T_2}{2}$$

$$A = c_A(T_{Ai} - T_{Ao})\frac{1}{K}\frac{2}{\Delta T_1 + \Delta T_2} = 8.4 \times (80 - 50)\frac{1}{1.5} \times \frac{1}{17}$$

$$= 9.88 \fallingdotseq 9.9\ \mathrm{m^2}$$

4)　対数平均温度差は次式のように表される．

$$\frac{\Delta T_2 - \Delta T_1}{\ln\dfrac{\Delta T_2}{\Delta T_1}}$$

5)　与えられた条件から，対数平均温度差は以下のようになる．

$$\frac{\Delta T_2 - \Delta T_1}{\ln\dfrac{\Delta T_2}{\Delta T_1}} = \frac{30 - 4}{\ln\dfrac{30}{4}} = \frac{26}{\ln 7.5} = \frac{26}{2.01} = 12.93 = 13\ \mathrm{K}$$

解　答　⑴　**1-イ，2-ウ，3-ウ，4-ア，5-ウ，6-ウ，7-ア**
⑵　**A-76，B-17，C-9.9，8-イ，D-13**

第 38 回　2016 年（平成 28 年）

（熱力学の基礎）

問題4　次の各文章の［ 1 ］～［ 6 ］の中に入れるべき最も適切な式又は記述をそれぞれの解答群から選び，その記号を答えよ．

また，［A a.b］～［E a.b］に当てはまる数値を計算し，その結果を答えよ．ただし，解答は解答すべき数値の最小位の一つ下の位で四捨五入することとし，指数の計算においては表の数値を用いること．（配点計 50 点）

図 1 に示す断面積 S のピストンシリンダ系について考える．ピストンは可逆的に自由に動ける状態であり，シリンダ内には理想気体が充填されている．その気体の質量を m，比熱比を κ，定圧比熱を c_p，定容比熱を c_v，気体定数を R とする．また，圧力を P，温度を T，体積を V とし，添字 0 ～ 3 は状態 0 ～ 3 の各状態を表し，添字 e は周囲環境を表すものとする．例えば，シリンダ内の初期の圧力は P_0，シリンダ周囲の圧力は P_e で表す．

初期状態では，シリンダ内の状態は周囲環境の状態と平衡状態，すなわち，$P_0 = P_e$，$T_0 = T_e$ となっている．なお，周囲環境はピストンの状態にかかわらず一定である．

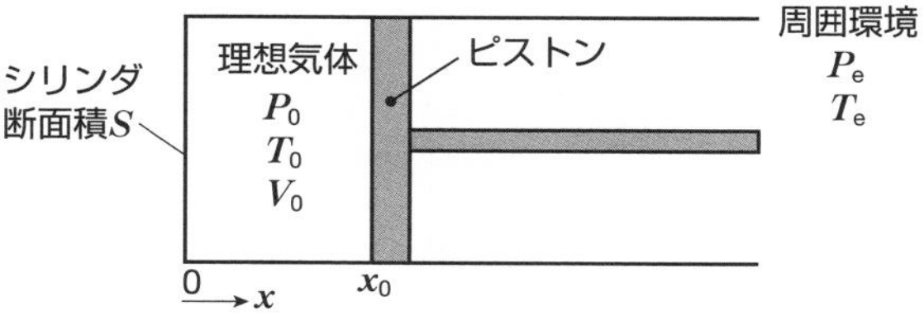

図1　初期状態（状態 0）

1）　初期状態において，ピストンを可逆的に自由に動ける状態のまま，シリンダ内の理想気体に，外部から熱量 Q を供給したところ，図 2 のように，ピストン内の圧力 P_0 が周囲環境の圧力 P_e と同じ状態のままで，温度が ΔT（$= T_1 - T_0$）変化し，ピストンは x 方向に Δx だけ動いて，体積は ΔV（$= V_1 - V_0$）変化した．この状態を状態 1 とする．

このとき，シリンダ内の温度変化は，式 $\Delta T =$ ［ 1 ］から求められ，そのときの体積変化は，ΔT を用いて，式 $\Delta V =$ ［ 2 ］から求められる．したがって，ピストンの移動距離 Δx は，ΔV を用いて，式 $\Delta x =$ ［ 3 ］から求められる．

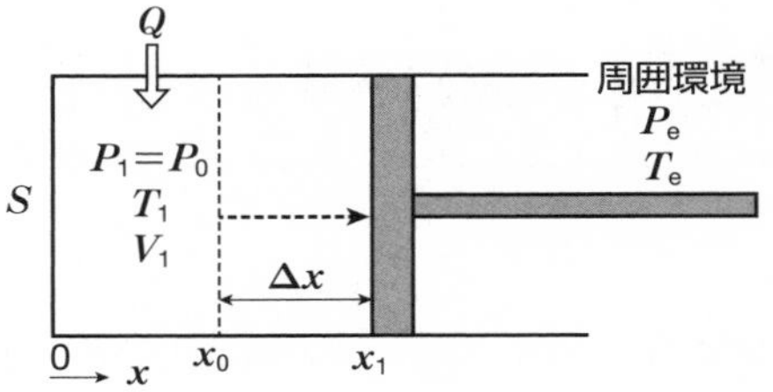

図2　状態 1

2）初期状態において，今度は，図 3 に示すように，気体が膨張しようとする力に応じた力 F を加えて，ピストンが移動しないようにしながら，外部から 1）と同じ熱量 Q を供給したところ，最終的に加える力は F_2 となり，体積 V_0 は変化せず，シリンダ内の温度及び圧力が変化した．この状態を状態 2 とする．

このとき，シリンダ内の温度変化 ΔT（$= T_2 - T_0$）は，式 $\Delta T = \boxed{4}$ から求められる．また，シリンダ内の圧力変化 ΔP（$= P_2 - P_0$）は，ΔT を用いて，式 $\Delta P = \boxed{5}$ から求められる．

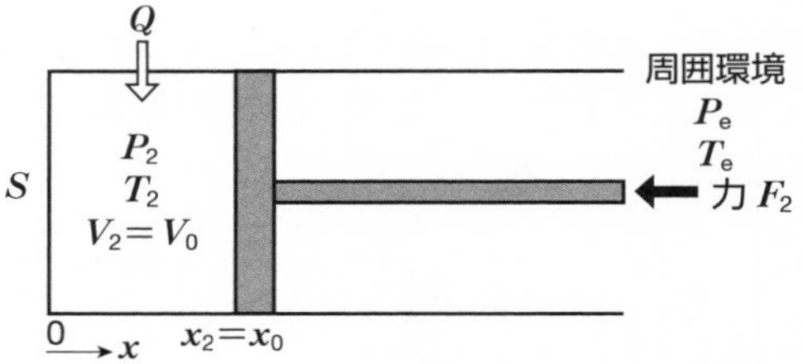

図3　状態 2

〈$\boxed{1}$ ～ $\boxed{5}$ の解答群〉

ア $\Delta V \cdot S$　　イ $V_1 \cdot S$　　ウ $\dfrac{\Delta V}{S}$　　エ $\dfrac{V_1}{S}$

オ $\dfrac{Q}{mc_p}$　　カ $\dfrac{Q}{mc_v}$　　キ $\dfrac{Q}{mR}$　　ク $\dfrac{mc_p\Delta T}{P_e}$

ケ $\dfrac{mc_v\Delta T}{P_e}$　　コ $\dfrac{mR\Delta T}{P_e}$　　サ $\dfrac{mc_v\Delta T}{V_0}$　　シ $\dfrac{mc_p\Delta T}{V_0}$

ス $\dfrac{mR\Delta T}{V_0}$

3）2）の変化及びそれ以降の変化について，気体の比熱比 κ を 1.4，定容比熱 c_v を 0.717 kJ/(kg·K)，シリンダの断面積 S を 2 m^2 として算定する．なお，初期条件は，温度を $T_0 = T_e = 300$ K，圧力を $P_0 = P_e = 0.1$

MPa，体積を $V_0 = 2\ \mathrm{m}^3$ とする．

① 2) の変化後，図3の状態2において，ピストンが動かないようにするために加えた F_2 が 6×10^5 N であった．このとき，シリンダ内と周囲との圧力差は，[A a.b] $\times 10^{-1}$ [MPa] となる．

② 状態2から，ピストンに加えた力 F を徐々に低下させ，図4に示すように，シリンダ内部の圧力が周囲環境の圧力と等しくなるまで可逆断熱変化させた．この状態を状態3とすると，このとき，圧力 P_3 は 0.1 MPa，体積 V_3 は [B a.b] [m³] となり，シリンダの移動距離 $\Delta x'$ は，[C a.b] [m] となる．

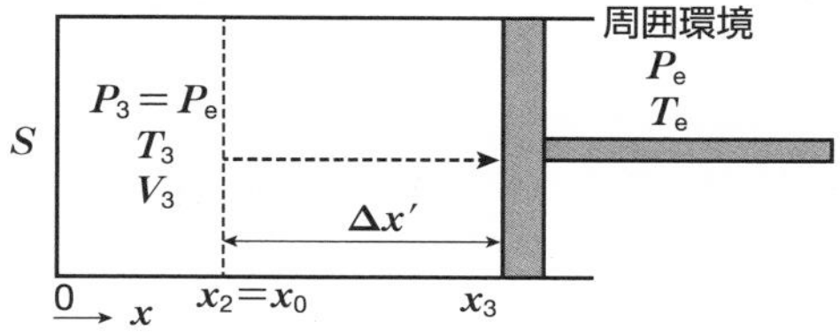

図4　状態3

③ ②の変化で，ピストンが外部にした仕事 W は，[D a.b] $\times$ 10^{-1} [MJ] である．

④ また，2) の状態変化において外部から供給した熱量 Q は [E a.b] [MJ] であるので，②の変化で外部にした仕事 W との比 $\dfrac{Q}{W}$ は [6]．

〈[6] の解答群〉

ア　1より小さい　　**イ**　1である　　**ウ**　1より大きい

表　指数表

n	2	3	4	5	6	7	8	9	10
$n^{\frac{1}{1.4}}$	1.640 7	2.191 8	2.691 8	3.156 9	3.596 0	4.014 6	4.416 4	4.804 0	5.179 5
$n^{1.4}$	2.639 0	4.655 5	6.964 4	9.518 3	12.286	15.245	18.379	21.674	25.119

解　説

1)　定圧変化における外部から供給された熱量 Q は次式で求められる．

$$Q = mc_{\mathrm{p}}\Delta T$$

よって，このときのシリンダ内の温度変化は，下記となる．

$$\Delta T = \frac{Q}{mc_{\mathrm{p}}}$$

また，そのときの体積変化は，ΔT と理想気体の状態方程式より，下記となる．

$$\Delta V = \frac{mR\Delta T}{P_{\mathrm{e}}}$$

したがって，ピストンの移動距離 Δx は，ΔV と断面積 S より，下記となる．

$$\Delta x = \frac{\Delta V}{S}$$

2)　定容変化における外部から供給された熱量 Q は次式で求められる．

$$Q = mc_{\mathrm{v}}\Delta T$$

よって，このときのシリンダ内の温度変化は，下記となる．

$$\Delta T = \frac{Q}{mc_{\mathrm{v}}}$$

また，シリンダ内の圧力変化は，ΔT と理想気体の状態方程式より，下記となる．

$$\Delta P = \frac{mR\Delta T}{V_0}$$

3)

①　シリンダ内と周囲との圧力差は，ピストンが動かないようにするために加えた力 F_2 と断面積 S より，下記となる．

$$\frac{F_2}{S} = \frac{6 \times 10^5}{2} = 3 \times 10^5\ \mathrm{Pa} = 3.0 \times 10^{-1}\ \mathrm{MPa}$$

②　シリンダ内と周囲との圧力差が 3.0×10^{-1} MPa であるため，状態 2 の圧力 P_2 は，P_3 より下記となる．

$$P_2 = 0.1 + 3.0 \times 10^{-1} = 0.4\ \mathrm{MPa}$$

可逆断熱変化では，$PV^{\kappa} =$ 一定の関係があるため，状態 2 と状態 3 の間は，下記の関係になる．

$$P_2{V_0}^{\kappa} = P_3{V_3}^{\kappa}$$

$$V_3 = V_0\left(\frac{P_2}{P_3}\right)^{\frac{1}{\kappa}} = 2 \times \left(\frac{0.4}{0.1}\right)^{\frac{1}{1.4}} = 2 \times 4^{\frac{1}{1.4}} = 2 \times 2.6918$$

$$= 5.3836 \fallingdotseq 5.4\ \mathrm{m^3}$$

また，シリンダの移動距離 $\Delta x'$ は状態 3 と状態 2 の体積 V_3，V_2 と断面積 S より，下記となる．

$$\Delta x' = \frac{V_3 - V_2}{S} = \frac{5.3836 - 2}{2} = 1.6918 \fallingdotseq 1.7\ \mathrm{m}$$

③　ピストンが外部にした仕事 W は，下記となる．

$$W = \frac{1}{\varkappa - 1}(P_2V_2 - P_3V_3) = \frac{1}{1.4 - 1}(0.4 \times 2 - 0.1 \times 5.383\,6)$$

$$= 0.654\,1 \fallingdotseq 6.5 \times 10^{-1}\ \mathrm{MJ}$$

④　式 $\Delta T = \dfrac{Q}{mc_\mathrm{v}}$ と式 $\Delta P = \dfrac{mR\Delta T}{V_0}$ より，外部から供給した熱量 Q は，下記となる．

$$Q = \frac{c_\mathrm{v}\Delta PV_0}{R}$$

ここで，比熱比 $\varkappa$ を使って，気体定数 R を表すと，$R = c_\mathrm{v}(\varkappa - 1)$ となるため，

$$Q = \frac{c_\mathrm{v}\Delta PV_0}{c_\mathrm{v}(\varkappa - 1)} = \frac{0.717 \times 0.3 \times 2}{0.717(1.4 - 1)} = 1.5\ \mathrm{MJ}$$

また②の変化で外部にした仕事 W との比 $\dfrac{Q}{W}$ は，$\dfrac{1.5}{6.5 \times 10^{-1}}$ であり，1 より大きい．

解　答　**1)　1-オ，2-コ，3-ウ**
2)　4-カ，5-ス
3)　A-3.0，B-5.4，C-1.7，D-6.5，E-1.5，6-ウ

（熱力学の基礎）

問題5　次の各文章の［ 1 ］～［ 8 ］の中に入れるべき最も適切な字句又は式をそれぞれの解答群から選び，その記号を答えよ．

また，［A｜a.bc］～［E｜a.bc］に当てはまる数値を計算し，その結果を答えよ．ただし，解答は解答すべき数値の最小位の一つ下の位で四捨五入すること．（配点計 50 点）

図 1 に示すような，作動流体を水とするランキンサイクルについて考える．ここで，作動流体の各状態を a ～ d で表し，温度，比エントロピーなどはその記号を添字として付すこととする．また，符号 ′ は飽和水の状態，符号 ″ は乾き飽和蒸気の状態を表す．

なお，図 2 はタービン出口（状態 b）の湿り蒸気，及びその温度における飽和液線と飽和蒸気線上の比エントロピーを T−s 線図上に示したものである．

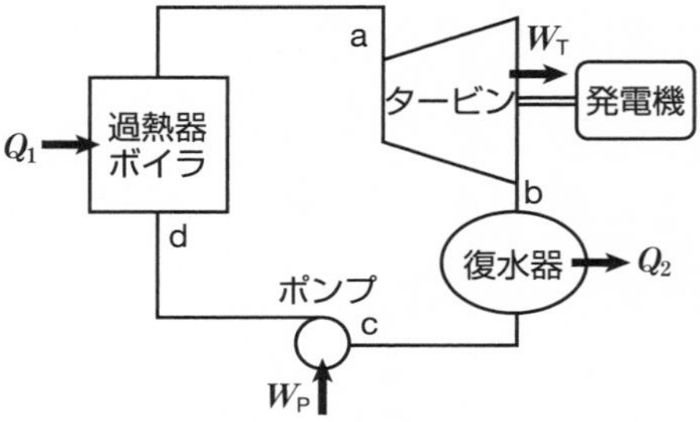

図1　ランキンサイクル

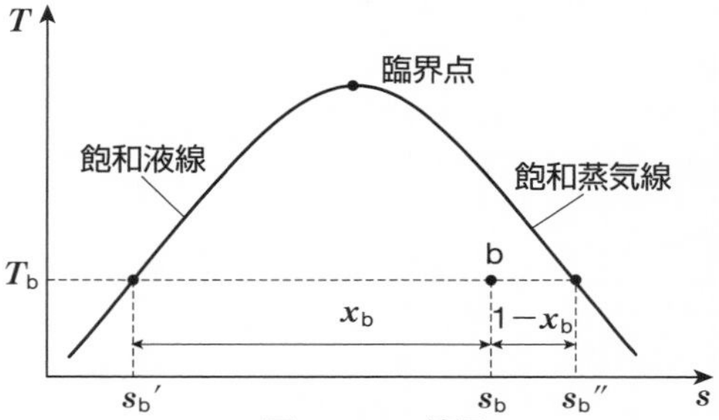

図2　$T-s$ 線図

1)　図1で，ポンプにより加圧された水は，ボイラ（過熱器を含む）を通って，[1]（状態a）となる．その後タービンへ導かれ，[2] 過程により温度，圧力が低下し状態bとなる．この過程は可逆であるから，状態aの比エントロピー s_a と状態bの比エントロピー s_b には [3] の関係がある．ここで，図2に示すように，状態bの湿り蒸気の温度を T_b とすると，s_b は，温度 T_b における，飽和液の比エントロピー s_b'，乾き飽和蒸気の比エントロピー s_b''，及び状態bの乾き度 x_b を用いて，式 $s_b=$ [4] と表すことができる．

また，状態bの比エンタルピー h_b は，温度 T_b における，飽和液の比エンタルピー h_b'，蒸発潜熱 r，及び状態bの乾き度 x_b を用いて，式 $h_b=$ [5] と表すことができる．

〈[1] ～ [5] の解答群〉

ア　$s_a=s_b$　　**イ**　$s_aT_a+s_bT_b=0$　　**ウ**　$\dfrac{s_a}{T_a}+\dfrac{s_b}{T_b}=0$

エ　$s_b'(1-x_b)+s_b''x_b$　　**オ**　$s_b''(1-x_b)+s_b'x_b$　　**カ**　$\dfrac{s_b'}{1-x_b}+\dfrac{s_b''}{x_b}$

キ　$h_b'+rx_b$　　**ク**　$h_b'x_b+r$　　**ケ**　$\dfrac{h_b'}{x_b}+r$

コ　過熱蒸気　　**サ**　湿り蒸気　　**シ**　飽和蒸気
ス　断熱圧縮　　**セ**　断熱膨張　　**ソ**　等温膨張

2)　今，タービン入口の状態 a が圧力 12 MPa，温度 500 ℃，復水器入口（タービン出口）の状態 b，及びポンプ入口の状態 c が圧力 4 kPa であったとする．蒸気表より，状態 a の比エンタルピー h_a は 3 350 kJ/kg，比エントロピー s_a は 6.490 kJ/(kg·K)，状態 c の比エンタルピー h_c（$= h_b'$）は 121.4 kJ/kg とし，圧力 4 kPa における，蒸発潜熱 r は 2 432 kJ/kg，飽和液の比エントロピー s_b' は 0.422 5 kJ/(kg·K)，乾き飽和蒸気の比エントロピー s_b'' は 8.473 kJ/(kg·K) である．

① タービンによる水蒸気 1 kg 当たりの出力 W_T は，式 [6] として求められる．状態 b の比エンタルピー h_b を求めるために必要な乾き度 x_b は，1) で求めた s_b の式を変形して求めることができる．したがって，x_b の値は [A a.bc] $\times 10^{-1}$ となり，よって h_b の値は [B $a.bc \times 10^d$] [kJ/kg] となる．

② 水を加圧するポンプ動力 W_P が小さく，無視できるとすると，ランキンサイクルの熱効率 η は，各状態の比エンタルピーを用いて，式 η = [7] と表すことができる．したがって，η の値は [C ab.c] [%] となる．

〈[6] 及び [7] の解答群〉

ア　$h_a - h_b$　　**イ**　$s_a - s_b$　　**ウ**　$(r + h_c) - h_b$

エ　$\dfrac{h_a - h_b}{h_a}$　　**オ**　$\dfrac{h_a - h_c}{h_a - h_b}$　　**カ**　$\dfrac{h_a - h_b}{h_a - h_c}$

3)　このランキンサイクルにおいて，1 kW·h のエネルギーを得るために必要な蒸気量 m は，式 m = [8] として求められる．m の値は，[D a.bc] [kg] である．また，このとき，加熱に必要な熱量 Q_1 の値は [E a.bc] [kW·h] となる．

〈[8] の解答群〉

ア　$\dfrac{1}{h_a}$　　**イ**　$\dfrac{1}{h_a - h_b}$　　**ウ**　$\dfrac{3\,600}{h_a - h_b}$

解　説

1)　ポンプにより加圧された水は，ボイラを通って，状態 a の過熱蒸気となる．その後タービンへ導かれ，断熱膨張過程により温度，圧力が低下し状態 b となる．この断熱膨張過程は可逆であるから，状態 a と状態 b の比エントロピーには，$s_a = s_b$ の関係がある．

状態 b の湿り蒸気の比エントロピー s_b は，次式で表すことができる．

$$s_b = s_b' + x_b(s_b'' - s_b')$$

$$s_b = s_b'(1 - x_b) + s_b'' x_b$$

また，状態 b の比エンタルピー h_b は，次式で表すことができる．

$$h_b = h_b' + (h_b'' - h_b')x_b = h_b' + rx_b$$

ここで蒸発潜熱 r は，体積の増加により外部にする体積仕事に相当する外部蒸発熱の増加 $P(v_b'' - v_b')$ と蒸気の比内部エネルギーの増加 $(u_b'' - u_b')$ からなる．

すなわち，下記となる．

$$r = (u_b'' - u_b') + P(v_b'' - v_b') = h_b'' - h_b'$$

2)

① タービンによる水蒸気 1 kg 当たりの出力 W_T は，状態 a と状態 b の比エンタルピーより，次式で求められる．

$$W_T = h_a - h_b$$

次に乾き度 x_b は，1) で求めた s_b の式を変形して求めることができる．

$$s_b = s_b'(1 - x_b) + s_b'' x_b$$

$$x_b = \frac{s_b - s_b'}{s_b'' - s_b'} = \frac{6.490 - 0.4225}{8.473 - 0.4225} = 0.753 \fallingdotseq 7.54 \times 10^{-1}$$

よって，状態 b の比エンタルピー h_b の値は下記となる．

$$h_b = h_b' + rx_b = 121.4 + 2432 \times 0.7536 = 1954.1 \fallingdotseq 1.95 \times 10^3 \text{ kJ/kg}$$

② 水を加圧するポンプ動力が小さく，無視できるとすると，ランキンサイクルの熱効率 η は，各状態の比エンタルピーを用いて，次式で表すことができる．

$$\eta = \frac{h_a - h_b}{h_a - h_c}$$

したがって，熱効率 η の値は下記となる．

$$\eta = \frac{h_a - h_b}{h_a - h_c} = \frac{3350 - 1954.1}{3350 - 121.1} = 0.4323 \fallingdotseq 0.432 = 43.2\ \%$$

3) このランキンサイクルにおいて，1 kW·h のエネルギーを得るために必要な蒸気量 m は，1 時間（3 600 秒）より，次式として求められる．

$$1 \times 3600 = m(h_a - h_b)$$

$$m = \frac{3600}{h_a - h_b}$$

蒸気量 m の値は下記となる．

$$m = \frac{3600}{h_a - h_b} = \frac{3600}{3350 - 1954.1} = 2.578 \fallingdotseq 2.58 \text{ kg}$$

また，このとき，加熱に必要な熱量 Q_1 の値は，

$$Q_1 = \frac{1\,\mathrm{kW\cdot h}}{\eta} = \frac{1}{0.432\,3} = 2.313 \fallingdotseq 2.31\,\mathrm{kW\cdot h}$$

解　答　**1)　1- コ，2- セ，3- ア，4- エ，5- キ**

2)　6- ア，A-7.54，B-1.95×10^3，7- カ，C-43.2

3)　8- ウ，D-2.58，E-2.31

（流体工学の基礎）

問題6　次の各問に答えよ．（配点計 50 点）

(1)　次の各文章の [1] ～ [6] の中に入れるべき最も適切な字句又は記述を〈 [1] ～ [6] の解答群〉から選び，その記号を答えよ．

図に示すような管路における管内の流体の流れについて考える．ここで，流体の密度を ρ，断面平均流速を w，静圧を p，管の断面積を A，基準面からの高さを z とし，重力の加速度を g とする．

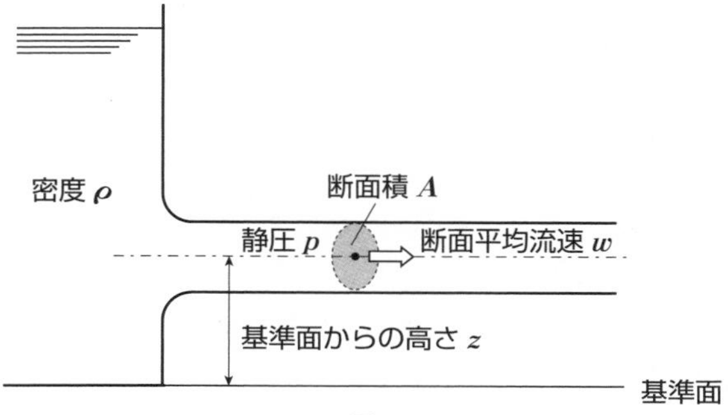

図

1)　連続の式は，流体における [1] 保存則を表したもので，管路の系において，

$$\rho A w = 一定$$

で表され，非圧縮性の流体では，

$$A w = 一定$$

となる．

2)　粘性のない非圧縮性の流体を [2] 流体と呼び，このような流体に対する [3] 保存則であるベルヌーイの式は，

$$\frac{1}{2}\rho w^2 + p + \rho g z = 一定$$

で表される．

この式で，左辺の各項の単位は圧力の次元を有し，この式を用いると，管内を流れる流体の圧力変化などが求められる．

3)　実在流体では，流れは粘性の影響を受ける．図のように，入口がなめらかに丸みをもった管路を流れるとき，管路内の助走区間では，初めは一様流として入口から流入した流れには，粘性の影響により壁面付近で [4] が形成される．このとき，管径を代表長さとしたレイノルズ数が臨界レイノルズ数以上である場合，管内の流れは [5]．

4)　一方，図の管路の延長上で管路出口が大気中に開放されているとき，管路出口を流出した直後の流体に板を当てた場合，板が流体から受ける力を求めるには [6] 保存則を用いる必要がある．

〈[1] ～ [6] の解答群〉

ア　エネルギー　　**イ**　運動エネルギー　　**ウ**　運動量　　**エ**　角運動量

オ　仮想　　**カ**　逆流域　　**キ**　境界層　　**ク**　実在

ケ　質量　　**コ**　主流　　**サ**　理想

シ　助走区間の始めは層流で，その後乱流へ遷移する

ス　助走区間の始めは乱流で，その後層流へ遷移する

セ　助走区間の始めからどこでも層流になる

ソ　助走区間の始めからどこでも乱流になる

(2)　次の各文章の [7] ～ [14] の中に入れるべき最も適切な数値又は式をそれぞれの解答群から選び，その記号を答えよ．なお，一つの解答群から同じ記号を 2 回以上使用してもよい．

また，[A a.b×10^c] に当てはまる数値を計算し，その結果を答えよ．ただし，解答は解答すべき数値の最小位の一つ下の位で四捨五入すること．

ポンプで水を搬送する場合のエネルギーについて考える．ここで，水の密度 ρ を 1 000 kg/m^3，重力の加速度 g を 9.81 m/s^2 とし，円周率 π を 3.14 とする．

1)　水の粘性の影響による管路内の摩擦損失ヘッド h_f は，管の長さを L，管内直径を D，管摩擦係数を f とし，水の管断面平均流速を w とすると，式 [7] によって表される．

層流における管摩擦係数 f は，管壁内表面の粗さに関係なく，流速の [8] 乗に比例する．このため，断面積一定の管路での圧力損失は，摩擦損失ヘッドとの関係を考慮すると，流速の [9] 乗に比例することになる．

一方，乱流における管摩擦係数 f は，レイノルズ数との関係を示したムーディー線図によると，管壁内表面の粗さが粗く，レイノルズ数の大きさが十分大きくなると，レイノルズ数によらずほぼ一定となる．このため，こ

のような領域の乱流では，断面積一定の管路での圧力損失は，ほぼ流速の [10] 乗に比例することになる.

この圧力損失と体積流量を用いると，流体搬送に必要な動力が得られる. 体積流量は流速に比例するため，搬送動力は，層流では流速の [11] 乗，前述の乱流域ではほぼ [12] 乗に比例することになる．これより，乱流では，流速の増加とともに搬送動力が急増することがわかる.

〈[7] ～ [12] の解答群〉

ア −2　**イ** −1　**ウ** 0　**エ** 1　**オ** 2　**カ** 3

キ 4　**ク** $h_f = f\dfrac{L}{D}\left(\dfrac{w^2}{2}\right)$　**ケ** $h_f = f\dfrac{L}{D}\left(\dfrac{w^2}{2g}\right)$

コ $h_f = f\dfrac{L}{D}\left(\dfrac{\rho w^2}{2}\right)$

2)　解放された水面から高さ 20 m の地点にある開放された水面まで揚水しているポンプがあり，必要なポンプの全揚程が 30 m であった. エネルギー保存則を考えると，この場合の下部水面からポンプ吸込口までの損失ヘッドと，ポンプ吐出口から上部水面までの損失ヘッドを加えた管路系の全損失ヘッドは [13] [m] である.

ここで，水を送るための配管の長さが 200 m，内径が 15 cm，管摩擦係数が 0.02 で管路系の全損失ヘッドが摩擦損失ヘッドのみであるとした場合, 管内を流れる水の流量は, 1) で求めた摩擦損失ヘッドの式を用いて, [14] [m³/min] と求められる．また，ポンプ効率を 70 % とすると，ポンプの軸動力は, [A　a.b×10ᶜ] [kW] となる.

〈[13] 及び [14] の解答群〉

ア 2.9　**イ** 3.8　**ウ** 4.4　**エ** 10　**オ** 20　**カ** 30

解　説

(1)

1)　流体における質量保存則

断面積 A [m²] の流路内を流路断面平均速度 w [m/s] で流れる一次元定常流について，流路を流れる質量は保存されるので，質量流量 $\dot{m}$ [kg/s] は，どの断面でも等しく一定である.

$$\begin{aligned}\dot{m} &= \rho w A = \rho_1 w_1 A_1 = \rho_2 w_2 A_2 = \text{一定}\\ &= \rho \dot{V} = \rho_1 \dot{V}_1 = \rho_2 \dot{V}_2 = \text{一定}\end{aligned}$$

ここで，ρ：流体の密度 [kg/m³]，$\dot{V}$：体積流量 [m³/s]

$\dot{V} = \dot{m}/\rho$ であるので，ρ が一定，すなわち非圧縮性流体の流れとみなせ

る場合には $\dot{V}$ も一定になる.

2) 理想流体は粘性がなく体積が変化しない流体である.

エネルギー保存則

流路を流れる流体が単位質量当たりに保有するエネルギーは，比エンタルピー h［J/kg］と運動エネルギー $w^2/2$［J/kg］と位置エネルギー gz［J/kg］の和として表される. 断面1と2の間で外部から流体に加えられたエネルギーを $e_{\rm in}$［J/kg］，流体から外部へ取り出されたエネルギーを $e_{\rm out}$［J/kg］とすると，エネルギー保存の法則より，下式となる.

$$\left(h_1+\frac{{w_1}^2}{2}+gz_1\right)+(e_{\rm in}-e_{\rm out})=\left(h_2+\frac{{w_2}^2}{2}+gz_2\right)\ [\mathrm{J/kg}]$$

ここで，g は重力加速度である.

3) 流体が壁面に沿って流れるとき，壁面上では流体分子は粘性のために壁面に付着してしまうので，速度がゼロであり，壁面の近くには流速が急変する薄い層が生じる. これを境界層という.

臨界レイノルズ数以上の流れでは，助走区間の始めは層流で，その後乱流へ遷移する.

一方臨界レイノルズ数以下では，管の長さをどんなに長くしても乱流への遷移はなく，流れは層流のままである.

4) 流体から受ける力を求めるにはエネルギー保存則だけでなく，運動量保存則を用いる必要がある.

力学によれば，力積 = 運動量変化であるから，質量 m の流体に力（合成ベクトル）$\sum F$ が時間 Δt の間，加わったときの速度変化 Δw は，下記となる.

$$(\textstyle\sum F)\Delta t = m\Delta w$$

このベクトル表示式を方向成分表示すると，流体が受ける x 方向の運動量変化と力の関係は，下記となる.

$$mw_{x1}+\textstyle\sum F\Delta t = mw_{x2}$$

ここで，各添字 x：x 方向成分，1：初期状態，2：終わりの状態，符号は座標軸方向を正とする.

(2)

1) 管路内の摩擦損失ヘッド h_f は，次式によって表される.

$$h_f = f\frac{L}{D}\left(\frac{w^2}{2g}\right) \qquad (1)$$

層流における管摩擦係数 f は，$f=64/Re$ であり，$Re=wD/v=64/f$ より，流速の -1 乗に比例する.

このため，断面積一定の管路での圧力損失は，摩擦損失ヘッドの(1)式に f

$= 64/Re$ を代入すると，流速の1乗に比例することになる．

一方，乱流における管摩擦係数 f は，レイノルズ数によらずほぼ一定となるため，圧力損失は，(1)式より，ほぼ流速の2乗に比例することになる．

この圧力損失と体積流量を用いると，流体搬送に必要な動力が得られる．体積流量は流速に比例する．またポンプ（やファン）では回転数 N と流量 Q，揚程 P（圧力損失），動力 L（搬送動力）との間には次式のような関係がある．

$$Q = K_1 N,\ \ P = K_2 N^2,\ \ L = K_3 N^3$$

ただし，K_1，K_2，K_3 は比例定数

回転数を低下させ，それに比例した分だけ流量を低下させると，動力は回転数の3乗に比例して低下する．これより，層流では圧力損失は流速の1乗に比例することから，搬送動力は，流速の2乗に比例する．

また，乱流域では圧力損失は流速のほぼ2乗に比例することから，搬送動力は，流速のほぼ3乗に比例する．

2)　ポンプの全揚程 H = 全損失ヘッド + 開放された水面までの高さより，

$$全損失ヘッド = 30 - 20 = 10\ \mathrm{m}$$

管内を流れる水の流量 V は，1)の摩擦損失ヘッドの式より，管断面平均流速 w を求める．

$$w = \sqrt{2g\frac{h_f}{f}\frac{D}{L}} = \sqrt{2 \times 9.81 \times \frac{10}{0.02} \times \frac{0.15}{200}} = 2.712\ \mathrm{m/s}$$

平均流速より流量 V は下記となる．

$$V = w \times \left(\frac{D}{2}\right)^2 \pi = 2.712 \times \left(\frac{0.15}{2}\right)^2 \times 3.14 \times 60 = 2.874 \fallingdotseq 2.9\ \mathrm{m^3/min}$$

またポンプの軸動力 L は，ポンプの全揚程を H，ポンプ効率を η_{p} とすると下式より求められる．

$$L = \frac{\rho g H V}{\eta_{\mathrm{p}}} = \frac{1\,000 \times 9.81 \times 30 \times 2.874}{0.7 \times 60} = 20\,138\ \mathrm{W} = 20.138\ \mathrm{kW}$$

$$\fallingdotseq 2.0 \times 10^1\ \mathrm{kW}$$

解答　(1)　**1-ケ，2-サ，3-ア，4-キ，5-シ，6-ウ**

(2)　**7-ケ，8-イ，9-エ，10-オ，11-オ，12-カ，13-エ，14-ア，A-2.0×10^1**

（伝熱工学の基礎）

問題7　次の各問に答えよ．（配点計50点）

(1)　次の各文章の［ 1 ］～［ 9 ］の中に入れるべき最も適切な字句，数値又

は記述をそれぞれの解答群から選び，その記号を答えよ．なお， [5] は2箇所あるが，同じ記号が入る．

1) 熱が温度の高い方から低い方に伝わる現象と相似的に，物質は濃度の高い方から低い方へと拡散する．その場合の物質移動速度は物質の濃度勾配に比例し，このことは [1] の法則と呼ばれている．この法則に含まれる比例係数が物質の拡散係数であり，一般に，液体中や固体中に比べて，気体中の拡散係数は極めて大きい．

　流体の動粘性率を，この拡散係数で除したものが [2] 数であり，流れの中の物質移動における重要な無次元数である．一方，流体の動粘性率を熱拡散率で除したものが [3] 数であり，対流伝熱における重要な無次元数である．

〈 [1] ～ [3] の解答群〉

ア グラスホフ	**イ** シャーウッド	**ウ** シュミット
エ ドルトン	**オ** ヌセルト	**カ** フィック
キ フーリエ	**ク** プラントル	**ケ** ヘンリー
コ ルイス	**サ** レイノルズ	

2) 熱交換器は，高温流体と低温流体との間で熱エネルギーを授受する装置の総称であり，高温流体と低温流体の流れる方向によって並流型，向流型などの形式がある．いずれの形式も，交換熱量は次の式で与えられる．

交換熱量 = [4] × 伝熱面積 × [5] 温度差

　なお，流体間の温度差の変化が小さい場合は， [5] 温度差の代わりに [6] 温度差を用いても誤差は少ない．

〈 [4] ～ [6] の解答群〉

ア 入口	**イ** 出口	**ウ** 温度係数
エ 伝熱単位数	**オ** 熱通過率	**カ** 熱伝導率
キ 混合平均	**ク** 算術平均	**ケ** 対数平均

3) 加熱された金属円管の内部を流体が流れる場合，円管から流体への伝熱が生じ，流体温度は入口から出口に向かって上昇する．例えば，円管に通電してジュール加熱すると，発熱量は円管の通電部の至るところで一定となり，流体以外への熱ロスがないものとすると，熱流束一定の加熱となる．この場合，流体の物性値変化を無視できれば，流体の混合平均温度の上昇分は入口からの距離の [7] 乗に比例する．

　円管内部の流れ場が発達した層流の場合，温度場も十分に発達した下流では，熱伝達率を無次元化した [8] 数は流れ方向に一定値となる．この条件の下で，円管の直径を小さくすると熱伝達率は [9] ．

〈[7]～[9]の解答群〉

ア　0.5　　**イ**　0.8　　**ウ**　1

エ　2　　**オ**　グラスホフ　　**カ**　シャーウッド

キ　シュミット　　**ク**　ヌセルト　　**ケ**　プラントル

コ　ルイス　　**サ**　レイノルズ　　**シ**　小さくなる

ス　変わらない　　**セ**　大きくなる

(2)　次の各文章の[10]～[12]の中に入れるべき最も適切な字句又は数値をそれぞれの解答群から選び，その記号を答えよ．なお，[11]は 2 箇所あるが，同じ記号が入る．

1)　黒体は，到達したすべての電磁波を吸収する理想的な物体で，吸収率は 1 となる．これに対して，実在物体は吸収率が 1 未満となり，その吸収率は，電磁波の波長依存性を示すことが一般的であるなど複雑な要素があるため，放射伝熱の計算に当たっては，次のような近似を設けることが多い．すなわち，吸収率が波長に依存せず，どの方向にも同じ強度の放射エネルギーを放出するなどである．そのような近似を設けた物体を灰色体と呼ぶ．灰色体から放出される電磁波の全エネルギーは，黒体のそれより相似的に小さくなり，その割合は[10]と呼ばれている．

〈[10]の解答群〉

ア　射出率　　**イ**　透過率　　**ウ**　反射率　　**エ**　放射分率

2)　二つの相対する物体（物体 1 及び物体 2）間の放射伝熱を考える．物体が有限の大きさの場合，物体 1 から電磁波として放出されたエネルギーの全てが，必ずしも物体 2 に到達する訳ではなく，一般には一部しか到達しない．どの程度の割合が物体 2 に到達するかを計算する場合に，[11]係数と呼ばれる無次元量が用いられる．この係数は二つの物体の形と位置関係で決まり，物体の電磁波に対する反射・透過・吸収の程度とは無関係である．物体を黒体あるいは灰色体と見なして考えると，[11]係数は物体 1 から放出された全エネルギーのうち物体 2 に到達するエネルギーの割合そのものとなる．

この係数の値は，0 ～ 1 の範囲にあり，二つの物体の位置関係が単純な場合は，簡単にこの係数を知ることができる．例えば，凸形状の物体 1 が物体 2 に完全に囲まれている場合（放射熱源が室内に置かれている場合など），物体 1 から物体 2 への，この係数の値は[12]となる．

〈[11]及び[12]の解答群〉

ア　0　　**イ**　0.25　　**ウ**　0.5　　**エ**　0.7　　**オ**　1

カ 緩和　**キ** 到達　**ク** 形態　**ケ** 熱伝達

(3) 次の各文章の 13 ～ 16 の中に入れるべき最も適切な字句又は式をそれぞれの解答群から選び，その記号を答えよ．

また，A a.bc×10^d 及び B a.bc×10^d に当てはまる数値を計算し，その結果を答えよ．ただし，解答は解答すべき数値の最小位の一つ下の位で四捨五入すること．

図のように，積層された面積 A [m^2] の 2 枚の固体平板の両側を温度の異なる流体が流れており，温度 T_h [K] の高温流体から温度 T_c [K] の低温流体に向かって，熱流量 $\dot{Q}$ [W] で熱が移動している．図中には温度分布が太線で描かれており，T_{w1} [K] は高温流体に接する平板 1 の表面温度，T_{w2} [K] は平板 1 と平板 2 の境界温度，T_{w3} [K] は低温流体と接する平板 2 の表面温度である．ここで，平板 1 の厚さを l_1 [m]，熱伝導率を k_1 [W/(m・K)]，平板 2 の厚さを l_2 [m]，熱伝導率を k_2 [W/(m・K)] とし，高温流体と平板 1 の間の熱伝達率を h_1 [W/(m^2・K)]，低温流体と平板 2 の間の熱伝達率を h_2 [W/(m^2・K)] とする．

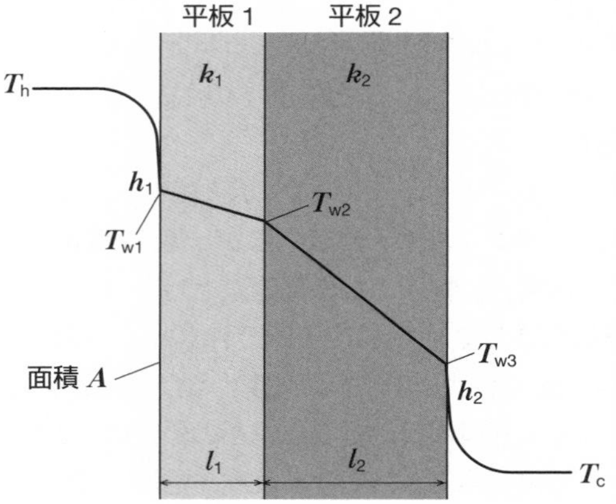

図

1) 高温流体から平板 1 への熱伝達による熱流量 $\dot{Q}$ は，T_h を用いて式①で表すことができる．

$\dot{Q} =$ 13 ……………………………………………… ①

同様に，平板 2 から低温流体への熱流量 $\dot{Q}$ は，T_c を用いて式②で表すことができる．

$\dot{Q} =$ 14 ……………………………………………… ②

〈 13 及び 14 の解答群〉

ア $Ah_1(T_h - T_{w1})$　　**イ** $Ah_2(T_{w3} - T_c)$

ウ　$A(h_1+h_2)(T_{\mathrm{h}}-T_{\mathrm{w1}})$　　**エ**　$A(h_1+h_2)(T_{\mathrm{w3}}-T_{\mathrm{c}})$

オ　$A\left(\dfrac{1}{h_1}+\dfrac{1}{h_2}\right)^{-1}(T_{\mathrm{h}}-T_{\mathrm{w1}})$　　**カ**　$A\left(\dfrac{1}{h_1}+\dfrac{1}{h_2}\right)^{-1}(T_{\mathrm{h}}-T_{\mathrm{w2}})$

キ　$A\left(\dfrac{1}{h_1}+\dfrac{1}{h_2}\right)^{-1}(T_{\mathrm{w2}}-T_{\mathrm{c}})$　　**ク**　$A\left(\dfrac{1}{h_1}+\dfrac{1}{h_2}\right)^{-1}(T_{\mathrm{w3}}-T_{\mathrm{c}})$

2)　一方，平板1の内部の熱伝導について，フーリエの式から，熱流量 $\dot{Q}$ は式③で表すことが できる.

$$\dot{Q}=\frac{Ak_1(T_{\mathrm{w1}}-T_{\mathrm{w2}})}{l_1} \quad \cdots\cdots ③$$

同様に，平板2の内部の熱伝導について，熱流量 $\dot{Q}$ は式④で表すことができる.

$$\dot{Q}=\frac{Ak_2(T_{\mathrm{w2}}-T_{\mathrm{w3}})}{l_2} \quad \cdots\cdots ④$$

式③を変形すると式⑤となり，同様に，式④を変形すると式⑥となる.

$$\dot{Q}=\frac{T_{\mathrm{w1}}-T_{\mathrm{w2}}}{\left(\dfrac{l_1}{Ak_1}\right)} \quad \cdots\cdots ⑤$$

$$\dot{Q}=\frac{T_{\mathrm{w2}}-T_{\mathrm{w3}}}{\left(\dfrac{l_2}{Ak_2}\right)} \quad \cdots\cdots ⑥$$

ここで，分母の $\dfrac{l_1}{Ak_1}$ 及び $\dfrac{l_2}{Ak_2}$ は［15］と呼ばれる.

〈［15］の解答群〉

ア　伝熱単位数　　**イ**　熱拡散率

ウ　熱伝導コンダクタンス　　**エ**　熱伝導抵抗

3)　さらに，2）の式⑤及び式⑥と同様に，1）の式①及び式②も変形して温度差で整理すると，最終的に，熱流量 $\dot{Q}$ は，T_{h} 及び T_{c} を用いた式⑦で表すことができ，両流体の温度差から計算することができる.

$$\dot{Q}=\boxed{16}\times A(T_{\mathrm{h}}-T_{\mathrm{c}}) \quad \cdots\cdots ⑦$$

〈［16］の解答群〉

ア　$\left(h_1+\dfrac{k_1}{l_1}+\dfrac{k_2}{l_2}+h_2\right)$　　**イ**　$\left(\dfrac{1}{h_1}+\dfrac{l_1}{k_1}+\dfrac{l_2}{k_2}+\dfrac{1}{h_2}\right)$

ウ　$\left(h_1+\dfrac{k_1}{l_1}+\dfrac{k_2}{l_2}+h_2\right)^{-1}$　　**エ**　$\left(\dfrac{1}{h_1}+\dfrac{l_1}{k_1}+\dfrac{l_2}{k_2}+\dfrac{1}{h_2}\right)^{-1}$

4)　ここで，$A=5\ \mathrm{m^2}$，$k_1=25\ \mathrm{W/(m{\cdot}K)}$，$k_2=0.5\ \mathrm{W/(m{\cdot}K)}$，$h_1=100$

W/(m²·K), $h_2 = 10$ W/(m²·K), $l_1 = 0.05$ m, $l_2 = 0.2$ m, $T_h = 1\,000$ K, $T_c = 300$ K とするとき，熱流量 $\dot{Q}$ 及び温度 T_{w2} を計算すると，次の値となる．

熱流量 $\dot{Q} =$ [A] a.bc×10^d [W]

温度 $T_{w2} =$ [B] a.bc×10^d [K]

解　説

(1)

1)　ある物体中にその物体とは異なる物質 i が存在し，その濃度が物体中で均一でない場合，物体の分子は熱振動に基づいて常に移動しているが，時間的に平均してみれば物質 i は濃度の高い部分から低い部分へ移動していく．このような現象を「物質拡散」という．物質拡散による物質 i の移動速度（単位時間当たりに移動する物質 i の質量）$\dot{m}_i$ は，

・2 点間の物質 i の濃度差 ΔC_i

・物質通過面積 A

に比例し，

・2 点間の距離 Δx

に反比例する．このような関係を「フィックの法則」という．

$$\dot{m}_i = D\frac{\Delta C_i}{\Delta x}A$$

シュミット数 Sc は，流体の動粘性率 v を拡散係数 D で除したもので次式となり，流れの中の物質移動における無次元数である．

$$Sc = \frac{v}{D}$$

またプラントル数 Pr は，流体の動粘性率 v を熱拡散率 a で除したもので次式となり，対流伝熱における無次元数である．

$$Pr = \frac{v}{a}$$

2)　熱交換器内で単位時間当たりの交換熱量 $\dot{Q}$ は，熱通過率 K，伝熱面積 A と対数平均温度差 ΔT_m を用いて，次式のようになる．

$$\dot{Q} = KA\Delta T_m$$

対数平均温度差 ΔT_m は次式であり，流体間の温度差の変化が小さい場合は，対数平均温度差 ΔT_m と算術平均温度差 $(\Delta T_i + \Delta T_e)/2$ は，10 % 以内の精度で一致する．

$$\Delta T_{\mathrm{m}} = \frac{\Delta T_{\mathrm{i}} - \Delta T_{\mathrm{e}}}{\ln\left(\dfrac{\Delta T_{\mathrm{i}}}{\Delta T_{\mathrm{e}}}\right)}$$

ここで温度の添え字 i は流入側，e は流出側を表す．

3)　流体の混合平均温度（バンク温度，体積平均温度）とは，円管断面の温度分布が異なっているため，断面から流れ出る流体を容器等に貯めて，平衡になったときの温度で，この温度の上昇分は入口からの距離の 1 乗に比例する．

円管内部の流れ場が発達した層流の場合，温度場も十分に発達した下流では，熱伝達率 h を無次元化したヌセルト数 $Nu = hd/\kappa = 4.36$ は流れ方向に一定値となる．この条件下で，円管の直径 d を小さくすると，$Nu = hd/\kappa = 4.36$ より熱伝達率 h は大きくなる．

(2)

1)　射出率（放射率）は，実際の物体が黒体に比較してどの程度の強さの電磁波を放出するかを表す値である．実際の物体は黒体より弱い電磁波しか放出しないので，射出率は 0 ～ 1 の間の値をとる．

2)　形態係数には，「形態係数の交換則」があり，相対する 2 物体の一方から他方を見る形態係数の比はそれぞれの物体の面積比に等しい．

また「形態係数の総和則」があり，ある物体の周囲にあるすべての物体への形態係数の総和は 1 である．

(3)

1)　熱伝達による熱流量は，積層された面積，熱伝達率や流体温度，平板の表面温度を用いて表すことができる．

高温流体から平板 1 への熱伝達による熱流量 $\dot{Q}$ は，T_{h} を用いて①式で表すことができる．

$$\dot{Q} = Ah_1(T_{\mathrm{h}} - T_{\mathrm{w1}})$$

同様に，平板 2 から低温流体への熱流量 $\dot{Q}$ は，T_{c} を用いて②式で表すことができる．

$$\dot{Q} = Ah_2(T_{\mathrm{w3}} - T_{\mathrm{c}})$$

2)　熱伝導抵抗は，熱通過の困難さを表す．

3)　2) の⑤式，⑥式と同様に，1) の①式および②式も変形して温度差で整理すると，⑦式で表すことができる．

$$\frac{\dot{Q}}{Ah_1} = T_{\mathrm{h}} - T_{\mathrm{w1}} \qquad ①'$$

$$\frac{\dot{Q}}{Ah_2} = T_{\mathrm{w3}} - T_{\mathrm{c}} \qquad ②'$$

$$\frac{\dot{Q}}{Ak_1/l_1} = T_{w1} - T_{w2} \qquad ⑤'$$

$$\frac{\dot{Q}}{Ak_2/l_2} = T_{w2} - T_{w3} \qquad ⑥'$$

$$\frac{\dot{Q}}{Ah_1} + \frac{\dot{Q}}{Ah_2} + \frac{\dot{Q}}{Ak_1/l_1} + \frac{\dot{Q}}{Ak_2/l_2}$$

$$= T_h - T_{w1} + T_{w3} - T_c + T_{w1} - T_{w2} + T_{w2} - T_{w3}$$

$$\dot{Q}\left(\frac{1}{h_1} + \frac{1}{h_2} + \frac{l_1}{k_1} + \frac{l_2}{k_2}\right) = A(T_h - T_c)$$

$$\dot{Q} = \left(\frac{1}{h_1} + \frac{l_1}{k_1} + \frac{l_2}{k_2} + \frac{1}{h_2}\right)^{-1} \times A(T_h - T_c)$$

4) $$\dot{Q} = \left(\frac{1}{h_1} + \frac{l_1}{k_1} + \frac{l_2}{k_2} + \frac{1}{h_2}\right)^{-1} \times A(T_h - T_c)$$

$$= \left(\frac{1}{100} + \frac{0.05}{25} + \frac{0.2}{0.5} + \frac{1}{10}\right)^{-1} \times 5 \times (1\,000 - 300)$$

$$= 6\,835.9 \text{ W} \fallingdotseq 6.84 \times 10^3 \text{ W}$$

また，温度 T_{w2} は，下記より求められる．

①式より，温度 T_{w1} を求める．

$$\dot{Q} = Ah_1(T_h - T_{w1})$$

$$T_{w1} = T_h - \frac{\dot{Q}}{Ah_1} = 1\,000 - \frac{6\,835.9}{5 \times 100} = 986.3 \text{ K}$$

次に，⑤式より，温度 T_{w2} を求める．

$$\dot{Q} = \frac{T_{w1} - T_{w2}}{l_1/Ak_1}$$

$$T_{w2} = T_{w1} - \dot{Q}\left(\frac{l_1}{Ak_1}\right) = 986.3 - 6\,835.9 \times \frac{0.05}{5 \times 25}$$

$$= 983.5 \text{ K} \fallingdotseq 9.84 \times 10^2 \text{ K}$$

解 答 (1) **1- カ，2- ウ，3- ク，4- オ，5- ケ，6- ク，7- ウ，8- ク，9- セ**

(2) **10- ア，11- ク，12- オ**

(3) **13- ア，14- イ，15- エ，16- エ，A-6.84 × 10^3，B-9.84 × 10^2**

第 37 回　2015 年（平成 27 年）

（熱力学の基礎）

問題4　次の各文章の [1] ～ [3] の中に入れるべき最も適切な字句又は式を〈[1] ～ [3] の解答群〉から選び，その記号を答えよ．

また，[A a.bc] ～ [I a.bc] に当てはまる数値を計算し，その結果を答えよ．ただし，解答は解答すべき数値の最小位の一つ下の位で四捨五入することとし，対数の計算においては表の数値を用いること．（配点計 50 点）

自由に動くピストンのついたシリンダーの中に，質量 m が 10 kg の空気が入っている．このときの圧力 P_1 は 1 MPa で，温度 T_1 は 800 K である．ここで，空気を理想気体とみなし，空気のガス定数 R を 287 J/(kg·K)，定容比熱 C_v を 0.717 kJ/(kg·K) とし，比熱は温度によらず一定とする．

1）　この状態におけるシリンダー内の体積 V_1 は，理想気体の状態方程式から V_1＝[1] より求められ [A a.bc] [m^3] となる．

2）　この空気が等圧のもとで冷却され，ピストンの移動に伴いシリンダー内の体積 V_2 が始めの体積 V_1 の $\frac{1}{2}$ となった．

① このとき，空気が外部からなされた仕事 W_1 は [B a.bc×10^d] [kJ] である．

② この状態における空気の温度 T_2 は [C abc] [K] である．

③ T_2 を用いて，この過程における内部エネルギーの変化量 ΔU_1 は [D a.bc×10^d] [kJ] と算出される．

④ 空気の定圧比熱 c_p は，空気のガス定数と定容比熱から求められ，[E a.bc] [kJ/(kg·K)] となる．

⑤ c_p を用いて，この過程における空気のエンタルピーの変化量 ΔH_1 は [F a.bc×10^d] [kJ] と算出される．

⑥ 同じく，この過程における空気のエントロピーの変化量 ΔS_1 は，[G a.bc] [kJ/K] と算出される．

⑦ この過程において空気が失った熱量 Q_1 は，[2] と等しくなる．

3）　次に，前述の 2）の状態，すなわち空気を等圧のもとで冷却し体積が最初の $\frac{1}{2}$ になった状態でピストンを固定し，体積一定のもとで，温度 T_3 が最初の温度 T_1 である 800 K になるまで加熱した．

① このとき，ピストンを固定した後の過程における空気の内部エネルギーの変化量 ΔU_2 は $\boxed{\text{H}\,|\,a.bc\times10^{d}}$ [kJ] と算出される．

② 同様にして，ピストンを固定した後の過程における空気のエントロピーの変化量 ΔS_2 は $\boxed{\text{I}\,|\,a.bc}$ [kJ/K] と算出される．

③ また，加熱した熱量 Q_2 は，ΔU_2 との間に $\boxed{\quad 3 \quad}$ の関係が成り立つ．

〈$\boxed{\quad 1 \quad}$ ～ $\boxed{\quad 3 \quad}$ の解答群〉

ア 外部になした仕事の絶対値　　**イ** 内部エネルギーの変化量

ウ エンタルピーの変化量　　**エ** エントロピーの変化量

オ $\dfrac{mRT_1}{P_1}$　　**カ** $\dfrac{mP_1T_1}{R}$　　**キ** $\dfrac{RT_1}{mP_1}$

ク $Q_2 = \Delta U_2$　　**ケ** $Q_2 > \Delta U_2$　　**コ** $Q_2 < \Delta U_2$

表　対数の値

N	2	3	4	5	6	7	8	9	10
$\ln N$	0.693 1	1.099	1.386	1.609	1.792	1.946	2.079	2.197	2.303

解　説

1) 理想気体の状態方程式は，以下である．

$$PV = mRT$$

題意より，シリンダー内の体積 V_1 は，理想気体の状態方程式から式 $V_1 = \dfrac{mRT_1}{P_1}$ より求められる．

$$V_1 = \frac{mRT_1}{P_1} = \frac{10\times287\times800}{1\times10^6} = 2.296 \fallingdotseq 2.30\ \mathrm{m^3}$$

2)

① 空気が外部からなされた仕事 W_1 は，題意より次式で表される．

$$W_1 = P_1\times(V_1 - V_2) = 1.0\times10^6\times\left(2.296 - 2.296\times\frac{1}{2}\right)$$
$$= 1.148\times10^6\ \mathrm{J} \fallingdotseq 1.15\times10^3\ \mathrm{kJ}$$

② この状態における空気の温度 T_2 は，次式で表される．

$$T_2 = \frac{P_1V_2}{mR} = \frac{1\times10^6\times2.296\times\dfrac{1}{2}}{10\times287} = 400\ \mathrm{K}$$

③ 内部エネルギーの変化量 ΔU_1 は次式で表される．

$$\Delta U_1 = m\times c_v\times(T_1 - T_2) = 10\times0.717\times(800 - 400)$$
$$= 2\,868 \fallingdotseq 2.87\times10^3\ \mathrm{kJ}$$

④　空気の定圧比熱 c_p は，空気のガス定数と定容比熱から次式のように求められる．

$$c_p = R + c_v = 287 \times 10^{-3} + 0.717 = 1.004 \fallingdotseq 1.00\ \mathrm{kJ/(kg{\cdot}K)}$$

⑤　空気のエンタルピーの変化量 ΔH_1 は次式で表される．

$$\Delta H_1 = m \times c_p \times (T_1 - T_2) = 10 \times 1.004 \times (800 - 400)$$
$$= 4\,016 \fallingdotseq 4.02 \times 10^3\ \mathrm{kJ}$$

⑥　空気のエントロピーの変化量 ΔS_1 は次式で表される．

$$\Delta S_1 = m \times c_p \times \ln\left(\frac{T_1}{T_2}\right) = 10 \times 1.004 \times 0.693\,1 = 6.958 \fallingdotseq 6.96\ \mathrm{kJ/K}$$

⑦　空気が失った熱量 Q_1 は，エンタルピーの変化量と等しくなる．
変化の間に失った熱量は，熱力学の第一法則より，

$$Q_1 = \Delta U_1 + W_1 = U_1 - U_2 + P_1 \times (V_1 - V_2)$$
$$= m\{(u_1 + P_1 v_1) - (u_2 + P_1 v_2)\}$$
$$= m(h_1 - h_2) = mc_p(T_1 - T_2)$$

となり，等圧変化で失った熱量はエンタルピーの変化量と等しくなる．

u，v，h はそれぞれ 1kg 当たりの状態量を表し，比内部エネルギー，比体積，比エンタルピーである．

3)

①　内部エネルギーの変化量 ΔU_2 は次式で表される．

$$\Delta U_2 = m \times c_v \times (T_3 - T_2) = 10 \times 0.717 \times (800 - 400)$$
$$= 2\,868 \fallingdotseq 2.87 \times 10^3\ \mathrm{kJ}$$

②　空気のエントロピーの変化量 ΔS_2 は次式で表される．

$$\Delta S_2 = m \times c_v \times \ln\left(\frac{T_3}{T_2}\right) = 10 \times 0.717 \times 0.693\,1 = 4.969 \fallingdotseq 4.97\ \mathrm{kJ/K}$$

③　加熱した熱量 Q_2 は，ΔU_2 との間に $Q_2 = \Delta U_2$ の関係が成り立つ．
等容変化の間に出入りする熱量は熱力学の第一法則から，次式で表される．

$$Q_2 = \Delta U_2 + W_2$$

ここで，$W_2 = 0$ であることから，加熱した熱量は内部エネルギーの増加にのみ使用される．

解　答　(1)　**1- オ，A-2.30**

(2)　**B-1.15 × 10³，C-400，D-2.87 × 10³，E-1.00，F-4.02 × 10³，G-6.96，2- ウ**

(3)　**H-2.87 × 10³，I-4.97，3- ク**

(熱力学の基礎)

問題5 次の各文章の [1] ～ [12] の中に入れるべき最も適切な字句又は式をそれぞれの解答群から選び，その記号を答えよ．なお，[4] は2箇所あるが，同じ記号が入る．

また，[A a.b] ～ [D a.b] に当てはまる数値を計算し，その結果を答えよ．ただし，解答は解答すべき数値の最小位の一つ下の位で四捨五入すること．（配点計50点）

図1及び図2は，あるサイクルにおける，温度 T と比エントロピー s の関係を示したものであり，作動流体は水蒸気である．ここで，1～6及びa～cは，いずれも作動流体の熱力学的状態点を示す番号あるいは記号とし，各状態点における比エンタルピー h の値は，その状態点の番号あるいは記号を添え字に用いて示すこととする．また，図中のC.P.は臨界点，破線A－C.P.は飽和液線，破線C.P.－Bは飽和蒸気線を示している．なお，計算に用いる水及び蒸気の比体積 v，比エンタルピー h 及び比エントロピー s は，表1及び表2の値を用いることとし，符号 ′ は飽和水の状態，符号 ″ は乾き飽和蒸気の状態を表す．

1) 図1のサイクルは，[1] サイクルと呼ばれている．

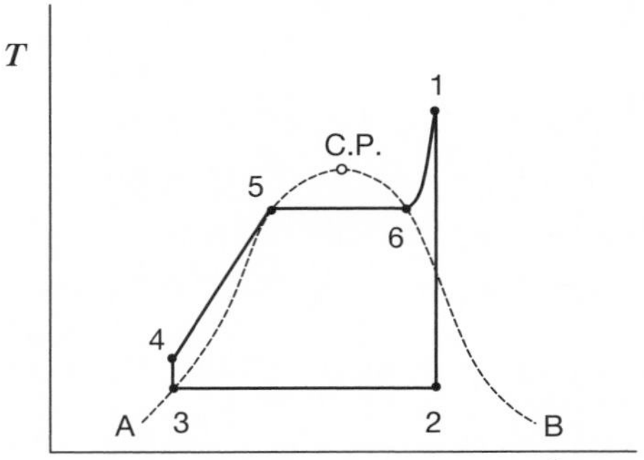

図1

〈[1] の解答群〉

ア オットー　**イ** カルノー　**ウ** サバテ　**エ** ランキン

2) 図1のサイクルの具体例として次を考える．

状態点3の40 ℃の飽和水が，給水ポンプにより等エントロピー変化で7 MPaまで加圧されて状態点4の [2] になり，更に [3] で等圧加熱され，状態点1では390 ℃の [4] となる．この [4] は [5] に送られ，[6] 変化により40 ℃になるまで減圧され，状態点2の状態となる．この間に発電の仕事を行う．状態点2は飽和液線と飽和蒸気線の間にあり，[7] の状態となることを示している．その後，復水器により状態3

に戻る.

〈[2]～[7]の解答群〉

ア 等圧	**イ** 等温	**ウ** 等容	**エ** ボイラ
オ 給水ポンプ	**カ** 再熱器	**キ** 蒸気タービン	**ク** 復水器
ケ 背圧タービン	**コ** 圧縮水	**サ** 過熱蒸気	**シ** 湿り蒸気
ス 飽和水	**セ** 可逆断熱膨張		

3)　図 1 において，状態点 2 における乾き度 x の値は，比エントロピーと乾き度の関係式 [8] より，[A a.b] $\times 10^{-1}$ である．また，状態点 2 の比エンタルピー h_2 は，[B a.b$\times 10^{c}$] [kJ/kg] となる．このとき，理論熱効率 η_{th} は，式 [9] により求めることができ，[C a.b] $\times 10^{-1}$ となる．この中で，給水ポンプの仕事は [D a.b] [kJ/kg] であり，無視することも多い.

〈[8]及び[9]の解答群〉

ア　$\eta_{\mathrm{th}}=\dfrac{h_1-h_2}{h_1-h_3}$　　**イ**　$\eta_{\mathrm{th}}=\dfrac{h_1-h_2}{h_1-h_4}$

ウ　$\eta_{\mathrm{th}}=\dfrac{(h_1-h_2)-(h_4-h_3)}{h_1-h_3}$　　**エ**　$\eta_{\mathrm{th}}=\dfrac{(h_1-h_2)-(h_4-h_3)}{h_1-h_4}$

オ　$s=s'+xs''$　　**カ**　$s=x(s''-s')$

キ　$s=s'+x(s''-s')$　　**ク**　$s=s''+\dfrac{x}{(s''-s')}$

4)　図 2 は，図 1 の基本サイクルで復水器で冷却水に捨てられる熱量を軽減するために用いられるサイクルであり，[10] サイクルと呼ばれる．このサイクルでは，状態点 1 に供給される蒸気 1 kg のうち，m [kg] が状態点 a おいて [11] され，給水加熱器に送られて給水加熱に使われ，状態点 c になる．このとき，このサイクルの理論熱効率 η_{th} は，給水ポンプの仕事を無視した場合，式 [12] で示される.

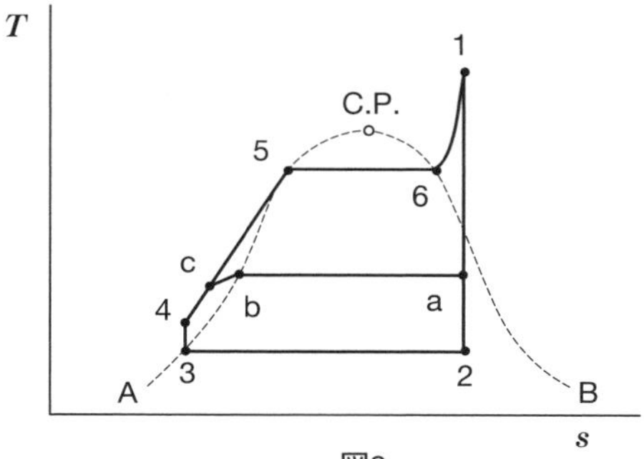

図2

〈 10 ～ 12 の解答群〉

ア 給水　　**イ** 再生

ウ 再熱　　**エ** 抽気

オ 背気　　**カ** 復水

キ $\eta_{th} = \dfrac{(h_1 - h_2) + m(h_1 - h_a)}{h_1 - h_b}$　　**ク** $\eta_{th} = \dfrac{(h_1 - h_2) - m(h_1 - h_a)}{h_1 - h_b}$

ケ $\eta_{th} = \dfrac{(h_1 - h_2) + m(h_a - h_2)}{h_1 - h_c}$　　**コ** $\eta_{th} = \dfrac{(h_1 - h_2) - m(h_a - h_2)}{h_1 - h_c}$

表 1　飽和水及び飽和蒸気の熱力学性質

圧力 [MPa]	飽和温度 [℃]	比体積 [m³/kg]		比エンタルピー [kJ/kg]		比エントロピー [kJ/(kg·K)]	
		v'	v''	h'	h''	s'	s''
0.007 384	40.0	0.001 008	19.52	167.5	2 573.5	0.572 4	8.255 7
7.0	285.8	0.001 352	0.027 38	1 267.4	2 772.6	3.122 0	5.814 6

表 2　圧縮水及び過熱蒸気の熱力学性質

圧力 [MPa]	飽和温度 [℃]	比体積 v [m³/kg]	比エンタルピー h [kJ/kg]	比エントロピー s [kJ/(kg·K)]
7.0	40.2	0.001 005	174.6	0.572 4
	390.0	0.039 07	3 132.1	6.409 6

解　説

1）化学エネルギー等から得られる熱エネルギーを利用し，気液相変化を経て生成される水蒸気を作動流体として機械的エネルギーに変換するシステムを蒸気原動所と呼び，そのサイクルをランキンサイクルと呼んでいる．蒸気原動所の作動流体は一般に水であり，そのシステムの主要構成要素は，ボイラ（蒸気発生器），蒸気タービンあるいは蒸気機関などの蒸気原動機，復水器（コンデンサ）および給水ポンプなどである．

2）理論サイクルでは，図 1 の状態点 4 から状態点 1 に至る過程および状態点 2 から状態点 3 に至る過程は，ともに等圧変化となり，図 1 の状態点 1 から状態点 2 に至る過程（蒸気タービンでの膨張過程）および状態点 3 から状態点 4 に至る過程（給水ポンプでの圧縮過程）は，ともに等エントロピー変化となる．

復水器内において図 1 の状態点 2 から状態点 3 に至り，状態点 3 で 40 ℃の飽和水となった水は，給水ポンプにより加圧された後，ボイラに送られ，状態点 4 に至る．状態点 4 は，$T-s$ 線図上で飽和液体の左側の領域に入るが，この状態の水を圧縮水と呼び，水の温度がその圧力に対する飽和温度より低い状態を表す．

ボイラにおいて，水を加熱すると，圧縮水の状態点 4 から飽和水の状態点 5 に至り，その後は，等圧かつ等温のもとで，状態点 5 から状態点 6 に至るまでの間は湿り蒸気の状態となる．

状態点 6 で乾き飽和蒸気となった後，さらにボイラ出口に至る過熱器により加熱され状態点 1 では 390 ℃の過熱蒸気（高温・高圧水蒸気，すなわち過熱水蒸気）の状態になる．これが蒸気タービンに送られ可逆断熱膨張することにより仕事を発生する．

蒸気タービンで可逆断熱膨張した後の状態点 2 は，飽和液線と飽和蒸気線（気液共存線）の内側にあるため，湿り蒸気である．

蒸気タービンを出た湿り蒸気は，復水器において冷却されて状態点 2 の状態となる．

3)　図 1 において，状態点 2 における乾き度 x は，比エントロピーと乾き度の関係式より，題意と表の値を使い，以下のように求められる．

$$s = s' + x(s'' - s')$$

$$x = \frac{s - s'}{s'' - s'} = \frac{6.4096 - 0.5724}{8.2557 - 0.5724} = 0.7597 \fallingdotseq 7.6 \times 10^{-1}$$

また，状態点 2 の比エンタルピーは，乾き度より，以下のように求める．

$$h = h' + x(h'' - h') = 167.5 + 0.7597 \times (2573.5 - 167.5)$$
$$= 1995 \fallingdotseq 2.0 \times 10^{3}\ \mathrm{kJ/kg}$$

ランキンサイクルを行う作動流体である水蒸気の質量流量を $\dot{m}$ [kg/s] とすれば，ボイラでの供給熱量 $\dot{Q}_1$ [W] は

$$\dot{Q}_1 = \dot{m}(h_1 - h_4)$$

となり，一方，復水器で冷却水にもち去られる放熱量 $\dot{Q}_2$ [W] は

$$\dot{Q}_2 = \dot{m}(h_2 - h_3)$$

となる．また蒸気タービンでの発生仕事量 $\dot{L}_\mathrm{T}$ [W] は

$$\dot{L}_\mathrm{T} = \dot{m}(h_1 - h_2)$$

となり，これに対して給水ポンプに外部から

$$\dot{L}_\mathrm{P} = \dot{m}(h_4 - h_3)$$

だけ仕事を供給していることになる．したがって，この理論サイクルにおけるエネルギー収支は次式で与えられる．

$$\dot{Q}_1 - \dot{Q}_2 = \dot{L}_\mathrm{T} - \dot{L}_\mathrm{P}$$

したがって，このサイクルの理論熱効率 η_th は次式で求めることができる．

$$\eta_{\mathrm{th}}=\frac{\dot{L}_{\mathrm{T}}}{Q_1}=1-\frac{Q_2}{Q_1}=\frac{(h_1-h_4)-(h_2-h_3)}{h_1-h_4}=\frac{(h_1-h_2)-(h_4-h_3)}{h_1-h_4}$$

$$=\frac{(3\,132.1-1\,995)-(174.6-167.5)}{(3\,132.1-174.6)}=0.382\fallingdotseq 3.8\times10^{-1}$$

この中で，給水ポンプの仕事 $\dot{L}_{\mathrm{P}}$ は次式で求められる．

$$\dot{L}_{\mathrm{P}}=h_4-h_3=174.6-167.5=7.10 = 7.1\ \mathrm{kJ/kg}$$

4) 図 2 は，図 1 の基本サイクルで復水器で冷却水に捨てられる熱量を軽減するために用いられるサイクルであり，再生サイクルと呼ばれる．

このサイクルでは，状態点 1 に供給される蒸気 1 kg のうち，m [kg] が状態点 a において抽気され，給水加熱器に送られて給水加熱に使われ，状態点 c になる．

このとき，このサイクルの理論熱効率 η_{th} は，給水ポンプの仕事を無視した場合，次式で表される．

$$\eta_{\mathrm{th}}=\frac{(h_1-h_2)-m(h_{\mathrm{a}}-h_2)}{h_1-h_{\mathrm{c}}}$$

解　答
1)　1-エ
2)　2-コ，3-エ，4-サ，5-キ，6-セ，7-シ
3)　8-キ，A-7.6，B-2.0 × 10^3，9-エ，C-3.8，D-7.1
4)　10-イ，11-エ，12-コ

（流体工学の基礎）

問題6　次の各問に答えよ．（配点計 50 点）

(1) 次の各文章の [1] ～ [5] の中に入れるべき最も適切な式をそれぞれの解答群から選び，その記号を答えよ．ただし，液体を非圧縮性とし，重力の加速度を g とする．

1) 図 1 (a) のように，断面積 A_1 の円筒 1 と断面積 A_2 の円筒 2 が，下方にある管により接続されている．ここで，$A_1 < A_2$ であるとする．この容器の中に密度 ρ の液体が入っており，二つの円筒の液体上にピストンが置かれている．ピストンは摩擦なく上下し，その質量は無視でき，ピストンに漏れはないものとする．また，ピストン上部の気体の圧力を P_0 とする．二つの円筒内のピストンが釣り合い，同じ高さになったときのピストン下面位置を原点として，下方に x 座標をとる．

円筒 1 のピストンを力 F で下方に押したところ，図 1 (b) のように円筒 1 のピストンの下面は $x = z$ の位置まで移動した．$x = z$ における円筒

1 の液体の圧力は，z を用いずに式で表すと［ 1 ］で示される．同じく $x=z$ における円筒 2 の液体の圧力は，F を用いずに式で表すと［ 2 ］で示される．したがって，力 F と移動距離 z の間には次の関係式が成り立つ．

$$\frac{F}{A_1}=\boxed{\ 3\ }\times z$$

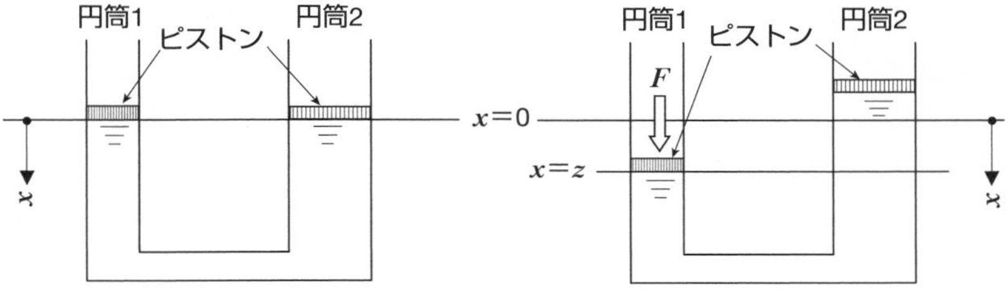

(a)　力を加える前　　(b)　力を加えた後

図1　ピストンの位置

〈［ 1 ］～［ 3 ］の解答群〉

ア　ρg　　**イ**　ρgz　　**ウ**　$P_0+\rho gz$　　**エ**　$\rho g\left(\dfrac{A_1}{A_2}+1\right)$

オ　$P_0+\rho g\left(\dfrac{A_1}{A_2}+1\right)z$　　**カ**　$\dfrac{F}{A_1}$　　**キ**　$P_0+\dfrac{F}{A_1}$　　**ク**　$P_0-\dfrac{F}{A_1}$

2)　図 2 のような大きなタンクの中に密度 ρ の液体が入っており，深さ H のところに断面積 A の小孔があり，その孔から液体は流出して，流れに垂直に設置されている板に衝突している．液体の流出によって液位に変化はないものとすると，小孔出口での液体の流出速度 v は式［ 4 ］である．小孔から出た噴流の断面積が小孔の面積に等しく，板に衝突後の液体は板に沿って流れるものと仮定すると，板に働く力 F は式［ 5 ］である．

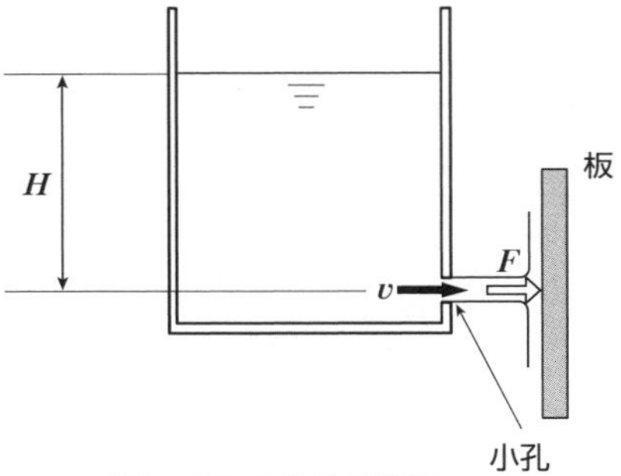

図2　タンクからの噴流

〈$\boxed{\ 4\ }$ 及び $\boxed{\ 5\ }$ の解答群〉

ア　$\sqrt{gH}$　　**イ**　$\sqrt{2gH}$　　**ウ**　gH

エ　ρAgH　　**オ**　$2\rho AgH$　　**カ**　ρAg^2H^2

(2)　次の文章の $\boxed{\ 6\ }$ ～ $\boxed{\ 10\ }$ の中に入れるべき最も適切な字句又は式を〈$\boxed{\ 6\ }$ ～ $\boxed{\ 10\ }$ の解答群〉から選び，その記号を答えよ．

また，$\boxed{\text{A}\ \text{a.bc}\times10^{\text{d}}}$ に当てはまる数値を計算し，その結果を答えよ．ただし，解答は解答すべき数値の最小位の一つ下の位で四捨五入すること．

非圧縮性の気体が流れる管路内に，図 3 のようにオリフィスとマノメータが置かれている．オリフィス直前の上流部を点 a，オリフィスの中央部を点 b，オリフィス直後の下流部を点 c とする．点 a の管路断面積を A_a，圧力を P_a，速度を v_a，点 b の管路断面積を A_b，圧力を P_b，速度を v_b とする．

まず，点 a と点 b の関係を考える．非圧縮性流体のエネルギー保存を表す $\boxed{\ 6\ }$ の定理から，流体の密度を ρ とすると，次の圧力と速度の関係式が成り立つ．

$$\frac{P_a - P_b}{\rho} = \boxed{\ 7\ } \quad\cdots\cdots\cdots\cdots ①$$

速度と断面積の関係 $A_a v_a = A_b v_b$ を用いて変形すると，点 a の流速 v_a は以下のように，差圧，断面積比と密度で表すことができる．

$$v_a = \boxed{\ 8\ } \quad\cdots\cdots\cdots\cdots ②$$

次に，点 a と点 c の関係を考える．マノメータでは，オリフィスに近接した，上流部 a と下流部 c の差圧を計測する．この差圧は，②式の右辺に係数 C を乗じることで，P_b を P_c に置き換えたものとして求められる．このとき，点 b の圧力 P_b と点 c の圧力 P_c との間には，$\boxed{\ 9\ }$ の効果により，$\boxed{\ 10\ }$ の大小関係がある．

ここで，係数 C を 0.65，気体の密度を 1.293 kg/m³，気体速度 v_a を 10 m/s，

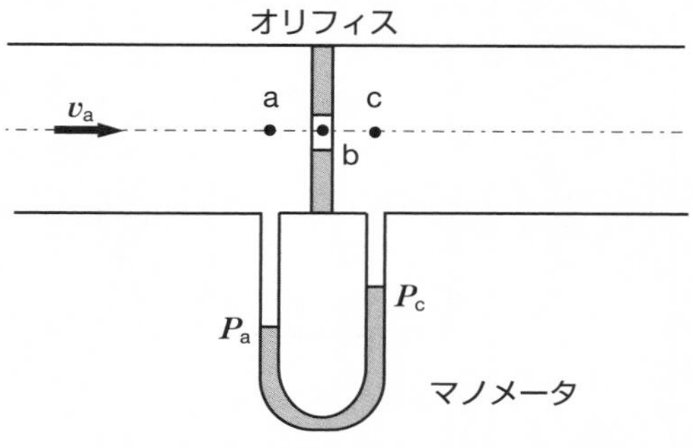

図3　管路中のオリフィスとマノメータ

断面積比 $\frac{A_a}{A_b}$ を 10 とすると，測定される差圧 $(P_a - P_c)$ は [A a.bc $\times 10^d$] [Pa] である.

〈[6]～[10]の解答群〉

ア	管摩擦	**イ**	縮流	**ウ**	乱流	**エ**	パスカル
オ	ベルヌーイ	**カ**	ラプラス	**キ**	$P_b > P_c$	**ク**	$P_b < P_c$

ケ $\frac{1}{2}(v_b - v_a)$　　**コ** $v_b^2 - v_a^2$

サ $\frac{1}{2}(v_b^2 - v_a^2)$　　**シ** $\frac{1}{\frac{A_a}{A_b} - 1} \times \frac{2(P_a - P_b)}{\rho}$

ス $\frac{1}{\sqrt{\left(\frac{A_a}{A_b}\right)^2 - 1}} \times \sqrt{\frac{P_a - P_b}{\rho}}$　　**セ** $\frac{1}{\sqrt{\left(\frac{A_a}{A_b}\right)^2 - 1}} \times \sqrt{\frac{2(P_a - P_b)}{\rho}}$

(3) 次の各文章の[11]～[15]の中に入れるべき最も適切な字句，数値又は式を〈[11]～[15]の解答群〉から選び，その記号を答えよ.

1) 流れの中におかれた物体が，流れから受ける力の流れの方向成分を[11]といい，流れに垂直な方向成分を[12]という. これらの力は，流れのレイノルズ数が十分大きい場合には，流体速度の[13]乗に比例する.

2) 円管内の十分発達した流れについて，管壁に働く粘性によるせん断応力 τ_W と管長 L での圧力損失 ΔP の関係は，円管内径を D とすると，ΔP ＝[14]となる.

3) 円管内の発達した層流の管摩擦係数 f は，レイノルズ数を Re とすると，f ＝[15]となる.

〈[11]～[15]の解答群〉

ア	抗力	**イ**	推力	**ウ**	せん断力	**エ**	浮力	**オ**	揚力
カ	$32Re$	**キ**	$\frac{64}{Re}$	**ク**	$0.023\,Re^{0.8}$	**ケ**	$\tau_W \frac{D}{L}$	**コ**	$4\tau_W \frac{L}{D}$
サ	$\tau_W \frac{D^2}{L^2}$	**シ**	0.5	**ス**	1	**セ**	2		

解　説

(1)

1) $x = z$ における円筒 1 の液体の圧力 P_1 は，次式で表される.

$$P_1 = P_0 + \rho g z \ [\mathrm{Pa}]$$

ここで，zを用いずに式で表すと次式のようになる．

$$P_1 = P_0 + \frac{\rho g A_1 z}{A_1} \ [\mathrm{Pa}]$$

$\rho g A_1 z = F$より

$$P_1 = P_0 + \frac{F}{A_1} \ [\mathrm{Pa}] \qquad ①$$

$x=z$における円筒2の液体の圧力P_2は，次式で表される．

$$P_2 = P_0 + \rho g z + \frac{F}{A_2} \ [\mathrm{Pa}]$$

ここで，Fを用いずに式で表すと次式のようになる．

$$P_2 = P_0 + \rho g z + \frac{\rho g A_1 z}{A_2}$$

$$= P_0 + \rho g\left(\frac{A_1}{A_2} + 1\right) z \ [\mathrm{Pa}] \qquad ②$$

したがって，力Fと移動距離zの間には①，②式より，次の関係式が成り立つ．

$$\frac{F}{A_1} = \rho g\left(\frac{A_1}{A_2} + 1\right) z \ [\mathrm{Pa}]$$

2） 小孔出口での液体の流出速度vは，次式で表される．

$$v = \sqrt{2gH}$$

板に働く力Fは，小孔の入口，出口の速度v_1，v_2，流量Q_1，Q_2より，次式で表される．

$$F = \rho Q_1 v_1 - \rho Q_2 v_2$$

ここで，小孔の出口ではこの方向の運動量は0であるため，$\rho Q_2 v_2 = 0$となり，したがって，

$$F = \rho Q_1 v_1 = \rho \times A\sqrt{2gH} \times \sqrt{2gH} = 2\rho A g H$$

となる．

(2) 非圧縮性流体のエネルギー保存を表すベルヌーイの定理から，流体の密度をρとすると，次の圧力と速度の関係式が成り立つ．

$$\frac{P_a}{\rho} + \frac{v_a^2}{2} = \frac{P_b}{\rho} + \frac{v_b^2}{2}$$

$$\frac{P_a - P_b}{\rho} = \frac{1}{2}(v_b^2 - v_a^2) \qquad ①$$

速度と断面積の関係$A_a v_a = A_b v_b$を用いて変形すると，点aの流速v_aは以

下のように，差圧，断面積比と密度で表すことができる．

①式より

$$\frac{P_a - P_b}{\rho} = \frac{1}{2}\left\{\left(\frac{A_a}{A_b}\right)^2 v_a{}^2 - v_a{}^2\right\}$$

$$v_a = \frac{1}{\sqrt{\left(\frac{A_a}{A_b}\right)^2 - 1}} \times \sqrt{\frac{2(P_a - P_b)}{\rho}} \qquad ②$$

次に，点 a と点 c の関係を考える．マノメータでは，オリフィスに近接した，上流部 a と下流部 c の差圧を計測する．この差圧は，②式の右辺に係数 C を乗じることで，P_b を P_c に置き換えたものとして求められる．このとき，点 b と圧力 P_b と点 c と圧力 P_c との間には，縮流の効果により，$P_b > P_c$ の大小関係がある．

ここで題意より，測定される差圧（$P_a - P_c$）は，次式で求められる．

$$v_a = C \times \frac{1}{\sqrt{\left(\frac{A_a}{A_b}\right)^2 - 1}} \times \sqrt{\frac{2(P_a - P_c)}{\rho}}$$

$$\sqrt{\frac{2(P_a - P_c)}{\rho}} = \frac{v_a\sqrt{\left(\frac{A_a}{A_b}\right)^2 - 1}}{C}$$

$$\frac{2(P_a - P_c)}{\rho} = \frac{v_a{}^2\left\{\left(\frac{A_a}{A_b}\right)^2 - 1\right\}}{C^2}$$

$$P_a - P_c = \frac{\rho v_a{}^2}{2C^2}\left\{\left(\frac{A_a}{A_b}\right)^2 - 1\right\}$$

$$= \frac{1.293 \times 10^2}{2 \times 0.65^2} \times (10^2 - 1)$$

$$= 15\,148 \fallingdotseq 1.51 \times 10^4 \text{ Pa}$$

(3)

1)　流れの中におかれた物体が，流れから受ける力の流れ方向成分を抗力といい，流れに垂直な方向成分を揚力という．

抗力 F_D は抗力係数（抵抗係数）C_D を用いて次式のように表される．

$$F_D = C_D \rho A \frac{\omega^2}{2} \text{ [N]}$$

ここで，ρ：流体の密度（kg/m^3），A：流れに垂直な面への物体の投影面積（m^2），ω：流体速度（m/s）

また揚力 F_{L} も C_{L} を用いて次式のように表される．

$$F_L = C_L \rho A \frac{\omega^2}{2}\ [\mathrm{N}]$$

これらの力は，上式より流れのレイノルズ数が十分大きい場合には流体速度の 2 乗に比例する．

2)　円管内の十分発達した流れについて，管壁に働く粘性によるせん断応力 τ_{W} と管長 L での圧力損失 ΔP の関係は，円管内径を D とすると，次式で表される．

$$\Delta P = 4\tau_{\mathrm{W}} \frac{L}{D}$$

3)　円管内の発達した層流の管摩擦係数 f は，レイノルズ数を Re とすると，次式で表される．

$$f = \frac{64}{Re}$$

解　答　(1)　**1-キ，2-オ，3-エ，4-イ，5-オ**
(2)　**6-オ，7-サ，8-セ，9-イ，10-キ，A-1.51 × 10⁴**
(3)　**11-ア，12-オ，13-セ，14-コ，15-キ**

（伝熱工学の基礎）

問題7　次の各問に答えよ．（配点計 50 点）

(1)　次の文章の [1] ～ [6] の中に入れるべき最も適切な字句を〈[1] ～ [6] の解答群〉から選び，その記号を答えよ．なお，[5] は 2 箇所あるが，同じ記号が入る．

伝熱には，熱伝導，対流伝熱，放射伝熱という三つの形態がある．

熱伝導による熱流束は [1] の式によって表され，熱流束は温度の [2] に比例し，その比例係数は [3] である．

対流伝熱は流体と固体面との間の伝熱であり，熱流束は流体の代表温度と固体表面温度との温度差と [4] の積で表される．

放射伝熱では，照射された電磁波を全て吸収する理想物体のことを [5] と呼び，その物体が射出する放射エネルギー量（射出能）は物体の絶対温度の 4 乗に比例する．一般の物体からの放射エネルギー量を，[5] の場合の放射エネルギー量に，波長に依存しない一定の放射率を乗じて表すことがある．この場合，一般の物体を [6] として扱ったことになる．

〈 1 ～ 6 の解答群〉

ア 温度伝導率　**イ** 熱伝達率　**ウ** 熱伝導率　**エ** 拡散係数
オ 灰色体　**カ** 基準体　**キ** 黒体　**ク** 標準物質
ケ 逆数　**コ** 勾配　**サ** 絶対値　**シ** ニュートン
ス ヌセルト　**セ** フーリエ

(2) 次の文章の 7 ～ 10 の中に入れるべき最も適切な字句を〈 7 ～ 10 の解答群〉から選び，その記号を答えよ．なお， 7 及び 8 は 2 箇所あるが，それぞれ同じ記号が入る．

熱交換器とは，高温の流体から低温の流体に熱エネルギーを伝達する装置の総称である．熱交換器には種々の分類があるが，ここでは管壁や平板壁などを介して高温流体と低温流体を定常的に流す隔壁式に限定する．

熱交換器を流体の流動方向によって分類すると，高温流体と低温流体が同じ方向に流れる 7 ，逆方向に流れる 8 ，及び直角に交差するように流れる直交流形の 3 種類に分類できる．直交流形熱交換器の例としては 9 熱交換器が挙げられる．有効エネルギー（エクセルギー）の観点からは，熱交換の際の流体間温度差は 10 方が好ましいので， 8 の方が 7 よりも広く利用されている．

〈 7 ～ 10 の解答群〉

ア 向流形　**イ** 平行形　**ウ** 並流形
エ フィンチューブ式　**オ** 蓄熱式　**カ** 二重管式
キ 大きい　**ク** 小さい　**ケ** 大きく変化する

(3) 次の各文章の [A a.bc] ～ [E abc] に当てはまる数値を計算し，その結果を答えよ．ただし，解答は解答すべき数値の最小位の一つ下の位で四捨五入すること．

加熱炉の壁が 2 層のれんがで構成されている．炉内側には厚さ 260 mm，熱伝導率 1.20 W/(m·K) の耐火れんがが，外側には厚さ 110 mm，熱伝導率 0.250 W/(m·K) の断熱れんがが使用されている．炉内に面する耐火れんがの表面温度は 1 250℃，外気に接する断熱れんがの表面温度は 87℃である．

ただし，2 層のれんがの接触面での熱抵抗は無視できるものとし，外気及び加熱炉周囲の温度を 27℃，断熱れんがの表面の放射率を 0.820 とする．また，ステファン・ボルツマン定数は 5.67×10^{-8} W/(m^2·K^4) とする．

1) 伝熱面積を 1.00 m^2 とした場合の，耐火れんが及び断熱れんがの熱伝導による熱抵抗の合計は [A a.bc] $\times 10^{-1}$ [K/W] である．

2) 炉壁を通過する単位面積，単位時間当たりの伝熱量は [B a.bc $\times 10^{d}$] [W/m^2] である．

3)　断熱れんが表面からの単位面積，単位時間当たりの周囲への放射伝熱量は C abc [W/m^2] である．

4)　断熱れんが表面における対流伝熱量は，炉壁を通過する伝熱量と断熱れんが表面から周囲への放射伝熱量との差から求めることができる．このことから，断熱れんが表面における対流熱伝達率は D ab.c [W/(m^2·K)] となる．

5)　耐火れんがの表面温度を一定に保ったまま，炉壁を通過する単位面積，単位時間当たりの伝熱量を低下させるために，断熱れんがの厚さを 110 mm からある値まで厚くしたところ，断熱れんが表面温度が 87℃から 67℃へと変化した．このときの断熱れんがの厚さは E abc [mm] である．ただし，断熱れんが表面における放射率及び熱伝達率は断熱れんが表面温度によらず一定とする．

解　説

(1)　熱伝導による熱流束はフーリエの式によって表され，熱流束 $\dot{q}$ は温度の勾配に比例し，その比例係数は熱伝導率 k である．

$$\dot{q}=-k\frac{\partial T}{\partial x}$$

物体内に温度差があると，その差をなくすように温度の高い部分から温度の低い部分に向かって熱の流れが生じる．上式右辺の負号は，温度が下がる方向に熱が流れるためにつけたものである．

熱伝導率は，物質の種類，温度，圧力を指定すると定まる物性値である．

対流伝熱は流体と固体表面との間の伝熱であり，熱流束 $\dot{q}$ は流体の代表温度 T_{f0} と固体表面温度 T_{w0} との温度差と熱伝達率 h の積で表される．

$$\dot{q}=h(T_{w0}-T_{f0})$$

放射伝熱では，照射された電磁波をすべて吸収する理想物体のことを黒体と呼び，その物体が射出する放射エネルギー量 E は，物体の絶対温度の 4 乗に比例する．

$$E=\varepsilon\sigma T^4$$

ここで，σ はステファン・ボルツマン定数という．

一般の物体からの放射エネルギー量を，黒体の場合の放射エネルギー量に，波長に依存しない一定の放射率 ε を乗じて表すことがあり，この場合の一般の物体を灰色体として扱ったことになる．

放射伝熱では物体の放出する電磁波のエネルギー量を評価する際，実際の物体の放出する電磁波の波長分布を黒体のそれと「相似」な分布で近似する

（灰色近似）．

(2)　並流形は，高温の加熱流体と低温の被加熱流体が平行して同じ方向に流れて熱交換を行う形式である．入口から出口に向かって徐々に温度差が小さくなるような温度分布となり，最終的には高温流体と低温流体の間の中間の温度に漸近する．並流形は両流体間の温度差が大きくなり，有効エネルギー（エクセルギー）の観点から好ましくないため，熱交換の際の流体間温度差の小さい向流形の方が並流形よりも広く利用されている．

向流形は，両流体が逆向きに流れる形式である．2流体がともに相変化せず熱容量流量が等しい場合，良好な熱交換がなされると，入口・出口における両者の温度がほぼ入れ替わり，熱交換器として理想的な特性を実現できる．

直交流形は，フィンチューブ形やプレートフィン形がこの形式に属し，高温，低温流体が交差するように流れる．

(3)

1)　題意より，耐火れんがおよび断熱れんがの熱伝導による熱抵抗の合計 R [K/W] は，次式で求められる．

$$R=\frac{0.26}{1.2\times1.00}+\frac{0.11}{0.25\times1.00}=0.6566\fallingdotseq 6.57\times10^{-1}\ \mathrm{K/W}$$

2)　炉壁を通過する単位面積，単位時間当たりの伝熱量 Q_1 [W/m²] は，1)の熱抵抗 R，耐火れんがの表面温度 T_{w1}，断熱れんがの表面温度 T_{w2} より，次式で求められる．

$$Q_1=\frac{1}{R}(T_{w1}-T_{w2})=\frac{1}{0.6566}\times(1\,250-87)$$
$$=1\,771\fallingdotseq 1.77\times10^{3}\ \mathrm{W/m^2}$$

3)　断熱れんが表面からの単位面積，単位時間当たりの周囲への放射伝熱量 Q_2 [W/m²] は，断熱れんが表面温度 T_{w2}，周囲温度 T_0，放射率 ε およびステファン・ボルツマン定数 σ より，次式で求められる．

$$Q_2=\varepsilon\sigma({T_{w2}}^4-{T_0}^4)$$
$$=0.820\times5.67\times10^{-8}\times\left\{(87+273)^4-(27+273)^4\right\}$$
$$=404.3\fallingdotseq 404\ \mathrm{W/m^2}$$

4)　題意より，断熱れんが表面における対流熱伝達率 h は，断熱れんが表面における対流伝熱量 Q_3 [W/m²]，断熱れんが表面温度 T_{w2}，周囲温度 T_0 より，次式で求められる．

$$Q_3=Q_1-Q_2=1\,771-404.3=1\,366.7\ \mathrm{W/m^2}$$

$$h=\frac{Q_3}{T_{w2}-T_0}=\frac{1\,366.7}{87-27}=22.77\fallingdotseq 22.8\ \mathrm{W/(m^2\cdot K)}$$

5) 断熱れんがの厚さを厚くしたときの断熱れんが表面における対流伝熱量 $Q_{3'}$ [W/m^2]，断熱れんが表面から周囲への放射伝熱量 Q_2 [W/m^2] および炉壁を通過する伝熱量 Q_1 [W/m^2] は，題意より，次式で求められる．

$$Q_{3'}=h(T_{w2'}-T_0)=22.77\times(67-27)=910.8\ \mathrm{W/m^2}$$

$$\begin{aligned}Q_{2'}&=\varepsilon\sigma(T_{w2'}{}^4-T_0{}^4)\\&=0.820\times5.67\times10^{-8}\times\{(67+273)^4-(27+273)^4\}\\&=244.7\ \mathrm{W/m^2}\end{aligned}$$

$$Q_{1'}=Q_{2'}+Q_{3'}=244.7+910.8=1\,155.5\ \mathrm{W/m^2}$$

次に，耐火れんがおよび断熱れんがの熱伝導による熱抵抗 R' [K/W] を求め，断熱れんがの厚さ l' [mm] を求める．

$$R'=\frac{1}{Q_1}(T_{w1}-T_{w2})=\frac{1}{1\,155.5}\times(1\,250-67)=1.023\,7\ \mathrm{K/W}$$

$$1.023\,7=\frac{0.26}{1.2\times1.00}+\frac{l'}{0.25\times1.00}\ [\mathrm{K/W}]$$

$$l'=0.201\,7\ \mathrm{m}\fallingdotseq202\ \mathrm{mm}$$

解 答 (1) **1-セ，2-コ，3-ウ，4-イ，5-キ，6-オ**

(2) **7-ウ，8-ア，9-エ，10-ク**

(3) **A-6.57，B-1.77×10^3，C-404，D-22.8，E-202**

課目Ⅲ

燃料と燃焼

の１０年間

★年度の出題分野（出題数）

●燃料及び燃焼管理（2 問題）

●燃焼計算（1 問題）

第 46 回　2024 年（令和 6 年）

（燃料及び燃焼管理）

問題8　次の各文章の [1] ～ [15] の中に入れるべき最も適切な字句等をそれぞれの解答群から選び，その記号を答えよ．なお，一つの解答群から同じ記号を 2 回以上使用してもよい．（配点計 30 点）

(1)　液体燃料の量は体積で計量されることが多く，質量への換算のために密度の値が必要である．通常は，液体燃料の [1] ［℃］における密度を［g/cm^3］の単位で表したり，その値に極めて近いものとして，この密度値と [2] ［℃］の水の密度値との比（比重）で表したりしている．

市販されている重油，軽油，灯油の 3 種の液体燃料のうち，一般に，密度が最も大きいのは [3] であり，密度が最も小さいのは [4] である．

〈 [1] ～ [4] の解答群〉

ア　4　　**イ**　15　　**ウ**　25　　**エ**　軽油　　**オ**　重油　　**カ**　灯油

(2)　主要な都市ガス事業者が供給している「都市ガス 13 A」は，[5] を主成分とする原料ガスに，発熱量調整のために [6] を混合するのが一般的である．この，主成分に混合する成分の割合を高めると，製品ガスの単位体積当たりの発熱量は [7] し，高発熱量が [8] ［MJ/m^3_N］程度に調整されて「都市ガス 13 A」となる．

〈 [5] ～ [8] の解答群〉

ア　25　　**イ**　35　　**ウ**　45　　**エ**　H_2　　**オ**　CH_4

カ　CO　　**キ**　CNG　　**ク**　LPG　　**ケ**　減少　　**コ**　増大

(3)　H_2–空気，CH_4–空気，C_2H_2–空気，C_3H_8–空気の 4 種類の可燃混合気について，常温，常圧のもとでの層流燃焼速度を考える．いずれの混合気についても，層流燃焼速度の値は混合気の当量比によって変化するが，層流燃焼速度の最大値（最大燃焼速度と呼ぶことにする）を与える当量比の値が 2 付近であるのは [9] 混合気である．CH_4–空気混合気の最大燃焼速度は [10] ［cm/s］程度であり，最大燃焼速度がそれとほぼ同じものは，[11] 混合気である．

〈 [9] ～ [11] の解答群〉

ア　40　　**イ**　90　　**ウ**　150　　**エ**　300

オ　H_2–空気　　**カ**　CH_4–空気　　**キ**　C_2H_2–空気　　**ク**　C_3H_8–空気

(4)　炭化水素系の燃料を燃焼する設備において，燃焼域の酸素濃度と温度をパラメータとして，すすとNO_xの生成特性について考える．一般に，酸素濃度が高いほどすすは生成 [12] 傾向があり，NO_xは生成 [13] 傾向がある．また，温度が高いほどすすは生成 [14] 傾向があり，NO_xは生成 [15] 傾向がある．

〈[12] ～ [15] の解答群〉

ア しやすい　**イ** しにくい

解　説

(1) 液体燃料の密度は，15 ℃における値であり，比重は 15 ℃におけるある体積の試料の質量と，それと等体積の 4 ℃における水の質量との比と JIS に規定されている．

市販されている重油，軽油，灯油の 3 種の液体燃料のうち，最も密度が高いのは重油であり，最も密度が低いのは灯油である．

(2) 都市ガス 13 A の主成分はCH_4（メタン）である．主成分であるメタンよりも熱量の高い LPG（液化石油ガス）を混ぜることにより，発熱量は増大し，高発熱量は 45 MJ/m^3 程度に調整されている．

(3) 層流燃焼速度の最大値を与える当量比の値が 2 付近であるのはH_2–空気混合気である．CH_4–空気混合気の最大燃料速度は 40 cm/s 程度．C_3H_8–空気混合気の最大燃料速度も同程度である．

(4) “すす”において下記傾向がある．

・酸素濃度が高いほど，生成しにくい．

・温度が高いほど，生成しにくい．

“NO_x”において下記傾向がある．

・酸素濃度が高いほど，生成しやすい．

・温度が高いほど，生成しやすい．

解　答 (1) **1-イ，2-ア，3-オ，4-カ**

(2) **5-オ，6-ク，7-コ，8-ウ**

(3) **9-オ，10-ア，11-ク**

(4) **12-イ，13-ア，14-イ，15-ア**

（燃料及び燃焼管理）

問題9 次の各文章の [1] ～ [13] の中に入れるべき最も適切な字句等をそれぞれの解答群から選び，その記号を答えよ．（配点計 30 点）

(1) 気体燃料燃焼装置に関する次の記述のうち，明らかに間違っているものは，[1] 及び [2] である．

① 燃料のみがバーナ内部を通り，先端から出た後で空気と混合して燃焼させる方式のバーナは，拡散燃焼バーナである．

② 空気比例制御方式の中で，均圧弁方式は拡散燃焼バーナに適用される．

③ 拡散燃焼バーナは，予熱空気を使用でき，工業用バーナとして多用されている．

④ 拡散燃焼バーナは，逆火が生じやすいため，燃焼量を広範囲には調節できない．

⑤ 部分予混合バーナの空気の予混合には，通常，ベンチュリー管が使用される．

⑥ 完全予混合バーナは，燃焼用二次空気を必要とせず，輝炎による急速燃焼が可能である．

〈[1] 及び [2] の解答群〉

ア ①　**イ** ②　**ウ** ③　**エ** ④　**オ** ⑤　**カ** ⑥

(2) 液体燃料燃焼装置に関する次の記述のうち，明らかに間違っているものは，[3] 及び [4] である．

① 蒸発式に重油を用いると，ポット内に炭素が堆積し，燃焼が持続できなくなる．

② 回転噴霧式は，油圧が霧化に影響を与えないため，燃焼量の調整範囲が広い特徴を持つ．

③ 流体噴霧式は，比較的粘度の高い燃料油も温度を上げることで良好に微粒化させることができる．

④ 流体噴霧式のうち，噴霧媒体に水蒸気を用いるものを低圧気流式という．

⑤ 平衡通風方式は，押込み送風機と排風機を併用し火炉を負圧に調整できるものである．

⑥ 保炎器のバッフルタイプは，旋回羽根によって空気に旋回を与え，循環流を発生させる特徴をもつ．

〈[3] 及び [4] の解答群〉

ア ①　**イ** ②　**ウ** ③　**エ** ④　**オ** ⑤　**カ** ⑥

(3) 流動層燃焼方式の固体燃料燃焼装置について考える．

1) 運転温度は通常 [5] [℃] 程度で，NO_x の生成が少ないのが特徴である．

〈[5] の解答群〉

ア 650 ～ 750　**イ** 800 ～ 950　**ウ** 1 000 ～ 1 150

2)　気泡方式と循環方式とがあり，気泡方式の空気流速は， [6] [m/s]程度である．

〈[6]の解答群〉

ア　0.1 ～ 0.2　　**イ**　1 ～ 2　　**ウ**　5 ～ 10

3)　汚泥焼却炉では，N_2O の生成抑制対策として，炉内温度を [7] [℃]以上に保つことが求められている．

〈[7]の解答群〉

ア　700　　**イ**　850　　**ウ**　1 150

(4)　燃焼ガス分析法は，大きく物理的分析法と化学的分析法に分けられる．

1)　物理的分析法と化学的分析法のうち，迅速性の点で劣っているのは [8] 的分析法である．

〈[8]の解答群〉

ア　化学　　**イ**　物理

2)　次の，赤外線ガス分析計，オルザットガス分析計，化学発光式分析計，ガスクロマトグラフ，ヘンペルガス分析計，磁気式 O_2 計の中で，化学的分析法は [9] 及び [10] である．また，前述の分析計中の物理的分析法のうち，連続測定に不適切なものは [11] である．

〈[9]～[11]の解答群〉

ア　オルザットガス分析計　　**イ**　ガスクロマトグラフ

ウ　ヘンペルガス分析計　　**エ**　化学発光式分析計

オ　赤外線ガス分析計　　**カ**　磁気式 O_2 計

3)　排ガス中の硫黄酸化物の分析において，紫外線吸収方式は共存する [12] の影響を，紫外線蛍光方式は共存する [13] の影響を，それぞれ無視できる場合又は影響を除去できる場合に適用できる．

〈[12]及び[13]の解答群〉

ア　アンモニア　　**イ**　塩化水素　　**ウ**　炭化水素

エ　二酸化炭素　　**オ**　二酸化窒素

解　説

(1)　④　拡散燃焼バーナは，ガスおよび燃焼用空気をそれぞれ別の噴孔から噴出させ，両者の接触面でガスと空気を乱流拡散および分子拡散によって混合燃焼させるもので，逆火の危険なしに燃焼量を広範囲に調整できる．

⑥　完全予混合ガスバーナは，燃焼用二次空気を必要とせず，不輝炎による急速燃焼が可能なバーナであるが，逆火の危険性は大きい．

(2)　④　低圧気流式は噴霧媒体として，空気を用いる．

⑥　旋回羽根によって空気に旋回を与え，循環流を発生させるのはスワラタイプである．

(3)　固体燃料の燃焼方式には一般的なものとして微粉炭燃焼，流動層燃焼，火格子燃焼が挙げられる．

1)　流動層燃焼の運転温度は，通常 800 ～ 950 ℃程度である．

2)　気泡方式の空気流速は，1 ～ 2 m/s 程度である．

3)　汚泥焼却炉の炉内温度は，N_2O の生成抑制対策として 850 ℃以上に保つことが求められている．

(4)　燃焼ガス分析法は，物理的分析法と科学的分析法に分けられる．

1)　化学的分析法に用いられる方法は，回分的なサンプリングと分析の繰返しとなるため，迅速性の点で劣っている．

2)　化学的分析法は，オルザットガス分析計とヘンペルガス分析計がある．

ガスクロマトグラフは，燃焼排ガス中の無機成分あるいは有機成分のいくつかを同時に分析することができる多成分分析法であるが連続的な測定はできない．

3)　排ガス中の二酸化硫黄は，JIS B 7981 に規定されており，溶液導電率方式，赤外線吸収方式，紫外線吸収方式，紫外線蛍光方式，干渉分光方式がある．

紫外線吸収方式は，二酸化窒素の影響を無視できる場合，または影響を除去できる場合に適用できる．

紫外線蛍光方式は，炭化水素の影響を無視できる場合，または影響を除去できる場合に適用できる．

解　答　(1)　**1- エ，2- カ（1，2 の順は問わない）**

(2)　**3- エ，4- カ（3，4 の順は問わない）**

(3)　**5- イ，6- イ，7- イ**

(4)　**8- ア，9- ア，10- ウ（9，10 の順は問わない）**

11- イ，12- オ，13- ウ

（燃焼計算）

問題10　次の各文章の [1] ～ [8] の中に入れるべき最も適切な字句等をそれぞれの解答群から選び，その記号を答えよ．

また，[A ab.c] ～ [H ab.c] に当てはまる数値を計算し，その結果を答えよ．ただし，解答は解答すべき数値の最小位の一つ下の位で四捨五入すること．（配点計 50 点）

温度が 25 ℃のプロパンを燃料とする熱風発生装置がある．空気比 1.2 で完全燃焼させた後，25 ℃の空気と混合して 300 ℃の熱風を発生させている．プロパンの低発熱量は 91.15 MJ/$\mathrm{m^3_{N\text{-}f}}$ であるとし，燃焼ガスと空気の平均定圧比熱はいずれも 1.38 kJ/($\mathrm{m^3_N}$·K) とする．また，放熱損失及び空気中の水蒸気は無視できるものとする．なお，燃焼用空気中の酸素の体積割合は 21 %とし，$\mathrm{m^3_N}$ は標準状態（0 ℃，1 気圧）における気体の体積，/$\mathrm{m^3_{N\text{-}f}}$ は標準状態における気体燃料の単位体積当たりであることを示す．

1)　燃焼反応式によるプロパンの完全燃焼に必要な理論空気量の計算

プロパンを完全燃焼させるときの反応式は次のようになる．

$$C_3H_8 + \boxed{\;1\;}\,O_2 = \boxed{\;2\;}\,CO_2 + \boxed{\;3\;}\,H_2O$$

完全燃焼するときの理論空気量 V_{A0} は，プロパン 1 $\mathrm{m^3_N}$ に対する理論酸素量 V_{O_20} が反応式より分かるので，空気中の酸素の体積割合から次のように求められる．

$$V_{A0} = \boxed{\text{A}\;\text{ab.c}}\;\;〔\mathrm{m^3_N/m^3_{N\text{-}f}}〕 \quad \cdots\cdots ①$$

〈$\boxed{\;1\;}$～$\boxed{\;3\;}$ の解答群〉

ア 2　**イ** $2\frac{1}{2}$　**ウ** 3　**エ** $3\frac{1}{2}$　**オ** 4　**カ** $4\frac{1}{2}$

キ 5　**ク** $5\frac{1}{2}$　**ケ** 6

2)　プロパンが空気比 $\alpha = 1.2$ で完全燃焼している場合の計算

i)　実際の空気量及び燃焼ガス量の計算

空気比 1.2 が与えられているので，式①より，実際の空気量 V_A は次のように求められる．

$$V_A = \boxed{\text{B}\;\text{ab.c}}\;\;〔\mathrm{m^3_N/m^3_{N\text{-}f}}〕 \quad \cdots\cdots ②$$

一方，燃焼ガス量については，プロパン 1 $\mathrm{m^3_N}$ の完全燃焼による生成物の量が反応式より分かり，式①及び式②により V_{A0} 及び V_A が求められているので，湿り燃焼ガス量 V_{G_W} は次のように求められる．

$$V_{G_W} = \boxed{\text{C}\;\text{ab.c}}\;\;〔\mathrm{m^3_N/m^3_{N\text{-}f}}〕 \quad \cdots\cdots ③$$

また，乾き燃焼ガス量 V_{G_D} は，V_{G_W} から H_2O 分を差し引いて，次のように求められる．

$$V_{G_D} = \boxed{\text{D}\;\text{ab.c}}\;\;〔\mathrm{m^3_N/m^3_{N\text{-}f}}〕 \quad \cdots\cdots ④$$

ii)　混合空気量の計算

プロパン 1 $\mathrm{m^3_N}$ が燃焼することによる発熱量と，それによる熱風の温度上昇より，得られた熱風の量は $\boxed{\text{E}\;\text{abc}}$ 〔$\mathrm{m^3_N/m^3_{N\text{-}f}}$〕 と求められる．

また，燃焼ガスと混合された空気の量は $\boxed{\text{F}\;\text{abc}}$ 〔$\mathrm{m^3_N/m^3_{N\text{-}f}}$〕 である．

3)　不完全燃焼が起こった場合の計算

ここで，ダンパの不具合によって燃焼用空気の量が減少し，燃料は全て燃焼したが，不完全燃焼により CO が発生した．燃焼ガスの組成分析を行ったところ，その発生量は，乾き燃焼ガス中の CO の体積割合を (CO)，O_2 の体積割合を (O_2) で表すと，(CO)＝ 0.01，(O_2)＝ 0.027 であった．これらより，このときの空気比 α' を求める．なお，不完全燃焼時の湿り燃焼ガス量を V'_{G_W}，乾き燃焼ガス量を V'_{G_D}，燃焼ガス中の酸素量を $V'_{G_{O_2}}$，窒素量を $V'_{G_{N_2}}$，CO 量を $V'_{G_{CO}}$，CO_2 量を $V'_{G_{CO_2}}$ とする．

i）(CO) は次式で表される．

(CO)＝ [4]　……………………⑤

ii）不完全燃焼のために使用されなかった O_2 量を V'_{O_2} とすると，V'_{O_2} は，$V'_{G_{CO}}$ を用いて次式で表すことができる．

V'_{O_2} ＝ [5] × $V'_{G_{CO}}$　……………………⑥

〈[4] 及び [5] の解答群〉

ア $\frac{1}{2}$　**イ** 1　**ウ** 2　**エ** 4

オ $\frac{V'_{G_{CO}}}{V_{O_2 0}}$　**カ** $\frac{V'_{G_{CO}}}{V'_{G_{O_2}}}$　**キ** $\frac{V'_{G_{CO}}}{V'_{G_D}}$　**ク** $\frac{V'_{G_{CO}}}{V'_{G_W}}$

iii）仮に空気比 α' で完全燃焼したとした場合の燃焼ガス中に含まれる酸素量は，式 [6] と表される．これより過剰空気中に含まれていた N_2 量が求められ，これと実際の排ガス中の N_2 量とのバランスから，空気比 α' は式 [7] と表される．この式は，乾き燃焼ガス中の N_2，O_2，CO の体積割合 (N_2)，(O_2)，(CO) だけで表すことができ，(N_2)＝ 0.79 と近似すれば，空気比 α' は [G　a.bc] と求められる．

〈[6] 及び [7] の解答群〉

ア $V'_{G_{O_2}} - V'_{O_2}$　**イ** $V'_{G_{O_2}} - V_{O_2 0}$

ウ $V'_{G_{O_2}} - (\alpha' - 1) V'_{O_2}$　**エ** $V'_{G_{O_2}} - (\alpha' - 1) V_{O_2 0}$

オ $$\frac{V'_{G_{N_2}}}{V'_{G_{N_2}} - \frac{0.21}{0.79}(V'_{G_{O_2}} - 0.5 V'_{G_{CO}})}$$

カ $$\frac{V'_{G_{N_2}}}{V'_{G_{N_2}} - \frac{0.79}{0.21}(V'_{G_{O_2}} - 0.5 V'_{G_{CO}})}$$

キ $$\frac{V'_{G_{N_2}}}{V'_{G_{N_2}} - \frac{0.21}{0.79}(V'_{G_{O_2}} - V'_{G_{CO}})}$$

ク $\dfrac{V'_{G_{N_2}}}{V'_{G_{N_2}} - \dfrac{0.79}{0.21}(V'_{G_{O_2}} - V'_{G_{CO}})}$

iv) 仮に空気比 α' で完全燃焼したとした場合の湿り燃焼ガス量 V''_{G_W} は，[H ab.c] $[m^3_N/m^3_{N\text{-}f}]$ と求められる．実際には不完全燃焼が起こったので，そのときの湿り燃焼ガス量 V'_{G_W} は，厳密には V''_{G_W} よりも [8] だけ大きいが，その差は小さい．

〈[8] の解答群〉

ア V'_{O_2}　イ $V'_{G_{O_2}}$　ウ $V'_{G_{CO}}$　エ $2V'_{G_{CO}}$

解 説

1)

i) プロパンが完全燃焼する場合の反応方程式を以下に示す．

$$C_3H_8 + 5O_2 = 3CO_2 + 4H_2O$$

完全燃焼するときの理論酸素量 V_{O20} は，

$$V_{O20} = 5$$

完全燃焼するときの理論空気量 V_{A0} は，

$$V_{A0} = \frac{V_{O20}}{0.21} = \frac{5}{0.21} = 23.809\,5 \fallingdotseq 23.8\ m^3_N/m^3_{N\text{-}f}$$

2)

i) 空気比 1.2 より，実際空気量 V_A は，

$$V_A = V_{A0} \times 1.2 = 23.80 \times 1.2 = 28.56 \fallingdotseq 28.6\ m^3_N/m^3_{N\text{-}f}$$

湿り燃焼ガス量 V_{GW} は，

$$V_{GW} = V_A - 5 + 3 + 4 = 28.56 - 5 + 3 + 4 = 30.56$$
$$\fallingdotseq 30.6\ m^3_N/m^3_{N\text{-}f}$$

乾き燃焼ガス量 V_{GD} は，

$$V_{GD} = V_{GW} - 4 = 30.56 - 4 = 26.56 \fallingdotseq 26.6\ m^3_N/m^3_{N\text{-}f}$$

ii) プロパン $1\ m^3_N$ が燃焼することによる低発熱量は，91.15 MJ

平均定圧比熱は，$1.38\ KJ/m^3_N{\cdot}K$

以上のことから，熱風の温度上昇より得られた熱風量 V_1 は，

$$V_1 = 91.15 \times \frac{1\,000}{1.38} \times \frac{1}{300 - 25} = 240.184\,4 \fallingdotseq 240\ m^3_N/m^3_{N\text{-}f}$$

熱風量 V' のうち，燃焼ガスと混合された空気量 V_2 は，

$$V_2 = V_1 - V_{GW} = 240.1 - 30.56 = 209.54 \fallingdotseq 210\ m^3_N/m^3_{N\text{-}f}$$

3）

ｉ）　乾き燃焼ガス中のCOの体積割合（CO）は，

$$(\mathrm{CO}) = \frac{V'_{\mathrm{GCO}}}{V'_{\mathrm{GD}}}$$

ii）　完全燃焼でCO_2になるものが，COとなりO_2が使用されないことから，

$CO_2 \rightarrow CO + \frac{1}{2} O_2$ であるため，

$$V'_{\mathrm{O2}} = \frac{1}{2} \times V'_{\mathrm{GCO}}$$

iii）　空気比 α' で完全燃焼した場合の燃焼ガス中に含まれる酸素量 V_{01} は，

$$V_{01} = V'_{\mathrm{GO2}} - V'_{\mathrm{O2}}$$

となる．

空気比 α' で完全燃焼した場合の空気量 V_{A1} は，

$$V_{\mathrm{A1}} = \frac{V_{01}}{0.21}$$

となるため，空気比 α' で完全燃焼した場合の燃焼ガス中に含まれるN_2量 V_{N1} は，

$$V_{\mathrm{N1}} = 0.79 \times V_{\mathrm{A1}}$$

となる．

過剰空気中に含まれていたN_2量 V_{N2} は，

$$V_{\mathrm{N2}} = V'_{\mathrm{GN2}} - V_{\mathrm{N1}}$$

と表すことができ，

$$V'_{\mathrm{O2}} = \frac{1}{2} \times V'_{\mathrm{GCO}}$$

から，空気比 α' は，

$$\alpha' = \frac{V'_{\mathrm{GN2}}}{V_{\mathrm{N2}}}$$

$$= \frac{V'_{\mathrm{GN2}}}{V'_{\mathrm{GN2}} - 0.79 \times \left(V'_{\mathrm{GO2}} - \frac{1}{2} V'_{\mathrm{GCO}} \right)}$$

それぞれ体積割合で表すと，

$$\alpha' = \frac{(\mathrm{N_2})}{(\mathrm{N_2}) - \frac{0.79}{0.21} \left(\mathrm{CO_2} - \frac{1}{2} (\mathrm{CO}) \right)}$$

$$= \frac{0.79}{0.79 - \frac{0.79}{0.21} \times \left(0.027 - \frac{1}{2} \times 0.01\right)}$$

$= 1.117 \fallingdotseq 1.12$

iv) 空気比 α' で完全燃焼した場合の湿り燃焼ガス量 V''_{GW} は，

$$\begin{aligned} V''_{\mathrm{GW}} &= V_{\mathrm{A0}} \times \alpha' - 5 + 3 + 4 \\ &= 23.80 \times 1.117 - 5 + 3 + 4 \\ &= 28.584\,6 \\ &\fallingdotseq 28.6\ \mathrm{m^3{}_N/m^3{}_{N\text{-}f}} \end{aligned}$$

不完全燃焼が起こったときは湿り燃焼ガス量 V'_{GW} に使用されなかった酸素 V'_{O2} が含まれるため，そのぶん大きくなる．

解　答　**1)　1-キ，2-ウ，3-オ，A-23.8**

2)　B-28.6，C-30.6，D-26.6，E-240，F-210

3)　4-キ，5-ア，6-ア，7-カ，G-1.12，H-28.6，8-ア

第45回　2023年（令和5年）

（燃料及び燃焼管理）

問題8　次の各文章の [1] ～ [15] の中に入れるべき最も適切な字句等をそれぞれの解答群から選び，その記号を答えよ．なお，一つの解答群から同じ記号を2回以上使用してもよい．（配点計30点）

(1)　液化石油ガスは [1] と略称される．保安上の見地から，JISでは温度40℃における蒸気圧の上限値を規定しており，主用途が工業用燃料で C_3 炭化水素が最大の成分である種類（2種1号）については，[2] ［MPa］以下とされている．

液化石油ガスが気化したガスの空気に対する比重は，JISに規定された種類によってある程度異なるが，ほぼ [3] の範囲であり，建屋内に漏洩《ろうえい》した場合には [4] に滞留して引火する危険があることに注意しなければならない．

〈[1] ～ [4] の解答群〉

ア　0.26	**イ**　0.52	**ウ**　1.55	**エ**　0.5 ～ 0.7
オ　1.5 ～ 2.0	**カ**　2.5 ～ 3.0	**キ**　CNG	**ク**　GTL
ケ　LNG	**コ**　LPG	**サ**　高所	**シ**　低所

(2)　重油は，JISでは [5] によって1種（A重油），2種（B重油），3種（C重油）の3種類に分類され，C重油はさらに [6] により1号，2号及び3号に細分されている．重油を燃焼する設備において，ポンプ送油における過大な圧力損失を軽減すると共に，良好な燃料噴霧を確保するために，一般に，加熱昇温して使用されているのは [7] である．

〈[5] ～ [7] の解答群〉

ア　硫黄分	**イ**　残留炭素分	**ウ**　動粘度
エ　流動点	**オ**　C重油	**カ**　B重油及びC重油
キ　A重油，B重油及びC重油		

(3)　平行平板間に可燃混合気が満たされているとき，その混合気中を火炎が伝播できる最小の平板間隔を消炎距離という．消炎距離は予混合燃焼における逆火防止の観点から重要である．代表的な炭化水素燃料ガスである CH_4 及び C_3H_8 の空気との混合気について，0.1 MPa，25℃程度の下では，その層流燃焼速度が最大となる混合気濃度の条件において，消炎距離はいずれも [8] ［mm］程度である．

一般に，可燃混合気の層流燃焼速度や圧力が大きくなると消炎距離は [9]．可燃ガスと空気から成る予混合気の空気に換えて酸素富化空気を使用する場合には，消炎距離が [10] ことに留意すべきである．

〈[8]～[10]の解答群〉

ア 0.02　**イ** 0.2　**ウ** 2　**エ** 大きくなる　**オ** 小さくなる

(4) すすは，液体燃料噴霧火炎や気体燃料拡散火炎等において，局所的な空気比が過小である，あるいは，燃料と空気の混合が良好でない領域で生成されることが知られている．すすの生成の大略としては，炭化水素の重合等によって巨大な分子が生成され，その表面にさらに炭化水素が析出して直径が [11] の球形粒子に成長する．これらの粒子が凝集して鎖状につながり，すすが生成される．

また，重質油の噴霧燃焼では，微粒化が不十分であると，あるいは燃料噴霧と空気の混合が不良であると，熱分解により燃料微粒子の炭化が進行して [12] と呼ばれる [13] の大きさの粒状物質が生成される．この粒子の生成に対する燃料性状の上での主な影響因子は [14] である．

すすや粒状物質が燃焼室内の伝熱面に堆積することにより伝熱が阻害されることがあるが，その対処方法の一つに [15] がある．

〈[11]～[15]の解答群〉

ア 数 nm ～数十 nm　**イ** 数 μm ～数百 μm
ウ 数 mm ～数十 mm　**エ** アシッドスマット　**オ** アッシュ
カ コーキング　**キ** スートブロー　**ク** セノスフェア
ケ リバーニング　**コ** 硫黄分　**サ** 揮発分
シ 残留炭素分　**ス** 灰分

解　説

(1) 液化石油ガスはLPGと略称され，常温・常圧では気体であるが，加圧または冷却により容易に液化する．JIS K 2240に種類および品質が規定されており，蒸気圧（40 ℃）の上限値は，2種1号で1.55 MPa以下とされている．

液化石油ガスが気化したガスの空気に対する比重は，種類により異なるが，ほぼ1.5～2.0の範囲であり，建屋内に漏洩《えい》した場合には低所に滞留することとなる．

(2) JIS K 2205に規定されている重油の品質を以下に示す．JIS規格によれば，動粘度を基準として各種に，C重油は動粘度を基準として各号に分けている．

C重油は噴霧燃焼では加熱する必要がある．

重油の種類	1 種（A 重油）		2 種（B 重油）	3 種（C 重油）		
	1 号	2 号		1 号	2 号	3 号
動粘度（mm^2/s）	20 以下		50 以下	250 以下	400 以下	400 超 1 000 以下
硫黄分（質量%）	0.5 以下	2.0 以下	3.0 以下	3.5 以下	—	—

(3)　2 枚の平板間に燃料ガスと空気の混合気が満たされているとき，2 枚の平板の間隔を徐々に減少させていくと，平板間を火炎が伝播できなくなる．この距離を消炎距離という．CH_4 および C_3H_8 の空気との混合気について，0.1 MPa，25 ℃程度の下では，その層流燃焼速度が最大となる混合気濃度の条件において，消炎距離はいずれも 2 mm 程度である．

一般に，可燃混合気の層流燃焼速度や圧力が大きくなると消炎距離は小さくなる．

可燃ガスと空気から成る予混合気の空気に換えて酸素富化空気を使用する場合には，消炎距離が小さくなる．

(4)　すすの生成の大略としては，炭化水素の重合等によって巨大な分子が生成され，その表面にさらに炭化水素が析出して直径が数 nm ～数十 nm の球形粒子に成長する．これらの粒子が凝集して鎖状につながり，すすが形成される．

重質液体燃料噴霧では，油滴の燃焼末期に直径数 μm ～数百 μm の残炭形のばいじん（セノスフェア）が発生する．影響因子は，残留炭素分である．

すすや粒状物質が燃焼室内の伝熱面に堆積することにより伝熱が阻害されることがあるが，伝熱面に付着するすすや粒状物質を蒸気や圧縮空気を吹き付けて除去する（スートブロー）等の対処方法がある．

解　答　(1)　**1-コ，2-ウ，3-オ，4-シ**

(2)　**5-ウ，6-ウ，7-オ**

(3)　**8-ウ，9-オ，10-オ**

(4)　**11-ア，12-ク，13-イ，14-シ，15-キ**

（燃料及び燃焼管理）

問題9　次の各文章の［ 1 ］～［ 14 ］の中に入れるべき最も適切な字句等をそれぞれの解答群から選び，その記号を答えよ．（配点計 30 点）

(1)　拡散燃焼ガスバーナの特徴として，予混合燃焼ガスバーナと比較してすすが発生［ 1 ］こと，予熱空気を［ 2 ］ことなどがある．

バーナの種類中でノズル形バーナは，ノズルの形状によりガン形，マルチスパッド形，リング形などがある．比較的高圧のガス用バーナに用いられるのは，[3]である．

〈[1]～[3]の解答群〉

ア リング形　**イ** ガン形とマルチスパッド形
ウ ガン形とリング形　**エ** マルチスパッド形とリング形
オ しやすい　**カ** しにくい
キ 使用できる　**ク** 使用できない

(2) 液体燃料の燃焼バーナ形式である油圧噴霧式，高圧気流形流体噴霧式，低圧気流形流体噴霧式及び回転噴霧式の中から，①～④の特徴に最もあてはまるものを選択すると，次のようになる．

① 比較的狭角の短炎で，主に小型加熱炉に用いられるのは，[4]噴霧式である．

② 広角の火炎で，主に大型ボイラに用いられるのは，[5]噴霧式である．

③ 狭角の長炎で，主に連続加熱炉，セメントキルンなどに用いられるのは，[6]噴霧式である．

④ 霧化用空気は全燃焼空気量の 20 %以下で，送風圧が数 kPa 程度でよいのは，[7]噴霧式である．

〈[4]～[7]の解答群〉

ア 回転　**イ** 高圧気流形流体　**ウ** 低圧気流形流体　**エ** 油圧

(3) 微粉炭燃焼装置は，火格子燃焼装置と比較して設備費は高くなり，運転動力は[8]なる．微粉炭の供給方式として，貯蔵燃焼方式と直接燃焼方式があり，燃焼室の負荷変動を容易に調節できるのは，[9]燃焼方式である．また，微粉炭燃焼装置における微粉炭の火炉内滞留時間は[10]程度である．燃焼後の灰は，主に[11]として排出される．

〈[8]～[11]の解答群〉

ア 2～3 秒　**イ** 20～30 秒　**ウ** 2～3 分
エ クリンカ　**オ** フライアッシュ　**カ** ボトムアッシュ
キ 直接　**ク** 貯蔵　**ケ** 大きく
コ 小さく

(4) 排ガス中の酸素の分析において，磁気式酸素計には磁気風方式と磁気力方式があるが，磁気力方式はさらに[12]形と[13]形がある．

排ガス中の二酸化炭素の分析において，熱伝導率法は，二酸化炭素の熱伝導率が空気のそれに比べて十分[14]ことを利用したものである．

〈 12 ～ 14 の解答群〉

ア ジルコニア　**イ** ダンベル　**ウ** 圧力検出　**エ** 電極
オ 大きい　**カ** 小さい

解 説

(1) 拡散燃焼ガスバーナは，ガスおよび燃焼用空気をそれぞれ別の噴孔から噴出させ，両者の接触面でガスと空気を乱流拡散および分子拡散によって混合燃焼させるもので，燃焼ガスおよび空気をそれぞれ高温に予熱でき，工業用として多用されている．

予混合燃焼ガスバーナと比較して，すすが発生しやすいこと，予熱空気を使用できることなどがある．

ノズル型バーナは，ノズルの形状によりガン形，マルチスパッド形，リング形などがあり，ガン形，マルチスパッド形は比較的高圧のガス用バーナとして用いられ，リング形は低圧のガス用バーナとして用いられる．

(2) 各方式の火炎と油量調整範囲の特徴を示す．

低圧気流形流体噴霧式は，比較的狭角の短炎．主な用途は小型加熱炉．

油圧噴霧式は，広角の火炎で油量調節範囲が狭い．主な用途は大型ボイラ．

高圧気流形流体噴霧式は，狭角の長炎で油量調節範囲が広い．主な用途は高温加熱炉．

回転噴霧式は，比較的広角の火炎．霧化用空気は全燃焼空気量の20％以下であり，送風圧が数kPa程度でよい．主な用途は中・小型ボイラ．

(3) 微粉炭燃焼装置は，火格子燃焼装置と比較して設備費は高くなり，運転動力は大きくなる．

貯蔵燃焼方式は，燃焼室の負荷変動を容易に調節できる．

微粉炭燃焼装置は，微粒子化した石炭を一次空気とともに燃焼炉内に吹き込み，燃焼室内で二次空気と混合し浮遊させて燃焼させる．微粉炭の火炉内滞留時間は2～3秒程度である．また，灰のほとんどは微粉炭燃焼灰（フライアッシュ）である．

(4) 磁気式酸素計には，磁気風方式と磁気力方式があり，磁気力方式はさらにダンベル形と圧力検出形に分けられる．

排ガス中の二酸化炭素の分析において，熱伝導率法は，二酸化炭素の熱伝導率が空気のそれに比べて十分小さいことを利用したものである．

解 答　**(1) 1-オ，2-キ，3-イ**
(2) 4-ウ，5-エ，6-イ，7-ア

(3) **8-ケ，9-ク，10-ア，11-オ**

(4) **12-イ，13-ウ（12，13 の順序は問わない），14-カ**

（燃焼計算）

問題10 次の各文章の $\boxed{\ 1\ }$ ～ $\boxed{\ 10\ }$ の中に入れるべき最も適切な字句等をそれぞれの解答群から選び，その記号を答えよ．なお，一つの解答群から同じ記号を 2 回以上使用してもよい．

また，$\boxed{\text{A}\ \ \text{a.bc}}$ ～ $\boxed{\text{I}\ \ \text{a.bc}}$ に当てはまる数値を計算し，その結果を答えよ．ただし，解答は解答すべき数値の最小位の一つ下の位で四捨五入すること．（配点計 50 点）

天然ガスを燃料とする燃焼装置がある．この装置において，CO_2 排出量低減のための改善策として CO_2 フリーの水素を 20 %（体積割合）混焼させることを考え，改善前後の CO_2 排出量を比較する．

ここで，m^3_N は標準状態における気体の体積を示し，標準状態の燃料の単位体積当たりとして，天然ガスには $/m^3_{N\text{-}n}$，水素には $/m^3_{N\text{-}h}$，天然ガスと水素の混合燃料には $/m^3_{N\text{-}m}$ を用いる．

天然ガスの成分組成（体積割合）は，メタンが 90 %，エタンが 10 %であるとし，燃焼時の空気比は水素混焼の如何に関わらず 1.3 とする．各燃料の低発熱量について，天然ガスは 38.59 MJ/$m^3_{N\text{-}n}$，水素は 10.79 MJ/$m^3_{N\text{-}h}$ とする．また，燃焼用空気中の酸素の体積割合は 21 %とする．

1） 水素を混焼しない場合の理論空気量や燃焼ガス量の計算

メタン，エタンを完全燃焼させるときの反応式は次のようになる．

$$CH_4 + \boxed{\ 1\ }\,O_2 = \boxed{\ 2\ }\,CO_2 + \boxed{\ 3\ }\,H_2O$$

$$C_2H_6 + \boxed{\ 4\ }\,O_2 = \boxed{\ 5\ }\,CO_2 + \boxed{\ 6\ }\,H_2O$$

これより，天然ガス 1 m^3_N の完全燃焼に必要な理論酸素量 V_{O_20} は次の値となる．

$$V_{O_20} = \boxed{\text{A}\ \ \text{a.bc}}\ \ [m^3_N/m^3_{N\text{-}n}]$$

V_{O_20} と空気比及び空気中の酸素の体積割合から，投入した空気量 V_A は，次の値となる．

$$V_A = \boxed{\text{B}\ \ \text{ab.c}}\ \ [m^3_N/m^3_{N\text{-}n}]$$

また，CO_2 の生成量 V_{CO_2} と H_2O の生成量 V_{H_2O} は次の値となる．

$$V_{CO_2} = \boxed{\text{C}\ \ \text{a.bc}}\ \ [m^3_N/m^3_{N\text{-}n}]$$

$$V_{H_2O} = \boxed{\text{D}\ \ \text{a.bc}}\ \ [m^3_N/m^3_{N\text{-}n}]$$

これらをもとに湿り燃焼ガス量 V_G を計算すると，次の値となる．

$$V_G = \boxed{\text{E}\ \ \text{ab.c}}\ \ [m^3_N/m^3_{N\text{-}n}]$$

2）　天然ガスを 80 %，水素を 20 %として混焼した場合の燃焼ガス量の計算

水素を完全燃焼させるための反応式は次のようになる．

$$H_2 + \boxed{\;7\;}\ O_2 = \boxed{\;8\;}\ H_2O$$

これより，水素 1 $m^3{}_N$ の完全燃焼に必要な理論酸素量 V_{O_20} と，それにより生成する H_2O の量 V_{H_2O} は，次のようになる．

$$V_{O_20} = \boxed{\;9\;}\ [m^3{}_N/m^3{}_{N\text{-}h}]$$

$$V_{H_2O} = \boxed{\;10\;}\ [m^3{}_N/m^3{}_{N\text{-}h}]$$

これらより，水素混焼の場合の単位燃料体積当たりの理論酸素量 V_{O_20} は次の値となる．

$$V_{O_20} = \boxed{\text{F}\ \ \text{a.bc}}\ [m^3{}_N/m^3{}_{N\text{-}m}]$$

天然ガス燃料と同様に，水素混焼の場合の燃焼用空気量，CO_2 と H_2O の生成量が求められて，湿り燃焼ガス量 V_G は次の値となる．

$$V_G = \boxed{\text{G}\ \ \text{ab.c}}\ [m^3{}_N/m^3{}_{N\text{-}m}]$$

〈 1 ～ 10 の解答群〉

ア $\frac{1}{2}$　イ $\frac{2}{3}$　ウ 1　エ 2　オ $\frac{5}{2}$　カ 3

キ $\frac{7}{2}$　ク 4　ケ $\frac{9}{2}$　コ 5　サ $\frac{11}{2}$　シ 6

3）　単位発熱量当たりの CO_2 削減量の計算

水素混焼時の燃料単位体積当たりの発熱量 H は，次の値となる．

$$H = \boxed{\text{H}\ \ \text{ab.c}}\ [MJ/m^3{}_{N\text{-}m}]$$

これより，発熱量 1 MJ 当たりの CO_2 排出量が求められる．水素を混焼しない場合の発熱量 1 MJ 当たりの CO_2 排出量も求めることができるから，これらより，水素を混焼することによる単位発熱量当たりの CO_2 排出量の削減割合は $\boxed{\text{I}\ \ \text{a.bc}}$ [%] となる．

解　説

1）　メタンとエタンが完全燃焼する場合の反応方程式を以下に示す．

$$CH_4 + 2O_2 = CO_2 + 2H_2O$$

$$C_2H_6 + \frac{7}{2}O_2 = 2CO_2 + 3H_2O$$

天然ガス 1 $m^3{}_N$ 中にメタンが 0.9 $m^3{}_N$，エタンが 0.1 $m^3{}_N$ 含まれているので，理論酸素量 V_{O20} は

$$V_{O20} = 0.9 \times 2 + 0.1 \times (7/2) = 1.8 + 0.35 = 2.15\ m^3{}_N/m^3{}_{N\text{-}n}$$

大気中に占める酸素の体積割合が 21 %，燃焼時の空気比 1.3 であること

から，投入した空気量 V_{A} は，

$$V_{\mathrm{A}} = \frac{2.15}{0.21} \times 1.3 = 13.30\cdots \fallingdotseq 13.3\ \mathrm{m^3{}_N/m^3{}_{N\text{-}n}}$$

CO_2 の生成量 V_{CO2} と H_2O の生成量 V_{H2O} は，

$$V_{\mathrm{CO2}} = 0.9 \times 1 + 0.1 \times 2 = 0.9 + 0.2 = 1.10\ \mathrm{m^3{}_N/m^3{}_{N\text{-}n}}$$

$$V_{\mathrm{H2O}} = 0.9 \times 2 + 0.1 \times 3 = 1.8 + 0.3 = 2.10\ \mathrm{m^3{}_N/m^3{}_{N\text{-}n}}$$

湿り燃焼ガス量 V_{G} は，

$$V_{\mathrm{G}} = V_{\mathrm{A}} - V_{\mathrm{O20}} + V_{\mathrm{CO2}} + V_{\mathrm{H2O}} = 13.30 - 2.15 + 1.10 + 2.10 = 14.35 \fallingdotseq 14.4\ \mathrm{m^3{}_N/m^3{}_{N\text{-}n}}$$

となる．

2)　水素が完全燃焼する場合の反応方程式は次式で表される．

$$H_2 + \frac{1}{2}O_2 = H_2O$$

水素 1 $\mathrm{m^3{}_N}$ の完全燃焼に必要な理論酸素量 V_{O20} は，

$$V_{\mathrm{O20}} = \frac{1}{2}\ \mathrm{m^3{}_N/m^3{}_{N\text{-}h}}$$

それにより生成する H_2O の量 V_{H2O} は，

$$V_{\mathrm{H2O}} = 1\ \mathrm{m^3{}_N/m^3{}_{N\text{-}h}}$$

これにより，天然ガス 80 %，水素 20 %の水素混焼の場合，単位燃料体積当たりの理論酸素量 V_{O20} は，

$$V_{\mathrm{O20}} = 2.15 \times 0.8 + 0.5 \times 0.2 = 1.82\ \mathrm{m^3{}_N/m^3{}_{N\text{-}m}}$$

理論空気量 V_{A} は，

$$V_{\mathrm{A}} = \frac{1.82}{0.21} \times 1.3 = 11.266\ \mathrm{m^3{}_N/m^3{}_{N\text{-}m}}$$

CO_2 の生成量 V_{CO2} と H_2O の生成量 V_{H2O} は，

$$V_{\mathrm{CO2}} = 1.1 \times 0.8 = 0.88\ \mathrm{m^3{}_N/m^3{}_{N\text{-}m}}$$

$$V_{\mathrm{H2O}} = 2.1 \times 0.8 + 1 \times 0.2 = 1.88\ \mathrm{m^3{}_N/m^3{}_{N\text{-}m}}$$

湿り燃焼ガス量 V_{G} は，

$$V_{\mathrm{G}} = V_{\mathrm{A}} - V_{\mathrm{O20}} + V_{\mathrm{CO2}} + V_{\mathrm{H2O}} = 11.266 - 1.82 + 0.88 + 1.88 = 12.206 \fallingdotseq 12.2\ \mathrm{m^3{}_N/m^3{}_{N\text{-}m}}$$

となる．

3)　天然ガス 80 %，水素 20 %の水素混焼時の燃料単位体積当たりの発熱量 H は，

$$H = 38.59 \times 0.8 + 10.79 \times 0.2 = 30.872 + 2.158 = 33.03 \fallingdotseq 33.0\ \mathrm{MJ/m^3{}_{N\text{-}m}}$$

天然ガス 1 MJ 当たりの CO_2 排出量 $V_{CO2\text{-}n}$ と水素混焼 1 MJ 当たりの CO_2 排出量 $V_{CO2\text{-}m}$ より，単位発熱量当たりの CO_2 排出量の削減割合は

$$V_{CO2\text{-}n} = \frac{1.1}{38.59} = 0.028\,50\ \mathrm{m^3{}_N/MJ}$$

$$V_{CO2\text{-}m} = \frac{0.88}{33.03} = 0.026\,64\ \mathrm{m^3{}_N/MJ}$$

$$\frac{V_{CO2\text{-}n} - V_{CO2\text{-}m}}{V_{CO2\text{-}n}} \times 100 \fallingdotseq \frac{0.028\,50 - 0.026\,64}{0.028\,50} \times 100 = 6.526$$

$$\fallingdotseq 6.53\ \%$$

となる．

解　答　**1)　1- エ，2- ウ，3- エ，4- キ，5- エ，6- カ，A-2.15，B-13.3，C-1.10，D-2.10，E-14.4**

2)　7- ア，8- ウ，9- ア，10- ウ，F-1.82，G-12.2

3)　H-33.0，I-6.53

第 44 回　2022 年（令和 4 年）

(燃料及び燃焼管理)

問題8　次の各文章の [1] ～ [14] の中に入れるべき最も適切な字句等をそれぞれの解答群から選び，その記号を答えよ．なお，一つの解答群から同じ記号を 2 回以上使用してもよい．(配点計 30 点)

(1)　H_2，CH_4，C_3H_8，C_4H_{10} の 4 種のガスの発熱量について考える．

単位体積当たりの高発熱量が最も大きいガスは [1] であり，最も小さいガスは [2] である．単位質量当たりの高発熱量が最も大きいガスは [3] である．炭化水素ガス（CH_4，C_3H_8，C_4H_{10}）の単位質量当たりの高発熱量の値は，[4]．

〈[1] ～ [4] の解答群〉

ア　H_2　**イ**　CH_4　**ウ**　C_3H_8　**エ**　C_4H_{10}
オ　いずれもほぼ同じである
カ　それぞれの分子量にほぼ比例して大きくなる
キ　それぞれの分子式を C_mH_n と表記すると m にほぼ比例して大きくなる

(2)　広く使用されている液体燃料である灯油，軽油，重油について，JIS に規定されている種類や品質について考える．

灯油は用途によって 1 号, 2 号の 2 種類に, 軽油は [5] によって特 1 号，1 号，2 号，3 号，特 3 号の 5 種類に，重油は動粘度によって 1 種，2 種，3 種の 3 種類に分類されている．それぞれの種類ごとに，火気に対する保安の観点から引火点が規定されている．燃料の試料を昇温して発生した蒸気と空気の混合気体が燃焼する最低温度を引火点としており，引火点が低いと火気に対する危険性が大きくなる．上述した燃料各種のうちで，引火点の規定値が最も高いのは [6] である．引火点の規定値が最も低いのは [7] であり，その規定値は [8] と示されている．

〈[5] ～ [8] の解答群〉

ア　40 ℃以下　**イ**　40 ℃以上　**ウ**　70 ℃以下　**エ**　70 ℃以上
オ　1 号及び 2 号灯油　**カ**　特 1 号軽油　**キ**　特 3 号軽油
ク　1 種重油　**ケ**　3 種重油　**コ**　動粘度　**サ**　密度
シ　用途　**ス**　留出温度　**セ**　流動点

(3)　CH_4，C_3H_8，C_4H_{10} などの炭化水素ガスのそれぞれと空気との混合気を，円管から層流で静止空気中に鉛直上方に噴出し，点火して火炎を形成させせようとする．混合気の噴出速度がある一定の範囲内では，円管先端近傍で混合気の流速と燃焼速度が等しい位置が火炎の付着点となり，定在火炎が形成される．混合気の流速が上述の範囲を超えて大きくなれば，付着点は円管先端から離れ吹き飛びが起こる．また，混合気の流速がある限界値以下になると [9] が起こる．後者の現象が起こる限界の流速値は混合気の当量比に依存するが，その流速値が最大となるのは，上記のガスのいずれについても，混合気の当量比が [10] 程度の場合である．

〈[9] 及び [10] の解答群〉

ア 0.8　**イ** 1.1　**ウ** 1.5　**エ** 1.8
オ スタグネーション　**カ** デトネーション　**キ** 逆火
ク 消炎

(4) 一般的なボイラや加熱炉等から排出される窒素酸化物のほとんどはNOであるが，窒素化合物を豊富に含む燃料が比較的低温で燃焼されるような燃焼設備からは，温室効果ガスの一つに挙げられている [11] も排出される．

NOは，燃焼用空気中の窒素を起源とするものと，燃料中の窒素化合物を起源とするものに分けられるが，後者は [12] NOと呼ばれている．

空気中の窒素を起源とするNOとして，火炎帯下流での窒素の高温酸化によって生成されるものがあり，その反応機構は [13] 機構と呼ばれている．また，空気中の窒素を起源とするが，炭化水素燃料の火炎帯内において，HCNなどの窒素化合物が関与する反応によって急速に生成されるNOも知られており，これは [14] NOと呼ばれている．

〈[11] ～ [14] の解答群〉

ア N_2O　**イ** NO_2　**ウ** N_2O_5　**エ** ゼルドヴィッチ
オ フューエル　**カ** プロンプト　**キ** リバーニング

解　説

(1) 単位体積当たりの高発熱量は，H_2 が約 10 MJ/$m^3{}_N$，CH_4 が約 40 mJ/$m^3{}_N$，C_3H_8 が約 100 MJ/$m^3{}_N$，C_4H_{10} が約 130 MJ/$m^3{}_N$ である．単位質量当たりの高発熱量は，密度の小さい H_2 が最も大きくなり，炭化水素ガス（CH_4，C_3H_8，C_4H_{10}）はほぼ同じとなる．

(2) 軽油は，流動点により 5 種類に分類されている．燃料各種のうちで，引火点の規定が最も高いのは 3 種重油（70 ℃以上）である．引火点の規定が最も低いのは 1 号および 2 号灯油（40 ℃以上）である．

(3) 混合気の流速がある限界値以下になると逆火が起こる．流速値が最大となるのは，混合気の当量比が 1.1 程度の場合である．

(4)　窒素化合物を豊富に含む燃料が比較的低温で燃焼されるような燃焼設備からは N_2O も排出される．

燃焼用空気中の窒素を起源とするものはサーマル NO，燃料中の窒素化合物を起源とするものはフューエル NO と呼ばれる．

空気中の窒素を起源とする NO として，火炎帯下流での窒素の高温酸化によって生成されるものがあり，その反応機構はゼルドヴィッチ機構と呼ばれる．

空気中の窒素を起源とするが，炭化水素燃料の火炎帯内において，HCN などの窒素化合物が関与する反応によって急速に生成されるものは，プロンプト NO と呼ばれる．

解　答　(1)　**1- エ，2- ア，3- ア，4- オ**
(2)　**5- セ，6- ケ，7- オ，8- イ**
(3)　**9- キ，10- イ**
(4)　**11- ア，12- オ，13- エ，14- カ**

（燃料及び燃焼管理）

問題9　次の各文章の [1] ～ [15] の中に入れるべき最も適切な字句等をそれぞれの解答群から選び，その記号を答えよ．なお，一つの解答群から同じ記号を 2 回以上使用してもよい．（配点計 30 点）

(1)　気体燃焼に使用するバーナは，燃料と空気の混合方式によって大別すると，拡散燃焼バーナ，部分予混合燃焼バーナ，完全予混合燃焼バーナに分類される．

①　逆火の危険なしに燃焼量を広範囲に調節できるのは，[1] 燃焼バーナである．

②　ブンゼンバーナが基本形式の一例として挙げられ，燃焼状態が調整できるのは [2] 燃焼バーナである．

③　急速燃焼が可能であるが，逆火の危険が最も大きいのは [3] 燃焼バーナである．

④　燃料及び空気をそれぞれ高温に予熱することができるのは，[4] 燃焼バーナである．

〈[1] ～ [4] の解答群〉

ア　拡散　　**イ**　完全予混合　　**ウ**　部分予混合

(2)　重油バーナを霧化の方法で分類すると，油圧噴霧式，流体噴霧式及び回転噴霧式に分けられる．

油圧噴霧式は加圧された油を小孔から噴出して霧化するもので，他の方式と比べると油量調節範囲は [5].

流体噴霧式は圧力によって高圧気流式と低圧気流式に分けられる．そのうち，高圧気流式の特徴については，火炎の形状は [6] で，油量調節範囲は [7]．また，両者のうち霧化用媒体として，一般に 0.2 ～ 1.0 MPa 程度の空気又は蒸気が用いられるのは [8] である．

回転噴霧式は回転体に沿って油を流し，遠心力によって霧化するものである．

〈[5] ～ [8] の解答群〉

ア　高圧気流式　　**イ**　低圧気流式　　**ウ**　狭角の短炎
エ　狭角の長炎　　**オ**　広角の短炎　　**カ**　広角の長炎
キ　狭い　　**ク**　広い

(3)　固体燃料燃焼装置のうち，流動層燃焼方式の代表的な運転温度は，800 ～ 950 ℃である．この温度は，石灰石を用いた [9] に適した温度でもある．

流動層燃焼方式は，火格子燃焼方式と比較したとき，一般的には次のとおりである．

・燃焼域の空気流速の値は [10].
・供給する燃料径は [11].

〈[9] ～ [11] の解答群〉

ア　炉内脱硝　　**イ**　炉内脱硫　　**ウ**　大きい
エ　小さい　　**オ**　ほとんど同じである

(4)　燃焼排ガスの物理的ガス分析法の一つに赤外線ガス分析法があるが，これは [12] 及び [13] などのガスが赤外線に対して持っている固有の吸収波長帯を利用したものである．燃焼排ガスの物理的ガス分析法には，その他にガスクロマトグラフ法もある．

両者を比較すると次のとおりである．

・応答速度が速いのは [14] である．
・連続分析に適しているのは [15] である．

〈[12] ～ [15] の解答群〉

ア　H_2　　**イ**　O_2　　**ウ**　CH_4　　**エ**　CO_2
オ　ガスクロマトグラフ法　　**カ**　赤外線ガス分析法

解　説

(1)

①　拡散燃焼バーナは，逆火の危険なしに燃焼量を広範囲に調整できる．

② 部分予混合バーナは，予混合空気量の調整によって炎の長さや輝度を変えることができる．ブンゼンバーナが基本形式の一例として挙げられる．

③ 完全予混合バーナは，燃焼用二次空気を必要とせず不輝炎による急速燃焼が可能であるが，逆火の危険性は大きい．

④ 拡散燃焼ガスバーナは，ガスおよび燃焼用空気をそれぞれ別の噴孔から噴出させ，両者の接触面でガスと空気を乱流拡散および分子拡散によって混合燃焼させるもので，燃焼ガスおよび空気をそれぞれ高温に予熱でき，工業用として多用されている．

(2) 各方式の火炎と油量調整範囲の特徴を示す．

油圧噴霧式は，広角の火炎で油量調節範囲が狭い．

高圧気流式は，狭角の長炎で油量調節範囲が広い．霧化用媒体として，一般に 0.2 ～ 1.0 MPa 程度の空気または蒸気が用いられる．低圧気流式は比較的狭角の短炎で油量調節範囲が広い．

(3) 流動層燃焼方式は，流動媒体として石灰石を使用することで炉内脱硫が可能となる特徴がある．

燃焼域の空気流速の値は，流動層燃焼方式が火格子燃焼方式より大きい．

供給する燃料径は，流動層燃焼方式が火格子燃焼方式より小さい．

(4) 赤外線ガス分析法の測定成分は，CO_2，CO，CH_4，SO_2 などである．

ガスクロマトグラフ法は，燃焼排ガス中の無機成分あるいは有機成分のいくつかを同時に分析できるが，連続的な測定はできない．

赤外線ガス分析法は，ガスクロマトグラフ法と比較すると，応答速度が速く，連続分析に適している．

解　答　(1) **1-ア，2-ウ，3-イ，4-ア**

(2) **5-キ，6-エ，7-ク，8-ア**

(3) **9-イ，10-ウ，11-エ**

(4) **12-ウ，13-エ，14-カ，15-カ**

（燃焼計算）

問題10　次の各文章の［ 1 ］～［ 8 ］の中に入れるべき最も適切な字句等をそれぞれの解答群から選び，その記号を答えよ．なお，一つの解答群から同じ記号を 2 回以上使用してもよい．

また，［A a.bc］～［I a.bc］に当てはまる数値を計算し，その結果を答えよ．ただし，解答は解答すべき数値の最小位の一つ下の位で四捨五入すること．（配点計 50 点）

燃料としての微粉炭の専焼は CO_2 排出量が多いことが問題とされているが，バイオマスの燃焼で発生する CO_2 をゼロと見なすことができれば，木質バイオマスとの混焼は CO_2 削減対策として評価できる．本問では，微粉炭とバイオマスとの混焼による CO_2 削減効果について試算する．

微粉炭の組成は，質量比で炭素 72 %，水素 5 %，酸素 8 %，灰分 15 %とし，灰分は燃焼反応に関与せず，体積，比熱共にゼロとみなせるものとする．また，木質バイオマスは十分に乾燥しており，成分はセルロースのみで，そのセルロースは $C_6H_{10}O_5$ が多数結合した物質と考える．なお低発熱量は，微粉炭が 28.1 MJ/$\mathrm{kg_{-f}}$，乾燥した木質バイオマスが 19.4 MJ/$\mathrm{kg_{-f}}$ とし，専焼，混焼を問わず，空気比 1.3，空気中の酸素の体積割合 21 %で完全燃焼しているものとする．なお，単位記号の $\mathrm{m^3_N}$ は標準状態（0 ℃，1 気圧）での気体の体積を表し，/$\mathrm{kg_{-f}}$ は燃料の単位質量当たりであることを表すものとする．

1）　微粉炭の燃焼

燃料中の炭素，水素の完全燃焼反応式は次のようになる．

$$C + O_2 = CO_2$$

$$H + [1]\, O_2 = [2]\, H_2O$$

この反応式から，炭素 1 kg の完全燃焼に必要な酸素量は [3] [$\mathrm{m^3_N}$]，水素 1 kg の完全燃焼に必要な酸素量は [4] [$\mathrm{m^3_N}$] となる．これらから，微粉炭 1 kg の燃焼に必要な理論酸素量は [A a.bc] [$\mathrm{m^3_N/kg_{-f}}$] と求められる．空気中の酸素の体積割合から微粉炭 1 kg の燃焼に必要な理論空気量は [B a.bc] [$\mathrm{m^3_N/kg_{-f}}$]，空気比 1.3 から実際の空気量は [C a.bc] [$\mathrm{m^3_N/kg_{-f}}$] となる．また，生成する湿り燃焼ガス量は [D ab.c] [$\mathrm{m^3_N/kg_{-f}}$] となる．

〈[1] ～ [4] の解答群〉

ア $\frac{1}{16}$　**イ** $\frac{1}{8}$　**ウ** $\frac{1}{4}$　**エ** $\frac{1}{2}$　**オ** 1　**カ** $\frac{22.4}{16}$

キ $\frac{22.4}{12}$　**ク** 2　**ケ** $\frac{22.4}{8}$　**コ** 4　**サ** $\frac{22.4}{4}$　**シ** $\frac{22.4}{2}$

ス 12　**セ** 16　**ソ** 21　**タ** 22.4

2）　バイオマスの燃焼

セルロースの単量体である $C_6H_{10}O_5$ が完全燃焼したときの反応式は次のようになる．

$$C_6H_{10}O_5 + [5]\, O_2 = [6]\, CO_2 + [7]\, H_2O$$

この式よりセルロース 1 kg を完全燃焼させるのに必要な理論空気量は [E a.bc] [$\mathrm{m^3_N/kg_{-f}}$] となる．これより，本問で想定した木質バイオマス 1 kg を燃焼させるために必要な実際の空気量は [F a.bc] [$\mathrm{m^3_N/kg_{-f}}$]，湿り

燃焼ガス量は [G　a.bc] ［m^3_N/kg_{-f}］となる．

〈[5]～[7]の解答群〉

ア　1　　**イ**　3　　**ウ**　5　　**エ**　6　　**オ**　8.5

カ　10　　**キ**　12　　**ク**　16

3)　微粉炭とバイオマスの混焼

バイオマスの質量割合を燃料全体の x ［%］として微粉炭とバイオマスを混焼させたところ，発生した熱量のうちのバイオマスによる発熱量の割合（熱量比）が 20 %となったとする．

このとき，混合燃料 1 kg_{-f} 当たりの発熱量は，微粉炭 $1-\dfrac{x}{100}$ kg の発熱量と，バイオマス $\dfrac{x}{100}$ kg の発熱量の合計として求められる．したがって，微粉炭の低発熱量を H_C ［MJ/kg_{-f}］，バイオマスの低発熱量を H_B ［MJ/kg_{-f}］とすれば，バイオマスの質量割合 x は，バイオマスの熱量比が 20 %であったことから，式 $x=$ [8] ［%］と計算される．

一方，CO_2 発生量については，微粉炭燃料は [H　a.bc] ［m^3_N/kg_{-f}］であるが，バイオマスの燃焼で発生する CO_2 をゼロと見なすことができれば，バイオマス熱量比 20 %の混合燃料としての CO_2 発生量は [I　a.bc] $\times 10^{-1}$ ［m^3_N/kg_{-f}］になる．ただし，混合燃料の低発熱量は微粉炭の低発熱量よりも小さくなるため，同じ熱量を得るための混合燃料の質量は，微粉炭燃料の質量より大きくなる．単位発熱量当たりで評価すると，バイオマスの熱量負担分の CO_2 発生量がゼロとなるため，20 %の低減ということになる．

〈[8]の解答群〉

ア　$\dfrac{100}{1+4\left(\dfrac{H_B}{H_C}\right)}$　　**イ**　$\dfrac{100}{1+5\left(\dfrac{H_B}{H_C}\right)}$

ウ　$\dfrac{100}{1+\dfrac{1}{4}\left(\dfrac{H_C}{H_B}\right)}$　　**エ**　$\dfrac{100}{1+\dfrac{1}{5}\left(\dfrac{H_C}{H_B}\right)}$

解　説

1)　炭素と水素が完全燃焼する場合の反応方程式は次式で表される．

$$C+O_2=CO_2$$

$$\mathrm{H} + \frac{1}{4}\,\mathrm{O_2} = \frac{1}{2}\,\mathrm{H_2O}$$

炭素の原子量は 12 であることから，1 kg の炭素は 1/12 kmol となる．

1 kmol の気体の体積は 22.4 $m^3{}_N$ であるから，炭素 1 kg の完全燃焼に必要な酸素量は，22.4/12 $m^3{}_N$ となる．

水素の原子量は 1 であることから，1 kg の水素は 1 kmol となる．

水素 1 kg の完全燃焼に必要な酸素量は，22.4/4 $m^3{}_N$.

燃料 1 kg の中に含まれる炭素は 0.72 kg，水素は 0.5 kg，酸素は 0.08 kg であることから，理論酸素量 V_O は，

$$V_O = 0.72 \times \frac{22.4}{12} + 0.05 \times \frac{22.4}{4} - 0.08 \times \frac{22.4}{32}$$

$$= 1.568 \fallingdotseq 1.57\ \mathrm{m^3{}_N/kg_{\text{-}f}}$$

空気中の酸素の体積割合 21 %より理論空気量 V_A は，

$$V_A = \frac{V_O}{0.21} = \frac{1.568}{0.21} = 7.466 \fallingdotseq 7.47\ \mathrm{m^3{}_N/kg_{\text{-}f}}$$

空気比 1.3 から実際の空気量 V は，

$$V = V_A \times 1.3 = 7.466 \times 1.3 = 9.705 \fallingdotseq 9.71\ \mathrm{m^3{}_N/kg_{\text{-}f}}$$

生成する湿り燃焼ガス量 V_G は，

$$V_G = \text{実際の空気量} - \text{理論酸素量} + \text{燃料起源の生成物量}$$

$$= V - V_O + 0.72 \times \frac{22.4}{12} + 0.05 \times \frac{22.4}{2}$$

$$= 9.705 - 1.568 + 1.344 + 0.56$$

$$= 10.041 \fallingdotseq 10.0\ \mathrm{m^3{}_N/kg_{\text{-}f}}$$

2) セルロースが完全燃焼する場合の反応方程式は次式で表される．

$$\mathrm{C_6H_{10}O_5 + 6O_2 = 6CO_2 + 5H_2O}$$

セルロースの原子量は 162 であることから，1 kg のセルロースは 1/162 kmol となる．セルロース 1 kg の完全燃焼に必要な酸素量 V_O' は，

$$V_O' = 6 \times \frac{22.4}{162} = 0.829\ \mathrm{m^3{}_N}$$

理論空気量 V_A' は，

$$V_A' = \frac{V_O'}{0.21} = \frac{0.829}{0.21} = 3.947 \fallingdotseq 3.95\ \mathrm{m^3{}_N/kg_{\text{-}f}}$$

実際空気量 V' は，

$$V' = V_A' \times 1.3 = 3.947 \times 1.3 = 5.131\,1 \fallingdotseq 5.13\ \mathrm{m^3{}_N/kg_{\text{-}f}}$$

生成する湿り燃焼ガス量 V_G' は，

$$V_G{}' = V' - V_O{}' + 6 \times \frac{22.4}{162} + 5 \times \frac{22.4}{162}$$

$$= 5.131\,1 - 0.829 + 0.829 + 0.691$$

$$= 5.822\,1 \fallingdotseq 5.82\ \mathrm{m^3{}_N/kg\text{-}_f}$$

3)　発生した熱量のうちのバイオマスによる発熱量の割合が20 %であることから，

$$\left(1 - \frac{x}{100}\right) \times H_C : \frac{x}{100} \times H_B = 4 : 1$$

$$x = \frac{100}{1 + 4\left(\dfrac{H_B}{H_C}\right)}$$

となる．

微粉炭燃料のCO_2発生量は

$$0.72 \times \frac{22.4}{12} = 1.344 \fallingdotseq 1.34\ \mathrm{m^3{}_N/kg\text{-}_f}$$

バイオマス燃料比20 %の混合燃料のCO_2発生量は次のように求められる．

$$x = \frac{100}{1 + 4\left(\dfrac{H_B}{H_C}\right)} = \frac{100}{1 + 4 \times \dfrac{19.4}{28.1}} = 26.59$$

$$0.72 \times \frac{22.4}{12} \times \left(1 - \frac{26.59}{100}\right) = 0.986\,6 \fallingdotseq 9.87 \times 10^{-1}\ \mathrm{m^3{}_N/kg\text{-}_f}$$

解　答　**1)　1-ウ，2-エ，3-キ，4-サ，A-1.57，B-7.47，C-9.71，D-10.0**

2)　5-エ，6-エ，7-ウ，E-3.95，F-5.13，G-5.82

3)　8-ア，H-1.34，I-9.87

第 43 回　2021 年（令和 3 年）

（燃料及び燃焼管理）

問題8　次の各文章の [1] ～ [14] の中に入れるべき最も適切な字句等をそれぞれの解答群から選び，その記号を答えよ．（配点計 30 点）

(1)　液化石油ガスは [1] と略称され，JIS では，用途や成分組成によっていくつかの種類に分類されている．JIS に規定された種類のそれぞれについて C_3 成分（プロパン，プロピレン等）と C_4 成分（ブタン，ブチレン等）の組成割合（モル分率）をみると，[2]．また，JIS では種類ごとに 40 ℃における蒸気圧の上限値が規定されており，それらの中での最大値は [3] [MPa] である．

〈[1] ～ [3] の解答群〉

ア　0.52　　**イ**　1.25　　**ウ**　1.55　　**エ**　CNG　　**オ**　GTL

カ　LNG　　**キ**　LPG

ク　C_3 成分が最大である種類と C_4 成分が最大である種類がある

ケ　いずれの種類についても C_3 成分が最大である

コ　いずれの種類についても C_4 成分が最大である

(2)　重油は，JIS によると，噴霧燃焼における微粒化特性に直接的に影響する [4] によって 1 種，2 種，3 種の 3 種類に分類されている．1 種重油は，大気汚染や燃焼ガスによる伝熱面腐食の要因になる [5] によってさらに 2 種類に細分類されている．

重油中の炭素の質量分率を水素の質量分率で除した値（C/H 比）が小さいほど単位質量当たりの発熱量が [6]，また密度が [7] という傾向がある．1 種，2 種，3 種の 3 種類の重油のうち，一般に最も密度が小さいのは，[8] 重油である．

〈[4] ～ [8] の解答群〉

ア　1 種　　**イ**　2 種　　**ウ**　3 種　　**エ**　硫黄分　　**オ**　窒素分

カ　残留炭素分　　**キ**　灰分　　**ク**　動粘度　　**ケ**　表面張力

コ　密度　　**サ**　流動点　　**シ**　大きい　　**ス**　小さい

(3)　空気中に浮遊した単一の燃料液滴が燃焼する過程を考える．対流の影響がない場合，液滴の初期直径を d_0，燃焼が開始してからの時間を t，燃焼開始後の液滴の直径を d とすると，液滴の大きさの時間的な変化の大略は次式で表される．

[9] $= - C_b t$

ここで，C_b は燃焼速度定数と呼ばれる．この式によれば，例えば液滴の初期直径が $\frac{1}{2}$ になると，液滴が燃焼を開始してから燃え切るまでの所要時間は，ほぼ [10] になる．

〈[9] 及び [10] の解答群〉

ア $\frac{1}{8}$　**イ** $\frac{1}{4}$　**ウ** $\frac{1}{2}$　**エ** $d - d_0$　**オ** $d^2 - {d_0}^2$　**カ** $d^3 - {d_0}^3$

(4) 気体燃料の拡散燃焼では，運転空気比が [11] であると，あるいは燃料と燃焼用空気の混合が不良であると，燃料から分解した炭化水素が脱水素や重合反応を経て，直径が [12] の球形粒子が凝集したすすが生成される．

重質油の噴霧燃焼では，微粒化が不十分であると，あるいは燃料噴霧と燃焼用空気との混合が不良であると，熱分解により燃料微粒子の炭化が進行して [13] と呼ばれる [14] の大きさの粒状物質が生成される．

〈[11] ～ [14] の解答群〉

ア アシッドスマット　**イ** アッシュ　**ウ** セノスフェア
エ 過小　**オ** 過大　**カ** 数 nm ～数十 nm
キ 数 μm ～数百 μm　**ク** 数 mm ～数十 mm

解　説

(1) 液化石油ガスは LPG と略称されており，用途や成分組成により，いくつかの種類が JIS（JIS K2240：2023）に規定されているが，C_3 成分が最大である種類と C_4 成分が最大である種類がある．

JIS では種類ごとに蒸気圧（40 ℃）の上限値が規定されており，最大値は 1.55 MPa である．

(2) JIS（JIS K2205：2006）に規定されている重油の品質を以下に示す．JIS 規格によれば，動粘度を基準として各種に，硫黄分を基準として各号に分けている．C/H 比（炭素・水素比）が小さくなると，発熱量は大きくなり，密度は小さくなる．密度は 3 種，2 種，1 種の順に小さくなる．

重油の種類	1 種（A 重油）		2 種（B 重油）	3 種（C 重油）		
	1 号	2 号		1 号	2 号	3 号
動粘度（mm^2 / s）	20 以下		50 以下	250 以下	400 以下	400 超 1 000 以下
硫黄分（質量 %）	0.5 以下	2.0 以下	3.0 以下	3.5 以下	－	－

(3)　空気中に浮遊した単一の燃料液滴が燃焼する場合，液滴直径の 2 乗の時間変化が一定となることから，燃焼開始後の液滴の直径を d とすると，

$$d(d^2)/dt = -C_{\mathrm{b}}$$

となる．上式を積分し，液滴の初期直径を d_0 とすると，

$$d^2 - {d_0}^2 = -C_{\mathrm{b}}t$$

となる．したがって，液滴の初期直径が 1/2 になると燃え切るまでの所要時間はほぼ 1/4 となる．

(4)　気体燃料の拡散燃焼では，酸素不足（運転空気比が過小）や混合不良であったりすると，脱水素，重合反応を経て，直径数 nm ～数十 nm の球形粒子が凝集する．

重質液体燃料噴霧では，油滴の燃焼末期に直径数 μm ～数百 μm の残炭形のばいじん（セノスフェア）が発生する．

解　答　(1)　**1- キ，2- ク，3- ウ**

(2)　**4- ク，5- エ，6- シ，7- ス，8- ア**

(3)　**9- オ，10- イ**

(4)　**11- エ，12- カ，13- ウ，14- キ**

（燃料及び燃焼管理）

問題9　次の各文章の [1] ～ [15] の中に入れるべき最も適切な字句等をそれぞれの解答群から選び，その記号を答えよ．（配点計 30 点）

(1)　拡散燃焼式バーナは，外部混合燃焼式バーナともいい，その特徴は，逆火の危険が [1] こと，燃焼量を広範に調節可能であること，すすが発生 [2] こと，などである．また，バーナの形式としては，[3] 形と [4] 形がある．

〈[1] ～ [4] の解答群〉

ア　ノズル　　**イ**　ブンゼン　　**ウ**　ベンチュリ　　**エ**　ポート

オ　ある　　**カ**　ない　　**キ**　しやすい　　**ク**　しにくい

(2)　油圧噴霧式の油バーナは，火炎形状が [5] である特徴を有する．また，非戻り油式と戻り油式に分けられ，油量調節範囲は [6] ．

一方，流体噴霧式の油バーナは，高圧気流式と低圧気流式に分けられ，油量調節範囲は [7] ．低圧気流式の霧化用の空気量は，燃焼に必要な空気量の [8] [%] である．

〈[5] ～ [8] の解答群〉

ア　5 ～ 10　　**イ**　15 ～ 25　　**ウ**　30 ～ 100　　**エ**　狭角　　**オ**　広角

カ 高圧気流式の方が広い　**キ** 低圧気流式の方が広い
ク 高圧気流式，低圧気流式とも同じである　**ケ** 戻り油式の方が広い
コ 非戻り油式の方が広い
サ 非戻り油式，戻り油式とも同じである

(3) 流動層燃焼方式の固体燃料燃焼装置の運転中の層温度は，通常 [9] [℃] 程度である．気泡方式と循環方式があり，空気流速は [10] 方式の方が小さく，[11] [m/s] 程度である．

〈[9] ～ [11] の解答群〉

ア 1 ～ 2　**イ** 5 ～ 8　**ウ** 10 ～ 15　**エ** 600 ～ 750
オ 800 ～ 950　**カ** 1 000 ～ 1 150　**キ** 気泡　**ク** 循環

(4) 燃焼排ガス中の酸素の測定に用いられる磁気式酸素計には，磁気力方式酸素計や磁気風方式酸素計などがあるが，磁気力方式酸素計にはさらに [12] 形と [13] 形がある．

また，燃焼排ガス中の一酸化炭素を非分散赤外線吸収分析計で測定する場合，[14] と [15] が干渉ガスとなる．

〈[12] ～ [15] の解答群〉

ア ジルコニア　**イ** ダンベル　**ウ** 圧力検出　**エ** 電極
オ 酸素　**カ** 水蒸気　**キ** 窒素　**ク** 二酸化炭素

解　説

(1) 拡散燃焼式バーナは，逆火の危険なしに燃焼量を広範囲に調整することができる．ただし，炭素生成が多いため輝炎となり，すすが発生しやすい特徴がある．拡散燃焼式のバーナの方式は，ノズル形とポート形がある．

(2) 油圧噴霧式の油バーナは，火炎形状が広角である特徴をもつ．また，非戻り油式と戻り油式があり，油量調節範囲は戻り油式の方が広い．

流体噴霧式の油バーナの高圧気流形は狭角の長炎，油量調節範囲が広い特徴をもつ．

低圧気流式の霧化用空気は，燃焼に必要な空気量の 30 ～ 100 % である．

(3) 流動層の状態での固体燃料の燃焼は，燃料（石炭）を石灰石などの流動媒体とともに燃焼温度 800 ～ 950 ℃で燃焼させている．

流動層燃焼装置には，気泡方式と循環方式があり，空気流速は気泡方式の方が小さく，1 ～ 2 m/s 程度である．

(4) 燃焼排ガス中の酸素を連続測定する自動計測機については，JIS（JIS B 7983：2006）に規定されている．磁気式酸素計には，磁気力方式酸素計や磁気風方式酸素計があり，磁気力方式酸素計はさらにダンベル形と圧力検出形

に分けられる．

燃焼排ガス中の一酸化炭素の分析については，JIS（JIS K 0098：2016）に規定されている．非分散赤外線吸収分析計で測定する場合，二酸化炭素と水蒸気が干渉ガスとなる．

解　答　(1)　**1-カ，2-キ，3-ア，4-エ**
(2)　**5-オ，6-ケ，7-カ，8-ウ**
(3)　**9-オ，10-キ，11-ア**
(4)　**12-イ，13-ウ，14-カ，15-ク**

（燃焼計算）

問題10　次の各文章の [1] ～ [10] の中に入れるべき最も適切な字句等をそれぞれの解答群から選び，その記号を答えよ．なお，一つの解答群から同じ記号を2回以上使用してもよい．

また，[A a.bc] ～ [I a.bc] に当てはまる数値を計算し，その結果を答えよ．ただし，解答は解答すべき数値の最小位の一つ下の位で四捨五入すること．（配点計50点）

質量組成が炭素85％，水素12％，窒素3％の燃料を完全燃焼させている加熱炉がある．この燃料の低発熱量は42.3 MJ/kg_{-f}で，燃焼排ガス温度は500℃であった．また，燃焼排ガスの成分分析の結果，乾き燃焼排ガス中のCO_2の体積割合は11％であることがわかった．この加熱炉に，燃焼排ガスによる熱損失の低減を目的として空気予熱器を設置したところ，燃焼排ガス温度は400℃に低下した．

ここで，燃料中の窒素分は酸素と反応せずにN_2になるものとし，燃焼用空気中の酸素の体積割合は0.21で，残りはすべて窒素とする．また，燃焼用空気と湿り燃焼排ガスの比熱はいずれも一定値で，それぞれ1.32 kJ/(m^3_N·K)，1.45 kJ/(m^3_N·K)とし，熱勘定の基準温度，燃料の温度及び燃焼用空気の温度は25℃とする．なお，単位のm^3_Nは標準状態の気体の体積を示し，kg_{-f}は燃料の質量であることを示す．

1）　理論空気量及び理論燃焼排ガス量の計算

炭素1 kgを燃焼させたときに発生するCO_2量は [1] [m^3_N] である．これより，燃料1 kgを完全燃焼させたときに発生するCO_2量は，[A a.bc] [m^3_N/kg_{-f}] となる．

また，燃料中の炭素の質量割合をc，水素の質量割合をh，窒素の質量割合をnとすれば，燃料1 kgを完全燃焼させるために必要な酸素量は次の式で求められる.

$$\boxed{\ 2\ }\times(\boxed{\ 3\ }\times c+\boxed{\ 4\ }\times h)\ \ [\mathrm{m^3_N/kg_{-f}}]$$

これより，燃料 1 kg の燃焼に必要な理論空気量は $\boxed{\mathrm{B}\ \ \mathrm{ab.c}}$ $[\mathrm{m^3_N/kg_{-f}}]$ となり，理論乾き燃焼排ガス量は $\boxed{\mathrm{C}\ \ \mathrm{ab.c}}$ $[\mathrm{m^3_N/kg_{-f}}]$ となる．また，この中に含まれる窒素の体積は次の式で表せる.

$$\boxed{\ 5\ }\times\{(\boxed{\ 6\ }\times c+\boxed{\ 7\ }\times h)\times\boxed{\ 8\ }+\boxed{\ 9\ }\times n\}\ \ [\mathrm{m^3_N/kg_{-f}}]$$

〈$\boxed{\ 1\ }$～$\boxed{\ 9\ }$の解答群〉

ア	$\frac{1}{32}$	**イ**	$\frac{1}{28}$	**ウ**	$\frac{1}{14}$	**エ**	$\frac{1}{12}$	**オ**	0.21
カ	$\frac{1}{4}$	**キ**	$\frac{1}{2}$	**ク**	1	**ケ**	$\frac{22.4}{12}$	**コ**	2
サ	$\frac{79}{21}$	**シ**	4	**ス**	$\frac{100}{21}$	**セ**	12	**ソ**	22.4

2）　空気比及び実際の燃焼排ガス量の計算

成分分析の結果を利用すれば，乾き燃焼排ガス量は $\boxed{\mathrm{D}\ \ \mathrm{ab.c}}$ $[\mathrm{m^3_N/kg_{-f}}]$ と求められる．これより，空気比が $\boxed{\mathrm{E}\ \ \mathrm{a.bc}}$ と求められる．また，湿り燃焼排ガス量は $\boxed{\mathrm{F}\ \ \mathrm{ab.c}}$ $[\mathrm{m^3_N/kg_{-f}}]$ となる.

3）　空気予熱器による排熱回収の計算

空気予熱器において，湿り燃焼排ガス 1 $\mathrm{m^3_N}$ から回収される熱量は $\boxed{\mathrm{G}\ \ \mathrm{abc}}$ $[\mathrm{kJ/m^3_N}]$ である．これに，2)で求めた湿り燃焼排ガス量を乗ずれば，空気予熱器における燃料 1 kg 当たりの回収熱量 Q_{R} $[\mathrm{MJ/kg_{-f}}]$ が求められる．この回収熱量がすべて燃焼用空気の温度上昇のために使われたとすれば，燃焼用空気の温度は $\boxed{\mathrm{H}\ \ \mathrm{abc}}$ [℃] になる.

4）　空気予熱器による燃料削減量の計算

加熱炉では，燃料の低発熱量 H_{l} のうち，被加熱物の加熱に有効利用されなかった熱量が，全て排ガスの顕熱 Q_{G} $[\mathrm{MJ/kg_{-f}}]$ として排出されるものとする．空気予熱器を設置することによって，その一部を空気の顕熱 Q_{R} として回収し，直接炉内に投入することになり，燃料の持つ熱の利用効率を高くすることができる．このとき，被加熱物の加熱に有効利用された熱量が同じであったとすれば，使用する燃料を削減することができ，燃料削減率は，次式で表される.

$$\text{燃料削減率}=\boxed{\ 10\ }\times 100\ \ [\%]$$

この式を用いて計算すると，空気予熱器の設置によって $\boxed{\mathrm{I}\ \ \mathrm{a.bc}}$ [%] の燃料が削減できることが分かる.

〈 10 の解答群〉

ア $\dfrac{Q_R}{H_I}$　　イ $\dfrac{Q_R}{Q_G}$　　ウ $\dfrac{Q_R}{H_I - Q_G}$　　エ $\dfrac{Q_R}{H_I - Q_G + Q_R}$

解　説

1)　炭素と水素が完全燃焼する場合の反応方程式は次式で表される．

$$C + O_2 = CO_2$$

$$H + \frac{1}{4} O_2 = \frac{1}{2} H_2O$$

炭素の原子量は12であることから，1 kgの炭素は1/12 kmolとなる．炭素の反応方程式より，炭素を完全燃焼させたときに発生するCO_2は1/12 kmolであることがわかる．1 kmolは22.4 $m^3{}_N$であるので，完全燃焼で発生するCO_2量は22.4/12 $m^3{}_N$となる．

このことから，燃料1 kgを完全燃焼させたときに発生するCO_2量V_{CO2}は，

$$V_{CO2} = 0.85 \times \frac{22.4}{12} = 1.586 \fallingdotseq 1.59\ m^3{}_N/kg_{-f}$$

燃料1 kgを完全燃焼させるために必要な酸素量は，炭素と水素の反応方程式より，

$$22.4 \times \left(\frac{1}{12} \times c + \frac{1}{4} \times h\right)\ [m^3{}_N/kg_{-f}]$$

となる．

これより，燃料1 kgの完全燃焼に必要な理論酸素量V_Oは，

$$V_O = 22.4 \times \left(\frac{0.85}{12} + \frac{0.12}{4}\right) = 2.258\ m^3{}_N/kg_{-f}$$

燃焼用空気中の酸素の体積割合は0.21より，理論空気量V_Aは，

$$V_A = \frac{V_O}{0.21} = \frac{2.258}{0.21} = 10.752 \fallingdotseq 10.8\ m^3{}_N/kg_{-f}$$

理論乾き燃焼排ガス量V_Gは，供給空気量からO_2が消費され，CO_2が生成されるので，次式で求められる．

$$V_G = V_A - V_O + V_{CO2} = 10.752 - 2.258 + 1.586$$
$$= 10.08 \fallingdotseq 10.1\ m^3{}_N/kg_{-f}$$

となる．

V_G中に含まれる窒素の体積は，空気中の窒素と窒素の反応方程式より，

$$22.4 \times \left\{\left(\frac{1}{12} \times c + \frac{1}{4} \times h\right) \times \frac{79}{21} + \frac{1}{28} \times n\right\}$$

となる.

2)　乾き燃焼排ガス中の CO_2 の体積割合は 11 % であるので，乾き燃焼排ガス量 V_{G1} は，

$$V_{G1} = \frac{V_{CO2}}{0.11} = \frac{1.586}{0.11} = 14.41 \fallingdotseq 14.4\ \mathrm{m^3{}_N/kg_{\text{-}f}}$$

これより，空気比は，

$$\frac{V_{A1}}{V_A} = \frac{V_{G1} + V_O - V_{CO2}}{V_A} = \frac{14.41 + 2.258 - 1.586}{10.752} = 1.402 \fallingdotseq 1.40$$

となる.

湿り燃焼排ガス量は，乾き燃焼排ガスに水の生成を加え，

$$V_{G2} = V_{G1} + V_{H2O} = 14.41 + 0.12 \times \frac{22.4}{2} = 15.754 \fallingdotseq 15.8$$

となる.

3)　空気予熱器において，湿り燃焼排ガス $1\ \mathrm{m^3{}_N}$ から回収される熱量 Q は，

$$Q = 1.45\ \mathrm{kJ/m^3{}_N \cdot K} \times (500 - 400)\ \mathrm{K} = 145\ \mathrm{kJ/m^3{}_N}$$

である.

空気予熱器における燃料 1 kg 当たりの回収熱量 Q_R［$\mathrm{MJ/kg_{\text{-}f}}$］は，

$$Q_R = 145\ \mathrm{kJ/m^3{}_N} \times V_{G2} = 145 \times 15.754$$
$$= 2\,284.33\ \mathrm{kJ/kg_{\text{-}f}} \fallingdotseq 2.284\,33\ \mathrm{MJ/kg_{\text{-}f}}$$

燃焼用空気の温度は，

$$25 + \frac{Q_R \times 1\,000}{1.32 \times V_{A1}} = 25 + \frac{Q_R \times 1\,000}{1.32 \times (V_{G1} + V_O - V_{CO2})}$$

$$= 25 + \frac{2.284\,33 \times 1\,000}{1.32 \times (14.41 + 2.258 - 1.586)}$$

$$= 139.7 \fallingdotseq 140\ ℃$$

となる.

4)　空気予熱器がある場合に有効利用された熱量は，$H_I - Q_G + Q_R$ である．有効利用された熱量が同じであったとすれば，有効利用された熱量のうち，設置の有無の差 Q_R 分の燃料を削減できることから，

$$\text{燃料削減率} = \frac{Q_R}{H_I - Q_G + Q_R} \times 100\ \%$$

排ガスの顕熱 Q_G は，

$$Q_G = 1.45\ \mathrm{kJ/m^3{}_N \cdot K} \times (500 - 25)\ \mathrm{K} \times \frac{V_{G2}}{1\,000}$$

$$= 1.45 \times (500 - 25) \times \frac{15.754}{1\,000}$$

$$= 688.75 \times \frac{15.754}{1\,000} = 10.85 \fallingdotseq 10.8\ \mathrm{MJ/kg_{-f}}$$

空気予熱器の設置による燃料削減率は,

$$\text{燃料削減率} = \frac{Q_R}{H_I - Q_G + Q_R} \times 100\ [\%]$$

$$= \frac{2.284\,33}{42.3 - 10.85 + 2.284\,33} \times 100 = 6.771 \fallingdotseq 6.77\ \%$$

解　答　**1)　1-ケ，A-1.59，2-ソ，3-エ，4-カ，B-10.8，C-10.1，5-ソ，6-エ，7-カ，8-サ，9-イ**

2)　D-14.4，E-1.40，F-15.8

3)　G-145，H-140

4)　10-エ，I-6.77

第 42 回　2020 年（令和 2 年）

（燃料及び燃焼管理）

問題8　次の各文章の [1] ～ [15] の中に入れるべき最も適切な字句，数値又は式をそれぞれの解答群から選び，その記号を答えよ．なお，一つの解答群から同じ記号を 2 回以上使用してもよい．（配点計 30 点）

(1)　一般的な燃料油であるガソリン，軽油，重油，灯油は石油精製によって得られるが，これらの中で沸点の温度域が最も低いのは [1] であり，沸点の温度域がその次に低いのは [2] である．

ガソリンと軽油は主として内燃機関向けの燃料として使用されているが，内燃機関ではノックを発生させないための配慮が重要である．ガソリン機関では，燃料とするガソリンのオクタン価が高いほど着火遅れ時間が [3]，ノックを起こしにくい．ディーゼル機関では，燃料とする軽油のセタン価が高いほど着火遅れ時間が [4]，ノックを起こしにくい．

〈[1] ～ [4] の解答群〉

ア　ガソリン　　**イ**　軽油　　**ウ**　重油　　**エ**　灯油

オ　長く　　**カ**　短く

(2)　都市ガス 13A，コークス炉ガス（COG），高炉ガス（BFG）の 3 種の気体燃料のそれぞれについて，可燃成分のうち成分割合（体積割合）が最大のものは，都市ガス 13A では [5]，コークス炉ガス（COG）では [6]，高炉ガス（BFG）では [7] である．

都市ガス 13A は，その発熱量がガス事業者の規定する値になるように調整して供給されている．発熱量を増大すべく調整するためには原料ガスに [8] などが加えられている．

〈[5] ～ [8] の解答群〉

ア　H_2　　**イ**　CO　　**ウ**　CH_4　　**エ**　C_2H_2　　**オ**　C_3H_8

(3)　平行平板間に可燃混合気が満たされているとき，その混合気中を火炎が伝播できる最小の平板間隔を消炎距離（記号 d_{pm} で表す）という．これは，予混合燃焼における逆火防止の観点から重要である．d_{pm} の値は，予混合気の層流燃焼速度が増すと [9] し，また，圧力が増すと [10] する．CH_4，C_3H_8 などの炭化水素燃料ガスと空気の常温・常圧の混合気については，d_{pm} は混合気組成が理論当量比付近で [11] をとり，その値は [12] [mm] 程度である．

平行平板に代わり，円管内に可燃混合気を満たした場合に火炎が伝播できる最小の内直径を消炎直径（記号 d_{tm} で表す）と呼んでいる．d_{pm} と d_{tm} の間には，$\frac{d_{pm}}{d_{tm}}$ が 1 より [13] ほぼ一定の値をもつという関係がある．

〈[9]～[13] の解答群〉

ア 0.02　**イ** 0.2　**ウ** 2　**エ** 最大値　**オ** 最小値

カ 増大　**キ** 減少　**ク** 大きい　**ケ** 小さい

(4) 燃焼ガスの温度は，燃焼前後のエンタルピーバランスに基づいて計算することができる．その際，燃焼ガスが N_2，O_2，CO_2，H_2O などの安定した完全燃焼ガス成分から構成されるとして計算される燃焼ガス温度 T_{bt}，及びこれらの完全燃焼ガス成分以外にも熱解離した活性ガス成分が化学平衡状態で存在するとして計算される燃焼ガス温度 T_{be} が考えられる．燃焼ガス温度が [14] [K] 程度を超えるようようになると，T_{bt} と T_{be} の差異が明確になり始め，T_{bt} は T_{be} よりも [15] なる．

〈[14] 及び [15] の解答群〉

ア 1 000　**イ** 1 500　**ウ** 2 000　**エ** 高く　**オ** 低く

解　説

(1) 沸点の温度域は，ガソリンが最も低く，灯油，軽油，重油の順番となる．

ガソリンはオクタン価により，1 号（96.0 以上），2 号（89.0 以上）に種類分けされている．

オクタン価は，自己着火のしにくさ，ノッキングの起こりにくさを示しており，高いほど着火遅れ時間が長い．

セタン価は，自己着火のしやすさ，ノッキングの起こりにくさを示しており，高いほど着火遅れ時間が短い．

(2) 都市ガス 13A はメタン CH_4（約 90 %），コークス炉ガス（COG）は水素 H_2（約 50 %），高炉ガス（BFG）は一酸化炭素 CO（約 25 %）が主成分である．

都市ガス 13A の発熱量を増大するため，都市ガスより熱量の高いプロパン（C_3H_8）が加えられている．

(3) 2 枚の平板間に燃料ガスと空気の混合気が満たされているとき，2 枚の平板の間隔を徐々に減少させていくと，平板間を火炎が伝播できなくなる．この距離を消炎距離という．消炎距離は，圧力および燃焼速度が増すと小さくなる．消炎距離は，常温・常圧力下では当量比が理論当量比付近では 2 mm 前後である．

円管の中を火炎が伝播できなくなる最小の内直径が存在し，

消炎距離/内直径＜1

という関係がある．

(4)　燃焼ガスの温度は，エネルギー保存の法則に基づき，計算できる．

燃焼前の燃料と空気が保有する熱量

＝燃焼後の燃焼ガス保有熱および燃焼ガスからの放熱量など

燃焼ガス温度が2 000 K以上の高温になると熱解離の影響が顕著になり，T_{bt}とT_{be}の差異が明確になりはじめ，T_{bt}のほうがT_{be}よりも高温に計算される．

解　答　(1)　**1-ア，2-エ，3-オ，4-カ**

(2)　**5-ウ，6-ア，7-イ，8-オ**

(3)　**9-キ，10-キ，11-オ，12-ウ，13-ケ**

(4)　**14-ウ，15-エ**

（燃料及び燃焼管理）

問題9　次の各文章の[1]～[15]の中に入れるべき最も適切な字句，数値又は記述をそれぞれの解答群から選び，その記号を答えよ．（配点計30点）

(1)　燃料のみがバーナ内部を通りバーナ先端から出た後で，燃焼用空気と混合して燃焼する[1]燃焼方式のノズル形バーナには，ノズルの形状によって，比較的高圧のガス用として使用される[2]形や，低圧のガス用として使用される[3]形などがある．

〈[1]～[3]の解答群〉

ア　ブンゼン　　**イ**　ベンチュリ　　**ウ**　ポート

エ　マルチスパッド　　**オ**　リング　　**カ**　拡散

キ　完全予混合　　**ク**　部分予混合

(2)　回転式油バーナは，回転力を利用して油を霧化するバーナ方式で，霧化用空気は全燃焼空気量の[4][%]以下，送風圧は[5][kPa]程度である．主な用途として，[6]の燃焼装置で用いられることが多い．高圧気流式油バーナと比較して油量調節範囲は，[7]．

〈[4]～[7]の解答群〉

ア　20　　**イ**　50　　**ウ**　80　　**エ**　数

オ　数千　　**カ**　数万　　**キ**　大型　　**ク**　小型

ケ　回転式の方が狭い　　**コ**　回転式の方が広い

サ　変わらない

(3) 微粉炭燃焼装置では，一般に粒子径が[8]以下（70 ～ 80 %程度）に粉砕された微粉炭を使用する．微粉炭と混合させてバーナに送られる一次空気の量は，一般に理論空気量の[9]程度であり，また，微粉炭の装置内滞留時間は[10]秒である．

微粉炭の供給方式として，貯蔵燃焼方式と直接燃焼方式があり，燃焼室の負荷変動に対する応答がより良好なのは[11]燃焼方式である．

〈[8]～[11]の解答群〉

ア 7.4 μm　**イ** 74 μm　**ウ** 740 μm　**エ** 30 %
オ 60 %　**カ** 90 %　**キ** 数　**ク** 数十
ケ 数百　**コ** 直接　**サ** 貯蔵

(4) 燃焼排ガス中の酸素の分析法として，電気化学式酸素計があるが，[12]方式と[13]方式がある．

一方，排ガス中の硫黄酸化物の分析において，紫外線吸収方式は共存する[14]の影響を，紫外線蛍光方式は共存する[15]の影響をそれぞれ無視できる場合，又は影響を除去できる場合に適用できる．

〈[12]～[15]の解答群〉

ア アンモニア　**イ** 塩化水素　**ウ** 炭化水素
エ 二酸化炭素　**オ** 二酸化窒素　**カ** ジルコニア
キ ダンベル　**ク** 圧力検出　**ケ** 電極

解 説

(1) 拡散燃焼方式のノズル形は，ガスを噴出させる簡単な構造のノズルと，燃焼用空気を旋回させるためのエアーレジスタから成る．ノズルの形状によりガン形，マルチスパッド形，リング形がある．ガン形，マルチスパッド形は，比較的高圧のガス用として使用され，リング型は低圧のガス用として使用される．

(2) 回転式油バーナは，回転力を利用して油を霧化するバーナで，霧化用空気は全燃焼空気量の 20 %以下，送風圧は数 kPa 程度でよい．回転式油バーナは，燃焼量の調整範囲が広く，小型の燃焼装置で用いられることが多い．

高圧気流式油バーナは，狭角の長炎，油量調整範囲が広いという特徴をもっており，油量調整範囲は回転式の方が狭い．

(3) 微粉炭燃焼装置は，石炭を粉砕して 74 μm 以下の微粉にしたものを，一次空気とともに燃焼炉内に吹き込み，燃焼室内で二次空気と混合し浮遊させて燃焼させる．

一次空気の量は，一般に理論空気量の 30 %程度である．また，微粉炭の装置内滞留時間は数秒である．

貯蔵燃焼方式は，微粉砕機によって粉砕された微粉炭を貯蔵層にいったん貯めてから，燃焼用一次空気と微粉炭の混合気流にしてバーナから炉内へ噴出させる．貯蔵燃焼方式は燃焼室の負荷変動を容易に調整できる．

(4)　酸素の電気化学的酸化還元反応を利用して O_2 濃度を連続的に求める電気化学式酸素計は，ジルコニア方式と電極方式がある．

硫黄酸化物の分析では，溶液導電率方式，赤外線吸収方式，紫外線吸収方式，紫外線蛍光方式が JIS（JIS B 7981：2002）に規定されている．

紫外線吸収方式は，共存する二酸化窒素の影響を無視できる場合，または影響を除去できる場合に適用できる．

紫外線蛍光方式は，共存する炭化水素の影響を無視できる場合，または影響を除去できる場合に適用できる．

解　答　**(1)　1- カ，2- エ，3- オ**

(2)　4- ア，5- エ，6- ク，7- ケ

(3)　8- イ，9- エ，10- キ，11- サ

(4)　12- カ，13- ケ，14- オ，15- ウ

（燃焼計算）

問題10　次の各文章の［　1　］～［　6　］の中に入れるべき最も適切な数値又は式をそれぞれの解答群から選び，その記号を答えよ．なお，一つの解答群から同じ記号を 2 回以上使用してもよい．

また，［A　a.bc］～［M　a.bc］に当てはまる数値を計算し，その結果を答えよ．ただし，解答は解答すべき数値の最小位の一つ下の位で四捨五入すること．（配点計 50 点）

燃料を完全燃焼するためには空気比を 1 以上とすることが必要であるが，空気比が 1 以上であっても，燃料と空気の混合が十分でないと，燃料の一部が不完全燃焼となる場合がある．

いま，炭素と水素の質量割合が炭素 0.87，水素 0.13 の液体燃料を空気比 1.2 で燃焼させている加熱装置がある．この加熱装置の燃焼が完全燃焼であるときと，炭素の一部が不完全燃焼であるときについて考える．

ただし，燃焼用空気の組成は酸素の体積割合を 21 %とし，残りは全て窒素とする．また，単位の［m^3_N］は 0 ℃，1 気圧（101.325 kPa）のもとでの気体の体積を表し，［m^3_N/kg-f］は，燃料 1 kg 当たりについての気体の体積を［m^3_N］の単位で表している．

1)　燃料が完全燃焼しているときの諸量を求める.

i)　燃料が完全燃焼するときの反応式

この燃料が完全燃焼するときの反応式は，次のように表される.

炭素：C ＋ [1] O_2 ＝ [2] CO_2

水素：H ＋ [3] O_2 ＝ [4] H_2O

〈[1]～[4]の解答群〉

ア $\frac{1}{4}$　**イ** $\frac{1}{2}$　**ウ** 1　**エ** $\frac{3}{2}$　**オ** 2

カ $\frac{5}{2}$　**キ** 4　**ク** 6

ii)　理論空気量及び理論湿り燃焼ガス量

燃料中の炭素と水素の質量割合は炭素が 0.87，水素が 0.13 なので，この燃料 1 kg の中に含まれる炭素は [5] [kmol] である．1 kmol の気体の体積は [6] $[\mathrm{m^3_N}]$ であるから，この燃料 1 kg の完全燃焼によって発生する CO_2 量は，[A a.bc] $[\mathrm{m^3_N/kg_{-f}}]$ となる．同様に，この燃料 1 kg の完全燃焼によって発生する H_2O 量は [B a.bc] $[\mathrm{m^3_N/kg_{-f}}]$ となる.

また，この燃料 1 kg が完全燃焼するための理論空気量は [C ab.c] $[\mathrm{m^3_N/kg_{-f}}]$ となり，これらから理論空気量で完全燃焼したときに生成する理論湿り燃焼ガス量は，[D ab.c] $[\mathrm{m^3_N/kg_{-f}}]$ となる.

〈[5]及び[6]の解答群〉

ア $\frac{0.87}{44}$　**イ** $\frac{1}{44}$　**ウ** $\frac{0.87}{12}$　**エ** $\frac{1}{12}$　**オ** 6.02

カ 8.31　**キ** 22.4

iii)　乾き燃焼ガス量及び O_2 濃度

燃料が完全燃焼しているので，燃料中の炭素は全て CO_2 となる．また，余剰空気中に含まれる O_2 量は，理論空気量と空気比 1.2 から [E a.bc] $\times 10^{-1}$ $[\mathrm{m^3_N/kg_{-f}}]$ と求められる．これらに，燃焼用空気中の窒素の体積を加えて，生成する乾き燃焼ガス量は [F ab.c] $[\mathrm{m^3_N/kg_{-f}}]$ となる.

これより，乾き燃焼ガス中の O_2 の濃度（体積割合）は [G a.bc] [%] となる.

2)　燃料中の炭素の一部が不完全燃焼しているときの諸量を求める.

次に，この燃料を同じ空気比 1.2 で燃焼させたときに不完全燃焼が起き，燃料中に含まれる炭素のうち，質量割合でその 10 %に相当する分だけが不完全燃焼して CO になったとする.

i)　炭素の 10 %が CO となったことから，この燃料 1 kg を不完全燃焼させたときに発生する CO 量は [H a.bc] $\times 10^{-1}$ $[\mathrm{m^3}_\mathrm{N}/\mathrm{kg}_{\text{-f}}]$，$CO_2$ 量は [I a.bc] $[\mathrm{m^3}_\mathrm{N}/\mathrm{kg}_{\text{-f}}]$ となる．また，O_2 量は完全燃焼のときの余剰分に加えて，不完全燃焼によって [J a.bc] $\times 10^{-2}$ $[\mathrm{m^3}_\mathrm{N}/\mathrm{kg}_{\text{-f}}]$ だけ残存量が増える．

ii) これより，発生した乾き燃焼ガス量は [K ab.c] $[\mathrm{m^3}_\mathrm{N}/\mathrm{kg}_{\text{-f}}]$ となり，これに含まれる O_2 の濃度（体積割合）は [L a.bc] [%]，CO の濃度（体積割合）は [M a.bc] [%] となる．

解　説

1)

i) 炭素と水素が完全燃焼する場合の反応方程式は次式で表される．

$$C + O_2 = CO_2$$

$$H + \frac{1}{4}O_2 = \frac{1}{2}H_2O$$

ii) 炭素の原子量は 12 であることから，1 kg の炭素は 1/12 kmol となる．

燃料 1 kg の中に含まれる炭素は 0.87 kg であるので，0.87/12 kmol となる．

1 kmol の気体の体積は 22.4 $\mathrm{m^3}_\mathrm{N}$ であるから，完全燃焼で発生する CO_2 量 V_{CO2} は，

$$V_{\mathrm{CO2}} = \frac{0.87}{12} \times 22.4 = 1.624 \fallingdotseq 1.62\ \mathrm{m^3}_\mathrm{N}/\mathrm{kg}_{\text{-f}}$$

水素の原子量は 1 であることから，1 kg の水素は 1 kmol となる．

燃料 1 kg の中に含まれる水素は 0.13 kg であるので，0.13/2 kmol の水が発生する．このことから，完全燃焼で発生する H_2O 量 V_{H2O} は，

$$V_{\mathrm{H2O}} = \frac{0.13}{2} \times 22.4 = 1.456 \fallingdotseq 1.46\ \mathrm{m^3}_\mathrm{N}/\mathrm{kg}_{\text{-f}}$$

完全燃焼に必要な酸素量 V_O は

$$V_\mathrm{O} = 0.87 \times \frac{22.4}{12} + 0.13 \times \frac{22.4}{4} = 2.352 \fallingdotseq 2.35\ \mathrm{m^3}_\mathrm{N}/\mathrm{kg}_{\text{-f}}$$

となる．空気中の酸素の体積割合は 0.21 であるから，理論空気量 V_A は，

$$V_\mathrm{A} = \frac{V_\mathrm{O}}{0.21} = \frac{2.352}{0.21} = 11.2\ \mathrm{m^3}_\mathrm{N}/\mathrm{kg}_{\text{-f}}$$

湿り燃焼ガス量 V_G は，供給空気量から O_2 が消費され，CO_2 と H_2O が生成されるので，次式で求められる．

$$\begin{aligned} V_\mathrm{G} &= V_\mathrm{A} - V_\mathrm{O} + V_{\mathrm{CO2}} + V_{\mathrm{H2O}} \\ &= 11.2 - 2.352 + 1.624 + 1.456 \end{aligned}$$

$= 11.928 \fallingdotseq 11.9\ \mathrm{m^3{}_N/kg_{\text{-}f}}$

iii) 余剰空気中に含まれる O_2 量 V_{O1} は,

$$V_{O1} = (1.2 - 1.0) \times V_O = 0.2 \times 2.352$$
$$= 0.470\,4 \fallingdotseq 4.70 \times 10^{-1}\ \mathrm{m^3{}_N/kg_{\text{-}f}}$$

余剰空気量 V_{A1} は,

$$V_{A1} = (1.2 - 1.0) \times V_A = 0.2 \times 11.2$$
$$= 2.24\ \mathrm{m^3{}_N/kg_{\text{-}f}}$$

燃焼用空気中の窒素の体積 V_N は,

$$V_N = V_A - V_O = 11.2 - 2.352 = 8.848\ \mathrm{m^3{}_N/kg_{\text{-}f}}$$

となり，乾き燃焼ガス量 V_{G1} は,

$$V_{G1} = V_N + V_{CO2} + V_{A1} = 8.848 + 1.624 + 2.24$$
$$= 12.712 \fallingdotseq 12.7\ \mathrm{m^3{}_N/kg_{\text{-}f}}$$

乾き燃焼ガス中の O_2 の濃度（体積割合）は

$$\frac{V_{O1}}{V_{G1}} = \frac{0.470\,4}{12.712} = 0.037\,0 = 3.7\ \%$$

となる.

2)

i) 10 %が不完全燃焼であることから，燃料 1 kg を不完全燃焼させたときに発生する CO 量 V_{CO}' は,

$$V_{CO}' = V_{CO2} \times 0.1 = 1.624 \times 0.1$$
$$= 0.162\,4 \fallingdotseq 1.62 \times 10^{-1}\ \mathrm{m^3{}_N/kg_{\text{-}f}}$$

CO_2 量 V_{CO2}' は,

$$V_{CO2}' = V_{CO2} \times 0.9 = 1.624 \times 0.9$$
$$= 1.461\,6 \fallingdotseq 1.46\ \mathrm{m^3{}_N/kg_{\text{-}f}}$$

O_2 量 V_{O2} は，$C + \frac{1}{2}O_2 = CO$ より

$$V_{O2} = \frac{0.87}{12} \times \frac{22.4}{2} \times 0.1 = 0.081\,2 = 8.12 \times 10^{-2}\ \mathrm{m^3{}_N/kg_{\text{-}f}}$$

となる.

ii) 乾き燃焼ガス量 V_{G2} は,

$$V_{G2} = V_{G1} + V_{O2} = 12.712 + 0.081\,2$$
$$= 12.793\,2 \fallingdotseq 12.8\ \mathrm{m^3{}_N/kg_{\text{-}f}}$$

乾き燃焼ガス中の O_2 の濃度（体積割合）は,

$$\frac{V_{O1} + V_{O2}}{V_{G2}} = \frac{0.470\,4 + 0.081\,2}{12.793\,2} = 0.043\,11 \fallingdotseq 4.31\ \%$$

乾き燃焼ガス中の CO の濃度（体積割合）は,

$$\frac{V_{\mathrm{CO}}'}{V_{\mathrm{G2}}} = \frac{0.162\,4}{12.793\,2} = 0.012\,69 \fallingdotseq 1.27\ \%$$

解　答　**1）　1- ウ，2- ウ，3- ア，4- イ，5- ウ，6- キ，A-1.62，B-1.46，C-11.2，D-11.9，E-4.70，F-12.7，G-3.70**

2）　H-1.62，I-1.46，J-8.12，K-12.8，L-4.31，M-1.27

第 41 回　2019 年（令和元年）

（燃料及び燃焼管理）

問題8　次の各文章の［ 1 ］～［ 15 ］の中に入れるべき最も適切な字句，数値又は記述をそれぞれの解答群から選び，その記号を答えよ．（配点計 30 点）

⑴　次の1)～3)は，燃料ガスの性状や燃焼に関わる性質について記述したものである．

1)　一般的に広く使用されている気体燃料中の代表的な成分に CH_4，C_3H_8，C_4H_{10} 等がある．CH_4 は都市ガス 13A の主成分であり，C_3H_8 及び C_4H_{10} は［ 1 ］の主成分である．C_3H_8 及び C_4H_{10} の 20 ℃における飽和蒸気圧について，C_3H_8 のそれは約 0.8 MPa であり，C_4H_{10}（n–C_4H_{10}）のそれは約［ 2 ］［MPa］である．

〈［ 1 ］及び［ 2 ］の解答群〉

ア 0.2　**イ** 0.7　**ウ** 0.8　**エ** 1.1　**オ** CNG

カ LNG　**キ** LPG

2)　気体の CH_4 と C_3H_8 の単位体積当たりの高発熱量（MJ/m^3_N 単位の値）を比較すると，C_3H_8 は CH_4 の約［ 3 ］倍である．C_3H_8 の単位質量当たりの高発熱量は約［ 4 ］［MJ/kg］であり，この値は，市販の重油や軽油などの燃料油の単位質量当たりの高発熱量の値よりいくぶん［ 5 ］.

〈［ 3 ］～［ 5 ］の解答群〉

ア 1.5　**イ** 2　**ウ** 2.5　**エ** 3　**オ** 50

カ 60　**キ** 70　**ク** 高い　**ケ** 低い

3)　燃料ガスと空気の混合気について，混合気が燃焼し得る濃度範囲（混合気中の燃料ガスの体積割合%）を可燃範囲という．0.1 MPa，298 K のもとで，CH_4–空気混合気の可燃範囲は 5 ～ 15 %程度であり，C_3H_8–空気混合気の可燃範囲は［ 6 ］［%］程度である．これら混合気の層流燃焼速度の最大値についてみると，0.1 MPa，298 K のもとで，両者ともに，混合気の当量比が［ 7 ］程度の場合に層流燃焼速度は最大になり，その値は約［ 8 ］［cm/s］である．

〈［ 6 ］～［ 8 ］の解答群〉

ア 0.9　**イ** 1.1　**ウ** 1.3　**エ** 1.8　**オ** 40

カ 150　**キ** 290　**ク** 2 ～ 10　**ケ** 5 ～ 10　**コ** 4 ～ 75

⑵　次は，火炎からの放射について記述したものである．

火炎からの放射には，OH，CH，C_2 などの励起化学種から発せられる化学発光，[9] や [10] などの安定分子から発せられるガス放射，すすなどの固体粒子から発せられる固体放射の 3 要素がある．

すすなどの固体粒子を含まない火炎は化学発光とガス放射だけを生じ，低輝度の [11] 色を呈し，不輝炎と呼ばれる．それに対し，すすなどの固体粒子を含む火炎は化学発光とガス放射も伴うが，輝度の高い固体放射が支配的で，[12] 色を呈し，輝炎と呼ばれる．

また，燃焼方式による火炎の形態をみると，[13] 火炎は不輝炎の形態をとることが多く，[14] 火炎や [15] 火炎は輝炎の形態をとることが多い．

〈[9] ～ [15] の解答群〉

ア CO_2　**イ** H_2O　**ウ** N_2
エ O_2　**オ** 青あるいは青緑　**カ** 黄あるいは黄赤
キ 液体燃料の噴霧　**ク** 気体燃料の拡散　**ケ** 気体燃料の予混合

解　説

(1)

1) C_3H_8（プロパン）および C_4H_{10}（ブタン）の主成分は，**LPG** である．C_4H_{10} の飽和蒸気圧（20 ℃ゲージ圧）は，約 **0.2 MPa** である．

2) 高発熱量は，C_3H_8 が約 100 $\mathrm{MJ/m^3_N}$，CH_4（メタン）が約 40 $\mathrm{MJ/m^3_N}$ であり，約 **2.5 倍**．C_3H_8 の単位質量当たりの高発熱量は約 **50 MJ/kg** である．重油や軽油は約 45 MJ/kg であるので，いくぶん**高い**．

3) C_3H_8 の可燃範囲は **2 %～ 10 %**．混合気の当量比が **1.1** 程度の場合に層流燃焼速度が最大になり，燃焼速度は約 **40 cm/s** である．

ちなみに，CH_4 の可燃範囲は 5 %～ 15 %．混合気の当量比が 1.1 程度の場合に層流燃焼速度が最大になり，燃焼速度は約 40 cm/s である．

(2) 火炎からの放射には化学発光，ガス放射，固体放射の 3 要素があり，ガス放射は **CO_2** や **H_2O** などの安定分子から発せられる．

火炎は化学発光と呼ばれる近紫外，**青**，**青緑**の発光を伴う．また，すすの発生があると**黄または黄赤**の明るい輝炎発光が化学発光に重畳する．

気体燃料の予混合火炎は不輝炎の形態をとることが多く，**液体燃焼の噴霧**および**気体燃料の拡散**は輝炎の形態をとることが多い．

解　答　**(1) 1-キ，2-ア，3-ウ，4-オ，5-ク，6-ク，7-イ，8-オ**
(2) 9-ア，10-イ，11-オ，12-カ，13-ケ，14-キ，15-ク（9 と 10，14 と 15 の順序は問わない）

（燃料及び燃焼管理）

問題9　次の各文章及び表の [1] ～ [13] の中に入れるべき最も適切な字句，数値又は式をそれぞれの解答群から選び，その記号を答えよ．なお，[2]，[6]，[7] 及び [8] は 2 箇所あるが，それぞれ同じ記号が入る．（配点計 30 点）

(1)　燃料を燃焼すると燃料中の硫黄化合物は，大部分が [1] となり，その一部は [2] となる．低温腐食とは，硫酸蒸気が酸露点以下の表面温度の伝熱面に凝縮して硫酸となり，金属を腐食する現象である．ここで，酸露点は排ガス中の [2] が水蒸気と共に凝縮する温度であり，高い場合には [3] [℃] に達することもあるため注意が必要である．

〈[1] ～ [3] の解答群〉

ア　160　**イ**　210　**ウ**　260　**エ**　SO　**オ**　SO_2　**カ**　SO_3

(2)　気体燃料燃焼装置に関する次の記述のうち，明らかに間違っているものは，[4] 及び [5] である．

①　拡散燃焼バーナは，逆火の危険なしに燃焼量を広範囲に調節できる．

②　拡散燃焼バーナは，予混合燃焼バーナよりもすすを発生しにくい．

③　部分予混合燃焼バーナの基本形式の一例として，ブンゼンバーナがある．

④　部分予混合燃焼バーナの空気の予混合には，ベンチュリー管が使用される場合が多い．

⑤　完全予混合燃焼バーナは，逆火に対して十分な配慮が必要である．

⑥　完全予混合燃焼バーナは，工業用ガスバーナとして最も多く用いられている．

〈[4] 及び [5] の解答群〉

ア　①　**イ**　②　**ウ**　③　**エ**　④　**オ**　⑤　**カ**　⑥

(3)　液体燃料燃焼装置について，次の表に示す火炎の特徴及び主な用途に該当するバーナ形式はそれぞれ [6]，[7]，及び [8] である．

表　各種バーナの主な特徴と用途

バーナ形式	主な特徴	主な用途
[6]	・比較的狭角の短炎	小型加熱炉など比較的小規模の加熱装置
[7]	・広角火炎 ・狭い油量調節範囲	負荷変動の少ない発電用，船舶用などの大型ボイラ
[8]	・優れた霧化特性 ・広い油量調節範囲	連続加熱炉，ガラス溶融炉など均一加熱の必要な加熱炉

〈[6]～[8]の解答群〉

ア　高圧気流式　　**イ**　低圧気流式　　**ウ**　油圧式

(4)　流動層燃焼方式の固体燃料燃焼装置について考える.

1)　運転温度は通常 [9] [℃] 程度で, NO_x の生成が少ないのが特徴である.

〈[9]の解答群〉

ア　650 ～ 750　　**イ**　800 ～ 950　　**ウ**　1 000 ～ 1 150

2)　気泡方式と循環方式とがあり, 気泡方式の空気流速は, [10] [m/s] 程度である.

3)　汚泥焼却炉では, N_2O 生成抑制対策として, 炉内温度を [11] [℃] 以上に保つことが求められている.

〈[10]及び[11]の解答群〉

ア　0.1 ～ 0.2　　**イ**　1 ～ 2　　**ウ**　5 ～ 10　　**エ**　700

オ　850　　**カ**　1 150

(5)　燃焼ガス分析に関する次の記述のうち, 明らかに間違っているものは, [12]及び[13]である.

①　ガス分析法を分類すると, そのほとんどが化学的分析法である.

②　ガスクロマトグラフ法は, 連続的な測定に適している.

③　試料ガス採取点の選定として, ダクト内にダストが堆積するところは避ける.

④　試料ガスの採取管及び導管の材質は, 腐食し難いものを選ぶ.

⑤　赤外線ガス分析計は, ガスの種別ごとの赤外線の吸収の強さから濃度を求める分析計である.

⑥　空気比が大きくなるほど排ガス中の酸素濃度は増加する.

〈[12]及び[13]の解答群〉

ア　①　　**イ**　②　　**ウ**　③　　**エ**　④　　**オ**　⑤　　**カ**　⑥

解　説

(1)　燃料を燃焼すると燃料中の硫黄化合物は二酸化硫黄 (SO_2) となり, その一部は三酸化硫黄 (SO_3) に酸化される. SO_3 は水蒸気と反応して硫酸を生成し, 低温伝熱面に凝縮して腐食障害を起こすことがある. これを低温腐食という. 燃焼排ガス中に硫酸が含まれると燃焼ガスの露点は最高 160 ℃くらいまで上昇する.

(2)

②　拡散燃焼バーナは, 予混合燃焼バーナに比べて炭素生成が多いため輝炎と

なり，すすが発生しやすい．

⑥　拡散燃焼バーナは逆火の危険なしに燃焼量を広範囲に調整できることから工業用ガスバーナとして最もよく用いられる．完全予混合燃焼バーナではない．

(3)　液体燃料バーナは霧化の方式で，大形ボイラに用いられる油圧式，加熱炉に用いられる流体式，中小形ボイラに用いられる回転式に分類される．流体式はさらに噴霧媒体（空気あるいは水蒸気）の圧力によって高圧，低圧に分けられる．

各方式の火炎と油量調整範囲の特徴を示す．

油圧（噴霧）式は，広角の火炎で油量調節範囲が狭い．

高圧気流式は，狭角の長炎で油量調節範囲が広い．

低圧気流式は比較的狭角の短炎で油量調節範囲が広い．

(4)　流動層燃焼は，砂などの耐火性物質と固体燃料との比較的細かい混合粒子層の底部に多数の小穴が開いた分散板があり，その下から空気を供給することで沸騰状態に似た運動をする流動層を形成させ燃焼させる．

運転温度は通常 800 ℃～ 950 ℃程度である．

気泡方式の空気流速は 1 m/s ～ 2 m/s 程度である．

汚泥焼却炉では，炉内温度を 850 ℃以上に保つことが求められている．

(5)

①　ガス分析法のほとんどが，物理的分析法である．

②　ガスクロマトグラフ法は，いくつかを同時に分析することができるが，連続的な測定はできない．

解　答　**(1)　1- オ，2- カ，3- ア**

(2)　4- イ，5- カ（4，5 の順序は問わない）

(3)　6- イ，7- ウ，8- ア

(4)　9- イ，10- イ，11- オ

(5)　12- ア，13- イ（12，13 の順序は問わない）

（燃焼計算）

問題10　次の各文章の［ 1 ］～［ 7 ］の中に入れるべき最も適切な数値をそれぞれの解答群から選び，その記号を答えよ．なお，一つの解答群から同じ記号を 2 回以上使用してもよい．

また，［A｜a.bc］～［J｜a.bc × 10^d］に当てはまる数値を計算し，その結果を答えよ．ただし，解答は解答すべき数値の最小位の一つ下の位で四捨五入す

ること.（配点計 50 点）

ボイラの熱効率を向上させるためには排ガスからの熱回収が有効である．最近の小型ボイラでは，排ガス温度が露点以下になるまで熱回収を行って水蒸気の潜熱を利用することもある.

いま, 組成（体積割合）がメタン 90 %, エタン 10 %の気体燃料を空気比 1.2 で完全燃焼させているボイラを想定し，基準温度を 25 ℃，排ガス温度を 300 ℃としたとき, 排ガスからの熱回収がどれほど有効かを概算する．ただし，ボイラからの熱損失は排ガスが持ち出す熱損失のみとし，燃焼用空気中の水蒸気は無視してよいものとする.

ここで，メタンの低発熱量を 35.8 MJ/$\mathrm{m^3_{N-f}}$，エタンの低発熱量を 63.8 MJ/$\mathrm{m^3_{N-f}}$ とし，排ガスの平均定圧比熱を 1.38 kJ/($\mathrm{m^3_N}$・K)，水蒸気の凝縮潜熱を 2.44 MJ/kg とする．また，空気中の酸素の体積割合を 21 %とし，残りは全て窒素とする.

なお，［$\mathrm{m^3_N}$］は標準状態での気体の体積，［$\mathrm{m^3_{N-f}}$］はそのうちの気体燃料の体積を表すものとし，気体 1 kmol の体積を 22.4 $\mathrm{m^3_N}$ とする.

1） 理論空気量を計算する.

メタンとエタンが完全燃焼したときの反応式はそれぞれ次のようになる.

CH_4 ＋ [1] O_2 ＝ [2] CO_2 ＋ [3] H_2O

C_2H_6 ＋ [4] O_2 ＝ [5] CO_2 ＋ [6] H_2O

用いる燃料の組成がメタン 90 %，エタン 10 %なので，燃料 1 $\mathrm{m^3_N}$ の燃焼に必要な理論酸素量は [A a.bc] ［$\mathrm{m^3_N/m^3_{N-f}}$］であり，空気中の酸素の体積割合が 21 %であることから，理論空気量は [B ab.c] ［$\mathrm{m^3_N/m^3_{N-f}}$］と求められる.

〈[1]～[6]の解答群〉

ア $\frac{1}{4}$　**イ** $\frac{1}{2}$　**ウ** 1　**エ** 2　**オ** $\frac{5}{2}$

カ 3　**キ** $\frac{7}{2}$　**ク** 4　**ケ** 5　**コ** 6

2） 湿り燃焼ガス量を計算する.

この燃料 1 $\mathrm{m^3_N}$ を，完全燃焼させたときに発生する CO_2 量は [C a.bc] ［$\mathrm{m^3_N/m^3_{N-f}}$］，H_2O 量は [D a.bc] ［$\mathrm{m^3_N/m^3_{N-f}}$］と求められる．想定する燃焼では空気比が 1.2 なので，湿り燃焼ガス量は，発生する CO_2 量及び H_2O 量に，空気中の N_2 量と余剰の O_2 量を加えて [E ab.c] ［$\mathrm{m^3_N/m^3_{N-f}}$］となる.

3） 熱回収前のボイラの熱効率を計算する.

ここで，ボイラの熱効率については，燃料の低発熱量基準で計算することとし，それによって熱回収の効果を評価する．

メタンとエタンの低発熱量から，この燃料 1 m^3_N の燃焼による低発熱量は F ab.c ［MJ/m^3_{N-f}］となる．ボイラからの熱損失は，熱回収前の温度 300 ℃の排ガスが持ち出す熱損失のみとするので，熱回収を行う前のボイラの熱効率は 86.9 %となる．

4)　熱回収の効果を計算する．

使用燃料がメタンとエタンのみによるクリーンなガス燃料であり，燃焼ガスによる低温腐食等の問題は少ないので，排ガス温度を燃焼ガス中の水蒸気が凝縮するまで下げることによって，顕熱だけでなく潜熱も回収することを考える．ただし，水蒸気が凝縮しても燃焼ガスの体積と比熱は変わらないものと仮定する．

i)　顕熱回収の効果

排ガス温度が当初の 300 ℃から 50 ℃に低下するまで燃焼ガスから熱回収できたとすると，燃焼ガス 1 m^3_N から回収される顕熱量は G a.bc $\times 10^{-1}$ ［MJ/m^3_N］である．想定する燃焼ガス量を勘案すれば，この顕熱回収により，ボイラの熱効率は H ab.c ［%］まで改善されることになる．

ii)　潜熱回収の効果

排ガス温度が 50 ℃に低下するまでに，燃焼ガス中の水蒸気の 22 %が凝縮してその潜熱が回収できたとする．ここで，1 kg の水蒸気は 7 ［kmol］であるから，水蒸気 1 m^3_N 当たりの凝縮潜熱は I a.bc ［MJ/m^3_N］となる．

i）の顕熱回収に加えて水蒸気の潜熱回収も行った場合は，燃料の低発熱量基準のボイラの熱効率は J a.bc × 10^d ［%］と算出される．効率の値は 100 %を超えたものになるが，これは燃料の低発熱量基準でボイラの効率を評価しているためである．

〈 7 の解答群〉

ア $\frac{1}{22.4}$　**イ** $\frac{1}{18}$　**ウ** $\frac{1}{2}$　**エ** 1

解　説

1)　メタンとエタンが完全燃焼する場合の反応方程式を次に示す．

$$CH_4 + 2O_2 = CO_2 + 2H_2O$$

$$C_2H_6 + \frac{7}{2}O_2 = 2CO_2 + 3H_2O$$

燃料 1 $m^3{}_N$ 中にメタンが 0.9 $m^3{}_N$ 含まれているので，理論酸素量 $V_{O2(0)}$ は，

$$V_{O2(0)} = 0.9 \times 2 = 1.8\ m^3{}_N/m^3{}_{N-f}$$

燃料 1 $m^3{}_N$ 中にエタンが 0.1 $m^3{}_N$ 含まれているので，理論酸素量 $V_{O2(1)}$ は，

$$V_{O2(1)} = 0.1 \times \frac{7}{2} = 0.35\ m^3{}_N/m^3{}_{N-f}$$

燃焼 1 $m^3{}_N$ に必要な理論酸素量 V_{O2} は，

$$V_{O2} = V_{O2(0)} + V_{O2(1)} = 1.8 + 0.35 = 2.15\ m^3{}_N/m^3{}_{N-f}$$

大気中に占める酸素の体積割合が 21 %であることから，理論空気量 V_1 は，

$$V_1 = \frac{2.15}{0.21} = 10.23 \fallingdotseq 10.2\ m^3{}_N/m^3{}_{N-f}$$

2)　燃焼 1 $m^3{}_N$ を完全燃焼させたときに発生する CO_2 量 V_{CO2} は，

$$V_{CO2} = 0.9 \times 1 + 0.1 \times 2 = 1.10\ m^3{}_N/m^3{}_{N-f}$$

燃焼 1 $m^3{}_N$ を完全燃焼させたときに発生する H_2O 量 V_{H2O} は，

$$V_{H2O} = 0.9 \times 2 + 0.1 \times 3 = 2.10\ m^3{}_N/m^3{}_{N-f}$$

湿り燃焼ガス量 V' は，発生する CO_2，H_2O と残った酸素と窒素であるから，

$$\begin{aligned} V' &= V_{CO2} + V_{H2O} + V_1(1.0 - 0.21) \times 1.2 + V_{O2}(1.2 - 1.0) \\ &= 1.10 + 2.10 + 10.23 \times 0.79 \times 1.2 + 2.15 \times 0.2 = 13.32 \\ &\fallingdotseq 13.3\ m^3{}_N/m^3{}_{N-f} \end{aligned}$$

3)　メタン低発熱量 35.8 $MJ/m^3{}_{N-f}$，エタン低発熱量 63.8 $MJ/m^3{}_{N-f}$ より，

$$燃焼\ 1\ m^3{}_N\ の低発熱量 = 35.8 \times 0.9 + 63.8 \times 0.1 = 38.6\ MJ/m^3{}_{N-f}$$

4)

i)　平均定圧比熱 1.38 $kJ/(m^3{}_N \cdot K)$ より

$$1.38 \times 1 \times (300 - 50) = 345\ kJ/m^3{}_{N-f} = 3.45 \times 10^{-1}\ MJ/m^3{}_{N-f}$$

利用できる熱量は，燃焼 1 $m^3{}_N$ の低発熱量 38.6 $MJ/m^3{}_{N-f}$ の 86.9 %と湿り燃焼ガス量 V' から回収される熱量なことから

$$38.6 \times 0.869 + 13.32 \times 0.345 = 38.13$$

$$ボイラの熱効率 = \frac{38.13}{38.6} \times 100 = 98.78 \fallingdotseq 98.8\ \%$$

ii)　水蒸気の原子量は 18 であることから，1 kg の水蒸気は 1/18 kmol.

水蒸気 1 $m^3{}_N$ 当たりの凝縮潜熱は，

$$2.44 \times \frac{18}{22.4} = 1.960 \fallingdotseq 1.96\ MJ/m^3{}_{N-f}$$

燃焼 1 $m^3{}_N$ を完全燃焼させたときに発生する水蒸気量 V_{H2O} は 2.1 $m^3{}_N/m^3{}_{N-f}$ であることから，利用できる熱量は，

$$38.6 \times 0.869 + 13.32 \times 0.345 + 2.1 \times 0.22 \times 1.960 = 39.04$$

$$\text{ボイラの熱効率} = \frac{39.04}{38.6} \times 100 = 101.1 \fallingdotseq 1.01 \times 10^2\ \%$$

解　答　(1)　**1-エ，2-ウ，3-エ，4-キ，5-エ，6-カ，A-2.15，B-10.2**

(2)　**C-1.10，D-2.10，E-13.3**

(3)　**F-38.6**

(4)　**G-3.45，H-98.8，7-イ，I-1.96，J-1.01 × 10^2**

第 40 回　2018 年（平成 30 年）

（燃料及び燃焼管理）

問題8　次の各文章の [1] ～ [15] の中に入れるべき最も適切な字句，数値，式又は記述をそれぞれの解答群から選び，その記号を答えよ．なお，[1] 及び [6] は 2 箇所あるが，それぞれ同じ記号が入る．（配点計 30 点）

(1)　液体燃料の量は体積で計量されることが多く，質量への換算のために密度の値は重要である．通常，温度 [1] ［℃］における密度を［g/cm³］の単位で表したり，その値に極めて近い値として，[1] ［℃］における密度と [2] ［℃］の水の密度との比（比重）で表したりしている．

市販されている重油，軽油，灯油の 3 種の液体燃料のうち，一般に，密度が最も大きいのは [3] であり，密度が最も小さいのは [4] である．

また，これら 3 種の液体燃料の単位質量当たりの高発熱量の値には大きな差はなく，[5] ［MJ/kg］程度である．

〈[1] ～ [5] の解答群〉

ア　0　　**イ**　4　　**ウ**　15　　**エ**　25
オ　40 ～ 50　　**カ**　50 ～ 60　　**キ**　60 ～ 70　　**ク**　軽油
ケ　重油　　**コ**　灯油

(2)　規定条件下で小さな炎を液体燃料の試料蒸気に近づけたとき，試料蒸気が閃光《せんこう》を発して瞬間的に燃焼し，かつ，その炎が液面上を伝播《でんぱ》する試料の最低温度を [6] と呼ぶ．

重油の規格（JIS K 2205：2006）では，重油 1 種（A 重油）についてその温度は [7] と規定されている．

軽油の規格（JIS K 2204：2023）においても [6] が規定されているが，その温度域は重油 1 種（A 重油）の場合よりも [8] である．

〈[6] ～ [8] の解答群〉

ア　60 ℃以下　　**イ**　60 ℃以上　　**ウ**　80 ℃以下　　**エ**　80 ℃以上
オ　100 ℃以下　　**カ**　100 ℃以上　　**キ**　引火点　　**ク**　煙点
ケ　着火点　　**コ**　発火点　　**サ**　高温側　　**シ**　低温側

(3)　液体燃料の噴霧燃焼のための微粒化とは，液体燃料を微細な油滴に粉砕して単位質量当たりの表面積を増加させるとともに，油滴を空間に分散させ燃焼用空気との混合を良好に行わせることである．噴霧粒子群の粒度分布は図のような粒数分布柱状図で描くことができる．粒子群中の粒子を粒径によってグループに分け，i 番目のグループの中心粒径を d_i，そのグループに含まれる粒子の個数を Δn_i，粒子の総数を n_{T} としている．

ここで，噴霧粒子群の全体としての特性を代表するような平均的な粒径を考える．次の式①で表されるのは，いわゆる算術平均粒径 d_{m1} である．

$$d_{\mathrm{m1}} = \frac{\Sigma d_i \Delta n_i}{n_{\mathrm{T}}} \quad \cdots\cdots \text{①}$$

実際の噴霧バーナで形成される粒子群では小さい粒径の粒子の数が大変多いために，算術平均粒径はかなり小さい側の値になってしまい，粒子群の燃焼特性を代表する平均的な粒子径としては有用ではない．

そこで，噴霧粒子群の燃焼特性と関連付けて，粒子群の発熱量を特徴づける [9] の総和及び粒子群の蒸発・燃焼に要する時間を特徴づける [10] の総和を考慮した，次の式②で表される平均粒径 d_{m2} がよく用いられている．

$$d_{\mathrm{m2}} = \boxed{\ 11\ } \quad \cdots\cdots \text{②}$$

この d_{m2} は [12] 平均粒径と呼ばれている．

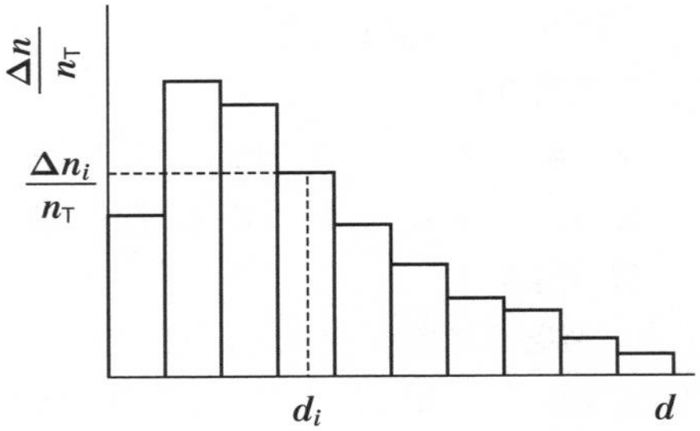

図　噴霧粒子群の粒数分布柱状図

〈[9] ～ [12] の解答群〉

ア $\frac{\Sigma d_i^2 \Delta n_i}{n_{\mathrm{T}}}$　**イ** $\frac{\Sigma d_i^3 \Delta n_i}{n_{\mathrm{T}}}$　**ウ** $\frac{\Sigma (d_i^2 \Delta n_i)}{\Sigma (d_i \Delta n_i)}$

エ $\frac{\Sigma (d_i^3 \Delta n_i)}{\Sigma (d_i^2 \Delta n_i)}$　**オ** アンサンブル　**カ** ザウタ

キ メディアン　**ク** ロジン・ラムラ　**ケ** 粒子個々の直径

コ 粒子個々の体積　**サ** 粒子個々の表面積

(4) 気体燃料が円筒形の噴出管から静止空気中に鉛直上方に噴出され，安定した噴流拡散火炎が形成される場合を考える．ここで，噴出管の内半径を r_{b}，気体燃料の噴出管出口での噴出流速を u_{f}，気体燃料の層流拡散係数（分子拡散係数）を D_{f} とする．

1)　まず，噴出流速が小さく，流れ場が層流である場合について考える．
簡易的な解析によれば，火炎の長さ l_f は，次の式③で表される．

$$l_f \propto u_f \frac{r_b^2}{D_f} \quad \cdots\cdots ③$$

すなわち，D_f は r_b や u_f に無関係で一定と考えられるから，噴出流速の小さい層流炎領域では，同じ噴出管を用いて噴出流速を変化させた場合，火炎の長さは [13] ことになり，これは実際の現象の傾向とよく一致している．

2)　一方，噴出流速が大きくなり，流れ場が乱流になった場合を考える．
その場合，式③で，層流拡散係数に代わって乱流拡散係数を使用することになる．乱流拡散係数は，概略として，流れ場の速度変動の大きさと渦のスケールの積に比例すると考えられ，速度変動の大きさは噴出流速に，渦のスケールは噴出管内半径に比例すると見なすことができる．

その結果，乱流炎領域では，同じ噴出管で噴出流速を変化させた場合，火炎の長さは [14]．また，内半径が異なる噴出管から同一の流速で燃料を噴出した場合，火炎の長さは [15]．

〈[13] ～ [15] の解答群〉

ア　噴出管内半径にほぼ比例する
イ　噴出管内半径の $\frac{1}{2}$ 乗にほぼ比例する
ウ　噴出管内半径の 2 乗にほぼ比例する
エ　噴出管内半径に依存せずにほぼ一定となる
オ　噴出流速にほぼ比例する
カ　噴出流速の $\frac{1}{2}$ 乗にほぼ比例する
キ　噴出流速の 2 乗にほぼ比例する
ク　噴出流速に依存せずにほぼ一定となる

解　説

(1)　液体燃料の密度は，15 ℃における値であり，比重は 15 ℃におけるある体積の試料の質量と，それと等体積の 4 ℃における水の質量との比と，JIS K 2249-4：2011 に規定されている．

重油，軽油，灯油の密度は以下のとおりである．

重油　0.83 ～ 0.97 g/cm^3
軽油　0.80 ～ 0.84 g/cm^3

灯油　0.78 ～ 0.80 g/cm^3

また，この 3 種の単位質量当たりの高発熱量の値は，40 ～ 50 MJ/kg である．

(2)　物質が揮発して空気と可燃性の混合物をつくることができる最低温度を引火点と呼ぶ．JIS K 2205：2006 では，A 重油と B 重油は 60 ℃以上，C 重油は 70 ℃以上と規定されている．軽油は 50 ℃以上（もしくは 45 ℃以上）であり（JIS K 2204：2023），重油より低温側である．

(3)　粒子の蒸発では粒子表面積が重要で，平均粒径には表面積が考慮されたザウタ平均粒径を用いるのがよい．ザウタ平均粒径は，粒子の表面積の総和と粒子の体積の総和を考慮し，以下の式で表される．

$$d_{\mathrm{m2}} = \frac{\Sigma(d_i^3 \Delta n_i)}{\Sigma(d_i^2 \Delta n_i)}$$

(4)

1)　式③より，同じ噴出管を用いて噴出流速 u_{f} を変化させた場合，火炎の長さ l_{f} は噴出流速に比例する．

2)　D_{f} が速度変動の大きさと渦のスケールに比例し，渦のスケールは噴出管内半径に比例することから，式③より，火炎の長さは，流速に依存せず，内半径に比例する．

噴出管を変えずに，噴出流速を変化させても，火炎の長さはほぼ一定である．

噴出管の内半径の異なる噴出管から，同一の流速で燃料を噴出させると，火炎の長さは内半径に比例する．

解　答　**(1)　1-ウ，2-イ，3-ケ，4-コ，5-オ**

(2)　6-キ，7-イ，8-シ

(3)　9-コ，10-サ，11-エ，12-カ

(4)　13-オ，14-ク，15-ア

（燃料及び燃焼管理）

問題9　次の各文章の［1］～［13］の中に入れるべき最も適切な字句又は記述をそれぞれの解答群から選び，その記号を答えよ．なお，一つの解答群から同じ記号を 2 回以上使用してもよい．（配点計 30 点）

(1)　燃焼による設備・環境への障害と対策について説明した次の記述のうち，明らかに間違っているものは，［1］及び［2］である．

①　天然ガス，LPG，C 重油の中で，LPG が最もすすを発生し易い．

②　液体燃料において，ばいじん排出量の低減にはエマルジョン燃焼が有効

である.

③　SO_2 は刺激臭を持ち，人間がその臭気を感知しうる最低レベルは 100 ppm 程度である.

④　SO_3 と同様に，HCl も低温腐食を引き起こす.

⑤　低温腐食の対策として，重油から天然ガスへの燃料転換が有効である.

⑥　NO_x 排出の低減には，多段燃焼法が有効である.

〈[1] 及び [2] の解答群〉

ア ①　**イ** ②　**ウ** ③　**エ** ④　**オ** ⑤　**カ** ⑥

(2)　気体燃焼に使用するバーナは，ガスと空気の混合方式によって大別すると，拡散燃焼バーナ，部分予混合燃焼バーナ，完全予混合燃焼バーナに分類される.

①　予熱空気を使用でき，工業用バーナとして多用されているのは，[3] 燃焼バーナである.

②　急速燃焼が可能である一方，逆火の危険性が最も大きいのは，[4] 燃焼バーナである.

③　炭素生成が多いため輝炎となり易いのは，[5] 燃焼バーナである.

〈[3] ～ [5] の解答群〉

ア 拡散　**イ** 完全予混合　**ウ** 部分予混合

(3)　液体燃料燃焼装置について説明した次の記述のうち，明らかに間違っているものは，[6] 及び [7] である.

①　蒸発式に重油を用いると，ポット内に炭素が堆積し，燃焼が持続できなくなる.

②　回転噴霧式は，油圧が霧化に影響を与えないため，燃焼量の調整範囲が広い特徴を持つ.

③　流体噴霧式は，比較的粘度の高い燃料油も温度を上げることで良好に微粒化させることができる.

④　流体噴霧式のうち，低圧気流式は噴霧媒体として，主に水蒸気を用いる.

⑤　平衡通風方式は，押込み送風機と排風機を併用し火炉を負圧に調整できるものである.

⑥　保炎器のバッフルタイプは，旋回羽根によって空気に旋回を与え，循環流を発生させる特徴をもつ.

〈[6] 及び [7] の解答群〉

ア ①　**イ** ②　**ウ** ③　**エ** ④　**オ** ⑤　**カ** ⑥

(4)　火格子燃焼方式，微粉炭燃焼方式及び流動層燃焼方式のうち，中小容量の燃焼装置で使用され，石炭等を粉砕せずにそのまま燃焼させるため動力費が少ないという特徴をもつのは，[8]燃焼方式である.

微粉炭燃焼方式では，灰は主に[9]として排出される.

流動層燃焼方式には気泡流動層方式と循環流動層方式とがあるが，炉内ガス流速を比較すると，[10].

〈[8]～[10]の解答群〉

ア クリンカ　**イ** フライアッシュ　**ウ** ボトムアッシュ
エ 火格子　**オ** 微粉炭　**カ** 流動層
キ 気泡流動層燃焼方式の方が大きい
ク 気泡流動層燃焼方式の方が小さい
ケ 同じである

(5) 燃焼排ガス中の一酸化炭素を非分散赤外線吸収分析計で測定する場合の干渉ガスは，[11]と[12]である.

また，排ガス中の二酸化硫黄の分析において，紫外線吸収方式は，共存する[13]の影響を無視できる場合，又は影響を除去できる場合に適用できる.

〈[11]～[13]の解答群〉

ア 一酸化炭素　**イ** 二酸化炭素　**ウ** 一酸化窒素
エ 二酸化窒素　**オ** 二酸化硫黄　**カ** 酸素
キ 水蒸気

解 説

(1) ① この中で最もすすが発生しやすいのは，重油である．天然ガスや LPG はすすの発生が少ない.

③ 人間が，SO_2 の臭気を感知しうる最低レベルは 3 ppm である.

(2) 拡散燃焼ガスバーナは，ガスおよび燃焼用空気をそれぞれ別の噴孔から噴出させ，両者の接触面でガスと空気を乱流拡散および分子拡散によって混合燃焼させるもので，燃焼ガスおよび空気をそれぞれ高温に予熱でき，工業用バーナとして多用されている．ただし，炭素生成が多いため輝炎となり，すすが発生しやすい.

完全予混合バーナは，燃焼用二次空気を必要とせず不輝炎による急速燃焼が可能であるが，逆火の危険性は大きい.

部分予混合バーナは，大気圧ガスバーナともいわれ，空気の予混合にベンチュリ形やブンゼン形を使用し，ガス圧のもつ動圧エネルギーによって一次空気を大気中から吸引する.

(3) ④ 低圧気流式は噴霧媒体として，空気を用いる.

⑥ 旋回羽根によって空気に旋回を与え，循環流を発生させるのはスワラ

タイプである．

(4)　固体燃料の燃焼方式には一般的なものとして微粉炭燃焼，流動層燃焼，火格子燃焼が挙げられる．

・火格子燃焼は，火格子の上に粒径 3 ～ 25 mm の固体燃料の固定層をつくり，下方から空気を供給，中に空気を通しながら燃焼させる．石炭等を粉砕せずにそのまま燃焼させるため動力費が少ない特徴をもつ．

・微粉炭燃焼装置は，微粒子化した石炭を一次空気とともに燃焼炉内に吹き込み，燃焼室内で二次空気と混合し浮遊させて燃焼させる．灰のほとんどは微粉炭燃焼灰（フライアッシュ）である．

・流動層燃焼は，砂などの耐火性物質と固体燃料との比較的細かい混合粒子層の底部に多数の小穴が開いた分散板があり，その下から空気を供給することで沸騰状態に似た運動をする流動層を形成させ燃焼させる．気泡流動層方式と循環流動層方式があり，気泡流動層方式の方が，炉内ガス流速が小さい．

(5)　一酸化炭素を非分散赤外線吸収分析計で測定する場合，水蒸気と二酸化炭素が干渉ガスである．

二酸化硫黄の分析において，紫外線吸収方式は，共存する二酸化窒素の影響を無視できる場合，または影響を除去できる場合に適用できる．

解　答　(1)　**1- ア，2- ウ**

(2)　**3- ア，4- イ，5- ア**

(3)　**6- エ，7- カ**

(4)　**8- エ，9- イ，10- ク**

(5)　**11- イ，12- キ，13- エ**

（燃焼計算）

問題10　次の各文章の［1］～［7］の中に入れるべき最も適切な数値又は式をそれぞれの解答群から選び，その記号を答えよ．なお，一つの解答群から同じ記号を 2 回以上使用してもよい．

また，［A a.bc］～［I a.b］に当てはまる数値を計算し，その結果を答えよ．ただし，解答は解答すべき数値の最小位の一つ下の位で四捨五入すること．（配点計 50 点）

プロパンとブタンのみから成る燃料を，空気比 1.3 で燃焼させている加熱炉があり，この燃料 1 m^3_{N-f} を完全燃焼させると，CO_2 が 3.2 m^3_N と H_2O が生成するという．

排ガスによる熱損失を低減させるため，空気比を 1.2 に低下させてみたところ，それでも完全燃焼していた．このとき低減される損失熱量を求めるために，次の1)～3)の計算を，燃料単位量（$m^3{}_{N-f}$ と表記する）当たりについて行う．なお，空気中の成分は O_2 と N_2 のみとする．

1)　理論空気量を計算する．

i)　プロパンとブタンが完全燃焼したときの反応式はそれぞれ以下のようになる．

$C_3H_8 +$ [1] $O_2 = 3CO_2 +$ [2] H_2O

$C_4H_{10} +$ [3] $O_2 = 4CO_2 +$ [4] H_2O

〈[1]～[4]の解答群〉

ア $\frac{1}{2}$　**イ** 1　**ウ** 2　**エ** $\frac{5}{2}$　**オ** 3

カ $\frac{7}{2}$　**キ** 4　**ク** 5　**ケ** 6　**コ** $\frac{13}{2}$

サ 8　**シ** 11　**ス** 13

ii)　燃焼により CO_2 が 3.2 $m^3{}_N/m^3{}_{N-f}$ 生成することから，i）の反応式よりこの燃料中に含まれているプロパンのモル分率は [5] [%] と分かる．

iii)　このときに必要な理論酸素量は [A a.bc] [$m^3{}_N/m^3{}_{N-f}$] であり，空気中に占める酸素の体積割合は [6] [%] であることから，この値を用いて理論空気量は [B ab.c] [$m^3{}_N/m^3{}_{N-f}$] と求められる．

〈[5]及び[6]の解答群〉

ア 16　**イ** 21　**ウ** 32　**エ** 60　**オ** 70　**カ** 80

2)　空気比低減前後の湿り燃焼ガス量を計算する．

i)　この燃料を理論空気量で完全燃焼させたときに発生する CO_2 量及び H_2O 量は次のように整理できる．

CO_2 量：3.2 [$m^3{}_N/m^3{}_{N-f}$]

H_2O 量：[C a.bc] [$m^3{}_N/m^3{}_{N-f}$]

ii)　運転空気比が 1.3 の場合，燃焼ガスに含まれる O_2 量及び N_2 量は次のとおりとなる．

O_2 量：[D a.bc] [$m^3{}_N/m^3{}_{N-f}$]

N_2 量：[E ab.c] [$m^3{}_N/m^3{}_{N-f}$]

以上より，このときの湿り燃焼ガス量は [F ab.c] [$m^3{}_N/m^3{}_{N-f}$] と求められる．

iii)　同様にして，運転空気比が 1.2 の場合の O_2 量及び N_2 量も求めることができ，このときの湿り燃焼ガス量は [G ab.c] [$m^3{}_N/m^3{}_{N-f}$] と求められる．

3）空気比低減前後の排ガスによる損失熱量を計算し，損失熱量の低減率を求める．

i）排ガスが持ち去る損失熱量 L_G は，排ガス量を V_G，湿り燃焼ガスの平均定圧比熱を C_{pm}，排ガス温度を T_G，基準温度を T_0 とすれば，式 L_G＝[7]と表される．

〈[7]の解答群〉

ア $V_G c_{pm}(T_G - T_0)$　　**イ** $V_G c_{pm}\dfrac{T_G + T_0}{2}$　　**ウ** $V_G c_{pm}\dfrac{T_G}{T_0}$

ii）今回想定した加熱炉で空気比を1.3から1.2に低下させたとき，湿り燃焼ガスの平均定圧比熱が1.37 kJ/($m^3{}_N$·K)，排ガス温度が300 ℃といずれも一定であるものとし，基準温度を20 ℃とすれば，それぞれの運転空気比における損失熱量は，i）の L_G の式から求めることができ，排ガスによる燃料単位量当たりの損失熱量は [H a.bc×10^d] [kJ/$m^3{}_{N-f}$] 低減されると予測できる．これは，空気比低減前の損失熱量の [I a.b] [%] に相当する．

解　説

1）

i）プロパンとブタンが完全燃焼する場合の反応方程式を以下に示す．

$$C_3H_8 + 5O_2 = 3CO_2 + 4H_2O$$

$$C_4H_{10} + \frac{13}{2}O_2 = 4CO_2 + 5H_2O$$

ii）プロパンのモル分率を X とすると，

$$3 \times X + 4 \times (1 - X) = 3.2$$

$$X = 0.8$$

となり，プロパンのモル分率は80 %．

iii）理論酸素量 V_{O1} は，

$$V_{O1} = 5 \times 0.8 + \frac{13}{2} \times (1 - 0.8) = 5.30\ m^3{}_N/m^3{}_{N-f}$$

大気中に占める酸素の体積割合が21 %であることから，理論空気量 V_1 は，

$$V_1 = \frac{5.30}{0.21} = 25.23 \fallingdotseq 25.2\ m^3{}_N/m^3{}_{N-f}$$

2）

i）H_2O 量は，

H_2O 量 $= 4 \times 0.8 + 5 \times (1 - 0.8) = 4.20\ \mathrm{m^3{}_N/m^3{}_{N-f}}$

ii)　空気比 1.3 より，

O_2 量 $= 25.23 \times 0.21 \times (1.3 - 1.0) = 1.589 \fallingdotseq 1.59\ \mathrm{m^3{}_N/m^3{}_{N-f}}$

空気中に占める窒素の体積割合は 79 % より，

N_2 量 $= 25.23 \times 0.79 \times 1.3 = 25.91 \fallingdotseq 25.9\ \mathrm{m^3{}_N/m^3{}_{N-f}}$

湿り燃焼ガス量 $= 3.2 + 4.20 + 1.589 + 25.91 = 34.89$

$\fallingdotseq 34.9\ \mathrm{m^3{}_N/m^3{}_{N-f}}$

iii)　空気比 1.2 より，

O_2 量 $= 25.23 \times 0.21 \times (1.2 - 1.0) = 1.059 \fallingdotseq 1.06\ \mathrm{m^3{}_N/m^3{}_{N-f}}$

空気中に占める窒素の体積割合は 79 % より，

N_2 量 $= 25.23 \times 0.79 \times 1.2 = 23.91 \fallingdotseq 23.9\ \mathrm{m^3{}_N/m^3{}_{N-f}}$

湿り燃焼ガス量 $= 3.2 + 4.20 + 1.059 + 23.91 = 32.36$

$\fallingdotseq 32.4\ \mathrm{m^3{}_N/m^3{}_{N-f}}$

3)

i)　排ガスが持ち去る損失熱量 L_G は，以下の式で表される．

$$L_G = V_G \times c_{pm} \times (T_G - T_0)$$

ii)　空気比 1.3 の場合，

損失熱量 $= 34.89 \times 1.37 \times (300 - 20) = 13\,383\ \mathrm{kJ/m^3{}_{N-f}}$

空気比 1.2 の場合，

損失熱量 $= 32.36 \times 1.37 \times (300 - 20) = 12\,413\ \mathrm{kJ/m^3{}_{N-f}}$

空気比を 1.3 から 1.2 に減らすことで，

損失熱量 $= 13\,383 - 12\,413 = 970 = 9.70 \times 10^2\ \mathrm{kJ/m^3{}_{N-f}}$

が低減されると予測できる．

これは，空気比低減前（空気比 1.3）の損失熱量の

$$\frac{970}{13\,383} = 0.072\,4 \fallingdotseq 7.2\ \%$$

に相当する．

解答　**(1)　1-ク，2-キ，3-コ，4-ク，5-カ，A-5.30，6-イ，B-25.2**

(2)　C-4.20，D-1.59，E-25.9，F-34.9，G-32.4

(3)　7-ア，H-9.70 × 10²，I-7.2

第 39 回　2017 年（平成 29 年）

（燃料及び燃焼管理）

問題8　次の各文章の [1] ～ [18] の中に入れるべき最も適切な字句，数値又は式をそれぞれの解答群から選び，その記号を答えよ．（配点計 30 点）

(1)　LPG（液化石油ガス）は，プロパン類及びブタン類を主成分とする液化ガスである．JIS 規格（JIS K 2240：2023）では，用途やプロパン類とブタン類の成分割合によって幾つかの種類に分類されており，それぞれの種類について 40 ℃における蒸気圧の上限が規定されている．そのうち，プロパン類の成分割合が最も大きい種類についての上限蒸気圧の概略値は [1] [MPa] であり，ブタン類の成分割合が最も大きい種類の上限蒸気圧の概略値は [2] [MPa] である．

LNG（液化天然ガス）の主成分はメタンであり，圧力 0.1 MPa における沸点は [3] [℃] 程度である．LNG の密度は 0.4 ～ 0.5 kg/L 程度であり，一般的な原油の 15 ℃における密度の約 [4] 程度 [%] である．

〈[1] ～ [4] の解答群〉

ア　−200　**イ**　−160　**ウ**　−120　**エ**　−40　**オ**　0.2
カ　0.52　**キ**　1.0　**ク**　1.55　**ケ**　30　**コ**　50
サ　70　**シ**　90

(2)　重油は，JIS 規格（JIS K 2205:2006）によると，1 種（A 重油），2 種（B 重油）及び 3 種（C 重油）の 3 種類に分類され，更に A 重油は 1 号及び 2 号に，C 重油は 1 号，2 号及び 3 号に細分類されている．

重油をポンプで送油する際に，ポンプの形式によって，一般に動粘度が 500 あるいは 1 000 mm^2/s 程度を超えると吐出量や全揚程が減少し，軸動力が著しく増大するといわれている．そのため，ポンプで送油する際に，[5] 重油では特段の加熱は不要であるが，重油の JIS 分類の中で最も動粘度の高い油種である [6] 重油の [7] 号については，[8] [℃] 程度に加熱することが必要である．また，重油の噴霧バーナでの燃焼においては，一般に動粘度が 40 mm^2/s 程度を超えると良好な霧化が困難であるといわれており，重油の JIS 分類の中で最も動粘度の高い油種については [9] [℃] 程度に加熱してバーナに供給する必要がある．

〈[5] ～ [9] の解答群〉

ア　1　**イ**　2　**ウ**　3

エ 10 ～ 20　**オ** 40 ～ 60　**カ** 60 ～ 80
キ 100 ～ 110　**ク** A　**ケ** C

(3) 気体燃料を燃焼する同一の燃焼設備において，異なる種類の燃料ガスあるいは成分組成が異なる燃料ガスを燃焼させる場合は，適正な燃焼状態の確保という点からそれらの燃料ガス同士で互換性があるか否かを判別する必要があり，その指標としてウォッベ指数と燃焼速度がある．

燃料ガスにある一定の圧力を加え，ある一定の口径のノズルから噴出する場合を考える．燃料ガスの密度を ρ_g，空気の密度を ρ_a とすると（燃料ガスの空気に対する比重は $\frac{\rho_g}{\rho_a}$），燃料ガスの噴出速度（すなわち体積流量）は，燃料ガスの比重 $\frac{\rho_g}{\rho_a}$ の [10] する．したがって，単位体積当たりの燃料ガス発熱量を H とすると，ノズルから噴出する燃料ガスの発熱量は式 [11] に比例することになる．この式で表される量がウォッベ指数である．

適正な燃焼状態を形成していた従前の燃料ガスから，種類あるいは成分組成が異なる燃料ガスに変更しようとするとき，ウォッベ指数が従前よりも [12] となる場合には，火炎の伸長や不完全燃焼を起こすおそれがある．また，予混合バーナにおいて，変更しようとする燃料ガスと空気の予混合気の燃焼速度が従前よりも過大になると，[13] のおそれが生じる．

〈[10] ～ [13] の解答群〉

ア $H\left(\frac{\rho_g}{\rho_a}\right)$　**イ** $H\left(\frac{\rho_g}{\rho_a}\right)^{\frac{1}{2}}$　**ウ** $\frac{H}{\left(\frac{\rho_g}{\rho_a}\right)}$　**エ** $\frac{H}{\left(\frac{\rho_g}{\rho_a}\right)^{\frac{1}{2}}}$

オ 過小　**カ** 過大　**キ** 火炎の浮き上がり
ク 逆火　**ケ** 吹き飛び　**コ** $\frac{1}{2}$ 乗に比例
サ $\frac{1}{2}$ 乗に反比例　**シ** 1 乗に比例　**ス** 1 乗に反比例

(4) 気体燃料の拡散燃焼，気体燃料の予混合燃焼，液体燃料の噴霧燃焼の 3 種類の燃焼形態で形成されたバーナ火炎からの熱放射を考える．一般に，火炎中に生成される炭素粒子からの固体熱放射が支配的なのは，[14] 火炎であり，[15] 火炎においても輝炎が形成される場合には，固体熱放射が顕著である．放射エネルギーの主たるものが [16] や [17] からの気体熱放射であるのは，[18] 火炎で不輝炎が形成される場合である．

〈 14 〜 18 の解答群〉

ア CO_2　　**イ** H_2O　　**ウ** N_2　　**エ** O_2

オ 液体燃料の噴霧燃焼　　**カ** 気体燃料の拡散燃焼

キ 気体燃料の予混合燃焼

解　説

(1) プロパン類の成分割合が最も大きい種類では，上限蒸気圧は 1.55 MPa 以下，ブタン類の成分割合が最も大きい種類では，上限蒸気圧は 0.52 MPa 以下である．

LNG は圧力 0.1 MPa における沸点は −160 ℃である．原油の密度は 0.81 kg/L 程度であるので，LPG の密度は原油の 50 %程度である．

(2) JIS K 2205：2006 に規定されている重油の品質を以下に示す．JIS 規格によれば，動粘度を基準として各種に，硫黄分を基準として各号に分けている．ポンプで送油する際に，A 重油であれば特段の加熱は不要である．動粘度が最も高い C 重油の 3 号については 40 〜 60 ℃程度に加熱する必要があり，バーナに供給する場合は，100 〜 110 ℃に加熱する必要がある．

重油の種類	A 重油		B 重油	C 重油		
	1 号	2 号		1 号	2 号	3 号
動粘度（mm^2/s）	20 以下		50 以下	250 以下	400 以下	400 超 1 000 以下
硫黄分（質量 %）	0.5 以下	2.0 以下	3.0 以下	3.5 以下	−	−

(3) 燃料ガスの噴出速度は，燃料ガスの比重の 1/2 乗に反比例するので，燃料ガスの発熱量を H とすると，ノズルから噴出する燃料ガスの発熱量は式 $\dfrac{H}{\left(\dfrac{\rho_g}{\rho_a}\right)^{\frac{1}{2}}}$ に比例する．燃料ガスを変更しようとするとき，ウォッベ指数が従前よりも過大となる場合には，火炎の伸長や不完全燃焼を起こすおそれがある．また，予混合バーナにおいて燃料ガスと空気の予混合気の燃焼速度が従前よりも過大になると，逆火のおそれがある．

(4) 火炎中に生成される炭素粒子からの固体熱放射が支配的なのは，液体燃料の噴霧燃焼火炎である．

気体燃料の拡散燃焼火炎においても輝炎が形成される場合には，固体熱放射が顕著となる．

気体燃料の予混合燃焼火炎において不輝炎が形成される場合には，気体熱放射の放射エネルギーの主たるものは CO_2 と H_2O である．

解　答　(1)　**1-ク，2-カ，3-イ，4-コ**
(2)　**5-ク，6-ケ，7-ウ，8-オ，9-キ**
(3)　**10-サ，11-エ，12-カ，13-ク**
(4)　**14-オ，15-カ，16-ア，17-イ，18-キ（16と17は順序は問わない）**

（燃料及び燃焼管理）

問題9　次の各文章の [1] ～ [13] の中に入れるべき最も適切な字句，数値又は記述をそれぞれの解答群から選び，その記号を答えよ．（配点計30点）

(1)　燃焼に伴う高温腐食の発生防止対策について説明した次の①～⑥の記述のうち，明らかに間違っているものは， [1] 及び [2] である．

①　ドロマイトなどの添加剤の注入により灰の融点上昇を図る．
②　バナジウム，ナトリウムなどの含有量が少ない燃料を使用する．
③　定期点検時などを利用し，スケールの除去を行う．
④　硫黄分の含有量が多い燃料を使用する．
⑤　スートブロワを適切に配置し，適切な時期に付着物をブローする．
⑥　窒素分の含有量が少ない燃料を選択し使用する．

〈 [1] 及び [2] の解答群〉
ア　①　**イ**　②　**ウ**　③　**エ**　④　**オ**　⑤　**カ**　⑥

(2)　気体燃料用バーナを大きく分けると，燃料ガスと燃焼用空気の混合方式から，拡散燃焼バーナ，部分予混合燃焼バーナ及び完全予混合燃焼バーナに分類される．燃料ガス及び空気をそれぞれ高温に予熱できるのは， [3] 燃焼バーナである．一方，急速燃焼，高負荷燃焼に最も適するのは， [4] 燃焼バーナである．また，ブンゼン形，ベンチュリ形を基本形式とする [5] 燃焼バーナは，大気圧バーナともいわれる．

〈 [3] ～ [5] の解答群〉
ア　拡散　**イ**　完全予混合　**ウ**　部分予混合

(3)　液体燃料の燃焼装置において，油圧式バーナには非戻り油式及び戻り油式がある．戻り油式バーナでは，燃焼量を定格値の [6] 程度まで低下させることができ，油量の減少に伴って噴射角度は [7] 特性がある．また，回転式，高圧気流形流体噴霧式及び低圧気流形流体噴霧式の油バーナのうちで，狭角の長炎の火炎形状を持つのは， [8] 油バーナである．

〈 [6] ～ [8] の解答群〉
ア　$\frac{1}{10}$　**イ**　$\frac{1}{8}$　**ウ**　$\frac{1}{3}$　**エ**　$\frac{1}{2}$

オ　回転式　　**カ**　高圧気流形流体噴霧式

キ　低圧気流形流体噴霧式　　**ク**　減少する

ケ　増大する　　**コ**　変化しない

(4)　石炭の燃焼装置において，燃焼方式に気泡方式及び循環方式があるのは [9] 燃焼装置であり，その代表的な燃焼温度は [10] [℃] である．この温度は，石灰石を用いた [11] に適した温度でもある．

〈[9]～[11] の解答群〉

ア　800 ～ 950　　**イ**　1 000 ～ 1 150　　**ウ**　1 100 ～ 1 250

エ　高温防食　　**オ**　低温防食　　**カ**　微粉炭

キ　流動層　　**ク**　炉内脱硝　　**ケ**　炉内脱硫

(5)　次の1)及び 2)は，排ガス分析法の正誤について記述したものである．

1)　次の①～③の記述のうち明らかに間違っているものは，[12] である．

①　物理的分析法は，電磁波の吸収，熱伝導率，密度，磁性などを測定することによって，排ガス中に含まれる化学種の濃度を決定する分析法である．

②　排ガス分析における試料の採取に当たっては，排ガス中の水蒸気や露点の高いガス成分などが凝縮してトラブルを起こすのを避けるため，必要に応じて採取管及び導管を保温・加熱する．

③　排ガス中の全炭化水素の分析方法には，水素炎イオン化検出器（FID）を用いた分析法があり，FID の無機ガスに対する感度は非常に大きい．

〈[12] の解答群〉

ア　①　　**イ**　②　　**ウ**　③

2)　次の①～③の記述のうち明らかに間違っているものは，[13] である．

①　JIS において，計測器の種類として溶液導電率方式，赤外線吸収方式，紫外線吸収方式，紫外線蛍光方式及び干渉分光方式が規定されているのは，排ガス中の窒素酸化物の連続測定についてである．

②　排ガスの分析にはガスクロマトグラフ法も用いられ，排ガス中の N_2，O_2，CO_2 など試料中の多成分の分析に適している．

③　JIS において，排ガス中の酸素を連続的に測定する方式として規定されているものには，電気化学式及び磁気式がある．

〈[13] の解答群〉

ア　①　　**イ**　②　　**ウ**　③

解　説

(1)　高温腐食の防止法として，ドロマイトなどの添加剤の注入により灰の融点上昇を図り，高温部での灰付着を少なくする．腐食の原因となるバナジウムやナトリウムの低い燃料を使用する．このほかに，定期点検時などに，スケールの除去を行う．付着物をできるだけブローするようスートブロワを適切に配置する．そのほかにも，過熱器・再熱器の伝熱面表面温度を下げるよう，伝熱面配置を考慮するなどの方法がある．

(2) 拡散燃焼ガスバーナは，ガスおよび燃焼用空気をそれぞれ別の噴孔から噴出させ，両者の接触面でガスと空気を乱流拡散および分子拡散によって混合燃焼させるもので，燃焼ガスおよび空気をそれぞれ高温に予熱できる．

完全予混合バーナは，燃焼用二次空気を必要とせず不輝炎による急速燃焼が可能である．

部分予混合バーナは，大気圧ガスバーナともいわれ，空気の予混合にベンチュリ形やブンゼン形を使用し，ガス圧のもつ動圧エネルギーによって一次空気を大気中から吸引する．

(3) 戻り油式バーナでは，燃焼量を定格値の1/3程度まで低下させることができ，油量の減少に伴い噴射角度は増大する特性がある．低圧気流形流体噴霧式は比較的狭角の短炎で油量調節範囲が広い．高圧気流形流体噴霧式は，狭角の長炎で油量調節範囲が広い．

(4) 流動層燃焼装置には，気泡方式と循環方式がある．流動層の状態で固体燃料を燃焼させるには，燃料（石炭）を石灰石などの流動媒体とともに燃焼温度800～950℃で燃焼させている．流動層の特徴の一つとして，石灰石を流動媒体として使用することにより炉内脱硫が可能となることがあげられる．

(5)

1) 全炭化水素の分析方法には，水素炎イオン化検出器（FID）を用いた分析法がある．FIDは，酸水素炎中のイオン濃度は極めて小さいが，これに有機物が混入すると酸水素炎中のイオン濃度が非常に大きくなる現象を応用したものである．FIDの無機ガスに対する感度は非常に小さい．

2) JIS B 7981:2002にて溶液導電率方式，赤外線吸収方式，紫外線吸収方式，紫外線蛍光方式および干渉分光方式が規定されているのは，排ガス中の硫黄酸化物の連続測定についてである．

窒素酸化物の分析は，化学発光方式，赤外線吸収方式，紫外線吸収方式が，JIS B 7982：2002で規定されている．

解答
(1) **1-エ，2-カ（1と2は順序は問わない）**
(2) **3-ア，4-イ，5-ウ**
(3) **6-ウ，7-ケ，8-カ**

(4)　**9-キ，10-ア，11-ケ**

(5)　**12-ウ，13-ア**

（燃焼計算）

問題10　次の各文章の [1] ～ [10] の中に入れるべき最も適切な数値又は式をそれぞれの解答群から選び，その記号を答えよ．なお，一つの解答群から同じ記号を 2 回以上使用してもよい．

また，[A a.bc] ～ [J a.bc] に当てはまる数値を計算し，その結果を答えよ．ただし，解答は解答すべき数値の最小位の一つ下の位で四捨五入すること．（配点計 50 点）

木質バイオマスは，いわゆる「カーボンニュートラル」とみなされており，温室効果ガスの削減に有効である．ここでは，まず重油の一部を木質バイオマスで代替した場合の CO_2 削減効果を試算し，次に木質バイオマス及び重油の全湿り燃焼ガス量を計算する．

まず，木質バイオマスについては，計算を容易にするためその成分はセルロースと水のみであると仮定し，水分含量は湿量基準で 40 % とする．セルロースの高発熱量を 19.5 MJ/kg とし，空気比 1.4 で完全燃焼させた．

一方，重油の質量組成は炭素 87 %，水素 13 % である．また，重油の低発熱量を 42.3 MJ/kg とし，空気比 1.2 で完全燃焼させた．

なお，空気は酸素と窒素のみからなるものと考え，空気中の水蒸気は無視する．また，水の蒸発潜熱は 2.44 MJ/kg とする．

1)　CO_2 発生量の計算

i)　セルロースは $C_6H_{10}O_5$ が多数結合した物質であり，単量体 $C_6H_{10}O_5$ が理論酸素量で，完全燃焼したときの反応式は次の式①で表すことができる．

$C_6H_{10}O_5$ + [1] O_2 = [2] CO_2 + [3] H_2O ……………………… ①

〈[1] ～ [3] の解答群〉

ア 1　**イ** 2　**ウ** 3　**エ** 4　**オ** 5　**カ** 6

キ 7　**ク** 8　**ケ** 9　**コ** 10　**サ** 11　**シ** 12

ii)　セルロースの単量体の分子量が 162 なので，セルロース 1 kg に含まれる単量体のモル数は [4] [kmol] で，セルロース 1 kg を完全燃焼させたときに発生する CO_2 の体積は [5] [$m^3{}_N$] と求められる．

iii)　重油 1 kg を完全燃焼させたときに発生する CO_2 の体積は [6] [$m^3{}_N$] と求められる．

〈[4]～[6]の解答群〉

ア 22.4　　イ $\frac{1}{162 \times 22.4}$　　ウ $\frac{1}{162}$

エ $\frac{22.4}{162}$　　オ $\frac{6 \times 22.4}{162}$　　カ $\frac{0.87 \times 22.4}{12}$

キ $\frac{22.4}{12}$　　ク $\frac{44 \times 22.4}{162}$　　ケ $\frac{12 \times 22.4}{(12+2)}$

2) 発熱量の計算

i) 木質バイオマスは水分含量の変動が大きく，それによって発熱量が変わる．セルロース分の燃焼による高発熱量から「木質バイオマスの水分量及びセルロースの燃焼で生じる H_2O 量の合計の水分の蒸発潜熱」を除いたものが木質バイオマスの低発熱量となる．

木質バイオマス 1 kg で考えると，その中に含まれる水分量 W_1 は [7] [kg] であり，水分を除いたセルロース量と式①から，セルロースが燃焼することで発生する H_2O 量 W_2 [kg] も求められ，合計の水分量（$W_1 + W_2$）[kg] に水の蒸発潜熱 2.44 MJ/kg を乗じることで，水分全体の蒸発潜熱が求められる．これにより，木質バイオマスの低発熱量は，[A a.bc] [MJ/kg] と求められる．

〈[7]の解答群〉

ア 0.4　　イ $\frac{0.4}{1.4 \times 18}$　　ウ $\frac{0.4}{1.4}$

ii) この木質バイオマス 1 kg の燃焼により発生する熱量（低発熱量）は，重油 [B a.bc] $\times 10^{-1}$ [kg] の燃焼熱量（低発熱量）に相当する．すなわち，木質バイオマスを 1 kg 使用することにより，その重油相当分からの CO_2 排出量 [C a.bc] $\times 10^{-1}$ [m^3_N] だけ発生が減少されると見なすことができる．

3) 湿り燃焼ガス量の計算

次に木質バイオマス及び重油の湿り燃焼ガス量を試算する．

i) 重油 1 kg を完全燃焼させたときに発生する CO_2 量は，1) iii) で求めたとおりであり，発生する H_2O 量は [8] [m^3_N] である．

また，重油 1 kg の理論酸素量は [D a.bc] [m^3_N] であり，空気中に占める酸素の体積割合が約 [9] [%] であることから，理論空気量で重油 1 kg が完全燃焼した場合の燃焼ガス中に含まれる N_2 量は [E a.bc] [m^3_N] と求められる．

これまで求めた CO_2 量，H_2O 量，N_2 量に余剰空気量を加えて，全湿り燃焼ガス量は F $a.bc \times 10^{d}$ $[\mathrm{m^3_N}]$ と求められる．

ii)　セルロース 1 kg が理論空気量で完全燃焼したときに発生する CO_2 量は，1) ii)で求めたとおりである．また，発生する H_2O 量は [10] $[\mathrm{m^3_N}]$ であり，N_2 量は G $a.bc$ $[\mathrm{m^3_N}]$ となる．空気比 1.4 で燃焼させた場合の全湿り燃焼ガス量は，これらに余剰空気を加えることにより，H $a.bc$ $[\mathrm{m^3_N}]$ と求められる．

これより，木質バイオマス 1 kg を空気比 1.4 で燃焼させた場合の全湿り燃焼ガス量は I $a.bc$ $[\mathrm{m^3_N}]$ となる．

木質バイオマス 1 kg の燃焼と同じ熱量を発生させるために，2) ii) で求めた量の重油を空気比 1.2 で燃焼させたときの全湿り燃焼ガス量は J $a.bc$ $[\mathrm{m^3_N}]$ となり，同じ発生熱量とする場合，木質バイオマスは重油に比べて大幅に燃焼ガス量が多くなることがわかる．原因の一つは，水分の含有量が多いことであり，木質バイオマスは予め乾燥させてから使用することで，熱損失を低減させることができる．

〈[8] ～ [10] の解答群〉

ア　18	**イ**　21	**ウ**　25
エ　$\dfrac{5 \times 22.4}{162}$	**オ**　$\dfrac{10 \times 22.4}{162}$	**カ**　$\dfrac{0.13 \times 22.4}{2}$
キ　$\dfrac{18 \times 22.4}{162}$	**ク**　0.13×22.4	**ケ**　$\dfrac{2 \times 22.4}{(12 + 2)}$

解　説

1)

i)　セルロース $C_6H_{10}O_5$ が完全燃焼する場合の反応方程式を以下に示す．

$$C_6H_{10}O_5 + 6O_2 = 6CO_2 + 5H_2O \qquad ①$$

ii)　セルロースの単量体の分子量が 162 なので，セルロース 1 kg に含まれる単量体のモル数は 1/162 kmol である．

また，セルロース 1 kg を完全燃焼させたときに発生する CO_2 の体積は，1 kmol は 22.4 $\mathrm{m^3_N}$ であるので，

$$6 \times \frac{22.4}{162}\ \mathrm{m^3_N}$$

となる．

iii)　炭素の原子量は 12 なので，1 kg の炭素は 1/12 kmol となる．重油 1 kg 中に炭素が 0.87 kg 含まれているので，炭素が完全燃焼する場合の反応方程

式 $C + O_2 = CO_2$ より CO_2 の体積 V_{C0} は,

$$V_{C0} = 0.87 \times \frac{22.4}{12} = 1.624\ \mathrm{m^3{}_N}$$

となる.

2)

i) 木質バイオマス 1 kg に含まれる水分量 W_1 は, 水分含量が湿量基準で 40 %であることから, 0.4 kg となる.

H_2O の分子量は

$$1 \times 2 + 16 = 18$$

セルロース 1 kg を完全燃焼させたときに発生する H_2O 量は, ①式より, $5 \times \dfrac{18}{162}$ kg であることから, セルロース 0.6 kg が燃焼することで発生する H_2O 量 W_2 は,

$$W_2 = 0.6 \times \left(5 \times \frac{18}{162}\right) = 0.333\ \mathrm{kg}$$

となり, 木質バイオマスの低発熱量は,

$$19.5 \times 0.6 - (0.4 + 0.333) \times 2.44 = 9.911 \fallingdotseq 9.91\ \mathrm{MJ/kg}$$

となる.

ii) 重油の低発熱量 42.3 MJ/kg より, 木質バイオマスの低発熱量を重油に換算すると

$$\frac{9.911}{42.3} = 0.234\,3 \fallingdotseq 2.34 \times 10^{-1}\ \mathrm{kg}$$

の重油の低発熱量に相当する.

この重油相当分の CO_2 排出量は

$$0.87 \times \frac{22.4}{12} \times \frac{9.911}{42.3} = 0.380\,5 \fallingdotseq 3.81 \times 10^{-1}\ \mathrm{m^3{}_N}$$

となる.

3)

i) 水素の原子量は 1 なので, 1 kg の水素は 1 kmol となる. 重油 1 kg 中に水素が 0.13 kg 含まれているので, 水素が完全燃焼する場合の反応方程式 $H + \frac{1}{4}O_2 = \frac{1}{2}H_2O$ より H_2O の体積 V_{H2O0} は,

$$V_{H2O0} = 0.13 \times \frac{22.4}{2} = 1.456\ \mathrm{m^3{}_N}$$

となる.

重油 1 kg 中に炭素が 0.87 kg，水素が 0.13 kg 含まれているので，必要な酸素量 V_{O0} は，

$$V_{O0} = 0.87 \times \frac{22.4}{12} + 0.13 \times \frac{22.4}{4} = 2.352 \fallingdotseq 2.35\ \mathrm{m^3{}_N/kg_{-f}}$$

となる．

空気中の酸素の体積割合は 0.21，空気中の N_2 の体積割合が 0.79 であるから，燃焼ガス中に含まれる N_2 量 V_{N0} は，

$$V_{N0} = \frac{V_{O0}}{0.21} \times 0.79 = \frac{2.352}{0.21} \times 0.79 = 8.848 \fallingdotseq 8.85\ \mathrm{m^3{}_N}$$

また，余剰空気量 V_{A0} は，

$$V_{A0} = \frac{V_{O0}}{0.21} \times (1.2 - 1.0) = \frac{2.352}{0.21} \times (1.2 - 1.0) = 2.240$$

全湿り燃焼ガス量 V_{G0} は，余剰空気量を加えて

$$\begin{aligned} V_{G0} &= V_{C0} + V_{H2O0} + V_{N0} + V_{A0} \\ &= 1.624 + 1.456 + 8.848 + 2.240 \\ &= 14.168 \fallingdotseq 1.42 \times 10^1 \end{aligned}$$

となる．

ii)　セルロース $C_6H_{10}O_5$ の反応方程式より，発生する H_2O 量 V_{H2O1} は

$$V_{H2O1} = 5 \times \frac{22.4}{162} = 0.691\ \mathrm{m^3{}_N}$$

となる．

必要な酸素量 V_{O1} は，

$$V_{O1} = 6 \times \frac{22.4}{162} = 0.829 \fallingdotseq 0.83\ \mathrm{m^3{}_N/kg_{-f}}$$

となる．空気中の酸素の体積割合は 0.21，空気中の N_2 の体積割合が 0.79 であるから，燃焼ガス中に含まれる N_2 量 V_{N1} は，

$$V_{N1} = \frac{V_{O1}}{0.21} \times 0.79 = \frac{0.829}{0.21} \times 0.79 = 3.118 \fallingdotseq 3.12\ \mathrm{m^3{}_N}$$

また，余剰空気量 V_{A1} は，

$$V_{A1} = \frac{V_{O1}}{0.21} \times (1.4 - 1.0) = \frac{0.829}{0.21} \times (1.4 - 1.0) = 1.579$$

全湿り燃焼ガス量 V_{G1} は，余剰空気量を加えて，

$$\begin{aligned} V_{G1} &= V_{O1} + V_{H2O1} + V_{N1} + V_{A1} \\ &= 0.829 + 0.691 + 3.118 + 1.579 \\ &= 6.217 \fallingdotseq 6.22\ \mathrm{m^3{}_N} \end{aligned}$$

となる．

木質バイオマス 1 kg を空気比 1.4 で燃焼させた場合の全湿り燃焼ガス量は，セルロース 0.6 kg ＋ 水 0.4 kg より

$$V_{G1}\times 0.6+0.4\times\frac{22.4}{18}=6.217\times 0.6+0.4\times\frac{22.4}{18}$$
$$=4.227\fallingdotseq 4.23\ \mathrm{m^3}_{\mathrm{N}}$$

となる．

木質バイオマス 1 kg の燃焼と同じ熱量を発生させるためには，重油を 2.34×10^{-1} kg 燃焼させる必要があるため，その全湿り燃焼ガス量は

$$V_{G0}\times 0.234=14.168\times 0.234\,3=3.319\fallingdotseq 3.32\ \mathrm{m^3}_{\mathrm{N}}$$

となる．

解答 **1) 1-カ，2-カ，3-オ，4-ウ，5-オ，6-カ**

2) 7-ア，A-9.91，B-2.34，C-3.81

3) 8-カ，D-2.35，9-イ，E-8.85，F-1.42 × 10^1，10-エ，G-3.12，H-6.22，I-4.23，J-3.32

第 38 回　2016 年（平成 28 年）

（燃料及び燃焼管理）

問題8　次の各文章の [1] ～ [18] の中に入れるべき最も適切な字句，数値又は記述をそれぞれの解答群から選び，その記号を答えよ．なお，一つの解答群から同じ記号を 2 回以上使用してもよい．（配点計 30 点）

(1)　資源・環境問題を背景に，従来の化石燃料に代わる新たな燃料の開発の努力がなされている．

GTL は Gas To Liquids の略称で，天然ガスから FT 反応と呼ばれる化学反応により合成される燃料であり，[1] に相当する性状のものが製造されている．硫黄分や [2] 炭化水素成分をほとんど含まないので，燃焼した際の SOx やばいじんの生成を抑えることができる．

自動車用燃料電池については，当面の主たる燃料として，天然ガスの改質あるいは製鉄プロセスにおける副生ガスである [3] からの分離などによって製造される水素が想定されている．

〈[1] ～ [3] の解答群〉

ア　ガソリン　**イ**　ナフサ　**ウ**　プロパン　**エ**　軽油
オ　高炉ガス　**カ**　コークス炉ガス　**キ**　転炉ガス　**ク**　鎖状飽和
ケ　鎖状不飽和　**コ**　芳香族

(2)　重油は，JIS 規格（JIS K 2205：2006）によると，噴霧燃焼における微粒化性能に直接的に影響する [4] によって，1 種，2 種及び 3 種の 3 種類に分類されている．1 種重油は，[5] によって更に 1 号及び 2 号の 2 種類に細分類されている．

重油中の炭素と水素の質量割合の比（C/H 比）が大きいほど，単位質量当たりの発熱量が [6]．また，C/H 比が大きいほど密度が [7] という傾向があるが，1 種，2 種及び 3 種の 3 種類の重油のうち，密度が最も大きいのは，[8] である．

〈[4] ～ [8] の解答群〉

ア　1 種重油　**イ**　2 種重油　**ウ**　3 種重油　**エ**　硫黄分
オ　残留炭素分　**カ**　灰分　**キ**　動粘度　**ク**　密度
ケ　流動点　**コ**　小さい　**サ**　大きい

(3)　水素 － 空気，メタン － 空気，及びプロパン － 空気の 3 種類の可燃混合気について，大気圧，室温の下での燃焼特性を考える．

可燃混合気中の燃料ガスの濃度が低くなると，混合気中を火炎が伝播できなくなり，この限界は希薄可燃限界と呼ばれている．希薄可燃限界の可燃ガスの濃度を当量比で表すと，その当量比の値は [9] 混合気と [10] 混合気のそれがほぼ同じ値であり，残りの 1 種類の混合気については，希薄可燃限界の当量比の値はそれよりもかなり小さい．

可燃混合気の層流燃焼速度の値は，燃料ガスの濃度によって変わるが，層流燃焼速度の最大値については，[11] 混合気と [12] 混合気のそれがほぼ同じく [13] [cm/s] 程度であり，残りの 1 種類の混合気については，層流燃焼速度の最大値はそれよりもかなり大きく，ほぼ 300 cm/s である．

〈[9] ～ [13] の解答群〉

ア 10　　**イ** 40　　**ウ** 80

エ プロパン － 空気　　**オ** メタン － 空気　　**カ** 水素 － 空気

(4) 重質油の噴霧燃焼では，微粒化が不十分であったり，燃料噴霧と燃焼用空気との混合が不良であったりすると，熱分解により燃料微粒子の炭化が進行して，[14] と呼ばれる，大きさが [15] の粒状物質が生成される．この粒子の生成に対する燃料性状の上での影響因子は [16] である．

気体燃料の拡散燃料では，運転空気比が [17] であったり，燃料と空気の混合が不良であったりすると，燃料から分解した炭化水素が脱水素や重合反応を経て，直径が [18] の球形粒子が凝集し，すすが生成される．

〈[14] ～ [18] の解答群〉

ア アシッドスマット　　**イ** セノスフェア　　**ウ** チャー

エ 数 nm ～数百 nm　　**オ** 数 μm ～数百 μm　　**カ** 硫黄分

キ 残留炭素分　　**ク** 灰分　　**ケ** 過小

コ 過大

解　説

(1) GTL とは，天然ガスを原料にしてフィッシャー・トロプシュ反応（FT 反応）によってナフサや灯油・軽油などの石油製品を製造する技術である．硫黄や芳香族などの不純物は，GTL を使った製造過程で排出され，捕集される．製鉄プロセスにおける副生ガスであるコークス炉ガスの主要な成分は水素である．

(2) JIS K 2205：2006 に規定されている重油の品質を以下に示す．JIS 規格によれば，動粘度を基準として各種に，1 種重油は硫黄分を基準として各号に分けている．C/H 比が大きいほど発熱量は低くなり，密度が大きくなる．密度は，1 種は 0.83 ～ 0.88 g/cm^3，2 種は 0.91 ～ 0.93 g/cm^3，3 種は 0.94 ～

0.97 g/cm^3 程度である．

重油の種類	1種		2種	3種		
	1号	2号		1号	2号	3号
動粘度（mm^2/s）	20以下		50以下	250以下	400以下	400超1 000以下
硫黄分（質量%）	0.5以下	2.0以下	3.0以下	3.5以下	—	—

(3)　燃料の濃度は濃すぎても薄すぎても燃焼することができない．燃焼できる範囲を可燃範囲といい，燃料の希薄側の可燃限界を希薄可燃限界，過濃側の可燃限界を過濃可燃限界という．希薄可燃限界の可燃ガス濃度を当量比で表すと，メタン－空気混合気とプロパン－空気混合気がほぼ同じ値である．

可燃混合気の層流燃焼速度は，メタンとプロパンは約40 cm/sであり，水素は約300 cm/sである．

(4)　重質液体燃料噴霧では，油滴の燃焼末期に直径数μm～数十μmの残炭形のばいじん（セノスフェア）が発生する．影響因子は，残留炭素分である．

気体燃料の拡散燃焼では，酸素不足や混合不良であったりすると，脱水素，重縮合反応を繰り返し，直径数nm～数百nmの球形粒子が凝集する．

解　答　(1)　**1-エ，2-コ，3-カ**

(2)　**4-キ，5-エ，6-コ，7-サ，8-ウ**

(3)　**9-オ，10-エ，11-オ，12-エ，13-イ（9と10，11と12は順序は問わない）**

(4)　**14-イ，15-オ，16-キ，17-ケ，18-エ**

（燃料及び燃焼管理）

問題9　次の各文章の［1］～［12］の中に入れるべき最も適切な字句，数値又は記述をそれぞれの解答群から選び，その記号を答えよ．（配点計30点）

(1)　燃焼に起因するばいじんの主たるものは，燃料の燃焼に伴って発生する［1］と未燃炭素である．未燃炭素は，一般的に，燃料の炭素と水素の質量割合の比（C/H比）が［2］ほど生成され易い．

重油燃焼の未燃炭素は，残炭形と気相析出形に分けられ，それらの大きさを比べると，［3］の方が大きい．

〈［1］～［3］の解答群〉

ア　揮発分　　**イ**　固定炭素分　　**ウ**　水分

エ　灰分　　**オ**　気相析出形　　**カ**　残炭形

キ　1に近い　　**ク**　小さい　　**ケ**　大きい

(2)　気体燃料燃焼装置に関する次の記述のうち，明らかに間違っているものは，[4] 及び [5] である．

① 　ガスを数気圧の加圧下で大量に貯蔵する場合は，球形タンクが用いられる．

② 　空気比例制御方式の中で，均圧弁方式は拡散燃焼バーナに適用される．

③ 　拡散燃焼バーナは，予熱空気を使用でき，工業用バーナとして多用されている．

④ 　拡散燃焼バーナは，逆火が生じやすいため，燃焼量を広範囲には調節できない．

⑤ 　部分予混合バーナの空気の予混合には，通常，ベンチュリー管が使用される．

⑥ 　完全予混合バーナは，燃焼用二次空気を必要とせず，輝炎による急速燃焼が可能である．

〈[4] 及び [5] の解答群〉

ア ①　**イ** ②　**ウ** ③　**エ** ④　**オ** ⑤　**カ** ⑥

(3)　液体燃料燃焼装置に関する次の記述のうち，明らかに間違っているものは，[6] 及び [7] である．

① 　蒸発式には，灯油や重油が燃料として用いられる．

② 　油圧噴霧式には，広角の火炎で，油量調節範囲が比較的狭いという特徴がある．

③ 　流体噴霧式は，噴霧媒体の圧力によって高圧気流形と低圧気流形とに分けられる．

④ 　回転式の霧化用空気は，一般に，全燃焼空気量の 80 % 程度であり，送風圧は数 kPa 程度である．

⑤ 　油圧噴霧式は，100 トン級の大型ボイラに多く用いられている．

⑥ 　保炎器は，主としてスワラタイプとバッフルタイプがある．

〈[6] 及び [7] の解答群〉

ア ①　**イ** ②　**ウ** ③　**エ** ④　**オ** ⑤　**カ** ⑥

(4)　石炭の燃焼装置において，微粉炭燃焼装置では，一般に，200 メッシュ（目開き [8] [μm]）のふるい通過が 70 ～ 80 % の微粉炭を，一次空気とともにバーナから燃焼炉内に吹き込み，燃焼室内で二次空気と混合させ，浮遊状態で燃焼させる．

流動層燃焼装置には，気泡方式及び循環方式があり，気泡方式の空気流速は，[9] [m/s] 程度である．

微粉炭燃焼装置と火格子燃焼装置とを比較した場合，燃料として粘結炭の使用に適さないのは，[10] 燃焼装置である．

〈[8] ～ [10] の解答群〉

ア　0.1 ～ 0.2　　**イ**　1 ～ 2　　**ウ**　10 ～ 20　　**エ**　7.4

オ　74　　**カ**　740　　**キ**　火格子　　**ク**　微粉炭

(5)　燃焼ガス分析法に関する次の記述のうち，明らかに間違っているものは，[11] 及び [12] である．

①　燃焼ガス分析法は，化学的分析及び物理的分析に大別され，連続的な濃度測定が可能な分析法のほとんどは物理的分析である．

②　オルザットガス分析法及びヘンペルガス分析法は，化学的分析法である．

③　オルザットガス分析法は，排ガスからサンプリングした試料を，二酸化炭素，酸素及び窒素の吸収液に順次接触させ，それぞれへの吸収量からガスの濃度を測定する方法である．

④　排ガス中の二酸化炭素の分析において，熱伝導率法は，二酸化炭素の熱伝導率が空気の熱伝導率に比べて十分大きいことを利用したものである．

⑤　排ガス中の全炭化水素の分析には，水素炎イオン化検出器を用いた分析法がある．

⑥　排ガス中の酸素を連続測定する電気化学式酸素計には，ジルコニア方式と電極方式がある．

〈[11] 及び [12] の解答群〉

ア　①　　**イ**　②　　**ウ**　③　　**エ**　④　　**オ**　⑤　　**カ**　⑥

解　説

(1)　ばいじんの主たるものは，燃料中に含まれる灰分と燃焼中に生成される固形の未燃炭素である．固形の未燃炭素は，残炭形と気相折出形に分けられる．未燃炭素は，燃料の炭素割合が大きいほど生成されやすく，その大きさは残炭形の方が大きい．石炭燃焼では灰分が主であり，軽質油や気体燃焼では気相折出形，重質油では残炭形が多くなる．

(2)　拡散燃焼バーナは，逆火の危険なしに燃焼量を広範囲に調整できる．

完全予混合バーナは，燃焼用二次空気を必要とせず，不輝炎による急速燃焼が可能である．

(3)　液体燃料燃焼装置には，液体燃料を高圧で噴霧し，空気と急速に混合して燃焼させる噴霧燃焼方式と，蒸発器で燃料を蒸発させて空気と混合して燃焼させる蒸発燃焼方式などがある．蒸発燃焼の燃料は，灯油や軽油などの良質燃料である．

回転式の噴霧用空気は，全燃焼空気量の 20 %以下であり，送風圧も数

kPa 程度でよい.

(4) 微粉炭燃焼装置は,石炭を粉砕して 74 μm 以下の微粉にしたものを,一次空気とともにバーナから燃焼炉内に吹き込み,燃焼室内で二次空気と混合させ,浮遊状態で燃焼させる.長所として,使用燃料の幅が広いことが挙げられ,火格子燃焼で使えないような粘結炭や低発熱量炭も用いられる.

流動層燃焼装置の気泡方式は,ガス流速は 1 ～ 2 m/s 程度であり,石炭を流動層で燃焼する.

(5) オルザットガス分析法は,試料ガスを,二酸化炭素,酸素,一酸化炭素の吸収液に順次接触させ,それぞれへの吸収量からガス濃度を測定する方法.

熱伝導率法は,二酸化炭素の熱伝導率が空気のそれに比べて十分小さいことを利用したものである.

解 答 (1) **1- エ,2- ケ,3- カ**

(2) **4- エ,5- カ(4 と 5 は順序は問わない)**

(3) **6- ア,7- エ(6 と 7 は順序は問わない)**

(4) **8- オ,9- イ,10- キ**

(5) **11- ウ,12- エ(11 と 12 は順序は問わない)**

(燃焼計算)

問題10 次の各文章の [1] ～ [10] の中に入れるべき最も適切な数値又は式をそれぞれの解答群から選び,その記号を答えよ.なお,一つの解答群から同じ記号を 2 回以上使用してもよい.

また,[A a.bc] ～ [H a.bc×10^d] に当てはまる数値を計算し,その結果を答えよ.ただし,解答は解答すべき数値の最小位の一つ下の位で四捨五入すること.(配点計 50 点)

ゴミ(廃棄物)を燃焼させて,発生する熱を利用することをサーマルリサイクルという.今,代表的なゴミ(廃棄物)としてプラスチックゴミと紙ゴミについて考えてみる.両者とも,実際には様々な物質が混合したものであるが,計算を容易にするために,それぞれの代表的物質としてポリプロピレンとセルロースを考える.ポリプロピレンは,プロピレン(C_3H_6)が多数重合した物質であり,セルロースは,$C_6H_{10}O_5$ が多数結合した物質である.空気中の水蒸気は無視することとして,次の 1) 及び 2) の計算を行う.

1) 理論空気量を計算する.

ポリプロピレンの単量体である C_3H_6 を完全燃焼させたときの反応式は次のように表される.

$$C_3H_6 + \boxed{\ 1\ }\,O_2 = \boxed{\ 2\ }\,CO_2 + \boxed{\ 3\ }\,H_2O$$

この式より，ポリプロピレン 1 kg を燃焼させるのに必要な理論酸素量は［A a.bc］[kg] となる．また，空気中に占める酸素の体積割合は 21 % であるため，空気の成分が O_2 と N_2 のみであると仮定すれば，空気中の O_2 と N_2 の質量比は 1：［B a.bc］と求められる．従って，理論空気量は［C ab.c］[kg] と求められる．

ポリプロピレン 1 分子が何個の単量体からできているかにかかわらず，C と H の割合は単量体と同じであるから，ポリプロピレン 1 kg に含まれる炭素は［4］[kg] であることが分かる．

一方，セルロースの単量体である $C_6H_{10}O_5$ が完全燃焼したときの反応式は次のように表される．

$$C_6H_{10}O_5 + \boxed{\ 5\ }\,O_2 = \boxed{\ 6\ }\,CO_2 + \boxed{\ 7\ }\,H_2O$$

この式より，セルロース 1 kg を燃焼させるのに必要な理論酸素量は［D a.bc］[kg] となる．

〈［1］～［7］の解答群〉

ア	$\frac{1}{3}$	**イ**	$\frac{1}{2}$	**ウ**	1	**エ**	2
オ	3	**カ**	$3\frac{1}{2}$	**キ**	4	**ク**	$4\frac{1}{2}$
ケ	5	**コ**	$5\frac{1}{2}$	**サ**	6	**シ**	$8\frac{1}{2}$
ス	12	**セ**	32	**ソ**	$\frac{12 \times 3}{12 \times 3 + 6}$	**タ**	$\frac{12}{12 + 1}$

2)　燃焼ガス温度を計算する．

ポリプロピレンとセルロースが空気比 1.3 で完全燃焼し，燃焼ガス成分は，N_2，O_2，CO_2，H_2O のみであり，放熱がないと仮定して，燃焼ガス温度を計算する．

4 種類の気体からなる混合気体において，気体 a の質量を m_a，定圧比熱を c_a，気体 b の質量を m_b，定圧比熱を c_b，気体 c の質量を m_c，定圧比熱を c_c，気体 d の質量を m_d，定圧比熱を c_d とした場合，混合気体の定圧比熱は，式［8］から求められる．

また，炭素 1 kg を完全燃焼させると，CO_2 は［9］[kg] 発生し，水素 1 kg を完全燃焼させると，H_2O が［10］[kg] 発生する．

これより，CO_2 の定圧比熱を 1.202 kJ/(kg·K)，H_2O の定圧比熱を 2.317 kJ/(kg·K)，N_2 の定圧比熱を 1.164 kJ/(kg·K)，O_2 の定圧比熱を 1.075 kJ/(kg·K)

とし，比熱が燃焼ガス温度によらず一定であるとすれば，ポリプロピレンが空気比 1.3 で完全燃焼してできた燃焼ガスの定圧比熱は，E a.bc [kJ/(kg·K)] と求められる．

ここで，基準温度を 300 K とし，ポリプロピレンの低発熱量を 46.4 MJ/kg，燃焼ガスの定圧比熱が温度によらず一定であるとすれば，ポリプロピレンを空気比 1.3 で完全燃焼させた場合の燃焼ガス温度は F $a.bc \times 10^d$ [K] と求められる．

同様にして，まずセルロースが空気比 1.3 で完全燃焼してできた燃焼ガスの定圧比熱は G a.bc [kJ/(kg·K)] と求められる．

基準温度を 300 K とし，セルロースの低発熱量を 13.6 MJ/kg，燃焼ガスの定圧比熱が温度によらず一定であるとすれば，セルロースを空気比 1.3 で完全燃焼させた場合の燃焼ガス温度は，H $a.bc \times 10^d$ [K] と求められる．

これらの計算結果から，ポリプロピレンの燃焼とセルロースの燃焼では，燃焼ガスに大きな温度差が生じることが確認できる．また，実際には，紙ゴミには多くの水分が含まれるため，燃焼温度はこの計算値よりもさらに低くなることが一般的である．これより，紙ゴミにプラスチックゴミが混入すると，想定外に燃焼温度が高くなり，焼却炉にダメージを与える可能性があることがわかる．

〈 8 ～ 10 の解答群〉

ア 9　　**イ** 10　　**ウ** 12

エ $12 + 16 \times 2$　　**オ** $\dfrac{12 + 16 \times 2}{12}$　　**カ** $\dfrac{12 \times 2 + 16}{12 \times 2}$

キ $\dfrac{c_a + c_b + c_c + c_d}{4}$

ク $\dfrac{m_a c_a + m_b c_b + m_c c_c + m_d c_d}{m_a + m_b + m_c + m_d}$

ケ $(m_a + m_b + m_c + m_d)\left(\dfrac{c_a}{m_a} + \dfrac{c_b}{m_b} + \dfrac{c_c}{m_c} + \dfrac{c_d}{m_d}\right)$

解　説

1)　ポリプロピレン C_3H_6 が完全燃焼する場合の反応方程式を以下に示す．

$$C_3H_6 + 4\frac{1}{2}O_2 = 3CO_2 + 3H_2O$$

C_3H_6 1 m^3_N 当たりの必要酸素量 V_{O0} は 4.5 m^3_N/m^3_{N-f}．C_3H_6 の分子量は

42であるので，1 kgは1/42 kmolである．反応方程式より，完全燃焼させるには，O_2の分子量32より4.5×32［kmol］のO_2が必要となる．よって，C_3H_6 1 kgを完全燃焼させるのに必要な理論酸素量V_{O0}は，

$$V_{O0}=\frac{4.5\times 32.0}{42}=3.428\fallingdotseq 3.43\ \mathrm{kg}$$

空気中に占める体積割合O_2が21 %，N_2が79 %と分子量O_2が32，N_2が28より，質量比は

$$\frac{79\times 28}{21\times 32}=3.291\fallingdotseq 3.29 \qquad ①$$

理論空気量V_{A0}は，

$$V_{A0}=\frac{3.428}{\dfrac{1}{1+3.291}}=14.70\ \mathrm{kg}$$

ポリプロピレン1 kgに含まれる炭素は，C_3H_6分子量（12×3＋1×6）とそのうちの炭素分の分子量（12×3）より，$\frac{12\times 3}{12\times 3+6}$となる．

セルロース$C_6H_{10}O_5$が完全燃焼する場合の反応方程式を以下に示す．

$$C_6H_{10}O_5 + 6O_2 = 6CO_2 + 5H_2O$$

$C_6H_{10}O_5$ 1 $\mathrm{m^3_N}$当たりの必要酸素量V_{O0}'は6 $\mathrm{m^3_N/m^3_{N-f}}$．$C_6H_{10}O_5$の分子量は162であるので，1 kgは1/162 kmolである．反応方程式より，完全燃焼させるには，O_2の分子量32より6×32［kmol］のO_2が必要となる．よって，$C_6H_{10}O_5$ 1 kgを完全燃焼させるのに必要な理論酸素量V_{O0}'は，

$$V_{O0}'=\frac{6\times 32}{162}=1.185\fallingdotseq 1.19\ \mathrm{kg}$$

2）　4種類の気体からなる混合気体の定圧比熱は

$$\frac{m_a c_a+m_b c_b+m_c c_c+m_d c_d}{m_a+m_b+m_c+m_d} \qquad ②$$

炭素と水素が完全燃焼する場合の反応方程式は次式で表される．

$$C + O_2 = CO_2$$

$$H+\frac{1}{4}O_2=\frac{1}{2}H_2O$$

Cの原子量12，CO_2の分子量（12＋16×2）であることから，炭素1 kgを完全燃焼させるとCO_2は$\frac{12+16\times 2}{12}$ kg発生する（③）．

Hの原子量1，H_2Oの原子量18であることから，水素1 kgを完全燃焼させるとH_2Oは1/2×18＝9 kg発生する（④）．

ポリプロピレン 1 kg に含まれる炭素の質量

$$\frac{12 \times 3}{42} = 0.857\ \mathrm{kg}$$

ポリプロピレン 1 kg に含まれる水素の質量

$$\frac{1 \times 6}{42} = 0.142\ \mathrm{kg}$$

これより，完全燃焼してできた燃焼ガスの質量を求める．

CO_2 の質量は③より，

$$0.857 \times \frac{12 + 16 \times 2}{12} = 3.142\ \mathrm{kg}$$

H_2O の質量は④より，

$$0.142 \times 9 = 1.278\ \mathrm{kg}$$

燃焼ガスは, CO_2 と H_2O のほかに, 空気比 1.3 であるために燃焼されなかった O_2 と空気中に含まれていた N_2 が加わる．

過剰 O_2 の質量は,

$$(1.3 - 1) \times V_{O0} = 0.3 \times 3.428 = 1.028\ \mathrm{kg}$$

N_2 の質量は，①式より

$$1.3 \times V_{O0} \times 3.291 = 1.3 \times 3.428 \times 3.291 = 14.666\ \mathrm{kg}$$

よって，質量合計は

$$3.142 + 1.278 + 1.028 + 14.666 = 20.114\ \mathrm{kg}$$

となる．

混合気体の定圧比熱の式（②式）より，

$$\frac{3.142 \times 1.202 + 1.278 \times 2.317 + 1.028 \times 1.075 + 14.666 \times 1.164}{20.114} = 1.238$$

となり，燃焼ガスの定圧比熱は 1.24 kJ/(kg·k) となる．

燃焼ガス温度は,

$$基準温度 + \frac{低発熱量}{質量 \times 定圧比熱}$$

で求められる．

$$燃焼ガス温度 = 300 + \frac{46\,400}{20.114 \times 1.238} = 2\,163.36 = 2.16 \times 10^3$$

セルロース 1 kg に含まれる炭素の質量

$$\frac{12 \times 6}{162} = 0.444\ \mathrm{kg}$$

セルロース 1 kg に含まれる水素の質量

$$\frac{1 \times 10}{162} = 0.061\,\text{kg}$$

これより，完全燃焼してできた燃焼ガスの質量を求める．

CO_2 の質量は③より，

$$0.444 \times \frac{12 + 16 \times 2}{12} = 1.628\,\text{kg}$$

H_2O の質量は④より，

$$0.061 \times 9 = 0.549\,\text{kg}$$

燃焼ガスは，CO_2 と H_2O のほかに，空気比 1.3 であるために燃焼されなかった O_2 と空気中に含まれていた N_2 が加わる．

過剰 O_2 の質量

$$(1.3 - 1) \times V_{O0}' = 0.3 \times 1.185 = 0.355\,\text{kg}$$

N_2 の質量は，①式より

$$1.3 \times V_{O0}' \times 3.291 = 1.3 \times 1.185 \times 3.291 = 5.069\,\text{kg}$$

よって，質量合計は

$$1.628 + 0.549 + 0.355 + 5.069 = 7.601\,\text{kg}$$

となる．

混合気体の定圧比熱の式（②式）より，

$$\frac{1.628 \times 1.202 + 0.549 \times 2.317 + 0.355 \times 1.075 + 5.069 \times 1.164}{7.601} = 1.251$$

となり，燃焼ガスの定圧比熱は 1.25 kJ/(kg·k) となる．

燃焼ガス温度は，

$$\text{燃焼ガス温度} = 300 + \frac{13\,600}{7.601 \times 1.251} = 1\,730.2 = 1.73 \times 10^3$$

解　答　**1）1-ク，2-オ，3-オ，A-3.43，B-3.29，C-14.7，4-ソ，5-サ，6-サ，7-ケ，D-1.19**

2）8-ク，9-オ，10-ア，E-1.24，F-2.16×10^3，G-1.25，H-1.73×10^3

I
II
III
IV
第46回 2024（令和6年）
第45回 2023（令和5年）
第44回 2022（令和4年）
第43回 2021（令和3年）
第42回 2020（令和2年）
第41回 2019（令和元年）
第40回 2018（平成30年）
第39回 2017（平成29年）
第38回 2016（平成28年）
第37回 2015（平成27年）

第 37 回　2015 年（平成 27 年）

（燃料及び燃焼管理）

問題8　次の各文章の [1] ～ [16] の中に入れるべき最も適切な字句，数値，式又は記述をそれぞれの解答群から選び，その記号を答えよ．なお，[13] は 3 箇所あるが，同じ記号が入る．（配点計 30 点）

(1)　各種燃料の発熱量の値について考える．

一般的に使用される各種炭化水素ガス（CH_4，C_3H_8，C_4H_{10} など）の単位質量当たりの高発熱量は，[1].

水素，メタン，軽油や重油などの燃料油，燃焼用の石炭である一般炭の 4 種類の燃料について，それぞれの単位質量当たりの高発熱量を比較する．単位質量当たりの高発熱量が最も大きいのは [2] である．燃料油と一般炭の単位質量当たりの高発熱量を比べると [3] の方が大きい．燃料油とメタンの単位質量当たりの高発熱量を比べると [4] の方が大きい.

〈[1] ～ [4] の解答群〉

ア　一般炭　　**イ**　水素　　**ウ**　燃料油　　**エ**　メタン

オ　炭化水素ガスの分子式を C_mH_n と表記すると m にほぼ比例して大きくなる

カ　分子量にほぼ比例して大きくなる

キ　いずれもほぼ同じである

(2)　建屋内の燃焼設備で，都市ガス（13A）あるいはプロパンガスを使用する場合を考える．

都市ガス（13A）の主成分である [5] の分子量の概略値は [6]，プロパンガスの分子量の概略値は [7] である．それぞれの燃料の漏洩検出センサについて，空気の平均分子量との相対的な大小関係より，都市ガス（13A）用のそれは [8]，プロパンガスのそれは [9] に設置するのが適正である.

〈[5] ～ [9] の解答群〉

ア　天井側　　**イ**　床面側　　**ウ**　CH_4　　**エ**　C_2H_6

オ　C_3H_8　　**カ**　CO　　**キ**　16　　**ク**　20

ケ　28　　**コ**　30　　**サ**　44　　**シ**　52

(3)　空気中に浮遊した単一の燃料液滴が燃焼する場合，燃焼が開始してからの時間を t，燃焼開始後の液滴の直径を d_1 とすると，液滴の大きさの時間的な変化は，ほぼ次式で表される.

$$\boxed{\ 10\ } = -C_{\mathrm{b}}$$

ここで，C_{b} は燃焼速度定数と呼ばれる．

上式を積分し，液滴の初期直径を d_0 とすると次式が成り立つ．

$$\boxed{\ 11\ } = -C_{\mathrm{b}}t$$

したがって，液滴の初期直径が $\dfrac{1}{2}$ になると，液滴が燃焼を開始してから燃え切るまでの所要時間は，ほぼ $\boxed{\ 12\ }$ になる．

〈$\boxed{\ 10\ }$ ～ $\boxed{\ 12\ }$ の解答群〉

ア　$d_1 - d_0$　　**イ**　$d_1{}^2 - d_0{}^2$　　**ウ**　$d_1{}^3 - d_0{}^3$

エ　$\dfrac{\mathrm{d}(d_1)}{\mathrm{d}t}$　　**オ**　$\dfrac{\mathrm{d}(d_1{}^2)}{\mathrm{d}t}$　　**カ**　$\dfrac{\mathrm{d}(d_1{}^3)}{\mathrm{d}t}$

キ　$\dfrac{1}{8}$　　**ク**　$\dfrac{1}{4}$　　**ケ**　$\dfrac{1}{2}$

(4)　2 枚の平板間に燃料ガスと空気の混合気が満たされているとき，その混合気中を火炎が伝播できない最大の平板間隔を $\boxed{\ 13\ }$ 距離という．これは，予混合燃焼における逆火への配慮において重要である．一般的に使用される気体炭化水素燃料と空気の常温・常圧の混合気については，混合気の当量比が理論当量比付近の場合に，$\boxed{\ 13\ }$ 距離の値は $\boxed{\ 14\ }$ [mm] 程度である．当量比が理論当量比より小さくなると，$\boxed{\ 13\ }$ 距離は $\boxed{\ 15\ }$．混合気の通路の条件によって火炎が伝播できなくなる現象を利用して，予混合燃焼バーナの混合気供給流路に，多孔板や鋼球充填層を設けて逆火を防止するものを $\boxed{\ 16\ }$ という．

〈$\boxed{\ 13\ }$ ～ $\boxed{\ 16\ }$ の解答群〉

ア　逆火　　**イ**　失火　　**ウ**　消炎

エ　無炎　　**オ**　小さくなる　　**カ**　大きくなる

キ　フレームトラップ　　**ク**　フレームホルダ

ケ　フレームリテンション　　**コ**　0.02

サ　0.2　　**シ**　2

解　説

(1)　4 種類の燃料を高発熱量の大きい順に並べると，

水素（142 MJ/kg）＞メタン（56 MJ/kg）＞燃料油（42 ～ 47 MJ/kg）
＞一般炭（24 ～ 30 MJ/kg）

となる．各種炭化水素ガス（メタン，プロパン，ブタン）の単位質量当たりの高発熱量は，ほぼ同じである．

(2)　都市ガスの主成分はCH_4（メタン）で空気より軽いため，漏えい検出センサは天井側に設置する．分子量の概略値は，C の原子量が 12，H の原子量が 1 であることから 16 となる．プロパンガスは空気より重く，床面側に設置する．プロパンC_3H_8の分子量の概略値は 44 となる．

(3)　空気中に浮遊した単一の燃料液滴が燃焼する場合，液滴直径の 2 乗の時間変化が一定となることから，燃焼開始後の液滴の直径を d_1 とすると，

$$\frac{\mathrm{d}(d_1{}^2)}{\mathrm{d}t}=-C_\mathrm{b}$$

となる．上式を積分し，液滴の初期直径を d_0 とすると，

$$d_1{}^2-d_0{}^2=-C_\mathrm{b}t$$

となる．したがって，液滴の初期直径が 1/2 になると，燃え切るまでの所要時間はほぼ 1/4 となる．

(4)　2 枚の平板間に燃料ガスと空気の混合気が満たされているとき，2 枚の平板の間隔を徐々に減少させていくと，平板間を火炎が伝播できなくなる．この距離を消炎距離という．

消炎距離は，常温・常圧力下では当量比が理論当量比付近では 2 mm 前後である．当量比が理論当量比より小さくても大きくても，消炎距離は大きくなる．また，圧力および燃焼速度が増すと小さくなる．

予混合燃焼バーナの混合気供給流路に，多孔板，ハニカム，鋼球充てん層などを挿入して，火炎の伝播を阻止するものをフレームトラップという．

解　答　(1)　**1-キ，2-イ，3-ウ，4-エ**

(2)　**5-ウ，6-キ，7-サ，8-ア，9-イ**

(3)　**10-オ，11-イ，12-ク**

(4)　**13-ウ，14-シ，15-カ，16-キ**

（燃料及び燃焼管理）

問題9　次の各文章及び表の [1] ～ [12] の中に入れるべき最も適切な字句，数値又は式をそれぞれの解答群から選び，その記号を答えよ．（配点計 30 点）

(1)　拡散燃焼バーナは逆火の危険がなく，また，燃料や空気の予熱もできることから，工業用バーナとして広く用いられる．拡散燃焼バーナの代表的なバーナ型式にはポート型と [1] がある．一般に，ガス火炎の放射率は [2] 程度であるが，放射による加熱の用途では，放射率を更に増大させるために，火炎中で放射を担う [3] の生成を増大させる方式の輝炎バーナが開発さ

れている.

〈 1 〜 3 の解答群〉

ア　ジェット型　**イ**　ノズル型　**ウ**　ブンゼン型
エ　ベンチュリー型　**オ**　炭素粒子　**カ**　OH ラジカル
キ　O_3　**ク**　CO_2　**ケ**　0.2 〜 0.35
コ　0.45 〜 0.65　**サ**　0.75 〜 0.85　**シ**　1.0 〜 1.2

(2)　次の表 1 は，液体燃料の噴霧燃焼装置に用いられるバーナ形式について，単機バーナ容量範囲，油量調節範囲，火炎の特徴，及び主な用途を示したものである．表中の下線部で示される①〜⑥の記述のうち，明らかに誤っているものは 4 及び 5 である.

表 1　各種バーナの特徴と用途

バーナ形式	単機バーナ容量範囲 (L/h)	油量調節範囲	火炎の特徴	主な用途
油圧式	① 30 〜 3 000	ノンリターン 1：2 リターン 1：3	広角の火炎で，比較的短い火炎	②発電用，舶用などの大型ボイラ
回転式	5 〜 1 000	1：5	③広角の火炎，火炎長は空気量で調節可能	負荷変動のある中・小型ボイラ
低圧気流式	2 〜 300	④ 1：2	比較的狭角の火炎で短炎	⑤小型加熱炉など，比較的小規模の加熱装置
高圧気流式	2 〜 2 000	1：10	⑥最も広角の火炎で短炎	連続加熱炉など，均一加熱の必要な加熱炉

〈 4 及び 5 の解答群〉

ア　①　**イ**　②　**ウ**　③　**エ**　④　**オ**　⑤　**カ**　⑥

(3)　石炭燃焼装置について説明した次の記述のうち，明らかに誤っているものは 6 及び 7 である.

①　流動層燃焼装置では，数 cm 程度の塊状の燃料が使用できる.

②　流動層燃焼方式と微粉炭燃焼方式のボイラ火炉を比較した場合，同一の蒸発量では微粉炭ボイラの方がコンパクトになる.

③　火格子燃焼装置の燃料供給方式には，下込め方式と上込め方式がある.

④　火格子燃焼装置，微粉炭燃焼装置，流動層燃焼装置で燃焼温度が最も低いのは流動層燃焼装置である.

⑤　火格子燃焼装置と微粉炭燃焼装置で燃焼用空気の流速を比較すると，微粉炭燃焼装置の方が大きい.

⑥　微粉炭燃焼装置では，灰は全てフライアッシュとして排出される．

〈[6] 及び [7] の解答群〉

ア ①　**イ** ②　**ウ** ③　**エ** ④　**オ** ⑤　**カ** ⑥

(4)　次の表 2 は，JIS により規定されている排ガス中の O_2，NO 及び SO_2 を連続的に測定する自動計測器の方式を示したものである．

表 2　排ガス中の O_2，NO 及び SO_2 自動計測器

測定対象ガス	自動計測器の方式
O_2	電気化学式，[8] 式
NO	赤外線吸収方式，紫外線吸収方式，[9] 方式，差分光吸収方式
SO_2	赤外線吸収方式，紫外線吸収方式，紫外線蛍光方式，[10] 方式，干渉分光方式

〈[8] ～ [10] の解答群〉

ア 化学発光　**イ** 検知管　**ウ** 紫外線蛍光　**エ** 磁気

オ 熱伝導率　**カ** 溶液導電率　**キ** ガスクロマトグラフ

(5)　燃焼関連設備及びその管理に関する次の記述のうち，明らかに誤っているものは [11] 及び [12] である．

①　低温腐食の防止には，伝熱面等を酸露点以下の温度に保つことが有効である．

②　ガス燃料及び固体燃料をそれぞれ使用する一般的な燃焼装置で比較した場合，完全燃焼に必要な空気比は固体燃焼の方が大きい．

③　排ガス中の酸素濃度が高いにもかかわらず，不完全燃焼を生じる場合，排ガスダクトへ空気が漏入しているおそれがある．

④　燃焼室熱負荷を大きくすると，NO_x が増加する傾向にある．

⑤　火炎検出センサのうち，赤外光を検出するものと紫外光を検出するものを比較すると，火炎の誤認が少ないのは赤外光を検出するセンサである．

⑥　燃焼用空気を予熱すると，同一の燃焼温度を得るのに必要な燃料消費量を小さくできる．

〈[11] 及び [12] の解答群〉

ア ①　**イ** ②　**ウ** ③　**エ** ④　**オ** ⑤　**カ** ⑥

解説

(1)　拡散燃焼バーナにはポート型とノズル型がある．一般にガス火炎の放射率は 0.2 ～ 0.35 程度である．

輝炎バーナは，火炎からの放射率が高い輝炎を生成するようにしてある

バーナである．炭素粒子の生成を増大させる方式により放射率を増大させている．

(2)

④　低圧気流形は比較的狭角の短炎で油量調節範囲が広い．

⑥　高圧気流式は，狭角の長炎で油量調節範囲が広い．

(3)

②　流動層ボイラは，燃焼層内に伝熱管を配置することで熱伝達率を高くできるため小形化することができ，微粉炭ボイラよりコンパクトになる．

⑥　微粉炭燃焼装置は，微粒子化した石炭を一次空気とともに燃焼炉内に吹込み，燃焼室内で二次空気と混合し浮遊させて燃焼させる．灰のほとんどは微粉炭燃焼灰（フライアッシュ）であるが，脱水・粉砕した灰（クリンカアッシュ）もある．

(4)　O_2 自動計測器は，電気化学式と磁気式がある．

NO 自動計測器は，赤外線吸収方式と紫外線吸収方式，化学発光方式，差分光吸収方式がある．

SO_2 自動計測器は，赤外線吸収方式と紫外線吸収方式，紫外線蛍光方式，溶液導電率方式，干渉分光方式がある．

ガスクロマトグラフは，O_2 と SO_2 ともに計測可能であるが連続的な測定はできない．

(5)

①　低温腐食の防止としては，伝熱面等を酸露点以下の温度にならないようにすることが有効である．

⑤　火炎検出センサのうち，赤外光と紫外光を比較すると，紫外光の方が火炎の誤認が少ないセンサである．

解　答　(1)　**1-イ，2-ケ，3-オ**

(2)　**4-エ，5-カ（4と5は順序は問わない）**

(3)　**6-イ，7-カ（6と7は順序は問わない）**

(4)　**8-エ，9-ア，10-カ**

(5)　**11-ア，12-オ（11と12は順序は問わない）**

（燃焼計算）

問題10　次の各文章の［　1　］～［　9　］の中に入れるべき最も適切な数値又は式をそれぞれの解答群から選び，その記号を答えよ．なお，一つの解答群から同じ記号を2回以上使用してもよい．

また，[A a.bc] ～ [K a.bc] に当てはまる数値を計算し，その結果を答えよ．ただし，解答は解答すべき数値の最小位の一つ下の位で四捨五入すること．（配点計 50 点）

質量組成が炭素 87 %，水素 13 % の重油を燃料として，空気比 1.3 で 1 時間当たり 80 kg/h を完全燃焼させているボイラがある．このボイラからの CO_2 排出量を低減するため，燃料をメタン（CH_4）に変更することを考える．ただし，空気中の水蒸気は無視することとし，重油の低発熱量を 42.3 MJ/kg_{-f}，メタンの低発熱量を 35.8 MJ/$m^3{}_{N-f}$ とする．

1)　理論空気量を計算する．

炭素 1 kg を完全燃焼させると CO_2 は [1] [$m^3{}_N$] 発生する．また水素 1 kg を完全燃焼させると H_2O が [2] [$m^3{}_N$] 発生する．したがって，重油 1 kg を燃焼させるのに必要な理論酸素量は [A a.bc] [$m^3{}_N/kg_{-f}$] となる．空気中に占める酸素の体積割合は [3] [%] とされることから，理論空気量は [B ab.c] [$m^3{}_N/kg_{-f}$] と求められる．また，このときの CO_2 発生量は，重油 1 kg 当たり [C a.bc] [$m^3{}_N/kg_{-f}$] となる．

一方，メタンが完全燃焼したときの反応式は次のようになる．

CH_4 + [4] O_2 = [5] CO_2 + [6] H_2O ……………………… ①

①式より，メタン 1 $m^3{}_N$ を燃焼させるのに必要な理論酸素量がわかるので，重油の場合と同様の計算で理論空気量も求められる．

〈[1] ～ [6] の解答群〉

ア	1	イ	2	ウ	4	エ	6	オ	16
カ	18	キ	21	ク	22.4	ケ	32	コ	$\frac{1}{2}$
サ	$\frac{22.4}{24}$	シ	$\frac{22.4}{12}$	ス	$\frac{22.4}{6}$	セ	$\frac{22.4}{4}$	ソ	$\frac{22.4}{2}$

2)　CO_2 排出量を計算する．

このボイラにおける 1 時間当たりの発生熱量は [D a.bc×10^d] [MJ/h] である．燃料をメタンに変更しても同じ発生熱量を維持するためには，メタンの供給流量 W_{Eq} は [E ab.c] [$m^3{}_N$/h] でなくてはならない．これより，燃料を重油からメタンに変えることによって削減される CO_2 排出量は1)で求めた燃料単位量当たりの CO_2 発生量を用いて，1 時間当たり [F ab.c] [$m^3{}_N$/h] と求められる．

3)　湿り燃焼ガス量を計算する．

燃料を理論空気量で完全燃焼したとすれば，その燃焼ガスに含まれる成分は，燃焼によって生成した CO_2 と [7]，更に空気中にあって燃焼に関与

しない $\boxed{\ 8\ }$ である．したがって，重油 1 kg を燃焼させたときの理論湿り燃焼ガス量は，$\boxed{\text{G}\,|\,\text{ab.c}}$ $[\mathrm{m^3_N/kg_{-f}}]$，メタン 1 $\mathrm{m^3_N}$ を燃焼させたときの理論湿り燃焼ガス量は，$\boxed{\text{H}\,|\,\text{ab.c}}$ $[\mathrm{m^3_N/m^3_{N-f}}]$ となる．

これら燃料単位量当たりの理論湿り燃焼ガス量に，それぞれの燃料消費量を乗じることにより，両者の 1 時間当たりの理論湿り燃焼ガス量が求められ，燃料をメタンに転換したときの方が 1 時間当たり $\boxed{\text{I}\,|\,\text{ab.c}}$ $[\mathrm{m^3_N/h}]$ だけ理論湿り燃焼ガス量が増加することがわかる．

しかしながら，実際の重油ボイラでは，完全燃焼させるために空気比を比較的高めにすることが一般的である．燃料を理論空気量 V_{A0} で燃焼させたときに発生する理論湿り燃焼ガス量を V_{G0} とすれば，空気比 α で燃焼したときに発生する湿り燃焼ガス量 V_G は，$\boxed{\ 9\ }$ と表される．このことから，空気比を 1.3 とした場合の湿り燃焼ガス量は，1 時間当たり $\boxed{\text{J}\,|\,\text{a.bc}\times 10^{\text{d}}}$ $[\mathrm{m^3_N/h}]$ と計算される．燃料をメタンに転換すれば，気体燃料の特長として少ない空気比で完全燃焼が可能となるため，より燃焼ガス量を減少させることができる．燃料転換後，2) で求めた，重油と同じ発生熱量となるメタンの供給流量 W_{Eq} $[\mathrm{m^3_N/h}]$ を完全燃焼させたところ，発生する湿り燃焼ガス量が 1 100 $\mathrm{m^3_N/h}$ であった．このときの空気比は $\boxed{\text{K}\,|\,\text{a.bc}}$ であったと考えられる．

〈$\boxed{\ 7\ }$ ～ $\boxed{\ 9\ }$ の解答群〉

ア　$V_G = V_{G0} + \dfrac{V_{A0}}{\alpha}$　　**イ**　$V_G = V_{G0} + V_{A0}(\alpha - 1)$

ウ　$V_G = V_{A0} + V_{G0}(\alpha - 1)$　　**エ**　O_2　　**オ**　N_2

カ　CO　　**キ**　CO_2　　**ク**　H_2O　　**ケ**　SO_2

解　説

1)　炭素と水素が完全燃焼する場合の反応方程式は次式で表される．

$$\mathrm{C + O_2 = CO_2}$$

$$\mathrm{H} + \frac{1}{4}\mathrm{O_2} = \frac{1}{2}\mathrm{H_2O}$$

炭素の原子量は 12 であることから，1 kg の炭素は 1/12 kmol となる．炭素の反応方程式より，炭素を完全燃焼させるためには 1/12 kmol の O_2 が必要であることがわかる．1 kmol は 22.4 $\mathrm{m^3_N}$ であるので，必要な酸素量は 22.4/12 $\mathrm{m^3_N}$ となる．

水素の原子量は 1 であることから，1 kg の水素は 1 kmol となる．水素を完全燃焼させると 1/2 kmol つまり 22.4/2 $\mathrm{m^3_N}$ の水が発生する．

燃料 1 kg 中に炭素が 0.87 kg，水素が 0.13 kg 含まれているので，必要な酸素量 V_{O0} は

$$V_{O0} = 0.87 \times \frac{22.4}{12} + 0.13 \times \frac{22.4}{4} = 2.352 \fallingdotseq 2.35\ \mathrm{m^3{}_N/kg_{-f}}$$

となる．空気中の酸素の体積割合は 0.21 であるから，理論空気量 V_{A0} は，

$$V_{A0} = \frac{V_{O0}}{0.21} = \frac{2.352}{0.21} = 11.2\ \mathrm{m_N{}^3/kg_{-f}}$$

また，このときの CO_2 発生量 V_{CO2} は，燃料 1 kg 中に炭素が 0.87 kg 含まれているので

$$V_{CO2} = 0.87 \times \frac{22.4}{12} = 1.624 \fallingdotseq 1.62\ \mathrm{m^3{}_N/kg_{-f}}$$

メタンが完全燃焼する場合の反応方程式は次式で表される．

$$CH_4 + 2O_2 = CO_2 + 2H_2O$$

2）1 時間当たり 80 kg/h を完全燃焼させるボイラであることから，発生熱量は，

$$80 \times 42.3 = 3\,384 \fallingdotseq 3.38 \times 10^3\ \mathrm{MJ/h}$$

メタンの低発熱量が 35.8 $\mathrm{MJ/m^3{}_{N-f}}$ であることから，同じ発熱量を維持するために必要なメタン供給流量 W_{Eq} は

$$W_{Eq} = \frac{3\,384}{35.8} = 94.52\cdots \fallingdotseq 94.5\ \mathrm{m^3{}_N/h}$$

重油の CO_2 排出量は

$$V_{CO2} \times 80 = 1.624 \times 80 = 129.92\ \mathrm{m^3{}_N/h}$$

である．メタンに変えたことによって CO_2 排出量は，反応方程式よりメタン 1 $\mathrm{m^3{}_N/h}$ を燃焼させたときに発生する CO_2 排出量が 1 $\mathrm{m^3{}_N/h}$ であることから，94.52 $\mathrm{m^3{}_N/h}$ となる．以上のことから，燃料を重油からメタンに変えることによって削減される CO_2 排出量は

$$129.92 - 94.52 = 35.4\ \mathrm{m^3{}_N/h}$$

となる．

3）燃料を理論空気量で完全燃焼したとすれば，その燃焼ガスに含まれる成分は，燃焼によって生成した CO_2 と H_2O，さらに空気中にあって燃焼に関与しない N_2 である．

理論湿り燃焼ガス量 V_{G0} は，供給空気量から O_2 が消費され，CO_2 と H_2O が生成されるので，次式で表される．

$$V_{G0} = V_{A0} - V_{O0} + V_{CO2} + V_{H2O}$$

重油 1 kg を完全燃焼させるのに発生する H_2O 量 V_{H2O} は，

$$V_{H2O} = 0.13 \times \frac{22.4}{2} = 1.456 \fallingdotseq 1.46\ m^3{}_N/kg_{-f}$$

であるので，重油を燃焼させたときの理論湿り燃焼ガス量 $V_{G0\,(\text{重油})}$ は，

$$V_{G0\,(\text{重油})} = 11.2 - 2.352 + 1.624 + 1.456 = 11.928 \fallingdotseq 11.9\ m^3{}_N/kg_{-f}$$

メタン 1 $m^3{}_N$ を燃焼させたときの理論湿り燃焼ガス量 $V_{G0\,(\text{メタン})}$ は，

$$V_{G0\,(\text{メタン})} = \frac{2}{0.21} - 2 + 1 + 2 = 10.52 \fallingdotseq 10.5\ m^3{}_N/m^3{}_{N-f}$$

となる．燃料をメタンに転換したときの 1 時間当たりの理論湿り燃焼ガス量の増加量は，$V_{G0\,(\text{メタン})} \times W_{Eq} - V_{G0\,(\text{重油})} \times 80$ より，40.1 $m^3{}_N/h$ となる．

空気比 α で燃焼したときに発生する湿り燃焼ガス量 V_G は

$$V_G = V_{G0} + V_{A0}(\alpha - 1)$$

と表せられる．

空気比を 1.3 とした場合の 1 時間当たりの湿り燃焼ガス量 V_G は

$$V_G = 11.92 \times 80 + 11.2 \times 80 \times (1.3 - 1) = 1222.4 \fallingdotseq 1.22 \times 10^3\ m^3{}_N/h$$

燃料転換後，空気比を α' とした場合の湿り燃焼ガス量 V_G' は，

$$V_G' = 10.52 \times 94.52 + 9.52 \times 94.52 \times (\alpha' - 1) = 1\,100$$

となる．空気比 α' は，1.12 となる．

解答　**1）　1-シ，2-ソ，A-2.35，3-キ，B-11.2，C-1.62，4-イ，5-ア，6-イ**

2）　D-3.38 × 10^3，E-94.5，F-35.4

3）　7-ク，8-オ，G-11.9，H-10.5，I-40.1，9-イ，J-1.22 × 10^3，K-1.12

課目Ⅳ

熱利用設備及び
その管理

の10年間

★年度の出題分野（出題数）

●計測及び制御（2 問題）

●熱利用設備

・ボイラ，蒸気輸送・貯蔵装置，蒸気原動機．内燃機関・ガスタービン（2 問題）

◦熱交換機．熱回収装置

◦冷凍・空気調和設備

◦工業炉，熱設備材料

◦蒸留・蒸発・濃縮装置，乾燥装置，乾留・ガス化装置

（◦印…4 題中から 2 問題選択）

第 46 回　2024 年（令和 6 年）

（計測及び制御）

問題11　次の各文章の [1] ～ [14] の中に入れるべき最も適切な字句等をそれぞれの解答群から選びその記号を答えよ．なお，[2]，[5] 及び [8] は複数箇所あるが，それぞれ同じ記号が入る．（配点計 50 点）

(1)　温度計には種々の原理のものがある．次の記述は，ある温度計について説明したものである．

1)　材質の異なる 2 本の [1] の両端を接続して回路を構成し，2 つの接点を異なった温度に保つと，ゼーベック効果により回路に [2] が生じる．この大きさは，2 本の材質が決まれば [3] によってのみ決まる．したがって，一方の接点の温度を一定に保ち，この回路に生じる [2] を測定することにより，もう一方の接点の温度を知ることができる．

〈[1] ～ [3] の解答群〉

ア　起電力　　**イ**　電荷　　**ウ**　電気抵抗
エ　金属線　　**オ**　炭素繊維　　**カ**　半導体線
キ　回路の最高温度　　**ク**　回路の抵抗　　**ケ**　両接点の温度

2)　1)で示した原理を利用して温度を計測しているのが [4] である．

〈[4] の解答群〉

ア　サーミスタ温度計　　**イ**　測温抵抗体　　**ウ**　熱電対

(2)　流量計には種々の原理のものがある．次の記述は，2 種類の流量計について説明したものである．

1)　内部に流体が流れている U 字形の管を上下に振動させると，この流体の [5] 流量に比例する力が流体に発生する．この力の方向は流れの方向により変わり，U 字形の管がねじられる．この原理を利用したのが [6] 流量計である．この流量計では，基本振動に対するねじれ角をコイルとマグネットによって検出し，[5] 流量を測定している．管には U 字形の他に S 形，B 形，らせん形，Ω 形，直管形など多くの種類が用いられている．

〈[5] 及び [6] の解答群〉

ア　コリオリ式　　**イ**　差圧式　　**ウ**　熱式　　**エ**　容積式
オ　質量　　**カ**　積算　　**キ**　体積

2)　加熱した物体に流体を接触させると，流体は物体から熱を奪って温度が上昇する．このとき，単位時間に移動する熱量は，（流体の [7] ）×（流体の温度上昇）×（流体の [8] 流量）に比例する．この原理に基づいて [8] 流量を測定するのが [9] 流量計である．

この流量計は，流体の流れる細管の上流側と下流側の 2 箇所に，同一の電流が流れる，温度センサーを兼ねた抵抗体が巻かれた仕組みになっている．細管内に流体が流れると，上流側の抵抗体の温度は低下し，下流側の抵抗体の温度は上昇する．この温度差を検出することで [8] 流量が測定できる．

なお，流量が大きい流量計においては，主流から分岐したバイパス流が計測用の細管を流れる構造となっており，主流内のフローエレメントにより両者の流量比は一定に保たれている．

〈 [7] ～ [9] の解答群〉

ア コリオリ式　**イ** 差圧式　**ウ** 熱式　**エ** 容積式
オ 質量　**カ** 積算　**キ** 体積　**ク** 定圧比熱
ケ 定容比熱　**コ** 比重　**サ** 比熱比

3)　1)及び2)の流量計のうち，一般の流体だけでなく固形物を含む液，高粘度液，高圧気体の測定にも適しているのは， [10] 流量計である．

〈 [10] の解答群〉

ア コリオリ式　**イ** 差圧式　**ウ** 熱式　**エ** 容積式

(3)　圧力計には液柱式圧力計やブルドン管圧力計など種々の方式がある．

1)　両端が開放された U 字形の管に液体を入れ，一端に圧力を加えると，管内の液体は押されて移動し，二液面間の液位差と加えた圧力がバランスしたところで停止する．この原理を利用して液位差から圧力を求めるのが液柱式圧力計である．

液柱式圧力計を用いて管の端部 1 に測定圧力 p を加え，端部 2 を大気に開放したとき，液位差が示す圧力の測定値は [11] と呼ばれる．例えば，標準気圧の大気中で，管の端部 1 の液面が端部 2 の液面よりも低くなり，液位差が示す圧力の値が 0.01 MPa と読み取れる場合，圧力 p は絶対圧で [12] [MPa] である．

〈 [11] 及び [12] の解答群〉

ア 0.01　**イ** 0.09　**ウ** 0.11　**エ** 0.99　**オ** 1.01
カ ゲージ圧　**キ** 絶対圧　**ク** 全圧

2)　配管などの圧力測定に用いられているブルドン管は， [13] 式圧力計の一種である．断面が楕円型などの扁平《へんぺい》な断面を持つ管の一端を閉じ，C 字形・渦巻き形・つる巻き形などの形に巻き，他端から圧力を加えると，巻かれた管はほどける方向に動く．ブルドン管圧力計はこのことを利用しており，閉じた先端の変位量はほぼ [14] する．

ブルドン管圧力計は構造が簡単で比較的安価に製作でき，管の材料・寸法を選べば非常に広い範囲の測定が可能である．また，測定に当たって外部からのエネルギーは必要としない．

〈 [13] 及び [14] の解答群〉

ア　液柱　　**イ**　重錘　　**ウ**　弾性
エ　圧力に比例　　**オ**　圧力に反比例
カ　圧力の平方根に比例　　**キ**　圧力の平方根に反比例

解　説

(1)

1)，2)　**熱電対**は，2種類の均質な金属線で閉回路をつくったとき，測温接点 t_1 と基準接点 t_2 が異なる温度の場合，回路内に電流が流れるという原理（**ゼーベック効果**）を利用して温度を計測する温度計である．このとき回路に発生した起電力を**熱起電力**といい，回路を開放して温度を一定にした基準接点との端子間電圧を測定することにより温度を検出することができる．

(2)

1)　コリオリ式質量流量計は，回転座標系において，質量をもつものが回転軸に近づいたり，遠ざかったりするときに**コリオリ力**が作用するという原理を利用して，主に液体や固液混相流体の質量流量を測定する計測器である．U字管を使用したものでは，U字管を軸の周りで角速度 ω で振動させると，振動軸に近づく流れは振動を強め，遠ざかる流れは振動を弱める方向にコリオリ力を作用させるので，流路がねじれる．このとき上流側と下流側の変位の位相差は，管内を流れる流体の質量流量に比例するので，この位相差をコイルとマグネットから構成される電磁ピックアップで検出することによって，質量流量を計測することができる．なお，計測原理が質量流量によるねじれ角の検出なので，流量計の上流側と下流側に直管部を必要としない．また，計測対象の流体としては，スラリや固液混相流体も可能である．管にはU字形のほかに，S形，B形，らせん形，Ω形，直管形など多くの種類がある．

2)　熱式質量流量計は，流体と物体との対流熱伝達によって物体から熱が奪われるという原理を用いて質量流量を計測するものである．センサを周囲温度と一定の温度差になるように加熱すると，流体が対流熱伝達によってセンサと熱交換する熱量は，(流体の定圧比熱)×(流体の温度上昇)×(流体の質量流量)に比例し，質量流量と相関をもつ．上流側のセンサは温度が低下し，下流側のセンサは温度が上昇することから，センサ間の温度差を計測することによって質量流量を算出することができる．流量範囲が広く，温度と圧力の補正なしに直接質量流量を計測できるという特徴がある．

流量が多い場合は，主流路から分岐した細管のバイパス流路で流量を計測する．主流路とバイパス流路の流量比が一定に保たれているため，主流路の流量が求められる．

3) 熱式質量流量計は気体または液体の流量計測しかできないため，固体を含む混相流，高粘度の液体，高圧気体の流量計測にはコリオリ式質量流量計が適している．

(3)

1) 液柱式圧力計は，U字管の内部の液体の液位差を利用して大気圧との圧力差を測定する圧力計である．大気圧との圧力差を求めることから，これは**ゲージ圧**になる．

液位差が 0.01 MPa を示すとき，これはゲージ圧なので，絶対圧はこれに大気圧を加えたものである．大気圧は 1 013.25 hPa ≒ 0.1 MPa であるから，$0.01 + 0.1 = 0.11$ MPa となる．

2) くるくる巻いてあって，息を吹きかけるとまっすぐに伸びてピーと笛が鳴る「吹き戻し」という紙製の玩具がある．ブルドン管圧力計は，「吹き戻し」のように，圧力が加わると巻かれた管がほどける方向に動くという金属管の弾性の原理を用いて圧力を測定する圧力計であり，変位量はほぼ圧力に比例する．

ブルドン管圧力計は，原理が単純なので，材料を選べば幅広い圧力範囲を計測できる．また，金属管の弾性原理を利用したものなので，エネルギーは必要としない．

解 答 (1) **1-エ，2-ア，3-ケ，4-ウ**
(2) **5-オ，6-ア，7-ク，8-オ，9-ウ，10-ア**
(3) **11-カ，12-ウ，13-ウ，14-エ**

(計測及び制御)

問題12 次の各文章の [1] ～ [13] の中に入れるべき最も適切な字句等をそれぞれの解答群から選び，その記号を答えよ．なお，[1] 及び [3] は複数箇所あるが，それぞれ同じ記号が入る．(配点計 50 点)

(1)　図は水管ボイラの制御系を示したものである．水管ボイラは，燃焼熱を発生する火炉と水管群やドラムのボイラ本体から構成されている．ボイラは燃焼，伝熱，圧力及び温度などの変化が同時並行し，関連しながら蒸気を発生するため，多変数制御系とみることができる．

その主な制御としては，蒸気需要の変動により変化するドラム圧力を一定に保つ「圧力制御」やドラム液面を維持する「液面制御」などがある．

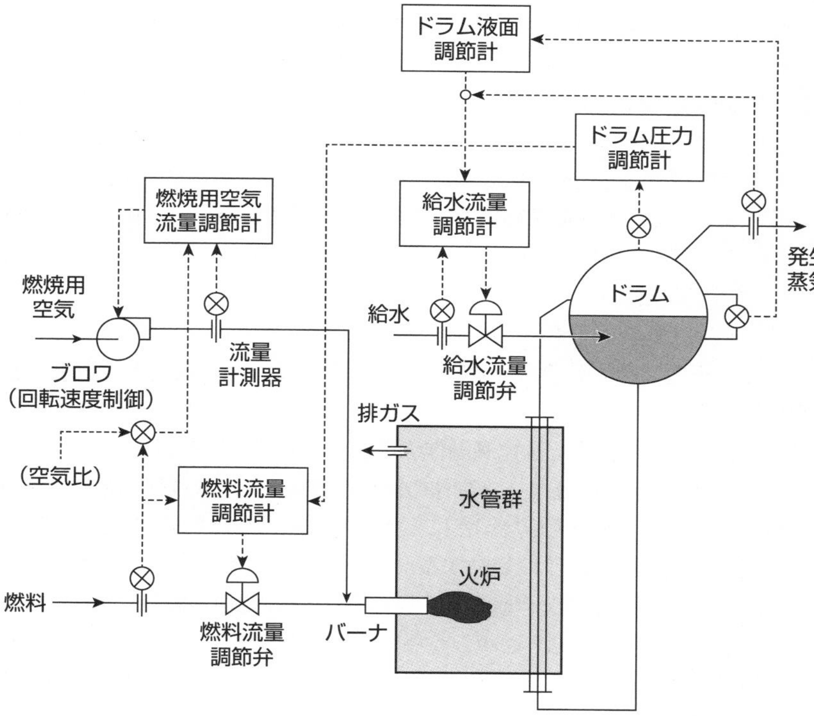

図　水管ボイラの制御系

1)　ドラム圧力制御では，火炉の燃焼量を増減することによりドラム圧力を一定としている．具体的には，ドラム圧力調節計の出力により燃料流量調節計の設定値を与えている．このような調節計の階層構造を用いた制御を［ 1 ］と呼ぶ．ここで，ドラム圧力調節計を［ 2 ］調節計，燃料流量調節計を［ 3 ］調節計と呼ぶ．

また，［ 1 ］を採用することにより，燃料系の供給圧の変動といった外乱を［ 3 ］調節計で吸収することにより，それがドラム圧力の変動に及ぶことを防止できる．

2)　燃焼においては，燃焼用空気の量が排ガスからの損失熱量を左右する．そこで，燃料流量と燃焼用空気流量の関係を適正に保つための [4] を適用することにより燃焼用空気流量を調節し，目標とする空気比が維持できるように制御している．

〈[1]～[4] の解答群〉

ア　カスケード制御　**イ**　シーケンス制御
ウ　フィードバック制御　**エ**　フィードフォワード制御
オ　プログラム制御　**カ**　追値制御　**キ**　比率制御
ク　一次　**ケ**　二次　**コ**　主　**サ**　従　**シ**　副

3)　燃焼用空気は，ブロワにより送気される．その流量を制御するのに，一般にはブロワのベーンで調整することが多いが，この図の例では，ブロワ動力の低減を図るため，広範な流量で最も動力の低減効果が優れるとされる，ブロワの回転速度制御により流量調整されている．これには，一般的に [5] 制御が使用される．

〈[5] の解答群〉

ア　インバータ　**イ**　コンバータ　**ウ**　リアクトル

(2)　ドラム圧力制御やドラム液面制御等の調節計には，一般に PID 動作を採用している．

1)　PID 動作の P 動作とは比例動作のことで，偏差（目標値 − 測定値）に比例した制御出力を出す．P 動作の調整パラメータ PB は比例帯と呼ばれる．P 動作だけを使用した場合に，比例帯の広さを過剰に [6] すると，計測値は波を打つように変動する．比例帯の広さを [7] すると，偏差に対する調節計出力の変化は小さくなるため，測定値が波を打つことはなくなるが，測定値の動きはゆっくりしたものになり，かつ最終値に偏差が残ることがある．これを [8] という．この偏差の大きさは，一般に比例帯が広いほど [9]．

〈[6]～[9] の解答群〉

ア　オフセット　**イ**　サイクリング　**ウ**　外乱　**エ**　大きい
オ　小さい　**カ**　狭く　**キ**　広く

2)　この偏差を解消するには，積分動作（I 動作ともいう）を加える必要がある．その調整パラメータ T_{I} は積分時間と呼ばれる．

i)　積分時間が長いと，積分動作分の出力は [10] 変化する．

ii)　積分時間が過剰に [11] と，測定値は波を打つようになる．これを積分性のハンチングという．

〈［10］及び［11］の解答群〉

ア　ゆっくりと　　**イ**　急激に　　**ウ**　長い　　**エ**　短い

3)　測定値の変化速度に比例した出力を出すのが微分動作（D 動作ともいう）であり，その調整パラメータ T_{D} は微分時間と呼ばれる．

i)　微分時間が長いと，微分動作分の出力は［12］なる．

ii)　微分時間が過剰に［13］と，測定値は波を打つようになる．

〈［12］及び［13］の解答群〉

ア　大きく　　**イ**　小さく　　**ウ**　長い　　**エ**　短い

解　説

(1)

1)　設問の図の水管ボイラのドラム圧力制御では，ドラム圧力調節計の出力をガス燃料流量調節計の設定値入力として与えている．このように制御ループが入れ子になった制御を**カスケード制御**という．ここでは，燃料の供給圧力の変動による流量の変化という外乱による影響を，燃料流量に影響が出る前に処理できるようになっている．一次ループにあるドラム圧力調節計を**一次調節計**，二次ループにある燃料流量調節計を**二次調節計**という．**第 1 図**のブロック線図を参考にしてほしい．

2)　さらに，比率設定器によって，燃焼流量計測値に比例した信号を燃焼用空気流量調節計の目標値として与えている．これを**比率制御**という．この比率制御によって，過剰燃焼空気量を抑制して，目標となる空気比を維持することで省エネルギーを図ることができる．

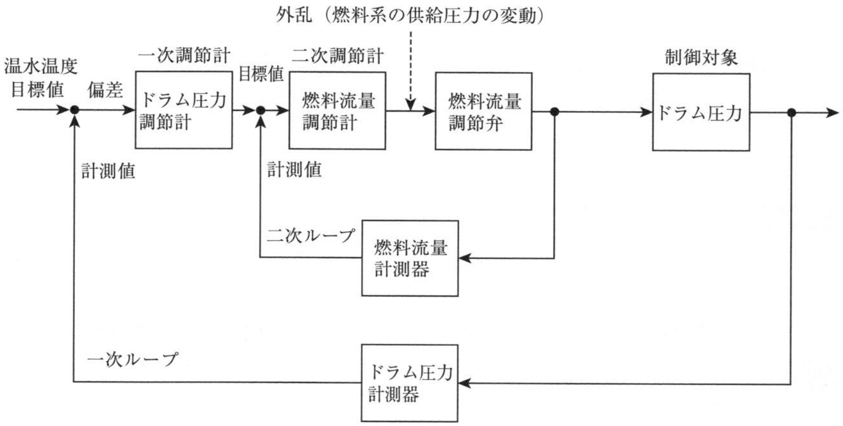

第 1 図　水管ボイラのドラム圧力制御系のブロック線図

3)　燃焼用空気はブロワによって加圧給気される．空気流量の制御には，一般にブロワのベーン制御が行われるが，設問の図のようにブロワの回転速度をインバータで制御して空気流量を調節すると，空気流量は回転速度に比例して変化し，回転速度の3乗に比例して軸動力が変化するので，省エネルギーになる．

(2)

1)　プロセス制御の調節計には，一般にPID制御が用いられる．P動作は偏差に比例する制御出力を出す**比例動作**である．P動作の調整パラメータは比例帯PB（Proportional Band）であり，%表示される．P動作のみを使用した場合，目標値と制御量の最終値の間に定常的な偏差が残り，これを**オフセット**（**定常偏差，残留偏差**）という．比例帯の幅を狭くすると制御量の変化が速くなるが，同時に制御動作が不安定になりやすい．また，比例帯の幅を広くすると制御量の変化が遅くなるが，制御動作が安定する．オフセットは，一般に比例帯の幅が広いほど大きくなる．

2)　オフセットを解消するためには，**積分動作**（I動作）を加えなくてはならない．積分動作の調整パラメータを**積分時間** T_i という．積分時間が長いと積分動作の出力はゆっくりとなる．逆に，積分時間を短くするとオフセットが早く解消されるが，制御が不安定になり，測定値が波打つように変化する．これを**ハンチング**という．

3)　制御量の変化速度に比例した制御出力を出すことを微分動作（D動作）といい，調整パラメータを**微分時間** T_d という．微分時間 T_d が長いと微分動作の出力は大きくなる．微分時間が過剰に長い場合，測定値は波打つように変化する．

PID制御の伝達関数 $G(s)$ をラプラス変換で表示すると，次のようになる．

$$G(s) = \frac{100}{PB}\left(1 + \frac{1}{T_i s} + T_d s\right)$$

解　答　(1)　**1-ア，2-ク，3-ケ，4-キ，5-ア**
(2)　**6-カ，7-キ，8-ア，9-エ，10-ア，11-エ，12-ア，13-ウ**

（ボイラ，蒸気輸送・貯蔵装置，蒸気原動機・内燃機関・ガスタービン）

問題13　次の文章の［ 1 ］～［ 13 ］の中に入れるべき最も適切な字句等をそれぞれの解答群から選び，その記号を答えよ．

また，［A ab.c］～［C a.b］に当てはまる数値を計算し，その結果を答えよ．

ただし，解答は解答すべき数値の最小位の一つ下の位で四捨五入すること．

（配点計 50 点）

(1)　蒸気を発生するボイラの熱効率を管理することや熱効率向上対策を検討するとき，ボイラに投入された熱量のうち，有効利用されなかった熱量（損失熱量）を把握することが重要であり，損失の項目ごとに整理し，その実態を知ることから進められる．

1)　損失熱量の主なものを，「陸用ボイラの熱勘定方式」（JIS B 8222）から挙げると，次のようになる．

i)　排ガス熱損失：排ガス熱損失は，燃焼排ガスがボイラから持ち出す損失熱である．この排ガス熱損失が増加する場合，ボイラには次の①～③のような状況が生じている可能性が高い．

①　炉内の [1] にすすや煤塵《ばいじん》が付着し伝熱が阻害されている．

②　ボイラの伝熱管内面に [2] が厚く付着している．

③　燃焼用空気が必要以上にボイラに投入されている．

これらのうちの①及び②によって排ガス温度の上昇，③によって [3] の増加といった現象がボイラに生じており，これらにより熱損失が増加していることになる．

〈[1] ～ [3] の解答群〉

ア　スケール　**イ**　溶接金属　**ウ**　バーナ開口部

エ　境界層　**オ**　伝熱管外面　**カ**　覗き窓

キ　蒸発量　**ク**　排ガス量　**ケ**　未燃分

ii)　不完全燃焼による熱損失：不完全燃焼による熱損失は，燃焼不良が生じて排ガス中に未燃炭素が排出される損失で，排ガス中に [4] が検出される．

〈[4] の解答群〉

ア　CO　**イ**　NOx　**ウ**　SOx

iii)　燃えがら中の未燃分による熱損失：燃えがら中の未燃分による熱損失は，重油などの液体燃料や石炭などの固体燃料を燃焼した際に排出される燃えがら中に残る可燃分の熱で，燃えがらをピットやホッパから採取して，[5] を分析測定して把握される．

iv)　放散熱による熱損失：放散熱による熱損失は，ボイラ本体，配管，煙道の外表面などから，外気との温度差で放散される熱損失である．[6] の脱落や劣化などにより増加する．

〈[5] 及び [6] の解答群〉

ア　ハンガー　**イ**　灰分　**ウ**　炭素分　**エ**　保温材　**オ**　防震器

2)　前述したⅰ)～ⅳ)の熱損失の中で，一般に最も損失熱量の大きなものは，[7] 熱損失である．

〈[7] の解答群〉

ア　排ガス　　**イ**　不完全燃焼による　　**ウ**　放散熱による

エ　未燃分による

3)　その他の熱損失として，ボイラの種類によっては，ボイラ水のブローやドレンの排出，蒸気の漏えいなどによって失われる熱損失が挙げられる．熱損失の低減策としては，例えば中・大型循環ボイラの [8] からの連続ブロー水をフラッシュタンクで蒸発させ，その蒸気を [9] の熱源として熱回収する例もある．

〈[8] 及び [9] の解答群〉

ア　ガスエアヒータ　　**イ**　ドラム　　**ウ**　再熱器　　**エ**　節炭器

オ　脱気器　　**カ**　復水器

(2)　ボイラの発生蒸気の成分には，蒸気使用先の機器の性能に影響を及ぼすものもあるので，それらの管理には十分気を配る必要がある．

1)　たとえば，ドラムの気水分離機能によって [10] が抑制されていても，ボイラ水中のシリカの一部が蒸気に [11] して搬出されてしまう．

〈[10] 及び [11] の解答群〉

ア　キャリーオーバ　　**イ**　圧力変動　　**ウ**　化学反応　　**エ**　析出

オ　薬液濃縮　　**カ**　溶解

2)　この蒸気に対する搬出量は，蒸気圧力が [12] ほど大きくなるので，ボイラ水中のシリカ濃度の管理値は圧力に応じて設定される．例えば，蒸気圧力が 10 ～ 15 MPa の場合には，一般に [13] 以下の濃度で管理されている．

〈[12] 及び [13] の解答群〉

ア　3 ppb　　**イ**　0.3 ppm　　**ウ**　30 ppm

エ　上がる　　**オ**　下がる

(3)　100 t/h の過熱蒸気を発生するボイラがある．このボイラの運転状態は表 1 のとおりである．また，発生した過熱蒸気の比エンタルピーを表 2 に示す．

1)　有効出熱は蒸気発生のみで，入熱は燃料からのみ供給されるものとして，このボイラのボイラ効率（低発熱量基準）を計算すると [A ab.c] [%] となる．

2)　このボイラから蒸気タービンへ過熱蒸気を供給するため，蒸気タービンまで蒸気配管を布設した．蒸気タービン入口において，蒸気圧力の低下は無視できる程だったが，蒸気温度は 3 ℃低下した．このとき，この蒸

気配管からの放熱量は，表2の過熱蒸気表を用いて計算すると，
[B　a.b×10^{c}]　[kJ/h] となる．

3)　この放熱量の値から，ボイラ入熱に対するこの蒸気配管からの放熱損失の比率を求めると，[C　a.b]　× 10^{-1}　[%] となることがわかる．

表1　ボイラ運転状態

項　目	単位	数値
ボイラ蒸発量	t/h	100
燃料消費量	kg/h	6 850
燃料の低発熱量	MJ/kg	41.0
ボイラ給水の比エンタルピー	kJ/kg	857.2
ボイラ出口蒸気の圧力	MPa	12
ボイラ出口蒸気の温度	℃	543
ボイラ出口蒸気の比エンタルピー	kJ/kg	3 463.6

表2　過熱蒸気表

圧力 [MPa]	温度 [℃]	比エンタルピー [kJ/kg]
12	540	3 455.8
	543	3 463.6

解　説

(1)

1)　蒸気ボイラの熱効率を向上させる上で，損失熱量を把握することは重要である．以下に，損失熱量の種類を列挙してみる．

i)　排ガス熱損失：ボイラから燃焼排ガスによって持ち去られる出熱である．これが増加する場合，以下のことが考えられる．

①　炉内の伝熱管外面に燃焼によるすすや煤塵《ばいじん》が付着することで，伝熱管の熱通過率が増加して，燃焼ガスと水の熱交換が阻害されている．

②　ボイラの伝熱管内面にスケールが付着することで，伝熱管の熱通過率が増加して，燃焼ガスと水の熱交換が阻害されている．

③　空気比が大きすぎて，燃焼用空気が必要以上にボイラに投入されて，燃焼に寄与しない空気を加熱している．

①と②によって，燃焼ガスと水の熱交換が阻害されることから，燃焼排ガスの温度が上昇する．③によって，空気量が増加することから，燃焼排

ガス量が増加する.

ii) 不完全燃焼による熱損失：燃料が不完全燃焼を起こすことで，排ガス中に未燃炭素が排出されることによる損失である．不完全燃焼なので，排ガス中にCO（一酸化炭素）が含まれる.

iii) 燃えがら中の未燃分による熱損失：重油などの液体燃料や石炭などの固体燃料の燃えがらの中に含まれる可燃分の熱損失である．燃えがらをピットやホッパから採取して，炭素分を分析測定することで計測できる.

iv) 放散熱による熱損失：ボイラ本体，配管，煙道の外表面と周囲の空気との温度差による熱損失である．これは，保温材の脱落や劣化によって断熱性能が低下することで増加する.

2) 以上の熱損失のうちで最も大きいのは，排ガス温度が300 ℃近いことから，排ガス熱損失である.

3) その他の熱損失としては，ボイラのブロー水による熱損失，ドレンの排出による熱損失，蒸気の漏えいによって生じる熱損失が挙げられる．これらの熱損失の低減策として，中形・大形の循環ボイラのドラムからの高圧の連続ブロー水をフラッシュタンクで蒸発させて，その蒸気を脱気器の加熱源として利用することで熱回収を行う方法がある.

(2) ボイラの発生蒸気の成分を管理することは重要である.

1) ボイラのドラムでは気水分離を行うので，水滴のキャリーオーバを抑制するが，ボイラ水に存在するシリカが蒸気に溶解して運び出されてしまうことがある.

2) この蒸気によるシリカの搬出量は，蒸気圧力が高いほど大きくなるので，ボイラ水中のシリカ濃度の管理値はボイラの蒸気圧力に応じて設定される．蒸気圧力が10～15 MPaの場合は，一般にシリカ濃度は0.3 ppm以下で管理される.

(3) ボイラ蒸発量が100 t/h，燃料消費量が6 850 kg/h，燃料の低発熱量が41 MJ/kg，ボイラ給水の比エンタルピーが857.2 kJ/kg，ボイラ出口蒸気の圧力が12 MPa，ボイラ出口蒸気の温度が543 ℃，ボイラ出口蒸気の比エンタルピーが3 463.6 kJ/kgである.

1) 有効出熱は蒸気発生のみで，入熱は燃料のみから供給されるものとする．有効出熱 Q_o は，

$$Q_o = 100 \times 10^3 \times (3\,463.6 - 857.2)$$
$$= 260\,640 \times 10^3 \text{ kJ/h} = 260\,640 \text{ MJ/h}$$

となる．入熱 Q_i は，

$$Q_i = 6\,850 \times 41 = 280\,850 \text{ MJ/h}$$

となる．したがって，ボイラ効率 η は，

$$\eta = \frac{Q_o}{Q_i} \times 100 = \frac{260\,640}{280\,850} \times 100 = 92.8\ \%$$

である．

2)　問題の表 2 の過熱蒸気表によると，540 ℃の過熱蒸気の比エンタルピーは 3 455.8 kJ/kg，543 ℃の過熱蒸気の比エンタルピーは 3 463.6 kJ/kg である．したがって，蒸気配管による放熱量 L は，

$$L = 100 \times 10^3 \times (3\,463.6 - 3\,455.8)$$
$$= 7.8 \times 10^5\ \text{kJ/h} = 7.8 \times 10^2\ \text{kJ/h}$$

である．

3)　ボイラ入熱 Q_i に対する蒸気配管による放熱損失 L の比率は，

$$\frac{L}{Q_i} \times 100 = \frac{7.8 \times 10^2}{280\,850} \times 100 = 0.28\ \% = 2.8 \times 10^{-1}\ \%$$

である．

解　答　(1)　**1-オ，2-ア，3-ク，4-ア，5-ウ，6-エ，7-ア，8-イ，9-オ**
(2)　**10-ア，11-カ，12-エ，13-イ**
(3)　**A-92.8，B-7.8 × 10⁵，C-2.8**

（ボイラ，蒸気輸送・貯蔵装置，蒸気原動機・内燃機関・ガスタービン）

問題14　次の各文章の [1] ～ [15] の中に入れるべき最も適切な字句等をそれぞれの解答群から選び，その記号を答えよ．なお，[8]，[14] 及び [15] は複数箇所あるが，それぞれ同じ記号が入る．（配点計 50 点）

(1)　内燃機関は熱エネルギーを機械的仕事に変換する原動機である．

1)　内燃機関のうちで，シリンダ内の燃焼ガスが膨張することによるピストンの往復運動を，クランク軸で回転仕事に変える形式のものを [1] 形という．それらにはガソリン機関，ガス機関やディーゼル機関がある．

〈[1] の解答群〉

ア　回転　　**イ**　速度　　**ウ**　容積

2)　そのうち，通常のガソリン機関では，燃料は [2] された後，空気と混合され，[3] 行程でシリンダ内に導かれ，続く [4] 行程の終了付近の混合気に電気火花で点火する．

〈[2] ～ [4] の解答群〉

ア　圧縮　　**イ**　気化　　**ウ**　吸気　　**エ**　脱気
オ　燃焼　　**カ**　膨張

3) これらの内燃機関の低燃費化を狙ったアプローチでは，サイクルの改善として，有効ストロークの増大や，[5] 比の増大などが考えられる.

〈[5] の解答群〉

ア 圧縮　**イ** 混合　**ウ** 顕熱

(2) 蒸気タービンの構造について考える.

1) 蒸気タービンの動力伝達部は，ロータ，軸継手などからなり，ロータには [6] が植え込まれる.

2) 発電用の大型タービンの場合には，基本的に発電用火力設備に関する技術基準を定める省令に従い，[7] の作動範囲内に [8] 速度があってはならないとされており，一般にロータの一次 [8] 速度と二次 [8] 速度の間に [9] 速度がくるように設計される.

〈[6]～[9] の解答群〉

ア 安全　**イ** 危険　**ウ** 警戒　**エ** 最大回転
オ 定格回転　**カ** 軸受保護装置　**キ** 調速装置　**ク** 静翼
ケ 動翼

3) 蒸気タービンのケーシングは，ロータのまわりに適切に蒸気が流れる通路を形成し，極力軸対称で急激な肉厚変化がなく，過大な [10] が働かないよう設計される.

〈[10] の解答群〉

ア 高温腐食　**イ** せん断応力　**ウ** 熱応力

(3) ガスタービンの性能について考える.

1) 理想的なガスタービンサイクルは，[11] サイクルであり，その熱効率は [12] のみの関数で表すことができる. 一方，実際のガスタービンでは，熱効率は圧縮機内部損失，タービン内部損失，機械損失等の影響を受けることになる.

〈[11] 及び [12] の解答群〉

ア オットー　**イ** カルノー
ウ ブレイトン　**エ** サイクルの最高最低圧力差
オ サイクルの最高最低温度比　**カ** 圧縮機出口と入口の圧力比

2) また，ガスタービンの性能は，大気条件にも影響を受け，大気の圧力及び温度に関しては [13] 状態ほど，作動流体の出力は大きくなる.

〈[13] の解答群〉

ア 圧力が高く温度が低い　**イ** 圧力が低く温度が高い
ウ 圧力，温度共に低い

3) 1)，2)のとおり，ガスタービンの性能は種々の影響を受けるが，ガスタービンの性能向上策の一例として次の事項が挙げられる.

i）タービン［ 14 ］の上昇：直接的に熱効率を向上させる効果がある.（タービン［ 14 ］に対し最適な圧力比が存在する.）

〈［ 14 ］の解答群〉

ア　入口ガス温度　　**イ**　出口ガス温度　　**ウ**　出口ガス湿度

ii）圧縮機［ 15 ］の低下：エバポレータや散水等により［ 15 ］を低下させることにより性能の向上を図る.

〈［ 15 ］の解答群〉

ア　入口空気温度　　**イ**　入口空気湿度　　**ウ**　出口空気湿度

解　説

(1)

1）内燃機関で，シリンダー内部の燃焼ガスが膨張することによって発生するピストンの往復運動をクランク軸で回転運動に変換する形式のものを**容積形**という．ここでは，吸気・圧縮・膨張・排気の行程が行われる．容積形内燃機関には，ガソリン機関，ディーゼル機関などがある．

2）ガソリン機関では，燃料は**気化**したのちに空気と混合されてから，**吸気**行程でシリンダに導入されて，**圧縮**行程の終わりにプラグで混合気に火花点火される．

3）内燃機関の低燃費化の手法としては，有効ストロークの増大による機関回転数の低下や**圧縮**比の増大による熱効率の向上などが挙げられる．

(2)

1）蒸気タービンの動力伝達部は，ロータ，軸継手などで構成されている．ロータには**動翼**が埋め込まれている．動翼に蒸気が噴霧されることでロータが回転して動力を発生し，蒸気の熱エネルギーを機械エネルギーに変換する．

2）発電用大型蒸気タービンに関しては，電気事業法第39条第1項の規定に基づき改正された発電用火力設備に関する技術基準を定める省令（平成9年通商産業省令第51号）の第3章で規定されている．第13条第4項に，調速装置の作動範囲内に**危険速度**があってはいけないとされている．一般に，ロータの**一次危険速度**と**二次危険速度**の間に**定格回転速度**が入るように設計されている．

3）蒸気タービンのケーシングの形状は，ロータの周囲に蒸気が円滑に流れる流路を形成し，可能な限り軸対称で急激な肉厚の変化がなく，過大な**熱応力**が発生しないように設計されている．

(3)

1)　理想的なガスタービンサイクルは**ブレイトンサイクル**であり，圧縮機・燃焼器・タービンで構成される．ブレイトンサイクルの熱効率は，圧縮機出口と入口の**圧力比**のみの関数で表すことができる．実際のガスタービンでは，熱効率は圧縮機内部損失，タービン内部損失，機械損失等の影響を受ける．

2)　ガスタービンの性能は大気条件にも影響を受ける．**大気の圧力が高く，温度が低い**ほど，空気の密度が大きくなることから作動流体の出力は大きくなる．

3)　ガスタービンの性能を向上させる方法としては，以下のものが挙げられる．

　i)　タービン**入口ガス温度**の上昇：タービン入口ガス温度を上昇させると，出口ガス温度との温度差が大きくなることから，圧力比が大きくなる．

　ii)　圧縮機**入口空気温度**の低下：圧縮機入口空気温度が低いほど，圧縮機効率が高くなる．そのため，入口空気を冷却して，性能の向上を図る．

解　答　(1)　**1-ウ，2-イ，3-ウ，4-ア，5-ア**

(2)　**6-ケ，7-キ，8-イ，9-オ，10-ウ**

(3)　**11-ウ，12-カ，13-ア，14-ア，15-ア**

（熱交換器・熱回収装置―選択問題）

問題15　次の各文章の［　1　］～［　9　］の中に入れるべき最も適切な字句等をそれぞれの解答群から選び，その記号を答えよ．

また，［A abc］～［E ab］に当てはまる数値を計算し，その結果を答えよ．ただし，解答は解答すべき数値の最小位の一つ下の位で四捨五入すること．

（配点計 40 点）

(1)　熱交換器は，高温側の流体から低温側の流体に熱を伝え加熱や冷却を行うための装置であり，熱交換する両流体が壁で仕切られている形式のものを隔壁式熱交換器という．

1)　隔壁式熱交換器の加熱源となる高温側流体には，燃焼ガス，熱水あるいは水蒸気など様々な媒体が用いられる．

　i)　加熱源として，燃焼ガスや熱水の［　1　］を利用する場合，熱交換器を通過する間に加熱側の伝熱面の温度は，入口から出口に向かって低下することになり，被加熱流体の出口温度に影響を及ぼす．

〈［　1　］の解答群〉

ア　顕熱　　**イ**　潜熱　　**ウ**　比熱

　ii)　加熱の目的によっては，伝熱面の温度を均一にして被加熱流体の出口温度を安定させたい場合があり，その場合には飽和水蒸気が加熱源として用いられることが多い．加熱源としての飽和水蒸気には次のような特徴が挙げられる．

・加熱温度は，飽和水蒸気の [2] 温度であり，その温度は水蒸気の [3] で決まる．

・相変化を伴う熱移動となるため，伝熱面における [4] 率は，相変化しない場合と比べて大きくなる．

・水蒸気中に [5] ガスが混在すると熱交換性能が低下するため，熱交換器にはこれらのガスを抜くための装置が必要となる．

〈[2] ～ [5] の解答群〉

ア　圧力　　**イ**　過熱　　**ウ**　凝固　　**エ**　凝縮　　**オ**　質量

カ　熱伝達　　**キ**　熱伝導　　**ク**　不凝縮　　**ケ**　融解

2)　隔壁式熱交換器には，形状や用途その他種々の視点から様々な分類方法がある．例えば形状からは，[6] 式熱交換器などが属する板式熱交換器，トロンボーン式冷却器などが属する [7] 式熱交換器，及びその他の特殊熱交換器という呼称で大きく分類されている．一方，これら形状による分類では同じ呼称でも，用途からは蒸発器，予熱器などの異なる呼称で分類される．

〈[6] 及び [7] の解答群〉

ア　スパイラル　　**イ**　フィン　　**ウ**　円筒　　**エ**　回転再生　　**オ**　管

(2)　熱交換器の日常管理は伝熱性能の維持だけでなく，プロセス制御上，品質上，安全上，環境上からも重要である．ここでは，時間経過による熱交換器の性能低下を防止するための日常管理の指標について考える．

1)　隔壁式熱交換器のような伝熱面を持つ熱交換器の場合，流体に溶解する硬度成分などが伝熱面へ付着することなどにより熱抵抗が増大し，伝熱性能が低下する．伝熱面の熱抵抗の度合いを表すには [8] が用いられ，この単位は [9] である．

伝熱性能の変化を把握し，洗浄時期などを設定するための指標としては，簡便さから温度効率がよく用いられる．また，交換熱量に着目したエネルギー効率（熱通過有効度）などが用いられる場合もある．

〈[8] 及び [9] の解答群〉

ア　$(\mathrm{m^2\cdot K})/\mathrm{W}$　　**イ**　$\mathrm{W}/(\mathrm{m^2\cdot K})$　　**ウ**　$(\mathrm{s\cdot m^2\cdot K})/\mathrm{W}$　　**エ**　$\mathrm{W}/(\mathrm{s\cdot m^2\cdot K})$

オ　熱伝達率　　**カ**　熱容量流量比　　**キ**　汚れ係数

2)　低温の流体を加熱する熱交換器がある．加熱用の高温側流体は，質量流量が 10 kg/s で比熱が 2 kJ/(kg·K) であり，温度 95 ℃で流入して 80 ℃

で流出している．一方，低温側流体は，質量流量が 2 kg/s で比熱が 4 kJ/(kg·K) であり，温度 10 ℃で流入している．この熱交換器の伝熱性能を維持するための日常管理の指標について考える．ただし，熱交換器の外部への熱損失はないものとする．

i）この熱交換器における交換熱量を求めると [A abc] [kW] である．

ii）低温側流体の出口温度は [B ab] [℃] となり，低温側の温度効率は [C ab] [%] となる．

iii）また，この熱交換器のエネルギー効率は [D ab] [%] となる．

iv）伝熱性能を一定以上に保つための日常管理の指標として温度効率を用い，管理値を「熱交換器の低温側の温度効率 35 %以上」とした場合，低温側流体の出口温度を [E ab] [℃] より下がらないように日常管理を行い，状況に応じて洗浄などの対策を行えばよい．

解　説

(1)

1）隔壁式熱交換器の加熱源となる高温側流体には燃焼ガス，熱水，蒸気などさまざまな熱媒体が用いられる．

i）加熱源として燃焼ガスや熱水の顕熱（温度差）を利用する場合，加熱側の伝熱面の温度は入口から出口に向かって下降する．それによって，被加熱流体の出口温度は影響を受ける．

ii）伝熱面の温度を均一にして，被加熱流体の出口温度を安定させたい場合，加熱源として飽和水蒸気を用いることがある．この特徴は以下のとおりである．

・加熱温度は飽和水蒸気の凝縮温度であり，その凝縮温度は飽和水蒸気の圧力によって決まる．

・飽和水蒸気が凝縮をしながら相変化を伴って加熱を行うため，伝熱面における熱伝達率は，相変化のない顕熱のみの熱移動と比較して大きくなる．

・飽和水蒸気中に不凝縮ガスが混在していると，熱抵抗となって熱交換性能が低下する．そのため，不凝縮ガスを選択的に抜くための装置が必要になる．

2）隔壁式熱交換器の形状や用途にはさまざまなものがある．

形状としては，スパイラル式熱交換器は板式熱交換器（プレート式熱交換器）に分類され，トロンボーン式冷却器は管式熱交換器に分類される．

一方で，形状は同じでも，用途によって蒸発器，予熱器，冷却器という異なる呼称をもつことがある．

(2)

1)　隔壁式熱交換器では，流体に溶解しているスケールなどの硬度成分が伝熱面に付着して，熱抵抗が増加して伝熱性能を低下させる．この程度を示す指標が**汚れ係数**であり，これは熱抵抗の度合いを示すので，単位は［$(m^2 \cdot K)/W$］である．

熱交換器の伝熱性能の変化を把握するために用いられる指標には，**温度効率**がある．これは最大温度差に対する高温側流体，低温側流体の温度差の比率を示す．高温側流体の入口温度を T_{h1}，出口温度を T_{h2}，低温側流体の入口温度を T_{c1}，出口温度を T_{c2} とするとき，高温側温度効率 η_h，低温側温度効率 η_c は次のように表される．

$$\eta_h = \frac{T_{h1} - T_{h2}}{T_{h1} - T_{c1}}$$

$$\eta_c = \frac{T_{c2} - T_{c1}}{T_{h1} - T_{c1}}$$

また，交換熱量に着目した**エネルギー効率**（熱通過有効度）も用いられる．これは，交換可能最大熱量に対する実際の交換熱量の割合である．

2)　低温の流体を加熱する熱交換器において，加熱用の高温流体は質量流量 10 kg/s，比熱 2 kJ/(kg·K) で，入口温度 95 ℃，出口温度 80 ℃とする．一方，低温側流体は質量流量 2 kg/s，比熱 4 kJ/(kg·K) で，入口温度 10 ℃とする．

i)　熱交換器の交換熱量を高温側流体から計算すると，

$$Q_h = 10 \times 2 \times (95 - 80) = 300\ \text{kJ/s} = 300\ \text{kW}$$

になる．

ii)　低温側流体の交換熱量 Q_c が Q_h に等しいとすると，低温側流体の出口温度を T_{c2} としたとき，

$$Q_c = 2 \times 4 \times (T_{c2} - 10) = 300$$

となる．したがって，$T_{c2} = 47.5$ ℃ ≒ 48 ℃である．また，前述の式から低温側流体の温度効率 η_c を求めると，

$$\eta_c = \frac{47.5 - 10}{95 - 10} \times 100 = 44\ \%$$

になる．

iii)　エネルギー効率（熱通過有効度）は，前述のように交換可能最大熱量に対する実際の交換熱量の割合である．交換可能最大熱量は，低温側流体の出口温度が高温側流体の入口温度と同じ温度になったときに得られる．したがって，この場合のエネルギー効率は低温側流体の温度効率に等しいので，

44 %である．

iv)　低温側流体の温度効率 $\eta_{cm} \geqq 35$ %を熱交換器の管理値とする場合，低温側流体の出口温度 T_{c2} は，

$$\eta_{cm} = \frac{T_{c2} - 10}{95 - 10} \times 100 \geqq 35\ \%$$

より，$T_{c2} \geqq 40$ ℃となる．

解　答　**(1)　1-ア，2-エ，3-ア，4-カ，5-ク，6-ア，7-オ，**
(2)　8-キ，9-ア，A-300，B-48，C-44，D-44，E-40

（冷凍・空気調和設備—選択問題）

問題16　次の各文章の [1] ～ [10] の中に入れるべき最も適切な字句等をそれぞれの解答群から選びその記号を答えよ．（配点計 40 点）

(1)　空調負荷には空調対象の空間に出入りする日射負荷，侵入する隙間風による負荷，空間内で発生する人体発熱負荷など室熱負荷と，新鮮外気の取り入れによる外気負荷などがある．これらのうち顕熱負荷のみを持つものは [1] である．

また，外気負荷を削減する手段の一つとして全熱交換器の設置が考えられる．このとき，室内及び外気の温湿度条件から，熱交換することが省エネルギーとなるかを自動的に判断して，全熱交換器を運転，停止又はバイパスする制御を行うことがより効果的である．これを [2] 制御と呼んでいる．

〈 [1] 及び [2] の解答群〉

ア　CO_2　　**イ**　エンタルピー　　**ウ**　ゼロエナジー
エ　外気負荷　　**オ**　人体発熱負荷　　**カ**　隙間風による負荷
キ　日射負荷

(2)　吸収冷凍機は，冷媒とその蒸気を吸収する吸収剤を作動流体とするもので，一般の空機調和用には，冷媒としては [3] が，吸収剤としては臭化リチウムが用いられることが多い．吸収冷凍機の構成要素としては，発生器（再生器），蒸発器，凝縮器及び吸収器から成り，高濃度の臭化リチウム溶液が冷媒蒸気で希釈される吸収器から，[4] → [5] → [6] の順に冷媒が移動しながら冷凍サイクルを構成するものである．

〈 [3] ～ [6] の解答群〉

ア　アンモニア　　**イ**　フロン系冷媒　　**ウ**　水　　**エ**　凝縮器
オ　蒸発器　　**カ**　発生器（再生器）

(3)　図 1 及び図 2 は，暖房時の空気調和のプロセスを湿り空気線図（h–x 線図）

上に表したものである．ここで，図中の R は室内空気，S は空調機の吹出し空気，O は外気，M は室内空気と外気の混合空気，H は空調機の加熱コイル通過後の空気の各々の状態点を示している．なお，単位の $kg_{(DA)}$ は乾き空気の質量を示す．

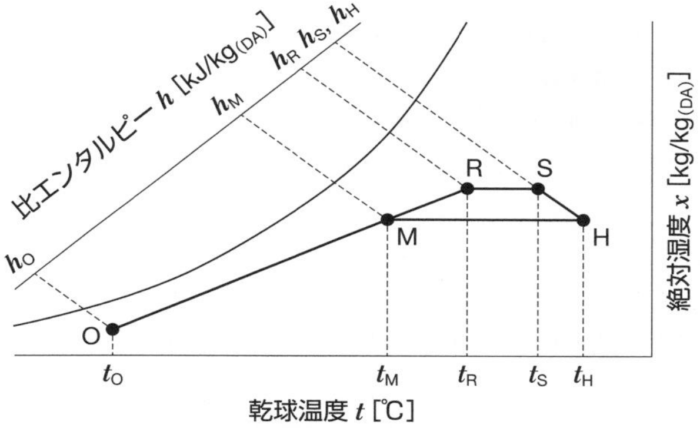

図 1　暖房時の空調プロセス（その 1）

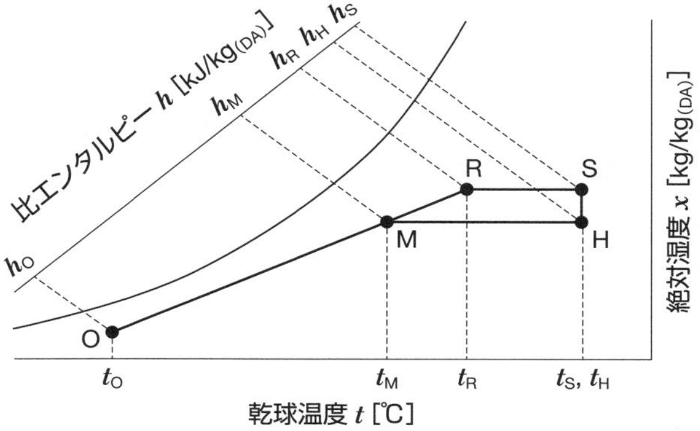

図 2　暖房時の空調プロセス（その 2）

1)　空調機での加熱プロセスは M–H として表されるが，これは［ 7 ］一定の直線上となる．また，加熱コイルの負荷は［ 8 ］となる．

〈［ 7 ］及び［ 8 ］の解答群〉

ア　$h_H - h_M$　**イ**　$h_S - h_R$　**ウ**　$t_H - t_M$　**エ**　$t_S - t_R$

オ　顕熱比　**カ**　絶対湿度　**キ**　相対湿度

2)　暖房負荷（加熱コイルの負荷）は，室内負荷と外気負荷に分けられる．このうちの室内負荷は，状態点［ 9 ］から導くことができる．

〈 9 の解答群〉

ア RとH　**イ** RとM　**ウ** RとS

3) 図1と図2の違いは，加湿方式の違いによるものである．この場合， 10 を行う場合の空気線図を表している．

〈 10 の解答群〉

ア 図1は蒸気加湿，図2は水噴霧加湿

イ 図1は水噴霧加湿，図2は蒸気加湿

ウ 図1は蒸気加湿，図2は加湿なし

エ 図1は加湿なし，図2は水噴霧加湿

解 説

(1) 空調熱負荷には，室内に透明外壁（ガラス窓）から侵入する日射熱負荷，外壁を貫流する熱負荷，隙間風による熱負荷，室内で発生する人体発熱負荷や照明器具・OA機器からの発熱負荷，外気導入による外気負荷などがある．設問で挙げた空調熱負荷のうちで顕熱負荷のみであるのは日射負荷である．隙間風と外気負荷は，室内外空気の絶対湿度差を有するので，顕熱負荷だけでなく潜熱負荷ももつ．人体発熱負荷には，皮膚表面や呼気から発生する水蒸気を含むので，人体表面温度と環境温度の温度差による顕熱負荷だけでなく潜熱負荷ももっている．

全熱交換器は，排気と外気の間で全熱交換（顕熱と潜熱の熱交換）を行うことで，外気負荷を低減するために用いられる．すなわち，排気と外気の間で比エンタルピー差に基づく熱交換を行う．そのため，中間期に外気と排気（室内空気）の比エンタルピー差が小さい場合あるいは雨が降って外気の絶対湿度が高い場合は，全熱交換器が役に立たないことがある．あるいは，中間期・冬期に外気冷房を行うときは，エンタルピーの低い外気量を増加して，外気によって冷房を行うことから，全熱交換器は不要である．そのため，エンタルピー制御を行って，全熱交換器を運転するか，停止またはバイパスをするかを判断する．

(2) 吸収冷凍機は，一般に冷媒として水を，吸収剤として臭化リチウムを使用して，吸収サイクルを構成している．吸収冷凍機は，発生器（再生器），蒸発器，凝縮器，吸収器からできている．サイクルとしては，吸収器→発生器（再生器）→凝縮器→蒸発器→吸収器となっている．吸収器で高濃度の臭化リチウム溶液が冷媒（水）を吸収して，低濃度の溶液になる．次に，発生器（再生器）で低濃度の溶液が加熱されて水分が蒸発して，高濃度の溶液になり，吸収器に戻される．一方，発生器（再生器）で蒸発した水分は凝縮器で冷却

されて凝縮し，水として分離されて蒸発器へ戻る．蒸発器で噴霧された水は，吸収器で再び高濃度の臭化リチウム溶液に吸収される．蒸発器で噴霧されて蒸発した水は，気化熱によって伝熱管内部の冷水を冷却する．

(3)

1)　空調機の加熱プロセスは室内空気 R と外気 O を混合した空気の状態 M からそれを加熱した空気の状態 H の間の M−H で表される．加熱をしても絶対湿度は変化しないので，加熱プロセスは絶対湿度一定の直線上となる．加熱コイルの負荷は，比エンタルピー差として $h_H - h_M$ となる．

2)　暖房負荷（空調機の加熱コイルの熱負荷）は，室内負荷と外気負荷からなる．室内負荷は，給気 S が室内空気の状態 R まで室内負荷によって冷却される熱量なので，R と S の状態から示される．

3)　設問の図 1 は湿球温度一定で変化するので，水噴霧加湿を行った場合を示し，設問の図 2 は熱水分比が大きく，ほぼ乾球温度一定で移動するので，蒸気加湿を行った場合を示している．水噴霧加湿では，加湿プロセスによって加熱した空気の温度が低下するので，蒸気加湿と比べて同じ暖房負荷では加熱量 M−H（$h_H - h_M$）が増加する．

解　答　(1)　**1- キ，2- イ**
(2)　**3- ウ，4- カ，5- エ，6- オ**
(3)　**7- カ，8- ア，9- ウ，10- イ**

（工業炉，熱設備材料ー選択問題）

問題17　次の各文章の [1] ～ [15] の中に入れるべき最も適切な字句等をそれぞれの解答群から選び，その記号を答えよ．なお，[11] は複数個所あるが，同じ記号が入る．（配点計 40 点）

(1)　カバー形（ベル形）炉の省エネルギーについて考える．

1)　カバー形炉は熱処理を行う炉の一つであり，その加熱装置はアウターカバーに取り付けられ，被加熱物はインナーカバーという一種の [1] の中で処理される構造となっている．この炉の主な用途は，圧延加工して硬化した金属ストリップや線材コイルの加工性を向上させるために [2] という熱処理を行うことなどである．

〈[1] 及び [2] の解答群〉

ア　ストランド　**イ**　マッフル　**ウ**　ラジアント　**エ**　浸炭
オ　焼入れ　**カ**　焼きなまし

2)　雰囲気ガスには，酸化を防ぐため従来は窒素を用い，循環ファンで撹拌し，放射と伝導で加熱されていた．ここで，雰囲気ガスとして [3] を用いると，窒素と比べて比熱や [4] の値が大きくなり，処理材との間の伝熱特性が向上することで，単位時間当たりの伝熱量が増加する．その結果，加熱時間の短縮が可能となり省エネルギーが図られる．

〈[3] 及び [4] の解答群〉

ア アルゴン　**イ** 水素　**ウ** 二酸化炭素　**エ** 熱伝導率
オ 粘性係数　**カ** 密度

3) 雰囲気ガス循環ファンの運転では，燃焼用ブロワや排ガス誘引ファンの省電力化対策である [5] 運転化が行われる．

〈[5] の解答群〉

ア VVVF　**イ** PID　**ウ** ON-OFF

(2) 近年，排熱回収率を徹底的に高めた高性能な工業炉が普及しており，CO_2 排出削減につながっている．工業炉の排熱回収率の向上のためには，バーナ部も重要な役割を担っている．

1) 排熱回収率向上のために欠かせないのが，小型化された蓄熱式熱交換器が個々に一体化され装備されている [6] バーナである．蓄熱式熱交換器の排熱回収率及び回収温度の高さは，以前から注目されており，古くは製鋼用平炉などに使われ，現在でも製銑用高炉の熱風炉，ガラス溶解用タンク炉の熱交換器として利用されている．ここに注目して開発されたのがこのバーナである．

〈[6] の解答群〉

ア リジェネレイティブ　**イ** ノズルミックス　**ウ** ラジアントカップ

2) このバーナにおける排熱回収は，図に示すように一対のバーナを用いて行う．まず初めに，片方のバーナで発生した高温の燃焼ガスの排気を，もう一方の燃焼していないバーナの燃焼用空気吹き込み口の蓄熱媒体を通すことで，排ガスから熱回収し，低温度にして炉外へ放出する．次に，この熱回収した蓄熱媒体に常温の燃焼用空気を通し，高温に加熱させて燃焼に供する．このような手順により，バーナを適切な時間間隔で [7] に燃焼させれば，常に，排ガスは一定以下の温度に，燃焼用空気は一定以上の温度に保たれ，高い熱回収率と [8] 燃焼が実現する．また，炉内ガス攪拌《かくはん》効果で火炎温度分布の平均化が図られ，燃焼に起因する [9] の発生を抑制することができる．

〈[7] ～ [9] の解答群〉

ア NOx　**イ** SOx　**ウ** 希薄燃料　**エ** 高温空気
オ 酸素富化　**カ** 交互　**キ** 単独　**ク** 同時

3)　図に示すこのバーナにおける熱交換の蓄熱媒体には，主に熱容量が大きく，1 000 ℃以上でも使用される耐熱性に優れた [10] が使用され，小型化するために比表面積の大きいハニカム構造としたものや，小形のボールなどが用いられている．

〈[10] の解答群〉

ア　アルミニウム　　**イ**　グラスウール　　**ウ**　セラミック

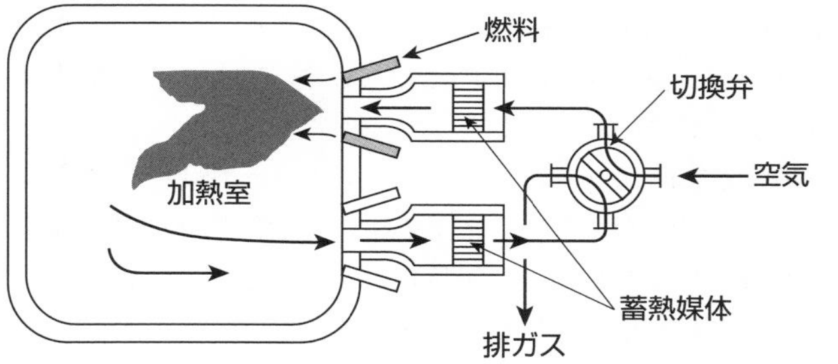

図

(3)　耐火物について考える．

1)　代表的な不定形耐火物として [11] が挙げられるが，通常のセメントを含むものは，水と混練後，[12] することにより機械的強度が増加する．高密度，高強度の [11] にするためには，混練水量を減らす必要があるが，超微粉の粘土や [13] を添加して，さらに混練水量を減らしたものが実現してきている．

〈[11] ～ [13] の解答群〉

ア　ウレタン　　**イ**　シリカ　　**ウ**　活性炭
エ　キャスタブル　　**オ**　ファイバーボード　　**カ**　耐火れんが
キ　凝集結合　　**ク**　水和結合　　**ケ**　粘着結合

2)　セラミックファイバは，他の耐火物に比べ断熱性が高く軽量で蓄熱量が少ない．また，高温用セラミックファイバの普及により耐火性能も向上した．省エネルギーという観点から非常に優れた炉材である．したがって，近年，炉内全面セラミックファイバライニングタイプの炉が主流になりつつあるが，気孔率，比表面積が大きいため，浸食を受けやすいので注意を要する．特に [14]，Na などのアルカリ金属の酸化物，及び [15] などのアルカリ土類金属の酸化物とは，低融点の化合物を作り容易に浸食を受ける．

〈 14 及び 15 の解答群〉

ア Ca　**イ** Cr　**ウ** Cu　**エ** K　**オ** Mo　**カ** Zn

解　説

(1)

1)　カバー形炉は，熱処理炉の一種である．加熱装置はアウターカバーに取り付けられて，被加熱物はインナーカバーという一種のマッフルで加熱処理が行われる．カバー形炉の主な用途は，圧延加工を行って硬化した金属ストリップや線材コイルの加工性を向上させるために，内部歪みを除去する目的で金属の焼きなまし処理を行うことなどである．

2)　カバー形炉の雰囲気ガスには，従来窒素ガスを使用して循環ファンで攪拌していたが，雰囲気ガスとして水素を用いると，比熱や熱伝導率が大きいことから，被加熱処理材との間の伝熱特性が改善して，単位時間当たりの伝熱量が増加する．そのため，加熱時間が短縮して，省エネルギーになる．

3)　循環ファンの運転制御には，燃焼用ブロワや排ガス誘引ファンの省エネルギー対策で用いられる VVVF（Variable Voltage Variable Frequency：可変電圧可変周波数）制御を用いることで，ファンの軸動力を低減することができる．

(2)

1)　リジェネレイティブバーナは排熱回収率および熱回収温度が高く，熱回収に非常に有効である．これは，小形の蓄熱体とバーナを一体化した蓄熱式熱交換器であり，高温の燃焼排ガスと燃焼用空気の流路を切り換えることで，蓄熱と放熱を交互に行うことができる．

2)　リジェネレイティブバーナの排熱回収は，設問の図に示されているように一対の（2 台の）蓄熱媒体を内蔵するバーナで行う．初めに，図の上のバーナで発生した高温の燃焼ガスの排気を，もう一方の図の下のバーナの蓄熱媒体を通すことで蓄熱を行って熱回収をして低温になった排気を炉外に放出する．次に，切換え弁を切り換えて，常温の燃焼用空気を下の蓄熱したバーナに通して，蓄熱体から放熱を行って高温にしてから燃焼に使用する．今度は，上のバーナから高温の燃焼ガスを排気させて，上の蓄熱媒体に蓄熱させて，低温にしてから炉外へ放出する．このような手順でバーナを適切な時間間隔で交互に燃焼させることで，常に排ガスは一定温度以下になり，燃焼用空気は一定温度以上に維持される．これによって，高い熱回収率と高温空気燃焼が可能になる．さらに，炉内ガスを攪拌《かくはん》することで，火炎温度分布が均一になり，燃焼による NO_x（サーマル NO_x）の発生を抑制することができる．

3)　リジェネレイティブバーナで使用される蓄熱媒体には，熱容量が大きく，1 000 ℃以上の耐熱性能を有するセラミックが用いられる．小形化するためには，表面積を大きくする必要があるので，ハニカム構造にしたり，小形のボール状にしたりする．

(3)

1)　不定形耐火物として代表的なのはキャスタブルである．通常のセメントを含むキャスタブルは水と混練した後，分子が水和結合することで機械的強度を増加させる．高密度，高強度のキャスタブルを形成するためには，水分量を減らさなくてはならない．それに加えて，添加粘土を微粒化したり，シリカを添加したりする方法がある．

2)　無機ファイバ耐火物として，セラミックファイバは，ほかの耐火物と比較して軽量で断熱性が高く，体積が小さいため熱容量が小さく，蓄熱量が少ない．高温用セラミックファイバは耐火性能も高い．蓄熱量が少ないことから，セラミックファイバは省エネルギーに寄与する．一方で，炉内の全面をセラミックファイバでライニングした場合は，気孔率と比表面積が大きいことから，浸食を受けやすい．特に，K や Na などのアルカリ金属の酸化物，およびCaなどアルカリ土類金属の酸化物と低融点の化合物を形成しやすいので，浸食を受けやすい．

解　答　(1)　**1-イ，2-カ，3-イ，4-エ，5-ア**
(2)　**6-ア，7-カ，8-エ，9-ア，10-ウ，**
(3)　**11-エ，12-ク，13-イ，14-エ，15-ア**

（蒸留・蒸発・濃縮，乾燥，乾留・ガス化—選択問題）

問題18　次の各文章の [1] ～ [13] の中に入れるべき最も適切な字句等をそれぞれの解答群から選び，その記号を答えよ．なお [3] は複数個所あるが，同じ記号が入る．（配点計 40 点）

(1)　2 成分系の気液平衡について考える．

図 1 の(a)～(d)は，定圧下における 2 成分系の気液平衡の代表的なパターンを表したものである．上段が横軸を低沸点成分のモル分率，縦軸を温度とした沸点・露点曲線で，下段が x−y 曲線（x = 液相内における低沸点成分のモル分率，y = 気相に対する低沸点成分のモル分率）である．

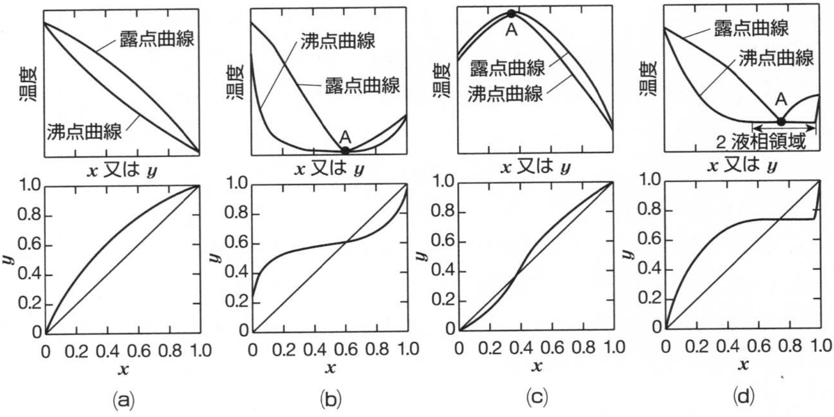

図 1

1)　タイプ(a)は，混合溶液が理想溶液とみなせる場合である．ここで，理想溶液とは，「ある成分の蒸気の圧力は，純粋成分蒸気圧と液モル分率の積に等しい」という [1] の法則が成立する溶液のことであり，タイプ(a)は，気相中の低沸点成分のモル分率が液相中の低沸点成分のモル分率より常に大きく，一つの多段連続蒸留塔によって，2 成分とも高純度で分離することができる．このようなタイプの例としては，[2] と水の混合溶液がある．

〈[1] 及び [2] の解答群〉

ア　1-ブタノール　**イ**　エタノール　**ウ**　メタノール　**エ**　塩酸
オ　ダルトン　**カ**　ラウール　**キ**　ル・シャトリエ

2)　タイプ(b)，(c)及び(d)は，1)で述べた法則が成立しない系，すなわち非理想溶液の場合に見られるパターンで，いずれも平衡で気相と液相の組成が同じになる [3] 点（図中の A 点）が存在し，一つの蒸留塔では高純度で分離することができない．このような混合物を [3] 混合物という．

タイプ(b)は，A 点の温度が，低沸点成分の沸点よりも低くなる．

タイプ(c)は，A 点の温度が，高沸点成分の沸点よりも高くなる．

タイプ(d)は，2 液相を形成する系で，x-y 曲線が水平となる領域で気相と二つの液相が共存している．

なお，非理想溶液の平衡状態における蒸気組成と液組成の関係は，純粋成分蒸気圧と液モル分率の積に [4] を乗じて補正することで表すことができる．

〈 3 及び 4 の解答群〉

ア　フラッシュ　　**イ**　共沸　　**ウ**　分留

エ　活量係数　　**オ**　還流比　　**カ**　揮発度

(2)　向流接触式の通気回転乾燥機を用いて，湿潤粉体を連続的に乾燥させる場合について考える．その操作条件は次の通りであり，図 2 のように表される．

［操作条件］

G	：熱風量（乾き空気）	1 000 $\text{kg}_{\text{-乾き空気}}$/h
M	：被無水乾燥材料の供給量	100 $\text{kg}_{\text{-無水材料}}$/h
W_{in}	：供給する被乾燥材料の乾量基準含水率	0.6 $\text{kg}_{\text{-水}}/\text{kg}_{\text{-無水材料}}$
W_{out}	：乾燥製品の乾量基準含水率	0.1 $\text{kg}_{\text{-水}}/\text{kg}_{\text{-無水材料}}$
T_{in}	：乾燥機への熱風入口温度	220 ℃
H_{in}	：乾燥機への熱風入口湿度	0.02 $\text{kg}_{\text{-水蒸気}}/\text{kg}_{\text{-乾き空気}}$

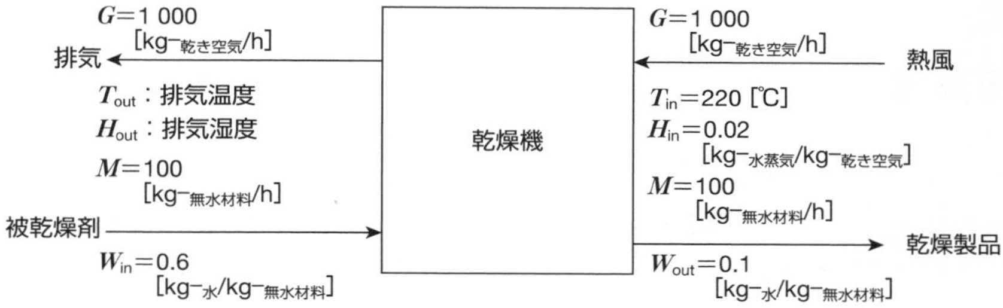

図 2

1)　乾燥製品の湿量基準の含水率は 5 ［$\text{kg}_{\text{-水}}/\text{kg}_{\text{-湿り材料}}$］となる．

2)　この乾燥機で単位時間当たりに蒸発する水分の量は 6 ［kg/h］となる．

3)　材料の加熱に要する熱量を 4 000 kJ/h，水の蒸発潜熱を 2 400 kJ/kg とすると，材料中の水分の蒸発に要する熱量と合わせて，熱風が乾燥材料に与えた熱量は単位時間当たり 7 ［kJ/h］となる．

4)　乾燥機の放散損失及び排気中の水分の顕熱の合計を 16 000 kJ/h，熱風の平均比熱を 1.0 kJ/(kg·K) とすると，乾燥機の排気温度 T_{out} は 8 ［℃］となる．

〈 5 ～ 8 の解答群〉

ア　0.091　　**イ**　0.1　　**ウ**　0.11　　**エ**　10

オ　50　　**カ**　60　　**キ**　80　　**ク**　120×10^3

ケ　124×10^3　　**コ**　150×10^3　　**サ**　$1\,160 \times 10^3$

5)　同じ熱風の条件では，向流接触式は並流式に比べて製品の含水率は

$\boxed{9}$.

〈$\boxed{9}$ の解答群〉

ア　低くすることができる　　**イ**　低くすることができない

ウ　同じくらいになる

(3)　バイオマスのガス化について考える.

バイオマスを加熱し温度を上げていくと，まず $\boxed{10}$ 反応が起こり，CO，CO_2，CH_4 などの軽質ガスとタールの揮発分と固体チャーが生成する．さらに水蒸気をガス化剤として供給すると，800 ℃位からチャーの $\boxed{11}$ 反応が起こり，チャーがガス化される．この反応は熱的には $\boxed{12}$ 反応であり，$\boxed{13}$ 反応の反応熱とバランスさせる.

〈$\boxed{10}$ ～ $\boxed{13}$ の解答群〉

ア　シフト　　**イ**　吸熱　　**ウ**　発熱　　**エ**　水性ガス

オ　水素化分解　　**カ**　熱分解　　**キ**　完全燃焼　　**ク**　部分酸化

解　説

(1)

1)　タイプ(a)は，「ある成分の蒸気の圧力は，純粋成分蒸気圧と液モル分率の積に等しい」という**ラウールの法則**が成り立つ混合溶液である．タイプ(a)は，気相中の低沸点成分のモル分率が液相中の低沸点成分のモル分率より常に大きいことから，一つの多段連続蒸留塔によって低沸点成分も高沸点成分も高純度で分離することができる．このような例としては，メタノールと水の混合溶液が挙げられる.

2)　タイプ(b)，(c)，(d)は，非理想溶液，すなわちラウールの法則が成り立たない場合を示している．いずれのケースでも，平衡状態で気相と液相の組成が等しくなる共沸点（図の A 点）が存在することから，多段蒸留塔一つでは分離することができない．このような混合物を**共沸混合物**という.

・タイプ(b)：A 点の温度＜低沸点成分の沸点

・タイプ(c)：A 点の温度＞高沸点成分の沸点

・タイプ(d)：2 液相を形成．x−y 曲線が水平となる領域で気相と二つの液相が共存

非理想溶液の平衡状態における蒸気組成と液組成の関係は，純粋成分の蒸気圧と液モル分率の積に**活量係数**を乗じて補正することで表現できる.

(2)

1)　乾燥製品の乾量基準含水率は $W_{\mathrm{out}} = 0.1\ \mathrm{kg}_{\text{-水}}/\mathrm{kg}_{\text{-無水材料}}$ である．湿量基準では水分を加えた質量を基準とするので，湿量基準含水率 ω_{w} は，

$$\omega_{\mathrm{w}} = \frac{0.1}{1 + 0.1} = 0.091\ \mathrm{kg}_{\text{-水}}/\mathrm{kg}_{\text{-湿り材料}}$$

となる.

2)　この乾燥機で単位時間当たりに蒸発する水分量 W は，被無水乾燥材料の供給量 $M = 100\ \mathrm{kg}_{\text{-無水材料}}/\mathrm{h}$，供給する被乾燥材料の乾量基準含水率 $W_{\mathrm{in}} = 0.6\ \mathrm{kg}_{\text{-水}}/\mathrm{kg}_{\text{-無水材料}}$，乾燥製品の乾量基準含水率は $W_{\mathrm{out}} = 0.1\ \mathrm{kg}_{\text{-水}}/\mathrm{kg}_{\text{-無水材料}}$ であることから，

$$W = M \times (W_{\mathrm{in}} - W_{\mathrm{out}}) = 100 \times (0.6 - 0.1) = 50\ \mathrm{kg}_{\text{-水}}/\mathrm{h}$$

となる.

3)　材料の加熱に要する熱量が 4 000 kJ/h に材料に含まれる水分を蒸発させる熱量が加わるので，熱風が材料に与えた合計熱量 Q は，

$$Q = 4\,000 + 50 \times 2\,400 = 124\,000 = 124 \times 10^3\ \mathrm{kJ/h}$$

となる.

4)　乾燥機の放散損失および排気中の水分の顕熱の合計 Q_{L} を 16 000 kJ/h，熱風の風量 G を $1\,000\ \mathrm{kg}_{\text{-乾き空気}}/\mathrm{h}$，熱風の平均比熱 c_{p} を 1.0 kJ/(kg·K) とすると，

$$Q + Q_{\mathrm{L}} = c_{\mathrm{p}} G (T_{\mathrm{in}} - T_{\mathrm{out}})$$

$$124\,000 + 16\,000 = 1 \times 1\,000 \times (220 - T_{\mathrm{out}})$$

が成り立つので，乾燥機の排気温度 T_{out} は 80 ℃となる.

5)　同じ熱風の条件では，設問の向流接触式の通気回転乾燥機は，並流式を用いた場合と比較して，含水率を低くするのに有利であることから，製品の含水率は低くすることができる.

(3)　バイオマスを加熱して温度を上げて行くと，最初に**熱分解反応**が起こり，CO, CO_2, CH_4（メタン）などの軽質ガス，タールの揮発分および固体チャーが生成される．チャーとは，石炭やバイオマス中の揮発分が熱分解した後，表面燃焼する成分であり，固定炭素（1 ～ 1.5 %の水素を含む）を主成分とし，相当量の灰分を含む多孔物質である．さらに，水蒸気を供給してガス化を促進させると，800 ℃程度からチャーの**水性ガス反応**が起こり，チャーはガス化されて，CO や H_2 を生成する．この反応は吸熱反応であり，部分酸化反応で発生する反応熱と相殺される.

解　答　(1)　**1-カ，2-ウ，3-イ，4-エ**

(2)　**5-ア，6-オ，7-ケ，8-キ，9-ア**

(3)　**10-カ，11-エ，12-イ，13-ク**

第 45 回　2023 年（令和 5 年）

（計測及び制御）

問題11　次の各文章及び表の [1] ～ [13] の中に入れるべき最も適切な字句等をそれぞれの解答群から選び，その記号を答えよ．なお，[1]，[5] 及び [7] は複数箇所あるが，それぞれ同じ記号が入る．（配点計 50 点）

(1)　ある対象の測定方法には，計測器で直接計測値として知る方法と，測定対象以外のいくつかの計測値を用いて測定対象の値を知る方法がある．両者の測定誤差には差異があり，後者の場合の最終的な測定誤差は，いくつかの計測誤差を合成するので，合成誤差という．

誤差には，偶然ではなく一定の傾向を持つ [1] と偶然誤差があるが，[1] の場合の合成誤差は，測定対象の値を知るためのそれぞれの計測値の誤差を a，それぞれの計測値の測定対象の値への寄与度を b としたとき，それぞれの計測値の [2] の合計となる．

〈 [1] 及び [2] の解答群〉

ア　a + b　　**イ**　a × b　　**ウ**　$\frac{a}{b}$

エ　許容誤差　　**オ**　系統誤差　　**カ**　間違いによる誤差

(2)　工業用の熱電対では，通常，熱電対と受信計器を接続する [3] を使用するが，その材料に熱電対と同じ材質のものを用いるタイプと，異なった材質のものを用いるタイプがある．

熱電対と同じ材質を用いるタイプを [4] 形という．同じ [5] を持っているので，広域な温度にわたり高い測定精度を保つことができる．

一方，異なった材質を用いるタイプは，熱電対とほぼ同じ [5] を広い温度範囲で保つことが難しく，高い測定精度を保つ温度範囲が限定されることになるが，価格は前者より安い．

したがって，測定に使用するタイプについては，使用温度範囲を考慮した上で，価格と精度の兼ね合いで選択することが肝要である．

〈 [3] ～ [5] の解答群〉

ア　アース線　　**イ**　エクステンション　　**ウ**　エレベータ

エ　コンペンセーション　　**オ**　金属保護管　　**カ**　補償導線

キ　温度−電気抵抗特性　　**ク**　線膨張係数　　**ケ**　熱起電力特性

(3) 空気中に含まれる水蒸気について考える.

1) 空気中に含まれる水蒸気は，その含有量に比例した[6]を持っている．これを水蒸気圧という．一定容積の空気中に含有できる水蒸気の量は[7]によってその上限が定まっている．空気中に含まれる水蒸気の量がその上限，すなわち飽和状態に達したときの水蒸気圧を飽和水蒸気圧という．

一方，空気の[7]が下がっていくと，空気中の水蒸気は凝結する．

〈[6]及び[7]の解答群〉

ア 温度　**イ** 気圧　**ウ** 差圧　**エ** 負圧　**オ** 分圧
カ 密度

2) ある空気の水蒸気圧とその温度における飽和水蒸気圧との比を百分率で表したものを[8]湿度という．湿度計は水蒸気圧に関連する現象を利用して測定を行っている．例えば，乾湿球湿度計は水の蒸発の程度から湿度を測定する．[9]式湿度計は，空気が乾燥空気と水蒸気の混合気体であることを利用して，酸素濃度から湿度を測定する.

〈[8]及び[9]の解答群〉

ア ジルコニア　**イ** セラミック　**ウ** 塩化リチウム
エ 絶対　**オ** 相対

(4) 管路の中の流体の流れを絞り機構により絞ると，その前後に差圧が発生する．この差圧は，[10]に比例するので，この差圧を測定することで流量を知ることができる．この差圧式流量測定法について，JIS で規定されている絞り機構には，表に示すように①～③があり，それぞれの特徴に応じて使い分けられている.

表　絞り機構とその特徴

絞り機構	特　徴
① [11]	中央に丸い孔の開いた 1 枚の円板である．流出係数を規格通りにするため，孔のエッジが鋭くなっているので摩耗しやすく，高速流体や微粒子を含む流体には基本的には適さない.
② [12]	エッジが丸いため摩擦に強いので，高温流体や高速流体の測定によく用いられる．圧力損失は，①より小さく③より大きい.
③ [13]	流れを乱すことがほとんどない構造であり，①～③のうちで圧力損失が最も少ない.

〈[10]～[13]の解答群〉

ア オリフィス　**イ** ノズル　**ウ** ピトー管
エ ベンチュリ管　**オ** 流速　**カ** 流速の 2 乗
キ 流速の平方根

解　説

(1)　系統誤差（systematic error）は，計測器に一定の傾向があって発生する誤差をいう．偶然誤差（random error）は，不規則に発生する偶発的な誤差をいう．系統誤差の場合の合成誤差 c は，各計測値の系統誤差 a に各計測値の測定対象の値への寄与度 b を乗じた値 $a \times b$ を計測値 i ごとに合計したもので表される．したがって，

$$c = \sum_{i=1}^{n} a_i \times b_i$$

となる．

(2)　熱電対は，2 種類の均質な金属線で閉回路をつくったとき，測温接点 t_1 と基準接点 t_2 が異なる温度の場合，回路内に電流が流れるという原理（**ゼーベック効果**）を利用して温度を計測する温度計である．このとき回路に発生した起電力を**熱起電力**といい，回路を開放して基準接点との端子間電圧を測定することにより温度を検出することができる．

計測点から測定器までの距離が長いときには，熱電対と同じ熱起電力特性を有する**補償導線**を熱電対に接続して延長することが好ましい．このような延長ケーブルを**エクステンション形**という．コストを重視して熱電対と異なる材質の導線を補償導線として使用する場合，熱電対と異なる熱起電力特性を有することから，広い温度範囲で精度の高い計測を行うことが困難である．

(3)

1)　空気中に含まれる水蒸気は，その含有量に比例した分圧を有している．これを**水蒸気圧（水蒸気分圧）**という．一定容積に含むことができる水蒸気量は温度に依存する．水蒸気量がその上限に達したときの水蒸気圧を**飽和水蒸気圧（飽和水蒸気分圧）**という．温度が高くなるほど飽和水蒸気分圧は大きくなる．したがって，空気の温度を下げていくと，いずれ飽和水蒸気分圧に達して，空気中の水蒸気は凝縮し，結露を生じる．このときの温度を**露点温度**という．

2)　ある温度の空気の水蒸気分圧と飽和水蒸気分圧の比を百分率で表したものを**相対湿度**という．

アスマン式乾湿球湿度計は，乾球と湿球の 2 本の棒状温度計からなり，乾球温度と湿球温度の温度差から付属の表を参照して周囲の空気の相対湿度を求める湿度計である．ジルコニア式湿度計は，主に燃焼プロセスにおける高温空気の酸素濃度を計測することによって空気中の水分量を求める湿度計である．

(4)　管路の中の流体の流れを絞り機構によって絞ると，絞り機構の前後で動圧

に応じた差圧を生じる．動圧は，流速の 2 乗に比例することから，絞り機構によって管路内の流速から流量を計測することができる．差圧式流量計は JIS Z8762-1 ～ 4：2007 に規定されていて，以下のものがある．

① オリフィス

中央に円形の開口がある 1 枚の円板でできている．規格に従って流出係数を維持するために，開口のエッジが鋭くなっていることから，流体によって摩耗しやすい．そのため，高速の流体や微粒子を含む流体には適さない．

② ノズル

エッジが丸くなっているため，流体による摩擦に耐えられる．高温流体や高速流体の流量計測に使用される．圧力損失は，オリフィスより小さいが，ベンチュリ管より大きい．

③ ベンチュリ管

緩やかに断面が絞られてから，緩やかに断面が拡大する形状なので，流れを乱すことはなく，圧力損失は最も小さい．

解　答　(1)　**1-オ，2-イ**

(2)　**3-カ，4-イ，5-ケ**

(3)　**6-オ，7-ア，8-オ，9-ア**

(4)　**10-カ，11-ア，12-イ，13-エ**

(計測及び制御)

問題12　次の各文章及び図の [1] ～ [12] の中に入れるべき最も適切な字句等をそれぞれの解答群から選び，その記号を答えよ．なお，[1]，[3]，[5]，[6] 及び [8] は複数箇所あるが，それぞれ同じ記号が入る．

また，[A a.b] に当てはまる数値を計算し，その結果を答えよ．ただし，解答は解答すべき数値の最小位の一つ下の位で四捨五入すること．(配点計 50 点)

(1)　図 1 は，ある工場の温水加熱器の温度制御について示したものであり，工場の温水需要に対してガス燃焼を調節することにより，温水加熱器から一定温度の温水を供給している．この制御では，温水温度調節計の出力がガス燃料流量調節計の目標値を与えている．

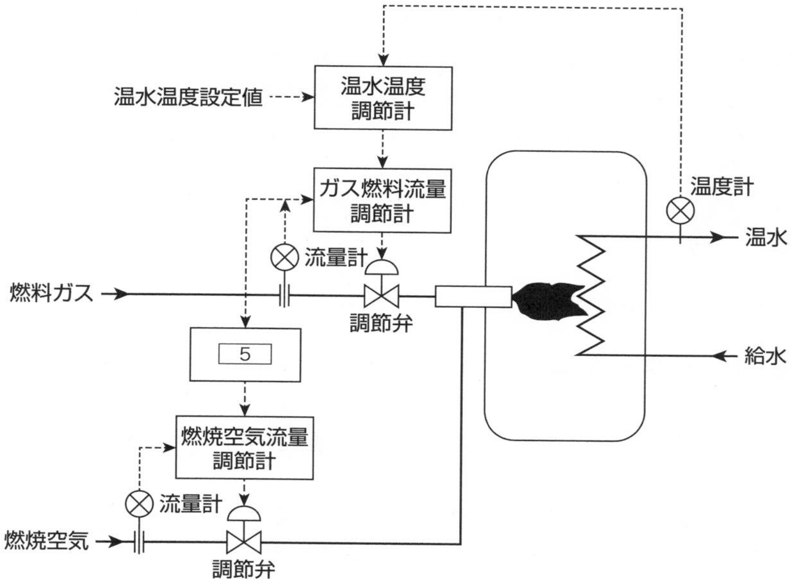

図1　温水加熱器の温度制御

1)　図1の温水温度制御では，温水温度調節計の出力信号によってガス燃料流量調節計の目標値を定めて，温水温度を一定に保つように制御している．温水温度調節計とガス燃料流量調節計によるこのような制御を [1] という．ここで，温水温度調節計を [2]，ガス燃料流量調節計を [3] と呼ぶ．ガス燃料流量調節計を設けることにより，燃料ガスの供給圧の変動などの [4] が温水温度に影響する前に処理し，温水温度を安定させることができる．

更にガス燃焼系では，省エネを図るため，ガス燃料流量信号を [5] を通して燃焼空気流量調節計の目標値として与え，過剰燃焼空気量を抑えている．このような制御を [6] と呼ぶ．

[1] や [6] のように，[3] の目標値が時々刻々と変化する制御を総称して追値制御と呼ぶ．その調節計の制御アルゴリズムでは，一般にPID制御が使用される．

〈[1] ～ [6] の解答群〉

ア　オーバライド	**イ**　バイアス設定器	**ウ**　比率設定器
エ　オフセット	**オ**　外乱	**カ**　偏差
キ　カスケード制御	**ク**　シーケンス制御	**ケ**　フィードバック制御
コ　プログラム制御	**サ**　比率制御	**シ**　一次調節計

ス 二次調節計　　**セ** 主調節計　　**ソ** 従調節計

2) PID 制御において，P は比例動作，I は積分動作，D は微分動作を指す．また，比例帯を PB，積分時間を T_i，微分時間を T_d とすると，PID 制御アルゴリズムのラプラス変換表示は［ 7 ］となる．

〈［ 7 ］の解答群〉

ア $\dfrac{100}{PB}\left(1+\dfrac{1}{T_i\cdot s}+T_d\cdot s\right)$　　**イ** $\dfrac{100}{PB}\left(\dfrac{1+T_d\cdot s}{1+T_i\cdot s}\right)$

ウ $\dfrac{100}{PB}\left(1+\dfrac{1+T_d\cdot s}{1+T_i\cdot s}\right)$

3) 図 1 の温水温度調節計が P 動作のみの調節計で，設定値を 80 ℃，PB を 25 %，偏差がないときのバイアスを 50 %，測定値・目標値のスパンを 100 ℃とする．ある運転条件のとき，温度調節計の出力が 70 %でバランスしたときを考える．

このように，制御が P 動作のみだと制御量が目標値から定常的にずれる［ 8 ］が生じることがある．今回の条件における［ 8 ］は［A］ a.b ［℃］生じることになる．それを解消するために［ 9 ］動作が使用される．

〈［ 8 ］及び［ 9 ］の解答群〉

ア オフセット　　**イ** 外乱　　**ウ** 公差　　**エ** 比例

オ 積分　　**カ** 微分

(2) 流量制御の操作部として調節弁を用いて，渦巻ポンプによる送水系の流量制御を行うときの，ポンプの特性と配管の圧力損失特性を図 2 に示す．

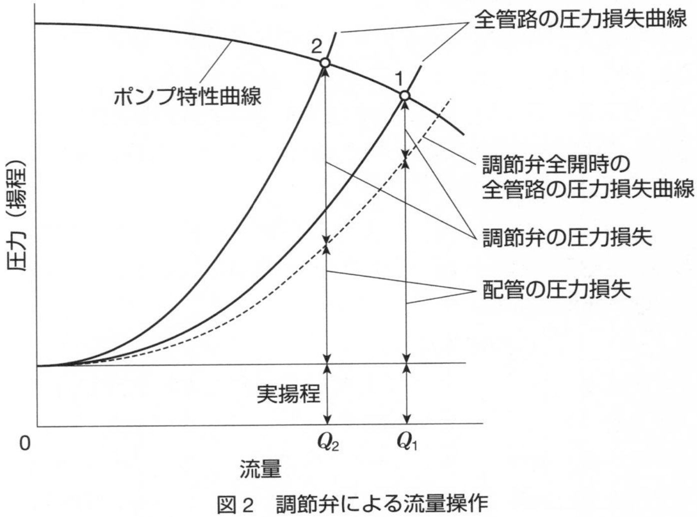

図 2　調節弁による流量操作

1)　流量制御の操作部としては，簡単で確実な操作性から，一般に調節弁が使用されている．図 2 において，運転点 1 の流量 Q_1 と運転点 2 の流量 Q_2 の間で流量を調節するには，調節弁の開度を変えることで行うことができ，例えば，調節弁の開度を小さくすれば [10] し，流量は減少する．ただし，この操作はエネルギー損失を伴うので，省エネルギー上は最善とはいえない．

〈[10] の解答群〉

ア　調節弁の圧力損失が減少

イ　調節弁の圧力損失が増加

ウ　調節弁及び配管の圧力損失が共に増加

2)　近年では省エネルギーの観点から，流量制御の手法としてポンプの回転速度制御が採用されるようになってきている．ポンプ特性からは，ポンプの軸動力は理論的にはポンプの回転速度の [11] 乗に比例するので，回転速度制御の適用により大きな省エネルギーが得られる．ポンプの回転速度制御の方法としては，駆動する電動機の回転速度を [12] 装置で制御するのが一般的である．ただし，図で示される実揚程が大きくなると，ポンプの回転速度低減への制約も大きくなり，回転速度制御のメリットは少なくなる．

〈[11] 及び [12] の解答群〉

ア　1　　**イ**　2　　**ウ**　3

エ　CVCF　　**オ**　インバータ　　**カ**　サイリスタ

解　説

(1)

1)　図 1 の温水加熱器の制御システムの例では，温水温度調節計の出力とガス燃料流量の計測値をガス燃料流量調節計の目標値入力として与え，その出力を流量調節弁の入力としている．このように制御ループが入れ子になった制御を**カスケード制御**という．ここでは，燃料ガスの供給圧力の変動による流量の変化という外乱による影響を，ガス燃料流量に影響が出る前に処理できるようになっている．一次ループにある温水温度調節計を**一次調節計**，二次ループにあるガス燃料流量調節計を**二次調節計**という．

さらに，比率設定器によって，ガス燃料流量計測値に比例した信号を燃焼空気流量調節計の目標値として与えている．これを**比率制御**という．この比率制御によって，過剰燃焼空気量を抑制して，省エネルギーを図ることができる．**第 1 図**のブロック線図を参考にしてほしい．

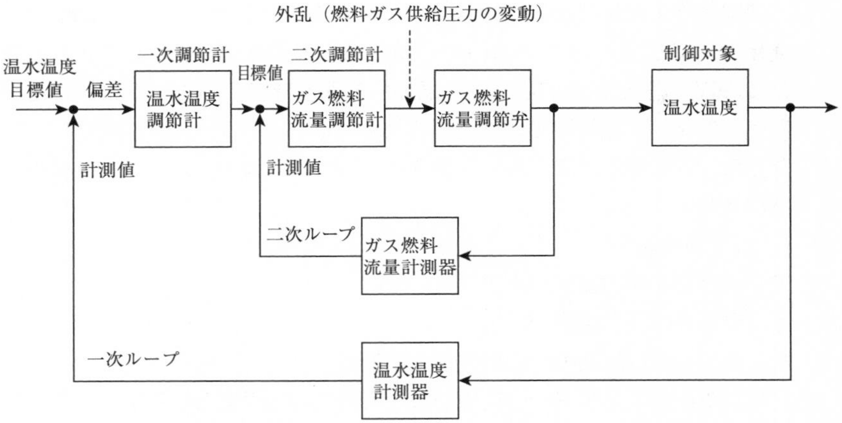

第１図　温水加熱器の温水温度制御系のブロック線図

2)　温水温度調節計とガス燃料流量調節計で用いられるPID制御では，P（比例）動作，I（積分）動作，D（微分）動作が用いられる．

P動作は偏差に比例する制御出力を出す**比例動作**である．P動作の調整パラメータは比例帯 PB（Proportional Band）であり，%で表示される．P動作のみを使用した場合，目標値と制御量の最終値の間に定常的な偏差が残り，これを**オフセット**（**定常偏差，残留偏差**）という．これを解消するためには，**積分動作**（I動作）を加えなくてはならない．積分動作の調整パラメータを**積分時間** T_{i} という．これを短くするとオフセットが早く解消されるが，制御が不安定になる可能性がある．制御量の変化速度に比例した制御出力を出すことを微分動作（D動作）といい，調整パラメータを**微分時間** T_{d} という．

PID制御は，比例動作（P動作），積分動作（I動作），微分動作（D動作）を線形に結合したものであるから，比例帯をPB，積分時間を T_{i}，微分時間を T_{d} とすると，PID制御の伝達関数のラプラス変換表示 $G(s)$ は次式のようになる．

$$G(s)=\frac{100}{PB}\left(1+\frac{1}{T_{\mathrm{i}}s}+T_{\mathrm{d}}s\right) \tag{1}$$

比例帯 PB が小さい方がゲイン $\left(K_{\mathrm{P}}=\dfrac{100}{PB}\right)$ は大きくなり，応答速度は速くなる．

3)　P動作のみで制御を行ったとき，偏差がいつまでもゼロにならないオフセットが生じることがある．P動作による出力は，偏差 e に比例し，これに手動リセット量，すなわちバイアス分が加わるので，

$$\text{出力 [\%]} = K_{\mathrm{P}} \cdot e + \text{バイアス}$$

$$= \frac{100}{PB} \cdot e + \text{バイアス} \qquad (2)$$

となる．

ここで，温水温度設定値 80 ℃，PB を 25 %，偏差 e が 0 % のときのバイアスを 50 %，測定値・目標値のスパンを 100 ℃とするとき，温度調節計の出力が 70 % で平衡状態になったとすると，

$$70 = \frac{100}{25} \cdot e + 50$$

から，$e = 5.0$ % となる．測定値・目標値のスパンが 100 ℃なので，オフセットは

$$100 \times 0.05 = 5.0 \text{ ℃}$$

となる．このオフセットは，積分動作を加えることで 0 になる．

(2)

1)　設問の図 2 において，調節弁の開度を小さくすると，流体の抵抗が大きくなり調節弁の圧力損失が増加することから全管路の圧力損失曲線が角度を増加する．そのため，ポンプの特性曲線と圧力損失曲線の交点は 1 → 2 に移行する．

2)　ポンプの相似則によると，流量は回転速度に比例し，圧力（揚程）は回転速度の 2 乗に比例し，軸動力は回転速度の 3 乗に比例する．そのため，インバータを用いて空調負荷に応じて冷温水の流量を可変とすることで，ポンプの軸動力を低減することができる．ただし，配管系が開放回路で実揚程が大きい場合には，これに対応した軸動力は低減されないので，インバータによる省エネルギー効果は小さくなる．

解　答　(1)　**1-キ，2-シ，3-ス，4-オ，5-ウ，6-サ，7-ア，8-ア，A-5.0，9-オ**
(2)　**10-イ，11-ウ，12-オ**

（ボイラ，蒸気輸送・貯蔵装置，蒸気原動機・内燃機関・ガスタービン）

問題13　次の文章の［1］～［11］の中に入れるべき最も適切な字句等をそれぞれの解答群から選び，その記号を答えよ．なお，［8］は複数個所あるが，同じ記号が入る．

また，［A abcd］～［C abc］に当てはまる数値を計算し，その結果を答えよ．ただし，解答は解答すべき数値の最小位の一つ下の位で四捨五入すること．

（配点計 50 点）

(1)　ボイラから蒸気タービンに蒸気を送って発電する火力発電プラントにおいて，発電プラントの効率向上を図るために，蒸気タービン入口の蒸気温度や圧力を上げる努力が続けられてきた．ボイラで発生した飽和蒸気の温度を上げて過熱蒸気を得るために設置される装置が過熱器である．

過熱器はその取付け位置によって伝熱の形態が異なり，いくつかの形式に分類できる．図は，過熱器の形式による温度特性について，最大の過熱度を 100 K として示したものである．ここで，主として火炎の見える火炉に設置する放射形過熱器の温度特性は図中の [1] で示され，主に燃焼ガスから熱を受ける対流形過熱器の温度特性は図中の [2] で示される．

一方，材料面において，昨今の温度の高い過熱器では，その伝熱管の温度も高くなるため，ニッケルや [3] などを含む高強度鋼を使用する必要がある．

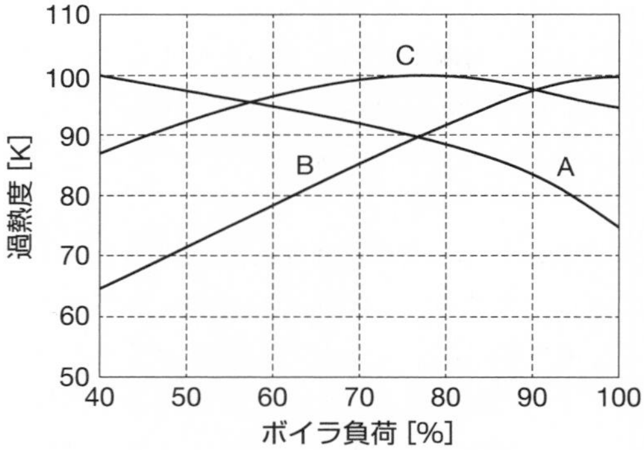

図　過熱器の温度特性

〈[1]～[3]の解答群〉

ア　A　　**イ**　B　　**ウ**　C　　**エ**　アルミニウム　　**オ**　クロム

カ　亜鉛

(2)　蒸気は保有熱が大きく，扱いやすいため，産業界では加熱源として多方面で使用されている．ただし，蒸気は熱を放出すると気体から液体へと相変化しドレンが発生するため，蒸気配管内を蒸気とドレンが混相状態で流れると，脈動が起きたり，配管や弁を [4] で損傷させたりするので，蒸気配管内から系外へドレンを排出することが重要である．そのため，蒸気配管に適当な間隔でスチームトラップを設けて，ドレンを常時排出するようにする．

スチームトラップにはいくつか形式があり，フロートを利用してドレン排出する形式は，蒸気とドレンの [5] の差を利用したものである．また，いずれの形式においても，その排出動作を助けるために，蒸気配管の抜出部には [6] を設置するのが良い．

〈[4] ～ [6] の解答群〉

ア　エロージョン　**イ**　コロージョン　**ウ**　スケーリング
エ　オリフィス　**オ**　ストレーナ　**カ**　ドレンだまり
キ　温度　**ク**　熱膨張率　**ケ**　密度

(3)　ボイラ水の水質に起因する腐食には様々な形態があり，一般腐食，孔食，苛性脆化《ぜいか》などがある．一般腐食はボイラ水の pH が低かったり，[7] が多く存在したりすると，金属全面に発生する腐食である．孔食は [8] で覆われている金属表面に発生する深い局所的な腐食であり，[8] が何らかの原因で破れると，その部分に局部電池が形成され，鋼から [9] が溶出することで起きる．苛性脆化は，苛性ソーダなどのアルカリ成分が濃縮されて生じる鋼の [10] をいい，これは鋼材の微細な隙間で応力の集中するところに起きやすい．

これらの腐食を防止するためにボイラ水の水質を維持管理するが，給水系統のボイラドラムに薬剤を注入すると共に，ボイラ水中の不純物濃縮の抑制を図るため，ボイラドラムからの [11] を適切に行う必要もある．

〈[7] ～ [11] の解答群〉

ア　クロム層　**イ**　シリカ　**ウ**　フェライト層　**エ**　ヘマタイト
オ　ブロー　**カ**　脱気　**キ**　応力腐食割れ　**ク**　高温腐食
ケ　低温腐食　**コ**　懸濁物　**サ**　酸化被膜　**シ**　炭素原子
ス　鉄イオン　**セ**　溶存酸素

(4)　表に示す条件で運転をしている油焚きのボイラがある．このボイラの排ガス損失を減らしてボイラ効率を改善することを考える．

表　ボイラの運転条件

項目	単位	数値
燃料 1 kg 当たりの排ガス量	kg/kg	16.2
燃料 1 kg 当たりの低発熱量	MJ/kg	40.9
ボイラ排ガス温度	℃	180
排ガスの平均定圧比熱	kJ/(kg·K)	1.07
大気温度	℃	15.0

1)　この運転状態での燃料 1 kg 当たりの排ガスの損失熱量は，[A abcd] [kJ/kg] であり，ボイラのその排ガス損失を低発熱量基準で求めると，[B a.b] [%] となる．

2)　いま，排ガス温度を下げることにより，排ガス損失を現状の $\frac{2}{3}$ にすることを考え，目標とする排ガス温度を求める．ここで，ボイラの燃料性状，空気過剰率，大気温度及び排ガスの平均定圧比熱は変わらないものとすると，排ガス損失の式から，目標温度 [C abc] [℃] が得られる．

解　説

(1)　蒸気配管中でドレンが生じて障害を起こすことを避けるために，ボイラ出口に過熱器を設置して，過熱蒸気を供給することが多い．放射形過熱器は，火炉に面して設置するが，ボイラ負荷の増加とともに過熱度は低下する．一方，対流形過熱器は煙道に設置するが，ボイラ負荷の増加とともに過熱度は上昇する．したがって，設問の図のAは放射形過熱器，Bは対流形過熱器の特性を示すことになる．

最近の火力発電用ボイラでは500℃を超える高温蒸気を使用することから，過熱器の伝熱管にはニッケル・クロム・コバルト・モリブデン・バナジウムなどを含む特殊耐熱鋼を使用している．

(2)　蒸気は気体であり，凝縮潜熱を利用できることから，保有する熱量が大きく，工業プロセスで用いられている．しかし，蒸気は放熱するとドレン（凝縮水）を生じるため，配管内を蒸気とドレンが混相流で流れると，脈動が発生したり，配管や弁をエロージョンで損傷したりする危険性がある．そのため，ドレンを速やかに排出する目的で，蒸気配管にスチーム（蒸気）トラップを適切な間隔で設置する必要がある．

スチームトラップにはさまざまな種類があるが，フロートを利用してドレンを排出するフロート形トラップは，ドレンと蒸気の密度差を利用した作動原理を有している．ドレンがトラップに流入すると，ドレンの浮力でフロートが上がって弁体を動かして，ドレンを排出するしくみになっている．蒸気配管の抜出部には，ドレンの排出動作を補助するために一時的にドレンを溜めておくドレンだまりをスチームトラップの手前に設ける．

(3)　ボイラ水の性質に起因する腐食には，一般腐食，孔食，苛《か》性脆《ぜい》化などがある．一般腐食は，ボイラ水のpHが低かったり，溶存酸素量が多かったりする場合，配管内壁の全面に発生する腐食である．孔食は，酸化被膜で覆われている配管内壁が何らかの原因で損傷を受けた場合に生じる局所的な腐食である．損傷を受けた部分で局部電池が形成されて，鋼管から鉄イオンが溶出することで発生する．苛性脆化は，苛性ソーダ（水酸化ナトリウム）などのアルカリ成分が濃縮されて発生する鋼材の応力腐食割れをいう．これは鋼材の微細な隙間で応力集中が起こる場所に発生しやすい.

以上の腐食対策には，ボイラ水の水質管理が求められる．給水系統のボイラのドラムに脱酸素剤や pH 調整用薬品などの薬剤注入をしたり，不純物が濃縮しないように，ボイラドラムからのブロー（排水）を適宜行ったりする必要がある.

(4)

1)　燃料 1 kg 当たりの排ガス量は 16.2 kg/kg，ボイラ排ガス温度は 180 ℃，大気温度は 15 ℃，排ガスの平均定圧比熱は 1.07 kJ/(kg·K) であるから，燃料 1 kg 当たりの排ガスの損失熱量 Q_L は，

$$Q_L = 16.2 \times 1.07 \times (180 - 15) = 2\,860.11 \fallingdotseq 2\,860\ \mathrm{kJ/kg}$$

となる．ボイラの排ガス損失を燃料の低発熱量基準 r_L で示すと，

$$r_L = \frac{2\,860.11}{40.9 \times 10^3} \times 100 = 6.99 \fallingdotseq 7.0\ \%$$

となる.

2)　排ガス損失を 2/3 にするためには，排ガス温度を下げて，大気温度との温度差を 2/3 にしなくてはならない．そのため，目標とする排ガス温度 t_E は

$$t_E - 15 = (180 - 15) \times \frac{2}{3}$$

になる必要がある．したがって，$t_E = 125$ ℃となる.

解　答　(1)　**1-ア，2-イ，3-オ**
(2)　**4-ア，5-ケ，6-カ**
(3)　**7-セ，8-サ，9-ス，10-キ，11-オ**
(4)　**A-2 860，B-7.0，C-125**

（ボイラ，蒸気輸送・貯蔵装置，蒸気原動機・内燃機関・ガスタービン）

問題14　次の各文章の [1] ～ [15] の中に入れるべき最も適切な字句等をそれぞれの解答群から選び，その記号を答えよ．なお，[1] 及び [2] は複数箇所あるが，それぞれ同じ記号が入る．（配点計 50 点）

(1)　蒸気タービンの性能について考える.

1)　ボイラに供給された燃料のエネルギーが蒸気タービンを通して軸出力を得るまでには種々の損失がある．蒸気タービン本体に生じる損失は，大きく [1] 損失と [2] 損失の二つに分けられ，次のような損失などが分類される.

①　[1] 損失：・蒸気が湿り蒸気域に入ったときの湿り損失

・排気損失
・ノズル及び回転羽根周辺での漏れ損失
② [2] 損失：・軸受け摩耗損失
・軸貫通部から蒸気が漏洩《ろうえい》することによる損失
・放熱損失

〈[1] 及び [2] の解答群〉

ア 外部　**イ** 内部　**ウ** 機械

2) タービンの効率は，いくつかの効率に分けて評価できる． [3] 効率は，タービンの第 1 段ノズルの入口から復水器の [4] までの蒸気の [5] に対するタービン内部仕事の割合で示される．一方，タービン内部仕事に対するタービン軸端仕事の割合を [6] 効率といい，両者の積をタービン効率という．

〈[3] ～ [6] の解答群〉

ア タービン内部　**イ** 機械　**ウ** 発電　**エ** 入口
オ 出口　**カ** 断熱熱落差　**キ** 有効熱落差

(2) ガスタービンの特徴と構造について考える．

1) ガスタービンは，圧縮機，燃焼器，タービンにより構成されているが，軸構成には，圧縮機と出力タービン軸が直結している一軸式と，圧縮機と出力タービン軸が別軸となっている二軸式とがある．発電用には [7] 用いられている．

〈[7] の解答群〉

ア 一軸式の方が多く　**イ** 二軸式の方が多く
ウ 一軸式と二軸式がほぼ同程度に

2) 主に大型のガスタービンの圧縮機には， [8] 圧縮機が用いられる．圧縮機は，起動中の低回転時，後方段で空気が十分に圧縮されないため，前方段で失速が発生する．この現象をサージングというが，これを防止するために，圧縮機中段より抽気することで吸気流量を [9] させたり，圧縮機入口の [10] により圧縮機への空気の流入角度を適切にしたりするなどの対策がとられている．

〈[8] ～ [10] の解答群〉

ア 遠心　**イ** 軸流　**ウ** 容積式　**エ** 可変静翼
オ 固定静翼　**カ** 動翼　**キ** 減少　**ク** 増加

(3) 内燃機関の特徴と構造について考える．

1) 内燃機関は，燃焼室内部で燃料を燃焼させて燃焼ガスを生成し，これを作動媒体として膨張させて熱エネルギーを動力に変換する機器である．シリンダ内で燃焼ガスを膨張させてピストンの往復運動エネルギーをクランク軸で回転仕事に変える方式を容積形の熱機関という．さらに，燃焼の着火方式によって，オットーサイクルの応用である [11] と，ディーゼルサイクルの応用である [12] に大別される．

〈[11] 及び [12] の解答群〉

ア　圧縮着火方式のガソリン機関　　**イ**　圧縮着火方式のディーゼル機関
ウ　火花点火方式のガソリン機関　　**エ**　火花点火方式のディーゼル機関

2)　オットーサイクルにおいて，シリンダ内で混合気の火炎伝播における最終燃焼部分での自己着火に起因し，その際の局所的な圧力上昇により燃焼ガス中に圧力変動を生ずる現象をノックというが，これを抑制するには，燃料側，混合気側及び機関側それぞれに，次のような対策がある．

①　燃料側の抑制対策
・[13] 価の高い燃料を使用する．

②　混合気側の抑制対策
・火炎伝播期間を短縮したり，燃焼のばらつきを小さくしたりする．
・混合気の圧力及び温度を [14]．

③　機関側の抑制対策
・圧縮比を下げる．
・水やメタノール噴射により [15] 温度を下げる．

〈[13] ～ [15] の解答群〉

ア　イソオクタン　　**イ**　オクタン　　**ウ**　ヘプタン　　**エ**　上げる
オ　下げる　　**カ**　着火　　**キ**　末端ガス

解　説

(1)

1)　蒸気タービン本体の損失には，内部損失と外部損失がある．
内部損失には，以下のものなどがある．
・湿り損失：蒸気が湿り蒸気域に入ったときに液滴によって生じる損失
・排気損失：最終段出口で排気が保有する動圧によって生じる損失
・漏れ損失：ノズルと動翼付近で内部漏れがあることによる損失
外部損失には，以下のものなどがある．
・軸受け摩擦損失
・軸貫通部から蒸気が漏洩《えい》することによる損失
・放熱損失：タービンから外部に放熱される熱損失

2)　タービン内部効率は，蒸気タービンの第1段ノズルから復水器の入口までの蒸気の熱落差に対するタービン内部仕事の割合で表される．また，タービン内部仕事に対するタービン軸端仕事の割合を機械効率という．タービン内部効率と機械効率の積をタービン効率という．

(2)

1) ガスタービンは，圧縮機，燃焼器，タービンで構成されている．ガスタービンの軸構成には，圧縮機と出力タービンが直結されて同一軸になっている一軸式と，別軸になっている二軸式がある．発電用のガスタービンでは，定速回転を要求されることから，一軸式の方が多く用いられている．

2) 大形ガスタービンの圧縮機には軸流圧縮機が用いられる．圧縮機は起動中の低速回転時に後方段で空気が十分に圧縮されないので，前方段で失速が発生する．これをサージングという．サージングを防止するために，圧縮機中段から抽気して吸気流量を増加させたり，圧縮機入口の可変静翼で圧縮機への空気の流入角度を調整したりする対策が取られている．

(3)

1) 内燃機関は，液体または気体燃料を燃焼室内部で燃焼させて，燃焼ガスを生成して，これを作動媒体として膨張させて，熱エネルギーを機械的仕事に変換する熱機関である．容積形の熱機関は，シリンダ内部で燃焼ガスを膨張させて，ピストンの往復運動をクランク軸で回転運動に変換する方式の熱機関である．さらに，燃料の着火方式によって，ガソリン機関とディーゼル機関に分類される．ガソリン機関は，オットーサイクルの応用であり，火花点火を行う機関である．ディーゼル機関は，ディーゼルサイクルの応用であり，燃焼ガスの圧縮によって着火させる圧縮着火を行う機関である．

2) ノック（ノッキング）とは，オットーサイクルにおいて，シリンダ内部で混合気の火炎伝播の最終燃焼部分における自己着火に起因し，局部的な圧力上昇で燃焼ガス中に圧力変動を生じる現象である．この対策としては，以下のものがある．

① 燃料側の抑制対策

・オクタン価の高い燃料を使用する．オクタン価とは，シリンダ内部でのガソリンの自己着火のしにくさ，ノッキングの起こりにくさ（耐ノック性・アンチノック性）を示す指標である．

② 混合気側の抑制対策

・火炎伝播期間を短縮する．
・燃焼を均一にする．
・混合気の圧力と温度を下げて，自己着火を抑制する．

③　機関側の抑制対策

・圧縮比を下げて，混合気の温度を下げる．

・水やメタノール噴射によって，末端ガス温度を下げる．

解　答　⑴　**1-イ，2-ア，3-ア，4-エ，5-カ，6-イ**

⑵　**7-ア，8-イ，9-ク，10-エ**

⑶　**11-ウ，12-イ，13-イ，14-オ，15-キ**

（熱交換器・熱回収装置―選択問題）

問題15　次の各文章の [1] ～ [14] の中に入れるべき最も適切な字句等をそれぞれの解答群から選び，その記号を答えよ．なお，[1]，[3] 及び [4] は複数箇所あるが，それぞれ同じ記号が入る．

また，[A ab.c] 及び [B a.bc] に当てはまる数値を計算し，その結果を答えよ．ただし，解答は解答すべき数値の最小位の一つ下の位で四捨五入すること．（配点計 40 点）

⑴　熱交換器には多くの種類があり，呼称も様々である．

1）　熱回収を目的とした熱交換器として，例えば，事務所ビルなどの室内の換気に伴う外気負荷を低減するための [1] や，工業炉などの燃焼用空気の予熱に高温の燃焼排ガスから熱回収する蓄熱式熱交換器などがある．

[1] は，空調された室の排気と取入れ外気との熱交換により，排気からの熱が回収されて取り入れる外気の温湿度が室内空気の温湿度に近づくので，空調の熱負荷を低減することができる．熱には顕熱と潜熱があるが，この熱交換器により回収される熱は [2] である．

この熱交換器は熱交換の方法により，大きく [3] 型と [4] 型の 2 種類に分けられる．

[3] 型の場合，熱交換のエレメントは [5] 性を有する特殊な加工紙等で作られ，フィンと仕切り板を積み重ねて，給気と排気の通路を分離する構造となっており，ケーシングに固定されている．

一方，[4] 型の場合，[6] 剤を含んだクラフト紙等で作られたハニカム状のエレメントが給気と排気の通路を交互に通過し，エレメントを介して熱が移動する構造になっている．

〈[1] ～ [6] の解答群〉

ア　ヒートポンプ式熱交換器　　**イ**　開放式熱交換器

ウ　全熱交換器　**エ**　移動　**オ**　回転　**カ**　静止

キ　連続　**ク**　吸湿　**ケ**　恒湿　**コ**　保温

サ　透湿　　**シ**　顕熱のみ　　**ス**　潜熱のみ　　**セ**　顕熱と潜熱

2)　多くの用途で使われている代表的な管式熱交換器としてシェルアンドチューブ式熱交換器がある．この熱交換器には管と管板の取り付け方法などによって，大きく三つの基本形式に分類されている．図はそのうちの一つを示したものである．

i)　図は，三つの基本形式のうちの［7］式の構造の概略を示したものである．この方式以外の基本形式としては，［8］式と［9］式がある．

〈［7］～［9］の解答群〉

ア　U字管　　**イ**　バヨネット　　**ウ**　ヒートパイプ　　**エ**　プレート
オ　固定管板　　**カ**　遊動頭

ii)　図の熱交換器の構造において，番号の①～⑤が示すものは次のとおりである．

①：［10］　　②：伝熱管　　③：管板　　④：［11］
⑤：バッフル板

〈［10］及び［11］の解答群〉

ア　円筒　　**イ**　回転　　**ウ**　仕切り板　　**エ**　邪魔板
オ　胴　　**カ**　密閉室

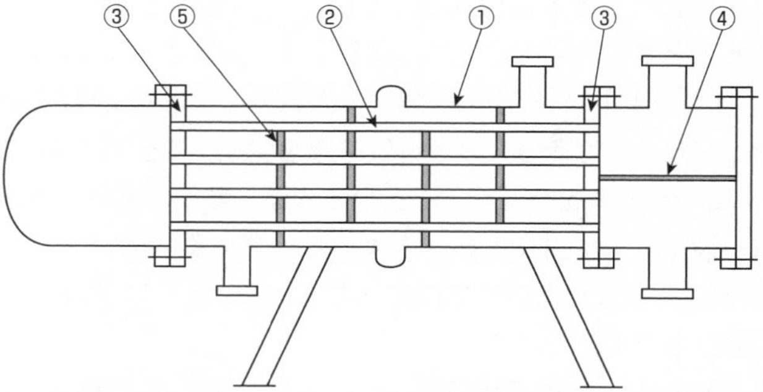

図　シェルアンドチューブ式熱交換器の構造概略

(2)　隔壁式熱交換器の隔壁を通して，二つの流体が並流あるいは向流で熱交換しているときの交換熱量及び熱交換効率について考える．

1)　熱交換とは，熱を輸送する流体間の伝熱操作であり，それによる熱の移動を熱通過という．隔壁式熱交換器の熱通過による交換熱量 Q は，隔壁の熱通過率を K，熱通過面積を A とすると，2 流体の対数平均温度差 ΔT_{m} を用いて次式から求めることができる．

$$Q = KA\Delta T_{\mathrm{m}} \quad \cdots\cdots① $$

なお，対数平均温度差 ΔT_{m} は，式①を用いて熱量を算出するときの熱交換器内の両流体の平均的な温度差として用いるもので，熱交換器の片側の両流体の温度差を ΔT_1，反対側の両流体の温度差を ΔT_2 とすると次式で表すことができる．

$\Delta T_m =$ [12] ……………………②

〈[12] の解答群〉

ア $\dfrac{\Delta T_1 + \Delta T_2}{\ln \dfrac{\Delta T_2}{\Delta T_1}}$　イ $\dfrac{\Delta T_1 + \Delta T_2}{\ln \dfrac{\Delta T_1}{\Delta T_2}}$　ウ $\dfrac{\Delta T_1 - \Delta T_2}{\ln \dfrac{\Delta T_2}{\Delta T_1}}$

エ $\dfrac{\Delta T_1 - \Delta T_2}{\ln \dfrac{\Delta T_1}{\Delta T_2}}$

2）　流体の流量や比熱が既知の場合には，交換熱量 Q は ΔT_m を用いずに，流体の出口と入口のエンタルピー差として求めることができる．

ここで，流体の質量流量を m，比熱 c，温度を T で表し，それらに対して高温流体には h，低温流体には c を添字として付すこととし，さらに温度に関しては，入口には i，出口には o を添字として付すこととすると，高温流体の出入口のエンタルピー差 Q_h は式③で，低温流体の出入口のエンタルピー差 Q_c は式④で表すことができる．

$Q_h = m_h \times c_h \times (T_{hi} - T_{ho})$ ……………………③

$Q_c = m_c \times c_c \times$ [13] ……………………④

外部への熱損失がないとすると，$Q_h = Q_c = Q$ であることから，高温側あるいは低温側のいずれからでも Q を求めることができる．

〈[13] の解答群〉

ア $(T_{co} - T_{ci})$　イ $(T_{co} - T_{ho})$　ウ $(T_{ho} - T_{ci})$

エ $(T_{ho} - T_{hi})$

3）　向流形の熱交換器で，燃焼排ガスの顕熱を用いて給水を予熱する場合について考える．この熱交換において，燃焼排ガスの入口温度は 300 ℃，給水の入口温度は 20 ℃であり，熱交換後に燃焼排ガスの出口温度が 250 ℃となった．ここで，燃焼排ガスの比熱を 1 kJ/(kg·K)，流量を 0.6 kg/s，給水の比熱を 4 kJ/(kg·K)，流量を 0.2 kg/s で一定とする．ただし，熱交換器外部への熱損失は無視できるものとし，それぞれの流体の比熱は温度によらず一定とする．

i）　給水予熱後の温度 T_{co} を求めると，[A ab.c] [℃] となる．

ii）　熱回収効率 η は，燃焼排ガスから回収可能な最大の熱量 Q_{max} に対して，給水が得た熱量 Q_c の割合を示すものである．

ここで，Q_{max} は式 Q_{max} = [14] で表され，Q_c は前述の式④で表される．

iii) ii) により熱回収効率 η を求めると，[B a.bc] $\times 10^{-1}$ となる．

〈[14] の解答群〉

ア $m_c \times c_c \times (T_{hi} - T_{ci})$　イ $m_c \times c_c \times (T_{ho} - T_{ci})$

ウ $m_h \times c_h \times (T_{hi} - T_{ci})$　エ $m_h \times c_h \times (T_{hi} - T_{co})$

解 説

(1)

1) 全熱交換器は，空調室からの排気と取入れ外気の全熱交換（顕熱および潜熱の熱交換）を行うことによって，外気負荷を低減するためにダクト系に設置する熱交換器である．

静止型の全熱交換器は，透湿性のある層状の熱交換素子の間を排気と外気が交互に通過することで顕熱（温度）と潜熱（水蒸気）の熱交換を行う．

回転型の全熱交換器は，吸湿剤を含むクラフト紙でつくられたハニカム状のロータが排気と外気の流路の間を回転することによって全熱の熱交換を行う．ロータは顕熱を蓄熱→放熱し，潜熱（水蒸気）を吸湿→放湿することで，排気と外気の間で熱交換をする．

2) 管式熱交換器の代表的なものにシェルアンドチューブ式熱交換器がある．これは，円筒形の胴（シェル）内に管束（チューブ）を配列したものであり，一般に次のように分類される．

① 固定管板式は，両側の管板が胴に溶接で固定された構造をしている．そのため，胴側の清掃ができないという欠点がある．

② U字管式は，管束がU字形をしているので，胴と無関係に伸縮ができ，管束を引き抜いて，胴内や伝熱管表面の検査と清掃を行うことができる．

③ 遊動頭（管板）式は，片方（図の左側）の管板が固定されていない構造をしているので，管束がスライドして熱応力を逃がすことができる．

したがって，設問の図で示されたシェルアンドチューブ式熱交換器は，左右両側の管板が胴に固定されているので，固定管板式である．図の①は胴であり，④は仕切り板である．

(2)

1) 対数平均温度差は，熱交換器の二つの流体の平均的な温度差として用いられる．熱交換器の片側の両流体の温度差を ΔT_1，反対側の両流体の温度差を ΔT_2 としたとき，対数平均温度差 ΔT_m は温度差の差を，温度差の対数の差で除したものになる．したがって，

$$\Delta T_{\mathrm{m}} = \frac{\Delta T_1 - \Delta T_2}{\ln \Delta T_1 - \ln \Delta T_2}$$

$$= \frac{\Delta T_1 - \Delta T_2}{\ln\left(\dfrac{\Delta T_1}{\Delta T_2}\right)}$$

となる．

2)　流体の質量流量を m，比熱 c，温度を T とし，高温流体に h，低温流体に c，入口に i，出口に o の添え字を付けることとすると，高温流体の出入口のエンタルピー差 Q_{h}，低温流体のエンタルピー差 Q_{c} は，次式のようになる．

$$Q_{\mathrm{h}} = m_{\mathrm{h}} \times c_{\mathrm{h}} \times (T_{\mathrm{hi}} - T_{\mathrm{ho}})$$

$$Q_{\mathrm{c}} = m_{\mathrm{c}} \times c_{\mathrm{c}} \times (T_{\mathrm{co}} - T_{\mathrm{ci}})$$

なお，低温流体では出口温度の方が高いので，添え字は高温流体と逆になる．

外部への熱損失がない場合，高温流体の熱は低温流体に 100 %伝わるので，

$$Q_{\mathrm{h}} = Q_{\mathrm{c}} = Q$$

となる．

3)　向流形の熱交換器で燃焼排ガスの顕熱を用いて給水を予熱する場合，燃焼排ガスの入口温度を 300 ℃，給水の入口温度を 20 ℃，熱交換後の燃焼排ガスの出口温度を 250 ℃，燃焼排ガスの比熱を 1 kJ/(kg·K)，流量を 0.6 kg/s，給水の比熱を 4 kJ/(kg·K)，流量を 0.2 kg/s で一定とする．給水予熱後の温度を T_{co} とすると，2)に従って

$$Q_{\mathrm{h}} = 0.6 \times 1 \times (300 - 250) = Q_{\mathrm{c}} = 0.2 \times 4 \times (T_{\mathrm{co}} - 20)$$

となる．ゆえに，$T_{\mathrm{co}} = 57.5$ ℃となる．

回収可能な最大の熱量 Q_{max} は，高温流体の入口温度を低温流体の入口温度まで冷却させる熱量である．したがって，

$$Q_{\mathrm{max}} = m_{\mathrm{h}} \times c_{\mathrm{h}} \times (T_{\mathrm{hi}} - T_{\mathrm{ci}})$$

である．したがって，設問の条件における熱回収効率 η は，

$$\eta = \frac{300 - 250}{300 - 20} = 0.178\,5 \fallingdotseq 0.179 = 1.79 \times 10^{-1}$$

となる．

解　答　(1)　**1- ウ，2- セ，3- カ，4- オ，5- サ，6- ク，7- オ，8- ア，9- カ，10- オ，11- ウ（8，9 の順序は問わない）**

(2)　**12- エ，13- ア，A-57.5，14- ウ，B-1.79**

（冷凍・空気調和設備―選択問題）

問題16　次の各文章及び図の[1]～[10]の中に入れるべき最も適切な字句等をそれぞれの解答群から選び，その記号を答えよ．なお，[1]及び[2]は複数箇所あるが，それぞれ同じ記号が入る．（配点計 40 点）

(1)　図 1 の点 A，D，F，H を結ぶ線分は，蒸気圧縮冷凍機の冷凍サイクルを線図に表したものであり，この線図はモリエ線図と呼ばれている．

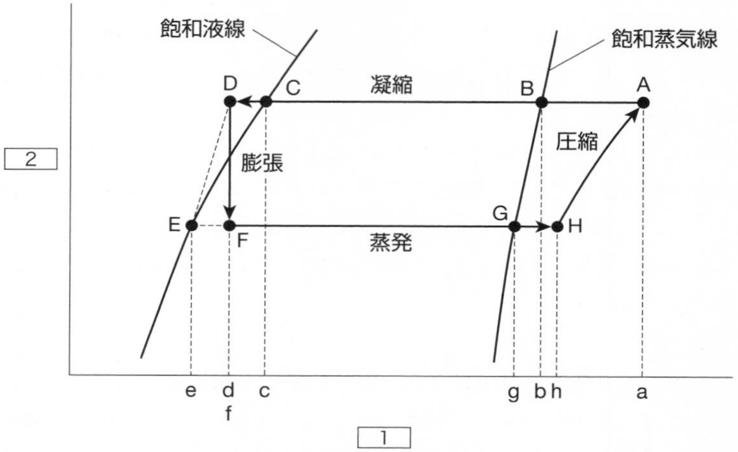

図 1　冷凍サイクル

1)　モリエ線図の横軸は[1]を示しており，A ～ H 各点のその値をそれぞれ a ～ h とする．また，縦軸は[2]を示している．

〈[1]及び[2]の解答群〉

ア　圧力　　**イ**　絶対温度　　**ウ**　相対湿度　　**エ**　比エンタルピー

オ　比容積　　**カ**　飽和蒸気圧　　**キ**　熱量

2)　モリエ線図に示されている 4 つの過程のうち，冷熱を取り出す過程は[3]である．

〈[3]の解答群〉

ア　圧縮　　**イ**　凝縮　　**ウ**　蒸発　　**エ**　膨張

3)　冷熱を取り出す過程において得られる冷却熱量は冷媒の循環量と横軸の値[4]から求められる．

〈[4]の解答群〉

ア　g－e　　**イ**　g－f　　**ウ**　h－e　　**エ**　h－f

4)　このモリエ線図は各種熱源のうち，[5]にも適用できる．

〈 5 の解答群〉

ア　コジェネレーション　　**イ**　吸収冷凍機　　**ウ**　圧縮式ヒートポンプ

(2)　図 2 は，冷房時の空気調和のプロセスを湿り空気線図（h–x 線図）上に表したものである．ここで，図中の R は室内空気の状態点，S は空調機の吹出し空気の状態点，O は外気の状態点，M は室内空気と外気の混合空気の状態点を示す．また，$kg_{(DA)}$ は乾き空気の質量を示す．

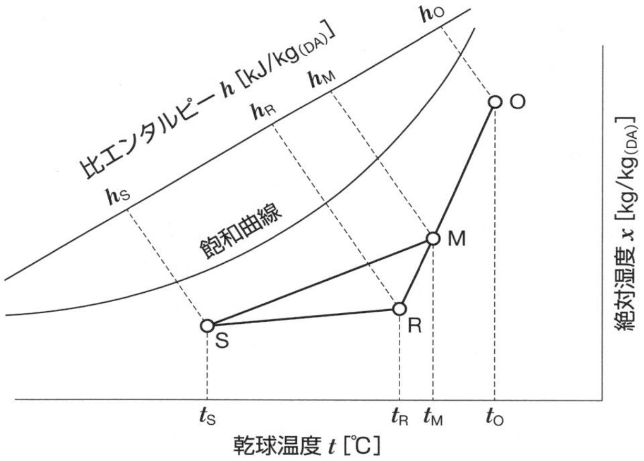

図 2　冷房時の空調プロセス

1)　空調機のコイルの冷却負荷は，比エンタルピーの線上で 6 [kJ/$kg_{(DA)}$] となる．冷却負荷は室内負荷と外気負荷に分けられるが，このうちの外気負荷は 7 [kJ/$kg_{(DA)}$] で表される．

〈 6 及び 7 の解答群〉

ア　$h_M - h_R$　　**イ**　$h_M - h_S$　　**ウ**　$h_O - h_M$　　**エ**　$h_O - h_R$

オ　$h_O - h_S$　　**カ**　$h_R - h_S$

2)　空調機の吹き出し温度差は，乾球温度の線上で 8 [℃] となる．

〈 8 の解答群〉

ア　$t_M - t_S$　　**イ**　$t_O - t_S$　　**ウ**　$t_R - t_S$

3)　吹き出し空気 S と室内空気 R を結ぶ直線の傾きは 9 を表している．

〈 9 の解答群〉

ア　顕熱比　　**イ**　絶対湿度　　**ウ**　熱水分比

4)　R と O の混合空気 M の状態点は，外気量を Q_O，室内からの還気量を Q_R とすると，直線 R–O を R 側から 10 に分けた点となる．

〈 10 の解答群〉

ア　$Q_O : Q_R$　　**イ**　$Q_R : Q_O$

解　説

(1)

1)　設問の図は，冷凍サイクルを示すモリエ線図（p–h 線図）である．モリエ線図は冷凍機で使用される冷媒の種類ごとに示される．図の横軸は比エンタルピー h を，縦軸は圧力 p を表している．

2)　モリエ線図では，冷媒の圧縮（H → A）→凝縮（A → D）→膨張（D → F）→蒸発（F → H）の過程が示される．

圧縮：圧縮機の機械的仕事によって，冷媒ガスは圧力と比エンタルピーを増加させて，高温高圧の冷媒ガスになる．

凝縮：高温高圧の冷媒ガスは凝縮器で外気（空冷式）または冷却水（水冷式）によって放熱して，低温高圧の冷媒液になる．

膨張：膨張弁によって，冷媒は低温低圧の冷媒液になる．

蒸発：冷媒液は空気または水と熱交換して冷却を行い，受熱によって蒸発して冷媒ガスになる．

冷熱を取り出す過程では，冷媒は熱交換によって液体から気体に状態変化して比エンタルピーが増加するので，蒸発の過程である．

3)　冷熱を取り出す蒸発の過程で冷媒の比エンタルピーは f から h まで変化するので，比エンタルピーの差は h − f となる．

4)　凝縮器の排熱，すなわち低温部からくみ上げた高温の熱を水や空気の加熱に利用することをヒートポンプという．したがって，モリエ線図は，蒸気圧縮式ヒートポンプにも適用できる．

(2)　設問の図 2 は，冷房時の空調プロセスを湿り空気線図に示したものである．R は室内空気（還気）の状態，O は高温高湿の夏期の外気の状態なので，M は両者を混合した空気の状態になる．M の混合空気を S まで冷却除湿し，S の状態で室内へ吹き出す．S で吹き出した空気は室内の冷房負荷を除去して室内空気 R の状態まで変化する．

1)　空調機の冷却コイルは，混合空気 M を冷却除湿して S の状態まで変化させる．混合空気は冷却されて温度が低下するだけでなく，除湿されて絶対湿度も低下する．したがって，冷却コイルの負荷は比エンタルピーでは $h_M - h_S$ である．冷却コイルの負荷は，室内負荷と外気負荷の合計である．外気負荷は外気導入により室内空気 R を混合空気 M の状態に変化させることで発生するので，$h_M - h_R$ である．

2)　吹出し温度差は吹出し空気 S が室内空気 R に変化するときの温度差なので，$t_R - t_S$ である．吹出し温度差は，室内負荷のうち顕熱負荷を除去する程度を示す．

3)　吹出し空気 S と室内空気 R を結ぶ線の傾きは，吹出し空気が温度変化により取得する顕熱と絶対湿度の変化により取得する潜熱の比率を示している．これは，顕熱に対する全熱 = 顕熱 + 潜熱の比率，すなわち顕熱比を表している．

4)　R と O の混合空気 M の状態点は，直線 R–O を R から外気量 Q_O と還気量 Q_R の比（$Q_O : Q_R$）で内分した点になる．これは，間違えやすいので注意しよう．R と O の風量が多い方に近い点になると考えれば間違えることはない．

解　答　⑴　**1- エ，2- ア，3- ウ，4- エ，5- ウ**
　　　　　⑵　**6- イ，7- ア，8- ウ，9- ア，10- ア**

（工業炉，熱設備材料―選択問題）

問題17　次の各文章及び表の [1] ～ [13] の中に入れるべき最も適切な字句等をそれぞれの解答群から選び，その記号を答えよ．なお，[1]，[4] ～ [6] 及び [13] は複数箇所あるが，それぞれ同じ記号が入る．（配点計 40 点）

⑴　次の表 1 及び表 2 は，各種産業に用いられる工業炉について，その例と例示した工業炉の機能や特徴を示したものである．

1)　製鉄及び非鉄金属関係の炉について表 1 に示す．

表 1

分野	工業炉の例	例示した工業炉の主な機能と特徴
製鉄	[1] 炉	電気炉の一種で，電流が正極・負極間の気体中を高密度で流れる際の [1] を利用して，鉄スクラップの溶解を行うものである．
	鋼片加熱炉	鋼片を棒鋼・形鋼・鋼管などに加工するために加熱する炉である．[2] に必要な温度，1 150 ～ 1 250 ℃程度に加熱する．
非鉄金属	[3] 炉	バーナからの火炎により天井や炉内面を加熱して，その面からの熱放射を利用して銅鉱や電気銅と電線スクラップとの混合物などを溶解する炉である．

〈[1] ～ [3] の解答群〉

ア　アーク　　**イ**　マイクロ　　**ウ**　メルツ　　**エ**　回転
オ　熱間圧延　　**カ**　冷間圧延　　**キ**　熱風　　**ク**　反射　　**ケ**　溶接

2)　その他産業関係の炉について表 2 に示す.

表 2

分野	工業炉の例	例示した工業炉の主な機能と特徴
自動車・機械	[4] 炉	自動車や各種機械の歯車や機械部品など鋼材部品の多くは，加工した後に焼き入れや焼き戻しなどの [4] を施す.
[5]	ロータリーキルン	内部に耐火材をライニングした横置き円筒形の炉で，緩やかな勾配を保って緩速回転する．原料として石灰石や粘土，けい砂を 1 500 ℃以上の温度で焼成してクリンカを作り，その後粉砕して [5] とする.
環境	廃棄物処理炉	減容化，無害化，安定化，資源化を目的として廃棄物の焼却処理を行う炉である. [6] 炉は，[6] で廃棄物を支持して，燃焼用空気を [6] の下から送風して廃棄物を焼却する．一方，流動床炉はけい砂などの流動媒体を充てんして，下方から熱風を供給することで，流動化した媒体中で廃棄物を焼却する.

〈[4]～[6] の解答群〉

ア　RDF　　**イ**　ウォーキングビーム　　**ウ**　セメント

エ　回転ロール　　**オ**　還元　　**カ**　酸化鉄

キ　浸炭　　**ク**　熱処理　　**ケ**　火格子

(2)　燃焼炉の熱効率について考える.

1)　連続式加熱炉において，被加熱材料の装入温度（装入時の含熱量）を変えずに，抽出温度を 1 200 ℃から 1 150 ℃まで低減できた場合について考える．ここで，抽出した被加熱材料の含熱量，気体燃料の低発熱量，及び加熱炉の熱効率の定義を次に示す.

・抽出被加熱材料の含熱量（0 ℃基準）

抽出温度［℃］	抽出被加熱材料の含熱量［kJ/kg］
1 150	738.8
1 200	771.5

・気体燃料の低発熱量：41.7 MJ/m^3_N（m^3_N は気体燃料の標準状態における体積）

$$
\text{・熱効率} = \frac{\begin{matrix}\text{抽出被加熱材料の}\\ \text{含熱量}\end{matrix} - \begin{matrix}\text{装入被加熱材料の}\\ \text{含熱量}\end{matrix}}{\text{供給熱量}} \times 100\,[\%]
$$

ただし熱効率は 72 %であるとし，供給熱量は気体燃料の燃焼熱量のみとする.

i）　抽出被加熱材料の 1 t 当たりの含熱量は [7] [MJ/t] 減少する.

ii）　抽出温度低減による被加熱材料 1 t 当たりの燃料削減量は約 [8] [$m^3{}_N$/t] となる.

〈[7] 及び [8] の解答群〉

ア　0.56　　**イ**　0.78　　**ウ**　1.09　　**エ**　32.7　　**オ**　327

カ　3 270

2）　炉の効率低下の要因には，操業負荷の変動のように，炉の機能や現場の操業改善では解決できないものもある．特に高温炉では，炉自体の昇熱，保熱にも多量の熱が必要であり，待ち時間や負荷の変動が増エネルギーの要因となる．炉の昇温や降温を頻繁に行うバッチ炉や断続操業の炉では，この対策として気孔率が大きいとされるセラミックファイバを使って，炉壁の [9] の低減を図ることが効果的である．ただし，高気孔率のセラミックファイバは浸食を受けやすく，特にアルカリ金属やアルカリ土類金属の酸化物とは [10] の化合物を作るため注意が必要である.

〈[9] 及び [10] の解答群〉

ア　水和物　　**イ**　蓄熱量　　**ウ**　低融点

エ　熱衝撃性　　**オ**　膨張収縮　　**カ**　硫化物

(3)　各種の耐火物及び断熱材について考える.

1）　セラミックファイバの施工方法として，板状に加工したセラミックファイバのボードを貼り付けるボードライニングや，壁紙のように断熱材を層状に重ねて施工する [11]，ブランケットを短冊状に切断して炉殻面と直角方向になるように積層するスタックライニングや，既設炉の炉内面にセラミックファイバ層を貼り付ける [12] がある．このように，様々な施工法が開発されており，セラミックファイバは急速に普及している.

〈[11] 及び [12] の解答群〉

ア　タイリング　　**イ**　フィルタリング　　**ウ**　ブロック工法

エ　ベニアリング　　**オ**　ペーパライニング　　**カ**　成層工法

2）　配管などの保温施工では，保温材の中に [13] が入ると，あたかもヒートパイプの中の伝熱媒体のような働きをするため，伝熱量が大幅に増加して断熱性を著しく損なう．施工後に外部から保温材に [13] が侵入しないように施工・保守管理をすることが必要である.

〈[13] の解答群〉

ア　二酸化炭素　　**イ**　粉塵　　**ウ**　水

解 説

(1)

1) アーク炉は，電流が気体中を高密度で流れるアーク放電を利用した電気炉の一種であり，温度制御も容易なため，鉄など融点が高い金属の溶解や合金の製造などに用いられる．

鋼片加熱炉は，鋼片を熱間圧延に必要な 1 150 ～ 1 250 ℃程度の温度に加熱して，棒鋼・形鋼・鋼管などに加工するために使用する工業炉である．

反射炉は，バーナからの火炎で炉の天井や炉内面を加熱して，加熱面からの放射熱で銅の混合物などの融点の低い金属を溶解する工業炉である．

2) 熱処理炉は，主に自動車産業や機械産業などの業種で，焼入れ，焼戻し，焼きならし，焼きなましなど金属の機械的性質を変性させる工業炉のことである．

ロータリーキルンは，セメント産業において，原料の石灰石・粘土・珪《けい》砂を 1 500 ℃以上の温度で焼成してクリンカをつくり，粉砕してセメントを製造するのに用いられる．

廃棄物処理炉は，環境部門において，廃棄物の減容化・無害化・安定化・資源化を目的とした焼却炉である．この中で，火格子炉は火格子の上に廃棄物を載せて，下部から燃焼用空気を送風して廃棄物を焼却する構造となっている．また，流動床炉は，珪砂などの流動媒体中に廃棄物を混合して，下部から熱風を送風して流動媒体を加熱することで廃棄物を焼却する構造となっている．

(2)

1) 連続式加熱炉において，被加熱材料の装入温度を変えずに，抽出温度を 1 200 ℃から 1 150 ℃に低減した場合，1 200 ℃における含熱量は 771.5 kJ/kg，1 150 ℃における含熱量は 738.8 kJ/kg であるから，被加熱材料の 1 t（＝ 1 000 kg）当たりの含熱量は

$$(771.5 - 738.8) \times 1\,000 \times 10^{-3} = 32.7\ \mathrm{MJ}$$

減少する．

以上による被加熱材料 1 t 当たりの燃料削減量は，気体燃料の低発熱量が 41.7 $\mathrm{MJ/m^3{}_N}$ であり，熱効率が 72 %なので，

$$\frac{32.7}{41.7 \times 0.72} = 1.089 \fallingdotseq 1.09\ \mathrm{m^3{}_N/t}$$

となる．

2) 操業負荷が変動する場合，特に高温炉では炉本体の温度維持に多量の熱を必要とする．これを低減するためには，炉本体の熱容量を小さくして，蓄熱

量を低減させることが必要となる．そのため，気孔率が大きく，熱容量が小さいセラミックファイバを炉壁に使用することが効果的である．ただし，気孔率の高いセラミックファイバはアルカリ金属やアルカリ土類金属の酸化物と反応して低融点の化合物を生成して浸食を受ける危険性がある．

(3)

1)　セラミックファイバの施工法としてはさまざまな方法が開発されている．ボードライニングは，板状に成形したセラミックファイバのボードを貼り付ける工法である．ペーパライニングは，セラミックファイバを壁紙のように層状に積層して施工する方法である．スタックライニングは，セラミックファイバのブランケットを短冊状に切断して，炉殻面に直交するように積層する工法である．ベニアリングは，既設の炉内面にセラミックファイバを層状に貼り付ける工法である．

2)　保温材の中に水が入ると，保温材の空気層が失われて，熱抵抗が小さくなり，断熱性が著しく損なわれる．そのため，保温材の外側にビニールなどを巻いて施工し，水の侵入を防止する．

解　答　(1)　**1-ア，2-オ，3-ク，4-ク，5-ウ，6-ケ**
(2)　**7-エ，8-ウ，9-イ，10-ウ**
(3)　**11-オ，12-エ，13-ウ**

（蒸留・蒸発・濃縮装置，乾燥装置，乾留・ガス化装置―選択問題）

問題18　次の各文章及び図の [1] ～ [15] の中に入れるべき最も適切な字句等をそれぞれの解答群から選び，その記号を答えよ．なお，[1] ～ [3] 及び [5] は複数箇所あるが，それぞれ同じ記号が入る．（配点計 40 点）

(1)　連続多段蒸留塔の物質収支等について考える．

図 1 に示すような多段連続蒸留塔において，原料として，低沸点成分のモル組成 z_F が 0.5 で流量 F が 10 kmol/s の混合溶液を供給して連続蒸留し，モル組成 x_D が 0.98 で流量が D [kmol/s] の留出液と，モル組成が x_W で流量 W が 5 kmol/s の缶出液を得るものとする．なお，原料は原料供給段と同じ温度の飽和液の状態で供給されている．

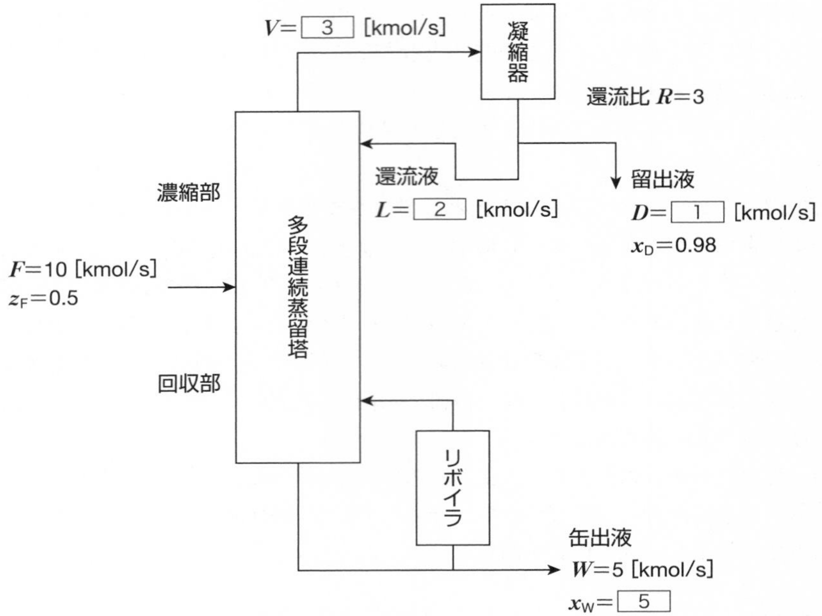

図1　多段連続蒸留塔

1)　蒸留塔全体の物質収支から，留出液量 D の値は，$\boxed{1}$ [kmol/s] である．

2)　凝縮器で凝縮した液のうち，液量 L [kmol/s] を還流液として塔頂に戻すものとする．このとき，還流比 R を 3 とすると，還流液量 L の値は，$\boxed{2}$ [kmol/s] である．

3)　R が 3 のとき，濃縮部の蒸気流量 V [kmol/s] の値は，L と D から $\boxed{3}$ [kmol/s] となる．

〈$\boxed{1}$ ～ $\boxed{3}$ の解答群〉

ア　3　　**イ**　5　　**ウ**　10　　**エ**　15　　**オ**　20

カ　25　　**キ**　30

4)　缶出液のモル組成 x_W は，低沸点成分の物質収支式 $F \times z_F = \boxed{4}$ から求めることができ，x_W の値は $\boxed{5}$ である．

〈$\boxed{4}$ 及び $\boxed{5}$ の解答群〉

ア　0.02　　**イ**　0.04　　**ウ**　0.98

エ　$D \cdot x_D + W \cdot x_W$　　**オ**　$D \cdot x_W + W \cdot x_D$　　**カ**　$D \cdot x_D - W \cdot x_W$

5)　この連続多段蒸留塔のトレイを高効率タイプに改造した．この改造により，改造後の還流比 R' が 2 で，改造前と同じ組成と量の留出液と缶出液を得ることができた．改造後の濃縮部の蒸気流量 V' は，改造後の還流液量 L' と留出液量 D' から求められ，その値は［ 6 ］[kmol/s] となり，改造前に比べて減少することになる．

〈［ 6 ］の解答群〉

ア 5　**イ** 10　**ウ** 15　**エ** 20

(2)　各種の乾燥装置は次のように分類される．

1)　スラリ状やペースト状の液体原料を加熱気流中に供給して微粒化し，落下するまでの間に粉末状の製品を得る方式を［ 7 ］乾燥装置という．

2)　通風の方法として平行流と通気流があり，トレイ，金網あるいは多孔板上に乾燥材料を載せ，熱風で乾燥させるバッチ式の方式を［ 8 ］乾燥装置という．

3)　水平に移動する金網又は多孔板上に材料を供給し，熱風と接触させて連続的に処理する方式を［ 9 ］乾燥装置という．

4)　液体又はペースト状の乾燥材料を回転する円筒表面に薄膜状に塗布し，円筒内部に蒸気を入れて円筒壁を介して加熱乾燥させ，乾燥物をナイフエッジでかきとる方式を［ 10 ］乾燥装置という．

5)　多量に水分を有した乾燥用材料を冷却固化して低真空下で乾燥する方式で，材料が高温にならないので，熱に敏感な医薬品や食品の乾燥に適している方式を［ 11 ］乾燥装置という．

〈［ 7 ］～［ 11 ］の解答群〉

ア ドラム　**イ** バンド　**ウ** 回転　**エ** 凍結

オ 箱型　**カ** 噴霧　**キ** 流動層

(3)　石炭の乾留についての知識を問う．

1)　石炭の乾留とは，空気を遮断した状態で石炭を加熱し，［ 12 ］することによって，ガスやタール及びコークスを生成する操作をいう．

〈［ 12 ］の解答群〉

ア 水性ガス反応　**イ** 水素化分解　**ウ** 熱分解

2)　コークス炉の熱バランスを考えた場合，出熱の中で最大の割合を占めているのは，［ 13 ］であり，排熱回収の上で重要になる．

〈［ 13 ］の解答群〉

ア 赤熱コークスの持ち出す顕熱

イ 赤熱コークスの持ち出す潜熱

ウ 生成ガスの顕熱

3)　コークス炉で生成されたコークスは，過去には水を散布する湿式消火法により消火冷却されていたが，現在では密閉容器の中で［ 14 ］を用いて消火冷却し，この顕熱を回収利用する乾式消火法が主流になっている.

〈 14 の解答群〉

ア 乾き蒸気　**イ** 不活性ガス　**ウ** 燃焼ガス

4)　乾留中に発生するガス成分は水素及び炭化水素であるが，特に 600 ～ 800 ℃の間で最も多く発生するガスは，水素，メタン及びエタンのうち， 15 である.

〈 15 の解答群〉

ア エタン　**イ** メタン　**ウ** 水素

解　説

(1)

1)　設問の図 1 の連続多段蒸留塔において，物質収支を考えると，原料の流量 F は留出液の流量 D と缶出液の流量 W の和に等しい．したがって，

$$F = D + W$$

$$10 = D + 5$$

より，$D = 5$ kmol/s となる.

2)　還流比 $R = L/D$ なので，

$$3 = L/5$$

より，$L = 15$ kmol/s となる.

3)　$R = 3$ のとき，物質収支から $V = D + L$ なので，$V = 20$ kmol/s となる.

4)　缶出液のモル組成 x_W は，低沸点成分の物質収支式

$$F \times z_F = D \times x_D + W \times x_W$$

から求められる．したがって，

$$10 \times 0.5 = 5 \times 0.98 + 5 \times x_W$$

より，$x_W = 0.02$ となる.

5)　改造後も留出液の流量は変わらないので，$D' = D = 5$ kmol/s である．改造後の還流比 R' が 2 なので，

$$R' = L'/D'$$

$$2 = L'/5$$

より，$L' = 10$ kmol/s となる．$V' = D' + L'$ なので，$V' = 15$ kmol/s となる.

(2)

1)　噴霧乾燥装置は，スラリ状やペースト状の液体原料を高温空気中に噴霧して微粒化し，粉末状の製品をつくる装置である．主に，化学製品，医薬品や食品などの製造に用いられる.

2)　箱型乾燥装置は，被乾燥材料をトレイ，金網，多孔板の上に載せて，高温

空気を当てて乾燥させるバッチ式の装置である．高温空気の方向によって，平行流（水平式）と通気流（通気式）に分類される．主に，医薬品や食品などの製造に用いられる．

3)　バンド乾燥装置は，水平移動する金網や多孔板の上に被乾燥材料を載せて，高温空気と接触させて連続的に乾燥させる装置である．主に食品や建材の製造などに用いられる．

4)　ドラム乾燥装置は，金属製の円筒の外表面に液体またはペースト状の被乾燥材料を薄膜上に塗布して，円筒の内面から蒸気で加熱を行い，乾燥した材料をナイフエッジで掻《か》きとる方式の装置である．食品や医薬品の製造，排水処理など多方面で用いられる．

5)　凍結乾燥装置（フリーズドライヤ）は，水分を多量に含んだ被乾燥材料を真空中で凍結させて乾燥させる装置である．主に，食品や医薬品の製造に用いられる．

(3)

1)　石炭の乾留は，空気を遮断した状態で石炭を加熱して，熱分解によってガス（水素・炭化水素），タールおよびコークスを生成する過程である．

2)　コークス炉の熱収支では，コークスが高温で熱容量が大きいことから，出熱で最大なのは「赤熱コークスの持ち出す顕熱」である．

3)　以前，コークス炉で製造されたコークスは，水を散布して消火する湿式消火法で消火されていた．しかし，赤熱コークスは約1 000 ℃の高温なので，この顕熱を熱回収するために，現在では密閉容器の中で不活性ガスを用いて消火する乾式消火法が一般的である．熱回収して高温になった不活性ガスを排熱回収ボイラに供給し蒸気を発生させて，発電を行うことができる．

4)　乾留で発生するガス成分は，水素およびメタンなどの炭化水素である．600 ～ 800 ℃の高温乾留で最も多く発生するガス成分は水素である．なお，500 ℃前後の低温乾留では，メタンの発生量が多い．

解　答　(1)　**1-イ，2-エ，3-オ，4-エ，5-ア，6-ウ**

(2)　**7-カ，8-オ，9-イ，10-ア，11-エ**

(3)　**12-ウ，13-ア，14-イ，15-ウ**

第 44 回　2022 年（令和 4 年）

（計測及び制御）

問題11　次の各文章の［ 1 ］～［ 14 ］の中に入れるべき最も適切な字句等をそれぞれの解答群から選び，その記号を答えよ．なお，［ 2 ］，［ 5 ］，［ 6 ］，［ 8 ］及び［ 12 ］～［ 14 ］は複数個所あるが，それぞれ同じ記号が入る．（配点計 50 点）

(1)　放射温度計は，物体からの放射エネルギーから物体の温度を測定するものである．理想的な放射体である黒体からの全放射エネルギーは，［ 1 ］で示されているとおり，絶対温度の 4 乗に比例する．

放射温度計は，非接触でも測定が可能なため，移動体や回転体でも温度測定が可能で，遠方の物体や非常に大きい物体の測定も可能であるなどの長所がある．しかし，短所としては，①測定対象の［ 2 ］によって測定結果が左右されること，②測定対象の近くに高温物体があると，その熱放射エネルギーが測定対象から反射されて誤差を生じること，などが挙げられる．①への対応としては，放射温度計と他の温度計により同じ場所の温度を同時に測定し，両者の温度が一致するように放射温度計の［ 2 ］を調整する方法が用いられている．

〈［ 1 ］及び［ 2 ］の解答群〉

ア　ウィーンの変位則　**イ**　ステファン・ボルツマンの法則

ウ　プランクの法則　**エ**　速度　**オ**　放射率　**カ**　密度

(2)　熱電対を用いて温度測定を行う場合の注意点について考える．

熱電対を用いて固体表面の温度測定を行う場合は，熱電対の素線を通した熱伝導が生じて，温度を正確に測定できないことが想定される．この影響を小さくするためには，熱電対の素線をある程度の長さにわたり，固体表面に沿って設置するのが良いが，固体表面の［ 3 ］分布による影響がより少ない方向に設置しなければならない．なお，受信計器（測定器）まで距離があるときには，熱電対の素線に［ 4 ］を接続して延長する．

〈［ 3 ］及び［ 4 ］の解答群〉

ア　アース線　**イ**　短絡線　**ウ**　補償導線　**エ**　温度

オ　輝度　**カ**　密度

(3) 熱電対や抵抗温度計に用いる保護管について考える.

[熱電対]

熱電対は,測定雰囲気に直接さらされていると変質して寿命が短くなることがある.また,裸線のままでは装置や炉に取り付けにくい場合もある.そのような場合には,熱電対を保護管に入れるか,保護管付熱電対を使用する.保護管は大別して金属保護管と非金属保護管に分けられる.

保護管の条件としては,[5]があること,化学的に安定で雰囲気ガスにおかされないこと,[6]があり雰囲気ガスを浸透させないこと,熱電対に影響を与える有害なガスを発生させないことなどが挙げられる.

白金系熱電対に用いられる保護管としては[7]管が挙げられるが,[8]したときに破損しやすい.そのためこの保護管の外側に,[6]は悪いが[8]には強い保護管を被せ,二重保護管として使用することがよく行われる.

[抵抗温度計]

抵抗温度計でも熱電対と同様の保護管を用いるが,使用温度が低く,かつ化学工業や食品工業で使用されることが多いので,[5]よりも耐食性に重点が置かれている.一般には SUS 304 や SUS 316 が使用されるが,腐食性が激しい流体に対しては,チタン,モネル,ハステロイ,フッ素樹脂ライニングなどが使用される.

〈[5]～[8]の解答群〉

ア アルミナ磁器　**イ** ステンレス　**ウ** 銅　**エ** 加湿
オ 急熱・急冷　**カ** 酸化　**キ** 気密性　**ク** 親水性
ケ 浸透性　**コ** 耐圧性　**サ** 耐熱性　**シ** 耐冷却性

(4) ピトー管式流速計は,流れの全圧と静圧を測定して流速を求める.全圧と静圧との[9]である動圧が,流速の[10]乗に比例することを示すベルヌーイの式を利用して流速を求める.このため,流体の[11]が測定に影響するので,空気の流速測定の場合,測定時の気温と気圧を把握しておく.

〈[9]～[11]の解答群〉

ア $\frac{1}{2}$　**イ** 2　**ウ** 3　**エ** 差　**オ** 比　**カ** 和
キ 浸透圧　**ク** 粘度　**ケ** 密度

(5) 周辺を固定したダイアフラムの片側に圧力を加えるとダイアフラムがたわむ.ダイアフラム式圧力計はこの現象を用いており,ダイアフラムに生じた変位又は歪み,あるいはダイアフラムが受けた力を検出して圧力を測定している.

ダイアフラム式圧力計と同じ測定原理を利用した [12] は，流量測定や液位測定・液体密度測定などに広く使用されており，機能はより豊富である．流量測定に使用するときは，差圧を流量に変換するための開平機能や気体流量測定用の温度・圧力補正機能を付加する．また，ダイアフラムの片側一方を真空にしてから封止し，絶対圧力を測定する製品もある．

[12] は，検出方式によって①力平衡式，②静電容量式，③ [13] 式，④振動式に分けられる．また，伝送出力によって電子式と [14] 式に分けられるが，[14] 式の製品は①の力平衡式のみである．③の [13] 式は単結晶シリコンの薄いダイアフラム上に [13] を形成し，差圧に比例した出力を得ている．

〈[12] ～ [14] の解答群〉

ア　U 字管	**イ**　ブルドン管	**ウ**　コンデンサ
エ　差圧伝送器	**オ**　測温抵抗体	**カ**　半導体歪みゲージ
キ　液柱	**ク**　空気	**ケ**　水圧

解　説

(1)　物体の表面からは，さまざまな波長の電磁波が放射されているが，一般に産業分野でよく使用されているのは，可視光線より波長の長い赤外線である．放射温度計は，物体表面から放射される赤外線の放射輝度を検出することによって，表面温度を非接触で計測する温度計である．

同一温度で最も多く放射エネルギーを放出する物体を**黒体**という．ステファン・ボルツマンの法則によると，黒体の放射エネルギー E [W/m²] は，σ をステファン・ボルツマン定数（$= 5.68 \times 10^{-8}$ W/(m²·K⁴)），T [K] を黒体表面の絶対温度としたとき，

$$E = \sigma T^4$$

で表される．

一般の物体では，これに物体表面の放射率 ε を乗じたものになるので，

$$E = \varepsilon\sigma T^4$$

となる．ただし，$0 \leqq \varepsilon \leqq 1$ である．黒体は $\varepsilon = 1$ である．

放射温度計は，計測値が測定対象の放射率の設定値に依存する．そのため，ほかの温度計によって同一対象の温度を計測して，両者の指示値が一致するように放射率を調整する方法がある．

(2)　熱電対は，2 種類の均質な金属線で閉回路をつくったとき，測温接点 t_1 と基準接点 t_2 が異なる温度の場合，回路内に電流が流れるという原理（**ゼーベック効果**）を利用して温度を計測する温度計である．このとき回路に発生した

起電力を**熱起電力**といい，回路を開放して基準接点との端子間電圧を測定することにより温度を検出することができる．

熱電対で固体表面の温度を計測するとき，熱電対の先端を固体に付着すると，そこから熱電対に対して熱伝導が生じて，固体の表面温度が変化する可能性がある．この影響を小さくするために，熱電対を固体表面にはわせて設置することによって，固体と熱電対が熱平衡になるようにするとよい．このとき，固体の温度分布の影響を避けるために，温度分布による影響が小さくなる方向（温度が均一になる方向）に熱電対を設置するべきである．計測点から測定器までの距離が長いときには，コスト，電気抵抗値，強度を考慮して，熱電対と同じ熱起電力特性を有する**補償導線**を熱電対に接続して延長するとよい．

(3) 炉のように高温な場所の温度を熱電対で測定する場合，熱電対の素線を高温から保護するために，耐熱性や耐食性がある保護管を使用する．また，雰囲気ガスが保護管内部に侵入して熱電対を侵さないように，保護管の気密性も要求される．

白金系の熱電対の保護管にはアルミナ磁器管が耐熱性・耐食性のために使用される．ただし，急熱・急冷したときに保護管が熱膨張・熱収縮で破損しやすいので，これに強い保護管を被せて，二重保護管として使用することがある．

抵抗温度計は使用温度が 600 ℃以下と比較的低く，主として化学工業や食品工業で使用されることから，保護管としては，耐熱性より耐食性が重視される．通常は，SUS 304 や SUS 316 を使用するが，腐食性が強い流体に対しては，チタン，ニッケル，モネル，ハステロイ，モリブデン，ジルコニウム，ふっ素樹脂被覆などを使用する．

(4) ピトー管式流速計はステンレス管が二重管になっていて，先端で全圧 p_T [Pa] を，側面で静圧 p_s [Pa] を測定することにより，差圧としての動圧を求めることで流速を算出する流速計である．流体の密度を ρ [kg/m^3]，流速を v [m/s] とすると，動圧 p_d [Pa] は

$$p_T - p_s = p_d = \frac{1}{2}\rho v^2$$

で表される．したがって，動圧は流体の密度に比例し，流速の 2 乗に比例する．空気が測定対象流体の場合，気温と気圧によって密度が変化するので，測定時の気温と気圧を記録する必要がある．

(5) ダイアフラム式圧力計は，弾性のある隔膜の片側に圧力を加えると変位が生じることから，これを信号に変換することによって圧力を測定するもので

ある．

　これと同じ原理を用いた差圧伝送器は，流体の圧力差を測定することで，流量，液位，液体の密度を求めるのに使用されている．差圧伝送器は，検出方式として①力平衡式，②静電容量式，③半導体歪みゲージ式，④振動式に分類できる．また，信号の伝送方式として，電子式と空気式に分けられる．空気式の差圧伝送器は，力平衡式のみである．半導体歪みゲージ式は，単結晶シリコンのダイアフラム上に半導体歪みゲージを形成して，差圧によってダイアフラムに生じた出力を伝送する．

解　答　(1)　**1- イ，2- オ**

(2)　**3- エ，4- ウ**

(3)　**5- サ，6- キ，7- ア，8- オ**

(4)　**9- エ，10- イ，11- ケ**

(5)　**12- エ，13- カ，14- ク**

（計測及び制御）

問題12　次の各文章の [1] ～ [13] の中に入れるべき最も適切な字句等をそれぞれの解答群から選び，その記号を答えよ．なお，[12] は複数個所あるが，同じ記号が入る．

　また，[A | a.b] に当てはまる数値を計算し，その結果を答えよ．ただし，解答は解答すべき数値の最小位の一つ下の位で四捨五入すること．（配点計 50 点）

　図 1 は，ボイラの出口蒸気圧制御を示したものである．ボイラの出口蒸気の圧力は，圧力調節計により，燃料である重油の流量調節計の設定値を調整することにより制御しており，PID 制御が用いられている．

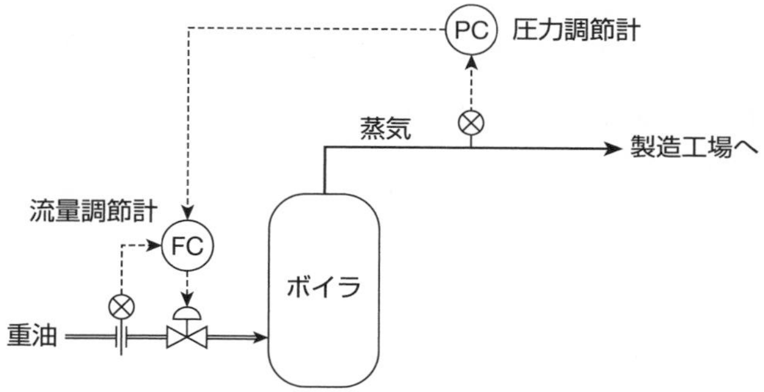

図 1　ボイラ蒸気圧力制御

1) この圧力調節計と流量調節計の関係のような制御を [1] 制御といい，圧力調節計を [2] 調節計，流量調節計を [3] 調節計と呼ぶ．

〈[1] ～ [3] の解答群〉

ア カスケード　**イ** オーバライド　**ウ** 一次　**エ** 二次

オ 主　**カ** 従　**キ** 比率

2) 圧力調節計と流量調節計で使われる PID アルゴリズムの P 動作の制御パラメータ PB を [4]，I 動作の制御パラメータ T_{i} を [5]，D 動作の制御パラメータ T_{d} を [6] と呼ぶ．そして，PID 動作をラプラス変換表示すると，調節計の伝達関数は式 [7] で表される．

〈[4] ～ [7] の解答群〉

ア $\dfrac{100}{PB}\left(\dfrac{1+T_{\mathrm{i}}\cdot s}{1+T_{\mathrm{d}}\cdot s}\right)$　**イ** $\dfrac{100}{PB}\left(\dfrac{1+T_{\mathrm{d}}\cdot s}{1+T_{\mathrm{i}}\cdot s}\right)$

ウ $\dfrac{100}{PB}\left(1+\dfrac{1}{T_{\mathrm{d}}\cdot s}+T_{\mathrm{i}}\cdot s\right)$　**エ** $\dfrac{100}{PB}\left(1+\dfrac{1}{T_{\mathrm{i}}\cdot s}+T_{\mathrm{d}}\cdot s\right)$

オ 遅れ時間　**カ** 進み時間　**キ** 積分時間　**ク** 微分時間

ケ 比例ゲイン　**コ** 比例帯

3) これら制御パラメータの値を調整する際に，その値は一般的には経験的に決められるが，より良い制御性を得るためには，対象のプロセスの動特性を計測して決める．

プロセスの動特性の測定方法としては一般に二つの方法がある．一つは，制御動作を行っていない状態で制御対象に一定入力を与え，そのときの出力の測定値の変化を見る [8] 法であり，もう一つは，調節計を比例動作だけにして比例帯を狭くしてゆき，制御系に持続的な振動を起させることにより測定を行う [9] 法である．

〈[8] 及び [9] の解答群〉

ア ステップ応答　**イ** ランプ応答　**ウ** 限界感度　**エ** 波形観測

4) 設定値をステップ状に変化させたときに，測定値の追従性が図 2 のようになったとすれば，$\dfrac{a_1}{a_0}$ に相当する [10] や，$\dfrac{a_2}{a_1}$ に相当する [11] が，制御パラメータの値を決める動特性の指標として使用される．

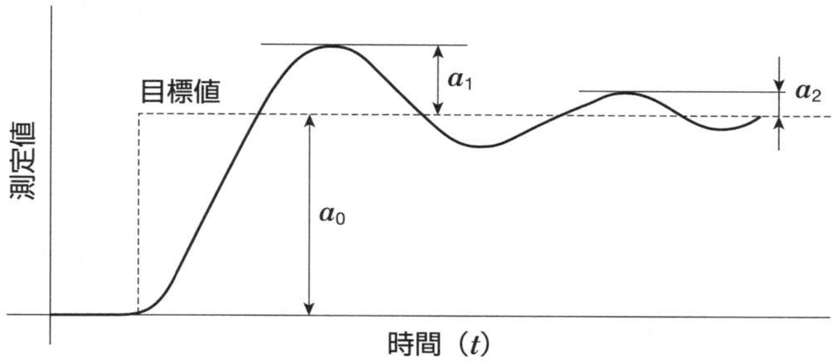

図 2　測定値の追従性

〈[10] 及び [11] の解答群〉

ア　サイクル係数　　**イ**　行き過ぎ量　　**ウ**　減衰比　　**エ**　不感帯

5)　制御アルゴリズムとして P 動作だけを使用した場合に，偏差がいつまでもゼロにならない [12] が生じることがある．

例えば，図 1 の圧力調節計が P 動作のみの調節計で，その設定値が 3 MPa，PB が 20 %，偏差零のときのバイアスが 50 %，測定値・目標値のスパンが 5 MPa であるとする．ある運転条件のとき，圧力調節計の出力が 70 %でバランスしたとする．出力 $= \dfrac{100}{PB} \times$ 偏差 $+$ バイアスの関係があるので，そのときの [12] は [A a.b] $\times 10^{-1}$ [MPa] 生じることになる．

この [12] は，制御アルゴリズムに [13] 動作を加えることにより解消される．

〈[12] 及び [13] の解答群〉

ア　オーバシュート　　**イ**　オフセット　　**ウ**　ヒステリシス
エ　遅れ　　**オ**　進み　　**カ**　積分
キ　微分

解　説

1)　図 1 のボイラ蒸気圧力の制御システムの例では，重油の燃料流量調節計は蒸気圧力調節計の出力と重油流量検出器で検出した流量を入力として，出力を重油流量調節計の入力としている．このように制御ループが入れ子になった制御を**カスケード制御**という．ここでは，燃料（重油）の供給圧力の変動による流量の変化という外乱による影響を，蒸気圧力に影響が出る前に処理できるようになっている．一次ループにある蒸気圧力調節計を**一次調節計**，二次ループにある重油流量調節計を**二次調節計**という．第1図のブロック線図を参考にしてほしい．

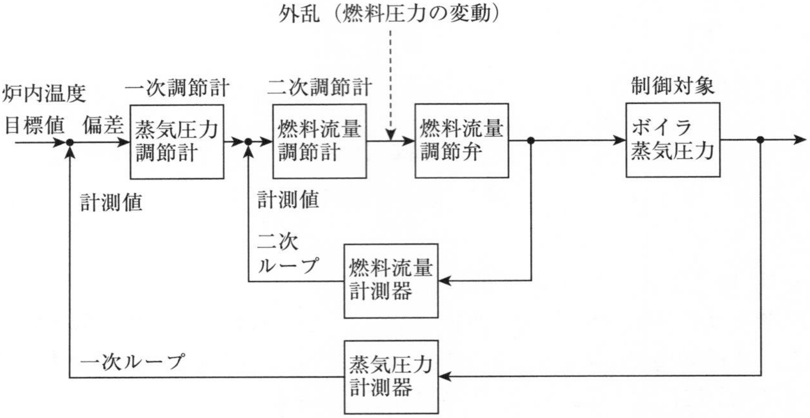

第1図　ボイラの蒸気圧力制御系のブロック線図

2)　蒸気圧力調節計と燃料流量調節計で用いられるPID制御では，P（比例）動作，I（積分）動作，D（微分）動作が用いられる．

P動作は偏差に比例する制御出力を出す**比例動作**である．P動作の調整パラメータは比例帯 PB（Proportional Band）であり，%で表示される．P動作のみを使用した場合，目標値と制御量の最終値の間に定常的な偏差が残り，これを**オフセット（定常偏差，残留偏差）**という．これを解消するためには，**積分動作**（I動作）を加えなくてはならない．積分動作の調整パラメータを**積分時間** T_{i} という．これを短くするとオフセットが早く解消されるが，制御が不安定になる可能性がある．制御量の変化速度に比例した制御出力を出すことを微分動作（D動作）といい，調整パラメータを**微分時間** T_{d} という．

PID制御は，比例動作（P動作），積分動作（I動作），微分動作（D動作）を線形に結合したものであるから，比例帯を PB，積分時間を T_{i}，微分時間を T_{d} とすると，PID制御の伝達関数のラプラス変換表示 $G(s)$ は次式のようになる．

$$G(s) = \frac{100}{PB}\left(1 + \frac{1}{T_{\mathrm{i}}s} + T_{\mathrm{d}}s\right) \qquad (1)$$

比例帯 PB が小さい方がゲイン $\left(K_{\mathrm{P}} = \dfrac{100}{PB}\right)$ は大きくなり，応答速度は速くなる．

3)　PID 制御の制御パラメータを調整するときに，対象プロセスの動特性を計測して決定することが好ましい．この方法としては，開ループ状態（制御なしの状態）で制御対象に階段状の一定入力（ステップ入力）を与えて，そのときの出力の変化を観察する**ステップ応答法**と，調節計を比例動作のみにして比例帯を狭く（ゲインを大きく）していき，制御系に持続的な振動を発生させて，その振動周期（限界周期）から制御パラメータを求める**限界感度法**の二つがある．

4)　設定値をステップ状に変化させて測定値の変化を観察したときに，図 2 に示す a_1/a_0 を**行き過ぎ量**といい，a_2/a_1 を**減衰比**という．

5)　P 動作のみで制御を行ったとき，偏差がいつまでもゼロにならないオフセットが生じることがある．P 動作による出力は，偏差 e に比例し，これに手動リセット量，すなわちバイアス分が加わるので，

$$\text{出力}\ [\%] = K_{\mathrm{P}} \cdot e + \text{バイアス}$$

$$= \frac{100}{PB} \cdot e + \text{バイアス} \qquad (2)$$

となる．

ここで，圧力設定値 3 MPa，PB を 20 %，e が 0 % のときのバイアスを 50 %，測定値，目標値のスパンを 5 MPa とするとき，圧力調節計の出力が 70 % で平衡状態になったとすると，

$$70 = \frac{100}{20} \cdot e + 50$$

から，$e = 4.0$ % となる．測定値･目標値のスパンが 5 MPa なので，オフセットは

$$5 \times 0.04 = 0.2\ \mathrm{MPa} = 2.0 \times 10^{-1}\ \mathrm{MPa}$$

となる．このオフセットは，積分動作を加えることで 0 になる．

解　答　**1)　1- ア，2- ウ，3- エ**

2)　4- コ，5- キ，6- ク，7- エ

3)　8- ア，9- ウ

4)　10- イ，11- ウ

5)　12- イ，A-2.0，13- カ

（ボイラ，蒸気輸送・貯蔵装置，蒸気原動機・内燃機関・ガスタービン）

問題13　次の各文章の［ 1 ］～［ 12 ］の中に入れるべき最も適切な字句等をそれぞれの解答群から選び，その記号を答えよ．

また，[A a.b]～[D abc]に当てはまる数値を計算し，その結果を答えよ．ただし，解答は解答すべき数値の最小位の一つ下の位で四捨五入すること．（配点計 50 点）

(1)　水管ボイラのうちの循環ボイラには，ボイラ水の循環方式によって次の 2 種類がある．ボイラ水と発生する蒸気との[1]によって循環力を生じさせる[2]循環ボイラと，[3]を用いて循環力を賄う[4]循環ボイラである．

循環ボイラでは，一般に蒸気ドラムの内部装置で気水分離が行われ，ドラム内のボイラ水中に濃縮された[5]などの固形分が，ボイラ過熱器に飛散し付着することを防いでいる．

〈[1]～[5]の解答群〉

ア　オリフィス	**イ**　ファン	**ウ**　ポンプ	**エ**　イオン交換樹脂
オ　シリカ	**カ**　脱酸素剤	**キ**　圧力差	**ク**　温度差
ケ　密度差	**コ**　加圧	**サ**　強制	**シ**　自然
ス　水頭	**セ**　単純		

(2)　大容量の火力発電プラントでは高温高圧の蒸気が使われるが，蒸気の圧力，温度を上げると発電の理論効率が向上するので，蒸気タービンの発電量当たりの[6]が減少し，ボイラの燃料が節約できる．

そのような高温高圧ボイラでは，圧力が高くなるにしたがって水の[7]は小さくなるため，一般に水管群と火炉壁で構成されていた蒸発器は，火炉壁での放射熱吸収で十分賄え，水管群は省略されるようになる．また，ボイラから蒸気タービンに蒸気を送る蒸気管では，蒸気圧の高い方が蒸気の[8]は小さくなるので，蒸気管を流れる蒸気の摩擦損失は小さくなり，蒸気管の径も小さくでき，蒸気管の重量低減につながる．

〈[6]～[8]の解答群〉

ア　機械損失	**イ**　漏洩損失	**ウ**　蒸気消費量	**エ**　蒸発潜熱
オ　親和力	**カ**　定圧比熱	**キ**　粘性係数	**ク**　比体積
ケ　密度			

(3)　ボイラの蒸気温度を上げるためには，ボイラ内に設置される過熱器の伝熱面積を大きくする必要がある．過熱器は取付け位置によって異なる伝熱形態から，主に火炎からの熱を利用する[9]形過熱器，主に[10]から熱を受ける対流形過熱器，及び両形の特徴を持つ過熱器に分類される．

蒸気タービン中で所定の膨張をして飽和蒸気に近づいた蒸気を途中から取出し，その圧力のまま再び加熱し，また蒸気タービンに戻して膨張を行わせる場合には，[11]器が使用され，この蒸気温度を上げることでもプラントの効率を改善することができる．

〈 9 ～ 11 の解答群〉

ア 再熱　**イ** 接触　**ウ** 節炭　**エ** 伝導　**オ** 放射

カ 予熱　**キ** 燃焼ガス　**ク** 燃焼灰　**ケ** 未燃ガス

(4)　10 MPa の蒸気を 22 t/h 発生するボイラの燃費の改善について考える．このボイラの燃費改善前の運転状態は表 1 のとおりであり，ボイラへの入熱は燃料からのみであるとする．

表 1　ボイラの運転状態（燃費改善前）

項目	単位	数値
ボイラの発生蒸気量	t/h	22
ボイラ効率（低発熱量基準）	%	88
燃料の低発熱量	MJ/kg	40.6
ボイラ給水の比エンタルピー	kJ/kg	426.55
発生蒸気の比エンタルピー	kJ/kg	2 700

1)　このボイラの燃費改善前の燃料消費量は [A a.b] ［t/h］となる．

2)　このボイラの発生蒸気の乾き度を求める．

まず，10 MPa の蒸気 1 kg の蒸発潜熱は，表 2 より [12] ［kJ/kg］と求められる．これよりボイラ発生蒸気の乾き度を計算すると，[B ab] ［%］となる．

3)　燃費改善のため，余剰熱を用いてボイラ給水を予熱する計画を立てた．改善目標を燃費の 5 %低減として改善後の給水温度を求める．ここで，蒸気は改善前と同等に発生させるものとし，改善によるボイラ効率の変化は無視できるものとする．

給水予熱による燃費の 5 %低減とは，ボイラ給水と発生蒸気の比エンタルピー差を 5 %低減することであり，そのためにはボイラ給水の比エンタルピーを [C abc] ［kJ/kg］とすればよい．したがって，そのときのボイラ給水温度は表 3 より [D abc] ［℃］となる．ただし，表の数値間は線形補間できるものとして計算すること．

〈 12 の解答群〉

ア 1 318　**イ** 1 408　**ウ** 2 067

表 2　飽和表

圧力［MPa］	比エンタルピー［kJ/kg］	
	飽和水	乾き飽和蒸気
10	1 407.87	2 725.47

表3　圧縮水表

圧力［MPa］	温度［℃］	比エンタルピー［kJ/kg］
10	90	384.66
	100	426.55
	110	468.56
	120	510.70
	130	553.00

解　説

(1)　水管ボイラは，水を内部に通した水管を燃焼ガスによって外部から加熱する形式のボイラである．その中で循環ボイラは，下部の水ドラムと上部の蒸気ドラムの間に並行に配置した多数の水管によって，ボイラ水を循環加熱する方式のボイラである．ボイラ水の循環方式による分類としては，ボイラ水と発生蒸気の密度差を利用して循環力を生じさせる自然循環ボイラと，ポンプでボイラ水を強制循環させる強制循環ボイラがある．

循環ボイラは，水循環系統の上部に気水分離を行う蒸気ドラム，ボイラ水を炉底に下す降水管，下部に水ドラム，気水混合物を上昇させる蒸気管で構成されている．気水分離を行うことで，ボイラ水中に濃縮されたシリカなどの固形分がボイラ過熱器の表面に付着して伝熱管を閉塞することを防止している．

(2)　火力発電プラントでは，高温高圧の蒸気を用いた蒸気タービンが使用される．蒸気の圧力と温度が上昇すると，ランキンサイクルの熱効率が向上し，発電の理論効率が向上する．すなわち，蒸気タービンの発電量当たりの蒸気消費量が減少するので，ボイラ燃料の消費量が低減する．

高温高圧のボイラでは，蒸気圧力が高くなるにつれて水の蒸発潜熱は減少する．また，蒸気圧力が高くなると蒸気が圧縮されて，比体積が小さくなる．そのため，蒸気管を流れる蒸気の体積流量が減少することから，管の摩擦損失は小さくなり，管径を縮小できるので，蒸気管の荷重が低減できる．

(3)　ボイラの過熱器には，主として火炎からの放射熱を利用する放射形過熱器，主として燃焼ガスから対流熱伝達で熱交換を行う対流形過熱器，および両者の特徴を有する過熱器がある．

高圧蒸気タービンの中で膨張して飽和蒸気に近づいた蒸気を途中から取り出して，同じ蒸気圧力のまま再熱器で再加熱し，再度中圧・低圧蒸気タービンに戻して膨張をさせるという再熱サイクルを形成することで，タービン効率を改善することができる．

(4)

1)　燃費改善前のボイラの発生蒸気量は 22 t/h，ボイラ給水の比エンタルピーは 426.55 kJ/kg，発生蒸気の比エンタルピーは 2 700 kJ/kg であるから，ボイラの発熱量 Q_B は

$$Q_B = 22 \times 10^3 \times (2\,700 - 426.55)$$
$$= 50\,015.9 \times 10^3 \text{ kJ/h} = 50\,015.9 \text{ MJ/h}$$

である．低発熱量基準のボイラ効率 88 %，燃料の低発熱量が 40.6 MJ/kg なので，燃料消費量 C_F は

$$C_F = \frac{50\,015.9}{0.88 \times 40.6} = 1\,399.9 \text{ kg/h} = 1.4 \text{ t/h}$$

となる．

2)　表 2 より，10 MPa の飽和水の比エンタルピーは 1 407.87 kJ/kg，乾き飽和蒸気の比エンタルピーは 2 725.47 kJ/kg なので，乾き飽和蒸気の蒸発潜熱は

$$2\,725.47 - 1\,407.87 = 1\,317.6 \fallingdotseq 1\,318 \text{ kJ/kg}$$

となる．設問では単に「蒸気 1 kg」といっているが，これは「乾き飽和蒸気 1 kg」を指している．発生蒸気の蒸発潜熱は

$$2\,700 - 1\,407.87 = 1\,292.13 \text{ kJ/kg}$$

なので，発生蒸気の乾き度は

$$\frac{1\,292.13}{1\,317.6} \times 100 = 98\ \%$$

となる．

3)　給水予熱による燃費の 5 %削減が，ボイラ給水と発生蒸気の比エンタルピー差 5 %削減に等しいので，ボイラ給水の比エンタルピーを

$$426.55 + (2\,700 - 426.55) \times 0.05 = 540.2 \fallingdotseq 540 \text{ kJ/kg}$$

まで上昇させればよいことになる．

表 3 で 10 MPa の圧縮水の比エンタルピーは，120 ℃で 510.70 kJ/kg，130 ℃で 553.00 kJ/kg であるから，これを線形補間すると，540 kJ/kg の比エンタルピーのボイラ給水は

$$120 + (130 - 120) \times \frac{540 - 510.70}{553.00 - 510.70} = 126.9 \fallingdotseq 127\ ℃$$

となる．

解　答　(1)　**1- ケ，2- シ，3- ウ，4- サ，5- オ**

(2)　**6- ウ，7- エ，8- ク**

(3) **9-オ，10-キ，11-ア**

(4) **A-1.4，12-ア，B-98，C-540，D-127**

（ボイラ，蒸気輸送・貯蔵装置，蒸気原動機・内燃機関・ガスタービン）

問題14 次の各文章の [1] ～ [14] の中に入れるべき最も適切な字句等をそれぞれの解答群から選び，その記号を答えよ．（配点計 50 点）

(1) 蒸気タービンの経年劣化について考える．

1) 回転部を持つタービンのグランドラビリンス，ノズルラビリンス，チップフィンなどでは，経年的に回転部と静止部の接触による損傷や磨耗で [1] が増大し，漏洩《ろうえい》損失を増加させる．この損傷や磨耗の主要な原因は，頻繁な起動停止，許容値以上の負荷変動，給水加熱器からの [2] の逆流などにより，タービン内の上下間温度差で生じるケーシングやロータの熱変形である．

〈[1] 及び [2] の解答群〉

ア ドレン　**イ** 給水　**ウ** 冷却水　**エ** 隙間
オ 摩擦抵抗　**カ** 翼の変形

2) 酸化物，化合物などが蒸気中にキャリーオーバしてタービンに飛来し，動翼や静翼に付着して [3] が大きくなると，翼の摩擦係数が増加する．これがさらに成長すれば，翼のプロファイルを崩して段落特性を変化させ，内部効率を低下させると共に，蒸気の通過面積を減少させるに至る．

3) タービン翼の第 1 段静翼に生じる侵食の主な原因は，ボイラチューブの [4] の飛来によるものであり，ひいては後縁形状の変化，蒸気通路面積の増大，段落流量や各部圧力の変化などを生じさせ，その結果内部効率を低下させる．また，復水タービンの最終段動翼においては，[5] によるドレンエロージョンが生じやすく，第 1 段静翼の場合と同様に内部効率の低下を招く．

〈[3] ～ [5] の解答群〉

ア ブロー水　**イ** 乾き蒸気　**ウ** 湿り蒸気　**エ** 高温蒸気
オ 酸化スケール　**カ** 溶接金属　**キ** 表面粗さ　**ク** 密度
ケ 面積

(2) 内燃機関の特徴及び環境対策について考える．

1) ピストンの往復運動によりシリンダ容積の変化を行わせる構造の内燃機関は，[6] 形の熱機関である．[7] サイクルの応用である火花点火方式のガソリン機関と，ディーゼルサイクルの応用である圧縮着火方式のディーゼル機関に分けられており，コンパクトで起動・停止操作も容易である.

〈[6] 及び [7] の解答群〉

ア オットー　**イ** ブレイトン　**ウ** ランキン　**エ** 遠心
オ 速度　**カ** 容積

2） 内燃機関の排ガス中に含まれる大気汚染物質は，NOx，CO，未燃炭化水素，すすなどであり，そのうち NOx については，次のようなことが生成条件となる.

・燃焼温度が高いこと
・燃焼時間が [8] こと
・酸素濃度が高いこと

また，NOx の排出削減対策としては次のようなことが考えられる.

・燃料中の [9] 分の少ないこと
・燃焼温度の低下を図ること
・排ガス再循環・希薄燃焼をさせること
・触媒で [10] 処理させること

〈[8] ～ [10] の解答群〉

ア 酸素　**イ** 窒素　**ウ** 二酸化炭素　**エ** 廃棄　**オ** 分解
カ 燃焼　**キ** 長い　**ク** 短い

(3) ガスタービンの構造について考える.

1） 燃焼器出口は [11] に接続されており，燃焼器出口のガスの温度には，機器の効率及び耐熱性を考慮して，適正温度を保持し，ばらつきを小さくすることが要求される．その要求温度は理論燃焼温度より相当低いので，希釈空気を導入して適正温度に下げている．希釈空気の導入により，同時に燃焼器構成材料の [12] も狙っている.

〈[11] 及び [12] の解答群〉

ア タービンケーシング　**イ** タービンノズル　**ウ** タービン羽根
エ 硬度強化　**オ** 熱処理　**カ** 冷却効果

2） タービン部は，燃焼器出口より高温燃焼ガスを導入して動翼により高速回転して動力を発生するので，その動翼では [13] への耐力を含めた耐熱性に対する考慮が必要である．通常は，[14] の一部をバイパスさせて羽根の内部に導き，衝突による内部冷却と翼表面に吹き出すことによるフィルム冷却を行う.

〈[13] 及び [14] の解答群〉

ア 遠心力　**イ** 耐侵食性　**ウ** 摩擦力　**エ** 燃焼用空気
オ 燃料　**カ** 冷却水

解 説

(1)

1) 蒸気タービンのグランドラビリンス，ノズルラビリンス，チップフィンなどの軸受け部分では，経年により回転部（ロータの軸）と静止部の接触による磨耗や損傷で隙間が増大することから，蒸気の漏れが増加して，漏洩《ろうえい》損失を増加させることになる．

この主な原因としては，蒸気タービンの過剰な起動停止，許容値を上回る負荷変動，給水加熱器からのドレン（凝縮水）の逆流によるケーシングやロータの熱変形が挙げられる．

2) ボイラ給水に由来する酸化物，塩化物や硫化物などの化合物が蒸気に含まれて，蒸気タービンの動翼や静翼に付着すると表面粗さが増大し，翼の摩擦係数が増加する．この状態が進行すると，翼のプロファイルが変化して段落特性に影響を与えることで，内部特性を低下させる．また，蒸気の通過面積が減少することで，圧力損失が増加してタービン効率に影響を与えることになる．

3) 初段静翼にはボイラからの高温高圧の蒸気が最初に衝突するので，蒸気に含まれる酸化スケールによる侵食の影響が大きい．復水タービンの最終段動翼には湿り度の高い蒸気が衝突するため，湿り蒸気の凝縮によるドレンエロージョンが発生しやすい．

(2)

1) ピストンの往復運動によってシリンダ容積の変化を発生させる内燃機関を容積形の熱機関という．オットーサイクルの応用としては，火花点火方式のガソリン機関があり，ディーゼルサイクルの応用としては，圧縮着火方式のディーゼル機関がある．いずれも容積形の熱機関である．

2) 内燃機関の排気ガスに含まれる大気汚染物質には，窒素酸化物（NO_x），一酸化炭素（CO），未燃炭化水素（HC），すすなどの粒子状物質（PM），鉛（Pb）化合物がある．

NO_x（サーマル NO_x）の生成条件としては，

・燃焼温度が高いこと

・燃焼時間が長いこと

・酸素濃度が高いこと

が挙げられる．

NO_x の排出削減対策としては，以下の項目が挙げられる．

・燃料中の窒素分が少ないこと→燃料由来の NO_x（フュエル NO_x）の削減

・燃焼温度の低下→サーマル NO_x の削減

・排ガスの再循環・希薄燃焼による酸素濃度の低下→サーマル NO_x の削減

・触媒を用いて NO_x の分解処理

(3)

1)　ガスタービンの燃焼器出口はタービンノズルに接続されていて，高温ガスを膨張させて，タービンを回転させる．燃焼ガス温度を高くした方が熱効率が高くなるが，サーマル NO_x 発生の低減，機器の耐熱性を考慮して，希釈空気（二次空気）を導入することで適正温度まで冷却する．

2)　タービンの動翼は高速回転をするため，大きい遠心力に対する耐力が必要である．また，高温の燃焼ガスが衝突することから，耐熱性が要求される．これを緩和するために，燃焼用空気の一部を燃焼器からバイパスさせて，翼内部に設けられた冷却通路に冷却空気を流して冷却する内部（対流）冷却と，フィルム冷却孔から翼表面に吹き出すフィルム冷却を行う．

解　答　(1)　**1- エ，2- ア，3- キ，4- オ，5- ウ**

(2)　**6- カ，7- ア，8- キ，9- イ，10- オ**

(3)　**11- イ，12- カ，13- ア，14- エ**

（熱交換器・熱回収装置―選択問題）

問題15　次の各文章の [1] ～ [9] の中に入れるべき最も適切な字句等をそれぞれの解答群から選び，その記号を答えよ．

また，[A abc] ～ [D ab.c] に当てはまる数値を計算し，その結果を答えよ．ただし，解答は解答すべき数値の最小位の一つ下の位で四捨五入すること．（配点計 40 点）

(1)　蒸気を用いる熱利用設備から発生するドレンからの熱回収について考える．

1)　一般に，蒸気使用設備で加熱に利用される熱量は蒸気の持つ全熱量のうちの凝縮潜熱だけであることが多い．蒸気使用設備で発生したドレンは，設備の性能維持のために [1] により使用設備内から排出され，その温度は使用圧力に対する飽和温度であり，大きな熱量を持っている．例えば，圧力がおおよそ 0.2 ～ 1 MPa の範囲では，蒸気の発生に用いられた全熱量に対して 20 ～ 30 %程度もある．

2)　ドレンは，使用圧力より低い圧力下に排出された瞬間にその一部がフラッシュ蒸気となる．ここで，ドレン量 w より生じるフラッシュ蒸気量 f は，フラッシュ前の圧力に対応する飽和水の比エンタルピーを h_1，フラッシュ後の圧力に対応する飽和水の比エンタルピーを h_2，フラッシュ後の圧力における飽和水の単位質量当たりの蒸発潜熱を r とすると，次式で表される.

$$f = w \times \boxed{\ 2\ }$$

排出後のドレンは，回収配管内でフラッシュ蒸気と飽和水の気液二相流となり，圧力損失は飽和水の単相流の場合と比べて $\boxed{\ 3\ }$ なるため，ドレンが排出できなくなるなどのトラブルが起きることがある．したがって，ドレン回収配管の口径は，気液二相流になることを考慮して決める必要がある.

〈$\boxed{\ 1\ }$ ～ $\boxed{\ 3\ }$ の解答群〉

ア $\dfrac{h_1 - h_2}{r}$　イ $\dfrac{h_2 - h_1}{r}$　ウ $\dfrac{r}{h_1 - h_2}$

エ スチームトラップ　オ フラッシュタンク　カ 気液セパレータ

キ 大きく　ク 小さく

(2) 伝熱面の汚れ等による熱交換器の性能評価と伝熱面の保守について考える.

1) 隔壁式の熱交換器は，継続的に使用することによって汚れ等に起因して伝熱性能が低下する．これは，隔壁材料の熱伝導率と比べて伝熱面に付着した汚れや生成されたスケールなどの熱伝導率が著しく小さいためである.

スケールの熱伝導率を λ，厚さを δ とすると，このような汚れによる伝熱面の熱抵抗の度合を表す汚れ係数 R は次式で定義される.

$$R = \boxed{\ 4\ }$$

ここで，汚れ係数 R の単位は $\boxed{\ 5\ }$ である.

〈$\boxed{\ 4\ }$ 及び $\boxed{\ 5\ }$ の解答群〉

ア $m^2 \cdot K/W$　イ $m^2 \cdot W/K$　ウ $W/(m^2 \cdot K)$　エ $\delta\lambda$

オ $\dfrac{\delta}{\lambda}$　カ $\dfrac{\lambda}{\delta}$　キ $\dfrac{1}{\delta\lambda}$

2) 熱交換器の伝熱面への汚れの付着の進行度は流体の種類，流速や流路形状，伝熱面の条件，時間の経過などにより変わる．汚れの付着量が増えると，熱通過率は小さくなる．そのため，熱交換器の伝熱性能を改善する方法として，$\boxed{\ 6\ }$ などによる化学洗浄やスポンジボールの循環による洗浄などが行われる.

〈$\boxed{\ 6\ }$ の解答群〉

ア ヒドラジン　イ 亜硫酸ナトリウム　ウ 塩酸

(3) ある熱交換器において，比熱が 2.5 kJ/(kg·K) の高温流体が，入口温度 T_{h1}

200 ℃，流量 30 kg/min で流入しており，比熱が 4 kJ/(kg·K) の低温流体が，入口温度 T_{c1} 20 ℃，流量 180 kg/min で流入して熱交換している．このとき，低温流体の出口温度 T_{c2} を測定したところ 35 ℃であった．ただし，熱交換器の外部への熱損失は無視できるものとする．

1)　この熱交換による交換熱量は [A abc] [kW] である．

2)　高温流体の出口温度 T_{h2} は，[B ab.c] [℃] となる．

3)　高温側の温度効率 η_h は次式で表される．

$$\eta_h = \boxed{\ 7\ } \times 100\ [\%]$$

これを計算すると，温度効率 η_h は [C ab.c] [%] となる．

〈[7] の解答群〉

ア $\dfrac{T_{h1} - T_{h2}}{T_{h1} - T_{c1}}$　　イ $\dfrac{T_{h1} - T_{h2}}{T_{h1} - T_{c2}}$　　ウ $\dfrac{T_{h1} - T_{c2}}{T_{h1} - T_{c1}}$

4)　熱交換器の日常管理において，伝熱性能の管理を流体温度で行う場合，出入口温度差が大きい側の流体で管理する方が性能の劣化を把握しやすい．出入口温度差が大きくなるのは，熱容量流量の値が [8] 側の流体であり，本問の条件では [9] 温側の流体が該当する．出入口温度差を監視しながら，定期的な洗浄などにより性能を維持することができる．

〈[8] 及び [9] の解答群〉

ア 高　　イ 低　　ウ 大きい　　エ 小さい

5)　ここで，伝熱面の洗浄等により熱交換器の性能を改善することとした．改善後，熱交換器入口における両流体の温度及び流量をそのままとして熱交換したところ，高温側の流体の出口温度が 40 ℃になった．このとき，低温側の出口温度は [D ab.c] [℃] となる．

解　説

(1)

1)　蒸気による熱利用設備では，高温の蒸気の顕熱を利用せず，蒸気の凝縮による潜熱のみを利用することが多い．蒸気使用設備で蒸気を使用した後に発生したドレン（凝縮水）は，スチームトラップでエア抜きをしてから，排出される．凝縮水温度は，使用圧力に対する飽和温度であり，100 ℃以上になることから，大きな顕熱を有している．圧力が 0.2 ～ 1 MPa の蒸気の飽和温度は約 120 ～ 180 ℃なので，蒸気の全熱量に対して約 20 ～ 30 %の顕熱をもっていることになる．

2)　使用圧力より低い圧力下に排出されると，ドレンは再蒸発して蒸気になる．これがフラッシュ蒸気である．ドレン量 w [kg/h] から生じるフラッシュ

蒸気量 f [kg/h] は，フラッシュ前の圧力に対応する飽和水の比エンタルピーを h_1 [kJ/kg]，フラッシュ後の圧力に対応する飽和水の比エンタルピーを h_2 [kJ/kg]，フラッシュ後の圧力に対応する飽和水の単位質量当たりの蒸発潜熱を r [kJ/kg] とすると，

$$f = w \times \frac{h_1 - h_2}{r}$$

で表される．

スチームトラップから排出されたドレンは，蒸気還管（ドレン回収管）内の圧力がスチームトラップ前の管内圧力より低圧なので，一部がフラッシュ蒸気となる．そのため，蒸気還管内部では，フラッシュ蒸気とドレン（飽和水）の気液二相流となる．このときの配管の圧力損失は，ドレン（飽和水）のみの単相流より大きくなる．そのため，蒸気還管の管径を，ドレンのみで決定した管径より大きくしなくてはならない．

(2)

1）隔壁式熱交換器の伝熱面に汚れやスケールが付着すると伝熱管の熱通過率が低下して，交換熱量が減少する．これは伝熱管の材質（金属）と比較して，汚れやスケールの熱伝導率が著しく小さいことにより，伝熱管の熱抵抗が増加するためである．汚れ係数（熱抵抗）R は熱伝導率 λ [W/(m·K)] に反比例し，厚さ δ [m] に比例する．したがって，

$$R = \delta / \lambda \ [\mathrm{m^2 \cdot K/W}]$$

である．

2）熱交換器の伝熱面に付着する汚れの量が増加すると，熱抵抗が増加して熱通過率が小さくなる．熱交換器の伝熱性能を改善するために，この汚れを除去する必要がある．この方法としては，化学的洗浄と機械的洗浄がある．化学的洗浄は，薬液（塩酸・アルカリ）を用いて汚れを除去する方法であり，洗浄後に薬液を十分に洗い流さなくてはならない．機械的洗浄は，高圧水を伝熱面に噴射したり，流体中に混入したスポンジボールなどの摩擦力を作用させたりして物理的に汚れを除去する方法である．

(3) 高温側流体の入口温度 $T_{\mathrm{h1}} = 200$ ℃，比熱 $c_{\mathrm{h}} = 2.5$ kJ/(kg·K)，流量 $Q_{\mathrm{h}} = 30$ kg/min，低温側流体の入口温度 $T_{\mathrm{c1}} = 20$ ℃で，出口温度 $T_{\mathrm{c2}} = 35$ ℃，比熱 $c_{\mathrm{c}} = 4$ kJ/(kg·K)，流量 $Q_{\mathrm{c}} = 180$ kg/min とする．

1）交換熱量 q は，低温側流体の受熱量 q_{c} から

$$q = q_{\mathrm{c}} = c_{\mathrm{c}} \times Q_{\mathrm{c}} \times (T_{\mathrm{c2}} - T_{\mathrm{c1}}) = 4 \times 180 \times \frac{1}{60} \times (35 - 20)$$

$$= 180 \ \mathrm{kW}$$

となる．

2)　高温流体の受熱量 q_h は低温側流体の受熱量 q_c と等しいので

$$q_h = q_c = c_h \times Q_h \times (T_{h1} - T_{h2}) = 2.5 \times 30 \times \frac{1}{60} \times (200 - T_{h2})$$

$$= 180\ \mathrm{kW}$$

である．したがって，$T_{h2} = 56.0$ ℃となる．

3)　高温側の温度効率 η_h は，高温側流体の出入口温度差を最大温度差で除した値なので

$$\eta_h = \frac{T_{h1} - T_{h2}}{T_{h1} - T_{c1}}$$

これを計算すると，

$$\eta_h = \frac{200 - 56}{200 - 20} = 0.8 = 80.0\ \%$$

となる．

4)　高温流体の受熱量と低温流体の受熱量は等しいので，熱容量流量（熱容量と流量を乗じた値）が小さい方が温度差は大きくなる．設問では，高温流体の熱容量流量は 75 kJ/(K·min) ＝ 1.25 kW/K，低温流体の熱容量流量は 720 kJ/(K·min) ＝ 12 kW/K なので，高温流体を管理すればよいことになる．なお，ここでは流量を質量流量で表しているので，熱容量 ＝ 比熱として扱っている．

5)　高温流体の出口温度が $T_{h2} = 40$ ℃になったとき，交換熱量 q_h は

$$q_h = c_h \times Q_h \times (T_{h1} - T_{h2}) = 2.5 \times 30 \times \frac{1}{60} \times (200 - 40)$$

$$= 200\ \mathrm{kW}$$

となる．したがって，低温流体では

$$q_c = c_c \times Q_c \times (T_{c2} - T_{c1}) = 4 \times 180 \times \frac{1}{60} \times (T_{c2} - 20) = 200\ \mathrm{kW}$$

$$T_{c2} = 36.66 \fallingdotseq 36.7$$

である．これから，低温側の出口温度 $T_{c2} = 36.7$ ℃となる．

解　答　(1)　**1-エ，2-ア，3-キ**

(2)　**4-オ，5-ア，6-ウ**

(3)　**A-180，B-56.0，7-ア，C-80.0，8-エ，9-ア，D-36.7**

（冷凍・空気調和設備―選択問題）

問題16　次の各文章の [1] ～ [10] の中に入れるべき最も適切な字句等をそれぞれの解答群から選び，その記号を答えよ．なお，一つの解答群から同じ記号を２回以上使用してもよい．（配点計 40 点）

(1)　日本の平均的な気候（関東～関西圏）における建物の空調に関する省エネルギーについて考える．

1)　一般に窓のガラス面と外壁面の，単位面積当たりの空調負荷（W/m^2）を比較すると，ガラス面は外壁面 [1]．また，夏期における窓ガラス面の冷房負荷（W/m^2）の低減を目的として，普通ペアガラスをローイー（Low–E）ペアガラスに変更する場合の効果を北面と南面で比較すると，北面は南面 [2].

〈[1] 及び [2] の解答群〉

ア　より大きい　　**イ**　より小さい　　**ウ**　とほぼ同等である

2)　一般的には空調エリアの外気導入量は，CO_2 濃度などの室内環境条件を満たせる範囲内で少なくした方が空調用エネルギーを抑制することができる．その理由は，夏期の昼間の外気温は空調時の室温よりも高く，冬期の外気温は逆に低くなるからである．しかしながら，そのような条件であっても，昼間の空調時間中に外気を多く導入することによって省エネルギー化を図る手法が [3] 期にしばしば用いられている．この手法の効果は，[4] のいずれもが大きな場合などにより顕著となり，例えば [5] などの建物用途がこれに該当することが多い．

〈[3] ～ [5] の解答群〉

ア　夏　　**イ**　冬　　**ウ**　ホテル　　**エ**　学校　　**オ**　百貨店

カ　外壁面積や延床面積　　**キ**　外壁面積や機器発熱量

ク　人員密度や機器発熱量

3)　建物外周部（屋根・外壁）の断熱材の厚みを増していくことは，一般的には空調負荷の低減に有効と考えられるが，事務所ビルなどでは [6] 期において，そのことが朝の立ち上がり負荷を増大させる場合が考えられる．これには，主として [7] が関与しているためである．

〈[6] 及び [7] の解答群〉

ア　夏　　**イ**　冬　　**ウ**　外壁の日射反射性能

エ　昼間の熱取得特性　　**オ**　夜間の放熱特性

(2)　図１は，暖房時の空気調和のプロセスを湿り空気線図（h–x 線図）上に表したものであり，加湿方式には水噴霧加湿を採用している．

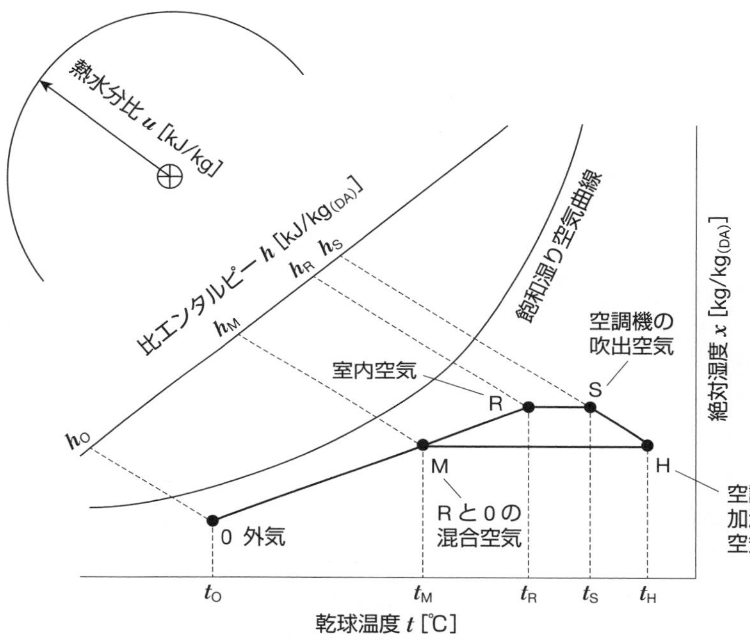

図 1　暖房時の空調プロセス（水噴霧加湿）

1）　空調機の吹出し温度差は，乾球温度の線上で [8] [℃] で表される．

2）　空調機のコイルの加熱負荷は，比エンタルピーの線上で [9] [kJ/kg$_{(DA)}$] となる．

3）　図中の左上の熱水分比 u は，暖房時の加湿の検討に用いられる．これは [10] の変化量と絶対湿度の変化量の比を示す値である．

〈[8] ～ [10] の解答群〉

ア　$h_R - h_M$	**イ**　$h_R - h_O$	**ウ**　$h_S - h_M$	**エ**　$h_S - h_R$
オ　$t_S - t_M$	**カ**　$t_S - t_O$	**キ**　$t_S - t_R$	**ク**　乾球温度
ケ　顕熱量	**コ**　絶対温度	**サ**　比エンタルピー	

解　説

(1)

1）　ガラス面を透明外壁，それ以外の外壁を不透明外壁という．ガラス面から，室内外温度差による貫流熱以外に，日射による透過熱とガラスの日射吸収熱の室内への（対流 ＋ 放射）熱が空調熱負荷（冷房負荷）として加わる．そのため，一般にはガラス面の方がその他の外壁面より単位面積当たりの空調熱負荷は大きくなる．そこで，普通ペアガラスをローイー（低放射）ペアガラスに変更すると，日射遮蔽《へい》係数が小さくなるので，日射による冷房負荷が小さくなる．北面と南面の垂直面日射量を比較すると，北面の方が日射量が小さいので，冷房負荷の低減効果は南面より小さくなる．ちなみに，これは北半球という条件である．

2）　外気と室内空気の比エンタルピーの差によって，外気を導入することにより外気負荷が生じる．顕熱ベースでは，夏期の冷房時は外気温度が高いほど，冬期の暖房時は外気温度が低いほど外気負荷は大きくなる．外気負荷は外気導入量に比例するので，外気負荷を抑制するためには外気導入量を最小限にする必要がある．

一方，オフィスビルや百貨店などの建物では，在室者の密度が高く，機器や照明器具の発熱量が大きく，日射熱も存在することから，熱取得＞熱損失となって，春・秋の中間期と冬期にも冷房負荷が生じることが多い．中間期と冬期は室内温度より外気温度が低くなることから，外気導入量を増加して冷房に利用することがある．これを**外気冷房**という．

3）　屋根と外壁の断熱性能を向上させることで，熱貫流率が小さくなり，貫流熱量が低減することから，一般には空調熱負荷が低減される．一方，夏期の夜間は外気温度が昼間より低下するので，夜間外気温度が冷房時の室温より低下した場合は，夜間の放熱特性が断熱性能の向上によって妨げられるということも考えられなくはない．しかし，最近の大都市における夏期の夜間外気温度は 20 ℃以下にならないので室内からの放熱量は小さく，外壁の断熱性能の向上で冷房時の空調の立ち上がり負荷を増大させることはほとんどないだろう．夜間外気温度が低下した場合は，換気（外気導入 ＋ 排気）を行って余熱の放熱と躯体への蓄冷をするのが効果的である．これをナイトパージという．

(2)　設問の図 1 は，暖房時の空調プロセスを湿り空気線図に示したものである．R は室内空気（還気）の状態，O は低温低湿の外気の状態なので，M は両者を混合した空気の状態になる．M の混合空気を H まで加熱し，H から S まで水噴霧加湿を行って，S の状態で室内へ吹き出す．

1）　S が吹出し空気の状態，R が室内空気の状態なので，空調機の吹出し温度差は，乾球温度の線上で $\Delta t = t_{\mathrm{S}} - t_{\mathrm{R}}$ [℃] で表される．

2）　空調機のコイルで混合空気 M から加熱後（＝ 加湿前）の空気 H まで加熱を行うので，加熱負荷は比エンタルピーベースで，$\Delta h = h_{\mathrm{S}} - h_{\mathrm{M}}$ [kJ/kg] となる．

3）　加湿前の比エンタルピーと絶対湿度を h_1，x_1，加湿後の比エンタルピーと

絶対湿度を h_2，x_2 とすると，熱水分比 u は

$$u = \frac{h_1 - h_2}{x_1 - x_2}$$

で表される．すなわち，比エンタルピー（熱）の変化量と絶対湿度（水分）の変化量の比を示す値である．熱水分比は，単位絶対湿度加湿するときに，どれだけ比エンタルピーの増加があったかを示している．設問の水噴霧加湿では u は小さく，蒸気加湿では u は大きい．

解　答　(1)　**1-ア，2-イ，3-イ，4-ク，5-オ，6-ア，7-オ**
(2)　**8-キ，9-ウ，10-サ**

（工業炉，熱設備材料—選択問題）

問題17　次の各文章の [1] ～ [16] の中に入れるべき最も適切な字句等をそれぞれの解答群から選び，その記号を答えよ．なお，[2]，[6] 及び [7] は複数個所あるが，それぞれ同じ記号が入る．（配点計 40 点）

(1)　工業炉について考える．

1)　工業炉を加熱するための熱源で分類すると，燃焼炉と電気炉に分けられる．

i)　燃焼炉には，火炎や燃焼生成ガスが材料に触れながら加熱する直接加熱方式と，[1] あるいはレトルトなどの隔壁を設けて火炎や燃焼生成ガスが材料に触れないように加熱する間接加熱方式がある．直接加熱方式では，燃焼ガスの流れを利用して [2] による加熱を促進することができ，特に低温度域での均一加熱にはこの [2] による加熱が有効に働く．間接加熱方式では，加熱される材料の表面が火炎や燃焼生成ガスなどの影響を受けないので，金属の [3] 加熱や光輝熱処理，浸炭などの雰囲気中での熱処理に広く用いられる．

〈[1] ～ [3] の解答群〉

ア　トレイ　**イ**　マッフル　**ウ**　蓄熱体　**エ**　酸化　**オ**　無酸化
カ　誘導　**キ**　対流　**ク**　伝導

ii)　電気炉による加熱は，燃焼炉と比べて効率のよい加熱が可能で，[4] 制御が容易であるなどの特長がある．

〈[4] の解答群〉

ア　圧力　**イ**　温度　**ウ**　流量

2)　工業炉を操業方式で分類すると，バッチ式と連続式に大別することができる．

バッチ式は，被加熱材料を炉内に装入して炉内に保持して処理の完了後に取り出す方式である．したがって，加熱温度や雰囲気条件を変える必要がある場合には，タイムスケジュールに応じて炉の温度や雰囲気条件を変える必要がある．

連続式は，一般に被加熱材料を炉の一方の口から連続的に投入し，炉内通過時に加熱や加熱・冷却して他方の口から取り出す方式で，被加熱物の炉内搬送を伴う．この搬送方式には，被加熱物を直接又は搬送台に搭載して，炉外部から押し込んで炉内を移送させる [5] 形，炉内に設置したコンベアによって移送させるコンベア形，連続した帯状の薄鋼板ストリップや線材を移送させる [6] 形などがある．[6] 形の場合，温度や雰囲気条件を変える必要がある場合には，炉の長手方向を処理サイクルに合わせた [7] に分け，各 [7] ごとに温度や雰囲気条件を設定して所定速度で通過することで，所望のサイクルを与える．

〈[5] ～ [7] の解答群〉

ア ウォーキングビーム　**イ** ストランド　**ウ** プッシャ
エ メッシュベルト　**オ** リンクチェーン　**カ** 回転炉床
キ ゾーン　**ク** 時間　**ケ** 炉壁

3) 炉の省エネルギーを考える上で炉の操業で生じる損失熱を明らかにして，分析検討することは重要であり，炉への入熱量と炉からの出熱量の収支を計算する熱勘定の手法が用いられる．

例えば，鋼片加熱炉（燃焼炉）において，炉に供給される入熱量の大半は燃料の燃焼熱であり，炉から排出される出熱量は，加熱した被加熱物が持ち出す熱量が最も多く，次いで [8] が多くなることが熱勘定で明らかになる．

炉の性能を表すものとして，$\frac{\text{有効熱}}{\text{供給熱}} \times 100$ [%] で表される指標は [9] と呼ばれ，この値が大きいほど性能は良いことになる．

〈[8] 及び [9] の解答群〉

ア 原単位　**イ** 熱効率　**ウ** 燃料比　**エ** 排ガスの顕熱
オ 冷却水の持ち去る熱　**カ** 炉体からの放散熱

(2) 各種の耐火物及び断熱（保温）材について考える．

1) れんが表面の温度が急激に上昇すると熱応力が生じることにより，レンガ表面に変形や亀裂などが発生して脱落等の危険を生じることがある．れんがが，このような急加熱や急冷却に対して安定した性質を有することを，耐 [10] 性に優れているという．

2)　けい石れんがは [11] を主成分としており，機械的強度が高く圧縮荷重をかけて加熱した場合，最初に膨張してその後収縮を始める荷重軟化始発点が [12] [℃] 以上と，使用中に収縮しにくい特長を有する．

〈[10]～[12]の解答群〉

ア　980	**イ**　1 280	**ウ**　1 580
エ　シリカ	**オ**　ドロマイト	**カ**　マグネシア
キ　スポーリング	**ク**　硬化安定	**ケ**　熱拡散

3)　アルミナ粉末とシリカ粉末を一定の割合で混合して 2 000 ℃以上の高温で溶融し，繊維化して製造した [13] は，他の断熱材と比べて断熱性が高く軽量で蓄熱量が少ないため，省エネルギー性に優れた炉材である．しかし，気孔率や比表面積が大きいため浸食を受けやすい．特に，[14] の酸化物とは低融点の化合物を作り，容易に浸食を受けるので注意が必要である．

4)　保温材として 600 ℃以下の温度域では [15] ウールが使用され，さらに低い温度ではグラスウールが使用される．また，配管などの保温施工では保温材中に [16] が浸入すると，それが伝熱媒体となって保温材の断熱性を著しく損なうので注意が必要である．

〈[13]～[16]の解答群〉

ア　CO_2	**イ**　アルカリ金属	**ウ**　ウレタン
エ　キャスタブル	**オ**　セメント	**カ**　セラミックファイバ
キ　ポリエチレン	**ク**　ロック	**ケ**　鉄
コ　銅	**サ**　粉塵	**シ**　水

解　説

(1)

1)i)　燃焼炉には，火炎や燃焼生成ガスが材料に接触しながら加熱する直接加熱方式と，マッフルやレトルトなどの隔壁を介して火炎や燃焼生成ガスの熱を間接的に材料に伝熱する間接加熱方式がある．直接加熱方式は，燃焼生成ガスの対流による加熱ができ，特に低温域では材料全体に対流の効果が加わるので，均一加熱には有効である．間接加熱方式では，材料が火炎や燃焼生成ガスと直接接触しないので，金属の無酸化加熱，光輝熱処理，浸炭などの雰囲気中の熱処理に用いられる．

ii)　電気炉による加熱は，燃焼炉と比べて高温が得やすく，排ガスによる熱損失がないので効率が高く，温度制御が容易で，急速加熱ができるなどの特長がある．

電気炉では，ジュール熱による加熱を用いることが多い．直接抵抗加熱は，被加熱物に直接電源を接続して電流を流して加熱する方法である．誘導加熱は，被加熱物に電磁誘導による渦電流を発生させて加熱する方法であり，交流の周波数によって表面加熱や全体加熱を選択することができる．

2)　工業炉の操業方式には，連続式とバッチ式がある．バッチ式は，同一の装入・抽出口から被加熱物を装入・抽出する方式であり，少量生産に適している．連続式は，被加熱物を片方の入口から連続的に装入して，炉内を搬送しながら加熱あるいは加熱・冷却して，もう片方の出口から連続的に抽出する方式であり，少品種・大量生産に適している．連続式の搬送方式には，被加熱物を炉外部から押し込んで炉内を移動させるプッシャ形，コンベアによって移動させるコンベア形，帯状の薄い鋼板ストリップや線材（針金の材料）のように非常に長い材料を移動させるストランド形などがある．ストランド形では，温度や雰囲気条件を変更する場合，炉の長手方法を処理サイクルに合わせたゾーンに分割して，ゾーンごとに温度や雰囲気条件を設定して速度を調整することで必要な加熱処理を行う．

3)　鋼片加熱炉（燃焼炉）の熱勘定では，入熱量のほとんどは燃料の燃焼熱であり，出熱量は被加熱物が持ち出す熱量，排ガスの顕熱の順に大きい．

炉の性能は

$$熱効率 = \frac{有効熱}{供給熱} \times 100\ [\%]$$

で表される．この値が大きいほど，炉の性能は優れていることになる．

したがって，鋼片加熱炉の熱効率を改善するためには，排ガス温度を低下させればよいことになる．

(2)

1)　れんがの表面温度が急激に変化すると，熱応力が生じてれんがの表面に変形や亀裂が発生する．れんがが急加熱や急冷却に対して安定した性質をもつことを耐スポーリング性に優れているという．

2)　けい石れんがは，シリカ（SiO_2）を主成分としている．高温度域の機械的強度が高く，圧縮荷重をかけて加熱すると，荷重軟化始発点が 1 580 ℃以上と高い．そのため，使用中に収縮しにくいという特長がある．

3)　セラミックファイバは，アルミナ粉末とシリカ粉末を一定の割合で混合して，電気炉で 2 000 ℃以上の高温で溶融し，繊維化したものである．そのため，ほかの材料と比べて断熱性に優れ，軽量で，繊維状で熱容量が小さいことから蓄熱量が小さく，省エネルギー性に富んでいる．しかし，繊維状なので気孔率や比表面積が大きく，特にアルカリ水溶液には容易に浸食を受ける．

4)　ロックウールは，けい酸と酸化カルシウムを主成分とした繊維状の保温材で，600 ℃以下の温度域で使用される．グラスウールは，ガラスを繊維状にした保温材で 300 ℃以下の温度域で使用される．これらの繊維状の保温材は，水に濡れると熱抵抗の大きい空気層を失って，熱抵抗が小さくなり，断熱性能を著しく低下させるので，表面を撥水処理する必要がある．

解　答　(1)　**1- イ，2- キ，3- オ，4- イ，5- ウ，6- イ，7- キ，8- エ，9- イ**

(2)　**10- キ，11- エ，12- ウ，13- カ，14- イ，15- ク，16- シ**

（蒸留・蒸発・濃縮装置，乾燥装置，乾留・ガス化装置―選択問題）

問題18　次の各文章の [1] ～ [19] の中に入れるべき最も適切な字句等をそれぞれの解答群から選び，その記号を答えよ．なお，[1]，[10]，[11]，[16] 及び [18] は複数個所あるが，それぞれ同じ記号が入る．（配点計 40 点）

(1)　蒸留に関しての基礎的事項について考える．

1)　定圧下における 2 成分系の気液平衡は，通常，横軸に [1] 成分のモル分率，縦軸に [2] をとった沸点・露点曲線を用いて表す．あるいは，横軸に液相内における [1] のモル分率 x，縦軸に気相に対する [1] 成分のモル分率 y をとった x–y 曲線が用いられる場合もある．

2)　[3] 蒸留の場合，投入された加熱量の総和によって，残留する液量と液組成及び蒸気組成は時々刻々変化する．任意の時刻における残留する液量と液組成との間には [4] の式と呼ばれる関係式が成り立っている．

〈[1] ～ [4] の解答群〉

ア　ダルトン　**イ**　ラウール　**ウ**　レイリー　**エ**　フラッシュ
オ　単　**カ**　多段連続　**キ**　温度　**ク**　揮発度
ケ　分圧　**コ**　高沸点　**サ**　低沸点

3)　多段連続蒸留では，還流比を小さくすると，必要な理論段数は [5] する．

4)　蒸留装置で，気液の接触を行わせる部分をインターナルと呼び，小口径（塔径＜ 800 mm）の蒸留塔では [6] が，大口径（塔径＞ 800 mm）の蒸留塔では [7] が適用される場合が多い．

〈[5] ～ [7] の解答群〉

ア　トレイ　**イ**　充てん物　**ウ**　膜　**エ**　減少　**オ**　増加

(2)　乾燥装置に関しての基礎的事項について考える．

1)　湿量基準の含水率 W_W と乾量基準の含水率 W_d の間には [8] の関係

式が成り立つ.

2) 定率乾燥期間における乾燥速度 R_A は，材料温度を T_m，熱風温度を T，熱伝達率を α，温度 T_m のときの蒸発潜熱を r とすると，式 $R_A =$ [9] で表される.

〈[8] 及び [9] の解答群〉

ア $W_W = \dfrac{1 + W_d}{W_d}$　**イ** $W_W = \dfrac{W_d}{1 + W_d}$　**ウ** $W_W = \dfrac{W_d}{1 - W_d}$

エ $W_W = \dfrac{1 + W_d}{1 - W_d}$　**オ** $\dfrac{\alpha}{r} T$　**カ** $\dfrac{\alpha}{r} T_m$

キ $\dfrac{\alpha}{r}(T - T_m)$　**ク** $\dfrac{\alpha}{r} \dfrac{T \cdot T_m}{T - T_m}$

3) 乾燥操作では，まず材料の温度を初期温度（室温）から乾燥条件によって定まるある平衡温度になるまで予熱する（材料予熱期間）．このとき，温度を平衡温度にするまでに材料に与えた熱を Q_H とする．次は定率乾燥期間で，材料温度は一定のまま，水分の蒸発が進み含水率が [10] 含水率になるまで低下していく．このとき，材料中の水分を蒸発させるのに必要な潜熱を Q_E とする．含水率が [10] 含水率になるまで乾燥させるのに必要な熱は $(Q_H + Q_E)$ で，乾燥装置に加えられた熱を Q とすると，熱効率 η は次式で与えられる.

$$\eta = \frac{Q_H + Q_E}{Q}$$

〈[10] の解答群〉

ア 限界　**イ** 定率　**ウ** 平衡

4) 乾燥装置は受熱方式によって，熱風を直接乾燥機に送り込む [11]，主として金属壁などを通して熱源から被乾燥材料に間接的に熱を与える [12] や，電磁波によるエネルギー照射である [13] による方式などに分類される.

5) [11] 乾燥装置は，熱風の持ち出し顕熱が多いため，熱効率が低く，箱形乾燥機では熱効率は 20 ～ 40 %である．乾燥の省エネルギー対策としては，まず，前工程で，[14] により，できる限り低含水率にしておくことが重要である．次に，熱風の持ち出し顕熱を少なくするため，排出熱風を [15] して熱効率を向上させる．また，排出熱風の熱を回収し，乾燥用空気，被乾燥物及び燃料の予熱に利用する等の方法がある.

〈[11] ～ [15] の解答群〉

ア 加圧　**イ** 加熱　**ウ** 循環　**エ** 真空乾燥

オ　赤外線やマイクロ波照射　　**カ**　超音波照射
キ　超臨界乾燥　**ク**　伝導受熱式　**ケ**　熱風受熱式
コ　脱水剤投与　**サ**　膜分離　**シ**　溶剤抽出
ス　ろ過・圧搾《あっさく》・遠心脱水

(3)　炭素（C）を用いて水素（H_2）を生産するプロセスとして，水性ガス反応とシフト反応を組み合わせて炭素を全て CO_2 とし，そのガス化に必要な反応熱を，炭素の一部を燃焼させて供給するプロセスを考える．

水性ガス反応：$C + H_2O \rightarrow CO + H_2 - 118.0\ \mathrm{kJ}$ ……………①
シフト反応　：$CO + H_2O \rightleftarrows CO_2 + H_2 + 41.9\ \mathrm{kJ}$ ……………②
燃焼　　　　：$C + O_2 \rightarrow CO_2 + 406\ \mathrm{kJ}$ ……………③

1)　水性ガス反応とシフト反応を組み合わせて炭素を全て CO_2 としたときの総括反応式は，次のように表される．

$C +$ [16] $H_2O \rightarrow CO_2 +$ [16] $H_2 -$ [17] [kJ] ……………④

2)　式④の反応の反応熱をガス化剤として水蒸気と共に酸素（空気）を送り込み，式③の燃焼熱で供給する（部分燃焼法）．このとき，反応器からの熱損失はなく，また，予熱に必要な顕熱及び潜熱は無視すると，総括の反応式は次式で与えられる．

[18] $C +$ [16] $H_2O +$ [19] $O_2 \rightarrow$ [18] $CO_2 +$ [16] H_2 …⑤

〈[16] ～ [19] の解答群〉

ア　0.19　**イ**　0.81　**ウ**　1　**エ**　1.19　**オ**　1.62　**カ**　1.81
キ　2　**ク**　3　**ケ**　76.1　**コ**　118.0　**サ**　159.9

解　説

(1)

1)　蒸留は一般に定圧下で行われる．定圧の2成分系の気液平衡は，横軸に低沸点成分のモル分率 x，縦軸に平衡温度 t をとった沸点–露点曲線で表すのが一般的である．あるいは，横軸に液相の低沸点成分のモル分率 x，縦軸に気相に対する低沸点成分のモル分率 y をとった x–y 曲線が用いられる．

2)　単蒸留の場合，時間とともに投入された加熱量の積算値が増加することによって，残留する液量 F，液組成 x および気相（蒸気）組成 y が時間変化する．これらの間には

$$\mathrm{d}F_x = y\mathrm{d}F$$

の関係が成り立つ．これを積分すると

$$\ln\frac{F_0}{F_1} = \ln\frac{1}{1-\beta}$$

$$= \int_{x_0}^{x_1} \frac{\mathrm{d}x}{y - x}$$

となる．この式をレイリーの式という．ただし，F_0 は初期の液量，F_1 は任意の経過時間における残留液量，x_0 は初期の液組成，x_1 は任意の経過時間における残留液組成，β（$= 1 - F_1/F_0$）は留出率である．

3) 多段連続蒸留の場合，操作線の勾配は時間とともに大きくなるので，留出組成を一定にするためには還流比を徐々に大きくする必要がある．そのため，還流比を小さくすると，必要な理論段数は増加する．

4) 小口径の蒸留塔では蒸気と液を効率良く接触させるために，液体が広がりながら流れる構造の充てん物を用いることが多い．大口径の蒸留塔では塔内に水平に置かれたトレイ（棚板）を用いる．

(2)

1) 湿量基準の含水率 W_w は，水の質量 w に対する全質量（乾燥材量の質量 m + 水の質量 w）の比である．乾量基準の含水率 W_d は，水の質量 w に対する乾燥材量の質量 m の比である．したがって，$W_\mathrm{d} = w/m$ から

$$W_\mathrm{w} = \frac{w}{m + w} = \frac{\dfrac{w}{m}}{1 + \dfrac{w}{m}} = \frac{W_\mathrm{d}}{1 + W_\mathrm{d}}$$

となる．

2) 定率乾燥期間において，材料温度を T_m，熱風温度を T，熱伝達率を α とすると，材料の受熱量 q_H（顕熱量）は

$$q_\mathrm{H} = \alpha(T - T_\mathrm{m})$$

である．この受熱量（顕熱量）によって材料から水分が一定速度で蒸発して蒸発潜熱量とバランスするので，単位時間当たりの水分蒸発量である乾燥速度 R_A は

$$R_\mathrm{A} = \frac{\alpha}{r}(T - T_\mathrm{m})$$

となる．

3) 材料予熱期間では，材料が初期温度から乾燥条件によって決定される平衡温度まで予熱される．このときに加えられる加熱量を Q_H とする．定率乾燥期間では，材料は平衡温度を維持して，加熱量は水分蒸発による蒸発潜熱 Q_E に置き換わる．定率乾燥期間から減率乾燥期間へ移行するときの含水率を**限界含水率**という．乾燥装置に加えられた熱量を Q とすると，乾燥装置の熱効率 η は

$$\eta = \frac{Q_H + Q_E}{Q}$$

となる．

4)　乾燥装置は，以下の受熱方式に分類される．

・熱風受熱式：熱風を直接乾燥装置に送風する方式

・伝導受熱式：金属壁などを介して間接的に被乾燥材料に熱を加える方式

・赤外線・マイクロ波による方式：電子レンジのように電磁波を利用して被乾燥材料を加熱する方式

5)　熱風受熱式乾燥機は，被乾燥材料を加熱した後に熱風を排気すると，熱風の持ち出し顕熱が多くなって，熱効率が低下する．この省エネルギー対策としては，前工程で材料の水分をろ過・圧搾《さく》・遠心脱水によって可能な限り低含水率にしておく．また，排出熱風を回収して，乾燥空気，被乾燥材料および燃料の予熱に循環利用する．

(3)

1)　水性ガス反応とシフト反応を組み合わせて，炭素をすべて CO_2 としたとき，式① + 式②から

$$C + CO + 2H_2O \rightarrow CO + CO_2 + 2H_2 - 118.0\ kJ + 41.9\ kJ$$

となるので

$$C + 2H_2O \rightarrow CO_2 + 2H_2 - 76.1\ kJ$$

である．

2)　部分燃焼法では以下の反応を行う．式③の燃焼反応

$$C + O_2 \rightarrow CO_2 + 406\ kJ$$

から

$$\frac{76.1}{406}C + \frac{76.1}{406}O_2 \rightarrow \frac{76.1}{406}CO_2 + 76.1\ kJ$$

$$0.19C + 0.19O_2 \rightarrow 0.19CO_2 + 76.1\ kJ$$

となる．これを式④に加えると，式③の燃焼熱が与えられて

$$1.19C + 2H_2O + 0.19O_2 \rightarrow 1.19CO_2 + 2H_2 \qquad ⑤$$

となる．

解　答　(1)　**1-サ，2-キ，3-オ，4-ウ，5-オ，6-イ，7-ア**

(2)　**8-イ，9-キ，10-ア，11-ケ，12-ク，13-オ，14-ス，15-ウ**

(3)　**16-キ，17-ケ，18-エ，19-ア**

第 43 回　2021 年（令和 3 年）

（計測及び制御）

問題11　次の各文章の [1] ～ [15] の中に入れるべき最も適切な字句等をそれぞれの解答群から選び，その記号を答えよ．なお，[2]，[4]，[5]，[10] 及び [11] は複数箇所あるが，それぞれ同じ記号が入る．（配点計 50 点）

(1)　すべての物体は，その表面から電磁波の形態でエネルギーを放射している．この電磁波は，紫外線・可視光線・赤外線からマイクロ波まで及ぶが，一般に産業分野の放射伝熱に関与する電磁波の大部分は [1] である．

この放射エネルギーの波長と強度は，物体の温度と一定の関係があり，これを利用して物体の温度を求めるのが放射温度計である．

同一温度で最も多く放射エネルギーを放出する理想的な物体を [2] と呼んでおり，その全放射エネルギーは，ステファン・ボルツマンの法則により熱力学温度の [3] 乗に比例することが知られている．

放射温度計で測定する場合に注意すべきことは，一般の物体の放射エネルギーは，同じ温度の [2] の放射エネルギーに [4] を乗じて得られるため，一般の物体の測定では，[4] を考慮して補正しなければならないという点である．

〈[1] ～ [4] の解答群〉

ア　2	**イ**　3	**ウ**　4	**エ**　マイクロ波
オ　可視光線	**カ**　紫外線	**キ**　赤外線	**ク**　温度効率
ケ　透過率	**コ**　放射率	**サ**　黒体	**シ**　灰色体
ス　白色体			

(2)　センサの電気的特性を利用して温度を求める温度計には，熱電温度計や抵抗温度計などがある．

1)　熱電温度計は，2 種類の材質の異なる金属線の両端を接合したときの接点間の [5] を利用した温度計である．温度を一定に保った基準接点と測温接点の間の [5] の大きさは，両接点の温度によって決まり，金属線の長さ，太さ，接点以外の部分の温度には無関係である．

一般に用いられる R 型熱電対では，白金線と白金ロジウム合金線が用いられており，測温接点温度 550 ℃，基準接点温度 0 ℃のとき，約 [6] の電圧出力が得られる．JIS によると，この熱電対による測定温度の常用限度は [7] ［℃］である．

〈[5]～[7]の解答群〉

ア 600　**イ** 1 000　**ウ** 1 400　**エ** 5 μV　**オ** 5 mV

カ 5 V　**キ** 差圧　**ク** 熱起電力　**ケ** 誘起電圧

2)　抵抗温度計は，金属や非金属の電気抵抗が温度によって変化することを利用した温度計であり，用いられる抵抗体としては白金が最も一般的である．白金測温抵抗体は，JIS では使用温度範囲によって区分されており，そのうちの高温用の使用温度範囲は，0 ℃～[8]〔℃〕である．

0 ℃で 100 Ω の抵抗値を示す白金抵抗線は，1 ℃当たり約 0.4 Ω 抵抗値が変化する．この白金抵抗線について 100 ℃で 1 mA の電流を流したとき，0 ℃で 1 mA の電流を流したときと比較して約[9]〔V〕電圧出力が増加する．

〈[8]及び[9]の解答群〉

ア 0.04　**イ** 0.4　**ウ** 4　**エ** 350　**オ** 600　**カ** 850

(3)　流量計には様々な種類があり，得られる測定量には体積流量，質量流量，積算体積流量があるので，知りたい測定量に適したものを選択する必要がある．

1)　熱式流量計や[10]式流量計は，流体の[11]流量を測定するのに適した流量計であり，この二つの流量計の測定原理は，それぞれ次のとおりである．

①　熱式流量計

流体を加熱した際の温度上昇をもとに流量を測定する．

②　[10]式流量計

流体が流れている U 字形の管を上下に振動させると力が発生する．この力と，流体の[11]流量は[12]関係にあり，このことを利用して流量を測定する．

〈[10]～[12]の解答群〉

ア コリオリ　**イ** ピトー管　**ウ** ベンチュリ管　**エ** 質量

オ 体積　**カ** 積算体積　**キ** 比例　**ク** 反比例

2)　1)に示す①と②の流量計のうち，一般液体の他，固形物を含む液体，高粘度液体など広範な液体に適用できるのは，[13]の流量計である．

〈[13]の解答群〉

ア ①　**イ** ②　**ウ** ①と②の両方

(4)　真空圧は，絶対圧を測定する圧力計で測定できるが，[14]以下の圧力を測定するときは専用の真空計を使用する必要がある．気体の種類に関係なく物理量の測定だけから圧力を求められる真空計を絶対真空計と呼ぶ．

ダイアフラム真空計は，ダイアフラム式圧力計の基準となる片側の圧力を 15 にしてダイアフラムの変位から圧力を測定する絶対真空計である．

〈 14 及び 15 の解答群〉

ア　1 kPa　　**イ**　100 kPa　　**ウ**　1 MPa　　**エ**　1気圧

オ　大気圧　　**カ**　真空

解　説

(1)　物体の表面から，さまざまな波長の電磁波が放射されているが，一般に産業分野でよく使用されているのは，可視光線より波長の長い赤外線である．放射温度計は，物体表面から放射される赤外線の放射輝度を検出することによって，表面温度を非接触で計測する温度計である．

同一温度で最も多く放射エネルギーを放出する物体を**黒体**という．ステファン・ボルツマンの法則によると，黒体の放射エネルギー E [W/m^2] は，σ をステファン・ボルツマン定数（$= 5.68 \times 10^{-8}$ W/(m^2·K^4)），T [K] を黒体表面の絶対温度としたとき，

$$E_{\mathrm{b}} = \sigma T^4$$

で表される．

一般の物体では，これに物体表面の放射率 ε を乗じたものになるので，

$$E = \varepsilon \sigma T^4$$

となる．ただし，$0 \leqq \varepsilon \leqq 1$ である．黒体は $\varepsilon = 1$ である．

(2)

1)　熱電温度計（熱電対）は，2種類の均質な金属線で閉回路をつくったとき，測温接点 t_1 と基準接点 t_2 が異なる温度の場合，回路内に電流が流れるという原理（**ゼーベック効果**）を利用して温度を計測する温度計である．このとき回路に発生した起電力を**熱起電力**といい，回路を開放して基準接点との端子間電圧を測定することにより温度を検出することができる．熱電対については，JIS C 1602：2015 に規定されている．

R型熱電対は，＋側にロジウム 13 %を含む白金ロジウム合金，－側に白金を用いたものである．測温接点温度 550 ℃，基準接点温度 0 ℃のとき，約 5 mV の電圧出力が発生する．R型熱電対の常用限度の温度は，1 400 ℃である．

2)　抵抗温度計は，金属や非金属の電気抵抗が温度によって変化するという原理を利用した温度計である．白金測温抵抗体はその代表的なものであり，高温用（H）の使用範囲は，JIS C 1604：2013 で 0 ～ 600 ℃と規定されている．

設問の白金抵抗線では，0 ℃と比較して 100 ℃で電気抵抗が 0.4 × 100

$= 40\,\Omega$ 増加するので,電圧出力は $0.001 \times 40 = 0.04$ V 増加することになる.

(3)

1) 熱式流量計やコリオリ式流量計は，流体の質量流量を測定するのに適した流量計である.

熱式質量流量計は，センサ部が2本のシースパイプ形状のセンサで構成され，それぞれが流速センサと温度センサの役割をもっている．流速センサを周囲温度と一定の温度差になるように加熱すると，流体によって流速センサから損失した熱量は，質量流量と相関があることから，損失した熱量を補うために流速センサへ加えられる電力量から質量流量を算出することができる．流量範囲が広く，温度と圧力の補正なしに直接質量流量を計測できるという特長がある.

コリオリ式質量流量計は，回転座標系において，質量をもつものが回転軸に近づいたり，遠ざかったりするときに**コリオリ力**が作用するという原理を利用して，主に液体や固液混相流体の質量流量を測定する計測器である．U字管を使用したものでは，U字管を軸の周りで角速度 ω で振動させると，振動軸に近づく流れは振動を強め，遠ざかる流れは振動を弱める方向にコリオリ力を作用させるので，流路がねじれる．このとき上流側と下流側の変位の位相差は，管内を流れる流体の質量流量に比例するので，この位相差を電磁ピックアップで検出することによって,質量流量を計測することができる. なお，計測原理が質量流量によるねじれ角の検出なので，流量計の上流側と下流側に直管部を必要としない．また，計測対象の流体としては，スラリーや気液混相流体も可能である.

液体，固体を含む液体（混相流），高粘度流体など広範な液体の流量計測に使用できるのは，コリオリ式質量流量計である．熱式流量計は，固体を含む液体のように比熱の異なる物質が存在している場合は，流量の計測ができない.

(4) 真空計は，大気圧以下の絶対圧を測定するための圧力計である．大気圧（101.3 kPa）と比較して小さい圧力（1 kPa 程度）以下の絶対圧を測定するためには，専用の真空計が必要である.

ダイアフラム式圧力計は，ダイアフラム（金属製の隔膜）に圧力が加わると変位を起こすという弾性原理を用いた圧力計である．そのため，ダイアフラム真空計（隔膜式真空計）では，ダイアフラムの片側を真空に維持しておけば，ダイアフラムの変位によって，反対側の絶対圧を測定することができる.

解　答　(1)　**1-キ，2-サ，3-ウ，4-コ**
(2)　**5-ク，6-オ，7-ウ，8-オ，9-ア**
(3)　**10-ア，11-エ，12-キ，13-イ**
(4)　**14-ア，15-カ**

（計測及び制御）

問題12　次の各文章及び図の［ 1 ］～［ 16 ］の中に入れるべき最も適切な字句等をそれぞれの解答群から選び，その記号を答えよ．なお，［ 1 ］，［ 3 ］，［ 4 ］及び［ 7 ］～［ 9 ］は複数箇所あるが，それぞれ同じ記号が入る．（配点計 50 点）

(1)　図 1 は，被加熱体を燃焼により加熱するための燃焼炉の制御システムについて示したものである．この燃焼炉では，燃料ガス流量を調整することにより，燃焼炉の温度を目標値に保つように制御されている．

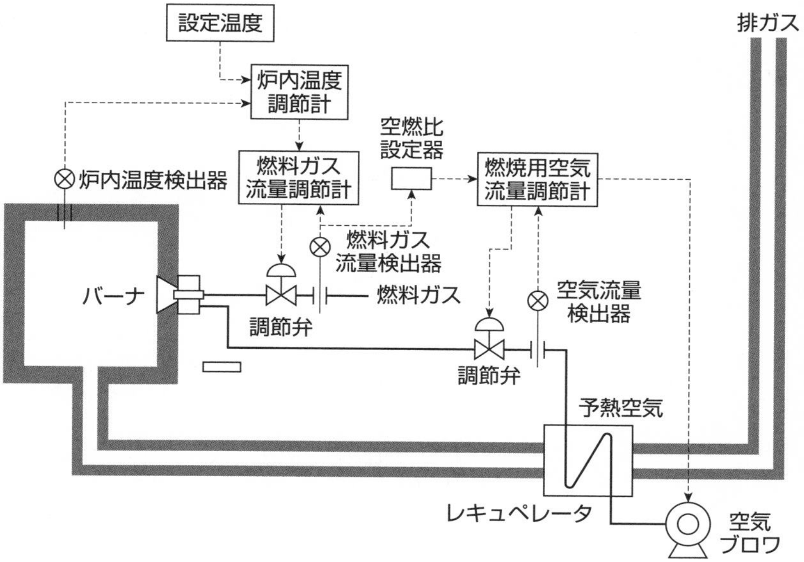

図 1　燃焼炉の制御システム

1)　図 1 の例では，炉内温度調節計の出力が，燃料ガス流量調節計の目標値となっている．このような制御を［ 1 ］という．燃料ガス流量調節計は，燃料ガスの供給圧の変化などの燃料系に入る外乱の影響を，炉内温度に影響が出る前に処理し，炉内温度を安定化させる．このような手順における炉内温度調節計を［ 2 ］，燃料ガス流量調節計を［ 3 ］と呼ぶ．

2)　図1では，燃焼空気比を一定に保ち過剰空気量をできるだけ抑えるために，燃料ガス流量検出器の出力が空燃比設定器を介して燃焼用空気流量調節計の目標値となっている．この制御を［ 4 ］と呼ぶ．

3)　［ 1 ］や［ 4 ］などの制御における［ 3 ］のように，目標値が時々刻々変化し，それに測定値を追従させる制御を一般に［ 5 ］という．そのような制御のもう一つとして，「あらかじめ定められた変化をする目標値に追従させる制御」である［ 6 ］がある．

〈［ 1 ］～［ 6 ］の解答群〉

ア　オンオフ制御　　**イ**　カスケード制御　　**ウ**　シーケンス制御
エ　フィードバック制御　　**オ**　フィードフォワード制御
カ　プログラム制御　　**キ**　追値制御　　**ク**　比率制御
ケ　一次調節計　　**コ**　二次調節計　　**サ**　主調節計
シ　従調節計

(2)　図2は流体の流量を制御する操作端の一つであるグローブタイプの調節弁の構造例を示したものであり，このような弁は流量調整用として一般に使用されている．

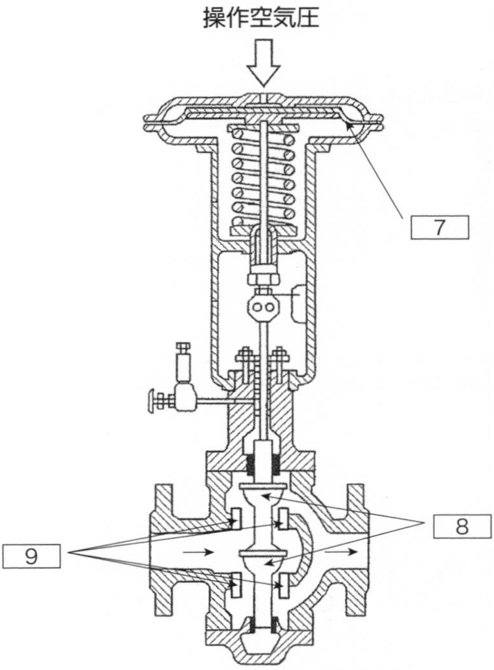

図2　グローブタイプの調節弁の構造例

1)　図2に示す弁の操作力としては，一般に空気圧力が使用される．例えば，操作信号である空気圧力が［7］に加えられると，それにより［8］と［9］の隙間が狭くなり，流れる流量が小さくなる．反対に空気圧力が低くなると，隙間が広くなり流量は大きくなる．

〈［7］～［9］の解答群〉

ア　グラブ　　**イ**　シートリング　　**ウ**　シリンダ
エ　ステム　　**オ**　ダイアフラム　　**カ**　パッキン
キ　バルブプラグ　　**ク**　ブッシュ

2)　図2に示すような構造のグローブ弁は［10］弁と呼ばれるものであり，流体の圧力をバランスさせ，弁の空気圧力が小さくて済むような構造となっている．

一方，その他に［11］弁と呼ばれるものがあり，大きな空気圧力を必要とするが，完全閉止を要求される場合に使用される．

〈［10］及び［11］の解答群〉

ア　逆座　　**イ**　単座　　**ウ**　複座　　**エ**　平衡

3)　弁の固有の特性を表す数値として C_V 値がある．C_V 値がわかれば，次式より弁を通過する液体流量を計算できる．

$$\text{液体の体積流量}\ [\mathrm{m^3/h}] = \frac{1}{11.6} \times C_V \times \sqrt{\frac{\boxed{12}}{\boxed{13}}}$$

〈［12］及び［13］の解答群〉

ア　液体の比重　　**イ**　液体の密度［kg/m³］　　**ウ**　上流圧［kPa］
エ　弁前後の差圧［kPa］

4)　弁の開度と流量の関係の特性としては次の3種類がある．

①　［14］特性：オンオフ的な特性．

②　［15］特性：C_V 値が弁開度に対して比例的に変わる特性．

③　［16］特性：弁開度変化量が一定ならば，$\dfrac{C_V\ \text{値の変化量}}{\text{そのときの}\ C_V\ \text{値}}$ が一定の特性．

弁以外の配管圧損が大きいプロセスでは，システム全体で実質的な②の特性が得られるのでよく使用される．

〈［14］～［16］の解答群〉

ア　イコールパーセント　　**イ**　クイックオープン
ウ　リニア　　**エ**　双曲　　**オ**　対数

解 説

(1)

1) 図1の燃焼炉の制御システムの例では，炉内温度調節計は炉内温度の設定温度と炉内温度検出器で検出した計測温度を入力として，出力を燃焼ガス流量調節計の入力としている．このように制御ループが入れ子になった制御を**カスケード制御**という．ここでは，燃料の供給圧力の変動による流量の変化という外乱による影響を，炉内温度に影響が出る前に処理できるようになっている．一次ループにある炉内温度調節計を**一次調節計**，二次ループにある燃料ガス流量調節計を**二次調節計**という．2018年の問題12の解説の図を参考にしてほしい．

2) 省エネルギーの観点から適切な燃焼空気比による燃焼の維持が求められる．空気量が不足すると不完全燃焼になって，燃料の浪費になる．また，空気量が過大だと，燃焼に寄与しない空気を無駄に加熱することになる．そこで，空燃比設定器によって，燃料流量に比例した燃焼用空気流量を目標値に設定する．これを**比率制御**という．

3) カスケード制御や比率制御のように，変化する目標値に追従して制御することを**追値制御**という．追値制御として，目標値の時間的変化のパターンを予め設定する**プログラム制御**がある．

(2)

1) 図2の調節弁では，操作信号の空気圧力が上部にあるダイアフラムに加えられると，弁棒が押し下げられて，バルブプラグとシートリングの隙間が狭くなって，流量が減少する．逆に，空気圧力が低下すると，弁棒が上がって，隙間が広くなり，流量が増加する．

2) 図2のグローブ弁は二つのポートを有していて弁座が二つあり，これを**複座弁**という．上下のバルブプラグによって不平衡力が相殺されるので，弁操作のための空気圧力が小さくて済む．

また，ポートが一つで弁座が一つだけの**単座弁**があるが，弁操作には大きな空気圧力を必要とする．ポートが一つだけなので，弁座漏れ量が少なく，完全閉止には適している．

3) 弁の特性を示す代表的な数値はC_V値である．これは，弁の出入口の差圧を1 psi（pound per square inch = 6.9 kPa）としたとき，60 ℉（15.6 ℃）の清水が流れる流量をUSgal/min（3.785 L/min）で表したものである．これをSI単位に換算すると，

液体の体積流量［m^3/h］

$= 1/11.6 \times C_V \times \sqrt{弁前後の差圧［kPa］/液体の比重}$

となる．

4）　JIS B 0100：2013 でバルブ用語を規定している．

① クイックオープン特性(慣用語．JISでは「クイックオープニング特性」)：全閉状態から開度を少し上げると100％近い流量が流れる，オンオフに近い流量特性．

② リニア特性（JISも同じ）：弁開度と流量が比例関係に近い流量特性．

③ イコールパーセント特性（JISでは「イコールパーセンテイジ特性」）：弁開度の変化（ΔS）と，そのときの流量変化（ΔQ）とそのときの流量（Q）の比と一定の関係にある流量特性．すなわち，

$$\frac{\left(\dfrac{\Delta Q}{Q}\right)}{\Delta S} = \text{一定}$$

となるような流量特性をいう．

解　答　(1)　**1-イ，2-ケ，3-コ，4-ク，5-キ，6-カ**

(2)　**7-オ，8-キ，9-イ，10-ウ，11-イ，12-エ，13-ア，14-イ，15-ウ，16-ア**

（ボイラ，蒸気輸送・貯蔵装置，蒸気原動機・内燃機関・ガスタービン）

問題13　次の各文章の [1] ～ [12] の中に入れるべき最も適切な字句等をそれぞれの解答群から選び，その記号を答えよ．

また，[A abc.d] 及び [B a.bc] に当てはまる数値を計算し，その結果を答えよ．ただし，解答は解答すべき数値の最小位の一つ下の位で四捨五入すること．（配点計50点）

(1)　水管ボイラには，大別すると循環ボイラと貫流ボイラとがある．

1）　循環ボイラの構成と制御については次のとおりである．

i）　水循環系統には，[1] を行う蒸気ドラム，ボイラ水を炉底に運ぶ降水管，気水混合物の上昇する蒸発管がある．

ii）　循環ボイラの運転では，[2] を一定に保つように給水量が制御される．また，循環ボイラの蒸気圧力は，[3] によって制御される．

〈[1] ～ [3] の解答群〉

ア　ドラム水位　**イ**　ブロー弁　**ウ**　ブロー量　**エ**　渦消し
オ　気水混合　**カ**　気水分離　**キ**　給水量　**ク**　燃料量
ケ　薬液量

iii）　蒸気温度制御は，過熱器出口での蒸気温度を一定になるように調整

する制御であり，「[4] を操作するもの」と「蒸気を冷却するもの」とがある．

蒸気を冷却するものには，給水の一部を蒸気中に直接噴射する過熱低減器を用いるものと，[5] を用いて過熱蒸気と給水の間の熱交換を行うものがある．前者は，水の [6] による熱吸収があるので，冷却に必要な媒体の量は少なく小型となり，蒸気に直接噴射されることで応答も速い．

〈[4] ～ [6] の解答群〉

ア　空気冷却器　　**イ**　表面冷却器　　**ウ**　放射冷却器　　**エ**　顕熱
オ　潜熱　　**カ**　伝熱面積　　**キ**　燃焼ガス　　**ク**　保温材

2)　貫流ボイラは一連の長い伝熱管から構成されており，長い伝熱管の一端からポンプで押し込まれた給水が，順次昇温，蒸発，過熱されて，管の他端から過熱蒸気として取り出される．貫流ボイラは，給水量の変化が [7] に直接影響する．また，[8] は，給水量と燃料量の比で制御されることになるが，応答は遅いので他の方式を併用するなどの配慮が必要である．

〈[7] 及び [8] の解答群〉

ア　ボイラ効率　　**イ**　ボイラ寿命　　**ウ**　蒸気圧力　　**エ**　蒸気温度
オ　水燃比　　**カ**　燃焼効率

(2)　ボイラの効率を改善する方法として，エコノマイザや空気予熱器の設置を考える．

エコノマイザは，ボイラ給水をボイラの排ガスで予熱するもので，排ガス損失が低減され，ボイラ効率が改善される．給水温度が上昇し，例えばドラムボイラの場合には，給水とドラム水との温度差が小さくなり，ドラムにかかる温度差で発生する [9] が軽減される効果ももたらす．

タービンサイクル効率を向上させる目的で給水加熱器用抽気を行う再生サイクルが使われる場合，ボイラ給水温度が [10] なり，エコノマイザでの回収熱量が少なくなる．そこで，排ガスの流れにおいてエコノマイザの [11] 側に空気予熱器を設置すれば，十分な熱回収が可能となる．

大型ボイラで一般に採用されている再生式空気予熱器は，伝熱体である [12] に，ボイラの排ガスを一定時間接触させて熱を吸収し，その後燃焼用空気と接触させて空気側に熱を放出させて予熱するものである．

〈[9] ～ [12] の解答群〉

ア　フォーミング　　**イ**　プライミング　　**ウ**　熱応力
エ　セラミックス板　　**オ**　金属球　　**カ**　金属板

キ 下流　**ク** 上流　**ケ** 中間　**コ** 高く　**サ** 低く
シ 不安定に

(3)　蒸気配管で加熱用に，1.2 MPa の乾き飽和蒸気と 5.2 MPa の乾き飽和蒸気を，それぞれ数百 m 離れた蒸気使用先に送ることを考える.

ここで，蒸気配管の保温は十分に施工され放熱は無視できるとするが，蒸気が流れることによるエネルギー消費や流量調整用のバルブがあり，その圧力損失は 0.2 MPa であるとする.

なお，計算には表 1 及び表 2 の蒸気表を用いることとし，蒸気温度の値については，蒸気温度と比エンタルピーが直線的に補間できるものとして計算すること.

1)　1.2 MPa の乾き飽和蒸気の蒸気使用先における状態は，圧力が 1.0 MPa，温度が A abc.d ［℃］となる．すなわち，蒸気使用先に送られた蒸気は若干の過熱度を有する状態となる.

2)　5.2 MPa の乾き飽和蒸気の蒸気使用先における状態は，圧力が 5.0 MPa となり，かつ湿り蒸気となる．このときの乾き度を計算すると，B a.bc $\times 10^{-1}$ となる.

このように，蒸気圧力レベルによっては，放熱をゼロとしても圧力損失による蒸気圧力変化によってドレンを発生する場合があるので，十分留意することが必要となる.

表 1　飽和蒸気表

圧力［MPa］	飽和温度［℃］	比エンタルピー［kJ/kg］	
		飽和水	乾き飽和蒸気
1.0	179.9	762.68	2 777.12
1.2	188.0	798.50	2 783.77
5.0	263.9	1 154.50	2 794.23
5.2	266.4	1 166.88	2 792.51

表 2　過熱蒸気表

圧力［MPa］	温度［℃］	比エンタルピー［kJ/kg］
1.0	180.0	2 777.43
	190.0	2 803.52

解　説

(1)　水管ボイラは，水を内部に通した水管を燃焼ガスによって外部から加熱する形式のボイラである．その中で循環ボイラは，下部の水ドラムと上部の蒸気ドラムの間に並行に配置した多数の水管によって，ボイラ水を循環加熱する方式のボイラである．

1) 循環ボイラでは，水循環系統の上部に汽水分離を行う蒸気ドラム，ボイラ水を炉底に下す降水管，下部に水ドラム，汽水混合物を上昇させる蒸気管で構成されている．

循環ボイラの運転では，水ドラムのドラム水位を一定に維持するように給水量が制御される．蒸気圧力は，燃料量を制御することによって一定に維持される．

蒸気温度制御は，過熱器出口蒸気温度を一定に維持するための制御で，燃焼ガス量の調節と蒸気の冷却によって行われる．

蒸気を冷却する方法としては，蒸気に給水の一部を噴霧する過熱低減器を用いるものと，表面冷却器によって過熱蒸気と給水の熱交換を行うものがある．前者では，水の蒸発による気化熱の潜熱冷却が得られる．そのため，冷却に必要な給水量が少なくて済み，蒸気に直接噴霧することから応答が速い．

2) 貫流ボイラは，一連の長い管系から構成されていて，ボイラ水を給水ポンプで押し込んで一方向流で循環しないで加熱する方式のボイラである．そのため，貫流ボイラでは，給水量の変化が蒸気圧力に直接反映される．蒸気温度は，給水量と燃料量の比によって決まることから，これを制御することで調節される．しかし，水の熱容量による時間遅れがあることから，この応答は遅い．

(2) エコノマイザは，ボイラ給水をボイラの燃焼排ガスで予熱する熱交換器であり，これを採用することによって，給水温度が上昇するだけでなく，排ガス損失が低減されることから，ボイラ効率が改善される．また，給水温度が上昇することから，給水とドラム水の温度差が小さくなるので，水ドラムの温度差で生じる熱応力を低減する効果がある．

蒸気タービンの効率向上のため，再生サイクルを採用して蒸気タービンからの抽気利用で給水加熱器によって復水器を出た給水を加熱すると，ボイラ給水温度が高くなる．そのため，エコノマイザの回収熱量が減少する．そこで，エコノマイザの下流側に空気予熱器を設置すれば，排ガスからの回収熱量を増加することができる．

再生式空気予熱器は，大形ボイラで採用されている熱交換器である．これはボイラの燃焼排ガスを金属板に一定時間接触させて蓄熱し，その後燃焼用空気を接触させて放熱することで，空気を予熱するというしくみになっている．

(3)

1)　蒸気使用先では，1.2 MPa の乾き飽和蒸気が蒸気配管で 0.2 MPa の圧力損失を生じて 1.0 MPa に減圧されるが，十分に保温されているので，1.2 MPa の乾き飽和蒸気の比エンタルピー 2 783.77 kJ/kg（表 1）は保存されるものとする．蒸気温度と比エンタルピーの関係は直線的に補間されるので，表 2 の過熱蒸気の温度と比エンタルピーの数値から，

$$180.0 + (190.0 - 180.0) \times \left(\frac{2\,783.77 - 2\,777.43}{2\,803.52 - 2\,777.43} \right) = 182.4\ ℃$$

となる．

2)　同様に，蒸気使用先では 5.2 MPa の乾き飽和蒸気が蒸気配管で 0.2 MPa の圧力損失を生じて 5.0 MPa に減圧されるが，5.2 MPa の乾き飽和蒸気の比エンタルピー 2 792.51 kJ/kg は保存される．表 1 で，5.0 MPa の飽和水（乾き度 0）の比エンタルピーは 1 154.50 kJ/kg，乾き飽和蒸気（乾き度 1）の比エンタルピーは 2 794.23 kJ/kg であることから，これを直線で補間すると，5.0 MPa の湿り蒸気の乾き度は

$$1 \times \left(\frac{2\,792.51 - 1\,154.50}{2\,794.23 - 1\,154.50} \right) = 0.999 = 9.99 \times 10^{-1}$$

となる．

解　答　**(1)　1-カ，2-ア，3-ク，4-キ，5-イ，6-オ，7-ウ，8-エ**
(2)　9-ウ，10-コ，11-キ，12-カ
(3)　A-182.4，B-9.99

（ボイラ，蒸気輸送・貯蔵装置，蒸気原動機・内燃機関・ガスタービン）

問題14　次の各文章の [1] ～ [15] の中に入れるべき最も適切な字句等をそれぞれの解答群から選び，その記号を答えよ．（配点計 50 点）

(1)　蒸気タービンの構造について考える．

1)　復水器を設置する蒸気タービン最終段では，タービンの [1] 損失を減らし内部効率を向上させるためと，蒸気の体積流量がきわめて大きいことから，回転羽根の長さが相当長くなる．また，この段では蒸気の [2] も大きくなるため，水滴によるエロージョン対策が必要であり，[3] 層の形成などが検討される．

〈[1] ～ [3] の解答群〉

ア　ステライト　　**イ**　スラッジ　　**ウ**　遮熱コーティング
エ　圧力　　**オ**　乾き度　　**カ**　湿り度

キ　絞り　**ク**　排気　**ケ**　摩擦

2)　ケーシングには，圧力容器としての役割と高速で回転しているロータを支持する役割があり，両者を兼ね備えた構造にする必要がある．また，できるだけ軸対称とし急激な肉厚の変化のない構造として，過大な [4] が働かないよう考慮するとともに，自由な熱膨張と分解・組立の容易な形状にしておくことが望ましい．

〈[4] の解答群〉

ア　弾性力　**イ**　熱応力　**ウ**　摩擦力

3)　軸受は軸を介してロータを支え，その円滑で安定な回転状態を保つための重要な役割を担っている．軸受に供給される潤滑油の役割には，軸受で発生する [5] 熱及び蒸気側からロータを経ての伝導熱を除去したり，振動を減衰させたりすることなどがある．一方，軸のケーシング貫通箇所から，高圧蒸気の漏洩あるいは真空側への空気の混入があるので，これを防止しなければならない．通常は [6] 式のシールを設置しているが，真空側に水封式のものを採用して漏えい防止の効果を持たせることもある．

〈[5] 及び [6] の解答群〉

ア　O リング　**イ**　グランドパッキン　**ウ**　ラビリンス

エ　凝縮　**オ**　蒸発　**カ**　摩擦

(2)　内燃機関の種類や特徴について考える．

1)　内燃機関は，燃焼室（又は燃焼器）内部で燃料を燃焼させて高温・高圧のガスを発生させ，これをそのまま作動流体として膨張させ，その熱エネルギーを [7] に変換する原動機である．一般に [8] サイクルであり，サイクル内の作動流体は気相のまま相変化しない．

〈[7] 及び [8] の解答群〉

ア　ランキン　**イ**　開放　**ウ**　密閉

エ　機械的仕事　**オ**　磁気的仕事　**カ**　電気的仕事

2)　1)で述べたエネルギーの変換のための方式には，シリンダ内の燃焼ガスが膨張することによるピストンの往復運動をクランク軸で回転仕事に変える [9] 形と，タービン内で作動流体を膨張させて回転仕事を得る [10] 形とがある．

〈[9] 及び [10] の解答群〉

ア　圧力　**イ**　回転　**ウ**　速度　**エ**　容積

(3)　ガスタービンの性能について考える．

1)　ガスタービンの理論サイクルとして最も単純なものはブレイトンサイク

ルであり，その理論熱効率は [11] の関数で示されている．

〈[11] の解答群〉

ア 圧縮比　**イ** 圧力比　**ウ** 空燃比

2)　ガスタービンは，作動流体の質量流量によって出力が変化する．稼動時の出力と大気の温度及び圧力との関係は次のとおりとなる．

①　大気温度 [12]．

②　大気圧力 [13]．

〈[12] 及び [13] の解答群〉

ア が高いほど出力は大きくなる　**イ** が低いほど出力は大きくなる

ウ は出力には関係ない

3)　実際のガスタービンでは，等エントロピー変化でなく，圧力損失，熱損失，機械損失などの影響も受ける．そのような実際のガスタービンサイクルでは最高最低温度比が影響し，その値が [14] なれば，比出力は増加する．また，タービン入口温度に対し比出力あるいは [15] を最高にする最適圧力比がある．

〈[14] 及び [15] の解答群〉

ア 空気過剰率　**イ** 熱効率　**ウ** 平均有効圧力　**エ** 大きく

オ 小さく

解　説

(1)

1)　復水器を設置する場合，蒸気タービンの最終段では，蒸気の運動エネルギーが利用されずに排気されることによる排気損失を減らして内部効率を上げる必要がある．また，最終段では蒸気圧が低下して体積膨張していることから，体積流量が増加する．これに対応するために，回転翼の長さが相当長くなる．

また，最終段では蒸気の湿り度が大きくなるので，水滴による回転翼のドレンエロージョン対策が求められる．これに対応するためにCo基合金のステライト層を形成する方法が採用されることがある．

2)　ケーシングには，蒸気の圧力がかかるので，圧力容器としての耐圧性能と高速回転しているロータを支持する強度が要求される．そのため，軸対称の形状として，肉厚の変化が緩やかで，過大な熱応力が加わらないような構造にしなくてはならない．また，熱膨張に対応し，分解・組立のメンテナンスがしやすい形状にする必要がある．

3)　軸受は軸によってロータを支持し，ロータの回転が円滑で安定したものになるようなものでなくてはならない．軸受部に供給される潤滑油は，軸受で発生する摩擦熱を除去したり，ロータを経由する蒸気による熱伝導を小さくしたり，ロータの振動を減衰したりする役割を有している．また，軸受部からの高圧蒸気の漏洩や外部からの空気の流入を防止するために，軸受部のシールには，一般的には突起とフィンで食い違い形状を形成するラビリンス式シールを行う．

(2)

1)　火花点火機関（ガソリンエンジン）やディーゼル機関などの内燃機関は，燃焼室内部で燃料を燃焼して，発生した高温・高圧のガスを作動流体として膨張させて，熱エネルギーを機械的仕事に変換する原動機である．一般的には，使用後の作動流体をすべて外部へ排出する開放サイクルである．ちなみに，密閉サイクルは，蒸気タービンのように，作動流体が密閉回路で循環利用されるものをいう．

2)　熱エネルギーを機械的仕事に変換する方式には2とおりある．一つは，シリンダ内部の燃焼ガスの膨張によるピストンの往復運動をクランク軸で回転運動による機械的仕事に変換する容積形である．もう一つは，タービン内部で作動流体を膨張させて回転運動による機械的仕事を発生させる速度形である．

(3)

1)　ガスタービンの理論サイクルはブレイトンサイクルであり，その理論熱効率は圧力比のみで表される．

2)　ガスタービンの出力は，作動流体の質量流量によって変化する．大気温度が低いほど，空気の密度が大きくなるので出力は大きくなる．また，大気圧力が高いほど，同様に空気の密度が大きくなるので出力は大きくなる．

3)　実際のガスタービンサイクルでは，最高最低温度比が熱効率に影響し，その値が大きくなると，比出力は増加する．また，タービン入口温度に対して，比出力や熱効率を最高にするような最適圧力比が存在し，その圧力比を超えると熱効率が低下する傾向がある．

解答　(1)　**1-ク，2-カ，3-ア，4-イ，5-カ，6-ウ**
(2)　**7-エ，8-イ，9-エ，10-ウ**
(3)　**11-イ，12-イ，13-ア，14-エ，15-イ**

（熱交換器・熱回収装置―選択問題）

問題15　次の各文章の [1] ～ [12] の中に入れるべき最も適切な字句等をそれぞれの解答群から選び，その記号を答えよ．なお，[1]，[2]，

[6] 及び [8] は複数箇所あるが，それぞれ同じ記号が入る．

また，[A ab.c] ～ [C ab.c] に当てはまる数値を計算し，その結果を答えよ．ただし，解答は解答すべき数値の最小位の一つ下の位で四捨五入すること．（配点計 40 点）

(1)　冷却を目的とした熱交換について考える．

空調設備や熱利用設備では，そこで発生する熱を大気へ放熱するために，一般的には冷却塔が用いられ，設備機器との間で冷却水を循環し放熱している．

冷却塔の方式は，冷却水と大気との接触形態の違いにより大きく二つに分けられ，直接接触により熱交換する [1] 式と，間接接触により熱交換する [2] 式がある．

[1] 式は，冷却水を大気に直接接触させることで，冷却水の一部が気化することにより冷却水の温度を下げるため，熱交換の効率は高い．一方，直接接触することで冷却水中に大気中の種々の汚れが蓄積し，また溶解している塩類等の濃縮が起きるため，冷却水を使用する熱利用設備側の熱交換器の伝熱性能の低下を引き起こす．それを抑えるために水質の管理が必要である．

[2] 式の冷却塔は，一般に冷却塔内の充てん層中に冷却水管を挿入し，冷却水管外面に散布される水の気化熱を利用して冷却水管を冷却することで，管内の冷却水の温度を間接的に下げるため，熱交換の効率は [1] 式より低い．この方式は，大気と冷却水が直接接触しないので，冷却水が清浄に保たれ，熱利用設備側で汚染を避ける場合に用いられる．

冷却塔で放熱により得られる冷却水の温度は，大気の [3] 温度より低くすることができるが，大気の [4] 温度より低くすることはできない．冷却塔の性能は夏期の大気条件で設計されるので，一年を通して使用する場合，中間期や冬期には，大気の温度や湿度に応じて冷却水の流量や冷却塔の送風量を適切に運転管理することが求められる．

〈[1] ～ [4] の解答群〉

ア 開放　**イ** 対流　**ウ** ふく射　**エ** 噴流　**オ** 密閉
カ 乾球　**キ** 湿球　**ク** 凝縮　**ケ** 平衡

(2)　各種の排熱回収の方法について考える．

1)　高温の固体から熱回収する例としてコークス [5] 消火設備がある．これは，赤熱したコークスを冷却室に入れて [6] により冷却し，高温となった [6] を排熱ボイラに導入して蒸気として熱回収するものである．

〈[5] 及び [6] の解答群〉

ア 乾式　**イ** 湿式　**ウ** 伝熱　**エ** 空気　**オ** 酸素

カ 不活性ガス

2)　燃焼排ガスから高温で熱回収する例として，セラミックを蓄熱体として用いた蓄熱式空気予熱器がある．この蓄熱式空気予熱器は，燃焼排ガスを蓄熱体に通した後，燃焼用空気を通すことで蓄熱体との熱交換により，高温の燃焼用空気として熱回収することができる．

燃焼用空気を高温に予熱できる小型の蓄熱体とバーナを一体とした [7] では，燃焼用空気の温度を 1 000 ℃以上に高めることができる．

〈[7] の解答群〉

ア エコノマイザ　**イ** ヒートパイプ

ウ リジェネレイティブバーナ　**エ** 排ガスバーナ

(3)　熱交換器の省エネルギー上の留意点について考える．

1)　熱交換器は流体中に混在する固形物が伝熱面に付着したり，溶解している塩類等が伝熱面に析出したりすることによって [8] が増大すると，熱交換器を利用する系の様々なところで損失が増加するようになる．

例えば，冷凍機で低温のブラインを製造し，一定流量のブラインをタンク内の伝熱管内に通してタンク内の冷水を一定温度に保持しているような系を考える．冷熱負荷が同じであれば，伝熱面の [8] が増大すると，ブライン流量が一定のままでは冷水の温度が [9] なるため，ブラインの入口温度を [10] 必要がある．それが冷凍機の動力増加という形で損失の増加となる．さらに，伝熱管の内部に固形物が蓄積して圧力損失が増加すると，一定流量のブラインを供給するにはポンプの圧力を高くする必要があるため，搬送動力の増加という形で損失の増加となる．

〈[8] ～ [10] の解答群〉

ア 対数平均温度差　**イ** 熱抵抗　**ウ** 熱伝導率

エ 上げる　**オ** 下げる　**カ** 維持する

キ 高く　**ク** 低く　**ケ** 変わらなく

2)　被加熱媒体を水蒸気で直接加熱するような装置で，その排ガス中に大量の水蒸気が含まれる場合，潜熱も回収することで回収熱量が増大し，省エネルギー効果を高くすることができる．

このような排熱回収に用いられる熱交換器としては，単位体積当たりの伝熱面積の大きい [11] 熱交換器が使われることが多い．この熱交換器の排ガス側の伝熱面では，凝縮を伴う伝熱となるため [12] が非常に大きい．使用される熱交換器の効率を維持するためには，排ガスへの空気等の混入をできる限り少なくするとともに，熱交換器の伝熱面の汚れ対策の実施や，揮発成分などが含まれる場合の腐食対策の実施等を検討することも必要である．

〈［11］及び［12］の解答群〉

ア　ジャケット式　　**イ**　バヨネット式　　**ウ**　プレート式

エ　乾き度　　**オ**　熱抵抗　　**カ**　熱伝達率

(4)　二重管式の向流形熱交換器を使って，流体を冷却することを考える．ここで，低温側の流体の入口温度を 10 ℃，比熱を 4.0 kJ/(kg·K)，流量を 20 kg/min とし，高温側の流体の入口温度を 85 ℃，比熱を 3.5 kJ/(kg·K)，流量を 25 kg/min とする．また，この熱交換によって低温側の流体の出口温度は 55 ℃まで上昇するものとする．なお，熱交換による外部への熱損失はないものとする．

1)　この熱交換による低温側流体の温度効率は，［A ab.c］［%］となる．

2)　この熱交換による低温側流体の受熱量は，［B ab.c］［kW］である．

3)　このとき，高温側流体の出口温度は［C ab.c］［℃］まで下がる．

解　説

(1)　冷却塔には，冷却水と大気を直接接触して熱交換を行う開放式と，間接接触により熱交換を行う密閉式の二つがある．

開放式冷却塔は，上部から噴霧した冷却水と大気を直接接触して，冷却水の一部が蒸発することによる気化熱で冷却水を冷却する方式であり，熱交換効率が高い．冷却水と大気の気流の向きによって，直交流型と向流型に分けられる．一方，直接接触により，冷却水に大気中の粉じんや NO_X，SO_X などの成分が溶解したり，塩類の濃縮が発生したりして，冷凍機の凝縮器のチューブ内面に冷却水の固体成分が付着して，伝熱性能を低下させる可能性がある．そのため，冷却水の水質管理が必要になる．

密閉式冷却塔は，充てん層に冷却管を挿入して，冷却管の外部に散布する水の気化熱で冷却管内部の冷却水を間接的に冷却する方式である．そのため，熱交換効率は開放式より低い．一方，密閉式では，冷却水は密閉回路を流れることから，開放式で発生するような水質上の問題はない．

冷却塔で行われる熱交換は，水の蒸発による気化熱によって行われるので，冷却水温度は大気の乾球温度より低くすることができる．しかし，湿球温度一定（断熱変化）で水が蒸発するので，冷却水温度を大気の湿球温度より低くすることはできない．

(2)

1)　コークス乾式消火設備は，コークス炉で乾留後の赤熱したコークスを冷却室に入れて不活性ガスで消火する方法であり，高温になった不活性ガスを排熱ボイラに導入して，蒸気を発生させることによって熱回収する．

2)　蓄熱式空気予熱器は，ボイラの燃焼排ガスをセラミックなどの熱容量の大きい蓄熱体に通して蓄熱した後，燃焼用空気を通して蓄熱体から放熱することで，高温の熱回収を可能とする熱交換器である．

リジェネレイティブバーナは，小形の蓄熱体とバーナを一体化した蓄熱式熱交換器であり，高温の燃焼排ガスと燃焼用空気の流路を切り替えることで，蓄熱と放熱を交互に行うことができる．

(3)

1)　熱交換器の伝熱面に流体中の固体成分や塩類が付着すると，伝熱管の熱抵抗が大きくなり，熱伝導率が小さくなるため，熱交換効率が低下する．

冷凍機で低温のブラインを製造して，タンク内部の冷水を一定流量のブラインで一定温度に制御している場合，ブラインが通過する伝熱管の熱抵抗が増加すると，交換熱量が低下するので，冷水温度が上昇する．冷水温度を一定に維持するためには，ブライン温度を下げる必要がある．すると，冷凍機の蒸発温度を下げなくてはならないので，冷凍機の動力が増加する．また，ブラインが通る伝熱管の表面に固体成分や塩類が付着すると，流路が狭くなることから，ブラインを圧送するための圧力損失が増加するので，ポンプの動力が増加する．

2)　最近のガス給湯器などでは，「潜熱回収型」のものが使用されている．これは，燃焼排ガスの顕熱だけでなく，排ガスに含まれる水蒸気の凝縮潜熱まで回収する方式のものである．潜熱回収を伴う熱交換器としては，単位体積当たりの伝熱面積が大きいプレート式熱交換器が使用されることが多い．これは，一般的には高温流体と低温流体を通す伝熱プレートを交互に配置したものである．給湯器の場合は，水（低温流体）と燃焼排ガス（高温流体）の熱交換を行うので，伝熱プレート内部を水が通り，プレート外部を燃焼排ガスが通るという形式になっている．この場合，プレート外部表面では，顕熱交換だけでなく，排ガス中の水蒸気が凝縮して潜熱交換も行うので，表面の熱伝達率は非常に大きくなる．

(4)　低温側流体の入口温度 $T_{c1}=10$ ℃で，出口温度 $T_{c2}=55$ ℃，比熱 $c_c=4.0$ kJ/(kg·K)，流量 $Q_c=20$ kg/min，高温側流体の入口温度 $T_{h1}=85$ ℃，比熱 $c_h=3.5$ kJ/(kg·K)，流量 $Q_h=25$ kg/min とすると，

1)　低温流体の温度効率は，

$$\eta_c = \frac{T_{c2} - T_{c1}}{T_{h1} - T_{c1}} \times 100 = \frac{55 - 10}{85 - 10} \times 100 = 60.0\ \%$$

となる．

2)　低温流体の受熱量 q_c は，

$$q_c = c_c \times Q_c \times (T_{c2} - T_{c1}) = 4 \times 20 \times 1/60 \times (55 - 10)$$
$$= 60.0\ \text{kW}$$

である．

3)　高温側流体も同じ受熱量 q_h があるので，高温側流体の出口温度を T_{h2}［℃］とすると，

$$q_h = q_c = c_h \times Q_h \times (T_{h1} - T_{h2}) = 3.5 \times 25 \times 1/60 \times (85 - T_{h2})$$
$$= 60.0\ \text{kW}$$

となる．これから，$T_{h2} = 43.9$ ℃となる．

解　答　(1)　**1-ア，2-オ，3-カ，4-キ**
(2)　**5-ア，6-カ，7-ウ**
(3)　**8-イ，9-キ，10-オ，11-ウ，12-カ**
(4)　**A-60.0，B-60.0，C-43.9**

（冷凍・空気調和設備―選択問題）

問題16　次の各文章の [1] ～ [15] の中に入れるべき最も適切な字句等をそれぞれの解答群から選び，その記号を答えよ．なお，一つの解答群から同じ記号を 2 回以上使用してもよい．（配点計 40 点）

(1)　空気調和において一般的に用いられる熱源（冷凍機）について考える．

1)　冷凍機は冷凍方式により蒸気圧縮冷凍機と吸収冷凍機に大別される．これらのうち，蒸気などの加熱源が用いられているのは，[1] である．

2)　吸収冷凍機の冷凍サイクルは，図 1 に示すように再生器，凝縮器，A，B の順に冷媒が循環することにより構成される．ここで，A は [2]，B は [3] である．冷房用に用いる冷水は，[4] から取り出すことができる．

一般空調用の吸収冷凍機では，冷媒には水，吸収剤には [5] が広く用いられている．

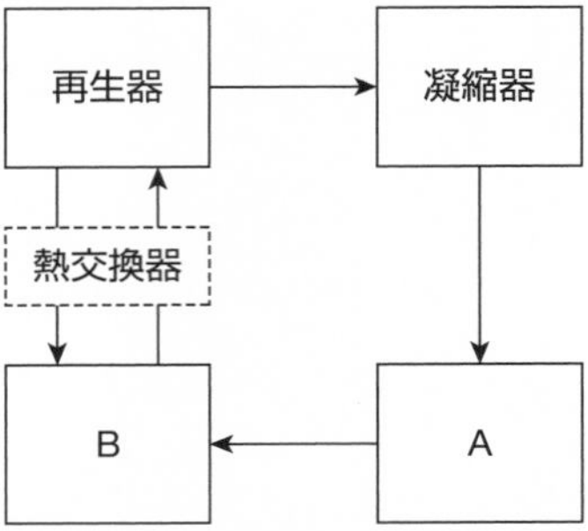

図1　吸収冷凍サイクル

〈[1]～[5]の解答群〉

ア　シリカゲル　**イ**　臭化リチウム　**ウ**　炭酸ガス　**エ**　圧縮機
オ　吸収器　**カ**　凝縮器　**キ**　再生器　**ク**　受液器
ケ　蒸発器　**コ**　燃焼器　**サ**　吸収冷凍機
シ　蒸気圧縮冷凍機　**ス**　両方の冷凍機

(2)　空気の熱的性質の状態値を図表上に示したものは空気線図（湿り空気線図）と呼ばれ，空気調和の分野では一般的に[6]を一定として，比エンタルピーと[7]を座標軸とした線図が使用されている．

比エンタルピーは，湿り空気が保有している[8]を表している．また，熱水分比は比エンタルピーの変化量と[9]の変化量との比を示す値で，暖房時の加湿の検討などの際に用いられる．

顕熱比は，顕熱量と[10]との比を表し，冷房時の吹出空気の状態を検討する際などに用いられている．

〈[6]～[10]の解答群〉

ア　エントロピー　**イ**　圧力　**ウ**　乾球温度　**エ**　湿球温度
オ　水蒸気分圧　**カ**　絶対温度　**キ**　絶対湿度　**ク**　飽和曲線
ケ　顕熱量　**コ**　潜熱量　**サ**　全熱量　**シ**　水分量

(3)　図2は冷房時の空気調和のプロセスを空気線図上に表したものであり，点Rは室内空気，点Oは外気，点Sは空調機からの吹出空気，点Mは外気と室内からの還気の混合点を示している．

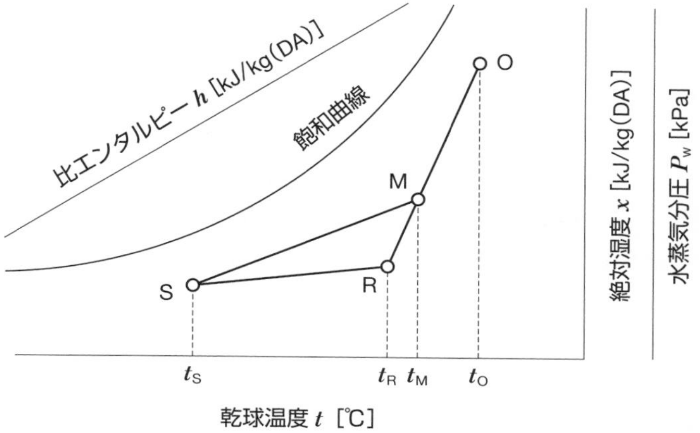

図 2

1)　外気と室内からの還気の混合点 M は，外気量を Q_O [m³/h]，還気量を Q_R [m³/h] とすると，点 O と点 R をつなぐ直線を，点 O から [11] に分けた点となる．

2)　点 S と点 R をつなぐ直線の傾きは [12] 比となる．

〈[11] 及び [12] の解答群〉

ア　$Q_O : Q_R$　**イ**　$Q_R : Q_O$　**ウ**　黄金　**エ**　顕熱

オ　潜熱　**カ**　全熱　**キ**　熱水分

3)　室内の熱負荷を処理するための送風量 Q_S は，

$$Q_S = \frac{1}{a} \times \frac{q}{c \times \boxed{13}} \times 3\,600 \ \text{[m}^3\text{/h]}$$

で求められる．

ここで，q [kW] には室内の [14] 負荷を用いる．a は空気の [15] である．c は空気の定圧比熱で，常温では約 1.0 kJ/(kg·K) である．

〈[13] ～ [15] の解答群〉

ア　$(t_M - t_S)$　**イ**　$(t_O - t_S)$　**ウ**　$(t_R - t_S)$　**エ**　顕熱

オ　潜熱　**カ**　全熱　**キ**　質量 [kg]

ク　比体積 [m³/kg]　**ケ**　密度 [kg/m³]　**コ**　容積 [m³]

解　説

(1)

1)　冷凍機は，冷凍方式によって，フロンなどの冷媒の冷凍サイクル（圧縮→凝縮→膨張→蒸発→圧縮）による蒸気圧縮冷凍機と吸収液の吸収サイクル（吸収→再生→凝縮→蒸発→吸収）による吸収冷凍機に分類される．吸収冷凍機では，再生器の加熱源に蒸気が用いられることがある．

2) 吸収冷凍機の吸収サイクルは，冷媒に水，吸収液に臭化リチウム溶液を用いたサイクルである．前述のように，吸収サイクルでは蒸発器→吸収器→再生器→凝縮器→蒸発器の順序でサイクルが構成されているので，図1のAは蒸発器，Bは吸収器である．蒸発器では，冷媒の水が蒸発するときの気化熱で冷水を伝熱管の外部から冷却するので，ここで冷水を取り出すことができる．

(2) 湿り空気線図は，乾き空気と水蒸気を2成分系気体とした湿り空気の状態を示した図である．空気調和分野では，一般的に比エンタルピーを斜交軸とし，絶対湿度を縦軸とした h–x 線図が使用されている．

比エンタルピーは0℃の乾き空気の状態を基準（＝0）とした湿り空気の全熱量（顕熱と潜熱の合計）を示す．熱水分比は，加湿などによって湿り空気が状態変化するときの比エンタルピーの変化量と絶対湿度の変化量の比を示す値である．例えば，水加湿をするときは熱水分比が小さく，蒸気加湿をするときは熱水分比が大きい．

顕熱比はSHFと呼ばれ，顕熱の変化量と全熱の変化量の比を示す．冷房の室内熱負荷で，在室者が多いときに水蒸気の発生量が多く，潜熱負荷が大きい場合は，顕熱比は小さくなる．また，在室者がなく，潜熱負荷が0のときは，顕熱比は1となる．

(3)

1) 設問の図2は,冷房時の空調プロセスを湿り空気線図に示したものである．Rは室内空気（還気）の状態，Oは高温高湿の外気の状態なので，Mは両者を混合した状態になる．ここで，Mは線分ORをOから還気量 Q_R と外気量 Q_O の比で内分した点になる．これは間違えやすいが，混合空気の状態点Mは風量が多い方に近くなるので，一般的には還気量の方が外気量より多いことから，MはRに近い位置にくると考えればよい．

2) Mの空気は空調機の冷却コイルに入って，Sの状態まで冷却除湿されて，低温低湿の空気になる．Sの空気は，給気として室内に吹き出され，室内熱負荷を除去してRの状態になる．すなわち，線分SRは低温低湿の給気が室内熱負荷（顕熱負荷・潜熱負荷）を吸熱する過程となる．ここで，水平方向の変化は，乾球温度の変化であり，顕熱量の変化である．垂直方向の変化は室内で発生した水蒸気を吸収して，絶対湿度が変化した量である．このSRの傾きは，前述の顕熱比である．潜熱の発生量が0であれば，顕熱比は1となって，線分SRは水平になり，絶対湿度の増加はない．潜熱の発生量が大きくなるほど顕熱比は小さくなり，線分 SR の傾きは急になる．

3)　室内熱負荷を処理するための送風量 Q_S は，一般に室内の顕熱負荷 q と吹出し温度差 $(t_R - t_S)$ の関係から求められる．室内の顕熱負荷 q［kW］を，送風量 Q_S［m^3/h］の空気が吹出し温度差 $(t_R - t_S)$［K］だけ昇温することによって処理すると考える．空気の密度を ρ［kg/m^3］，空気の定圧比熱を c［kJ/(kg·K)］とすると，

$$q = c\rho \times Q_S \times \frac{t_R - t_S}{3\,600}$$

となる．したがって，

$$Q_S = \frac{1}{\rho} \times \frac{q}{c \times (t_R - t_S)} \times 3\,600 \ [\mathrm{m^3/h}]$$

である．そのため，設問の a は空気の密度 ρ となる．

解　答　(1)　**1-サ，2-ケ，3-オ，4-ケ，5-イ**

(2)　**6-イ，7-キ，8-サ，9-キ，10-サ**

(3)　**11-イ，12-エ，13-ウ，14-エ，15-ケ**

（工業炉，熱設備材料—選択問題）

問題17　次の各文章の [1] ～ [18] の中に入れるべき最も適切な字句等をそれぞれの解答群から選び，その記号を答えよ．なお，[4]，[5] 及び [10] は複数箇所あるが，それぞれ同じ記号が入る．（配点計 40 点）

(1)　工業炉は，熱源や操業方式などにより分類される．

1)　工業炉を熱源で大別すると，燃焼炉と電気炉に分けられる．

燃焼炉の燃料としては，気体燃料，液体燃料及び固体燃料が用いられる．気体燃料には，都市ガスや天然ガスの他に，コークス製造工場で得られるコークス炉ガスや下水処理工程の汚泥から嫌気性発酵によって得られる [1] などがある．

電気炉では，加熱にジュール熱を用いるものがあり，直接電源につながれた被加熱物に電流を流して加熱する [2] 加熱や，加熱目的に応じて周波数や加熱電力密度を選択することによって表面加熱や全体加熱を選択することができる [3] 加熱があり，被加熱物を内部から昇温させることができる．これらの電気加熱は，急速加熱ができ，温度制御が容易であるという特徴を有する．

〈[1] ～ [3] の解答群〉

ア　プラズマ　　**イ**　レーザ　　**ウ**　赤外線　　**エ**　直接抵抗

オ　電子ビーム　　**カ**　誘導　　**キ**　フロンガス

ク　合成天然ガス（SNG）　　**ケ**　消化ガス　　**コ**　水性ガス

2)　工業炉を操業方式で大別すると，被加熱材が炉の一方の口から入って炉内を搬送される間に加熱ないしは加熱・冷却が行われて他方の口から出る [4] 式と，被加熱材が装入されてから加熱ないしは加熱・冷却が行われる間，概して炉内に置かれたままで，装入口と抽出口が同じである [5] 式に分けられる．一般に，[4] 式は，少品種で多量生産される材料の加熱に用いられ，[5] 式は，ロットの小さい材料を加熱するのに用いられる．

〈[4] 及び [5] の解答群〉

ア　バッチ　　**イ**　交換　　**ウ**　自走　　**エ**　無酸化　　**オ**　連続

3)　種々の用途の工業炉のうち，硫化金属鉱を高温雰囲気により空気で酸化して亜硫酸ガスと酸化金属にする炉を [6] といい，主原料である石灰石をはじめ，粘土，珪石，スラグなどを配合してクリンカと呼ばれるセメントの材料を焼成する回転式の炉は，ロータリー [7] と呼ばれる．

〈[6] 及び [7] の解答群〉

ア　アニーラ　　**イ**　キルン　　**ウ**　ドライヤ　　**エ**　焼鈍炉

オ　熱風炉　　**カ**　焙焼炉

(2)　工業炉の省エネルギーについて考える．

1)　工業炉の省エネルギーについて，「エネルギーの使用の合理化及び非化石エネルギーへの転換等に関する法律」に基づく「工場等におけるエネルギーの使用の合理化に関する事業者の判断の基準」(以降『工場等判断基準』と略す）において，燃料の燃焼の管理では，[8] の基準値，廃熱の回収利用の基準では，廃ガス温度及び廃熱回収率の基準値，断熱の基準では，[9] の基準値を定めている．

代表的な工業炉の性能を表すものとして熱効率と [10] がある．熱効率は，供給した熱量に対して被加熱物が受けた熱量の割合を示している．一方，単位量の材料を加熱，熱処理するために要した供給熱量は，[10] と呼ばれる．

『工場等判断基準』では，複数の燃焼設備を使用するときは，燃焼設備全体としての熱効率が高くなるように管理標準を設定し，それぞれの燃焼設備の燃焼負荷を調整すること，加熱，熱処理等を行う工業炉については，設備の構造，被加熱物の特性，加熱，熱処理等の前後の工程等に応じて，熱効率を向上させるように管理標準を設定し，被加熱物の温度の時間の経過に対応した変化の態様である [11] を改善すること，が求められている．

〈[8]～[11]の解答群〉

ア　ヒートパターン　**イ**　温度効率　**ウ**　生産合理化　**エ**　空気比
オ　燃料比　**カ**　空気流量　**キ**　熱勘定
ク　熱量原単位　**ケ**　燃費　**コ**　炉材熱伝導率
サ　炉壁外面温度　**シ**　炉壁ふく射率

2)　燃焼炉の廃熱回収効率を高める設備として，近年では小型化された蓄熱式の熱交換器を装着した蓄熱式バーナが多く採用されており，高温の排ガスの顕熱から高温の燃焼用空気を得ている．

このバーナは 2 基で一対となって設置され，交互に燃焼運転させる時間を概ね[12]間隔とすることにより，高温排ガスからの蓄熱と燃焼用空気への放熱（予熱）とを繰り返す仕組みとなっている．高温空気を炉内に高速に噴射して炉内既燃ガスとの混合を促進させることによって，燃焼場での酸素濃度を低下させて[13]の発生を抑制させている．

〈[12]及び[13]の解答群〉

ア　1 秒～ 3 秒　**イ**　30 秒～ 90 秒　**ウ**　30 分～ 90 分
エ　CO_2　**オ**　NO_X　**カ**　SO_X

(3)　断熱性が良好な熱設備材料としてセラミックファイバ材料が広く使用されている．

1)　セラミックファイバは，[14]と[15]を主成分とした人造鉱物繊維の総称であり，高温で溶融した後にブローイングと呼ばれる高速気流の吹き付けによる方法やスピニング法と呼ばれる高速回転するロータを利用する方法で繊維化して製造される．そのため，急冷されることによって[16]を多く含んでいる．

〈[14]～[16]の解答群〉

ア　アルミナ　**イ**　カルシア　**ウ**　シリカ
エ　デンドライト　**オ**　パーライト　**カ**　フェライト
キ　マグネシウム　**ク**　結晶相　**ケ**　非晶質相

2)　セラミックファイバは，1 000 ℃以上の高温域でも使用できる耐火材・断熱材で，鉄鋼・窯業・石油・化学などの高温工業界において広く使用されている．他の耐火物に比べ，断熱性が高く，軽量で[17]が小さいので，省エネルギーの観点から，特に断続操業の炉の場合等に対して非常に優れた炉材である．

〈[17]の解答群〉

ア　気孔率　**イ**　蓄熱量（熱容量）　**ウ**　熱伝達率

3)　セラミックファイバの施工法として，板状に加工したセラミックファイバのボードを貼り付けるボードライニングや壁紙のように断熱材を層状に重ねて施工するペーパーライニング，ブランケットを短冊上に切断して炉殻面と直角方向になるように積層するスタックライニングや，既設炉の炉内面にセラミックファイバ層を貼り付ける［18］がある．様々な施工法が開発されており，急速に普及している．

〈［18］の解答群〉

ア ガンニング　**イ** ベニアリング　**ウ** ラミング

解説

(1)

1) 燃焼炉の燃料には，都市ガスやプロパンガスなどの気体燃料，重油や灯油などの液体燃料，石炭などの固体燃料が用いられる．気体燃料としては，そのほかにコークス製造工場で製造されるコークス炉ガスや下水の終末処理場で生じる汚泥から嫌気性微生物による発酵で得られる消化ガス（メタンガス）がある．

電気炉では，ジュール熱による加熱を用いることが多い．直接抵抗加熱は，被加熱物に直接電源を接続して電流を流して加熱する方法である．誘導加熱は，被加熱物に電磁誘導による渦電流を発生させて加熱する方法であり，交流の周波数によって表面加熱や全体加熱を選択することができる．

2) 工業炉の操業方式には，連続式とバッチ式がある．連続式は，被加熱材を片方の入口から連続的に装入して，炉内を搬送しながら加熱あるいは加熱・冷却して，もう片方の出口から連続的に抽出する方式であり，少品種・大量生産に適している．バッチ式は，同一の装入・抽出口から被加熱材を装入・抽出する方式であり，少量生産に適している．

3) 焙焼炉は，精錬の工程として，硫化金属鉱石を高温雰囲気で酸化して，亜硫酸ガスと酸化金属に分離する工業炉である．ロータリーキルンは，クリンカというセメントの材料を焼成する回転式の工業炉である．クリンカは，石灰石を主原料として，粘土，珪石，スラグなどを配合して高温で焼成したものである．

(2)

1) 「エネルギーの使用の合理化及び非化石エネルギーへの転換等に関する法律」に基づく「工場等におけるエネルギーの使用の合理化に関する事業者の判断の基準」（以降，「工場等判断基準」）では，燃料の燃焼の基準において**空気比**の基準，廃熱の回収利用の基準において廃ガス温度および廃熱回収率の基準値，断熱の基準において**炉壁外面温度**の基準値を規定している．

工業炉の代表的な指標に熱効率と**熱量原単位**がある．熱効率は，供給した熱量（入力）に対する被加熱物が受けた熱量（出力）の割合である．熱量原単位は，単位量の材料を加熱，熱処理するために供給した熱量をいう．

「工場等判断基準」では，「燃料の燃焼の合理化」として，「複数の燃焼設備を使用するときは，燃焼設備全体としての熱効率が高くなるように管理標準を設定し，それぞれの燃焼設備の燃焼負荷を調整すること」と規定している．加熱，熱処理等を行う工業炉については，「設備の構造，被加熱物の特性，加熱，熱処理等の前後の工程等に応じて，熱効率を向上させるように管理標準を設定し，**ヒートパターン**（被加熱物の温度の時間の経過に対応した変化の態様をいう．）を改善すること」と定められている．

2)　設問の文章で説明されているのは，問題 15 の(2)の2)のリジェネレイティブバーナで，小形の蓄熱体とバーナを一体化した蓄熱式熱交換器であり，高温の燃焼排ガスと燃焼用空気の流路を切り替えることで，蓄熱と放熱を交互に行うことができる．交互に燃焼運転する間隔は，おおむね 30 ～ 90 秒間隔である．予熱された高温の燃焼用空気と炉内の燃焼排ガスを再循環させて混合することで，燃焼場における酸素濃度を低下させて，サーマル NO_X の発生を抑制することができる．

(3)

1)　セラミックファイバは，アルミナ（Al_2O_3）とシリカ（SiO_2）を主成分とする人造鉱物繊維の総称である．繊維化法としては，原料を高温で溶融して高速気流で繊維化するブローイング法と，高速回転するロータの遠心力で繊維化するスピニング法がある．これを急速に冷却するため，非晶質相（ガラス状態）の繊維となる．

2)　セラミックファイバは，1 000 ℃以上の高温でも使用できる耐火材・断熱材として採用される．ほかの耐火物と比較して，空気層を含むことから断熱性が高く，軽量で，熱容量が小さいことから蓄熱量が小さい．そのため，断続操業する工業炉に適している．

3)　セラミックファイバの施工法としては，板状に加工したボードを貼り付けるボードライニング，薄い紙状にしたセラミックファイバを層状に重ねて施工するペーパーライニング，ブランケットを細長く切断したものを炉殻面に直角になるように積層して施工するスタックライニング，既設の炉内面にセラミックファイバ層を貼り付けるベニアリングなどがある．

解　答　**(1)　1-ケ，2-エ，3-カ，4-オ，5-ア，6-カ，7-イ**

(2)　8-エ，9-サ，10-ク，11-ア，12-イ，13-オ

(3)　**14-ア，15-ウ，16-ケ，17-イ，18-イ**

(蒸留・蒸発・濃縮装置，乾燥装置，乾留・ガス化装置―選択問題)

問題18　次の各文章の [1] ～ [17] の中に入れるべき最も適切な字句等をそれぞれの解答群から選び，その記号を答えよ．なお，[12] は複数箇所あるが，同じ記号が入る．(配点計 40 点)

(1)　図に示すような多段連続蒸留塔がある．この蒸留塔に，塔中段から混合溶液を供給し，塔頂からの蒸気を凝縮させた液の一部を再び塔内に還流する．この蒸留分離操作により，塔頂から低沸点成分に富む留出液を，塔底から高沸点成分に富む缶出液を得ている．

図のように，混合溶液の流量を F [kmol/s]，低沸点成分のモル分率を z_F，塔頂からの蒸気の流量を V [kmol/s]，留出液の流量を D [kmol/s]，低沸点成分のモル分率を x_D，還流の流量を L [kmol/s]，缶出液の流量を W [kmol/s]，低沸点成分のモル分率を x_W で表す．ここで，F は 100 kmol/s，z_F は 0.5，D は 50 kmol/s，x_W は 0.02 である．

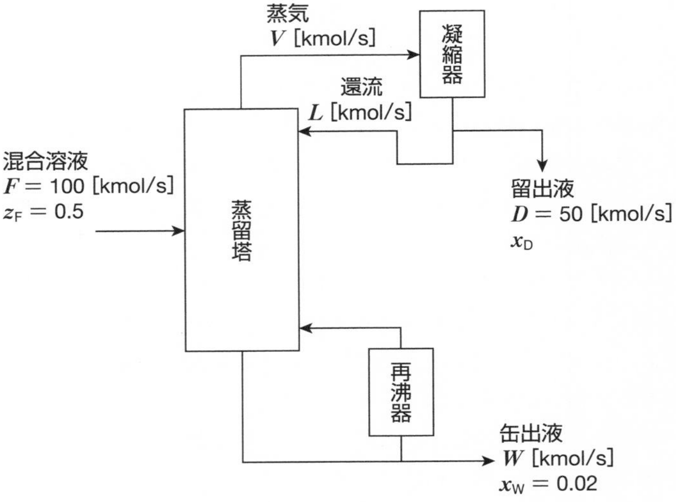

図　多段連続蒸留塔

1)　蒸留塔全体の全物質収支は，F を D，L，W のいずれかを用いて表すと，次式で示される．

$F=$ [1]　……………………①

この式①を利用して缶出液の流量 W の値を求めると，[2] [kmol/s]

となる．

〈$\boxed{1}$ 及び $\boxed{2}$ の解答群〉

ア　25　　**イ**　50　　**ウ**　100　　**エ**　150

オ　$D+W$　　**カ**　$D-W$　　**キ**　$D+W+L$　　**ク**　$D+W-L$

2)　次に蒸留塔全体の低沸点成分の物質収支は，$F\times z_F$ を D，W，x_D，x_W を用いて表すと，次式で示される．

$$F\times z_F=\boxed{3} \qquad \cdots\cdots② $$

この式②を利用して留出液の低沸点成分のモル分率 x_D の値を求めると，$\boxed{4}$ となる．

〈$\boxed{3}$ 及び $\boxed{4}$ の解答群〉

ア　0.02　　**イ**　0.04　　**ウ**　0.96　　**エ**　0.98

オ　$D\times x_D+W\times x_W$　　**カ**　$D\times x_D-W\times x_W$

キ　$W\times x_D+D\times x_W$

3)　還流比 R は，F，D，W，L，V のいずれかを用いて次式で定義されている．

$$R=\boxed{5} \qquad \cdots\cdots③ $$

4)　塔頂部の蒸気流量 V は，F，D，W，L のいずれかを用いて次式で表される．

$$V=\boxed{6}\ \text{[kmol/s]} \qquad \cdots\cdots④ $$

ここで，還流比 R が 2 であるとしたときの還流の流量 L の値は $\boxed{7}$ [kmol/s] となり，蒸気流量 V の値は $\boxed{8}$ [kmol/s] となる．

〈$\boxed{5}$ ～ $\boxed{8}$ の解答群〉

ア　25　　**イ**　50　　**ウ**　100　　**エ**　150　　**オ**　200

カ　$\dfrac{D}{L}$　　**キ**　$\dfrac{L}{D}$　　**ク**　$\dfrac{L}{W}$　　**ケ**　$\dfrac{W}{L}$　　**コ**　$\dfrac{V}{L}$

サ　$D+L$　　**シ**　$D+W$　　**ス**　$F-L$　　**セ**　$F-W$

(2)　汚泥は，もともと水中にあった物質が沈降又は浮上して泥状になったもので，多量の水分を含んでいる．ここで，汚泥の乾燥について考える．

1)　ある汚泥の湿量基準の含水率が 98 %であった．この汚泥の全質量を 100 kg としたとき，全質量中の乾燥材料の質量は $\boxed{9}$ [kg] である．

この汚泥をそのまま乾燥させると多大な熱量が必要になるため，機械的脱水で湿量基準の含水率で 80 %まで脱水した．このときの乾量基準の含水率は $\boxed{10}$ [%] となり，全質量中の水分は $\boxed{11}$ [kg] となる．

〈$\boxed{9}$ ～ $\boxed{11}$ の解答群〉

ア　1　　**イ**　2　　**ウ**　3　　**エ**　4　　**オ**　8

カ 16　**キ** 44　**ク** 400　**ケ** 440　**コ** 4 000

2) 汚泥などを乾燥するための乾燥機として以下のような乾燥機がある．

① 内部にかき上げ板を備えた傾斜回転円筒中に被乾燥材料を入れ，熱風と接触させながら乾燥させる方式の乾燥機を [12] 乾燥機という．

② 中空状のかく拌《はん》翼及びジャケットに加熱媒体を流し，かく拌しながら加熱を行い乾燥させる方式の乾燥機を [13] 乾燥機という．この乾燥機は，かく拌翼自体が伝熱加熱面として構成されていることから，熱風受熱式の [12] 乾燥機に比較すると，所要風量は [14] ので，排気処理が容易で，また熱効率が高い．

〈[12]～[14] の解答群〉

ア 回転　**イ** 通気バンド　**ウ** 凍結　**エ** 溝形かく拌
オ 流動層　**カ** 多い　**キ** 少ない　**ク** 変わらない

(3) 水素ガスを石炭から製造するには，石炭の炭素・水素比 C/H が大きいことから，水素源として水蒸気を導入し，石炭と水蒸気から水素と [15] を生成させる．この反応を [16] 反応という．この反応は吸熱反応であることから，反応熱の供給のため，石炭の [17] を行うことになる．

〈[15]～[17] の解答群〉

ア 一酸化炭素　**イ** 二酸化炭素　**ウ** 酸素　**エ** 水素
オ 水性ガス　**カ** 水素化分解　**キ** 熱分解　**ク** 部分燃焼

解説

(1)

1) 蒸留塔の流入は，混合溶液 F であり，流出は留出液 D と缶出液 W である．したがって，蒸留塔全体の全物質収支は，

$$F = D + W$$

となる．これに図の数値を代入すると，

$$100 = 50 + W$$

となるので，$W = 50$ kmol/s である．

2) 蒸留塔全体の低沸点成分の物質収支は，蒸留塔への低沸点成分の流入が $F \times z_F$，凝縮器からの留出液の低沸点成分の流出は $D \times x_D$，缶出液の低沸点成分の流出は $W \times x_W$ であることから，

$$F \times z_F = D \times x_D + W \times x_W$$

となる．この式に設問の図の数値と1)で求めた W の値を代入すると，

$$100 \times 0.5 = 50 \times x_D + 50 \times 0.02$$

より，$x_D = 0.98$ となる．

3)　還流比 R は還流量と留出量の比であるから，

$$R = \frac{L}{D}$$

である．

4)　凝縮器の流入量と流出量は等しいので，蒸気流量は，

$$V = D + L \ [\text{kmol/s}]$$

である．

還流比を $R = 2$ とすると，$R = \dfrac{L}{D}$ より，

$$2 = \frac{L}{50}$$

なので，$L = 100$ kmol/s となる．したがって，蒸気流量は，

$$V = D + L = 50 + 100 = 150 \text{ kmol/s}$$

となる．

(2)

1)　湿量基準の含水率は，全質量に対する水の質量である．それ以外は乾燥材量の質量なので，汚泥の全質量 100 kg のうちの乾燥材量の質量は，

$$100 \times (1 - 0.98) = 2 \text{ kg}$$

となる．

この汚泥を湿量基準で 80 % まで脱水したとき，乾燥材量の質量は変わらないので，脱水後の水分量を x [kg] とすると，

$$\frac{x}{(x + 2)} = 0.8$$

となるので，脱水後の水分量は $x = 8$ kg であり，全質量は 10 kg である．このとき，乾量基準の含水率は，乾燥材量の質量を基準とした水分量の百分率なので，

$$\frac{8}{2} \times 100 = 400 \text{ \%}$$

となる．

2)　汚泥などを被乾燥材料とした乾燥機としては，以下のものがある．

①　回転乾燥機は，被乾燥材量をかき上げ板の付いた傾斜回転円筒に投入して，熱風と接触させながら乾燥させるという方式の乾燥機である．熱風の方向によって向流式と並流式がある．

②　溝形かく拌《はん》乾燥機は，中空状のかく拌翼に被加熱材料を投入して，材料をかく拌しながら加熱乾燥させる方式の乾燥機である．これは，かく拌翼

が伝熱加熱面となっていることから，熱風受熱式の回転乾燥機と比較すると，所要風量が少なくて済むので，熱効率が高い．

(3) 石炭は石油より炭素・水素比 C/H が大きい．石炭から水素ガスを製造するために，石炭に水蒸気を噴霧して，水素と一酸化炭素を生成させる．この反応を**水性ガス反応**という．これは石炭のガス化の一つである．

$$C + H_2O \rightarrow CO + H_2 - 118.0\ \mathrm{kJ}\quad (\text{吸熱反応})$$

水性ガス反応は吸熱反応なので，反応熱を供給するために，石炭の部分燃焼を行う．

解答 (1) **1-オ，2-イ，3-オ，4-エ，5-キ，6-サ，7-ウ，8-エ**

(2) **9-イ，10-ク，11-オ，12-ア，13-エ，14-キ**

(3) **15-ア，16-オ，17-ク**

第 42 回　2020 年（令和 2 年）

（計測及び制御）

問題11　次の各文章の [1] ～ [14] の中に入れるべき最も適切な字句又は数値をそれぞれの解答群から選び，その記号を答えよ．なお，[6] は 2 箇所あるが，同じ記号が入る．（配点計 50 点）

(1)　材質の異なる 2 本の金属線の両端を接合して閉回路を構成した際に，二つの接点を異なる温度に保つと電流が流れる．これを [1] 効果といい，その電流を起こさせる起電力を熱起電力という．この 2 本の金属線の組み合わせを熱電対といい，熱起電力を計測することで接点間の温度差が測定でき，一方を基準接点とすることにより，もう一方の測定対象の温度を知ることができる．

よく使われる熱電対として，K 熱電対，T 熱電対，R 熱電対があるが，これらの熱電対のうち，銅と，銅及びニッケルを主とした合金（コンスタンタン）とを組み合わせたものが，[2] 熱電対であり，ニッケル及びクロムを主とした合金と，ニッケルを主とした合金とを組み合わせたものが，[3] 熱電対である．これらの熱電対を，同じ温度差に対する起電力が大きい順に並べると，[4] となり，常用できる限度の温度が高い順に並べると，[5] となる．

〈[1] ～ [5] の解答群〉

ア　K	**イ**　R	**ウ**　T
エ　K ＞ R ＞ T	**オ**　K ＞ T ＞ R	**カ**　R ＞ K ＞ T
キ　R ＞ T ＞ K	**ク**　T ＞ K ＞ R	**ケ**　T ＞ R ＞ K
コ　ゼーベック	**サ**　ペルチェ	**シ**　マイスナー

(2)　流速計には様々な原理を用いたものがあるが，ベルヌーイの式に基づいたものとして，[6] 式流速計がある．[6] 式流速計は，[7] の差を動圧として測定し，その測定値と流体の [8] から流速を計算することができる．測定した差圧が 2 倍になると，流速は [9] 倍になっている．

〈[6] ～ [9] の解答群〉

ア　$\sqrt{2}$	**イ**　2	**ウ**　4
エ　ピトー管	**オ**　ブルドン管	**カ**　ベンチュリ管
キ　温度	**ク**　湿度	**ケ**　密度
コ　ゲージ圧と絶対圧	**サ**　正圧と負圧	**シ**　全圧と静圧

(3) 電磁流量計は電磁誘導に関する [10] の法則を利用しており，原理は発電機と同じである．液体が流れている測定管の外側から管軸に垂直に磁界を加えると，管内の液体が磁界を横切るので，平均流速と磁束密度の [11] に比例した電圧が液中に発生する．この電圧を管の側面に設置した 1 対の電極によって検出する．電磁流量計は多くの液体に適用できるが，[12] が全くない液体には適用できない．

〈[10] ～ [12] の解答群〉

ア	ドップラー	**イ**	パスカル	**ウ**	ファラデー
エ	和	**オ**	積	**カ**	比
キ	磁性	**ク**	絶縁性	**ケ**	導電性

(4) 通常の圧力計は大気圧を基準として圧力を測定している．一般的によく用いられている圧力計として，ブルドン管圧力計や [13] 圧力計などの弾性式圧力計がある．

ブルドン管圧力計には，正のゲージ圧を測定する圧力計，負のゲージ圧を測定する真空計，正及び負のゲージ圧を測定する連成計の 3 種類がある．ある気体の圧力がブルドン管圧力計で 10 kPa の負のゲージ圧と測定された場合，この気体の絶対圧は，約 [14] [kPa] である．

〈[13] 及び [14] の解答群〉

ア	−10	**イ**	0	**ウ**	10	**エ**	90
オ	990	**カ**	U 字管	**キ**	ダイアフラム式	**ク**	重錘式

解 説

(1) 熱電対は，2 種類の均質な金属線で閉回路をつくったとき，測温接点 t_1 と基準接点 t_2 が異なる温度の場合，回路内に電流が流れるという原理（ゼーベック効果）を利用して温度を計測する温度計である．このとき回路に発生した起電力を熱起電力といい，回路を開放して基準接点との端子間電圧を測定することにより温度を検出することができる．熱電対については，JIS C 1602：2015 に規定されている．

K 熱電対は，＋側にニッケルおよびクロムを主とした合金，－側にニッケルおよびアルミニウムを主とした合金を用いたものであり，T 熱電対は，＋側に銅，－側に銅およびニッケルを主とした合金を用いたものであり，R 熱電対は，＋側にロジウム 13 % を含む白金ロジウム合金，－側に白金を用いたものである．同じ温度差に対する熱起電力は，T ＞ K ＞ R の順に大きく，常用限度の温度は，R（1 400 ℃）＞ K（650 ～ 1 000 ℃）＞ T（200 ～ 300 ℃）の順に大きい．

(2)　ピトー管は，ステンレス製のＬ字形になった二重管の流速計である．これは，位置エネルギーの変化を無視した場合，定常状態の層流では流線上で静圧と動圧の和が保存されるというベルヌーイの式に基づいたものである．流体の流れに向かってＬ字形の先端の開口を当てて流体の全圧（＝静圧＋動圧）を計測し，二重管部分の側面に開いた小さい孔で静圧を計測する．全圧と静圧の差から動圧 p_{d} を求め，

$$p_{\mathrm{d}} = \frac{1}{2}\rho v^2$$

から流速 v を算出する．したがって，動圧 p_{d} が 2 倍になったとき，v^2 が 2 倍になるので，v は $\sqrt{2}$ 倍になる．

(3)　電磁流量計は，電磁誘導の法則（ファラデーの法則）を利用した流量計で，磁界中を通過する導電性流体が誘起する起電力は流体の流速に比例するという原理を利用する．発生する起電力 E は，磁束密度 B，平均流速 V，管径 D の積に比例する．すなわち，

$$E = kBDV$$

である．ただし，k は比例定数である．この起電力を管の外部に設置した 1 対の電極で検出することにより，流速を求めることができる．

電磁流量計は，管内に突起物がなく，流れが乱れないので，正確な流量が測定できるが，導電性流体による電磁誘導を基本原理にしているので，純水やエタノールのような非導電性流体には適用できない．

(4)　くるくる巻いてあって，息を吹きかけるとまっすぐに伸びてピーと笛が鳴る「吹き戻し」という紙製の玩具がある．ブルドン管圧力計は，「吹き戻し」のように，圧力が加わると巻かれた管がほどける方向に動くという金属管の弾性の原理を用いて圧力を測定する圧力計である．同様に，ダイアフラム式圧力計は，ダイアフラム（金属製の隔膜）に圧力が加わると変位を起こすという弾性原理を用いた圧力計である．

標準大気圧は 1 013.25 hPa ＝ 100 kPa なので，この気体の圧力 p はゲージ圧で －10 kPa であることから，絶対圧では

$$100 - 10 = 90\ \mathrm{kPa}$$

になる．

解　答　(1)　**1-コ，2-ウ，3-ア，4-ク，5-カ**

(2)　**6-エ，7-シ，8-ケ，9-ア**

(3)　**10-ウ，11-オ，12-ケ**

(4)　**13-キ，14-エ**

(計測及び制御)

問題12 次の各文章の [1] ～ [16] の中に入れるべき最も適切な字句，数値又は式をそれぞれの解答群から選び，その記号を答えよ．なお，[4] は2箇所あるが，同じ記号が入る．（配点計50点）

(1) プロセス制御の調節計ではPID動作が一般的に使用される．

1) PIDのPは比例動作，Iは積分動作，Dは微分動作を示す．ラプラス演算子を s とし，PID動作の伝達関数をラプラス変換して表示すると，[1] で表される．この式の制御係数 PB は比例帯，T_{i} は積分時間，T_{d} は微分時間と呼ばれる．

流量制御では，測定値のノイズが拡大しないようにPID動作のうちの [2] 動作を使用するのが原則であり，また，ある程度のオフセットが許される液位制御では [3] 動作のみを使用することが多い．

〈[1] ～ [3] の解答群〉

ア $\dfrac{100}{PB}\times\left(1+\dfrac{1}{T_{\mathrm{i}}s}+T_{\mathrm{d}}s\right)$　**イ** $\dfrac{100}{PB}\times\dfrac{1+T_{\mathrm{d}}s}{1+T_{\mathrm{i}}s}$

ウ $\dfrac{100}{PB}\times\dfrac{1-T_{\mathrm{d}}s}{1-T_{\mathrm{i}}s}$　**エ** I　**オ** P　**カ** PD　**キ** PI

2) PID動作を使用するに当たり，制御係数を適当な値にチューニングする必要がある．そのチューニングには，過去の経験値を使用することが多い．しかし，希望する制御応答を厳密に得るためには，プロセスの特性を測定して行う必要がある．その代表的な方法として，ステップ応答法と [4] の二つがある．

ステップ応答法は，調節計を手動モードにして，出力をステップ状に変化させて，そのときの制御変数の変化を計測するものである．その例を図1に示す．ここで，L を [5]，T を [6] と呼び，これら L 及び T を使用して調節計の制御パラメータをチューニングする方法が各種提案されている．

[4] は，調節計を自動モードにして持続振動が起こるまで PB を徐々に [7] することにより行う．そのときの PB の値と持続振動の周期から制御パラメータをチューニングすることになる．

〈[4] ～ [7] の解答群〉

ア パルス応答法　**イ** 限界感度法　**ウ** 周波数応答法
エ 遅れ時定数　**オ** 進み時定数　**カ** 等価時定数
キ 等価無駄時間　**ク** 狭く　**ケ** 広く

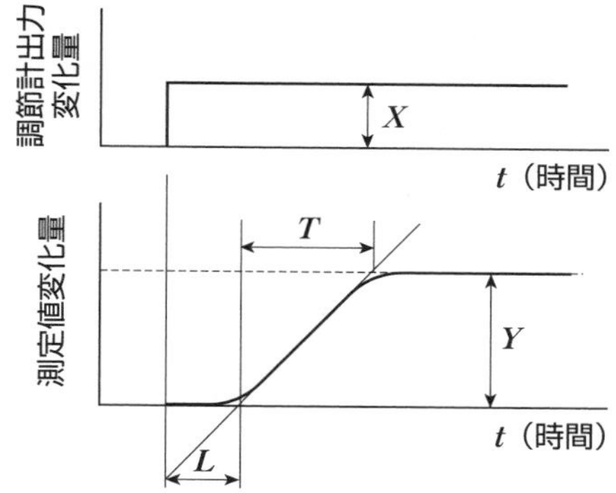

図 1

3)　代表的な制御応答を図 2 に示す．ここで，行き過ぎ量や減衰比などの特性値が希望する値になるようにチューニングすることになる．なお，図で減衰比は [8] で表される．

また，ステップ応答が設定した許容範囲内に落ち着くまでの時間を [9] 時間という．

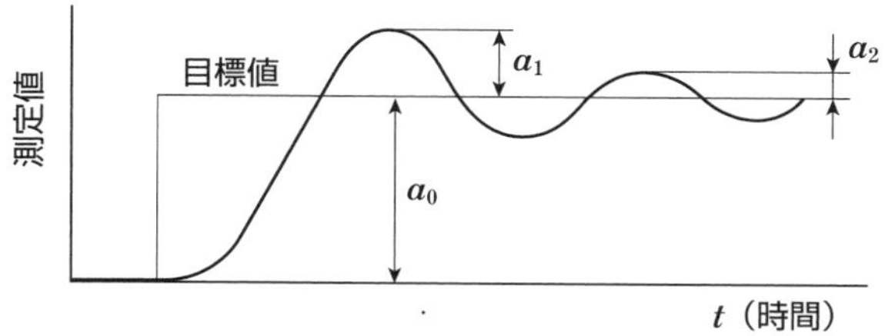

図 2

〈[8] 及び [9] の解答群〉

ア $\dfrac{a_2}{a_0}$　　**イ** $\dfrac{a_2}{a_1}$　　**ウ** $\dfrac{a_1 - a_2}{a_1}$

エ 整定　　**オ** 遅延　　**カ** 行き過ぎ

(2)　ポンプの流量制御について考える．

1)　流量を制御する操作端として，調節弁が使用されることが多い．図 3 は，ある配管系において，調節弁によって流量制御するときの仕組みを渦巻きポンプの例で示したものであり，図の縦軸は圧力，横軸は流量である．

この図で，①は [10] を，②は [11] を，③は [12] を示している．配管系全体の圧力損失とポンプ特性とが交わる点 A が運転点となり，運転点 A での流量 Q_A がその条件で流れる流量となる．調節弁を閉じていくと，弁による圧力損失が [13] するために，交点は左側の運転点 B に移動し，流量が Q_B に減少することになる．調節弁により流量を制御すると，流体に圧力損失を生じさせるので，必ずエネルギー損失が生じる．

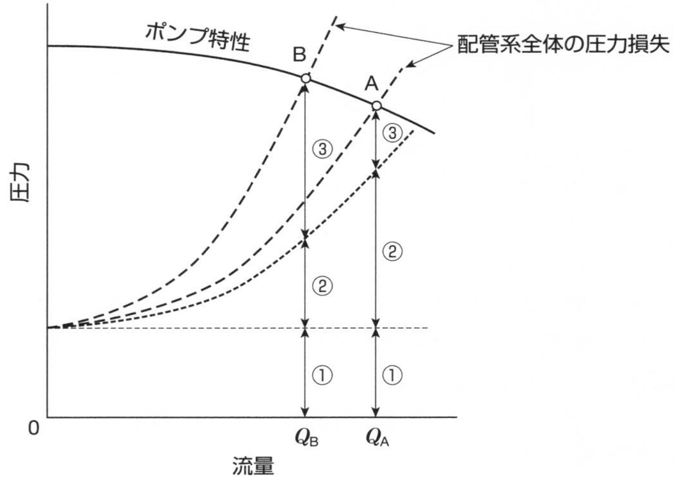

図 3

〈[10] ～ [13] の解答群〉

ア　減少　　**イ**　増加　　**ウ**　実揚程

エ　調節弁の圧損　　**オ**　配管の圧損

2)　最近では，省エネルギーの観点から，調節弁の代わりにポンプの回転速度を [14] で変えることで流量を制御する回転速度制御が採用されることが増えてきている．それを図 4 に示す．

理論的には，ポンプの吐出圧は回転速度の [15] 乗に比例し，ポンプの軸動力は回転速度の 3 乗に比例する．よって，ポンプの回転速度を変化させて流量を調整することは，ポンプの軸動力の削減につながり省エネルギーとなる．図 4 において，調節弁による運転点 B と回転速度制御による運転点 B′から得られる斜線部の面積分が，回転速度制御による省エネルギー分に相当する．ただし，回転速度により吐出圧も影響されるので，[16] が大きいときには回転速度制御のメリットは少ない．

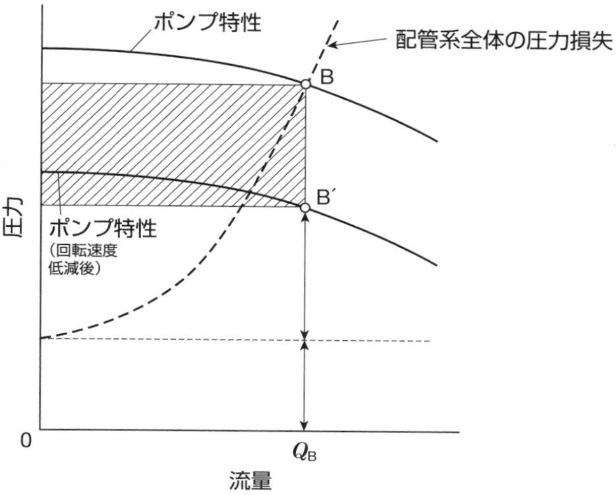

図4

〈 14 ～ 16 の解答群〉

ア　1　　**イ**　2　　**ウ**　3　　**エ**　4
オ　インバータ　　**カ**　サイリスタ　　**キ**　サーミスタ
ク　実揚程　　**ケ**　調節弁の圧損　　**コ**　配管の圧損

解　説

(1)

1)　プロセス制御の調節計には，一般にPID制御が用いられる．各ブロックの入力と出力の関係は，ラプラス変換の形式で記述され，この関数を**伝達関数**という．

P動作は偏差に比例する制御出力を出す**比例動作**である．P動作の調整パラメータは比例帯PB（Proportional Band）であり，％表示される．P動作のみを使用した場合，目標値と制御量の最終値の間に定常的な偏差が残り，これを**オフセット（定常偏差，残留偏差）**という．これを解消するためには，**積分動作**（I動作）を加えなくてはならない．積分動作の調整パラメータを**積分時間** T_{i} という．これを短くするとオフセットが早く解消されるが，制御が不安定になる可能性がある．制御量の変化速度に比例した制御出力を出すことを微分動作（D動作）といい，調整パラメータを**微分時間** T_{d} という．

PID制御は，比例動作（P動作），積分動作（I動作），微分動作（D動作）を線形に結合したものであるから，比例帯をPB，積分時間を T_{i}，微分時間

を T_d とすると，PID 制御の伝達関数のラプラス変換表示 $G(s)$ は次式のようになる.

$$G(s)=\frac{100}{\mathrm{PB}}\left(1+\frac{1}{T_i s}+T_d s\right)$$

流量制御の場合，D 動作があると，対象とする流体の乱流で発生する測定値のノイズの増幅によって動作が不安定になる可能性があるので，一般に D 動作を外して PI 動作が用いられる.

液位制御では，必ずしも決まった液位を維持する必要はなく，ある程度のオフセット（定常偏差）が許容されるので，I 動作が不要になることから，P 動作を使用することが多い.

2)　PID 動作のパラメータ調整法には，ステップ入力による応答から制御パラメータをチューニングする**ステップ応答法**と，限界周期から制御パラメータを求める**ジーグラー・ニコルスの限界感度法**がある.

ステップ応答法は，むだ時間 +1 次遅れ要素のある制御系に適用される方法で，調節計を手動モード（開ループ）にして，調節器の出力（目標値）をステップ状に変化させて，そのときの制御変数の変化から最適な制御パラメータを求める方法である．設問の図 1 で L は等価むだ時間といい，T は等価時定数という.

ジーグラー・ニコルスの限界感度法は，調節計を自動モード（閉ループ）にして，持続振動が発生するまで調節計の PB を狭く（比例ゲインを大きく）し，そのときの PB の値（限界感度）と持続振動の周期（限界周期）から最適な制御パラメータを求める方法である.

3)　設問の図 2 はステップ応答でオーバーシュート（行き過ぎ）が発生したときの測定値の変化を示している．**減衰比**は，最大行き過ぎ量（最初の行き過ぎ量）a_1 に対して，次の行き過ぎ量 a_2 の比 a_2/a_1 をいう．ステップ応答が，目標値に対して設定した許容範囲に収まるまでの時間を**整定時間**という.

(2)

1)　設問の図 3 で示されるのは，配管系の圧力損失を表す抵抗曲線とポンプの特性曲線であり，両者の交点でポンプが運転される．配管系の抵抗曲線は①だけ横軸から上がっているが，これは配管系が開放配管系であり，①は開放配管系による実揚程を示している.②は配管のみの圧力損失を示しているが，これは水の動圧に比例するので，流量（流速）に対して 2 次曲線となっている．③は配管系にある調節弁の圧力損失を示し，調節弁が閉じるほど，圧力損失が大きくなり，曲線は上方へ移動する．そのため，最初は配管系全体の抵抗曲線とポンプの特性曲線の交点 A で運転されていたが，調節弁の開度を絞って圧力損失が大きくなるとポンプの運転点はBへ移行する．そのとき，配管系の流量は Q_A から Q_B へ減少し，ポンプの圧力（揚程）は増加し，ポンプの動力も増加する．

2）　ポンプの相似則によると，流量は回転速度（回転数）に比例し，圧力（揚程）は回転速度の 2 乗に比例し，軸動力は回転速度の 3 乗に比例する．そのため，インバータでポンプの回転速度を制御して流量調整すると，ポンプの軸動力が大幅に削減できる．ポンプの回転速度を制御する場合，ポンプの特性曲線も変化する．

設問では，図 4 について，「回転速度制御による運転点 B′」と記述されているが，ここでは配管系全体の圧力損失を示す破線が変わっていないので，B′ は回転速度制御後のポンプの運転点になっていない．正しくは，流量 Q_B を一定とするために，ポンプの回転速度を減少させて，同時に調節弁の開度を大きくして圧力損失を減少させたということであろう．したがって，運転点 B′ でポンプが運転されるためには，配管系全体の圧力損失を示す抵抗曲線が B′ を通る位置まで下がらないといけない．そのとき，回転速度制御による省エネルギー分はポンプの圧力の差分と流量の積（設問の図 4 のハッチング部分）になる．

開放配管系で実揚程が大きい場合には，ベースとして実揚程分のポンプの圧力が必要なので，回転速度制御の効果は少なくなる．

解　答　⑴　**1-ア，2-キ，3-オ，4-イ，5-キ，6-カ，7-ク，8-イ，9-エ**

⑵　**10-ウ，11-オ，12-エ，13-イ，14-オ，15-イ，16-ク**

（ボイラ，蒸気輸送・貯蔵装置，蒸気原動機・内燃機関・ガスタービン）

問題13　次の各文章の [1] ～ [10] の中に入れるべき最も適切な字句をそれぞれの解答群から選び，その記号を答えよ．

また，[A ab.c] ～ [D a.b] に当てはまる数値を計算し，その結果を答えよ．ただし，解答は解答すべき数値の最小位の一つ下の位で四捨五入すること．（配点計 50 点）

⑴　ボイラでは，スケール生成，腐食など，水に起因する障害を防ぐため，水処理が行われる．

1）　ボイラ水の水処理として，比較的低圧のボイラでは主として [1] などを用いるアルカリ処理が広く適用されている．これは，水の [2] を調節して障害を防止するものである．

〈[1]及び[2]の解答群〉

ア pH　**イ** 塩素濃度　**ウ** 溶存酸素濃度
エ アンモニア　**オ** 水酸化カルシウム　**カ** 水酸化ナトリウム

2)　高圧ボイラにおいては，ボイラ蒸発管のアルカリ腐食を防止するため，ボイラ水中に過剰の腐食成分を溶存させせることは避けなければならない．この場合には，アルカリ処理に代わり[3]や[4]が広く適用されている．特に後者はアルカリ腐食の懸念がなく，ボイラ水中の全蒸発残留物の濃度を低く抑えられるので蒸気の純度が向上するが，スケール付着防止の効果が少ないので，給水中の不純物（鉄など）の濃度を厳しく管理する必要がある．

さらに，給水系統の[5]の低い高純度の水が使用できる条件下では，微量の[6]を添加して管内面に形成される酸化被膜を溶解度の低い3価の酸化鉄に維持して腐食やスケール成長を抑制する方式もある．

〈[3]～[6]の解答群〉

ア イオン鉄　**イ** 塩素　**ウ** 酸素
エ リン酸塩処理　**オ** 揮発性物質処理　**カ** 物理的処理
キ 分散剤処理　**ク** 硬度　**ケ** 濁度
コ 電気伝導率

(2)　ボイラ補給水の水処理の目的は，補給水として使われる原水中の不純物を化学的あるいは物理的方法で取り除くことである．

原水中の不純物は，その大きさにより分けられ，1 nm 以下の低分子領域の不純物としては，溶存状態の電解質，溶存気体，非電解質等があり，1～500 nm のコロイド領域の不純物としては，フミン酸などの有機物，有機酸，コロイド状シリカなどがある．さらに大きな懸濁質領域の不純物としては，電解質及び非電解質の懸濁状物質（土壌成分，重金属，酸化物，[7]等）がある．

補給水中の不純物の除去方法としては，低分子領域の不純物については，イオン交換，逆浸透，あるいは[8]が，コロイド領域の不純物については，主として[9]などが，懸濁質領域の不純物については，主として[10]などが用いられる．

原水の水質及び処理目的に応じて，これらの方法が単独又は組み合わされて用いられる．

〈[7]～[10]の解答群〉

ア スケール　**イ** スラッジ　**ウ** 蒸気　**エ** 藻類
オ 遠心分離　**カ** 加熱処理　**キ** 限外ろ過　**ク** 蒸溜

ケ　精密ろ過　　**コ**　脱気　　**サ**　沈降分離　　**シ**　篩《ふるい》

(3)　400 t/h の過熱蒸気を，蒸気配管を経由して蒸気タービンへ供給するボイラがある．このボイラの運転状態は表 1 のとおりであり，蒸気タービンの入口で蒸気温度を 540 ℃とするために，配管熱損失を見込んでボイラ出口の蒸気温度は 543 ℃となっている．また，有効出熱は蒸気発生のみで，入熱は燃料からのみ供給されるものとする．

表 1　ボイラ運転状態

項　目	単位	数値
ボイラの発生蒸気量	t/h	400
燃料消費量	kg/h	30 810
燃料の低発熱量	MJ/kg	41.0
燃料 1 kg 当たりの排ガス量	m^3/kg_{-f}	12.1
排ガスの平均定圧比熱	$kJ/(m^3 \cdot K)$	1.38
ボイラ給水の比エンタルピー	kJ/kg	857.7
ボイラ出口蒸気の圧力	MPa	12
ボイラ出口蒸気の温度	℃	543
大気温度	℃	20

1)　表 2 の蒸気表を用いて，ボイラ出口を基準としたボイラ効率（低発熱量基準）を計算すると，A ab.c [%] となる．

表 2　過熱蒸気表（抜粋）

圧力 [MPa]	比エンタルピー [kJ/kg]	
	540 ℃	543 ℃
12	3 455.8	3 463.6

2)　このボイラから蒸気タービンまでの蒸気配管の保温を強化したところ，蒸気タービン入口までの放熱がほぼゼロとなり，ボイラ出口の蒸気温度を 3 ℃低下させて 540 ℃としても，必要なタービン入口温度を保つことができた．ここで，蒸気配管における蒸気圧力の低下が無視でき，ボイラ効率は変わらないものとして，保温の強化による燃料の低減量を求める．

ボイラ効率が一定であることから，燃料消費量は蒸気の発生に必要な正味の熱量に比例するので，蒸気表を用いて保温の強化前後の必要熱量の低減比率を求めることで，ボイラ効率の値を用いずに燃料の低減量が求められる．これにより計算すると，燃料消費量は B ab [kg/h] 低減できたとわかる.

3)　さらに，ボイラ効率の改善による燃料消費量の低減を図るため空気予熱器を設置したところ，設置前に 350 ℃あったボイラ出口の排ガス温度が，空気予熱器の設置により 150 ℃に下がった．空気予熱器設置前後のボイラの排ガス熱損失を低位発熱量基準で計算すると，設置前の排ガス熱損失が入熱の [C ab.c] [%] であったのに対し，設置後は [D a.b] [%] に低減され，ボイラ効率の向上した省エネルギー運転となったことがわかる.

解　説

(1)

1)　ボイラでは，ボイラ水によってスケールがチューブや配管内部に付着したり，チューブや配管の腐食が生じたりしないように水処理をする必要がある.

「JIS B 8223：2021　ボイラの給水，ボイラ水及び蒸気の質」では，ボイラ水の水処理方法について規定している.「附属書 A　ボイラ水の水処理方式」には，水処理方法が詳細に記述されている.

アルカリ処理は，常用使用圧力 3 MPa 以下の丸ボイラ・特殊循環ボイラ，または常用使用圧力 7.5 MPa 以下の水管ボイラのような低圧ボイラを適用対象としている．アルカリ処理は，水酸化ナトリウムを主とするアルカリ成分によってボイラ水の pH 調整を行い，各種のりん酸塩およびヒドラジンまたは非ヒドラジン系脱酸素剤，ならびにこれらの複合添加によって水質調整をする方法である.

2)　高圧ボイラでは，ボイラ蒸発管のアルカリ腐食を防止するために，低圧ボイラの水処理に用いるアルカリ処理は採用できない．そのため，りん酸塩処理や揮発性物質処理が行われる．りん酸塩処理は，りん酸塩（通常は，りん酸三ナトリウムおよびりん酸水素二ナトリウム）の濃度と pH との関係を適正に維持してボイラ水の水質を調整する方法である．揮発性物質処理は，揮発性のアンモニアやアミンを使用して，ボイラ水の pH 調整を行う方法である．アルカリ腐食の懸念がなくボイラ水の全蒸発残留物の濃度を低くできるので，蒸気純度の向上を達することができる．ただし，給水に含まれる鉄や銅の不純物はボイラの伝熱面にスケールとして付着する可能性があるので，これらの濃度管理を厳格に行う必要がある.

酸素処理は，電気伝導率の低い純水や超純水が利用できる場合，微量の酸素ガスなどの酸化剤および揮発性アルカリ薬品，あるいは酸素ガスのみを復水系統と給水系統に注入することによって，ボイラ水中の鉄分を 2 価から 3 価の状態に維持して水質管理を行う方法である.

(2)　ボイラ補給水の原水中の不純物は，粒径によって以下のように分類できる．

1 nm 以下　低分子領域：溶存状態の電解質，溶存気体（酸素，窒素など），非電解質

1 ～ 500 nm　コロイド領域：有機物，有機酸，コロイド状シリカ

500 nm を超えるもの　懸濁質領域：電解質および非電解質の懸濁状物質（重金属，酸化物，土壌成分，菌類や藻類などの微生物）

低分子領域の不純物の除去方法には，イオン交換樹脂，逆浸透，脱気（溶存酸素を除去）がある．コロイド領域の不純物については，主として限外ろ過による方法がある．懸濁質領域の不純物については，沈降分離（自然沈殿，凝集沈殿）がある．

(3)

1)　燃料の低位発熱量は 41.0 MJ/kg で，燃料消費量は 30 810 kg/h であり，入熱は燃料からのみ供給されるものとすると，

$$41.0 \times 30\,810 = 1\,263\,210 = 1.26 \times 10^6\ \mathrm{MJ/h}$$

となる．

ボイラ給水の比エンタルピーは 857.7 kJ/kg であり，ボイラ出口蒸気の比エンタルピーは，設問の表 2 から 3 463.6 kJ/kg であり，ボイラの発生蒸気量は 400 t/h であるから，ボイラの出熱は

$$(3\,463.6 - 857.7) \times 10^{-3} \times 400 \times 10^3 = 1\,042\,360$$
$$= 1.04 \times 10^6\ \mathrm{MJ/h}$$

となる．

したがって，ボイラ効率は

$$\eta = \frac{1\,042\,360}{1\,263\,210} = 0.825\,1 = 82.5\ \%$$

である．

2)　ボイラ出口蒸気温度を 540 ℃にしたとき，表 2 から出口蒸気の比エンタルピーは 3 455.8 kJ/kg となる．ボイラ効率が同じ 82.5 %とすると，燃料消費量の低減量は，ボイラ給水を 543 ℃の蒸気と 540 ℃の蒸気まで加熱するときの加熱量の差分になるので，その比エンタルピー差の比率で燃料消費量（= 30 810 kg/h）を低減できることになる．したがって，燃料の低減量は

$$30\,810 \times \frac{3\,463.6 - 3\,455.8}{3\,455.8 - 857.7} = 92.4\ \mathrm{kg/h}$$

となる．

3)　単位燃料消費量当たりの入熱は，低位発熱量基準で 41.0 MJ/kg である．

ボイラ出口の排ガス温度が 350 ℃のとき，単位燃料消費量当たりの排熱量は，大気温度が 20 ℃なので，

$$12.1 \times 1.38 \times 10^{-3} \times (350 - 20) = 5.510\,34\ \mathrm{MJ/kg}$$

となる．したがって，入熱に対する排熱量の比率は

$$\frac{5.510\,34}{41.0} = 0.134\,3 = 13.4\ \%$$

である．

同様に，排ガス温度が 150 ℃に低下したとき，入熱に対する排熱量の比率は

$$\frac{12.1 \times 1.38 \times 10^{-3} \times (150 - 20)}{41.0} = 0.052\,9 = 5.3\ \%$$

である．

解　答　(1)　**1-カ，2-ア，3-エ，4-オ，5-コ，6-ウ**
(2)　**7-エ，8-コ，9-キ，10-サ**
(3)　**A-82.5，B-92，C-13.4，D-5.3**

（ボイラ，蒸気輸送・貯蔵装置，蒸気原動機・内燃機関，ガスタービン）

問題14　次の各文章の [1] ～ [18] の中に入れるべき最も適切な字句，数値又は記述をそれぞれの解答群から選び，その記号を答えよ．なお，[15] は 2 箇所あるが，同じ記号が入る．（配点計 50 点）

(1)　蒸気タービン本体の損失と性能劣化について考える．

1)　蒸気タービン本体の損失は，内部損失と外部損失に大別される．

内部損失は，翼の空気力学的損失と排気損失に大別される．翼の空気力学的損失にはノズル及び回転羽根自体の形状によって生じる [1] 等がある．また，排気損失には最終段羽根出口から [2] までの通路で発生する排気室損失等がある．

外部損失には外部漏れ損失，機械損失，放熱損失などがある．このうち最も支配的なものは [3] である．

これらの損失をできるだけ少なくして蒸気タービンの性能低下を防止することは，省エネルギーを図る上で重要である．

〈[1] ～ [3] の解答群〉

ア　外部漏れ損失	**イ**　機械損失	**ウ**　湿り損失
エ　発電機損失	**オ**　放熱損失	**カ**　翼プロファイル損失
キ　給水加熱器	**ク**　脱気器	**ケ**　復水器

2）　蒸気タービン本体の性能低下の要因としては，

・鉄やシリカなどの酸化物が動翼や静翼に付着することによる翼の摩擦損失の増加や，蒸気の通過面積を [4] させる翼へのスケール付着

・ボイラからの硬い酸化スケールの飛来により主に [5] に生じやすい侵食や，復水タービンの最終段動翼における [6] による侵食

・グランドラビリンス等の回転部と静止部の接触による損傷・摩耗で生じる [7] の増大

などが挙げられる．

〈[4] ～ [7] の解答群〉

ア　タービンケーシング　**イ**　第一段静翼　**ウ**　非常調速機

エ　過熱蒸気　**オ**　再熱蒸気　**カ**　湿り蒸気　**キ**　蒸気圧力

ク　隙間　**ケ**　引張応力　**コ**　減少　**サ**　増加

(2)　内燃機関の排ガス中に含まれる大気汚染物質としては，窒素酸化物（NOx），硫黄酸化物（SOx），一酸化炭素（CO），未燃炭化水素（HC），ばいじんなどがある．ここでは，内燃機関のうちのディーゼル機関の大気汚染対策について考える．

ディーゼル機関の排ガス中の CO や HC 成分は，火花点火機関より [8].

ディーゼル機関の SOx の排出量の低減は [9] で対処しうる．

ディーゼル機関の NOx については，一般に [10] [ppm] 程度のレベルにある．NOx の排出量の低減対策としては，ディーゼル機関の排ガス中の残存酸素濃度が高いことにより [11] の使用が困難なため，燃焼改善又は選択還元脱硝法などの手法が採られてきている．

〈[8] ～ [11] の解答群〉

ア　10　**イ**　100　**ウ**　1 000　**エ**　10 000

オ　希薄燃焼　**カ**　使用燃料の選定

キ　燃焼温度の低下　**ク**　吸蔵還元触媒

ケ　三元触媒　**コ**　排気ガス再循環（EGR）法

サ　多い　**シ**　少ない

(3)　ガスタービンの構成要素である圧縮機について考える．

1）　ガスタービンに用いられる圧縮機の種類のうち，大型のガスタービンには，大流量に適し，高圧力も得やすい [12] 圧縮機が使用されている．

2）　ガスタービンの運転範囲を制限する要因の一つの現象に，圧縮機が低流量の運転に移行していくときに風量，圧力が脈動し，圧縮機本体及び風道を含む自励振動が起こる [13] がある．

〈[12] 及び [13] の解答群〉

ア キャビテーション　**イ** サージング　**ウ** デトネーション
エ 遠心　**オ** 往復　**カ** 軸流

3)　圧縮機の起動中の低回転時では，後方段で空気が十分に [14] されないため，吸気流量が減少して前方段で [15] が発生する．このため，圧縮機中間段から [16] し，吸気流量を増加させたり，圧縮機入口に [17] を設置し，圧縮機初段での吸気の [18] を適切にして [15] による空気の乱れを防止したりしている．

〈[14] ～ [18] の解答群〉

ア クリープ損傷　**イ** 圧縮　**ウ** 吸気
エ 給水　**オ** 失速　**カ** 侵食
キ 抽気　**ク** 膨張　**ケ** 冷却
コ 可変入口静翼　**サ** 吸気サイレンサ　**シ** 空気予熱器
ス 酸素濃度　**セ** 湿度　**ソ** 流入角度

解　説

(1)

1)　蒸気タービン本体の損失には，内部損失と外部損失がある．そのうち，内部損失には，次のものが挙げられる．

① 排気損失（速度損失）：最終段動翼で運動エネルギーが利用されずに排気されることによる損失
② 翼プロファイル（翼形）損失：ノズルと動翼（回転羽根）の形状による損失
③ 回転損失：動翼を取り付けた円盤と蒸気の間の摩擦損失
④ 漏れ損失：ノズル仕切板と軸の間および動翼とケーシングの隙間を漏えいする蒸気が仕事に換算されずに通過することによる損失
⑤ 流動損失：ノズルおよび動翼内の流動摩擦による損失

外部損失には，

① 機械損失：軸受・流体継手などの損失
② 外部漏れ損失：ロータとケーシングの隙間から蒸気が外部へ漏えいすることによる損失
③ 放熱損失：タービンから外部に熱伝導・放射によって放熱される損失
④ 絞り損失：蒸気加減弁などによる圧力損失

などがある．

以上の蒸気タービン本体の損失の名称と分類は，文献によって異なる場合があるので，注意が必要である．

設問の排気室損失は，タービン出口から復水器までの蒸気の通路で発生する圧力損失を意味しているが，一般財団法人　省エネルギーセンターの「エネルギー管理士試験講座　熱分野Ⅳ熱利用設備及びその管理，2020 年発行」によると，外部損失に分類されている．

2)　蒸気タービン本体の経年変化による性能低下の要因は以下のとおりである．

①　蒸気に含まれる鉄やシリカなどの酸化物が動翼・静翼の表面に付着して摩擦損失が増加

②　①によって蒸気の通過面積が減少したことによる圧力損失の増加

③　ボイラ由来の硬質な酸化スケールの飛来による第一段静翼の侵食

④　湿り蒸気中の水滴による復水タービンの最終段動翼の侵食

⑤　グランド部のラビリンス式シールの回転部と静止部の接触による損傷や摩擦で生じる隙間の増大

(2)　火花点火機関（ガソリンエンジン）やディーゼル機関などの内燃機関の排ガス中には，燃料に由来する窒素酸化物（NO_x）や硫黄酸化物（SO_x），不完全燃焼による一酸化炭素（CO），炭化水素（HC），ばいじんなどが含まれている．

ディーゼル機関の排ガス中の CO と HC は火花点火機関より少ない．全体としては希薄燃焼であるが，燃料が過剰な領域が局所的に存在するために，CO と HC の発生が多くなる．

ディーゼル機関の排ガス中に含まれる SO_x は燃料に含まれる硫黄分に由来するので，燃料の軽油の精製過程を改良して，低硫黄の軽油にすれば，排出量の低減が達成できる．

ディーゼル機関の排ガス中に含まれる NO_x も燃料に含まれる窒素分に由来するが，一般には 1 000 ppm 程度のレベルである．ディーゼル機関は希薄燃焼であることから，燃焼ガス中に酸素が多く存在するので，NO_x を除去するために火花点火機関で用いる三元触媒は使用できない．三元触媒は，HC を CO_2 と H_2O に酸化し，CO を CO_2 に酸化し，NO_x を還元して N_2 と O_2 に変換する触媒である．そこで，SO_x と同様に，燃料を改善して低窒素分のものを使用することで燃料由来の窒素酸化物（フュエル NO_x）の発生を抑制するか，選択還元脱硝法を採用する．選択還元脱硝法は，NO_x を含む排気ガスをアンモニアまたは尿素水に通して還元する方法である．

(3)

1)　大形ガスタービンの圧縮機には，大流量・高圧力に対応できる多段の軸流圧縮機が使用される.

2) ガスタービンが低負荷運転に移行するとき，圧縮機が低流量で運転を行うと,流量と圧力が脈動して不安定になるサージング領域に入る可能性がある.サージングが発生すると,圧縮機本体や風道（ダクト）が自励振動を起こす.

3) 圧縮機が起動中で低速回転を行っているときは，後方段で空気が十分に圧縮されず，吸気流量が減少すると，前方段の翼で迎え角が増加することで旋回失速（ストール）が発生する．これにより，翼や軸が振動を起こして疲労破壊の原因となる可能性があるので，失速を回避しなくてはならない.

失速を防止するために，圧縮機の中間段から抽気して吸気流量を増加させたり，圧縮機入口に可変入口静翼（案内翼）を設置して，圧縮機の初段における吸気の流入角度（迎え角）を適切にしたりすることが求められる.

解　答 (1) **1-カ，2-ケ，3-イ，4-コ，5-イ，6-カ，7-ク**
(2) **8-シ，9-カ，10-ウ，11-ケ**
(3) **12-カ，13-イ，14-イ，15-オ，16-キ，17-コ，18-ソ**

次の問題 15 から問題 18 までは，4 問題中 2 問題を選択して解答すること.

(熱交換器・熱回収装置―選択問題)

問題15 次の各文章の [1] ～ [13] の中に入れるべき最も適切な字句又は記述をそれぞれの解答群から選び，その記号を答えよ．なお，[10] は 2 箇所あるが，同じ記号が入る.

また，[A ab] ～ [D a.b] に当てはまる数値を計算し，その結果を答えよ．ただし,解答は解答すべき数値の最小位の一つ下の位で四捨五入すること．（配点計 40 点）

(1) 熱交換器は高温の媒体から低温の媒体に熱を伝えるための装置であり，形状や伝熱方式等により分類される．また，同じ形状でも用途や機能等によって様々な呼称がある．熱交換器の選定に当たっては，用途，温度や圧力，日常管理の容易さなどの様々な条件を考慮する必要がある.

1) 多管式熱交換器は，管と管板の取り付け方法や管の形状等によって，管板が片側だけにあり，管束を引き抜くことができる構造の [1] 式，両端の管板の間に直管の伝熱管を通した構造の [2] 式，両端を管板で支えて片方の管板を固定しない構造の [3] 式に分類される.

また,同じ多管式熱交換器でも用途や機能により呼称が異なる．例えば,冷凍サイクルで用いられる熱交換器では，冷却塔から送られる水に放熱す

る熱交換器は [4] 器，冷房に用いる冷水を製造する熱交換器は [5] 器と呼ばれている．

〈[1] ～ [5] の解答群〉

ア　U 字管　**イ**　スパイラル　**ウ**　フィン　**エ**　円柱
オ　固定管板　**カ**　二重管　**キ**　遊動頭　**ク**　加熱
ケ　凝縮　**コ**　減圧　**サ**　再生　**シ**　蒸発
ス　冷水

2)　この他に，燃焼ガスを通して管本体を高温にして被加熱物を加熱するラジアントチューブのような [6] 式加熱装置，セラミック等の充填槽内に高温の燃焼排ガスと燃焼用空気を交互に流通させて燃焼用空気を予熱する [7] 式熱交換器等，その用途や熱交換の方式等によって様々な呼称のものがある．

〈[6] 及び [7] の解答群〉

ア　スイング　**イ**　回転　**ウ**　充填　**エ**　蓄熱　**オ**　ふく射

(2)　ボイラとその蒸気利用設備において，系外に熱損失として排出されるものとして，燃焼排ガス，ブロー水などがあり，これらからの熱回収が効率の向上のために重要である．

1)　ボイラの燃焼排ガスからの熱回収では，燃焼用空気に熱回収させて排ガス損失を減少させる方法や，[8] を使って給水の温度を高くすることで加熱に要する燃料を減少させる方法などが効果的である．

〈[8] の解答群〉

ア　エコノマイザ　**イ**　ヒートポンプ　**ウ**　レキュペレータ

2)　ボイラ水に含まれる不純物等の [9] による弊害を防止するためにブローを行う必要がある．ブローは，発生する蒸気と同じ圧力の [10] を排出するものであり，ボイラの種類や水質の管理基準にもよるが，給水量の数%～ 10 %程度である．

ブロー水は大きな熱エネルギーを保有している．例えば，圧力 0.5 MPa の飽和蒸気の比エンタルピーは 2 748 kJ/kg，蒸発潜熱は 2 108 kJ/kg であり，ボイラ水が同じ圧力の [10] であるとすると，その比エンタルピーは蒸発潜熱の [A ab] [%] である．このことから，ブロー水からの熱回収は効率向上に重要なことが分かる．

〈[9] 及び [10] の解答群〉

ア　過熱蒸気　**イ**　過熱水　**ウ**　飽和水　**エ**　蒸発
オ　低濃度化　**カ**　濃縮　**キ**　放散

3)　蒸気配管や蒸気の利用設備で発生する [11] は，それらの温度，量及び性状の範囲について管理標準を設定して熱交換による熱回収を行うことが求められている．例えば，高圧で回収できる場合，[12] 蒸気を得て低圧蒸気として回収利用することや，そのままボイラ給水として利用するなどの方策を検討することが熱の有効利用にとって重要である．

〈[11] 及び [12] の解答群〉

ア　ドレン　　**イ**　排蒸気　　**ウ**　フラッシュ　　**エ**　過熱

オ　乾き　　**カ**　余剰

(3)　熱交換器の日常点検において，例えば温度効率の変化を把握して適切に性能を維持管理することはエネルギーの有効利用に重要である．

1)　熱交換器に流入する高温流体及び低温流体の入口温度と流量がいずれも一定であるとき，汚れにより高温側の伝熱面の性能が低下すると，高温流体の出口温度は [13]．

〈[13] の解答群〉

ア　高くなる　　**イ**　低くなる　　**ウ**　変わらない

2)　次の条件で伝熱操作を行っている熱交換器について温度効率等の計算を行う．

高温流体の入口温度を 80 ℃，出口温度を 65 ℃，低温流体の入口温度を 20 ℃，出口温度を 60 ℃とし，それぞれの流量は一定で熱交換器での熱損失はないものとする．

i)　高温流体に着目した温度効率は [B ab] ［%］である．

ii)　低温流体に着目した温度効率は [C ab] ［%］である．

iii)　低温流体の比熱を 4 kJ/(kg･K)，質量流量 300 kg/min としたとき，高温流体から低温流体へ移動した熱量は [D a.b] $\times 10^2$ ［kW］である．

解　説

(1)

1)　多管式熱交換器は，チューブ式熱交換器の一つで，シェルアンドチューブ式熱交換器ともいい，円筒形の胴（シェル）内に管束（チューブ）を配列したものである．これは，一般に次のように分類される．

①　固定管板式は，管は直管で両側の管板が胴に溶接で固定された構造をしている．そのため，胴側の清掃ができないという欠点がある．

②　U 字管式は，管束が U 字形をしているので，胴と無関係に伸縮ができ，管板が胴の片側のみのため管束を引き抜いて，胴内や伝熱管表面の検査と清掃を行うことができる．

③　遊動頭（管板）式は，片方の管板が固定されていない構造をしているの

で，管束がスライドして熱応力を逃がすことができる．

冷凍サイクルでは，冷媒が圧縮機→凝縮器→膨張弁→蒸発器→圧縮機と循環する．凝縮器は，水冷式の場合，冷媒ガスと冷却水の間で熱交換を行う（冷媒ガスから冷却水へ放熱する）多管式熱交換器である．蒸発器は，冷媒液と冷水の間で熱交換を行う（冷媒液が蒸発することで，冷水を冷却する）多管式熱交換器である．

2)　ラジアントチューブは，放射式（ふく射式）加熱装置であり，伝熱管内部に高温ガスを送り，伝熱管本体を内部から加熱して，伝熱管外部の雰囲気に置かれた被加熱物を高温の伝熱管外面からの放射によって加熱する装置である．放射伝熱によって物体を加熱することから，距離が離隔した物体にも影響を与えることができる．

蓄熱式熱交換器は，セラミックなど耐熱性に優れた熱容量の大きい蓄熱材を用いた熱交換器である．高温の燃焼排ガスを通過させることで蓄熱材に蓄熱して，次に燃焼用空気を通過させて放熱することで空気を予熱する．この蓄熱と放熱を交互に行うことで燃焼排ガスから熱回収を行って，省エネルギーを図ることができる．

(2)

1)　ボイラの燃焼排ガスから熱回収を行うための熱交換器には，燃焼用空気を予熱する空気予熱器と給水を予熱するエコノマイザがある．エコノマイザを使用して給水温度を高めることにより，ボイラの加熱に要する入口給水と出口蒸気の比エンタルピー差が小さくなるので，燃料消費量を低減することができる．

2)　ボイラ水に含まれる不純物（給水中の硬度成分や溶解固形分）は蒸発によって濃縮される．不純物は，ボイラ伝熱面に付着したり，ボイラ下部に沈殿したりして，ボイラ効率を低下させる原因になる．これを防止するために，発生蒸気と同じ圧力の飽和水をブロー（排出）する必要がある．

圧力 0.5 MPa の飽和蒸気の比エンタルピーを 2 748 kJ/kg，蒸発潜熱を 2 108 kJ/kg とすると，飽和水の比エンタルピーは

$$2\,748 - 2\,108 = 640\ \mathrm{kJ/kg}$$

となる．これは，蒸発潜熱に対して

$$\frac{640}{2\,108} = 0.303\,6 = 30.4\ \%$$

である．

3)　蒸気を利用した後，蒸気は液化して凝縮水になるが，これをドレンという．ドレンが高圧の状態で回収できる場合，減圧すると再蒸発してフラッシュ蒸

気となる．これを低圧蒸気として回収利用することができる．あるいは，高圧のドレンのまま，ボイラ給水として利用することも可能である．

(3)

1)　熱交換器に流入する高温流体と低温流体の入口温度と流量が一定のとき，高温側の伝熱面が汚れによって性能低下が発生したとする．このとき交換熱量が減少することになるので，高温側流体の出入口温度差は減少する．入口温度は一定なので，出口温度は高くなることになる．

2)　高温流体の入口温度 $T_{h1} = 80$ ℃で，出口温度 $T_{h2} = 65$ ℃，低温流体の入口温度 $T_{c1} = 20$ ℃，出口温度 $T_{c2} = 60$ ℃とすると，高温流体の温度効率 η_h は，

$$\eta_h = \frac{T_{h1} - T_{h2}}{T_{h1} - T_{c1}} = \frac{80 - 65}{80 - 20} = 0.25 = 25\ \%$$

となる．

低温流体の温度効率は

$$\eta_c = \frac{T_{c2} - T_{c1}}{T_{h1} - T_{c1}} = \frac{60 - 20}{80 - 20} = 0.666 = 67\ \%$$

となる．

低温流体の比熱を $c_c = 4\ \mathrm{kJ/(kg{\cdot}K)}$，質量流量を $Q_c = 300\ \mathrm{kg/min}$ とすると，高温流体から低温流体へ移動した熱量 q_c は

$$q_c = c_c \times Q_c \times (T_{c2} - T_{c1}) = 4 \times \frac{300}{60} \times (60 - 20) = 800$$

$$= 8.0 \times 10^2\ \mathrm{kW}$$

である．

解答　(1)　**1-ア，2-オ，3-キ，4-ケ，5-シ，6-オ，7-エ**
(2)　**8-ア，9-カ，10-ウ，A-30，11-ア，12-ウ，13-ア，B-25，C-67，D-8.0**

(冷凍・空気調和設備―選択問題)

問題16　次の各文章の［ 1 ］～［ 16 ］の中に入れるべき最も適切な字句又は数値をそれぞれの解答群から選び，その記号を答えよ．なお，［ 11 ］は2箇所あるが，同じ記号が入る．（配点計40点）

(1)　空気調和設備は建物と一体のものである．その省エネルギーを推進するためには，まず建物の省エネルギー化を図ることが大切であり，次に空調設備の省エネルギー化を考えなくてはならない．これらに対する省エネルギー手

法は，大きく次の①～③の三つに分類することができる．

① 空調負荷の低減

② 自然エネルギー・排出エネルギーの有効利用

③ 空調設備の高効率化

1) 建物の形状や外壁デザインなどの建築計画上の工夫が最も寄与するものを，①～③の省エネルギー手法の分類項目から一つ挙げると [1] である．

2) 外気導入時に用いられる全熱交換器の機能は，①～③の省エネルギー手法の分類項目の [2] の二つを組み合わせたものである．

3) 空調設備において数多く用いられる送風機及びポンプの流量制御方法の最適化は，①～③の省エネルギー手法の分類項目の [3] に該当する．

〈[1] ～ [3] の解答群〉

ア ①　　**イ** ②　　**ウ** ③

エ ①と②　　**オ** ①と③　　**カ** ②と③

(2) 図 1 は送風機の風量制御方式のうちの吸込みベーン制御，吹出しダンパ制御，回転速度（周波数）制御の制御特性を示したものである．ここで，①の曲線は [4] 制御，②の曲線は [5] 制御，③の曲線は [6] 制御の特性を示している．

回転速度制御により送風機の風量を制御した場合，理論上，風量は回転速度の [7] 乗に比例し，軸動力は回転速度の 3 乗に比例する．

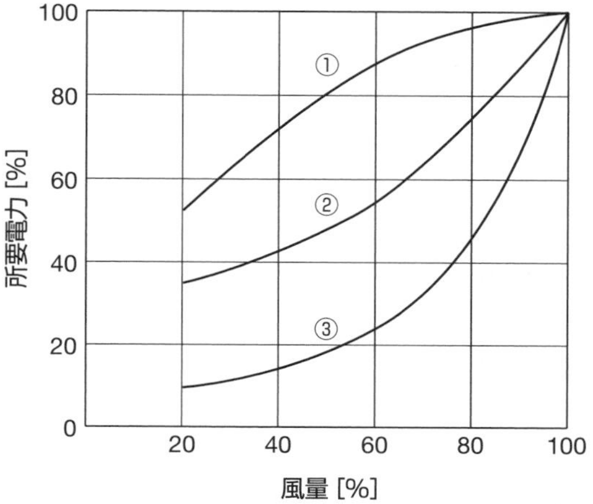

図 1　送風機の風量制御特性

〈[4]～[7]の解答群〉

ア $\frac{1}{2}$　**イ** 1　**ウ** 2　**エ** 3

オ 回転速度　**カ** 吸込みベーン　**キ** 吹出しダンパ

(3) 図2は暖房時の空気調和プロセスを空気線図上に表したものであり，A～Fは空気の状態点を示している．このうちAは室内空気，Fは外気の状態点である．点線で示されたプロセスは，同じ目的に別の方式を用いた場合を示したものである．

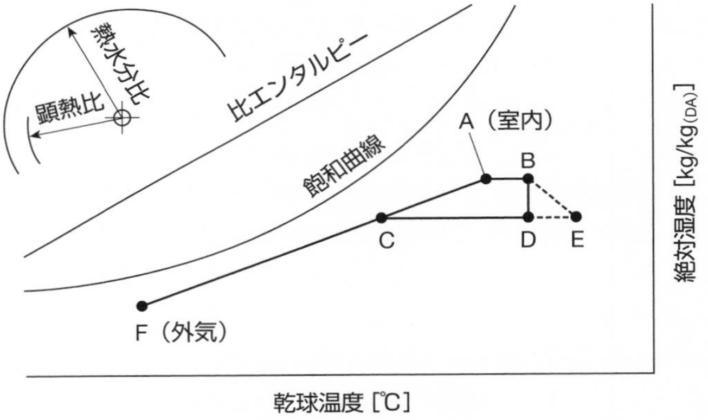

図2　暖房時の空気調和プロセス

1) 加熱プロセスはC–D又は[8]となるが，これは[9]プロセスの方式の違いによるものである．

〈[8]及び[9]の解答群〉

ア C–E　**イ** F–A　**ウ** F–C　**エ** F–C–D

オ 加湿　**カ** 加熱　**キ** 混合

2) 加湿方式には気化式加湿，蒸気加湿，水噴霧加湿などの種類があるが，この三つの中では[10]加湿を採用した場合に，図の加熱プロセスに要する熱量は最小となる．

〈[10]の解答群〉

ア 気化式　**イ** 蒸気　**ウ** 水噴霧

3) D–BあるいはE–Bのプロセスの勾配は[11]によって決められる．[11]は[12]の変化量の[13]の変化量に対する比を示す値で，単位は[14]となる．

〈[11]〜[14]の解答群〉

ア kg/kJ　**イ** kJ/kg　**ウ** 無次元　**エ** アスペクト比
オ 乾球温度　**カ** 顕熱比　**キ** 絶対湿度　**ク** 相対湿度
ケ 熱水分比　**コ** 比エンタルピー

4)　蒸気加湿のプロセスは[15]で表され，[16]温度がほぼ一定となる．

〈[15]及び[16]の解答群〉

ア D–B　**イ** E–B　**ウ** 乾球　**エ** 湿球　**オ** 露点

解　説

(1)

1)　建物の形状や外壁のデザインを考慮することによって，同じ床面積で外皮面積を縮小したり，断熱性能や日射遮へい性能を向上したりすることができるので，空調負荷の低減になる．

2)　全熱交換器は，排気と外気の間の空気熱交換器であり，排気から全熱回収を行うことにより，取入れ外気を冷却除湿（冷房時）あるいは加熱加湿（暖房時）することで外気負荷を低減する装置である．したがって，全熱交換器は，空調負荷の低減と排出エネルギーの有効利用（排気からの熱回収）に寄与する．

3)　空調設備における送風機およびポンプの流量制御の最適化は，部分負荷において搬送動力を低減したり，空気および水の温度差を大きくすることで熱源機器の成績係数を向上させたりする．したがって，空調設備の高効率化に寄与できる．

(2)　インバータで回転速度制御をした場合，送風機の風量は回転速度の 1 乗に比例し，圧力は 2 乗に比例し，軸動力は 3 乗に比例する．これを送風機の相似則という．したがって，設問の図 1 の③の曲線は回転速度制御の特性を示すことになる．

図 1 の①は送風機の吹出しダンパで風量を制御する場合，②は吸込みベーンで風量を制御する場合の送風機動力の変化を示している．

したがって，回転速度制御を採用する方法が，送風機の風量制御方式としては最も省エネルギーとなる．

(3)

1)　設問の図は，暖房時の空調プロセスを湿り空気線図に示したものである．A は室内空気（還気）の状態，F は低温低湿の外気の状態なので，C は両者を混合した状態になる．C を加熱→加湿してから B の状態で室内へ給気する．B–A は暖房時の吹出し温度差であり，これによって暖房負荷を処理する．

ここで，加熱は絶対湿度一定で温度が上昇することからC–DまたはC–Eの変化であるが，これは加湿プロセスがD–Bとなるか，E–Bとなるかによる．

2)　加湿方式には，気化式や水噴霧式などの水加湿と蒸気加湿があるが，熱水分比の大きい蒸気加湿を採用すると，D–Bの変化となるので，E–Bの水加湿より加熱量は小さくなる．

3)　すでに説明したように，D–BあるいはE–Bの加湿プロセスの勾配は熱水分比によって決定される．熱水分比は，加湿を行ったときの熱（比エンタルピー）の変化量に対する水分（絶対湿度）の変化量の比を示すものである．したがって，単位は

$$\frac{\mathrm{kJ/kg}}{\mathrm{kg/kg_{(DA)}}} = \mathrm{kJ/kg}$$

となる．

4)　蒸気加湿のプロセスは熱水分比が大きく，図のD–Bの変化となり，ほぼ垂直上方へ変化するので，乾球温度はほぼ一定となる．水加湿の場合は，E–Bの変化となるため，乾球温度は低下する．

解答　(1)　**1-ア，2-エ，3-ウ**

(2)　**4-キ，5-カ，6-オ，7-イ**

(3)　**8-ア，9-オ，10-イ，11-ケ，12-コ，13-キ，14-イ，15-ア，16-ウ**

（工業炉，熱設備材料一選択問題）

問題17　次の各文章及び表の［ 1 ］～［ 16 ］の中に入れるべき最も適切な字句又は式をそれぞれの解答群から選び，その記号を答えよ．なお，［ 2 ］及び［ 9 ］は2箇所あるが，それぞれ同じ記号が入る．（配点計40点）

(1)　次の表は，各種産業分野に用いられる主な工業炉について，その例と例示した工業炉の機能や特徴を示したものである．

〈［ 1 ］～［ 5 ］の解答群〉

ア　アーク	**イ**　ジュール熱	**ウ**　磁気	**エ**　焼成
オ　熱間圧延	**カ**　冷間圧延	**キ**　熱処理	**ク**　熱風
ケ　焙焼	**コ**　反射	**サ**　溶融	**シ**　還元
ス　酸化	**セ**　浄化		

表　各種産業分野に用いられる主な工業炉

分　野	工業炉の例	例示した工業炉の主な機能と特徴
製鉄・非鉄金属	高炉	溶鉱炉とも呼ばれ，鉄鉱石を鉄源とし，コークスを熱源及び [1] 剤として炉上部より装入して，溶融状態の鉄を製造する一つの反応塔である．
	[2] 炉	電気炉の一種で，電流が正極・負極間の気体中を高密度で流れる際の [2] を利用して鉄スクラップ，銅，アルミなどの溶解を行うものである．
	鋼片加熱炉	鋼片を鋼板，棒鋼，形鋼，鋼管などに加工するために加熱する炉である．[3] に必要な温度，1 150 ～ 1 250 ℃程度に加熱する．
自動車・機械等	[4] 炉	主に焼きなまし，焼入れ，焼き戻しなどを行う炉である．
窯業	[5] 炉	耐火物，陶磁器，タイルなどの被加熱物材を台車に載せて，トンネル状の連続窯を移送する方式が多く用いられている．

(2)　工業炉の性能を表すものとして熱効率があり，次式で示される．

$$熱効率 = \frac{\boxed{6}}{供給熱量} \times 100\,[\%]$$

熱効率を高めるためには，次のような検討項目が挙げられる．

①　加熱後の被加熱物の温度偏差を極力少なくする，あるいは炉内温度の不均一に伴う抽出温度の温度分布の幅を極力少なくするよう検討する．抽出温度を目標の温度に近づけるためには [7] マークの低減や高速バーナなどによる炉内温度分布の均一化が対策となる．

②　燃料の燃焼熱のうち，燃焼排ガスが炉から排気されるときの排ガス顕熱を少なくして省エネルギー化を図ることを検討する．通常，燃料の燃焼が理論空気量より若干空気過剰状態となるように操業される．このとき，排ガスからの熱損失を抑制するためには，必要以上に過剰な [8] で燃焼しないように注意が必要である．

③　排ガス量の低減のために [9] 燃焼や [9] 富化燃焼の導入を検討する．

④　炉体や炉壁からの放熱の低減策として，断熱強化が重要である．生産調整等で炉が休止されたときは，再立ち上げ時に再昇温する必要があるが，このような再昇温が頻繁に行われる場合には，[10] の少ない断熱材，例えば，セラミックファイバを使うことを検討する．

〈[6] ～ [10] の解答群〉

ア　クロスリミット　　**イ**　スキッド　　**ウ**　スケール

エ モル比　**オ** 空気比　**カ** 燃料比
キ 酸素　**ク** 排ガス循環　**ケ** 不完全
コ 昇華量　**サ** 潜熱量　**シ** 蓄熱量（熱容量）
ス 被加熱物が得た熱量　**セ** 被加熱物の全保有熱量
ソ 被加熱物の発熱量

(3) 各種の耐火物及び断熱（保温）材について考える．

1) れんがの表面の温度が急激に上昇すると [11] が生じることにより，れんが表面に変形や亀裂などが発生して脱落等の危険が生じることがある．れんがが，このような急加熱や急冷却に対して安定した性質を有することを，耐 [12] に優れているという．

2) シリカを主成分としているけい石れんがは，機械的強度が高いだけでなく，圧縮荷重をかけて加熱した場合，最初に膨張してその後収縮を始める [13] が 1 580 ℃以上と，使用中に収縮しにくい特長を持つ．

〈[11] ～ [13] の解答群〉
ア スポーリング性　**イ** 酸化性　**ウ** 腐食性
エ 荷重軟化始発点　**オ** 硬化開始点　**カ** 疲労限界
キ 気孔　**ク** 熱応力　**ケ** 疲労亀裂

3) 一般に，耐火断熱れんがは多孔質であるため通気性を持っている．そのため，雰囲気ガス中の [14] や H_2 の浸透により，成分であるシリカが SiO となって蒸発して崩壊するおそれがあるので，注意が必要である．

4) 溶融金属に濡れにくいことから金属冶金用るつぼなどに用いられる [15] れんがは，熱伝導率が大きく，熱膨張率が非常に小さいという特長を持つ．

5) 配管などの保温施工では，保温材中に [16] が浸入するとそれが伝熱媒体となって，保温材の断熱性を著しく損なうので注意が必要である．

〈[14] ～ [16] の解答群〉
ア N_2　**イ** CO　**ウ** CO_2
エ アルミナ　**オ** ドロマイト　**カ** 空気
キ 炭素　**ク** 微粒子　**ケ** 水

解　説

(1) 製鉄・非鉄金属分野で用いられる工業炉には，高炉，アーク炉，鋼片加熱炉がある．

高炉は溶鉱炉とも呼ばれるが，鉄鉱石を鉄源として，コークスを熱源および還元剤として用いる．これらを炉上部から装入して，高温状態で溶融状態の鉄を製造し，下部から銑鉄を取り出す構造となっている．ほぼ円筒形のシャフト炉型の製錬反応炉である．

アーク炉は電気炉の一種で，電極間に電圧を印可してアークを発生させて，アーク加熱を行う．主として，鉄スクラップ，銅，アルミなどの溶融を行うための工業炉である．

鋼片加熱炉は，圧延や非鉄金属に用いられる．連続鋳造または分塊圧延された鋼片（スラブ，ブルーム，ビレットなど）を熱間圧延するために，1 150 ～ 1 250 ℃に加熱して，鋼板，棒鋼，形鋼，鋼管，線材などに加工する炉である．

自動車・機械などの工業分野では，熱処理炉が使用される．これは誘導加熱による熱処理で，材料の機械的性質を改善する焼きなまし，焼き入れ，焼き戻しなどを行うために使用される．

窯業分野では焼成炉が使用されるが，これは陶磁器，瓦，れんが，セメント，石灰などの焼成に用いられる．多くは，被加熱物を台車に載せて，トンネル状の連続窯の内部を移送する方式である．

(2)　工業炉の熱効率は，入熱と出熱の関係で示される．入熱は工業炉への供給熱量であり，出熱は被加熱物が得た熱量であるから，熱効率は

$$\text{熱効率} = \frac{\text{被加熱物が得た熱量}}{\text{供給熱量}} \times 100\ [\%]$$

となる．

工業炉の熱効率を向上させるためには，以下の方法がある．

①　被加熱物の温度偏差（スキッドマーク）の改善を図るために，断熱性の高いスキッドレールのホットスキッドを採用したり，炉内温度分布の均一化を図るために，高速バーナを採用して炉内の空気を攪拌《かくはん》したりする．

②　燃料を完全燃焼させるために，理論空気量より多い空気を投入するが，これを実際空気量という．実際空気量に対する理論空気量の比を空気比という．空気比が大きいと，燃料は確実に完全燃焼するが，燃焼に寄与しない空気を加熱することになるので，燃料の無駄になる．したがって，排ガスの熱損失を低減するためには，空気比が過剰にならないようにしなくてはならない．

③　酸素燃焼は，空気の代わりに純酸素を供給して燃料を燃焼させる方式である．窒素が含まれていないので，排ガス量が空気燃焼と比較して 1/5 となり，省エネルギーになる．酸素富化燃焼は，燃焼空気中の酸素の比率を高めた空気を使用する燃焼方法で，同様に排ガス量を低減することができる．

④　炉体や炉壁からの熱損失を低減するためには，断熱の強化が必要である．

工業炉を断続的に操業する場合，再立ち上げ時に温度が低下した炉体や炉壁を再昇温させる必要がある．再昇温が頻繁に行われる場合，断熱材も再昇温させることになるが，熱容量の大きい断熱材を用いた場合，エネルギーの損失が大きくなる．このような場合，断熱性能は高いが，熱容量の小さいセラミックファイバなどを使用する方が好ましい．

(3)

1) 耐火物として用いられるれんがの表面温度が急激に上昇すると，熱応力によってれんが表面に変形が生じたり，亀裂が発生したりする．急加熱や急冷却という急激な温度変化に対するれんがの耐性を耐スポーリング性という．

2) けい石れんがはシリカを主成分とするれんがであり，機械的強度が高い．それに加えて，圧縮荷重をかけながら加熱した場合，膨張した後に収縮を開始する荷重軟化点が 1 580 ℃以上と高いことから，高温になるまで収縮しにくいという性質を有する．

設問では，「荷重軟化始発点」という用語が使用されているが，通常は荷重軟化点という用語が使用される．「JIS R 2209：2007　耐火れんがの荷重軟化点の試験方法」においても，「荷重軟化点」となっている．

3) 耐火断熱れんがは，多孔質であるため，通気性をもっている．そのため，雰囲気ガス中の CO や H_2 が浸透すると，耐火断熱れんがの成分のシリカが SiO に変化して蒸発することにより，強度が低下して崩壊する危険性がある．

4) 炭素れんがは，炭素の混合により溶融金属に濡れにくいので，金属冶金用るつぼに使用される．熱膨張率が小さく，熱伝導率が非常に高くなるので，耐スポーリング性に優れている．

5) 配管・ダクト・熱源機器などの保温材（最高使用温度 1 000 ℃以下）として，ロックウール保温材やグラスウール保温材などの人造鉱物繊維保温材が使用されることが多い．これらの保温材は，空気層を有することで断熱効果を得ているので，水に濡れると，その部分が伝熱媒体となって断熱性能を低下させる．

解答 (1) **1-シ，2-ア，3-オ，4-キ，5-エ**

(2) **6-ス，7-イ，8-オ，9-キ，10-シ**

(3) **11-ク，12-ア，13-エ，14-イ，15-キ，16-ケ**

（蒸留・蒸発・濃縮装置，乾燥装置，乾留・ガス化装置―選択問題）

問題18 次の各文章及び図の［1］～［20］の中に入れるべき最も適切な字句，数値又は記述をそれぞれの解答群から選び，その記号を答えよ．なお，

[3] 及び [4] は 3 箇所，[9]，[11] 及び [17] は 2 箇所あるが，それぞれ同じ記号が入る．（配点計 40 点）

(1)　液体混合物の蒸発と蒸留に関する基礎的事項について考える．

1)　溶液とその蒸気が互いに平衡状態にあるとき，その状態を気液平衡という．多成分系（n 成分）の気液平衡において，各成分の蒸気分圧 p_i の和は全圧 π に等しく，次式のように表される．

$$\pi = p_1 + p_2 + p_3 + \cdots + p_n = \sum_{i=1}^{n} p_i \quad \cdots\cdots ①$$

これを [1] の法則という．

また，i 成分の蒸気分圧 p_i は，理想溶液の場合は純粋成分の蒸気圧 p_i^* と液モル分率 x_i との積に等しく，次式のように表される．

$$p_i = x_i p_i^* \quad \cdots\cdots ②$$

これを [2] の法則という．

蒸気のモル分率 y_i は，$y_i = \dfrac{p_i}{\pi}$ となるから，この関係を式②に代入すれば，次式のような平衡状態での蒸気組成と液組成との関係式が与えられる．

$$y_i \pi = x_i p_i^* \quad \cdots\cdots ③$$

2)　次に，2 成分からなる液体混合物の蒸留分離の原理について，温度 T と液組成 x 及び蒸気組成 y の関係を示した図 1 を用いて考える．

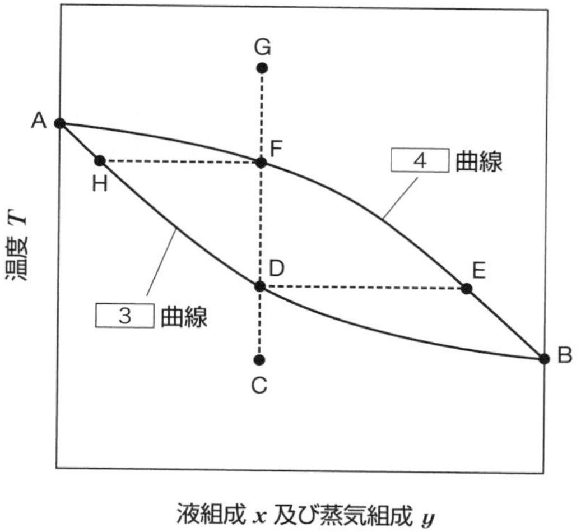

図 1

一定圧力下において，C 点で表される液組成の液体混合物を加熱し温度を上げていくと，D 点で初めて気相が出現する．この点を [3] と呼び，液組成に対してプロットして得られる曲線を [3] 曲線という．D 点の温度は低沸点の純正分の沸点（B 点）より高く，高沸点の純正分の沸点（A 点）より低いことがわかる．そして，このとき蒸気組成は式③に液組成を代入することで求められるが，低沸点成分の蒸気組成がより大きくなり E 点で表される．さらに温度を上げていき，F 点を超えると液相はなくなり全て蒸気となる．その蒸気組成は初めの液組成と同じである．

今度は，逆に G 点から温度を下げていくと，F 点で液相が出現する．この点を [4] と呼び，蒸気組成に対してプロットして得られる曲線を [4] 曲線という．このときの液組成は，式③に蒸気組成を代入することで求められ，高沸点成分の液組成が大きくなり H 点で表される．

D 点から F 点までの間の温度では，気液 2 相が共存し，気相は元の液体混合物に比べて [5] 成分の組成が大きく，逆に液相は [6] 成分の組成が大きくなる．これを利用して高沸点成分と低沸点成分に分離するのが蒸留分離である．

〈[1] ～ [6] の解答群〉

ア　ダルトン　　**イ**　ラウール　　**ウ**　ル・シャトリエ
エ　凝縮点　　**オ**　蒸発点　　**カ**　沸点
キ　露点　　**ク**　高沸点　　**ケ**　低沸点

3）溶媒と溶質からなる溶液の蒸気圧は，その純溶媒の蒸気圧と比較して [7]．従って，溶液は純溶媒より [8] 温度で沸騰する．一定濃度の溶液と純溶媒とが同一の蒸気圧を示す温度は，多くの場合，お互いに直線関係にあることが知られており，これを描いたのが [9] 線図である．

図 2 は，水酸化ナトリウムの [9] 線図である．この図から，水酸化ナトリウム 30 %水溶液の圧力 200 kPa での沸点は約 [10] ［℃］であることが分かる．

〈[7] ～ [10] の解答群〉

ア　115　　**イ**　125　　**ウ**　135
エ　145　　**オ**　デューリング　　**カ**　マッケーブ・シーレ
キ　気液平衡　　**ク**　高い　　**ケ**　低い

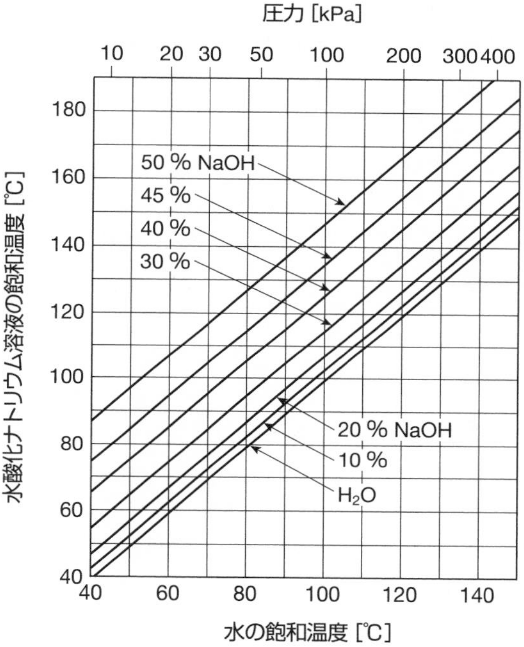

図 2

(2)　乾燥装置の基礎的事項について考える．

1)　乾燥装置の受熱方式には，主に，気流乾燥機，噴霧乾燥機，回転乾燥機，流動層乾燥機などの [11] 受熱式と，ドラム乾燥機，溝形攪拌乾燥機，真空乾燥機，などの [12] 受熱式がある．また，その他の加熱方式として，[13] 乾燥機やマイクロ波乾燥機のように電磁波のエネルギー照射による方式がある．

2)　一般に，[11] 受熱式乾燥装置から排出される熱のうち最も多いのは，排風の持ち出す [14] である．この熱量を減らす方法としては，乾燥効率を維持できる範囲で熱風の量を [15] 方法や熱風の温度を [16] する方法がある．

〈[11] ～ [16] の解答群〉

ア　バンド　**イ**　循環　**ウ**　赤外線　**エ**　伝導　**オ**　凍結
カ　熱風　**キ**　顕熱　**ク**　潜熱　**ケ**　反応熱　**コ**　高く
サ　低く　**シ**　増やす　**ス**　減らす

(3)　石炭ガス化複合サイクル発電システム（IGCC）では，石炭ガス化炉で石炭をガス化させて発生したガスを，ガス精製設備で煤塵《ばいじん》や硫黄分を分離除去して，[17]に送り発電した後，[17]からの排熱を[18]で回収し，さらに[19]で発電する．発電効率が高く，石炭をクリーンに有効利用することができる．IGCC に[20]を組み合わせ，さらに高効率化を図った IGFC の開発も進められている．

〈[17]～[20]の解答群〉

ア PSA	**イ** ガスエンジン	**ウ** ガスタービン
エ スターリングエンジン	**オ** ヒートポンプ	**カ** 空気分離装置
キ 蒸気タービン	**ク** 排熱回収ボイラ	**ケ** 燃料電池

解 説

(1)

1) 多成分系の気液平衡において，各成分の蒸気分圧 p_i の和は全圧 π に等しく，これを**ダルトンの法則**という．

i 成分の蒸気分圧 p_i は，理想溶液の場合，純粋成分の蒸気圧 $p_i{}^*$ と液モル分率 x_i との積に等しい．これを**ラウールの法則**という．

蒸気のモル分率 y_i は，$y_i = p_i/\pi$ となるので，$p_i = y_i\pi$ を設問の式②に代入すると，

$$y_i\pi = x_i p_i{}^*$$

となる．

2) 設問の図 1 は 2 成分からなる液体混合物の沸点･露点曲線である．ここで，AHDB は液組成に対してプロットした沸点曲線，AFEB は蒸気組成に対してプロットした露点曲線である．A 点は高沸点の純正分の沸点であり，B 点は低沸点の純正分の沸点である．C 点で示される液組成の液体混合物を加熱して温度を上げると，垂直上方に変化して，沸点曲線と交わり，D 点となる．この温度は，A 点と B 点の中間の温度である．このときの蒸気組成は，設問の式③に液組成 y_i を代入することで求められる．さらに加熱して，F 点に達すると，液相はなくなって，すべて蒸気となる．

逆に，G 点では蒸気組成の混合物であり，温度を下げていくと，露点曲線と交わり，F 点で液相が出現する．

D 点と F 点の間の温度では，気液 2 相が共存した状態である．D 点に近いほど液体成分の組成が高く，F 点に近いほど気体成分の比率が高い．ここでは，低沸点成分は気化するので，気相は元の液体混合物より低沸点成分の比率が高くなる．逆に，液相には高沸点成分が残留するので，この組成が大きくなる．蒸留分離は，以上の操作を利用して液体混合物を高沸点成分と低沸点成分に分離する作業である．

3)　溶媒と溶質からなる溶液の蒸気圧は，純溶媒の蒸気圧より低い．そのため，溶液は純溶媒より沸点が高くなる．デューリング線図は，圧力によってある溶液の沸点が変化する様子をプロットしたグラフである．沸点の変化はほぼ直線上になり，また溶液の濃度が変化すると，この直線は平行移動する．

設問の図2では，水（純溶媒）に対して，水酸化ナトリウム溶液の濃度が上昇するにつれて，直線は上方へ移動し，沸点が上昇する．水酸化ナトリウム30 %水溶液の直線を選択し，圧力200 kPaにおける縦軸の飽和温度を読み取ると，135 ℃となる．したがって，沸点は135 ℃である．

(2)

1)　乾燥装置の受熱方式には，気流乾燥機，噴霧乾燥機，回転乾燥機，流動層乾燥機など強制対流熱伝達による熱風受熱式と，ドラム乾燥機，溝形攪拌乾燥機，真空乾燥機などの熱伝導による伝導受熱式がある．それ以外に，電磁波を照射する加熱方式があり，赤外線を利用した赤外線乾燥機や電子レンジのようにマイクロ波を利用したマイクロ波乾燥機がある．

2)　熱風受熱式乾燥装置から排出される熱で最も多いのは，熱風と雰囲気の温度差による顕熱である．この排熱量は，熱風の風量と温度差に比例するので，これを低減するためには，乾燥効率が維持できる範囲で熱風の風量を低減したり，熱風温度を低下させたりする．

(3)　石炭ガス化複合サイクル発電システム（IGCC）は，固体燃料である石炭を石炭ガス化炉でガス化して気体燃料（COとH_2）にしてから燃焼させるシステムである．ガスタービンで発電した後，高温の燃焼排ガスから排熱回収ボイラで蒸気をつくって蒸気タービンで発電する．このようにコンバインドサイクル発電を行うことにより，発電効率を向上させることができる．ガス精製装置であらかじめばいじんや硫黄分を除去するので，燃焼排ガスに含まれるCO_2，SO_x，NO_x，ばいじんを削減することができる．

IGCCに燃料電池（FC）を組み合わせたシステムを石炭ガス化燃料電池複合発電システム（IGFC）という．これは，石炭のガス化で発生した水素を利用して燃料電池で発電するシステムである．これによって，さらに発電効率が向上する．

解答　**(1)　1-ア，2-イ，3-カ，4-キ，5-ケ，6-ク，7-ケ，8-ク，9-オ，10-ウ**

(2)　11-カ，12-エ，13-ウ，14-キ，15-ス，16-サ

(3)　17-ウ，18-ク，19-キ，20-ケ

第 41 回　2019 年（令和元年）

（計測及び制御）

問題11　次の各文章の [1] ～ [13] の中に入れるべき最も適切な字句，数値，式又は記述をそれぞれの解答群から選び，その記号を答えよ．なお，[2] は 2 箇所あるが，同じ記号が入る．（配点計 50 点）

(1)　材質の異なる 2 本の [1] の両端を接続して回路を構成し，2 つの接点を異なった温度に保つと，ゼーベック効果により回路に [2] が生じる．この大きさは，2 本の材質が決まれば [3] によってのみ決まる．したがって，一方の接点の温度を一定に保ち，この回路に生じる [2] を測定することにより，もう一方の接点の温度を知ることができる．この原理を利用して温度を計測しているのが [4] である．

〈[1] ～ [4] の解答群〉

ア　サーミスタ温度計	**イ**　測温抵抗体	**ウ**　熱電対
エ　起電力	**オ**　電荷	**カ**　電気抵抗
キ　金属線	**ク**　炭素繊維	**ケ**　半導体線
コ　回路内の温度差	**サ**　回路の最高温度	**シ**　両接点の温度

(2)　液体を入れた容器の底にかかる圧力は，液体の重量による圧力と，液面にかかる圧力の和に等しい．したがって，容器の底にかかる圧力 P は，液体の密度を ρ，重力の加速度を g，容器の液位を h，液面にかかる圧力を P_1 とすると，[5] で表される．この原理を用いて，容器の底にかかる圧力と液面にかかる圧力の差圧から液位を求める計器が圧力式液面計である．この計器を用いる際には，液体の密度が液体の [6] 及び [7] に依存することに注意が必要である．

いま，液面計の差圧の測定値が 1 kPa 上昇したときを考える．重力の加速度を 9.8 m/s^2 とすると，液体が密度 1 000 kg/m^3 の水の場合には，液位は約 [8] [mm] 上昇したことになる．もし，液体が灯油の場合には，水と比べると液位の上昇は [9] なる．

〈[5] ～ [9] の解答群〉

ア　1	**イ**　10	**ウ**　100
エ　$P_1 + \rho gh$	**オ**　$P_1 + \rho gh^2$	**カ**　$P_1 + \dfrac{\rho}{gh}$
キ　温度	**ク**　質量	**ケ**　種類

コ 動圧　**サ** 容積　**シ** 流速
ス 水より大きく　**セ** 水より小さく　**ソ** 水と同じに

(3) 流れている流体に加熱した物体を接触させると，流体は熱エネルギーを得て温度が上昇する．このとき，流体が得る熱量は，「流体の [10] × 流体の温度上昇度 × 流体の流量」に比例する．この原理を用いて流量を計測する計器が熱式流量計である．計測対象となる流体の種類は主に [11] であり，その [12] が直接に高精度で測定できるのが特徴である．

実際の熱式流量計は，流れの主流と細管によるバイパス流を並流させる構造のものが多い．計測部の細管の周りには，同一電流が流れる加熱抵抗体兼温度センサの抵抗が二つ巻いてあり，流体に流れがないと両抵抗の温度は同じであるが，流れると温度差が生じる．この温度差を電気抵抗として検出している．また，主流のフローエレメントの流動抵抗により，[13] を一定に保つことで，さまざまな流量範囲の計測に対応している．

〈[10] ～ [13] の解答群〉

ア 液体　**イ** 気体　**ウ** 混相流体　**エ** 質量流量
オ 体積流量　**カ** 定圧比熱　**キ** 導電性　**ク** 熱容量
ケ 流速　**コ** バイパス流の流量　**サ** 主流の流量
シ 主流とバイパス流との流量比

解　説

(1) **熱電対**は，2 種類の均質な**金属線**で閉回路をつくったとき，測温接点 t_1 と基準接点 t_2 が異なる温度の場合，回路内に電流が流れるという原理（ゼーベック効果）を利用して温度を計測する温度計である．このとき回路に発生した**起電力**を熱起電力といい，回路を開放して基準接点との端子間電圧を測定することにより温度を検出することができる．熱電対については，JIS C 1602：2015 に規定されている．

(2) 液体を入れた容器の底面にかかる圧力は，液体の質量によって生じる圧力（静水圧）と液面にかかる圧力（一般的には大気圧）の和である．したがって，容器の底面にかかる圧力を P [Pa]，液体の密度を ρ [kg/m^3]，重力加速度を g [m/s^2]，容器の液位を h [m]，液面にかかる圧力を P_1 [Pa] とすると，

$$P = P_1 + \rho g h \text{ [Pa]}$$

となる．圧力式液面計は，この原理を利用して，圧力の測定から液位を検出する計測器である．下水道，地下水，海水などに投げ込んで液位を計測するのに適している．液体の密度は，液体の**温度**および**種類**によって異なる．

液位の変化を Δh，それによる差圧の変化を ΔP とすると，

$$\Delta P = \rho g \Delta h \ [\mathrm{Pa}]$$

となる．ここで，$\Delta P = 1\,\mathrm{kPa}$，重力加速度を $g = 9.8\ \mathrm{m/s^2}$，$\rho = 1\,000\ \mathrm{kg/m^3}$ とすると，

$$1\,000 = 1\,000 \times 9.8 \times \Delta h$$

なので，$\Delta h = 0.1\ \mathrm{m} =$ 100 mm となる．もし，対象とする液体が灯油の場合は，密度が水より小さいので，Δh は**水の場合より大きく**なる．

(3)　流体が加熱した物体と熱交換すると，流体は熱エネルギーを取得して，温度上昇が起こる．もし，完全な熱交換が行われたとすると，流体が取得する熱量を q [W]，流体の**定圧比熱**を C_p [J/(kg·K)]，流体の温度上昇を $\Delta\theta$ [K]，流体の質量流量を Q [kg/s] としたとき，

$$q = C_p \Delta\theta Q \ [\mathrm{W}]$$

となる．熱式流量計は，この原理を用いて，主に**気体の質量流量** q を直接計測する流量計である．気体は温度変化により体積が大きく変化するが，熱式流量計は気体の質量流量を計測できるので，測定精度が高い．

設問で説明している熱式流量計は，キャピラリ式であり，流体の主流とバイパス流を主管と細管にそれぞれ流すようになっている．細管の上流側と下流側に設置したコイルの温度差を電気信号として検出して，細管の質量流量を計測できる．**主流とバイパス流の質量流量比**を一定に維持できるような構造になっているため，細管のバイパス流量を検出することで，全体流量が計測できる．センサ部分は気体と接触しないので，腐食性ガスの流量計測も可能である．

解　答　(1)　**1- キ，2- エ，3- シ，4- ウ**

(2)　**5- エ，6- キ，7- ケ，8- ウ，9- ス（6，7 の順序は問わない）**

(3)　**10- カ，11- イ，12- エ，13- シ**

（計測及び制御）

問題12　次の各文章及び図の [1] ～ [15] の中に入れるべき最も適切な字句又は式をそれぞれの解答群から選び，その記号を答えよ．なお，[1] は 2 箇所，[14] は 3 箇所あるが，それぞれ同じ記号が入る．

また，[A a.b] に当てはまる数値を計算し，その結果を答えよ．ただし，解答は解答すべき数値の最小位の一つ下の位で四捨五入すること．（配点計 50 点）

図 1 は，化学反応槽の温度制御について示したものである．この反応槽の温度は，蒸気量を調節弁で調整することにより，設定した目標値となるように制御されている．また，槽の温度は常時一定ではなく，化学反応の進行に応じ

て変化させるように予め設定されている.

1)　この化学反応槽の温度制御のように，予めその設定値を時間とともに変化させるような制御を[1]制御と呼び，カスケード制御や比率制御とともに[2]制御の一つである.

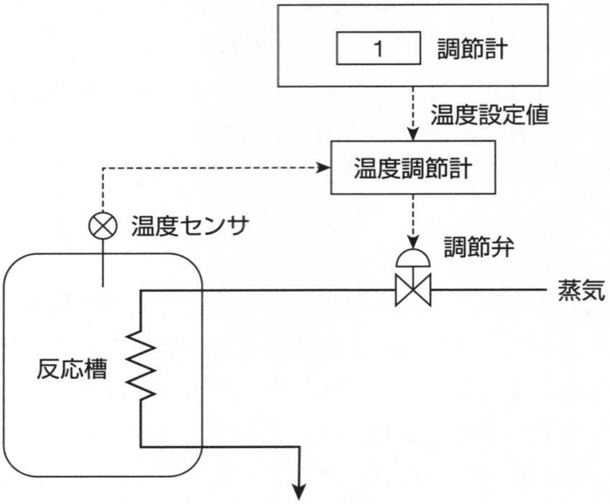

図 1　化学反応槽の温度制御

〈[1]及び[2]の解答群〉

ア　オーバライド　**イ**　サーボ　**ウ**　シーケンス　**エ**　プログラム
オ　選択　**カ**　追値

2)　図 1 で示されている温度制御はフィードバック制御であり，そのブロック線図と制御装置の構成は，図 2 のようになる.

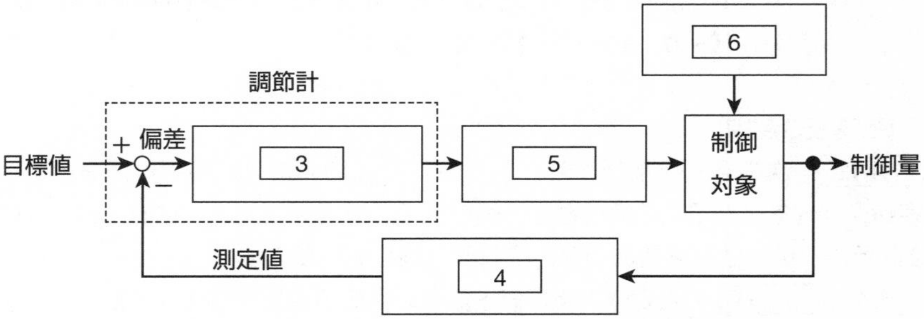

図 2　フィードバック制御のブロック線図と制御装置の構成

〈[3]～[6]の解答群〉

ア　外乱　**イ**　検出部　**ウ**　制御演算部　**エ**　操作部

3)　フィードバック制御の調節計には，一般にPID制御アルゴリズムが適用される．ここで，Pは [7] 動作，Iは [8] 動作，Dは [9] 動作を示す．

PID制御のラプラス変換表示は，次式で表される．

[10]

この式で，PBはP動作の調整パラメータで [11] と呼ばれる．また，T_iはI動作の調整パラメータで [12]，T_dはD動作の調整パラメータで [13] と呼ばれる．

〈[7]～[13]の解答群〉

ア $\dfrac{100}{PB}\left(\dfrac{1+T_d\cdot s}{1+T_i\cdot s}\right)$　　**イ** $\dfrac{100}{PB}\left(\dfrac{1-T_d\cdot s}{1-T_i\cdot s}\right)$

ウ $\dfrac{100}{PB}\left(1+\dfrac{1}{T_i\cdot s}+T_d\cdot s\right)$　　**エ** 遅れ時間　　**オ** 進み時間

カ 積分時間　　**キ** 微分時間　　**ク** むだ時間　　**ケ** 三要素

コ 進み遅れ　　**サ** 積分　　**シ** 微分　　**ス** 比例

セ 比例帯　　**ソ** 不感帯

4)　制御アルゴリズムとしてP動作だけを使用した場合に，偏差がいつまでも零にならない [14] が生じることがある．

図1の温度調節計がP動作のみの調節計で，設定値が75℃，PBが50％，偏差零のときのバイアスが50％，測定値・目標値のスパンが150℃であるとする．ある運転条件のとき，温度調節計の出力が60％でバランスしたとする．「出力＝$\dfrac{100}{PB}$×偏差＋バイアス」の関係があるので，そのときの [14] は [A a.b] [℃] 生じることになる．

この [14] は，制御アルゴリズムに [15] 動作を加えることにより解消される．

〈[14]及び[15]の解答群〉

ア オフセット　　**イ** 誤差　　**ウ** 残渣《ざんさ》　　**エ** 積分

オ 微分　　**カ** 比例

解　説

1)　設問の化学反応槽の温度制御は，設定値が時間変化するようにあらかじめプログラムされた制御である．例えば，初期の温度設定値が20℃で，30分後に25℃昇温し，1時間後に50℃昇温するように変化する設定値を与える制御である．このような制御を**プログラム**制御という．これは，**追値**制御の一種であり，一次ループと二次ループを有するカスケード制御や，燃料供給量に比例して燃焼空気量を目標値に設定するボイラの比率制御も，この追値制御に該当する．

2)　閉ループを構成して，制御結果から，修正動作を事後に加える制御を**フィードバック制御**といい，その制御系を**フィードバック系**という．制御対象の物理量（温度や圧力など）を**制御量**といい，センサなどの**検出部**が制御量（測定値）を検出する．目標値と制御量（測定値）の差を**偏差**といい，調節計の比較部で得られる．この偏差をなくすように調節計の**制御演算部**で演算を行い，調節計で出力される制御出力を**操作部**に与えて，制御対象に加えられる物理量（燃料流量や給水流量など）を変化させる．制御対象には，制御に影響を与える**外乱**が加わるので，この影響を打ち消すようにフィードバック制御が働く．

3)　フィードバック制御の調節計には，一般に PID 制御が用いられる．各ブロックの入力と出力の関係は，ラプラス変換の形式で記述され，この関数を**伝達関数**という．

P 動作は偏差に比例する制御出力を出す**比例動作**である．P 動作の調整パラメータは**比例帯** PB（Proportional Band）であり，％表示される．P 動作のみを使用した場合，目標値と制御量の最終値の間に定常的な偏差が残り，これを**オフセット**（**定常偏差，残留偏差**）という．これを解消するためには，積分動作（I 動作）を加えなくてはならない．積分動作の調整パラメータを**積分時間** T_{i} という．これを短くするとオフセットが早く解消されるが，制御が不安定になる可能性がある．制御量の変化速度に比例した制御出力を出すことを微分動作（D 動作）といい，調整パラメータを**微分時間** T_{d} という．

PID 制御は，**比例動作**（P 動作），**積分動作**（I 動作），**微分動作**（D 動作）を線形に結合したものであるから，比例帯を PB，積分時間を T_{i}，微分時間を T_{d} とすると，PID 制御の伝達関数のラプラス変換表示 $G(s)$ は次式のようになる．

$$G(s)=\frac{100}{PB}\left(1+\frac{1}{T_{\mathrm{i}}\cdot s}+T_{\mathrm{d}}\cdot s\right)$$

比例帯 PB が小さいほうがゲイン $\left(\frac{100}{PB}\right)$ は大きくなり，応答速度は速くなる．

4)　前述のように，PID 制御において P 動作のみで制御を行う場合，偏差をゼロにすることはできない．P 動作は，偏差（目標値と計測値の差）e に比例した出力（操作量）を与える動作である．P 動作の感度は比例ゲイン K_{P},

または**比例帯**（proportional band）PB［%］で表される．PB が 100 %のときに $K_\mathrm{P}=1$ となることから，PB と K_P の間には，

$$PB=\frac{100}{K_\mathrm{P}}$$

の関係がある．P 動作による出力は，偏差 e に比例し，これに手動リセット量，すなわちバイアス分が加わるので，

$$\begin{aligned}\text{出力［\%］}&=K_\mathrm{P}e+\text{バイアス}\\&=\frac{100}{PB}e+\text{バイアス}\end{aligned}$$

となる．

ここで，温度設定値 75 ℃，PB を 50 %，e が 0 %のときのバイアスを 50 %，測定値・目標値のスパンを 150 ℃とするとき，温度調節計の出力が 60 %で平衡状態になったとすると，PB は測定値・目標値のスパンの 50 %であるから

$$PB=150\times0.5=75\ ℃$$

となる．したがって，

$$60=\frac{100}{75}e+50$$

から，$e=7.5$ ℃となる．そのため，75 − 7.5 = 67.5 ℃で平衡状態になる．このオフセットは，**積分動作**（I 動作）を加えることによって解消される．

解　答　**1）　1- エ，2- カ**

2）　3- ウ，4- イ，5- エ，6- ア

3）　7- ス，8- サ，9- シ，10- ウ，11- セ，12- カ，13- キ

4）　14- ア，A-7.5，15- エ

（ボイラ，蒸気輸送・貯蔵装置，蒸気原動機・内燃機関・ガスタービン）

問題13　次の各文章の [1] ～ [16] の中に入れるべき最も適切な字句，数値又は式をそれぞれの解答群から選び，その記号を答えよ．（配点計 50 点）

(1)　ボイラに投入された熱量のうち，蒸気等で取り出された有効出熱以外の熱量を損失熱量という．この損失熱量を把握することが，ボイラ効率を管理することやボイラ効率向上対策を検討する上で，大変重要となる．JIS B 8222：2023 で規格化されている陸用ボイラ熱勘定方式によると，このボイラ熱損失の主な項目には，次の①～⑤に示すようなものがある．

①　排ガス熱損失

② 不完全燃焼ガスによる熱損失

③ 燃えがら中の未燃分による熱損失

④ 放散熱による熱損失

⑤ その他の熱損失

1) 排ガス熱損失

①の排ガス熱損失は，燃焼によって生じる排ガスがボイラから持ち去る熱損失である．排ガス熱損失 L_{G} は次式で表すことができる．

$$L_{\mathrm{G}} = G \times c_p \times (t_{\mathrm{g}} - t_0) \quad [\mathrm{kJ/kg_{-f}}]$$

ここで，G $[\mathrm{kg/kg_{-f}}]$ は燃料単位質量当たりの排ガス量，c_p [kJ/(kg･K)] はボイラ排ガスの平均比熱，t_{g}［℃］はボイラの排ガス温度，t_0［℃］は基準温度である．基準温度は大気温度とすることが多い．

この排ガス熱損失が増加する場合，何らかの原因で排ガス量 G が増加するか，排ガス温度 t_{g} が上昇していることになるので，この状況では次のような項目を疑ってみると良い．

・炉壁管や伝熱管の燃焼ガス側表面が [1] で汚れていないか．

・ボイラの [2] にスケールが厚く付着していないか．

・必要以上に燃焼用空気がボイラに投入されていないか．

2) 不完全燃焼ガスによる熱損失

②の不完全燃焼ガスによる熱損失は，燃焼不良が生じて排ガス中に未燃ガスが排出される損失で，排ガス中に [3] が検出される．

〈[1]～[3] の解答群〉

ア CO　**イ** NOx　**ウ** SOx　**エ** 煙突　**オ** 給水管

カ 伝熱管の水側表面　**キ** 鉄錆《さび》　**ク** 燃焼灰　**ケ** 油分

3) 燃えがら中の未燃分による熱損失

③の燃えがら中の未燃分による熱損失は，重質油や石炭などを燃焼した際に排出される燃え残りの熱量換算分で，[4] の不足などにより燃焼不良が生じていると増加する．燃えがら中の未燃分による熱損失 L_{C} は次式で表すことができる．

$$L_{\mathrm{C}} = H_{\mathrm{C}} \times \frac{c}{100} \quad [\mathrm{kJ/kg_{-f}}]$$

ここで，H_{C} [kJ/kg] は [5] であり，c [%] は燃料単位質量当たりに発生する未燃炭素の質量割合であるが，c は現場計測で知ることはできないので，次のように求める．

石炭などの固体燃料を燃焼した場合，一般にはボイラ排ガス中の燃えがらをサンプリングし，燃えがら中の未燃炭素を計測する．燃えがら中の未

燃炭素の質量割合 u は，燃料単位質量当たりの灰分の質量割合を a [%] とすると，次式で表すことができる．

$u =$ [6] [%]

これを c について解くと，次式で表すことができる．

$c =$ [7] [%]

すなわち，計測値 u と燃料中の灰分 a を用いることで c が求められ，熱損失 L_C が計算できる．

〈[4]～[7] の解答群〉

ア $\frac{c}{a}\times 100$　**イ** $\frac{c}{a+c}\times 100$　**ウ** $\frac{c}{a-c}\times 100$

エ $\frac{u\cdot a}{100}$　**オ** $\frac{u\cdot a}{100+u}$　**カ** $\frac{u\cdot a}{100-u}$

キ 再循環ガス　**ク** 二段燃焼　**ケ** 燃焼用空気

コ 炭素の発熱量　**サ** 燃料の高発熱量　**シ** 燃料の低発熱量

4）放散熱による熱損失他

④の放散熱による熱損失は，ボイラ本体の外表面などから放散される熱損失で，その算出方法にはボイラ各部の表面温度及び周囲外気温度の測定値と [8] から求める方法などがある．

⑤のその他の熱損失としては，固体燃料及び液体燃料の場合には，燃えがらの顕熱やアッシュピットへの放射熱損失などが考えられる．

〈[8] の解答群〉

ア 排ガス温度　**イ** 炉内温度　**ウ** 熱伝達率　**エ** 熱伝導率

5）①～⑤の熱損失の中で，最も損失熱量の大きなものは [9] であり，その熱回収のため，中・大型ボイラでは [10] や空気予熱器が設置されている．

〈[9] 及び [10] の解答群〉

ア ①　**イ** ②　**ウ** ③　**エ** ④

オ ⑤　**カ** エコノマイザ　**キ** サイレンサ　**ク** ドレントラップ

(2) 空気予熱器には，ボイラの排ガスを一定時間厚さ 1 mm 程度の金属板に接触させて熱を回収し，その後燃焼用空気を接触させて空気側に熱を放出して，燃焼用空気を予熱するものがある．これを [11] 空気予熱器という．燃焼用空気が高温となることから，燃料の着火性及び燃焼効率が向上し，燃えがら中の未燃炭素分を軽減する効果があるので，[12] を小さくして排ガス損失を低減することも期待できる．なお，燃焼用空気が高温となることは，燃焼温度の上昇を伴うため，[13] の生成が促進される恐れがあるので，留意が必要である.

〈 11 ～ 13 の解答群〉

ア	アトマイズ蒸気量	イ	硫黄酸化物	ウ	窒素酸化物
エ	二酸化炭素	オ	空気比	カ	灰付着量
キ	鋼管式	ク	再生式	ケ	蒸気式

(3) 蒸気圧 11 MPa の蒸気を発生しているボイラがある．発生蒸気の比エンタルピーは 2 681 kJ/kg で，ボイラ給水の比エンタルピーは 428.1 kJ/kg である．このときのボイラの燃料消費量は 2 055 kg/h で，ボイラ効率（低発熱量基準）は 90 %であった．ここで，燃料の低発熱量が 40.2 MJ/kg で，入熱は燃料からのみ供給されるとする．

1) このボイラの蒸発量は 14 ［t/h］となる.

2) ボイラの発生蒸気の乾き度を，飽和蒸気表を用いて求めると， 15 ［%］となる.

3) ボイラから蒸気使用先へは蒸気配管で接続されており，蒸気配管中ではドレンが発生している．そこで，このドレンからの熱回収を考えた．ドレンは，圧力が 11 MPa に維持された飽和水であり，これを 0.5 MPa に減圧して発生するフラッシュ蒸気として活用するとしたとき，このフラッシュ蒸気の発生量はドレン 1 kg 当たり 16 ［kg］となる．ただし，ドレンが他への熱損失なしに全てフラッシュ蒸気となるものとする.

表 飽和蒸気表（抜粋）

圧力［MPa］	比エンタルピー［kJ/kg］	
	飽和水（h'）	乾き飽和蒸気（h''）
11	1 450.3	2 706.4
0.5	640.2	2 748.1

〈 14 ～ 16 の解答群〉

ア	0.33	イ	0.38	ウ	0.43	エ	31	オ	33
カ	35	キ	92	ク	95	ケ	98		

解 説

(1)

1) ボイラの排ガス熱損失は設問の式で表されることから，排ガス熱損失の増加は，排ガス量 G の増加，または排ガス温度 t_g の上昇のいずれかによるものである.

排ガス量 G の増加は，燃焼用空気量が過大であることが原因と考えられる.

排ガス温度 t_g の上昇は，燃焼ガスと水の熱交換効率が低下したことによると考えられる．

この原因としては，

① 炉壁管および伝熱管の燃焼ガス側表面が**燃焼灰**で汚れていて，熱通過率が低下している．

② **伝熱管の水側表面**にスケールが付着して，熱通過率が低下したり，水の流量が減少したりしている．

2)　不完全燃焼ガスによる熱損失は，燃焼排ガス中に一酸化炭素（CO）が検出されることで判明する．原因としては，燃料供給量が過大であるか，**燃焼空気量**が不足しているかのいずれかによって，不完全燃焼が発生するためである．

3)　燃えがら中の未燃分による熱損失 L_C は設問の式で表されるが，H_C [kJ/kg] は燃料に含まれる**炭素の低位発熱量**であり，c [%] は未燃炭素の質量の燃料の質量に対する百分率である．これは直接計測することができないので，ボイラ排ガス中の燃えがらをサンプリングすることで推定する．燃えがらは，完全燃焼した灰分と不完全燃焼による未燃炭素からなる．燃料の種類による灰分の質量割合 a [%] は既知である．したがって，燃えがら中の未燃炭素の単位質量割合 u [%] は

$$u = \frac{c}{a + c} \times 100 \ [\%]$$

となる．u はサンプリングした燃えがらから未燃炭素の質量を計測することで算出できる．したがって，上式から

$$a + c = \frac{c}{u} \times 100$$

$$c\left(\frac{100}{u} - 1\right) = a$$

$$c = \frac{ua}{100 - u} \ [\%]$$

となる．したがって，計測値 u と既知の値である燃料中の灰分の質量割合 a を用いることで c が算出できるので，熱損失 L_C が計算で求められる．

4)　ボイラからの放散熱による熱損失は，ボイラ本体の外表面から周囲の空気へ放散される熱損失である．したがって，ボイラ本体の外表面温度（測定値）と周囲空気温度（測定値）の温度差および総合表面**熱伝達率**によって求められる．総合表面熱伝達率は，固体表面と周囲の空気の温度差から，対流熱伝達および放射によって起こる熱移動の係数であり，既知の値である．

5)　ボイラの熱損失で最大なのは，①排ガス熱損失である．これを少なくするためには，排ガスから熱回収を行い，排ガス温度を低下させなくてはならない．この熱回収の方法としては，エコノマイザによって給水温度を排ガスで昇温させる方法と空気予熱器によって燃焼用空気の温度を排ガスで昇温させる方法がある．

(2)　**再生式**空気予熱器は，厚さ 1 mm 程度の金属板にボイラ排ガスを接触させて蓄熱し，その後燃焼用空気と高温の金属板に放熱する構造の蓄熱式熱交換器である．燃焼用空気温度が高温になることから，燃料の燃焼効率を向上させ，燃えがら中の未燃炭素成分を減少させる効果がある．そのため，**空気比**を小さくして排ガス量を低減することで，排ガス損失を低減することができる．

一方，燃焼温度が上昇することで，サーマル NO_x の生成が促進されるリスクがある．

(3)

1)　発生する蒸気の圧力は 11 MPa，発生蒸気の比エンタルピーは 2 681 kJ/kg，ボイラ給水の比エンタルピーは 428.1 kJ/kg である．ボイラの燃料消費量は 2 055 kg/h，低位発熱量基準のボイラ効率は 90 %，燃料の低位発熱量は 40.2 MJ/kg で入熱は燃料からのみ供給されるものとすると，ボイラの蒸発量を E ［t/h］としたとき，次の式が成り立つ．

$$\frac{(2\,681.0 - 428.1) \times E \times 10^3}{2\,055 \times 40.2 \times 10^3} = 0.9$$

したがって，$E =$ **33 t/h** となる．

2)　ボイラの発生蒸気の乾き度 x は，発生蒸気の比エンタルピーを h [kJ/kg]，飽和水の比エンタルピーを h' ［kJ/kg］，乾き飽和蒸気の比エンタルピーを h'' ［kJ/kg］とすると

$$x = \frac{h - h'}{h'' - h'}$$

である．したがって，与えられた数値から

$$x = \frac{2\,681.0 - 1\,450.3}{2\,706.4 - 1\,450.3} = 0.98$$

$x =$ **98 %**となる．

3)　圧力 11 MPa の飽和水は 1 450.3 kJ/kg の比エンタルピーを有していて，これを 0.5 MPa まで減圧しても比エンタルピーは変化しないで，フラッシュ蒸気（再蒸発蒸気）になる．このフラッシュ蒸気の乾き度は，

$$x = \frac{1\,450.3 - 640.2}{2\,748.1 - 640.2} = 0.38$$

となる．したがって，11 MPa のドレン 1 kg から，0.5 MPa のフラッシュ蒸気が 0.38 kg 発生することになる．

解　答　⑴　**1- ク，2- カ，3- ア，4- ケ，5- コ，6- イ，7- カ，8- ウ，9- ア，10- カ**

⑵　**11- ク，12- オ，13- ウ**

⑶　**14- オ，15- ケ，16- イ**

（ボイラ，蒸気輸送・貯蔵装置，蒸気原動機・内燃機関，ガスタービン）

問題14　次の各文章の [1] ～ [18] の中に入れるべき最も適切な字句又は数値をそれぞれの解答群から選び，その記号を答えよ．なお，[1] は 3 箇所，[2] 及び [16] は 2 箇所あるが，それぞれ同じ記号が入る．（配点計 50 点）

⑴　蒸気タービンは，蒸気の持つ熱エネルギーをタービン軸の回転という機械仕事に変換することにより動力を発生させる原動機である．

1)　軸流タービンでは，動力を発生させるための構造として [1] と [2] の組合せを備えている．

[1] の形状や材質は蒸気タービンの性能を決める大きな要素であり，高性能かつ高強度であることが求められる．復水タービンの最終段では，圧力が低いため蒸気の [3] 流量が大きく，また蒸気タービンの損失全体に占める排気損失の割合が比較的大きいことを考え，排気損失を大きく左右する [1] の翼長は経済評価を含めて総合的な見地から決められる．

また，蒸気を整流する役割を持つ [2] は，断面形状や翼列の組み方が性能や信頼性に大きく影響するため，ねじれや翼高さ方向に屈曲した三次元の翼形を用いるなどして [4] 損失の低減を図っている．

〈[1] ～ [4] の解答群〉

ア　回転	**イ**　絞り	**ウ**　質量	**エ**　体積	**オ**　主翼
カ　尾翼	**キ**　静翼	**ク**　動翼	**ケ**　翼プロファイル	

2)　蒸気タービンを長時間使用すると，復水タービン最終段の羽根は，[5] により引き起こされる [6] で，表面粗さ，後縁形状変化及び蒸気通路面積の増大などが生じ内部効率が低下する．このため，運転履歴や検査結果などで状況を的確に検知・把握して正しく評価し，計画的かつ経済的に補修や部品交換を行うなど，経済性と信頼性を高く維持し続けるよ

う保守管理を行うことが重要である.

〈[5] 及び [6] の解答群〉

ア エロージョン　**イ** コロージョン　**ウ** 応力腐食割れ
エ 酸化スケール　**オ** 湿り蒸気（液滴）　**カ** 腐食成分

(2) 容積形内燃機関は火花点火機関と圧縮着火機関に大別できる.

1) 火花点火機関の理論サイクルであるオットーサイクルの熱効率は，圧縮比を大きくすると向上できる．実際の火花点火機関においても，圧縮比が [7] 程度までは効果が期待できることが知られているが，異常燃焼（ノック）を起こし運転ができなくなるため，通常，圧縮比は [8] 程度としている.

ノックは混合気の火炎伝播における最終燃焼部分（末端ガス）での自己着火に起因し，その際の局所的な圧力上昇により燃焼ガス中に圧力振動を生ずる現象であり，その結果，出力や熱効率が低下するばかりでなく，機関の損傷をもたらすことがある.

ノックの発生を抑える方法としては，まず最適な燃料選択があり，たとえばガソリン機関では [9] の高い燃料を使用する必要がある．その他，ノックの抑制因子には，混合気側では火炎伝播期間の短縮などがあり，機関側では圧縮比の低減などがある.

〈[7] ～ [9] の解答群〉

ア 17　**イ** 29　**ウ** 5 ～ 13　**エ** 12 ～ 22
オ オクタン価　**カ** セタン価　**キ** メタン価

2) 圧縮着火機関であるディーゼル機関の特徴は，圧縮比を高く取れることにあり，通常，圧縮比は [10] 程度である.

高圧縮比など性能向上に伴う重要な問題の一つに，シリンダライナとピストンリングとの [11] からの燃焼ガスの吹抜け問題があり，機関の性能低下だけでなく，シリンダライナ壁面の油切れ，[12] の劣化などを早め，機関の耐久性低下が生じる原因となるため，十分な保守管理が必要となる.

〈[10] ～ [12] の解答群〉

ア 5 ～ 13　**イ** 12 ～ 22　**ウ** 23 ～ 33　**エ** 結合部　**オ** 固定部
カ 摺動《しゅうどう》部《ぶ》　**キ** 作動油　**ク** 潤滑油　**ケ** 冷却水

(3) ガスタービンは，圧縮機で圧縮した空気などの作動流体を燃焼器などで高温に加熱し，これをタービン軸の回転という機械仕事に変換することにより動力を発生させる原動機である.

1) ガスタービンの性能向上については，材料の耐熱性能の向上や燃焼器・

翼の冷却技術の進歩に伴い，主として [13] を上昇させることにより，熱効率の改善や大型化が図られてきた．材料面では [14] 合金が実用化されており，また冷却技術としては，空気や蒸気による翼内部の対流冷却や翼表面への [15] などがある．

〈[13] ～ [15] の解答群〉

ア タービン入口ガス温度　**イ** タービン出口ガス温度
ウ 圧縮機入口空気温度　**エ** フィルム（膜）冷却
オ 再生冷却　**カ** 自然冷却　**キ** 単結晶　**ク** 多結晶
ケ 多方向凝固

2)　燃料の選択においては，新しい燃料の使用と燃料の多様化への大きな可能性に対して期待がかけられているが，低質燃料油においては，[16] 対策が必要である．[16] とは，燃料中の [17] 化合物が燃焼により低融点の化合物を生成し，タービン翼などに付着して，翼の内部まで激しい腐食を発生するものであり，燃料中に [18] などのアルカリ金属が含有されていると促進される．

〈[16] ～ [18] の解答群〉

ア アルミニウム　**イ** クロム　**ウ** ナトリウム
エ バナジウム　**オ** マグネシウム　**カ** マンガン
キ 高温腐食　**ク** 低温腐食　**ケ** 腐食疲労

解　説

(1)

1)　蒸気タービンは，高温高圧の蒸気を**静翼**（固定翼）で整流してから**動翼**（回転翼）に衝突させて機械仕事に変換することで動力や電力を発生させる熱機関である．蒸気タービンには，軸流タービンとラジアルタービンがある．

軸流タービンでは，蒸気は蒸気が軸と平行に流入して，動翼に高速で衝突するため，**動翼**の形状は機械効率が高く，材質は疲労や腐食に対して高性能かつ高強度でなくてはならない．

復水タービンの最終段では，蒸気圧力が低くなるため，体積膨張により蒸気の**体積**流量が大きくなる．そのため，蒸気流速が大きくなることから，排気室における排気損失が大きくなる．したがって，排気損失に影響を与える**動翼**の形状を十分に検討する必要がある．

静翼は蒸気の流れを整流する働きをもつが，静翼を通過する蒸気が静翼との摩擦などによって**翼プロファイル**損失を発生するので，静翼の断面形状（翼プロファイル）を検討する必要がある．

2)　復水タービンの最終段では蒸気の比エンタルピーが低下して，蒸気の乾き度が小さくなっている．そのため，**湿り蒸気（液滴）**が高速で衝突することによって，動翼と静翼が**エロージョン**を起こす可能性がある．エロージョンによって，動翼と静翼の表面粗さの増加，後縁形状変化などが発生して，蒸気タービンの内部効率を低下させることになる．

(2)

1)　火花点火機関であるガソリンエンジンの理論サイクルはオットーサイクルであり，この熱効率 η_{th} は，圧縮比 ε と比熱比 $\varkappa$ を用いて，

$$\eta_{\mathrm{th}} = \left\{1 - \left(\frac{1}{\varepsilon}\right)^{\varkappa-1}\right\} \times 100\ [\%]$$

で表される．したがって，圧縮比 ε を大きくすると，熱効率は向上する．圧縮比は **17** 程度まで上昇できるが，ノッキング（自己着火）を起こす可能性があるので，通常使用する圧縮比は 5 ～ 13 程度である．ノッキングが発生すると異常音が起こり，場合によってはエンジンに損傷を与えることがある．

ガソリンエンジンでは，ノッキングを抑制するために，**オクタン価**の高い燃料を使用することがある．オクタン価とは，アンチノック性を示す指標である．

2)　ディーゼル機関は，発火点を超えた圧縮空気に液体燃料を噴霧して着火させる圧縮着火機関であり，火花点火機関より圧縮比を大きくとることができる．通常，ディーゼル機関の圧縮比は 12 ～ 22 程度である．

シリンダライナとピストンリングとの**しゅう動部**（可動部分の隙間）から，燃焼ガスが吹き抜けることがある．高温の燃焼ガスが漏れることで，熱機関の性能低下が発生し，シリンダライナ表面の潤滑油が蒸発による油切れを起こし，**潤滑油**の劣化を早める可能性がある．

(3)

1)　ガスタービンの理論サイクルはブレイトンサイクルであるが，これを空気サイクルと考えると，**タービン入口ガス温度**を高くするほど熱効率は向上する．材料面では，高温のガスに耐えるために，高温で弱点となる結晶粒界を完全に排除した**単結晶**合金をブレードに使用するようになっている．

また，翼表面の冷却技術としては

①　内部対流冷却

翼内部に設けた冷却路に冷却空気を流して，翼内部を冷却する．

②　**フィルム冷却**

翼表面にフィルム冷却孔を設けて，内部から翼表面に冷却空気を噴射することで，翼表面を冷却する．

がある.

2)　高温腐食は，ボイラやガスタービンなどの重油燃焼機関で発生する加速酸化現象である．ガスタービンで使用する重油などの低質燃料油は，硫黄や酸化バナジウムを含んでいる．これを燃焼させた場合，タービン翼の表面に**バナジウム**化合物が付着して，**高温腐食**を発生することがある．燃料や大気に海塩粒子由来の**ナトリウム**化合物が含まれていると高温腐食が促進される.

解　答　(1)　**1-ク，2-キ，3-エ，4-ケ，5-オ，6-ア**
(2)　**7-ア，8-ウ，9-オ，10-イ，11-カ，12-ク**
(3)　**13-ア，14-キ，15-エ，16-キ，17-エ，18-ウ**

次の問題 15 から問題 18 までは，4 問題中 2 問題を選択して解答すること.

（熱交換器・熱回収装置—選択問題）

問題15　次の各文章の [1] ～ [10] の中に入れるべき最も適切な字句をそれぞれの解答群から選び，その記号を答えよ．なお，[5] は 3 箇所あるが，同じ記号が入る.

また，[A ab] ～ [C a.b] に当てはまる数値を計算し，その結果を答えよ．ただし，解答は解答すべき数値の最小位の一つ下の位で四捨五入すること．（配点計 40 点）

(1)　工場の設備の機能維持や温度制御等において，様々な形で加熱あるいは冷却のための伝熱操作が行われている．熱交換器は伝熱操作を行うための装置である．一般的に熱媒体相互への混入を避けるため，熱媒体の間に [1] を持つ熱交換器が用いられる.

温水による加熱操作の場合，加熱側の伝熱面は主に [2] によって熱が移動する.

蒸気による加熱操作の場合，加熱側の伝熱面は主に [3] によって熱が移動し，伝熱面の温度が均一で大量の熱を被加熱側に供給できる.

〈[1] ～ [3] の解答群〉

ア　隔壁	**イ**　じゃま板	**ウ**　隙間
エ　凝縮熱伝達	**オ**　蒸発熱伝達	**カ**　対流熱伝達
キ　沸騰熱伝達	**ク**　熱伝導	**ケ**　熱放射

(2)　開放型冷却塔（クーリングタワー）の熱媒体である冷却水と大気との熱交換について考える.

1)　開放型冷却塔では，塔内を落下する冷却水の [4] による熱交換が支配的である．したがって，冷却能力及び冷却水温度に大きく影響するのは外気の[5]であり，理論的には冷却水の下限温度は[5]と等しくなる．

外気の[5]が低いときは，冷却塔ファンの[6]などを行っても冷却水温度を設定温度に維持することができ，省エネルギー対策の一つとして考えられる．

〈[4]～[6]の解答群〉

ア バイパス制御　**イ** 回転速度制御　**ウ** 定風量制御
エ 乾球温度　**オ** 湿球温度　**カ** 臨界温度
キ 凝縮　**ク** 蒸発　**ケ** 昇華

2) 開放型冷却系の冷却水は，冷却対象設備の熱交換器との間で循環使用され，大気に開放して冷却されるため，そのまま使い続けると水質が劣化して伝熱性能が低下する．たとえば，冷却水に溶解している塩類等は，循環使用されることで次第に[7]され，冷却対象設備の熱交換器伝熱面への塩類の付着等により伝熱性能が低下してしまう．

したがって，冷却系の伝熱性能を維持管理するためには，冷却水の適正水質の維持に必要となる水質管理項目について管理の基準値を設定することが重要となる．

水質管理項目としては，腐食防止のためには塩類の濃度など，スケール生成防止のためには全硬度など，腐食防止及びスケール生成防止のためには[8]や[9]などがあり，基準値を超えないように冷却水の[10]などが行われる．また，管理の基準値に従って防食剤，スケール防止剤等による薬剤管理を行うことも必要になる．

〈[7]～[10]の解答群〉

ア pH　**イ** 温度　**ウ** 残留塩素　**エ** 電気伝導率
オ 比重　**カ** 粘度　**キ** ブロー　**ク** 逆洗
ケ 流量調整　**コ** 硬化　**サ** 濃縮　**シ** 分解

(3) 熱交換器により一定温度の冷水を製造し，使用先に供給する装置がある．冷水は入口温度 5 ℃で熱交換器に流入し，出口温度 2 ℃まで冷却されて供給される．冷水の冷却にはブラインが用いられ，入口温度 −10 ℃で熱交換器に流入している．ここで，ブラインの比熱を 3.0 kJ/(kg·K)，流量を 10 kg/min，冷水の比熱を 4.0 kJ/(kg·K)，流量を 8 kg/min とする．また，外部への熱損失はないものとする．

1) この熱交換における冷水側の温度効率は，[A ab] [%] となる．

2) この熱交換によりブラインが受けた熱量は，[B a.b] [kW] である．

3) この熱交換によるブラインの熱交換器の出口温度は，−[C a.b] [℃]

となる．

解　説

(1)　熱交換器は二つの熱流体間で熱交換を行う装置であり，一般には二つの流体が混合しないように**隔壁**が設けられている．これを，隔壁式熱交換器という．二つの流体が同じ方向に流れるものを**並流形**，二つの流体が逆方向に流れるものを**向流形**という．

温水により加熱操作を行う場合，隔壁を介して対流熱伝達によって加熱流体から被加熱流体へ熱移動が起こる．この**対流熱伝達**は，2 流体間の温度差による顕熱である．

蒸気による加熱操作の場合は，加熱流体である蒸気は状態変化を起こして凝縮し，凝縮潜熱を被加熱流体に伝える．この凝縮潜熱の**凝縮熱伝達**は，2 流体間の温度差による顕熱の移動より著しく大きい．対流熱伝達による熱移動の場合，加熱流体の温度は流下するにつれて低下するため，伝熱量が不均一になる．一方，凝縮熱伝達は凝縮温度が一定であることから，伝熱面の表面温度は均一になる．

(2)

1)　開放型冷却塔では，上部から噴霧された冷却水の一部が**蒸発**することによって，蒸発潜熱を奪うことで冷却水を冷却する．したがって，冷却塔の冷却能力は，冷却水がいかに蒸発しやすいかによって決定される．そのため，冷却能力は外気の湿球温度に依存する．

中間期や冬期で外気の**湿球温度**が十分に低いときには，ファンを停止したり，ファンの風量を減少させたりしても冷却効果が得られる．そのため，冷却塔の省エネルギー手法として，冷却水出口温度によるファンの**回転速度制御**を行うことがある．

2)　開放型冷却塔では，冷却水を大気に開放して使用することから，レジオネラ属菌などの微生物汚染を含むさまざまな水質劣化が発生する．冷却水の一部は常に蒸発するので，冷却水中の塩類が**濃縮**される．そのため，冷凍機の凝縮器のチューブ内表面に塩類が付着して，熱通過率が小さくなったり，流量が減少したりすることで，伝熱性能が低下する．

これを防止するために，冷却水の水質管理を行う必要がある．水質管理項目としては，配管腐食の防止のための塩分濃度や pH の計測およびスケール付着防止のための全硬度や**電気伝導率**の計測がある．冷却水の水質を維持するために，基準値を超えないように冷却水を定期的に**ブロー**（放流）して，補給水を注入したり，薬剤注入をしたりする．

(3)

1)　冷水の比熱 $c_{pc} = 4.0\,\mathrm{kJ/(kg\cdot K)}$，質量流量 $m_c = 8\,\mathrm{kg/min}$，入口温度 $T_{c1} = 5\,℃$で，出口温度 $T_{c2} = 2\,℃$，ブラインの比熱 $c_{pb} = 3.0\,\mathrm{kJ/(kg\cdot K)}$，質量流量 $m_b = 10\,\mathrm{kg/min}$，入口温度 $T_{b1} = -10\,℃$とする．冷水の温度効率 η_cは，

$$\eta_c = \frac{T_{c1} - T_{c2}}{T_{c1} - T_{b1}} = \frac{5 - 2}{5 - (-10)} = 0.2 = 20\ \%$$

2)　外部への熱損失がない場合，冷水が損失した熱はすべてブラインに伝熱されるので，伝熱量 Q_c［kW］は

$$Q_c = m_c c_{pc}(T_{c1} - T_{c2}) = \frac{8}{60} \times 4.0 \times (5 - 2) = 1.6\,\mathrm{kW}$$

3)　冷水が損失した熱量はブラインが取得した熱量 Q_b［kW］に等しいので

$$Q_b = Q_c = m_b c_{pb}(T_{b2} - T_{b1})$$

$$1.6 = \frac{10}{60} \times 3.0 \times \{T_{b2} - (-10)\}$$

となる．上式から，$T_{b2} = -6.8\,℃$となる．

解　答　(1)　**1-ア，2-カ，3-エ**

(2)　**4-ク，5-オ，6-イ，7-サ，8-ア，9-エ，10-キ（8と9の順序は問わない）**

(3)　**A-20，B-1.6，C-6.8**

（冷凍・空気調和設備―選択問題）

問題16　次の各文章の［1］～［15］の中に入れるべき最も適切な字句，数値又は記述をそれぞれの解答群から選び，その記号を答えよ．なお，一つの解答群から同じ記号を2回以上使用してもよい．（配点計40点）

(1)　空調設備の熱源機器の特徴について考える．

1)　空気熱源ヒートポンプは，一つの機器で冷房と暖房のどちらも可能な便利な熱源として，汎用性が高い熱源である．

i)　空気熱源ヒートポンプは，同一のサイクルでは，温熱を利用する側の方が冷熱を利用する側より COP 値が［1］なる．

ii)　空気熱源ヒートポンプは，外気条件によって暖房時には，冷房時には必要ない［2］運転が必要となる場合があるが，その頻度が高い方が一般に暖房期間全体での平均的な COP の値は［3］なる．

〈[1]～[3]の解答群〉

ア　ウォーミングアップ　　**イ**　過負荷　　**ウ**　除霜

エ　大きく　　**オ**　小さく

2)　水冷式の蒸気圧縮冷凍機と吸収冷凍機の冷却水量を比較すると，両冷凍機共に必要な[4]の冷却だけでなく，[5]では[6]の冷却も必要となるため，単位冷却能力当たりの冷却水量は多くなる．

〈[4]～[6]の解答群〉

ア　圧縮機　　**イ**　吸収器　　**ウ**　凝縮器　　**エ**　再生器

オ　蒸発器　　**カ**　吸収冷凍機　　**キ**　蒸気圧縮冷凍機

(2)　冷房時，熱源機で製造した冷熱を冷水ポンプにより空調機まで搬送し，室内の冷房負荷を処理する中央熱源方式の空調の熱搬送について考える．ここで，冷水ポンプを用いる配管系の全揚程を 25 m，ポンプ効率を 0.7，水の密度を 1 000 kg/m^3，比熱を 4.22 kJ/(kg･K) とし，これらは冷水量や冷水温度によらず一定とする．また，重力の加速度は 9.8 m/s^2 とする．

1)　同じ冷熱量を搬送するとき，冷水の往き還りの温度差が大きいほど，冷水ポンプの搬送動力を小さくすることができる．例えば，冷房負荷が 500 kW の室を冷房するとき，冷水の往き温度が 8 ℃，還り温度が 13 ℃であれば，必要な冷水量は約[7]［L/min］であり，このときの搬送動力（冷水ポンプの軸動力）は約[8]［kW］となる．

2)　冷水の還り温度を変えずに往き温度を 5 ℃まで低くできたとすると，冷水量は[9]［%］に低減することができる．このとき，配管系の全揚程を一定とした場合の搬送動力は[10]［%］に低減される．

〈[7]～[10]の解答群〉

ア　4.1　　**イ**　5.8　　**ウ**　8.3　　**エ**　39.1　　**オ**　60.0

カ　62.5　　**キ**　85　　**ク**　142　　**ケ**　1 420

3)　2)のように冷水往き温度を 5 ℃まで低くして運用することを考えたとき，蒸気圧縮冷凍機と水−臭化リチウム系の吸収冷凍機とでは，機器の冷熱製造の性能からは[11]熱源として適しているといえる．

〈[11]の解答群〉

ア　吸収冷凍機の方が　　**イ**　蒸気圧縮冷凍機の方が

ウ　どちらも同等に

(3)　図は冷房時の空調プロセスを湿り空気線図上に示したものであり，A～E は空気の各状態点を表している．このうち C は室内空気，E は外気の状態点である．

1)　状態点 D は[12]を示している．

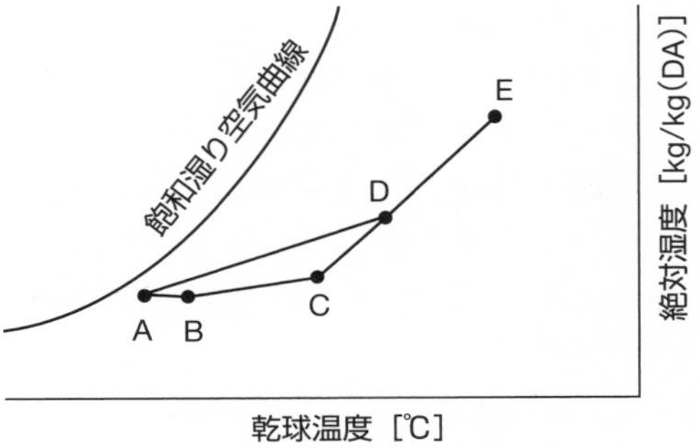

図

2)　状態点 D から状態点 A への状態変化は [13] 過程を表している.

〈[12] 及び [13] の解答群〉

ア　加湿　　**イ**　加熱　　**ウ**　減湿　　**エ**　混合

オ　冷却　　**カ**　冷却減湿

キ　外気と還気の混合点　　**ク**　空調空気の吹出し点

ケ　室内空気が室内熱負荷を処理して温度上昇した点

3)　冷却再熱方式ではない場合，A から B への温度上昇を示す状態変化は，冷却コイル通過後の [14] によるものと考えられる.

4)　空調空気が室内へ吹出される状態点は [15] である.

〈[14] 及び [15] の解答群〉

ア　A　　**イ**　B　　**ウ**　C　　**エ**　D　　**オ**　E

カ　OA 機器等の発熱　　**キ**　照明器具の発熱

ク　送風機や給気ダクトからの熱取得　　**ケ**　建物外部から室内への熱取得

解　説

(1)

1)　空気熱源ヒートポンプは，冷凍サイクルを用いて蒸発器で熱媒体を冷却することによって冷房を行い，凝縮器で熱媒体を加熱することによって暖房を行うことができる．冷房と暖房の切換えは，四方弁で冷媒の流路を換えて蒸発器と凝縮器の役割を交換することによって行う．凝縮器の温熱を利用する場合，圧縮機の仕事による熱量を含んで利用できるので，蒸発器の冷熱を利用する場合と比較して，より大きい熱を利用することができる．そのため，COP（成績係数）は**大きく**なる.

暖房運転時，空気熱源ヒートポンプは蒸発器によって外気から吸熱を行うことになる．つまり，外気を冷却することになることから，外気温度が低いときには，外気に含まれる水分が凍結して蒸発器のフィンに霜が付着して熱交換ができなくなることがある．これを除去するために，一時的に冷媒の流路を切り換えて，フィンを冷媒で加熱することにより，霜を溶かす**除霜**（デフロスト）運転を行う．これはヒートポンプにとって熱損失になることから，除霜運転の頻度が高いほど暖房期間全体の平均 COP は**小さく**なる．

2)　水冷式の蒸気圧縮冷凍機（冷凍サイクル）と吸収冷凍機（吸収サイクル）のいずれも**凝縮器**を冷却水で冷却する必要がある．**吸収冷凍機**では，これ以外に**吸収器**で噴霧した吸収液を凝縮させるために冷却をしなくてはならないので，吸収器にも冷却水が必要となる．そのため，単位冷却能力当たりの冷却水量は，吸収冷凍機のほうが多い．

(2)

1)　冷水ポンプを用いる配管系の全揚程 H を 25 m，ポンプ効率 η を 0.7，水の密度 ρ を 1 000 kg/m^3，比熱 C_p を 4.22 kJ/(kg·K)，重力加速度 g を 9.8 m/s^2 とする．ここで，冷房負荷 q_{C} を 500 kW，冷水往温度 t_{s} を 8 ℃，冷水還温度 t_{R} を 13 ℃，冷水流量を Q_{c} ［m^3/s］とすると，

$$q_{\mathrm{C}} = C_p \rho Q_{\mathrm{c}}(t_{\mathrm{R}} - t_{\mathrm{s}})$$

$$500 = 4.22 \times 1\,000 \times Q_{\mathrm{c}} \times (13 - 8)$$

となる．したがって，$Q_{\mathrm{c}} = 0.023\,7$ m^3/s = **1 420 L/min** である．

ポンプの搬送動力（軸動力）P_{p} ［kW］は

$$P_{\mathrm{p}} = \frac{\rho g Q H}{1\,000} \cdot \frac{1}{\eta} = \frac{1\,000 \times 9.8 \times 0.023\,7 \times 25}{1\,000} \times \frac{1}{0.7} = \mathbf{8.3\ kW}$$

2)　冷水往温度 t_{s} を 5 ℃とすると，

$$500 = 4.22 \times 1\,000 \times Q_{\mathrm{c}} \times (13 - 5)$$

より，$Q_{\mathrm{c}} = 0.014\,8$ m^3/s = 889 L/min となる．したがって，冷水往温度が 8 ℃のときと比較すると，冷水流量は

$$\frac{889}{1\,420} = 0.625 = \mathbf{62.5\ \%}$$

となる．前述の式より，ポンプの軸動力は冷水流量に比例することから，同様に **62.5 %**になる．

3)　冷熱をつくることを考えると，**蒸気圧縮冷凍機のほうが**吸収冷凍機より COP が大きいので，前者が適している．冷熱と温熱の同時取り出しがある場合には，吸収冷凍機が有利になることもある．

(3)

1)　設問の図は，冷房時のプロセスを湿り空気線図に示したものである．そのため，状態点 C は室内空気（還気）の状態，状態点 E は高温高湿の外気の

状態とみなすことができるので，状態点Dは**両者を混合**した状態になる．空調機への還気は室内空気の状態点と同じとするので，状態点Dは外気と還気の混合点になる．

2)　状態点Dから状態点Aへの状態変化は，乾球温度と絶対湿度の低下を発生させるので，冷却コイル通過による空気の**冷却減湿**過程を示すことになる．

3)　状態点Aは冷却コイル通過後の空気の状態点であり，状態点Aから状態点Bへの変化は，絶対湿度が変化しないことから，その後に顕熱の熱取得があることを意味している．したがって，この状態変化は，**送風機と給気ダクトから熱取得**があることを示す．

4)　3)より空調空気が室内へ吹き出される状態点はBということになる．室内に給気された空調空気は，室内負荷（顕熱・潜熱）を熱取得して，状態点Cに変化する．

解　答　(1)　**1-エ，2-ウ，3-オ，4-ウ，5-カ，6-イ**
(2)　**7-ケ，8-ウ，9-カ，10-カ，11-イ**
(3)　**12-キ，13-カ，14-ク，15-イ**

（工業炉，熱設備材料ー選択問題）

問題17　次の各文章及び表の [1] ～ [15] の中に入れるべき最も適切な字句をそれぞれの解答群から選び，その記号を答えよ．なお，[2] 及び [8] は2箇所あるが，それぞれ同じ記号が入る．（配点計40点）

(1)　工業炉は熱源や操業方式などにより分類される．

1)　工業炉を熱源で分類すると，燃焼加熱式と電気加熱式とに大別され，それぞれに特徴があり，用途によって使い分けられている．

①　エネルギー単価は，電気加熱式に比べて燃焼加熱式の方が一般に安価である．

②　燃焼加熱式の直火式では，[1] を調整することによって，ある範囲内で酸化又は還元雰囲気を作ることができる．

③　燃焼加熱式では，燃焼ガスが流れていることを利用して，[2] による加熱を促進することができる．特に，低温度域での均一加熱にはこの [2] による加熱が有効に働く．

④　燃焼加熱式では，燃焼に伴うNOx，SOxや騒音の発生に対して環境対策が必要である．

⑤　電気加熱式には種々の方式があり，アーク加熱方式は電極間に生ずるアーク熱を利用したもの，また，抵抗加熱方式は [3] を利用したも

のである．その他にも誘導加熱方式などがあり，それぞれ特徴を活かして使われている．

⑥　一般に，電気加熱式は，作業性がよく，[4] が容易であり，急速加熱が可能である．

〈[1] ～ [4] の解答群〉

ア　プラズマ　**イ**　ジュール熱　**ウ**　電子ビーム　**エ**　圧力制御
オ　温度制御　**カ**　流量制御　**キ**　空気比　**ク**　排ガス温度
ケ　炉内圧　**コ**　対流　**サ**　伝導　**シ**　ふく射

2）工業炉を操業方式で分類すると，バッチ式と連続式とに大別することができる．

①　バッチ式は，被加熱材料を炉内へ装入して炉内に保持し，処理が終わって取り出してから次の被加熱材料を炉内に装入する方式である．このバッチ式は一般に [5] 生産に適している．

②　連続式は，一般に被加熱材料を炉の一方の口から連続的に投入し，炉内を通過する際に加熱ないしは加熱・冷却して他方の口から取り出す方式で，被加熱材料の炉内移送が必要である．

炉内移送の方式には，炉外部より被加熱材料を押し込んで炉内を移送させる [6] 形，炉内に設置されたコンベヤによって移送させるコンベヤ形，連続した帯状金属ストリップや線材などを移送させる [7] 形などがある．

〈[5] ～ [7] の解答群〉

ア　ウォーキングビーム　**イ**　ストランド　**ウ**　プッシャ
エ　メッシュベルト　**オ**　リンクチェーン　**カ**　回転炉床
キ　傾斜　**ク**　少品種多量　**ケ**　多品種少量

(2)　工業炉に供給される熱が，どのように使用されるかを収支計算することを [8] という．この結果は，炉の操業や燃料使用量の適否を判定する材料となる．炉の性能を表す指標として，供給した熱量に対する有効熱の割合を示す熱効率と，被加熱物単位重量当たり投入した燃料量を表す [9] があり，これらの指標は省エネルギー対策を立てる上で役立つ．

鋼材の連続式加熱炉の [8] を例にとると，出熱は次に示す4項目が主たるものである．

①　抽出鋼材の含熱量

②　[10]

③　炉体の放散熱

④　冷却水の持ち去る熱

具体的な省エネルギー対策としては，②の熱について，レキュペレータなどを使って燃焼用空気の予熱に利用するなどの熱回収が行われているが，さらに近年では，蓄熱体を使って高効率に予熱空気を高温化する [11] バーナの適用事例が増えている．

〈[8]～[11]の解答群〉

ア パイロット　**イ** リジェネレイティブ　**ウ** コスト収支
エ 物質収支　**オ** スケール生成熱　**カ** 装入鋼材の含熱量
キ 排ガスの顕熱　**ク** 酸素富化　**ケ** 熱勘定
コ 燃焼空気比　**サ** 燃料原単位　**シ** 未燃燃料比

(3) 代表的な耐火・断熱材料をその形状により分類すると，次の表のようになる．

表　代表的な耐火・断熱材料の形状による分類

分類		特徴
[12]	耐火れんが	・窯炉など構造物の構築に用いる有形の耐火物
	耐火断熱れんが	・[13]の小さい有形の耐火物
不定形耐火物	耐火モルタル	・耐火れんが構築時の目地材料 ・熱硬性，気硬性，水硬性あり
	[14]	・耐火性骨材と水硬性セメント，化学結合剤を混合した耐火材料 ・水と混練して流し込む
繊維状高温材料	[15]	・繊維状の耐火物であり，ブランケット，フェルト等に加工して用いる ・軽量で 1 000 ℃でも使用可能な耐火断熱材料

〈[12]～[15]の解答群〉

ア ウレタン　**イ** キャスタブル　**ウ** セラミックファイバ
エ ポリエチレンフォーム　**オ** ラミング材
カ 高密度耐火物　**キ** 定形耐火物　**ク** 耐熱鋼
ケ 吹き付け材　**コ** 降伏強度　**サ** 熱伝達率
シ 熱伝導率

解　説

(1)

1) 工業炉を熱源で分類すると，石炭・重油・天然ガスなどの化石燃料を用いる燃焼加熱式と電力による電気加熱式に分けられる．

燃焼加熱式では，燃料の燃焼による火炎と燃焼生成ガスからの放射と対流だけでなく，加熱された炉内壁表面からの放射熱によって材料が加熱される．

燃焼加熱式の加熱方式としては，燃焼火炎や燃焼生成ガスが直接材料に接触して放射と対流で加熱する直接加熱方式（直火式）と，ラジアントチューブ，マッフルまたはレトルトを介して材料を間接的に加熱する間接加熱式に分けられる．直接加熱方式は製鉄のプロセスで鋼片加熱炉に用いられ，間接加熱方式は加熱室の雰囲気を調節することができることから，浸炭炉などに用いられる．直接加熱方式（直火式）では，燃焼空気の**空気比**を調整することによって，一定の範囲で酸化性ガス（CO_2 など）や還元性ガス（CO など）を生成して，酸化および還元雰囲気をつくることができる．燃焼加熱式では高温の燃焼ガスが炉内を流れているので，燃焼ガスの**対流**による材料の均一な加熱を促進することができる．ただし，燃料の燃焼による窒素酸化物（NO_x）や硫黄酸化物（SO_x）の発生および燃焼による騒音（燃焼音）の発生に対して対策が必要となる．

電気加熱式は燃焼によらないので，燃焼排ガスによる熱損失がなく，窒素酸化物や硫黄酸化物による大気汚染の問題もない．電気炉の加熱方式には，電磁誘導を用いる誘導加熱方式，アーク電流を用いるアーク加熱方式，電気抵抗の**ジュール熱**を用いる抵抗加熱方式などの方式がある．電気炉は，炉内の雰囲気ガスを制御する雰囲気熱処理に利用しやすい．また，燃焼炉と比較して高温が得やすい．そのため，炉内を減圧して加熱する真空熱処理炉に利用される．一般に，電気加熱式は，操作性・作業性に優れ，**温度制御**が容易である．

2）　工業炉は操業方式から，バッチ式と連続式に分類できる．

バッチ式は，被加熱材料を炉内に装入し，加熱が終了してから抽出するまで炉内に装入したままにする方式である．被加熱材料ごとにこの操作を繰り返すので，**多品種少量**生産に適している．

連続式は，被加熱材料を炉内に連続的に装入して，炉内で加熱・冷却を行ってから，連続的に取り出す方式である．そのため，少品種多量生産に適している．炉内移送方式としては，被加熱材料を炉外から押し込んで投入する**プッシャ**形，コンベヤを使用して材料を移送するコンベヤ形，連続した長尺の帯状金属や線材を巻き取りながら移送する**ストランド**形などがある．

(2)　工業炉において，入熱と出熱の関係（熱収支）を計算することを**熱勘定**と呼んでいる．この用語は，ボイラにも使用される．工業炉の性能としては，供給した熱量に対する有効な加熱量の比率を示す熱効率という指標と，被加熱材料の単位質量当たり投入した燃料量を示す**燃料原単位**という指標がある．これらの指標を評価することで，工業炉の省エネルギー対策に貢献できる．

鋼材の連続式加熱炉の出熱としては，

① 加熱後に抽出した鋼材の含熱量（蓄熱量）

② 高温の燃焼**排ガスの顕熱**　一般に燃料の発熱量は低位発熱量換算なので，排ガスの潜熱（水蒸気の凝縮潜熱）は計上されない

③ 炉体の放散熱

④ 冷却水が取得した熱量

がある．②③④は熱損失であるから，これらを減少させれば省エネルギーになる．

特に，燃焼排ガスによる熱損失は大きいので，レキュペレータによって燃焼用空気を予熱して熱回収を行う方法が有効である．

近年使用されるようになった蓄熱式（**リジェネレイティブ**）バーナは，蓄熱体を組み込んだ2台の小形バーナを交互運転させて，燃焼排ガスで燃焼空気を予熱するシステムである．燃焼させるバーナと排ガスを吸い込むバーナを交代するときは，四方切換弁で燃焼空気と排ガスの流路を切り換える．燃焼空気は，四方切換弁の部分で高温の排ガスから熱回収を行う．始動するバーナの蓄熱体もすでに排ガスで予熱されているので，四方切換弁の部分で熱回収した燃焼空気を蓄熱体からの放熱によってさらに昇温させることができる．蓄熱式（リジェネレイティブ）バーナは，熱回収率が高く，高温空気燃焼が実現できる．

(3) 耐火・断熱材料は，形状によって，**定形耐火物**，不定形耐火物，繊維状高温材料に分類される．

定形耐火物には，耐火れんがと耐火断熱れんがある．耐火れんがは，耐火粘土などを成形してから高温で焼成したものである．このうち，**熱伝導率**が小さく断熱性能に優れたものを耐火断熱れんがという．

不定形耐火物には，耐火モルタルと**キャスタブル**がある．耐火モルタルは耐火れんがで工業炉を構築したときに，れんがの目地を施工するために用いられる．熱硬化性，気硬性，水硬性の耐火モルタルがある．**キャスタブル**は不定形耐火物の代表で，水で混練して使用する粉末状の耐火物である．施工方法としては，型枠に流し込む方法が一般的である．

繊維状高温材料には，**セラミックファイバ**などがあるが，これはアルミナ粉末とけい石の粉砕粉またはシリカサンドを混合して，電気炉で溶融してから繊維化した繊維状の耐火物である．軽量で，最高使用温度は1 000 ℃以上である．

解　答　(1)　**1-キ，2-コ，3-イ，4-オ，5-ケ，6-ウ，7-イ**
(2)　**8-ケ，9-サ，10-キ，11-イ**
(3)　**12-キ，13-シ，14-イ，15-ウ**

（蒸留・蒸発・濃縮装置，乾燥装置，乾留・ガス化装置―選択問題）

問題18　次の各文章及び図の [1] ～ [14] の中に入れるべき最も適切な字句，式，記述又は図をそれぞれの解答群から選び，その記号を答えよ．なお，[1] は 2 箇所，[2] は 3 箇所あるが，それぞれ同じ記号が入る．（配点計 40 点）

(1)　図に示すような連続多段蒸留塔の基本的事項と省エネルギーについて考える．

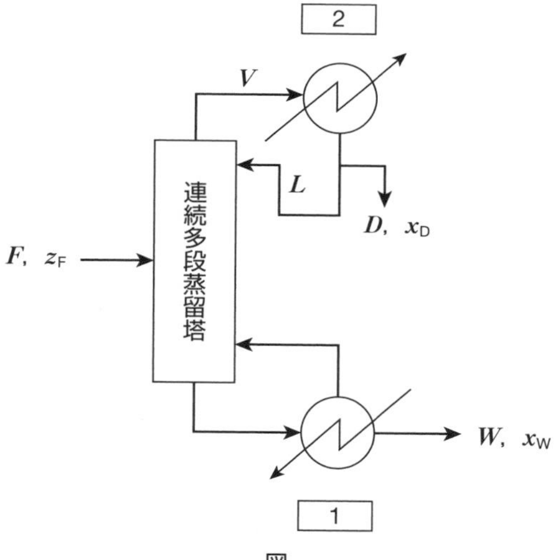

図

1)　蒸留塔は比較的多くの熱量を必要とする分離方式であり，一般的に，塔底の [1] で水蒸気等により加熱蒸発させ，塔頂の蒸気は [2] で冷却される．

2)　低沸点成分の組成が z_F である混合溶液を供給量 F [kmol/s] で供給したとき，組成 x_D の留出液量が D [kmol/s]，組成 x_W の缶出液量が W [kmol/s]，還流量が L [kmol/s] であった場合，[2] で冷却される蒸気量 V [kmol/s] は，F，D，W，L のいずれかを使用して次式で表される．

$V =$ [3]

3)　還流比 R は，還流量 L を用いて次式で表される．

$$R = \boxed{\ 4\ }$$

4)　還流比が大きいほど精留の効果は大きく分離は良くなるが，塔の蒸気流量が増加し，蒸留塔で使用されるエネルギーは大きくなる．したがって，省エネルギー化を図るには，必要な分離が得られる範囲で，できる限り還流比を小さくすることが重要である．たとえば，既存の蒸留塔において設計時と比較して原料組成が変化している場合などには，プロセスシミュレータなどを使用して $\boxed{\ 5\ }$ 及び供給温度の最適化を図るなどの方策が考えられる．

〈$\boxed{\ 1\ }$ ～ $\boxed{\ 5\ }$ の解答群〉

ア　$D+L$　　**イ**　$F+L$　　**ウ**　$F-L$

エ　$L+W$　　**オ**　$\dfrac{L}{D}$　　**カ**　$\dfrac{D}{L}$

キ　$\dfrac{L}{F}$　　**ク**　$\dfrac{L}{W}$　　**ケ**　共沸点

コ　原料供給段　　**サ**　製品抜出段　　**シ**　凝縮器（コンデンサ）

ス　再沸器（リボイラ）　　**セ**　蒸発器　　**ソ**　分離器

5)　一般的に蒸留塔の運転圧を下げれば，比揮発度は $\boxed{\ 6\ }$，より少ないエネルギーで分離が可能になる．

6)　既存の蒸留塔を改造する場合，効率のよいトレイ形式や充填《じゅうてん》材の採用により，既存の蒸留塔の実段数を基準とすると $\boxed{\ 7\ }$ し，還流比が下げられることになる．

〈$\boxed{\ 6\ }$ 及び $\boxed{\ 7\ }$ の解答群〉

ア　蒸気量が増加　　**イ**　塔効率が向上　　**ウ**　比揮発度が向上

エ　大きくなり　　**オ**　小さくなり　　**カ**　変わらず

(2)　表面まで十分に湿った被乾燥材料を一定条件の熱風中につるしたときの，平均含水率と材料温度の変化及び乾燥速度の変化について考える．

一般に，その乾燥機構はそれぞれ特徴のある三つの期間（期間Ⅰ，期間Ⅱ，期間Ⅲ）に分けられる．

1)　期間Ⅰは，材料の温度が初期温度から次第に上昇し，乾燥条件によって定まるある平衡温度まで達する期間で，$\boxed{\ 8\ }$ 期間という．

2)　期間Ⅱでは，流入熱量はすべて水分蒸発のみに費やされ，材料表面に自由水が存在し，そこで蒸発している限り続く期間で $\boxed{\ 9\ }$ 期間という．

3)　期間Ⅲでは，乾燥が進んで材料内部の水分量が減少し，材料内部からの自由水の補給が表面での蒸発速度に追いつかなくなる期間で，$\boxed{\ 10\ }$ 期間という.

4)　期間Ⅱと期間Ⅲの境界の平均含水率を [11] 含水率と呼ぶ.

〈[8]～[11] の解答群〉

ア　限界　　**イ**　自由　　**ウ**　平衡　　**エ**　限界乾燥
オ　限界蒸発　　**カ**　減率乾燥　　**キ**　材料昇温　　**ク**　材料予熱
ケ　定率乾燥　　**コ**　定率蒸発　　**サ**　平衡乾燥

5)　横軸を時間，縦軸を材料温度としたときの材料温度の変化を正しく示した図は，[12] である.

6)　横軸を時間，縦軸を平均含水率としたときの平均含水率の変化を正しく示した図は，[13] である.

7)　横軸を平均含水率，縦軸を乾燥速度としたときの乾燥速度の変化を正しく示した図は，[14] である.

〈[12]～[14] の解答群〉

ア

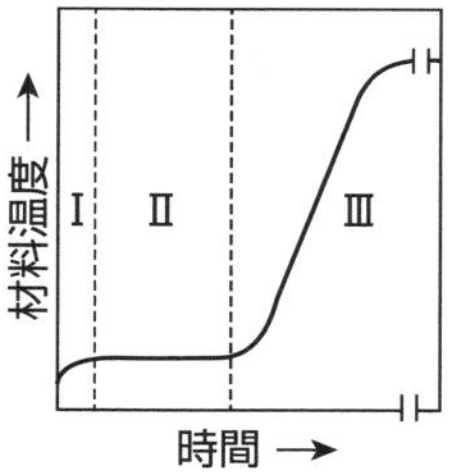

イ

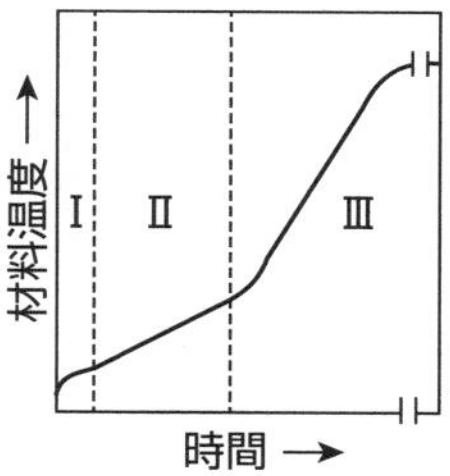

ウ

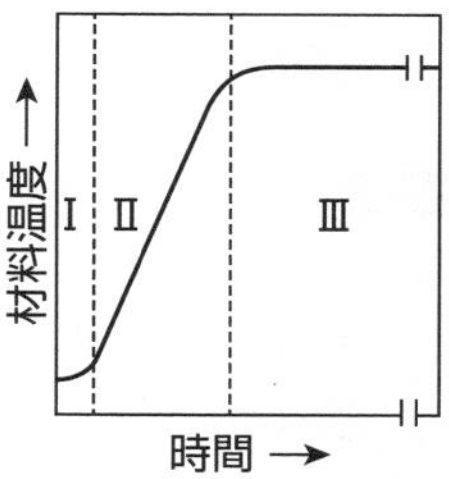

エ

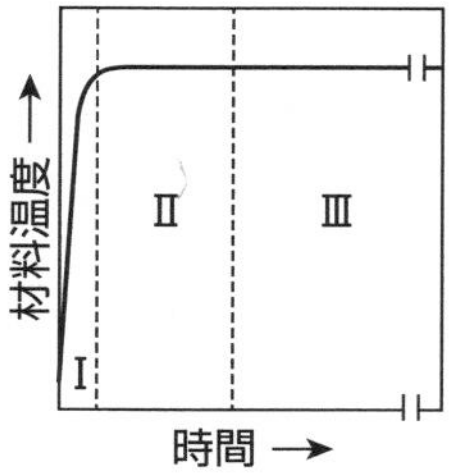

オ

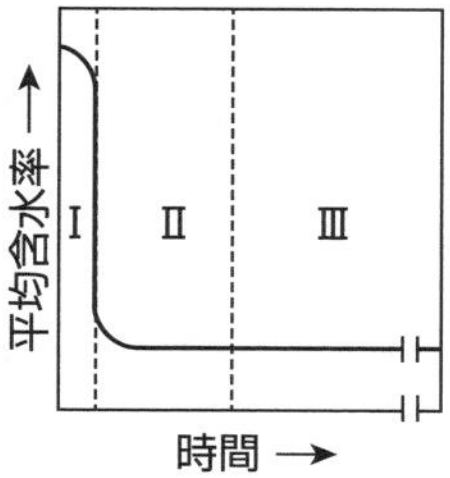

カ

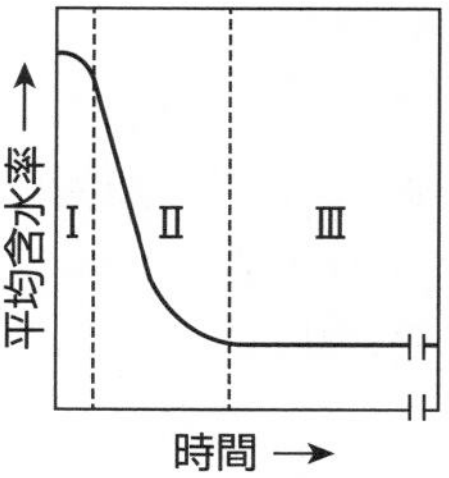

キ

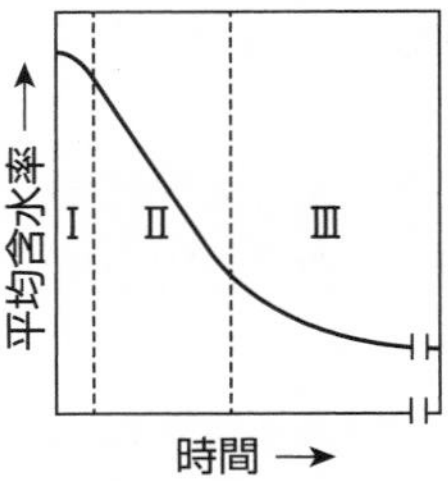

ク

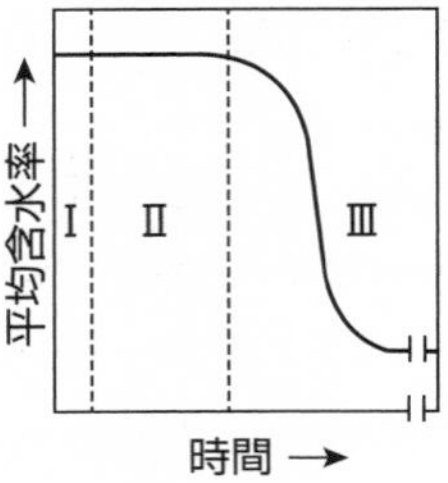

ケ

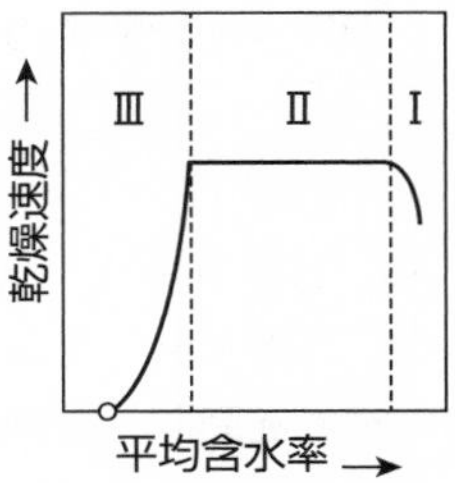

コ

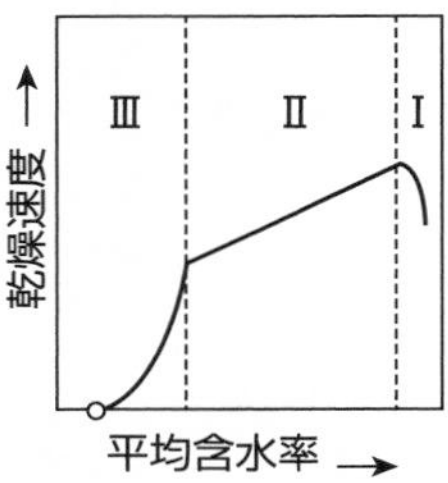

サ

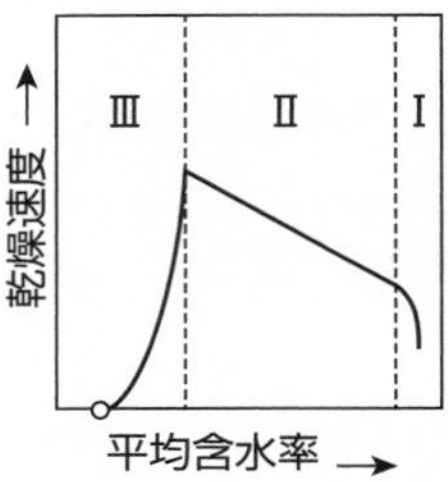

シ

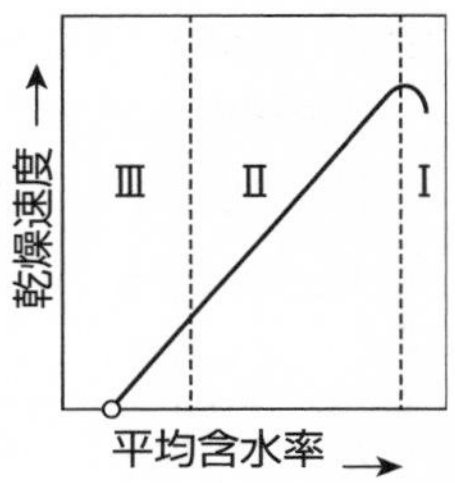

解　説

(1)

1)　蒸留塔は，蒸留という分離プロセスに使用する装置で，一定圧力で原料の液体混合物を加熱して沸騰することで生じる気液平衡状態から混合物を分離する．塔底には，液を蒸発させるために加熱を行う**再沸器（リボイラ）**があり，塔頂には蒸気を凝縮させるために冷却水で冷却を行う**凝縮器（コンデンサ）**がある．

2)　設問の図のように，凝縮器の物質収支は，流入量 = 冷却される蒸気量 V であり，流出量は還流液の還流量 L と留出液量 D の和となる．したがって，$V = \boldsymbol{D} + \boldsymbol{L}$ となる．

3)　還流比は，還流量 L と留出液量 D の比であるから，

$$R = \frac{L}{D}$$

4)　還流比が大きいほど精留の効果は大きく，分離がよいが，還流量が増加することから，加熱に必要なエネルギー消費量が大きくなる．したがって，還流比を最小にすると，省エネルギーになる．一方，還流比を小さくすると，原料供給段の所用段数が増加するので，設備費が高くなる．そのため，シミュレーションを用いて，**原料供給段**数と供給温度をパラメータとして，最適な還流比を求めることが重要である．

5)　蒸留塔において，運転圧力を下げると，比揮発度（気相・液相のモル分率比）が**大きくなる**傾向があり，分離性能が向上するので，省エネルギーになる．ただし，運転圧力を下げると，塔頂における凝縮温度が低下することから，冷却水のエネルギー消費が大きくなる．そのため，運転圧力には適正値が存在する．

6)　既存の蒸留塔を改修する場合，トレイ形式や充塡材を圧力損失の小さいものに変更すると，塔底温度が低下したり，処理量が増加したりして，**塔効率が向上**することから，還流比を下げることができる．

(2)

1)　設問の図で，横軸に時間をとった図では，乾燥機構が期間Ⅰ，期間Ⅱ，期間Ⅲに分けられる．期間Ⅰは，材料が初期温度から加熱によって温度上昇して，乾燥条件によって決定される平衡温度に達するまでの期間で，**材料予熱**期間という．乾燥の方法が熱風のみの場合は，強制対流熱伝達のみの受熱になることから，平衡温度は熱風の湿球温度となる．

2)　期間Ⅱは，材料温度は一定で，流入熱量は材料からの水分蒸発のみに消費される．そのため，材料の温度は平衡温度に維持される．これを**定率乾燥**期間という．

3)　期間Ⅲは，乾燥が進行して材料内部の水分量が減少すると，内部からの自由水の供給が水分の蒸発速度に追いつかなくなって，材料温度が上昇する．これを**減率乾燥**期間という．

4)　期間Ⅱと期間Ⅲの境界の含水率を**限界**含水率といい，材料固有の値である．

5)　期間Ⅱでは材料温度が一定，期間Ⅲでは材料温度が上昇することから，横軸を時間，縦軸を温度とした図のうちで正しい図は「**ア**」となる．

6)　期間Ⅰ，期間Ⅱ，期間Ⅲのいずれにおいても平均含水率は低下することから，横軸を時間，縦軸を平均含水率とした図のうちで正しい図は「**キ**」となる．

7)　期間Ⅱの定率乾燥期間では，平均含水率の時間変化が一定であることから，平均含水率にかかわらず乾燥速度が一定ということになる．これを定率乾燥速度という．設問のキからシの図のうちで，期間Ⅱにおいて乾燥速度が一定なのは，「ケ」のみである．さらに，期間Ⅲでは，平均含水率の低下とともに乾燥速度（平均含水率の時間変化率）が低下しているので，**ケ**の図はこれを正しく示していることになる．

解答　(1)　**1-ス，2-シ，3-ア，4-オ，5-コ，6-エ，7-イ**

(2)　**8-ク，9-ケ，10-カ，11-ア，12-ア，13-キ，14-ケ**

第 40 回　2018 年（平成 30 年）

（計測及び制御）

問題11　次の各文章の [1] ～ [15] の中に入れるべき最も適切な字句，数値，式又は記述をそれぞれの解答群から選び，その記号を答えよ．（配点計 50 点）

(1)　測定器を用いてある物理量を測定するとき，測定値と真の値との間に誤差を生じる．誤差の原因としては，測定の原理・方法，測定装置，測定条件や環境，測定者によるものがある．

これらの誤差はいくつかの種類に分類される．このうち，「測定結果に偏りを与える原因により生ずる誤差」は [1] 誤差である．「突き止められない原因によって起こり，測定値のばらつきとなって現れる誤差」は [2] 誤差である．

誤差があらかじめ推定できる場合は，補正するなどして誤差の原因をできるだけ取り除いた上で測定を精密に行い，十分な回数の測定を行った上でその平均値をとることなどで，真の値の推定値の精度を高めることができる．測定回数が十分であれば，これらの誤差によって測定値は図のように分布することになる．この分布は統計学において [3] 分布と呼ばれている．

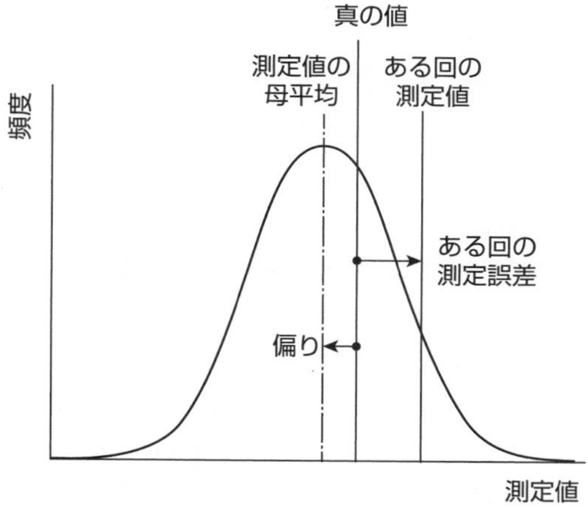

図　測定値の分布

〈[1]〜[3]の解答群〉

ア カイ二乗　**イ** 系統　**ウ** 偶然　**エ** 指数

オ 正規　**カ** 丸め

(2) 熱電対を用いて温度を測定する際には，次のような誤差となる要因について十分に注意を払う必要がある．

1) 炉内温度や配管内の流体温度などを測定する場合，装置や配管などへの熱電対の挿入長さが短いと，熱電対の測温接点の温度は保護管が接する壁や外界との熱伝導の影響を受けて，測定対象の温度に対して誤差を生ずる．誤差を少なくするためには，配管に挿入する場合は曲がり部分を利用するなど，一般に，金属の保護管では保護管外径の 15 〜 20 倍の長さを挿入するとよい．一方，非金属の保護管では，誤差が同程度となる場合の挿入長さは，金属の保護管と比べて[4]．

2) 熱電対を用いて物体の表面温度を測る場合には，測定対象に測温接点を確実に接触させることや，熱電対によって測定対象の温度が変わってしまうようなことがないように十分注意して測温接点を取り付けることが，誤差を少なくすることにつながる．

測定対象の温度は，熱電対を通して外界などとの熱の授受が生じることにより変化し，一般に，測定対象の熱容量や熱伝導率が[5]ほど，熱電対の熱容量や熱伝導率が[6]ほど測定対象の温度に影響を与えやすい．

物体の表面温度が一様な場合に，より正確な表面温度を測定するには，できるだけ細い熱電対を用いて熱電対を測定対象の表面に[7]ことにより熱電対素線内の測温接点近傍の温度勾配を小さくすることなどが有効である．

〈[4]〜[7]の解答群〉

ア 長くなる　**イ** 短くなる　**ウ** 同程度となる

エ 小さい　**オ** 大きい　**カ** 接触させない

キ 点で接触させる　**ク** はわせる

(3) 流れの中の物体の下流側に発生した渦から，流体の流量を計測する流量計を渦流量計という．

1) 流れの中に柱状の物体を置くと，ある流速の範囲ではこの物体の下流側には[8]列の渦が発生し，この渦はカルマン渦と呼ばれる．カルマン渦の発生周波数は，流れの中にある振動現象の周波数に関する無次元量であるストローハル数と関係があり，ストローハル数 St は，渦発生体の幾何学的寸法 d，渦発生の周波数 f 及び流速 v を用いて次式で表される．

$St =$ [9]

渦流量計は，ストローハル数 St がレイノルズ数のある範囲において [10] ことを利用して，周波数 f を測定することにより流速を求めている．

〈[8]～[10] の解答群〉

ア　1　　**イ**　2　　**ウ**　3

エ　fvd　　**オ**　$f\frac{d}{v}$　　**カ**　$f\frac{d}{v^2}$

キ　一定値となる　　**ク**　レイノルズ数に比例する

ケ　レイノルズ数に反比例する

2)　渦流量計の特徴としては次のような点が挙げられる．

① 構造が簡単で安価である．

② 可動部が無く保守が容易である．

③ 差圧式流量計と比較すると圧力損失は [11].

④ レイノルズ数が過小な場合は渦が発生しないか又は不安定になる．

〈[11] の解答群〉

ア　小さい　　**イ**　大きい　　**ウ**　同等である

(4)　圧力計には液柱式圧力計やブルドン管圧力計など種々の方式がある．

1)　両端が開放されたＵ字形の管に液体を入れ，一端に圧力を加えると，管内の液体は押されて移動し，二液面間の液位差と加えた圧力がバランスしたところで停止する．この原理を利用して液位差から圧力を求めるのが液柱式圧力計である．

管の端 1 に圧力 p を加え，端 2 を大気に開放したとき，液位差が示す圧力の測定値は [12] と呼ばれる．標準気圧の大気中で管の端 1 側の液面が端 2 側の液面よりも低くなり，液位差が示す圧力の値が 0.01 MPa と読み取れる場合，圧力 p は絶対圧で [13] [MPa] である．

〈[12] 及び [13] の解答群〉

ア　0.01　　**イ**　0.09　　**ウ**　0.11　　**エ**　0.99

オ　1.01　　**カ**　ゲージ圧　　**キ**　絶対圧　　**ク**　全圧

2)　配管などの圧力測定に用いられているブルドン管は，[14] 式圧力計の一種である．断面が楕円型などの扁平《へんぺい》な断面を持つ管の一端を閉じ，Ｃ字形・渦巻き形・つる巻き形などの形に巻き，他端から圧力を加えると，巻かれた管はほどける方向に動く．ブルドン管圧力計はこのことを利用しており，閉じた先端の変位量はほぼ [15] する．

ブルドン管圧力計は構造が簡単で比較的安価で製作でき，管の材料・寸法を選べば非常に広い範囲の測定が可能である．また，測定に当たって外部からのエネルギーは必要としない．

〈[14]及び[15]の解答群〉

ア ダイヤフラム **イ** ベローズ **ウ** 弾性

エ 圧力に比例 **オ** 圧力に反比例 **カ** 圧力の平方根に比例

キ 圧力の平方根に反比例

解　説

(1) 物理量を計測するときに生じる測定値と真の値との差を**誤差**という．**系統誤差**は，偏りの原因となる誤差であり，温度膨張によるものさしの長さの変化や測定者個人の癖による個人誤差などがある．系統誤差は，発生原因を把握することにより，温度膨張係数で補正したり，精度が高い測定器で測定したりすることにより，補正することができる．**偶然誤差**は，気温，振動などの追跡不可能な環境要因などにより生じる誤差である．

誤差があらかじめ推定できる場合は，補正によって系統誤差を除去し，十分な回数の測定を行って測定値の平均値を求めることで真の値の推定値の精度を高めることができる．偶然誤差は多数の原因の誤差の集積によって生じるものと考えられ，絶対値の小さい集積誤差は発生する頻度が高く，プラス側とマイナス側に均等に出現すると考えられることから，**ガウスの誤差法則**として，誤差の発生する確率分布を左右対称の**正規分布（ガウス分布）** $f_X(x)$ で表す．

$$f_X(x) = \frac{1}{\sqrt{2\pi}\sigma}\exp\left[-\frac{1}{2}\left(\frac{x-\mu}{\sigma}\right)^2\right] \qquad (1)$$

$$-\infty < x < +\infty$$

ここで，μ は平均値，σ は標準偏差である．

(2)

1) 温度測定は，測定対象と測温体の熱平衡によって得られる．そのため，測定対象以外の熱的影響を受けると測定誤差が大きくなる．保護管に挿入された熱電対は，保護管の熱容量，保護管が接する管壁や外界からの熱伝導の影響により，測定誤差を生じる．そのため，配管内部の流体温度を測定する場合は，保護管と流体が十分に接触するように，配管の曲がり部分から保護管を挿入して，十分な挿入長さが得られるようにする．「JIS Z 8704-1993　温度測定方法—電気的方法」では，挿入長さによる誤差が記述されていて，気体の温度を計測する場合は，金属保護管では直径の 15 ～ 20 倍，非金属保護管では直径の 10 ～ 15 倍の長さを挿入することとしている．

2) 物体の表面温度を測定するには，赤外線温度計を使用して非接触的な方法で計測するのがよいが，熱電対を使用する場合は，測定対象との間の熱抵抗が大きくならないようにし，外界からの熱的影響を可能な限り排除すべきである．測定対象の熱容量が小さくて，熱電対の熱容量が大きいときは，熱電対に吸熱されて測定対象の温度が変化する可能性がある．また，測定対象の熱伝導率が小さくて，熱電対の熱伝導率が大きいときは，接触部分の温度勾配が大きくなって，誤差が生じる可能性がある．物体の表面温度が一様な場合は，熱容量の小さい細い熱電対を測定対象の表面に密着して取り付けることで，測温接点と測定対象表面の間の熱抵抗を小さくして，温度勾配を小さくする．JIS Z 8704-1993 では，「表面温度測定時には，十分な長さを測定面に沿わせないと誤差を生じる」としている．解答の「はわせる」は「沿わせる」の意味だと考えられる．

(3)

1)　流れの中に柱状の物体を置くと，ある流速の範囲では物体の下流側に交互に 2 列の渦が発生する．これを**カルマン渦**という．カルマン渦の発生間隔と周期には規則性があることから，カルマン渦によって発生する振動の周波数を計測することで流速（流量）を求めることができる．この原理を利用した流量計を**渦流量計**という．渦発生体の代表長さを d [m]，渦発生の周波数を f [Hz] = f [s^{-1}]，流速を v [m/s] とし，

$$St = \frac{fd}{v} \tag{2}$$

で示される無次元数を**ストローハル数** St という．円柱の場合，レイノルズ数が 10^3 から 10^5 の範囲ではストローハル数が 0.2 で一定であることがわかっている．そこで，渦流量計では，カルマン渦発生の周波数 f を測定することで，流速（流量）v を求めている．ただし，d は円柱の直径とする．

$$v = \frac{fd}{St} \tag{3}$$

2)　以上から，渦流量計の特徴は次のようになる．

①　流れの中に円柱を置くだけなので，構造が簡単である．

②　可動部がない．

③　差圧式流量計では，オリフィスによる圧力損失が大きいので流量に影響を与える可能性があるが，渦流量計では円柱を置くだけなので，圧力損失が小さいため，流量に影響を与えない．

④　レイノルズ数が 10^3 より小さい場合は，渦が発生しないか，周波数が一定にならない可能性がある．

(4)

1)　液中式圧力計は，液体の入った両端開放のU字管では大気圧で液面がバランスしているが，片方に圧力を加えると，それに従って液面に差が生じるという原理を用いたものである．

　管端1に圧力 p を加えたとき，液位差が示す圧力差は大気圧との差を示すので，ゲージ圧である．管端1の液面が大気に開放された管端2の液面より低くなり，圧力が0.01 MPaとなったとき，管端1の圧力は大気圧より0.01 MPa高いことになる．標準大気圧は，1 013.25 hPa ＝ 0.1 MPaなので，圧力 p は絶対圧では $0.1 + 0.01 = 0.11$ MPaになる．

2)　くるくる巻いてあって，息を吹きかけるとまっすぐに伸びてピーと笛が鳴る「吹き戻し」という紙製のおもちゃがある．ブルドン管は，「吹き戻し」のように，圧力が加わると巻かれた管がほどける方向に動くという金属管の弾性の原理を用いて圧力を測定する．したがって，閉じた先端の変位量は加えられた圧力に比例する．

解　答　(1)　**1-イ，2-ウ，3-オ**
(2)　**4-イ，5-エ，6-オ，7-ク**
(3)　**8-イ，9-オ，10-キ，11-ア**
(4)　**12-カ，13-ウ，14-ウ，15-エ**

（計測及び制御）

問題12　次の各文章の [1] ～ [18] の中に入れるべき最も適切な字句又は式をそれぞれの解答群から選び，その記号を答えよ．なお，[1] 及び [13] は3箇所，[3]，[4] 及び [11] は2箇所あるが，それぞれ同じ記号が入る．（配点計50点）

　図は水管ボイラの制御系を示したものである．水管ボイラは，燃焼熱を発生する火炉と水管群やドラムのボイラ本体から構成されている．ボイラは燃焼，伝熱，圧力及び温度などの変化が同時並行し，関連しながら蒸気を発生するため，多変数制御系とみることができる．

　その主な制御としては，蒸気需要の変動により変化するドラム圧力を一定に保つ「圧力制御」とドラム液面を維持する「液面制御」がある．

1)　ドラム圧力制御では，火炉の燃焼量を増減することによりドラム圧力を一定としている．具体的には，ドラム圧力調節計の出力により燃料流量調節計の設定値を与えている．このような調節計の階層構造を [1] と呼ぶ．ここで，ドラム圧力調節計を [2] 調節計，燃料流量調節計を [3] 調節計

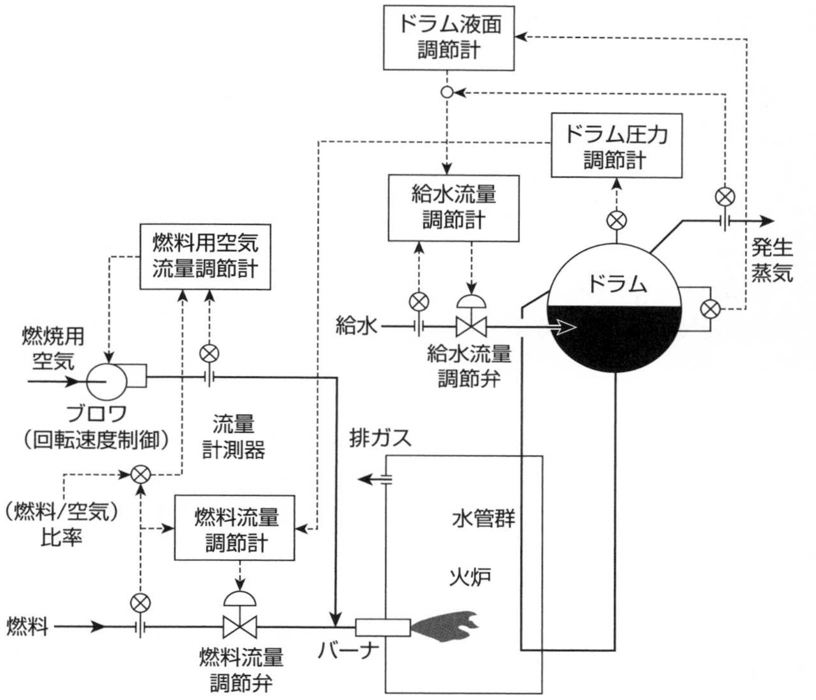

図　水管ボイラの制御系

と呼ぶ.

また [1] を採用することにより，燃料系の供給圧の変動といった外乱を [3] 調節計で吸収することにより，それがドラム圧力の変動に及ぶことを防止できる.

2)　燃焼においては，燃焼用空気を過大に供給すると排ガス量が増え，排ガスの持ち出す熱損失が増大する．そこで適正な空気比になるように，[4] を適用することにより燃焼用空気量を調節している.

こういった [1] や [4] は一般に，目標値が時間とともに変化する [5] の中の一つである.

〈[1] ～ [5] の解答群〉

ア　カスケード制御　　**イ**　フィードフォワード制御

ウ　プログラム制御　　**エ**　追値制御

オ　比率制御　　**カ**　一次　　**キ**　二次

ク　主　　**ケ**　副

3) 燃焼用空気は，ブロワにより送気される．その流量を制御するのに，一般にはブロワの [6] で調整することが多いが，この図の例ではブロワ動力の低減を図るため，広範な流量で低減効果が最も優れるとされるブロワの回転速度制御による流量調整方式が適用されている．電動ブロワの回転速度制御には [7] が一般的に使用される．

〈[6] 及び [7] の解答群〉

ア インバータ　　**イ** コンバータ　　**ウ** ベーン

4) 水管ボイラのようにドラムで保持するボイラ水の容量が小さい場合，蒸気負荷が急激に増えたときに，ドラム圧力が下がり，その結果，ボイラ水中の気泡が増え，一時的にドラム水位が上がり，その後下降する [8] 現象が見られる．一時的な水位上昇に対して液面制御で給水流量を絞ってしまうと，その後の水位の下降に追従できずドラム水位が大きく乱れる．その対策として，給水流量と [9] 流量の差分と，ドラム水位設定値とドラム水位計測値の差分の二つの偏差を小さくするように給水流量を制御する [10] 制御が適用されている．

〈[8] ～ [10] の解答群〉

ア 単要素　　**イ** 2 要素　　**ウ** 3 要素　　**エ** 一次遅れ
オ 二次遅れ　　**カ** 逆応答　　**キ** 燃料　　**ク** 発生蒸気

5) ドラム圧力制御やドラム液面制御等のフィードバック制御の調節計には，一般に PID アルゴリズムが適用される．

i) PID 制御の P 動作とは [11] 動作のことで，偏差に [11] した制御出力を出す．P 動作の調整パラメータ PB（% 表示）は [12] と呼ばれる．制御アルゴリズムとして P 動作だけを使用した場合に，目標値と制御量の最終値に差が残ることがある．これを [13] という．

ii) [13] を解消するには，[14] 動作を加える必要がある．その調整パラメータ T_i は [15] と呼ばれる．T_i を小さくしていくと [13] は速く解消できる．

iii) 一方，制御量が変化したときに，その変化速度に比例した出力を出すのが [16] 動作であり，その調整パラメータ T_d は [17] と呼ばれる．

〈[11] ～ [17] の解答群〉

ア オーバーシュート　　**イ** オフセット　　**ウ** 加算
エ 積分　　**オ** 微分　　**カ** 比例
キ 反比例　　**ク** 遅れ時間　　**ケ** 進み時間
コ 積分時間　　**サ** 微分時間　　**シ** むだ時間
ス 時定数　　**セ** 比例帯

iv)　PID 動作のラプラス変換表示は，これらの調整パラメータを使用して［ 18 ］と表示される．

〈［ 18 ］の解答群〉

ア $\dfrac{PB}{100}\times\dfrac{1+T_{\mathrm{d}}s}{1+T_{\mathrm{i}}s}$　　イ $\dfrac{100}{PB}\times\dfrac{1+T_{\mathrm{d}}s}{1+T_{\mathrm{i}}s}$

ウ $\dfrac{PB}{100}\times\left(1+\dfrac{1}{T_{\mathrm{i}}s}+T_{\mathrm{d}}s\right)$　　エ $\dfrac{100}{PB}\times\left(1+\dfrac{1}{T_{\mathrm{i}}s}+T_{\mathrm{d}}s\right)$

解　説

1)　問題の図は水管ボイラのドラム圧力を火炉の燃焼量によって一定値に制御し，ドラム液面を給水流量によって制御する多変量制御系を示している．ドラム圧力の制御系では，ドラム圧力調節計の制御出力によって，燃料流量を制御する燃料流量調節計の目標値を与えている．第 1 図のブロック線図に示すように，ドラム圧力制御が一次ループ，燃料流量制御が二次ループとなっていて，閉ループが 2 重になっている．このような制御を**カスケード制御**という．ここでは，燃料の供給圧力の変動による流量の変化という外乱による影響を，ドラム圧力に影響が出る前に処理できるようになっている．一次ループにある調節計を**一次調節計**，二次ループにある調節計を**二次調節計**という．

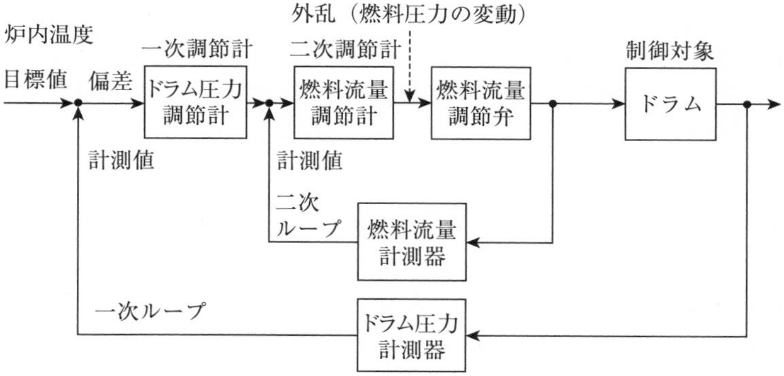

第 1 図　水管ボイラの制御系のブロック線図

2)　省エネルギーの観点から適切な空気比による燃焼の維持が求められる．空気量が不足すると不完全燃焼になって，燃料の浪費になる．また，空気量が過大だと，燃焼に寄与しない空気を無駄に加熱することになる．そこで，比率設定器によって，燃料流量に比例した燃焼用空気流量を目標値に設定する．

これを**比率制御**という．カスケード制御や比率設定器のように，変化する目標値に追従して制御することを**追値制御**という．追値制御として，目標値の時間的変化のパターンをあらかじめ設定する**プログラム制御**がある．

3)　ボイラの燃焼用空気流量の制御として，ブロワの吸い込みベーンで空気量を制御する方法が一般的であるが，インバータでブロワの回転速度を変化させる方法がある．送風機の比例法則として，風量（空気流量）は回転速度に比例し，送風機静圧は回転速度の 2 乗に比例し，軸動力は回転速度の 3 乗に比例する．したがって，空気流量を定格の 1/2 にした場合，ブロワの電力消費量は，理論上は 1/8 になる．

4)　水管ボイラはドラムで保有するボイラ水量が少ないため，蒸気負荷が急激に増加した場合，ドラム圧力が低下する．すると，ボイラ水中の気泡が膨張して，ドラム水位が一時的に上昇し，気泡が放出されると水位が下降する．これを**逆応答**という．このような一時的な水位の上昇に対して給水流量を絞ると，その後の水位の急激な下降に対応できなくなる．そこで，給水流量と発生蒸気流量の差分（入出力の差分）と，ドラム水位設定値とドラム水位計測値の差分（ドラム水位の偏差）の両方を小さくするように給水流量を制御する 3 要素制御が用いられる．問題の図では，給水流量調節計の入力として，発生蒸気流量，給水流量，ドラム液面の偏差の 3 要素が与えられている．

5)　制御対象の物理量，すなわちドラム圧力やドラム液面を**制御量**といい，目標値と制御量（測定値）の差を**偏差**といい，調節計の比較部で得られる．この偏差をなくすように調節計の制御演算部で演算を行い，制御出力を与えて，制御対象に加えられる物理量（燃料流量や給水流量）を変化させる．このように，閉ループを構成して，制御結果から，修正動作を事後に加える制御を**フィードバック制御**といい，その制御系を**フィードバック系**という．各ブロックの入力と出力の関係は，ラプラス変換の形式で記述され，この関数を**伝達関数**という．フィードバック制御の調節計には，一般に PID 制御が用いられる．

P 動作は偏差に比例する制御出力を出す**比例動作**である．P 動作の調整パラメータは比例帯 PB（Proportional Band）であり，% 表示される．P 動作のみを使用した場合，目標値と制御量の最終値の間に定常的な偏差が残り，これを**オフセット（定常偏差，残留偏差）**という．これを解消するためには，**積分動作**（I 動作）を加えなくてはならない．積分動作の調整パラメータを**積分時間** T_{i} という．これを短くするとオフセットが早く解消されるが，制御が不安定になる可能性がある．制御量の変化速度に比例した制御出力を出すことを微分動作（D 動作）といい，調整パラメータを**微分時間** T_{d} という．

PID 制御は，比例動作（P 動作），積分動作（I 動作），微分動作（D 動作）を線形に結合したものであるから，比例帯を PB，積分時間を T_i，微分時間を T_d とすると，PID 制御の伝達関数のラプラス変換表示 $G(s)$ は次式のようになる．

$$G(s)=\frac{100}{PB}\left(1+\frac{1}{T_\mathrm{i}\,s}+T_\mathrm{d}\,s\right) \tag{1}$$

比例帯 PB が小さい方がゲイン $\dfrac{100}{PB}$ は大きくなり，応答速度は速くなる．

解　答　**1）　1- ア，2- カ，3- キ**

2）　4- オ，5- エ

3）　6- ウ，7- ア

4）　8- カ，9- ク，10- ウ

5）　11- カ，12- セ，13- イ，14- エ，15- コ，16- オ，17- サ，18- エ

（ボイラ，蒸気輸送・貯蔵装置，蒸気原動機・内燃機関・ガスタービン）

問題13　次の各文章の［ 1 ］～［ 13 ］の中に入れるべき最も適切な字句，数値又は記述をそれぞれの解答群から選び，その記号を答えよ．なお，［ 1 ］及び［ 2 ］は 2 箇所あるが，それぞれ同じ記号が入る．

また［A a.b］～［C a.b］に当てはまる数値を計算し，その結果を答えよ．ただし，解答は解答すべき数値の最小位の一つ下の位で四捨五入すること．（配点計 50 点）

⑴　ボイラの形状を主とした分類とその特徴について考える．

1）　ボイラは，本体の構造形式により，大きくは次の①～③に分類される．

①　本体が径の大きな円筒形の胴からなる［ 1 ］

②　径の小さな多数の水管によりボイラを構成する水管ボイラ

③　排熱を回収して熱源としたり，特殊燃料を用いたりする特殊ボイラ

2）　［ 1 ］は，円筒形のドラムの内部に，燃焼室としての炉筒や［ 2 ］などの伝熱面を配置した構造のボイラである．

このボイラの長所としては，次の①～③が挙げられる．

①　多数の［ 2 ］を用いることで，多くの伝熱面積を確保でき，高い熱効率が得られる．

②　構造が簡単であり，取扱いも容易である．

③　ボイラ内に多くの飽和水を保持していることから，蒸気要求量が多少

急増しても，[3] の低下が小さい．

一方，短所としては，ボイラ内の保有水量が多いため，[4] ことが挙げられる．

〈[1]～[4] の解答群〉

ア ドラフト　**イ** 煙管　**ウ** 上昇管
エ 蒸発管　**オ** 給水温度　**カ** 蒸気圧力
キ 循環ボイラ　**ク** 鋳鉄ボイラ　**ケ** 丸ボイラ
コ ボイラ水の濃縮比が大きく水質管理が厳しい
サ ボイラ内の水循環性が悪く過熱損傷が多い
シ 始動から所定の蒸気発生までに時間がかかる

3) ドラム式の水管ボイラの主な特徴については，次に示すとおりである．

① ドラム内に炉筒はなくドラム径が小さいので，ドラム製作が容易で，ドラムの厚肉化を伴う蒸気の [5] 化に適する．

② 水管はドラムの外に配置できるため，管本数を増やすことが容易なので，[6] のボイラに適する．

③ 負荷変動により蒸気圧力やドラム水位が変動し易いので，これらの制御には応答の速い燃焼制御及び [7] を必要とする．

〈[5]～[7] の解答群〉

ア 給水制御　**イ** 周波数制御　**ウ** 台数制御
エ 電圧制御　**オ** 高圧　**カ** 低圧
キ 高効率　**ク** 高純度　**ケ** 大容量

4) 特殊ボイラには，他の設備の排ガスからの熱回収を行う排熱回収ボイラ，特殊燃料に対応できる流動層ボイラや，水の代わりに特殊な熱媒体を使うボイラなどがある．

i) ガスタービンと蒸気タービンの複合サイクル発電所において，ガスタービンの排ガスから熱回収することにより蒸気を発生し，この蒸気を蒸気タービンの駆動用に供給しているため排熱回収ボイラは，複合サイクル発電としての高効率化には不可欠である．ガス燃料を用いたガスタービンの排ガスはクリーンであるため，そのような排ガスから熱回収するボイラでは，ガス側の熱抵抗を減らしコンパクト化を図るため，伝熱管には [8] が採用されている．

〈[8] の解答群〉

ア フィン付き管　**イ** ライフル管　**ウ** 継目無し管

ii) 流動層ボイラは，燃焼室において流動媒体として，一般に [9] を使用し，燃焼室底部より [10] を導入することにより，流動層を形成して燃焼を行うものである．流動媒体を用いて燃焼することで，固体燃料の石炭の他，植物由来のバイオマス燃料や工場における製造プロセスの副生物など，幅広い燃料に適用できる．また，環境面では，燃焼室に [11] を投入することにより，炉内で脱硫ができることや，炉内温度が一般に 850 ～ 900 ℃と低く維持されることから，[12] の発生が少ないのも特長である．

〈[9] ～ [12] の解答群〉

ア	PM2.5	**イ**	アミン系吸収材	**ウ**	硫黄酸化物
エ	窒素酸化物	**オ**	活性炭	**カ**	けい砂
キ	石灰石	**ク**	石炭灰	**ケ**	鉄粉
コ	燃焼用空気	**サ**	燃料	**シ**	燃料添加剤

(2) ある工場のボイラで，過熱蒸気 100 t/h を発生させている．ボイラへの給水圧力は 13 MPa，給水温度は 180 ℃，発生する過熱蒸気の圧力は 12 MPa，温度は 542 ℃であり，そのときのボイラ効率（低発熱量基準）は 90.0 % であった．使用する燃料の低発熱量を 41.0 MJ/kg とし，蒸気表を用いて1)～4)を計算する．ただし，有効出熱は発生蒸気のみで，入熱は燃料からのみ供給されるものとする．

1)　給水温度が 180 ℃のときに蒸気発生に使用された燃料消費量は，[A a.b] $\times 10^3$ ［kg/h］となる．

2)　次に，工場内の他のプロセスからの排熱利用により給水温度を 16 ℃上昇させることが可能となった．ボイラ排ガス温度などの他の条件に変化はないものとすると，このときの燃料消費量は，[B a.b] $\times 10^3$ ［kg/h］となる．

3)　また，このボイラから蒸気タービンへ過熱蒸気を供給することとし，蒸気タービンまで蒸気配管を施設した．蒸気タービン入口で，蒸気圧力の低下は無視できる程度であったが，蒸気温度は 2 ℃低下した．蒸気表を用いて，蒸気配管での放熱損失を計算すると [C a.b] $\times 10^5$ [kJ/h] となる．

4)　給水温度を 16 ℃上昇させた後のボイラ入熱に対する蒸気配管での放熱損失の割合を求めると，[13] ［%］の損失となることが分かる．

表　圧縮水と過熱蒸気表（抜粋）

圧力［MPa］	温度［℃］	比エンタルピー［kJ/kg］
13	180	769.4
	196	839.7
12	540	3 455.8
	542	3 461.0

〈 13 の解答群〉

ア　0.18　　**イ**　0.23　　**ウ**　0.28

解　説

(1)

1)　ボイラは構造形式から以下の3種類に分類される.

①　丸ボイラ

大口径の鋼鉄製の円筒形の胴でできているボイラ

②　水管ボイラ

小口径の多数の水管で構成されているボイラ

③　特殊ボイラ

排熱回収をしたり，特殊燃料（バイオマスなど）を用いたりするボイラ

2)　丸ボイラは，円筒形のドラム内部に燃焼室（炉筒）と伝熱面（煙管）を配置している．長所は以下のとおりである.

①　多数の煙管をドラム内部に配置することで伝熱面積を増やすことができるので，熱効率が高くなる.

②　構造が単純なので，取扱いが容易である.

③　保有水量が多いので，蒸気負荷が急に増えても，蒸気圧力の低下が小さい(負荷変動に対する安定性).

短所としては，上記の③がそのまま当てはまり，保有水量が多いので始動からの立ち上がりに時間を要する（応答が遅い）ことになる.

3)　水管ボイラの特徴は以下のとおりである.

①　ドラムの径が小さいので，ドラムの製作が容易で，厚肉化によって，蒸気の高圧化に対応できる.

②　水管をドラムの外部に配置することができるため，水管の本数を増加して大容量化できる.

③　保有水量が少ないことから，蒸気負荷の変動により蒸気圧力やドラム水位が変動しやすい（負荷変動に対して不安定)．そのため，燃料制御と給水制御に応答の速い制御が必要である.

4)i)　コンバインドサイクル発電（複合サイクル発電）では，ガスタービンで発電を行ったのち，高温の排ガスから熱回収を行って蒸気を製造して，蒸気タービンを駆動させてさらに発電を行う．ガスタービンの燃料に天然ガスを用いた場合，窒素酸化物と硫黄酸化物はほとんど発生しない．そのため，フィンの腐食が小さいことから，排ガスからの熱回収に用いる伝熱管にはフィン付き管を用いることで，伝熱面積を増やして熱回収効率を上げ

ることができる．

ii)　流動層ボイラは，主に固体燃料を用いる場合に燃焼室の下方から燃焼用空気を吹き上げて，燃料を流動させて燃焼する方式のボイラである．流動媒体としては，一般にけい砂を用いて燃焼させることから，微粉炭，バイオマス燃料，木質系廃棄物など幅広い燃料に適用できる．流動層ボイラは低温燃焼（炉内温度 850 ～ 900 ℃）なので，窒素酸化物（サーマル NO_x）の発生が少ない．また，燃焼室に石灰石を投入することで，炉内脱硫ができる．

$$CaCO_3 + SO_2 + (1/2)O_2 \rightarrow CaSO_4 + CO_2$$

(2)

1)　給水圧力 13 MPa，給水温度 180 ℃であるから，給水の比エンタルピーは 769.4 kJ/kg であり，発生する過熱蒸気の圧力は 12 MPa，温度は 542 ℃であるから，過熱蒸気の比エンタルピーは 3 461.0 kJ/kg である．発生する過熱蒸気は 100 t/h で，ボイラ効率は 90 % であるから，燃料消費量を F [kg/h] とすると，以下の式が成り立つ．

$$\frac{(3\,461.0 - 769.4) \times 100 \times 10^3}{F \times 41.0 \times 10^3} = 0.9$$

したがって，$F = 7\,294$ kg/h となる．

2)　給水温度を 16 ℃上昇させると 196 ℃になるので，比エンタルピーは 839.7 kJ/kg であり，そのときの燃料消費量を F' [kg/h] とすると，1)と同様に以下の式が成り立つ．

$$\frac{(3\,461.0 - 839.7) \times 100 \times 10^3}{F' \times 41.0 \times 10^3} = 0.9$$

したがって，$F' = 7\,104$ kg/h となる．

3)　蒸気温度が 2 ℃低下したので 540 ℃になったことから，蒸気の比エンタルピーは 3 455.8 kJ/kg となる．したがって，100 t/h の蒸気配管による過熱蒸気の放熱損失は，

$$(3\,461.0 - 3\,455.8) \times 100 \times 10^3 = 5.2 \times 10^5 \text{ kJ/h}$$

となる．

4)　給水温度を 16 ℃上昇させたときのボイラ入熱は，

$$F' \times 41.0 \times 10^3 = 7\,104 \times 41.0 \times 10^3$$
$$= 2\,912.6 \times 10^5 = 2.9 \times 10^8 \text{ kJ/h}$$

なので，蒸気配管の放熱損失の割合は

$$\frac{5.2 \times 10^5}{2\,912.6 \times 10^5} = 0.001\,78 = 0.18\ \%$$

となる．

解 答 (1) **1-ケ，2-イ，3-カ，4-シ，5-オ，6-ケ，7-ア，8-ア，9-カ，10-コ，11-キ，12-エ**
(2) **A-7.3，B-7.1，C-5.2，13-ア**

（ボイラ，蒸気輸送・貯蔵装置，蒸気原動機・内燃機関・ガスタービン）

問題14 次の各文章の［ 1 ］～［ 18 ］の中に入れるべき最も適切な字句又は数値をそれぞれの解答群から選び，その記号を答えよ．なお，［ 8 ］及び［ 16 ］は2箇所あるが，それぞれ同じ記号が入る．（配点計50点）

(1) 発電用の蒸気タービンの仕組み，性能及び運転管理について考える．

1) 発電用蒸気タービンでは，負荷の変動に係らず常に所定の回転速度となるように，蒸気加減弁の開度を変えて蒸気流量を調整するシステムがあり，これを［ 1 ］という．

このシステムにより回転速度を一定に制御しているが，タービンの運転中に負荷が遮断され，定格負荷から無負荷まで急に変化した場合には，蒸気加減弁が急速に絞られても回転速度は増加する．

「定格負荷から無負荷まで変化させて整定したときの回転速度変化量」の「定格回転速度」に対する比を，［ 2 ］といい，この値は通常［ 3 ］［%］となるように設計，調整される．

〈［ 1 ］～［ 3 ］の解答群〉

ア 3～5　**イ** 6～8　**ウ** 9～11
エ スラスト保護装置　**オ** 調速装置　**カ** 負荷制限器
キ 整定速度調定率　**ク** 整定負荷率

2) 発電用蒸気タービンの性能を表す指標の中で，「発電電力［kW］」に対する「これを発生させるために必要な蒸気量［kg/h］」の比で示したものを［ 4 ］という．この比の逆数は，単位蒸気量当たりの発電電力を示し，「断熱熱落差 ×［ 5 ］× 発電機効率」で表される．

3) 蒸気タービンの経年劣化の一因として，ボイラや蒸気管などからはく離した蒸気中の酸化スケールの飛来に伴う翼の［ 6 ］が挙げられる．経年劣化を把握，評価して経済性及び信頼性の維持を図ることが大切である．

〈［ 4 ］～［ 6 ］の解答群〉

ア タービン効率　**イ** タービン内部効率　**ウ** 換算蒸発量
エ 蒸気消費率　**オ** 熱消費率　**カ** 高温腐食
キ 浸食　**ク** 疲労

(2)　容積形の内燃機関は，シリンダ内の燃焼ガスが膨張することによる往復動を回転運動に変換して軸動力を取り出す構造を持つものである．ここで，容積形内燃機関における熱効率改善及び構造上の課題について考える．

1)　容積形内燃機関の熱効率向上に関する課題には，燃焼で生成される作動ガスのエネルギーが最も効果的に動力に変換されるような [7] の選定，シリンダ内壁から冷却水に逃げる [8] の低減，及び往復動に伴う摩擦損失の低減などが挙げられる．その他に，排ガスの残存をなくすような [9] の向上とともに，シリンダへの吸気充填性の向上も熱効率向上に必要である．

また，容積形内燃機関の発電への応用では，排ガスや冷却水が持ち去る [8] を有効活用する手段を組み込んだ，例えば [10] 方式の採用などが考えられる．

〈[7] ～ [10] の解答群〉

ア　コージェネレーション　　**イ**　コンバインドサイクル
ウ　リパワリング　　**エ**　回転損失
オ　機械損失　　**カ**　熱損失
キ　過給効率　　**ク**　掃気効率
ケ　内部効率　　**コ**　還元タイミング
サ　燃焼タイミング

2)　容積形内燃機関の構造上の課題は，往復動から回転運動に変換して軸動力を取り出す必要があることから，振動等への対策が必要となることである．そのため，複数の気筒を持つエンジンで各ピストンの [11] を変えたり，防振効果のある基礎に固定して使用したりするなどの工夫が必要となる．また，急激な動力の変動を防ぐために，[12] を設けたりすることが行われる．

〈[11] 及び [12] の解答群〉

ア　コネクティングロッド　　**イ**　フライホイール
ウ　サージタイミング　　**エ**　作動行程タイミング

(3)　ガスタービンに関連したサイクル，主要構成及び保守管理について考える．

1)　ガスタービンの理論サイクルは，[13] サイクルである．理論サイクルでは損失はないが，実際のガスタービンのサイクルでは圧縮機内部損失，[14] 内部損失，圧力損失，熱損失，機械損失等の影響を受ける．

2)　ガスタービンと蒸気タービンを用いたコンバインドサイクル発電において，複数台のガスタービンと 1 台の蒸気タービンにより構成されているシステムでは，ガスタービンの台数分の蒸気が得られ，蒸気タービンの容量を大きくすることにより高負荷帯での高効率化を図ることができる．一方で，部分負荷調整やメンテナンス時の運転が難しいため [15] 運用に適しているといえる．

〈[13]～[15] の解答群〉

ア オットー　**イ** サバテ　**ウ** ブレイトン　**エ** ベース
オ ミドル　**カ** タービン　**キ** ポンプ　**ク** 過給器

3)　内部が 1 500 ～ 2 000 ℃の高温となり火炎からの熱放射が大きくなる [16] は，内筒が焼損し易いため冷却に工夫が必要である．また，広い負荷範囲にわたり安定した性能を確保しながら NO_x 濃度も抑制する必要がある．近年特に注目されている NO_x 低減化手法として，局所的な高温部が生じず均一な温度分布が得られる [17] があるが，燃焼の安定する負荷範囲が狭くなる恐れがあるので注意が必要である．

4)　タービン翼や [16] などの高温の燃焼ガスにさらされる機器の高温部品では，運転時間の経過や起動停止の繰返しによって，クリープや [18] に伴う損傷が進行する．このため，これらの機器の開放点検において必要と判断された部品は交換し，再使用可能なものは次回の点検までに補修するなどの対策が行われるが，これら高温部品の寿命消費の評価・管理が重要となっている．

〈[16]～[18] の解答群〉

ア 圧縮機　**イ** 過給器　**ウ** 燃焼器
エ 希薄予混合燃焼法　**オ** 吸気冷却法　**カ** 表面燃焼法
キ 低温脆性《ぜいせい》　**ク** 疲労

解　説

(1)

1)　発電用蒸気タービンは，負荷変動が生じてもタービンの回転数を一定に制御するために，蒸気加減弁開度を変えて蒸気流量を調整する．このシステムを**調速装置**（governing system）といい，機械式と電気ー油圧式がある．

「調速装置の設定を変えずに，タービン出力を定格負荷から無負荷まで変化させて整定したときの回転速度変化量」を「定格回転速度」に対する比率で表した値を**整定速度調定率**といい，3 ～ 5％と示されている．

以上は，「JIS B 0127：2022　火力発電用語－火力発電及び地熱発電を含む再生可能エネルギー発電の蒸気タービン及び附属装置」で規定されている．

2)　発電した電力量［kW·h］当たりの蒸気消費量［kg］を**蒸気消費率**（steam rate）という．設問では単位時間となっているが，JIS では電力量をベースとしている．蒸気消費率の逆数は，設問の表現とは違って，単位電力量当たりの蒸気消費量を示すと考えられるが，発電した電力量は，単位蒸気消費量について

断熱熱落差 × タービン効率 × 発電機効率

で表される．

3)　蒸気タービンの経年劣化の原因の一つに動翼の浸食が挙げられる．この原因は，ボイラ過熱器，再熱器などの管内面から剥離した固体粒子が蒸気流速の大きい部位に衝突することである．この対策としては，翼表面のコーティング，翼形の改良，ボイラチューブの化学処理などがある．

(2)

1)　ガソリンエンジンやディーゼルエンジンなどの容積形内燃機関の熱効率の改善には以下の方法がある．

①　エネルギー変換効率の向上

②　シリンダからの熱損失の低減

③　ピストンの往復動による摩擦損失の低減

また，容積形内燃機関を発電に利用する場合は，排ガスや冷却水による排熱から熱回収を行い，熱利用をすることで，全体の効率を向上させるシステムがある．発電と熱利用を併用することから，**熱電併給システム**または**コージェネレーションシステム**という．

2)　容積形内燃機関は，往復運動を回転運動に変換することでエネルギーを出力することから，振動が発生する．この振動対策としては，複数の気筒を有するエンジンでは，各ピストンの作動行程のタイミングを変えることで慣性力を相殺したり，エンジンを防振基礎に固定して外部への振動の伝播を緩和したりする方法がある．フライホイールとは，はずみ車のことであり，エンジンのクランクシャフト後端に取り付ける円盤状の重りである．エンジンの回転は，吸入・圧縮・燃焼・排出の各行程で速度が異なるため，そのままでは滑らかに回転できない．そのため，フライホイールをクランクシャフトに取り付けることで，回転速度差を吸収して滑らかな回転を行う．

(3)

1)　ガスタービンの理論サイクルはブレイトンサイクルである．実際のガスタービンでは，圧縮機内部損失，タービン内部損失，圧力損失，熱損失，機械損失（軸受損失やポンプなどの軸駆動補機の損失）などの損失が発生する．

2)　ガスタービンの排ガスから熱回収をして蒸気をつくり，蒸気タービンを運転する発電方式を**コンバインドサイクル発電**（**複合サイクル発電**）という．コンバインドサイクル発電には，ガスタービン－発電機－蒸気タービンを同一

軸上に構成する一軸形とガスタービンと蒸気タービンが別に設置される多軸形とがある．多軸形では，複数台のガスタービンの排熱を1台の蒸気タービンで用いることから，ガスタービンの台数分の蒸気が得られることになる．それに相当する蒸気タービンの容量を設定すれば，高負荷における高効率化を計画することができる．一方，多軸形では部分負荷調整やメンテナンス時の運転が困難なことから，常時定格運転を行うベースロード運転に適している．

3) 燃焼器の内部は1 500 ～ 2 000 ℃の高温になることから，内筒の劣化対策が必要である．そのため，冷却空気を二重板金構造の内部に導入する冷却方式を採用することがある．また，空気中のN_2が高温状態で酸化して生成するサーマルNO_xの発生を抑制するために，希釈予混合燃焼法が用いられることがある．これは，燃料と空気の大部分を最初から混合して，一次燃焼領域の混合比を希薄化するとともに，燃料と空気の混合を促進させて，火炎温度を低下し，燃焼を均一化する燃焼法である．サーマルNO_xの発生を大幅に低減できる一方で，安定的に燃焼する負荷範囲が狭いことに注意する必要がある．

4) 高温の燃焼ガスに曝露するタービン翼や燃焼器では，高い熱応力や遠心力が作用する環境に置かれることから，クリープや疲労による高温部品の劣化が進行する．そのため，運転中や定期点検時に劣化や損傷を正確に把握して，継続使用，補修，再生，廃棄などを迅速に判断する必要がある．

解 答 (1) **1-オ，2-キ，3-ア，4-エ，5-ア，6-キ**
(2) **7-サ，8-カ，9-ク，10-ア，11-エ，12-イ**
(3) **13-ウ，14-カ，15-エ，16-ウ，17-エ，18-ク**

次の問題15から問題18までは，4問題中2問題を選択して解答すること．

(熱交換器・熱回収装置 - 選択問題)

問題15 次の各文章の [1] ～ [12] の中に入れるべき最も適切な字句又は記述をそれぞれの解答群から選び，その記号を答えよ．なお，[1] 及び [2] は2箇所あるが，それぞれ同じ記号が入る．

また，[A ab.c] ～ [C a.b] に当てはまる数値を計算し，その結果を答えよ．ただし，解答は解答すべき数値の最小位の一つ下の位で四捨五入すること．
(配点計40点)

(1) 熱交換器とは，高温の流体と低温の流体の二つの流体間で熱の授受を行う装置である．

1）　熱交換器は，伝熱操作の方法により大きく隔壁式熱交換器と直接接触式熱交換器に分けられる．

i）　隔壁式熱交換器は，熱交換する高温の流体と低温の流体が壁で仕切られているタイプの熱交換器で，熱交換する二つの流体の流動方向によって形式が分けられている．そのうち，両流体が同じ方向に流動するものを [1] 形といい，二つの流体が逆の方向に流れるものを [2] 形という．[1] 形では，両流体が相変化しない場合，両流体の温度差が熱交換器の入口から出口に向かって徐々に [3] ような温度分布となり，[2] 形では，両流体が相変化しない場合，低温側流体の出口温度を高温側流体の出口温度に対して [4] である．

〈[1]～[4] の解答群〉

ア　向流　　**イ**　層流　　**ウ**　直交流　　**エ**　直流
オ　並流　　**カ**　乱流　　**キ**　大きくなる　　**ク**　小さくなる
ケ　振動する　　**コ**　高くすることが可能
サ　同程度とすることが上限　　**シ**　高くすることは不可能

ii）　直接接触式熱交換器は，二つの流体があって，一方の流体を他方の流体中に噴霧したり開放したりすることで，両流体を直接接触させて熱交換する熱交換器である．直接接触式熱交換器の例としては，[5] などがある．

〈[5] の解答群〉

ア　ヒートパイプ　　**イ**　ユングストローム熱交換器　　**ウ**　開放型冷却塔

2）　熱交換器の交換熱量について考える．

熱交換部の熱通過率が一定の条件では，交換熱量（単位時間当たりの伝熱量）Q は次式で表される．

Q＝（熱通過率）×（[6]）×（高温側流体と低温側流体との温度差）

二重管式の熱交換器において，「高温側流体と低温側流体との温度差」の温度差とは，[7] 温度差のことである．

〈[6] 及び [7] の解答群〉

ア　伝熱面積　　**イ**　熱伝達率　　**ウ**　汚れ係数　　**エ**　算術平均
オ　対数平均　　**カ**　両流体入口の　　**キ**　両流体出口の

⑵　熱回収とは，排熱源であるガス，液体，固体から熱交換によって熱媒体に熱を移動させて，それを利用することである．

1）　加熱炉などの燃焼排ガスからの熱回収によって，燃焼用の空気を予熱するための熱交換器は [8] と呼ばれ，プレート式，多管式やヒートパイプ式などがある．

ヒートパイプ式は，密閉容器内に作動流体が封入されていて，作動流体が容器内の一端で熱を受けて蒸発し，他端で放熱して凝縮する，この操作で熱を伝える熱交換器で，凝縮した作動流体を [9] で外部動力なしに蒸発側に戻すために，容器の内壁に沿ってその通路となる [10] が装着されているのが特徴である．

〈[8]～[10] の解答群〉

ア エバポレータ　**イ** ウィック　**ウ** ダクト
エ パイプ　**オ** レキュペレータ　**カ** 排熱ボイラ
キ 吸着現象　**ク** 自然対流　**ケ** 毛管現象

2) 排熱源が焼結鉱などの粒塊状の固体である場合の熱回収の例として，焼結排熱回収設備が挙げられる．この装置では，焼成後の高温の焼結鉱の [11] に空気を吹き込んで焼結鉱を冷却するが，その昇温された空気を集めてボイラに送り，蒸気を発生させるものである．

3) スラリーやスラッジなどからの熱回収では，伝熱面に固形物が固着しないように [12] などを設けている場合がある．

〈[11] 及び [12] の解答群〉

ア サイクロン　**イ** スクレーパ　**ウ** ドレン
エ パッキング　**オ** 充てん層　**カ** 流動層

(3) 二重管式熱交換器において，高温側の流体として比熱 4 kJ/(kg·K) の温排水が，質量流量 10 kg/min，入口温度 90 ℃で流入している．この温排水の熱を回収して温度が 20 ℃の水を温める排熱回収事例について考える．

なお，低温側の流体である水は，比熱 4 kJ/(kg·K)，質量流量 10 kg/min でこの熱交換器に流入している．ここで，両流体共にこの熱交換の温度範囲では相変化がなく，外部への熱損失はないものとする．

1) 高温側流体である温排水の温度効率を 45 % 以上に維持するためには，温排水の出口温度を [A ab.c] [℃] 以下となるように管理すればよい．

2) このとき，すなわち高温側流体である温排水の温度効率が 45 % のとき，低温側流体である水への伝熱量は，[B ab.c] [kW] である．

3) この排熱回収の熱交換器を年間 1 500 時間稼動させた場合，省エネルギー量は原油換算で [C a.b] [kL] である．ただし，原油換算係数は，0.025 8 kL/GJ とする．また，1 GJ は 1×10^9 J である．

解　説

(1)

1)i) 隔壁式熱交換器は，高温側流体と低温側流体の間に仕切りがある熱交換器をいい，二つの流体が同じ方向に流れるものを**並流形**，二つの流体が逆方向に流れるものを**向流形**という．いずれの流体も相変化しない場合，並流形では入口では両流体の温度差は大きいが，出口に向かって温度差が小さくなる．向流形では，低温側流体が熱交換器入口で，すでに温度が低下した高温側流体と熱交換してから徐々に高温になるため，低温側流体の温度を高温側流体の入口温度により近づけることが可能になる．したがって，温度効率はほかの種類の熱交換器と比較して高くなる．

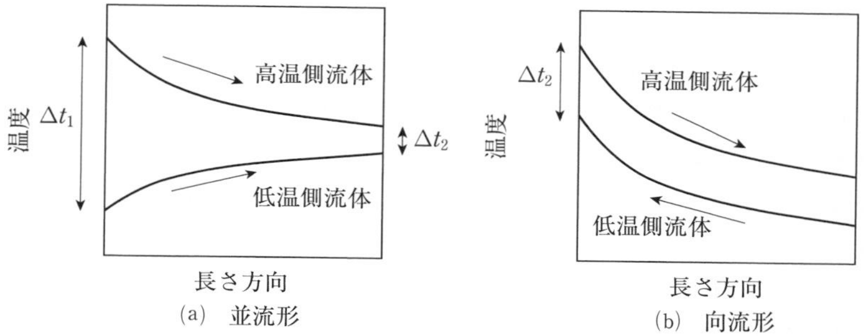

第 1 図　隔壁式熱交換器の温度変化

ii)　直接接触式熱交換器の代表例は，開放型冷却塔である．熱交換する流体は，水（冷却水）と空気（外気）である．冷却塔の上部から冷却水を噴霧して，空気と直接接触すると，冷却水の一部は蒸発して，蒸発潜熱を奪われて冷却される．冷却水と空気の接触時間を長くして熱交換効率を上げるために，冷却塔内部には樹脂製の充てん材を設置して，落下する冷却水の滞留時間を長くする．

2)　熱交換器の熱交換部の熱通過率が一定の場合，交換熱量 Q は熱通過率，熱交換部の伝熱面積および高温側流体と低温側流体の温度差に比例する．ただし，この温度差は熱交換部の部位によって異なるので，平均操作をする必要がある．一般には，**対数平均温度差** ΔT_{m} が用いられる．

$$\Delta T_{\mathrm{m}} = \frac{\Delta t_1 - \Delta t_2}{\ln(\Delta t_1 / \Delta t_2)}\ [\mathrm{K}]$$

ただし，Δt_1 と Δt_2 は第 1 図に示した温度差で，Δt_1 は低温側流体の入口側温度差，Δt_2 は低温側流体の出口側温度差である．

(2)

1)　レキュペレータは，工業用加熱炉の燃焼排ガスから熱回収を行い，燃焼用空気を予熱する熱交換器である．プレート式，多管式，ヒートパイプ式などの形式がある．

ヒートパイプ式熱交換器は，右図に示すように，密閉容器に封入した作動流体の蒸発と凝縮による潜熱移動によって熱交換を行う熱交換器である．高温側では，高温の流体と隔壁を隔てて熱交換をすることによって，密閉容器内部の作動流体は蒸発をする．低温側では，低温の流体と熱交換をして冷却されると，高温側で気化した作動流体は密閉容器内部で凝縮をする．凝縮液は，ヒートパイプ内部のウィックという毛管の膜または溝によって高温側に移動する．排ガス側の伝熱管の温度を酸露点温度より高く設定することができるので，排ガスに含まれる SO_x や NO_x による腐食を防ぐことができる．

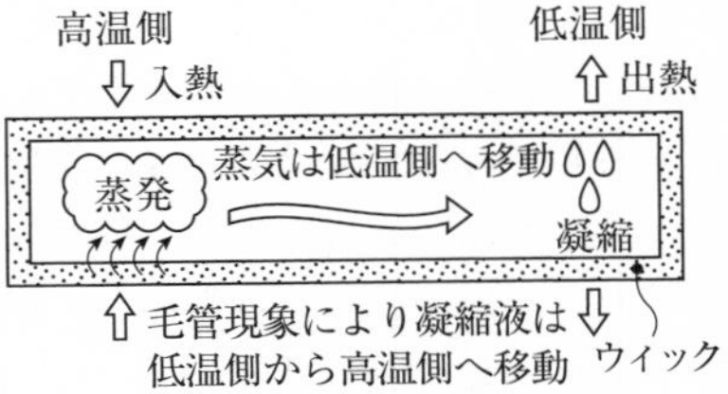

ヒートパイプの原理

2) 焼結排熱回収装置は，排熱源が焼結鉱などの高温の粒塊状の固体から熱回収を行うものである．焼結鉱は，5 mm 以下の粉鉱石に石灰粉を混ぜて一定の大きさに焼き固めたものである．この装置の充てん層に空気を送風して高温の焼結鉱から熱回収を行い，昇温した空気を熱回収ボイラに送って蒸気を発生させる．

3) スラリーやスラッジなどの水分を多く含んだ物質からの熱回収をする場合，乾燥した固体が伝熱面に付着して熱交換効率を低下させないように，スクレーパを回転させて，固体をそぎ落とすことがある．

(3)

1) 高温側流体（温排水）の比熱 $c_{\mathrm{ph}} = 4.0\,\mathrm{kJ/(kg{\cdot}K)}$，質量流量 $m_{\mathrm{h}} = 10\,\mathrm{kg/min}$，入口温度 $T_{\mathrm{h1}} = 90\,℃$ で，二重管式熱交換器に流入しているとき，低温側流体の比熱 $c_{\mathrm{pc}} = 4\,\mathrm{kJ/(kg{\cdot}K)}$，質量流量 $m_{\mathrm{c}} = 10\,\mathrm{kg/min}$，入口温度 $T_{\mathrm{c1}} = 20\,℃$，出口温度 T_{c2}［℃］とする．高温側流体の出口温度を T_{h2}［℃］とすると，高温側の温度効率 η_{h} は，

$$\eta_{\mathrm{h}} = \frac{T_{\mathrm{h1}} - T_{\mathrm{h2}}}{T_{\mathrm{h1}} - T_{\mathrm{c1}}} = \frac{90 - T_{\mathrm{h2}}}{90 - 20} = 0.45$$

以上を維持しなくてはならない．したがって，$T_{\mathrm{h2}} = 58.5\,℃$ 以下にする必要がある．

2) 高温側流体の温度効率が 45 % のとき，外部への熱損失がない場合，高温側流体が損失した熱はすべて低温側流体に伝熱されるので，伝熱量 Q_{h} は

$$Q_{\mathrm{h}} = m_{\mathrm{h}} c_{\mathrm{ph}} (T_{\mathrm{h1}} - T_{\mathrm{h2}}) = \frac{10}{60} \times 4.0 \times (90 - 58.5) = 21.0\,\mathrm{kW}$$

となる．

3)　この熱交換器を年間 1 500 時間運転した場合，原油換算係数を 0.025 8 kL/GJ とすると，省エネルギー量 Q_s は，21.0 kW＝21.0 kJ/s であるから，原油換算して

$$Q_s = 21.0 \times 1\,500 \times 3\,600 \times 0.025\,8 \times 10^{-6}$$
$$= 2.92 = 2.9\ \text{kL}$$

となる．

解答　⑴　**1-オ，2-ア，3-ク，4-コ，5-ウ，6-ア，7-オ**
⑵　**8-オ，9-ケ，10-イ，11-オ，12-イ**
⑶　**A-58.5，B-21.0，C-2.9**

（冷凍・空気調和設備 - 選択問題）

問題16　次の各文章の [1] ～ [19] の中に入れるべき最も適切な字句又は数値をそれぞれの解答群から選び，その記号を答えよ．なお，一つの解答群から同じ記号を 2 回以上使用してもよい．（配点計 40 点）

⑴　空気調和設備における省エネルギー対策に関する記述のうち，下線部の正誤について考える．

1)　熱源設備の運転管理における省エネルギーに関する次の①～③の記述のうち，下線部の記述が適正であるのは [1] である．

①　冷水の定流量運転時に冷熱需要の減少に応じて，冷熱源の冷水入口温度を変えずに，出口温度を高くするように制御すれば，熱源の成績係数は向上する．

②　冷熱源への冷却水入口温度の制御を，期間ごとに変動させる方法から，定格条件で年間一定とする方法に変更すれば，熱源の期間成績係数は向上する．

③　通風を妨げない程度の室外機への日よけの設置や室外機本体への散水は，一般に空冷式冷熱源の成績係数を向上させる効果がある．

2)　熱搬送設備の運転管理における省エネルギーに関する次の①～③の記述のうち，下線部の記述が適正であるのは [2] である．

①　空調負荷変動が大きいビルで，一般に冷温水ポンプの搬送動力を抑えるためには，ポンプのインバータ制御や台数制御などは効果的な方法とされている．

②　ポンプの搬送動力は，同じ搬送熱量では往き還りの温度差が大きいほど小さくなる．

③　熱搬送系の配管方式は，一般に密閉式よりも開放式の方がポンプの搬

送動力は小さくなる.

3) 空調の運転管理における省エネルギーに関する次の①～③の記述のうち，下線部の記述が適正であるのは [3] である.

① 室内温度及び湿度は，年間一定に保つのが省エネルギーの点では最善である.

② 外気の比エンタルピーが室内設定値より高く，在室者がいない場合，冷房のウォーミングアップ時の省エネルギー対策の一つとして，空調機の外気カット運転が挙げられる.

③ 空調のスケジュール運転は，使用時間が決まっている部屋において，切り忘れなどによる無駄な空調エネルギー消費を低減するのに効果的である.

4) 冷房時の空調における省エネルギーに関する次の①～③の記述のうち，下線部の記述が適正であるのは [4] である.

① フリークーリングは，外気温度が高いほど利用可能熱量が多くなる.

② 日射負荷の低減には，窓ガラスへの遮光フィルムの貼付や窓に設置したブラインドの活用などが効果的である.

③ ナイトパージは，特に熱帯夜の省エネルギー対策として効果的である.

5) 空調用機器やシステムの導入における省エネルギーに関する次の①～③の記述のうち，下線部の記述が適正であるのは [5] である.

① 空調機の送風量を負荷に応じて可変にする場合，最も送風機動力が少ない制御方法は吐出ダンパ制御である.

② 在室者に応じて外気導入量を自動制御する場合は，酸素濃度センサを用いることが多い.

③ 広いスペースの中の限定された作業エリアで作業者の環境確保のために空調する場合，一般に局所空調方式の方が全域空調方式より空調の使用エネルギーが低減する.

〈[1]～[5]の解答群〉

ア ①のみ　**イ** ②のみ　**ウ** ③のみ　**エ** ①と②

オ ①と③　**カ** ②と③　**キ** ①と②と③

(2) 図1及び図2は，空気線図上に暖房時の空気の状態変化を表したものである.

1) 空調プロセスを空気線図上で表すには，室内温湿度条件のR点と外気温湿度条件のO点を定め，この2点を線図上にプロットすることから始まる．図1，図2共に室内からの還気すなわちR点と，換気の目的で取り入れる外気すなわちO点とを用いて [6] の順にプロセスが進められ

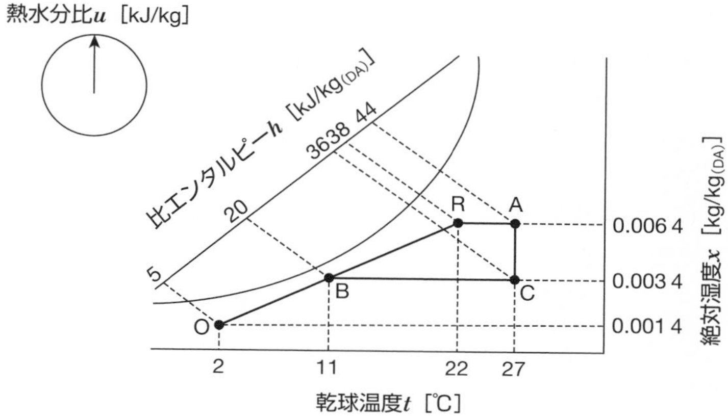

図 1　暖房時の空調プロセス(1)

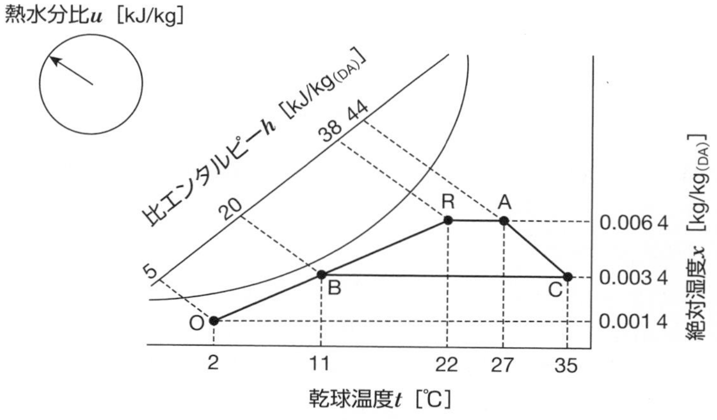

図 2　暖房時の空調プロセス(2)

ている.

〈 6 の解答群〉

ア　加湿→加熱→混合　　**イ**　加湿→混合→加熱

ウ　加熱→加湿→混合　　**エ**　加熱→混合→加湿

オ　混合→加湿→加熱　　**カ**　混合→加熱→加湿

2）　図 1 と図 2 の違いは加湿方式の違いによるものであり，図 1 は 7 加湿，図 2 は 8 加湿の場合を示している.

〈 7 及び 8 の解答群〉

ア　加熱式　　**イ**　蒸気　　**ウ**　水噴霧

3)　ここで，室内への送風量を 1 000 m^3/h，空気の密度を 1.2 kg/m^3 とすると，蒸気加湿を行う場合の図の加熱コイル負荷は，[9] [kJ/h] となる．

〈[9] の解答群〉

ア　16 000　　**イ**　19 200　　**ウ**　24 000　　**エ**　28 800

オ　33 000　　**カ**　39 600

(3)　図 3 は，熱源設備の冷凍サイクルにおける冷媒の状態変化を $P-h$ 線図に示したものである．

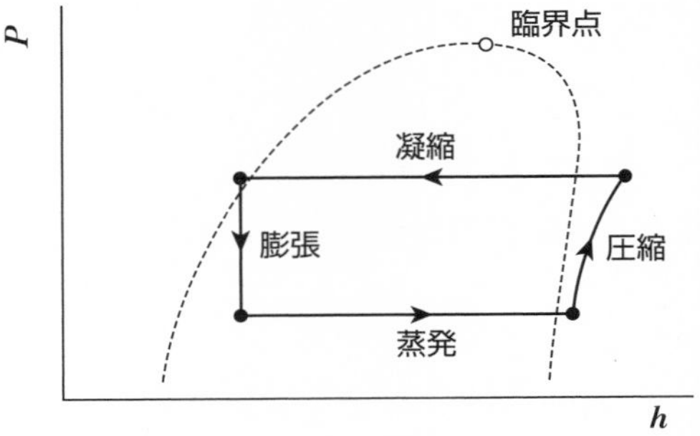

図 3　冷凍サイクル

1)　図 3 の h は比エンタルピーであり，その値は冷媒の保有している [10] を示している．

図の冷凍サイクルをヒートポンプとして用いることにより，サイクル内で熱を [11] 部から [12] 部に移動させ，暖房に用いることができる．これは冷凍サイクルの上では，蒸発温度を [13] 部より低く，凝縮温度を [14] 部より高く維持することによって，冷媒が [15] 部から熱を奪い，[16] 部に熱を放出するからである．

〈[10] ～ [16] の解答群〉

ア　高温　　**イ**　低温　　**ウ**　常温　　**エ**　加温

オ　全顕熱量　　**カ**　全潜熱量　　**キ**　全顕熱量と全潜熱量の合計

ク　単位質量当たりの顕熱量　　**ケ**　単位質量当たりの潜熱量

コ　単位質量当たりの顕熱量と潜熱量の合計

2)　図 3 に示す冷凍サイクルには，主に低温で蒸発する性質を持つ冷媒が用いられ，液→ガス→液というように循環利用される．現在，主に使用されている冷媒は，フロン系の代替冷媒で [17] の値が零という特長を持つ [18] である．ただし，この冷媒は [19] の値が大きく，地球環境上は万全ではないため，新しい代替冷媒の実用化が急がれている．

〈 17 ～ 19 の解答群〉

ア　CFC　　イ　COP　　ウ　GWP　　エ　HCFC
オ　HFC　　カ　ODP

解　説

(1)

1)①　○　冷熱源の冷水出口温度を高くすることは蒸発温度を高くすることなので，成績係数は向上する．

②　×　冷熱源の冷却水入口温度が低いほど成績係数は向上する．外気温度が低い中間期や冬期は冷却水温度を下げることで，期間成績係数を向上できる．

③　○　室外機本体への日除けの設置や散水は，凝縮器への日射熱の受熱を低減し，放熱を促進するので，空冷式冷熱源の成績係数は向上する．

2)①　○　空調負荷に応じて変流量制御を行い，インバータ制御（ポンプの回転数制御）やポンプの台数制御でポンプ流量を変えると，搬送動力が低減できる．

②　○　搬送熱量は往還温度差と流量の積に比例するので，往還温度差が大きくなると，流量を小さくできることから，搬送動力が小さくなる．

③　×　開放配管では実揚程が生じるので，その分だけポンプの揚程が大きくなる．

3)①　×　季節によって，運転モード，外気温度，在室者の着衣量が異なるので，冷房時は設定温度を高めに，暖房時は設定温度を低めにできれば，省エネルギー効果が大きい．

②　○　冷房運転の立ち上がりでは，在室者がいない場合，外気導入の必要がないので，外気カットを行うと，外気負荷が0になる．設問は冷房なので，正しくは「クーリングダウン時」であろう．

③　○　空調のスケジュール運転を行うと，定時に運転停止されるので，無駄な空調運転がなくなる．

4)①　×　フリークーリングは，低温の外気で冷却水を冷却することにより冷水の代用をすることなので，外気温度が低いほど利用可能な熱量が増加する．

②　○　窓ガラスに遮光フィルムを貼ったり，ブラインドを設置したりすると，透明外壁の日射遮へい係数が小さくなるので，日射負荷の低減効果が高くなる．

③　×　ナイトパージは，夜間低温の外気を導入することで躯体蓄冷をする

手法なので，夜間外気温度が高い場合は効果が小さくなる．

5)① × 送風機動力を空調熱負荷に応じて変風量制御する場合は，回転数の3乗に比例して軸動力が変化することから，インバータで送風機の回転数を制御する方法が最も省エネルギーである．

② × 外気量を削減する方法には，居室使用時に室内の二酸化炭素（炭酸ガス）濃度を検出することで，在室者数に応じて外気量を制御する二酸化炭素（炭酸ガス）濃度制御（デマンド制御換気）がある．

③ ○ 広い空間の限定された作業エリアで作業者に空調を行う場合は，作業者のいない空間まで空調を行うより，局所的に空調を行う方がエネルギー消費量は少ない．

(2)

1) 暖房運転におけるプロセスとしては，まずR（室内空気）とO（外気）を混合してB（混気）としてから，Cまで加熱を行う．その後で，加湿を行いAの状態で，室内に給気を行う．

2) 加湿方式の違いにより熱水分比が異なる．図1は熱水分比の大きい蒸気加湿で加湿による温度変化がほとんどない．図2は熱水分比の小さい水噴霧加湿で，ほぼ湿球温度一定で状態変化するので，加湿により温度が低下する．

3) 蒸気加湿を行う場合は，Bの空気をCまで加熱することから，加熱量 Q_h はそれぞれの空気の比エンタルピーの差から

$$
\begin{aligned}
Q_h &= 1.2 \times 1\,000 \times (36 - 20) \\
&= 19\,200\ \mathrm{kJ/h}
\end{aligned}
$$

となる．

(3)

1) 図3の P−h 線図で横軸 h [kJ/kg] は冷媒1 kg当たりの全熱量（＝顕熱量＋潜熱量）を表す．冷凍サイクルにおいて，蒸発器では冷媒の蒸発温度を低温の流体より低い温度にすることで低温の流体から吸熱を行い，凝縮器では冷媒を高温のガスにして流体を加熱することができる．低温の流体（例えば，冬期の外気）から吸熱を行い，高温の流体（例えば，冬期暖房運転中の室内空気）に放熱を行うので，これを**ヒートポンプ**という．

2) 冷媒に使用されるフロン（フルオロカーボン）はオゾン層を破壊する性質をもつことから，現在は**オゾン層破壊係数**（ODP：Ozone Depletion Potential）が0の代替冷媒のHFCが使用されている．HFCは，CFC（特定フロン）のCl（塩素）の代わりにH（水素）を結合した冷媒である．ただし，HFCは**地球温暖化係数**（GWP：Global Warming Potential，CO_2 による温室効果を基準としたときの温室効果の程度）が非常に大きいので，さ

らなる代替冷媒の実用化が求められている．

解　答　(1)　**1-オ，2-エ，3-カ，4-イ，5-ウ**

(2)　**6-カ，7-イ，8-ウ，9-イ**

(3)　**10-コ，11-イ，12-ア，13-イ，14-ア，15-イ，16-ア，17-カ，18-オ，19-ウ**

（工業炉，熱設備材料 - 選択問題）

問題17　次の各文章の［ 1 ］～［ 16 ］の中に入れるべき最も適切な字句，式又は記述をそれぞれの解答群から選び，その記号を答えよ．

また，［A ab.c］及び［B ab.c］に当てはまる数値を計算し，その結果を答えよ．ただし，解答は解答すべき数値の一つ下の位で四捨五入すること．（配点計40点）

(1)　工業炉は熱源で分類すると燃焼炉と電気炉に分けられる．

1)　燃焼炉は，直接加熱方式と間接加熱方式に分類される．直接加熱方式は，火炎及び生成ガスからの放射や［ 1 ］により加熱され，鉄鋼プロセスでは［ 2 ］などで用いられている．間接加熱方式は燃焼室と加熱室が隔壁で隔てられており，加熱室の雰囲気を調節することができるので，［ 3 ］などで用いられている．

〈［ 1 ］～［ 3 ］の解答群〉

ア　アーク炉	**イ**　鋼片加熱炉	**ウ**　黒鉛化炉
エ　浸炭炉	**オ**　転炉	**カ**　誘導炉
キ　対流	**ク**　超音波	**ケ**　誘導

2)　電気炉は，燃焼炉では大きな損失源となる［ 4 ］がなく，クリーンな炉である．また，［ 5 ］が容易であり急速加熱が可能である．さらに，雰囲気加熱に適した構造にしやすく，鋼材の熱処理などに用いられる炉で，酸化や脱炭などを起こさず光輝性のある仕上がりが期待できる［ 6 ］がその例として挙げられる．

一般的に電気抵抗を用いた間接加熱方式では，炉を構成している断熱材の電気抵抗は温度上昇とともに低下するので，高温域での［ 7 ］が起こらないように注意する必要がある．

〈［ 4 ］～［ 7 ］の解答群〉

ア　温度制御	**イ**　搬送速度制御	**ウ**　反応速度制御
エ　酸化損失	**オ**　炭化損失	**カ**　排ガス損失
キ　高周波炉	**ク**　真空熱処理炉	**ケ**　精錬炉

コ　過電圧　　**サ**　蓄放電　　**シ**　漏電

(2)　リジェネレイティブバーナは，高性能工業炉を実現する大きな要素である．図は，その蓄熱体の高温端部の温度の時間的履歴である．

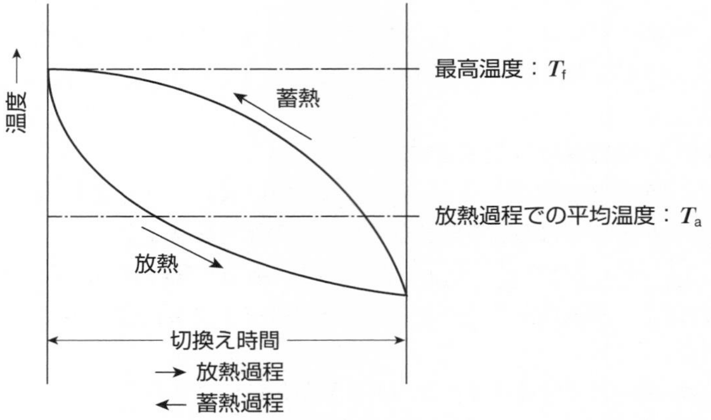

図　蓄熱体高温端部の温度変化

1)　このバーナの特徴は，図に示すように蓄熱過程と放熱過程が [8] て，蓄熱過程で排ガス顕熱を回収して，放熱過程で燃焼用空気を加熱することにより，高い効率で燃焼用空気を高温予熱できることである．

ここで，図の最高温度 T_f は排ガス温度に等しく，かつ予熱後の空気の平均温度は放熱過程での平均温度 T_a に等しい，すなわち排ガス温度が T_f，予熱後の空気の平均温度が T_a であるものとして，回収熱量等について解析してみることとする．

〈[8] の解答群〉

ア　交互に繰り返され　　**イ**　同時に現れ　　**ウ**　不規則に現れ

2)　低温側流体としての燃焼用空気の入口温度 t_a を 20 ℃，予熱後の燃焼用空気の平均温度 T_a を 1 060 ℃，燃焼用空気量 V_a を 11.0 m^3_N/min とし，高温側流体としての燃焼排ガス温度 T_f を 1 150 ℃，燃焼排ガス量 V_f を 12.0 m^3_N/min としたときの，蓄熱体を介した熱交換について考える．ここで，排ガスの平均定圧比熱 c_{pf} を 1.55 kJ/(m^3_N·K)，空気の平均定圧比熱 c_{pa} を 1.42 kJ/(m^3_N·K) とし，それぞれ温度によらず一定とする．

このとき，低温側空気の予熱後の出口温度を T_a とみなし，高温側排ガスの入口温度を T_f とみなせば，空気側の温度効率［%］は，式 [9] で計算され，その値は [A ab.c]［%］となる．

また，排ガス顕熱のうち空気予熱で回収された割合［%］は，式 [10]

で計算され，その値は [B ab.c] [%] となる．

〈[9] 及び [10] の解答群〉

ア $\dfrac{T_{\mathrm{a}}-t_{\mathrm{a}}}{T_{\mathrm{f}}}\times 100$　　**イ** $\dfrac{T_{\mathrm{a}}-t_{\mathrm{a}}}{T_{\mathrm{f}}-t_{\mathrm{a}}}\times 100$

ウ $\dfrac{T_{\mathrm{f}}-T_{\mathrm{a}}}{T_{\mathrm{f}}-t_{\mathrm{a}}}\times 100$　　**エ** $\dfrac{V_{\mathrm{a}}c_{\mathrm{pa}}(T_{\mathrm{a}}-t_{\mathrm{a}})}{V_{\mathrm{f}}c_{\mathrm{pf}}T_{\mathrm{f}}}\times 100$

オ $\dfrac{V_{\mathrm{a}}c_{\mathrm{pa}}(T_{\mathrm{a}}-t_{\mathrm{a}})}{V_{\mathrm{f}}c_{\mathrm{pf}}(T_{\mathrm{f}}-t_{\mathrm{a}})}\times 100$　　**カ** $\dfrac{V_{\mathrm{f}}c_{\mathrm{pf}}T_{\mathrm{f}}-V_{\mathrm{a}}c_{\mathrm{pa}}T_{\mathrm{a}}}{V_{\mathrm{f}}c_{\mathrm{pf}}(T_{\mathrm{f}}-t_{\mathrm{a}})}\times 100$

(3)　不定形耐火物炉壁の施工法について考える．

1）　不定形耐火物炉壁は，[11] 一体構造としての特徴を持っている．代表的な不定形耐火物炉壁であるキャスタブル炉壁の施工方法としては，流し込み施工が採用されているが，この場合，炉壁の厚みが比較的 [12]，流し込みが困難な場合や，流し込み用 [13] を造れない場合には，[14] 施工や吹付け施工が採用される．

〈[11] ～ [14] の解答群〉

ア　ベニアリング　　**イ**　樋《とい》　　**ウ**　枠組み　　**エ**　こて塗り

オ　つき固め　　**カ**　軟化発泡　　**キ**　厚く　　**ク**　薄く

ケ　目地のある　　**コ**　目地の無い

2）　不定形耐火物炉壁のキャスタブル炉壁は，レンガ積み構造では必要となる [15] はあまり必要としないが，壁厚が厚く面積の広い炉の場合は，1～2 m 間隔に設ける．また，補強用に耐熱鋼製のアンカスタッドや Y スタッドが用いられる．

一方，不定形耐火物炉壁のプラスチック炉壁は，高温用として使われることが多いので，補強用として [16] を用いることが多い．その配置や間隔は壁厚，その他の条件によって決められる．

〈[15] 及び [16] の解答群〉

ア　クレイボンド　　**イ**　タイルアンカ　　**ウ**　ホールインアンカ

エ　ボルトアンカ　　**オ**　膨張しろ　　**カ**　モルタル目地

解　説

(1)

1）　工業炉を熱源で分類すると，石炭・重油・天然ガスなどの化石燃料を用いる燃焼炉と電力による電気炉に分けられる．

燃焼炉では，燃料の燃焼による火炎と燃焼生成ガスからの放射と対流だけでなく，加熱された炉内壁からの放射熱によって材料が加熱される．

加熱方式としては，燃焼火炎や燃焼生成ガスが直接材料に接触して放射と対流で加熱する直接加熱方式と，ラジアントチューブ，マッフルあるいはレトルトを介して材料を間接的に加熱する間接加熱式に分けられる．直接加熱方式は製鉄のプロセスで鋼片加熱炉に用いられ，間接加熱方式は加熱室の雰囲気を調節することができることから，浸炭炉などに用いられる．

2) 電気炉は燃焼によらないので，燃焼排ガスによる熱損失がなく，窒素酸化物や硫黄酸化物による大気汚染の問題もない．電気炉の加熱方式には，電磁誘導を用いる誘導加熱，アーク電流を用いるアーク加熱，電気抵抗のジュール熱を用いる抵抗加熱などの方式がある．電気炉は，炉内の雰囲気ガスを制御する雰囲気熱処理に利用しやすい．また，燃焼炉と比較して高温が得やすい．そのため，炉内を減圧して加熱する真空熱処理炉に利用される．

電気抵抗を用いた間接加熱方式の電気炉では，高温になると断熱材の電気抵抗が低下することから，高温域における漏電が起こらないように，漏電対策をとらなくてはならない．

(2)

1) リジェネレイティブ（蓄熱式）バーナは，蓄熱体を組み込んだ2台の小形バーナを交互運転させて，蓄熱過程と放熱過程を交互に繰り返すことで，燃焼排ガスで燃焼空気を予熱するシステムである．燃焼させるバーナと排ガスを吸い込むバーナを交代するときは，四方切換弁で燃焼空気と排ガスの流路を切り換える．燃焼空気は，四方切換弁の部分で高温の排ガスから熱回収を行う．始動するバーナの蓄熱体もすでに排ガスで予熱されているので，四方切換弁の部分で熱回収した燃焼空気を蓄熱体からの放熱によってさらに昇温させることができる．リジェネレイティブバーナは，熱回収率が高く，高温空気燃焼が実現できる．また，炉幅方向の温度分布が均一になる．

2) 低温側流体としての燃焼用空気の入口温度 t_{a} を 20 ℃，予熱後の燃焼用空気の平均温度 T_{a} を 1 060 ℃，燃焼用空気量 V_{a} を 11.0 $\mathrm{m^3_N/min}$ とし，高温側流体としての燃焼排ガス温度 T_{f} を 1 150 ℃，燃焼排ガス量 v_{f} を 12.0 $\mathrm{m^3_N/min}$ としたときの，蓄熱体を介した熱交換について考える．ここで，排ガスの平均定圧比熱 c_{pr} を 1.55 $\mathrm{kJ/(m^3_N \cdot K)}$，空気の平均定圧比熱 c_{pa} を 1.42 $\mathrm{kJ/(m^3_N \cdot K)}$ とし，それぞれ温度によらず一定とする．

このとき，低温側空気の予熱後の出口温度を T_{a} とみなし，高温側排ガスの入口温度を T_{f} とみなせば，空気側の温度効率 η_{a} [%] は，

$$\eta_{\mathrm{a}} = \frac{T_{\mathrm{a}} - t_{\mathrm{a}}}{T_{\mathrm{f}} - t_{\mathrm{a}}} \times 100$$

で表される．これに与えられた温度を入れると

$$\eta_{\mathrm{a}} = \frac{1\,060 - 20}{1\,150 - 20} \times 100 = 92.03 = 92.0\,\%$$

となる．

排ガス顕熱のうち空気予熱で回収された割合 η_{R}［%］は，

$$\eta_{\mathrm{R}} = \frac{V_{\mathrm{a}} c_{\mathrm{pa}} (T_{\mathrm{a}} - t_{\mathrm{a}})}{V_{\mathrm{f}} c_{\mathrm{pf}} (T_{\mathrm{f}} - t_{\mathrm{a}})} \times 100 = \frac{11.0 \times 1.42 \times (1\,060 - 20)}{12.0 \times 1.55 \times (1\,150 - 20)} \times 100$$

$$= 77.28 = 77.3\,\%$$

となる．

(3)

1)　不定形耐火物炉壁は，目地のない一体構造を特徴としている．キャスタブル炉壁は不定形耐火物炉壁の代表で，水で混練して使用する粉末状の耐火物である．施工方法としては，型枠に流し込む方法が一般的である．炉壁の厚さが薄くて，型枠に流し込むことができない場合や流し込み用の型枠（枠組み）をつくれない場合は，混練したキャスタブルを手やこてで塗り込む塗り込み施工法や圧縮空気で吹き付ける吹き付け施工法が用いられる．

2)　キャスタブル炉壁では，レンガ積み構造で必要な膨張しろは通常は不必要である．壁厚が厚くて表面積が広い炉では，1 ～ 2 m ごとに打ち継ぎ施工を行うことで目地を形成するのが望ましい．

耐火性の高い骨材と粘土などを練り合わせて練り物状にしたプラスチック耐火物炉壁では，1 200 ℃程度の高温で使用されるので，補強用にタイルアンカが用いられることが多い．

解　答　(1)　**1-キ，2-イ，3-エ，4-カ，5-ア，6-ク，7-シ**

(2)　**8-ア，9-イ，A-92.0，10-オ，B-77.3**

(3)　**11-コ，12-ク，13-ウ，14-エ，15-オ，16-イ**

（蒸留・蒸発・濃縮装置，乾燥装置，乾留・ガス化装置 - 選択問題）

問題18　次の各文章の [1] ～ [17] の中に入れるべき最も適切な字句又は記述をそれぞれの解答群から選び，その記号を答えよ．なお，[8] 及び [10] は 2 箇所あるが，それぞれ同じ記号が入る．（配点計 40 点）

(1)　蒸発操作の基本事項，その方法及び効率的運用について考える．

1)　蒸発には，溶液の温度が沸点以下のとき，その液面に見られる [1] 蒸発と，沸点に達して液の内面から蒸気が発生する [2] 蒸発がある．蒸発操作を行うときには，溶液の持つ制約条件や操作の能率などから，適当な条件が選ばれる．

〈[1] 及び [2] の解答群〉

ア　過熱　　**イ**　揮発　　**ウ**　凝縮　　**エ**　沸騰

2)　溶質と溶媒からなる水溶液の沸点は，圧力と溶質の濃度に依存する．同一圧力下において，水酸化ナトリウム 10 % 水溶液と水酸化ナトリウム 30 % 水溶液の沸点を比較したとき，水酸化ナトリウム 10 % 水溶液の沸点は [3].

〈[3] の解答群〉

ア　30 % 水溶液の沸点より低い　　**イ**　30 % 水溶液の沸点より高い

ウ　30 % 水溶液の沸点と同じである

3)　蒸発缶を用いた蒸発操作では，加熱に要した熱量に見合う量の蒸気が缶内で発生するので，これを再利用することにより，エネルギー消費量を削減することができる.

例えば，[4] 法では，一度発生した蒸気をターボ圧縮機又はエゼクタにより断熱圧縮して，発生蒸気の [5] を上昇させ，液の加熱用蒸気として再利用する.

また，[6] 法では，第 1 缶で発生した蒸気を [7] 圧力で運転している第 2 缶の熱源として利用する．さらに第 3 缶，第 4 缶と順次作用させ熱の再利用を図っている.

〈[4] ～ [7] の解答群〉

ア　温度　　**イ**　質量分率　　**ウ**　湿り度　　**エ**　減圧抽気

オ　蒸気圧縮　　**カ**　多重効用　　**キ**　多段フラッシュ　　**ク**　より低い

ケ　より高い　　**コ**　同じ

(2)　熱風乾燥装置は比較的多量のエネルギーを消費する装置である．乾燥装置の熱損失及びその省エネルギー対策について考える.

1)　乾燥装置において熱損失となる主なものには，乾燥用空気が排気されるときに持ち出す [8]，乾燥装置本体からの伝導，対流，放射による熱損失，乾燥装置の間隙などからの熱風の [9] による熱損失等がある.

2)　同じ乾燥製品の乾燥結果を得ながら，乾燥用空気が排気されるときに持ち出す [8] を減らす方法としては，熱風を循環させる方法の他に，可能な範囲で熱風の量を減らす方法, 及び熱風の [10] を下げる方法がある．熱風の量を減らすと，熱風の [11] が [12] ことになり，乾燥速度が低下する．また，熱風の [10] を下げても乾燥速度は低下する.

〈[8] ～ [12] の解答群〉

ア　圧力　　**イ**　温度　　**ウ**　顕熱　　**エ**　潜熱

オ　湿度　　**カ**　濃度　　**キ**　吸入　　**ク**　漏洩《ろうえい》

ケ　増加する　　**コ**　減少する　　**サ**　一定となる

(3)　石炭及び石油系の原料を用いて合成ガス，水素などのガス生成物を得る操作をガス化と呼んでいる．ガス化における基本的な反応は，熱分解，水素化分解，水蒸気改質及び部分酸化であり，これらの反応が同時あるいは継続的に反応器内で起こる．

1)　石炭の乾留によりコークス炉ガスを生成させるように，原油，重油を高温で加熱し低分子の炭化水素ガスを得る反応を [13] という．この反応で得られる炭化水素ガスは [14] 系炭化水素の含有量が多くなる．

2)　比較的分子量の大きい炭化水素を [15] 下で水素と接触させ，低分子の [16] 系炭化水素とする反応を水素化分解という．

3)　炭化水素を完全燃焼より少ない酸素量で反応させると，発熱を伴って二酸化炭素や水蒸気が生成される．次いで，この熱を利用し生成した二酸化炭素や水蒸気を，残りの炭化水素と反応させ，一酸化炭素や水素を得る．この一連の反応を [17] という．

〈[13]～[17]の解答群〉

ア　オレフィン	**イ**　パラフィン	**ウ**　一酸化炭素
エ　芳香族	**オ**　高温高圧	**カ**　高温低圧
キ　低温高圧	**ク**　水蒸気改質	**ケ**　接触分解
コ　熱分解	**サ**　部分酸化	

解　説

(1)

1)　蒸発には，溶液の温度が沸点以下のとき，液体表面から蒸発が発生する**揮発蒸発**と，溶液の温度が沸点に達したときに液体内部から蒸発する**沸騰蒸発**がある．

2)　不揮発性物質を含む溶液の蒸気圧は，同一温度の純溶媒の蒸気圧より小さい．したがって，同一圧力下では，溶液の沸点は純溶媒の沸点より常に高い．この差は溶質による沸点上昇である．このように，水溶液の溶質の濃度が上昇すると，水蒸気圧が低下することから，沸点が上昇する．したがって，水酸化ナトリウム 10％ 水溶液の方が，30％ 水溶液より沸点が低い．

3)　蒸発缶を用いた蒸発操作において，加熱によって発生した蒸気を別の部分の加熱に利用すると熱の再利用ができる．

蒸気圧縮法は，溶液からの発生蒸気をターボ圧縮機やエゼクタで断熱圧縮して，蒸気温度を上昇させると同時に凝縮させて，凝縮潜熱を溶液の加熱に再利用する蒸発操作である．

多重効用法は，単一の蒸発缶を複数個連結して，第1缶で発生した蒸気を，より低圧低温の状態にある第2缶の溶液の熱源として利用し，これを第3缶，第4缶と繰り返して蒸発操作を行う方法である．

(2)

1)　熱風乾燥装置には，気流乾燥装置，流動層乾燥装置，回転式通気乾燥装置，噴霧乾燥装置などがある．いずれも熱風を被乾燥材料に吹き付けることで乾燥させる機構を有している．熱風乾燥装置の熱損失には，以下のものがある．

①　乾燥用空気が装置外部へ排気されるときに失われる高温空気の顕熱

②　乾燥装置本体から外部への熱伝導，対流熱伝達，放射による熱損失

③　乾燥装置の間隙からの隙間風の流入・熱風の流出による熱損失

2)　①を低減する方法は以下のとおりである．

i)　熱風を循環利用する．

ii)　乾燥に必要な熱風の風量を低減する．

iii)　熱風の温度を下げる．

ii)のように熱風の風量を減らすと，水分蒸発量が同じであれば，熱風の相対湿度が上昇することで，乾燥速度が低下する．iii）のように熱風の温度を下げると，熱風の飽和水蒸気分圧が低下することから，乾燥速度が低下する．

(3)

1)　石炭および石油系の原料を用いて，合成用，都市ガス，工業用燃料ガスまたは水素ガスなどのガス生成物をつくる操作を**ガス化**という．ガス化は，原料に含まれる高分子の炭化水素を低分子化して，C/H 比（炭素・水素比）を小さくするプロセスである．ガス化の中で，原油や重油を 700 ～ 1 200 ℃の高温で加熱して低分子の炭化水素ガスを発生させる反応を熱分解という．この場合，オレフィン系炭化水素の含有量が多くなり，反応は吸熱反応になる．

2)　比較的分子量の大きい炭化水素を高温・高圧下で水素と反応させて低分子のパラフィン系炭化水素を得る反応を**水素化分解**という．この反応は発熱反応である．

3)　炭化水素を完全燃焼で必要な酸素量より少ない酸素量で反応させると，発熱反応により二酸化炭素と水蒸気が生成される．二次反応として，反応で発生した二酸化炭素と水蒸気を反応熱で，残りの炭化水素と反応させると，一酸化炭素と水素を得ることができる．これらの反応を**部分酸化**または**部分燃焼**という．

$$C_nH_m+(n+m)O_2 \rightarrow nCO_2+(m/2)H_2O \quad \text{発熱反応}$$

$$C_nH_m+nH_2O \rightarrow 2nCO+(m/2)H_2 \quad \text{吸熱反応}$$

解　答　⑴　**1-イ，2-エ，3-ア，4-オ，5-ア，6-カ，7-ク**

⑵　**8-ウ，9-ク，10-イ，11-オ，12-ケ**

⑶　**13-コ，14-ア，15-オ，16-イ，17-サ**

第 39 回　2017 年（平成 29 年）

（計測及び制御）

問題11　次の各文章の [1] ～ [17] の中に入れるべき最も適切な字句又は数値をそれぞれの解答群から選び，その記号を答えよ．なお，[9] 及び [10] は 3 箇所，[12] は 2 箇所あるが，それぞれ同じ記号が入る．（配点計 50 点）

(1)　熱電対とは，2 種類の異なる金属線の両端を接合したときの接点間の熱起電力を利用した温度センサーである．温度を一定に保った基準接点と測温接点の間の熱起電力を計測することで，測温接点の温度が測定できる．

図 1 は，基準接点の温度を 0 ℃とした場合の熱電対の特性について，熱起電力［mV］を縦軸，温度［℃］を横軸にして示したものであり，図中の a ～ d は，JIS で規定されている代表的な熱電対である B 型，K 型，R 型及び T 型熱電対のいずれかに該当する．

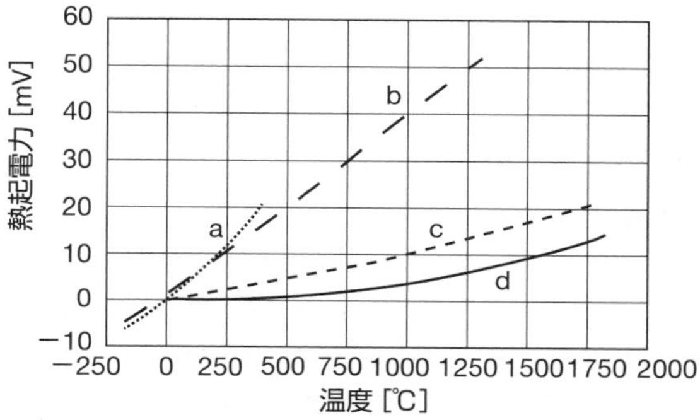

図1

1)　図中の a は [1] 熱電対であり，温度に対する熱起電力の変化が最も大きいが，使用可能な温度範囲が最も狭い．

2)　図中の b は [2] 熱電対であり，素線の材料に「ニッケル及びクロムを主体とした合金」と「ニッケルを主体とした合金」を用いている．温度に対する熱起電力の変化は a よりもやや小さいが、使用可能な温度範囲が広く一般によく使われている．

3)　図中の c と d はいずれも素線の材料に貴金属を用いたものである．c は [3] 熱電対で [4] を組み合わせたものであり，d は [5] 熱電対で [6] を組み合わせたものである．

4) 熱電対を用いた計測では，熱起電力を温度に変換して表示する指示器を用いるが，この指示器と熱電対の種類を正しく組み合わせなければならない．例えば，基準接点を 0 ℃に保って 10 mV の熱起電力が得られていた場合，c の熱電対に d の指示器を誤って使用すると，実際の正しい温度と約［ 7 ］[℃] の差が出る．

〈［ 1 ］～［ 7 ］の解答群〉

ア 5　**イ** 50　**ウ** 500

エ B 型　**オ** K 型　**カ** R 型　**キ** T 型

ク 「ロジウム 13 % を含む白金ロジウム合金」と「白金」

ケ 「ロジウム 30 % を含む白金ロジウム合金」と「ロジウム 6 % を含む白金ロジウム合金」

コ 「鉄」と「コンスタンタン」

サ 「銅」と「コンスタンタン」

(2) 空気中に含まれる水蒸気の割合を表す量は［ 8 ］である．これは建物内の空気調和，食品の保存，気象観測などで測定項目となっており，製造業においても乾燥プロセスや一部の化学プロセスにおいて必須の制御量である．

気体中に含まれる水蒸気の含有量に比例した分圧を［ 9 ］と呼び，一定容積の気体に含有できる水蒸気の量は温度によってその上限が決まっている．この上限の分圧を［ 10 ］という．また，［ 9 ］を［ 10 ］で除して 100 倍したものを相対湿度という．

相対湿度の測定に使用する乾湿球湿度計は，気体の温度を測定する温度計（乾球）と，水を染み込ませたガーゼをかぶせた温度計（湿球）を使用している．この湿度計では，水の蒸発により湿球温度が低下する際に，周囲の気体の［ 9 ］と［ 10 ］の差が，乾球と湿球との［ 11 ］から求められることを利用して相対湿度を求めている．

〈［ 8 ］～［ 11 ］の解答群〉

ア 乾き度　**イ** 湿度　**ウ** 湿り空気温度

エ 飽和湿り空気温度　**オ** 露点　**カ** 水蒸気圧

キ 絶対圧　**ク** 大気圧　**ケ** 飽和水蒸気圧

コ 温度の差　**サ** 温度の比　**シ** 温度の和

(3) 容積式流量計は，流体をいわゆる「ます」で量る原理の流量計で，回転子の［ 12 ］と測定時間から流体の体積流量を求めている．

容積式流量計の回転子の形状には様々あり，液体と気体のいずれも計測できるものとして，オーバルギア式やルーツ式がある．円形ギア式，スパイラル回転子式，ロータリーピストン式などは [13] 用，膜式，湿式ドラム式は [14] 用として用いられる．

図 2 は，回転子としてオーバルギアを用いたものの原理である．図 2 において，上部から流体が流入してくると，圧力に押されてギアが(a)→(b)→(c)の順に回転する．そして，流量計を通過した流体の体積が回転子の [12] に比例することになる．

この形式の液体用流量計の特徴としては，次の①～③などが長所として挙げられる．

① 流量測定において特に [15] の精度が高い．

② 高粘度の流体の測定に特に適している．

③ 流量計前後に直管部を設ける必要がない．

一方，次の①～③などが短所として挙げられる．

① 流体中にごみや固形物があると，回転子間や回転子と壁の隙間に挟まって支障を来たす．

② [16] 粘度の液体の計測では圧力損失が大きい．

③ [17] 粘度の液体の計測では，流体が隙間から漏れやすく精度が悪くなる．

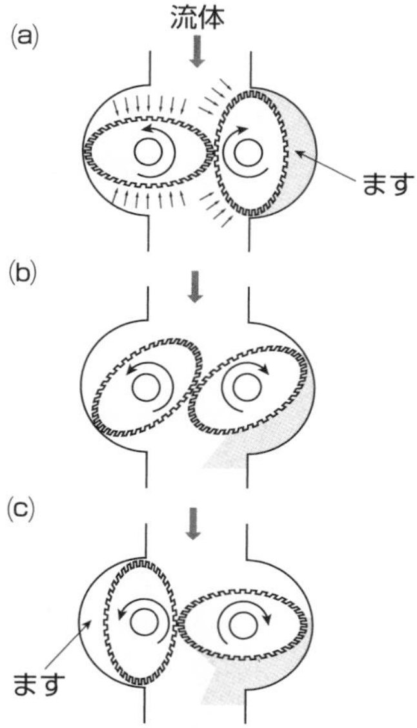

図2

〈[12] ～ [17] の解答群〉

ア 液体　**イ** 気体　**ウ** 運動量　**エ** 回転回数

オ 回転周期 **カ** 回転速度 **キ** 高 **ク** 低
ケ 最大流量 **コ** 瞬時流量 **サ** 積算流量

解 説

(1) 熱電対は，2種類の均質な金属線で閉回路をつくったとき，測温接点 t_1 と基準接点 t_2 が異なる温度の場合，回路内に電流が流れるという原理（**ゼーベック効果**）を利用して温度を計測する温度計である．このとき回路に発生した起電力を**熱起電力**といい，回路を開放して基準接点との端子間電圧を測定することにより温度を検出することができる．

JIS C 1602:2015 に規定されている熱電対は9種類である．

1) 図中のaはT型熱電対であり，銅とコンスタンタン（銅およびニッケルを主とした合金）を素線に用いる．T型熱電対は，温度に対する熱起電力の変化が最も大きいが，使用できる温度範囲は200 ～ 300 ℃までと最も狭い．加工性に優れているので，実験用に適している．

2) 図中のbはK型熱電対であり，ニッケルおよびクロムを主とした合金とニッケルおよびアルミニウムを主とした合金を素線に用いる．熱起電力の変化はT型熱電対より小さいが，使用できる温度範囲は650 ～ 1 000 ℃までと非常に広い．

3) 図中のcはR型熱電対で，ロジウム13 %を含む白金ロジウム合金と白金を素線に用いる．dはB型熱電対で，ロジウム30 %を含む白金ロジウム合金とロジウム6 %を含む白金ロジウム合金を素線に用いる．

4) 図中cのR型熱電対で10 mVの熱起電力を生じるとき，温度は約1 000 ℃であるが，これをdのB型熱電対の指示器に誤って接続した場合，約1 500 ℃を指示することになる．したがって，約500 ℃の誤差を生じることになる．

(2) 空気中に含まれる水蒸気の比率を示す物理量は湿度である．湿度には，いくつかの表現方法があるが，その中で相対湿度は，ある温度の湿り空気中の水蒸気圧の飽和水蒸気圧に対する百分率を示す．飽和水蒸気圧は，その温度の湿り空気が水蒸気を最大限に含むことができる飽和空気における水蒸気圧である．飽和水蒸気圧は，温度が高いほど大きくなる．

相対湿度の測定には，アスマン乾湿計を用いる．これは，乾球温度計と湿球温度計から構成されている．湿球温度計は，乾球温度計の感温部にガーゼを巻いたものであり，それを湿らせて使用する．通風機構によって，感温部に気流を当てて，水分蒸発によって湿球温度計の感温部から気化熱が奪われることで湿球温度の低下が発生し，乾球温度と差が生じる．この温度差が大きいほど，周囲の空気が乾燥していて，水分蒸発が起こりやすいことを示している．

(3)　容積式流量計は，流れに伴って回転する回転子あるいは往復する運動子と，回転子または運動子を収納するケーシングとの間に生じる空隙（計量室）に連続的に流体を取り込み，送り出し，回転子や運動子の回転回数から体積流量を求めるものである．

容積式流量計の回転子の形状によって，オーバルギア式とルーツ式は液体と気体，円形ギア式，スパイラル回転子式，ロータリーピストン式などは液体，膜式，湿式ドラム式は気体の流量計測ができる．

図 2 はオーバルギア式の原理を示している．これは，回転子として楕円形のギアを用いたもので，流体の圧力によってギアが(a)→(b)→(c)の順序に回転する．ギアで受けた流体の容積がギアの回転数に比例することになる．オーバルギア式流量計を液体の流量計測に用いる場合，長所としては，

①　流体の容積をギアで受けて直接計測するので，積算流量の計測精度が高い．

②　重油などの高粘度の液体の流量計測に適している．

③　流量計の前後に直管部を設ける必要がない．

などが挙げられる．一方，短所としては，

①　液体中に規定以上の固形物がある場合，固形物がギアの隙間に挟まって回転子が動かなくなる可能性がある．

②　高粘度の液体では，圧力損失が大きいので，ポンプ動力が大きくなる．

③　低粘度の液体では，ギアの隙間から液体が漏れやすく，精度が低下する．

が挙げられる．

解　答　(1)　**1-キ，2-オ，3-カ，4-ク，5-エ，6-ケ，7-ウ**

(2)　**8-イ，9-カ，10-ケ，11-コ**

(3)　**12-エ，13-ア，14-イ，15-サ，16-キ，17-ク**

（計測及び制御）

問題12　次の各文章及び図の [1] ～ [18] の中に入れるべき最も適切な字句又は数値をそれぞれの解答群から選び，その記号を答えよ．なお，[1]，[4]，[5]，[6]，[8] 及び [10] ～ [15] は 2 箇所あるが，それぞれ同じ記号が入る．（配点計 50 点）

図 1 は，被加熱体を燃焼により加熱するための炉である．この炉では，燃料ガス流量を加減することにより，加熱炉温度を一定に保つように制御されている．

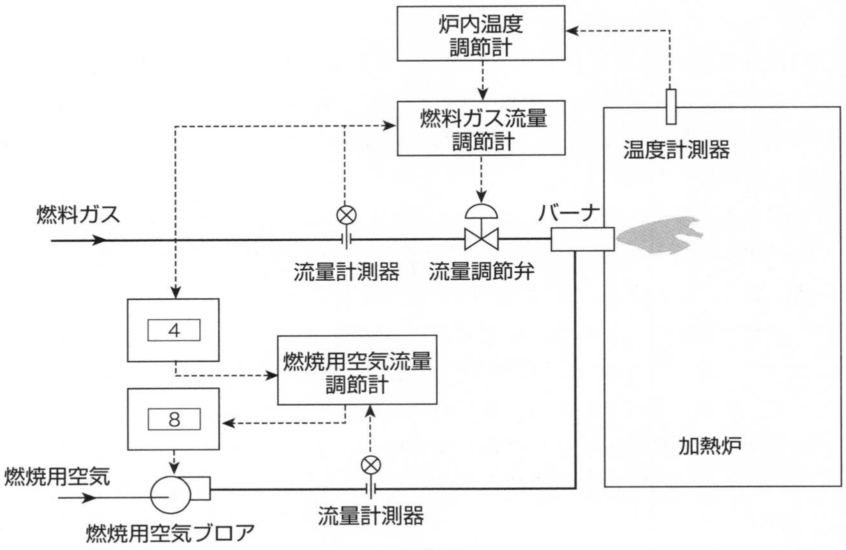

図1

1)　燃料ガス流量を制御する燃料ガス流量調節計の目標値を，炉内温度調節計の制御出力により与えている．このような炉内温度調節計と燃料ガス流量調節計の組み合わせの制御を[1]と呼ぶ．また，この例で，炉内温度調節計をその[2]，燃料ガス流量調節計をその[3]と呼ぶ．

2)　省エネルギーの観点から適切な空気比による燃焼を維持するため，できるだけ過剰な空気量を抑える必要がある．このため，[4]を経由して燃焼用空気流量を燃料ガス流量に応じた適正量にする[5]が適用される．[1]及び[5]のように，変化する目標値に追従していく制御を総じて[6]と呼ぶ．

[6]としてよく使用されるものとして，他に[7]がある．

3)　加熱炉の燃焼用空気は，燃焼用空気ブロワでバーナに送り込まれる．その流量制御の操作端として，この例では，従来用いられている入口ベーンの代わりに，ブロワの回転速度を操作する[8]を使用することにより省エネルギーを図っている．これにより，空気流量が定格の $\frac{1}{2}$ になった場合に，ブロワの電力消費量は理論上定格の[9]になる．

〈[1]～[9]の解答群〉

ア $\frac{1}{8}$　　**イ** $\frac{1}{4}$　　**ウ** $\frac{1}{2}$

エ	インバータ	**オ**	カスケード制御		
カ	フィードフォワード制御	**キ**	プログラム制御		
ク	追値制御	**ケ**	比率制御	**コ**	一次調節計
サ	二次調節計	**シ**	主調節計	**ス**	副調節計
セ	電電変換器	**ソ**	比率設定器	**タ**	分配器

4）図 1 における温度制御及び流量制御の具体的な制御の仕組みは図 2 の構成になる．このような構成の制御系では，系が安定している時に目標値の変更や制御対象に [10] が与えられると，その影響で目標値と測定値の間に [11] が現われ，[12] はそれをなくす方向に制御出力を変化させる働きをする．その他，この制御系は [13]，[14]，[15] などで構成されている．このような構成の制御系を [16] 系と呼ぶ．

この図の制御系を構成する各部分について，信号の流れに重点を置いて図示したものを [17] と呼び，各ブロックには，ラプラス変換形式で記述された [18] が記入される．

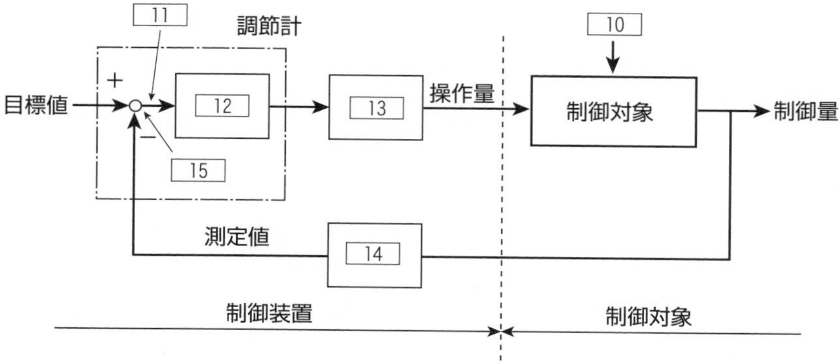

図2

〈[10]～[18]の解答群〉

ア	フィードバック制御	**イ**	フィードフォワード制御		
ウ	ブロック線図	**エ**	信号線図	**オ**	演算式
カ	伝達関数	**キ**	外乱	**ク**	誤差
ケ	偏差	**コ**	検出部	**サ**	制御演算部
シ	操作部	**ス**	動作部	**セ**	比較部
ソ	変換部	**タ**	補償部		

解　説

1）図 1 は加熱炉の温度をバーナの火炎によって一定値に制御するシステムを

示している．この制御系では，炉内温度調節計の制御出力によって，燃料ガス流量を制御する燃料ガス流量調節計の目標値を与えている．第１図のブロック線図に示すように，炉内温度制御が一次ループ，燃料ガス流量制御が二次ループとなっていて，閉ループが２重になっている．このような制御を**カスケード制御**という．ここでは，燃料ガスの供給圧力の変動による流量の変化という外乱による影響を，加熱炉の温度に影響が出る前に処理できるようになっている．一次ループにある調節計を**一次調節計**，二次ループにある調節計を**二次調節計**という．

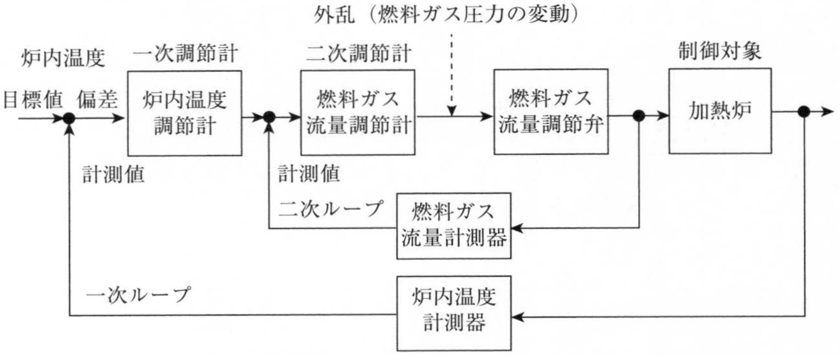

第1図　加熱炉の炉内温度制御のブロック線図

2)　省エネルギーの観点から適切な空気比による燃焼の維持が求められる．空気量が不足すると不完全燃焼になって，燃料の浪費になる．また，空気量が過大だと，燃焼に寄与しない空気を無駄に加熱することになる．そこで，比率設定器によって，燃料ガス流量に比例した燃焼用空気流量を目標値に設定する．カスケード制御や比率設定器のように，変化する目標値に追従して制御することを**追値制御**という．追値制御として，目標値の時間的変化のパターンをあらかじめ設定する**プログラム制御**がある．

3)　加熱炉の燃焼用空気流量の制御として，インバータでブロワの回転速度を変化させることによる方法がある．送風機の比例法則として，風量（空気流量）は回転速度に比例し，送風機静圧は回転速度の２乗に比例し，軸動力は回転速度の３乗に比例する．したがって，空気流量を定格の1/2にした場合，ブロワの電力消費量は，理論上は1/8になる．

4)　図１の加熱炉の温度を一定に保つ燃焼制御は，図２のように示される．制御対象には，燃焼ガス圧力の変動などの**外乱**が加わる．制御対象の物理量，すなわち加熱炉の温度を**制御量**といい，目標値と制御量（測定値）の差を**偏差**といい，調節計の比較部で得られる．この偏差をなくすように調節計の制御演算部で演算を行い，制御出力を与えて，制御対象に加えられる物理量（燃料ガス流量）を変化させる．このように，閉ループを構成して，制御結果から，修正動作を事後に加える制御を**フィードバック制御**といい，その制御系を**フィードバック系**という．各ブロックの入力と出力の関係は，ラプラス変換の形式で記述され，この関数を**伝達関数**という．

解　答　**1)　1- オ，2- コ，3- サ**
2)　4- ソ，5- ケ，6- ク，7- キ
3)　8- エ，9- ア
4)　10- キ，11- ケ，12- サ，13- シ，14- コ，15- セ，16- ア，17- ウ，18- カ

（ボイラ，蒸気輸送・貯蔵装置，蒸気原動機・内燃機関・ガスタービン）

問題13　次の各文章の [1] ～ [14] の中に入れるべき最も適切な字句，数値又は式をそれぞれの解答群から選び，その記号を答えよ．なお，[1]，[2]，[6] 及び [7] は 2 箇所あるが，それぞれ同じ記号が入る．

また，[A a.bc] 及び [B a.b] に当てはまる数値を計算し，その結果を答えよ．ただし，解答は解答すべき数値の最小位の一つ下の位で四捨五入すること．（配点計 50 点）

(1)　発電用ボイラの水管理では，ボイラに給水する水質及びボイラ内にあるボイラ水の水質を適正に管理して，水質に起因するボイラの障害やエネルギー損失を予防することが重要である．

1)　水質管理が適正に行われないと，例えば，蒸気を発生するドラムボイラにおいて，ドラムで気水分離されているはずにもかかわらず，本来含まれてはならない不純物が蒸気に含まれることがある．これをキャリオーバというが，その中には，ボイラ負荷の変動などにより急激な蒸発が起こり，ドラム内に発生した泡や水滴が気水分離されず外に運び出されてしまう現象の [1] や，ボイラ水の濃縮や有機物の存在でドラム水面上に気泡層が生じる現象の [2] がある．

2)　シリカのキャリオーバは，[1] や [2] でボイラ外へ運び出されるほかに，蒸気に溶解して排出されるものがある．この蒸気への溶解度は圧力が上がるにつれて [3] なるので，ボイラ水中のシリカ濃度は蒸気圧力が 7.5 ～ 10 MPa では 2 ppm 程度に，蒸気圧力が 10 ～ 15 MPa では [4] [ppm] 程度に抑えることが肝要である．缶水内のシリカ濃度を低減する方法としては缶水 [5] が効果的であり，連続的に行われることが多い.

〈[1]～[5]の解答群〉

ア 0.3　イ 0.9　ウ 1.5
エ コンタミネーション　オ スケーリング　カ フォーミング
キ プライミング　ク ブロー　ケ 循環
コ 脱気　サ 核沸騰　シ 膜沸騰
ス 小さく　セ 大きく　ソ 一定に

3) ドラム内でキャリオーバが生じると，シリカなどの固形物が[6]や[7]に付着することが懸念され，[6]での付着は[8]の減少によってボイラ効率を低下させ，[7]での付着は[9]を低下させる障害を起こすことになる.

〈[6]～[9]の解答群〉

ア 管肉厚　イ 吸収熱量　ウ 蒸発量
エ ドレン排出機能　オ 蒸気タービン性能　カ 復水器真空
キ 過熱器管　ク 火炉壁管　ケ 節炭器管
コ 復水器管　サ 主蒸気ドレン弁　シ 蒸気タービン翼

(2) ボイラでの燃焼に伴って発生する NO_x の抑制方法として，燃焼の改善及び燃料の改善がある.

1) 燃焼の改善は，炉内の燃焼状態を NO_x が生成しにくいように改善する技術であり，その主な要素として次の①～③が挙げられる.

① 燃焼域での酸素濃度を[10]する.

② 高温域での燃焼ガスの滞留時間を短くする.

③ バーナでの[11]を低くする.

具体例として，燃焼過程を 2 段階に分割し，1 段目で[12]を行わせて NO_x を還元し，2 段目で完全燃焼させる 2 段燃焼法などがある.

2) 燃料の改善は，[13]の少ない燃料を使用することである.

〈[10]～[13]の解答群〉

ア 硫黄分　イ 炭素分　ウ 窒素分
エ 燃焼位置　オ 燃焼温度　カ 未燃分比率
キ 燃料過濃燃焼　ク 燃料希薄燃焼　ケ 希薄予混合燃焼
コ 低く　サ 高く　シ 維持

(3) 表に示す条件で運転をしている油焚《だ》きのボイラがある．このボイラで空気比を低減し，排ガス量を約 8 % 減らすことによって，ボイラ効率を改善することを考えることとし，その効率向上値を次の手順で求める.

ただし，ボイラにおける蒸発量及び発生蒸気の温度，圧力は一定とし，排ガス温度及び定圧比熱も変わらないものとする．また，このとき，燃料の発熱量以外の入熱はなく，未燃分などによるその他の熱損失は無視できるものとする．

表　ボイラの運転条件

項目	単位	空気比低減前	空気比低減後
燃料 1 kg 当たりの排ガス量	kg/kg	17.6	16.2
燃料 1 kg 当たりの低発熱量	MJ/kg	40.9	
ボイラ排ガス温度	℃	180	
排ガスの平均定圧比熱	kJ/(kg･K)	1.07	
大気温度	℃	15	

1)　空気比低減前の燃料 1 kg 当たりの排ガスの損失熱量は，［A a.bc］$\times 10^3$ [kJ/kg] と求められる．

2)　同様に，空気比低減後の燃料 1 kg 当たりの排ガスの損失熱量を算出し，その差を求めると損失熱量が［B a.b］$\times 10^2$ [kJ/kg] 減少することが分かる．

3)　したがって，空気比低減前のボイラ効率 η [%] は，空気比低減後には［14］[%] に向上する．

〈［14］の解答群〉

ア　$\eta + 0.6$　　**イ**　$\eta + 0.7$　　**ウ**　$\eta + 0.8$

解　説

1)　循環ボイラの上部にある蒸気ドラムでは，気水分離器によって，蒸気と水の気水分離が行われる．それによって，給水に含まれるシリカが濃縮されてボイラ過熱器のチューブ内面に付着して，過熱器を閉塞させることを防止する．特に，高圧蒸気では，ボイラ水と蒸気の密度差が小さいので，気水分離機能が重要である．それにもかかわらず，ボイラ水の水質管理が適切に行われない場合，不純物が蒸気に含まれることがあり，これを**キャリーオーバ**という．ボイラ負荷の変化から急激な蒸発が発生して，ドラム内で生じた気泡や水滴が気水分離されないで外部に流出することを**プライミング**という．また，ボイラ水が高濃縮・高アルカリ状態でドラム水面上に気泡層が生じることを**フォーミング**という．

2)　シリカ（二酸化けい素）のキャリーオーバは，プライミングやフォーミングによってボイラ外部へ流出する以外に，蒸気への溶解により発生することがある．蒸気へのシリカの溶解度は，蒸気圧力が上昇するにつれて，大きくなる．そのため，蒸気圧力が 7.5 ～ 10 MPa のときはボイラ水中のシリカ濃度を 2 ppm 程度に，蒸気圧力が 10 ～ 15 MPa のときは 0.3 ppm 程度に抑えなくてはならない．缶水のシリカ濃度を低減するためには，濃縮されたボイラ水を排水する**ブロー**を行うのが効果的である．

3) キャリーオーバが発生して，シリカなどの固形物が過熱器管に付着すると，管の熱通過率が小さくなるので，吸収熱量（交換熱量）が小さくなり，ボイラ効率が低下する．また，シリカなどが蒸気タービン翼に付着すると，空気抵抗が増えて，蒸気タービン性能が低下する．

(2)

1) ボイラの燃焼に伴って発生するサーマル NO_x を低減するためには，次のように燃焼を改善する．

① 燃焼領域での酸素濃度が高いほど発生しやすいので，酸素濃度を低くする．

② 高温域での燃焼ガスの滞留時間が長いほど発生しやすいので，滞留時間を短くする．

③ 燃焼温度が高いほど発生しやすいので，燃焼温度を低くする．

この方法としては，燃焼段階を 2 段階にして，第 1 段階では，空気量を理論空気量の 80 ～ 90 % にして燃料過濃燃焼で NO_x を還元し，第 2 段階で不足した空気を補って完全燃焼させる 2 段燃焼法などがある．

2) 燃料中の窒素分が燃焼中に酸化して発生するフュエル NO_x を低減するためには，窒素分の少ない燃料を使用することが重要である．

(3)

1) 空気比低減前の燃料 1 kg 当たりの排ガスの損失熱量 q は，排ガスの平均定圧比熱に燃料 1 kg 当たりの排ガス量と温度差を乗じたものであるから，

$$q = 1.07 \times 17.6 \times (180 - 15) = 3.107 \times 10^3 = 3.11 \times 10^3 \text{ kJ/(kg·K)}$$

となる．

2) 同様に，空気比低減後の燃料 1 kg 当たりの排ガスの損失熱量 q' は，

$$q' = 1.07 \times 16.2 \times (180 - 15) = 2.860 \times 10^3 = 2.86 \times 10^3 \text{ kJ/(kg·K)}$$

となる．したがって，その差 Δq は，

$$\Delta q = q - q' = (3.107 - 2.860) \times 10^3 = 2.47 \times 10^2 = 2.5 \times 10^2 \text{ kJ/(kg·K)}$$

である．

3) 空気比低減後に，燃焼排ガスの損失熱量の低減分だけボイラ効率が向上したことになるので，

$$\frac{2.47 \times 10^2}{40.9 \times 10^3} = 0.006\,0 = 0.6\,\%$$

だけ，空気比低減前のボイラ効率 η より高くなる．

解答　⑴　**1- キ，2- カ，3- セ，4- ア，5- ク，6- キ，7- シ，8- イ，9- オ**

⑵　**10- コ，11- オ，12- キ，13- ウ**

⑶　**A-3.11，B-2.5，14- ア**

（ボイラ，蒸気輸送・貯蔵装置，蒸気原動機・内燃機関・ガスタービン）

問題14　次の各文章の [1] ～ [20] の中に入れるべき最も適切な字句，数値又は記述をそれぞれの解答群から選び，その記号を答えよ．なお，[5]，[17] 及び [19] は 2 箇所あるが，それぞれ同じ記号が入る．（配点計 50 点）

⑴　火力発電システムの熱消費率に関する改善例を次に示す．

1)　給水加熱器段数を [1] させ，給水ポンプなどの補機類を蒸気タービン駆動とし，ボイラの空気予熱器や燃料油加熱器などの加熱源として用いられる補助蒸気を [2] で供給することなどにより，熱消費率は改善される．

〈[1] 及び [2] の解答群〉

ア　タービン抽気　　**イ**　タービン排気　　**ウ**　ボイラ高圧蒸気
エ　減少　　**オ**　増加

2)　蒸気タービンでは極力高い負荷率で運転することが重要であるが，部分負荷運転が要求される場合には [3] 運転を行うと熱消費率を改善できる．これは，タービン蒸気加減弁の開度を一定とし，[4] を変化させることによりタービン出力を制御する運転方法である．

この運転を行うことにより，次の①～③の改善が見込まれる．

①　蒸気加減弁における [5] 損失の低減によるタービン効率の向上

②　可変速度運転による [6] 動力の節減，[5] による高圧タービンでの温度降下の緩和

③　温度降下の緩和による [7] の軽減

〈[3] ～ [7] の解答群〉

ア　機械　　**イ**　絞り　　**ウ**　外圧応力
エ　熱応力　　**オ**　主蒸気圧力　　**カ**　主蒸気温度
キ　給水ポンプ　　**ク**　再循環ポンプ　　**ケ**　定圧
コ　変圧　　**サ**　定温　　**シ**　変温

⑵　内燃機関のうち，火花点火機関及びディーゼル機関については，共に圧縮比を大きくすることで熱効率を高められるが，その限界は次に示すように燃料性状に関係している．

1)　火花点火により着火する火花点火機関の圧縮比の値は，通常 [8] 程

度である．また，一般に気化した燃料と空気の混合気の発火点は，圧力が高くなると [9] する傾向にある．ガソリンと空気の混合気では，圧縮比を上げすぎると自己点火するため圧縮圧力に上限があり，さらに，自己点火による異常燃焼発生で，局所的な圧力急上昇を伴う [10] 現象を発生させるため，防止対策として [11] の燃料を選定する必要がある．

2)　ディーゼル機関では，圧縮した高温の空気中に燃料を噴射して点火させるため，その圧縮比の値は [12] 程度である．また，着火遅れが長いと急激な燃焼によって衝撃を起こす．この防止対策としては，着火性のよい [13] の燃料を選定する必要がある．

〈[8]～[13] の解答群〉

ア　2～4　　**イ**　5～13　　**ウ**　12～22

エ　25～35　　**オ**　サージング　　**カ**　ノッキング

キ　リンバーン　　**ク**　低オクタン価　　**ケ**　高オクタン価

コ　低セタン価　　**サ**　高セタン価　　**シ**　低下

ス　上昇

3)　1)及び2)より，火花点火機関とディーゼル機関の熱効率を，それぞれの機関の圧縮比で評価すると，一般的に [14] ということができる．

〈[14] の解答群〉

ア　ディーゼル機関の方が火花点火機関より熱効率が高い

イ　火花点火機関の方がディーゼル機関より熱効率が高い

ウ　両者とも同等である

(3)　ガスタービンの主要な構成要素である空気圧縮機の運転及び保守に際しては，次のような点に配慮が必要である．

1)　大型ガスタービンの場合には，空気量が多量となるので [15] が用いられる．運転時，特に低流量で圧力比を増していくと，大きな音響や管内圧力の変動を伴う [16] 現象が発生し，安定的運転からの逸脱や機器が損傷するおそれがあるので，現象発生の範囲を十分把握して安全な運転条件を確保する必要がある．

〈[15] 及び [16] の解答群〉

ア　キャビテーション　　**イ**　サージング　　**ウ**　気柱共鳴

エ　遠心式　　**オ**　軸流式　　**カ**　容積式

2)　ガスタービンの騒音については，一般に圧縮機の [17] 口からの騒音が最も大きく，動静翼による昇圧や気流の乱れに伴い発生する [18] 成分が主たるものである．騒音防止対策としては [17] 消音器を設置することであるが，圧力損失が増大するため効率低下は免れない．

また，[19] 口の騒音は，燃焼器での燃焼音や燃焼ガスの膨張や乱れに伴うもので，対策としては [19] 消音器を設置することであるが，吸音材の耐熱性等が要求される．

ケーシングからの騒音対策としては，一般には [20] による遮音が行われている．

〈[17] ～ [20] の解答群〉

ア　エンクロージャ　　**イ**　断熱材　　**ウ**　吸気
エ　蒸気　　**オ**　抽気　　**カ**　排気
キ　放散　　**ク**　高周波　　**ケ**　低周波

解　説

(1)

1)　給水加熱器の段数を増加すると，給水温度が上昇するので，熱消費率は高くなる．給水ポンプなどの補機類の駆動動力を電動から蒸気タービン駆動とすると，補機動力の低減になる．また，ボイラの空気予熱器や燃料油加熱器の加熱源にタービン抽気を用いると，復水器で廃棄する排熱の利用になることから，熱消費率は高くなる．

2)　蒸気タービンの部分負荷運転では，蒸気圧力を変化させる変圧運転を行うと，省エネルギーになる．これは，タービン蒸気加減弁の開度を一定にして，主蒸気圧力を変化させることでタービン出力を制御する方法である．変圧運転の採用によって，部分負荷時の効率改善が期待できる．

① 蒸気加減弁の開度を絞らないので，絞り損失が低減する．

② 蒸気流量の変化に応じて，給水ポンプを可変速運転することで，ポンプ動力の低減ができる．絞りによる高圧タービンでの蒸気温度低下を緩和できる．

③ 温度低下が緩和できるので，温度変化による熱応力の軽減効果がある．

(2)

1)　ガソリン機関は，火花点火により着火する火花点火機関である．この圧縮比 ε は，通常 5 ～ 13 程度であり，圧縮点火機関のディーゼル機関より小さい．気化したガソリンと空気の混合気の発火点は，圧力が高くなると，低下する．そのため，圧力を上げすぎると，プラグで点火する前に自己点火するため，圧縮する圧力に上限が生じる．また，自己点火によって生じるノッキングを防止するためには，着火しにくい高オクタン価のガソリンを使用する．

2)　ディーゼル機関では，圧縮した高温高圧の空気中に燃料を噴霧して圧縮点火をさせるため，圧縮比 ε は，通常 12 ～ 22 程度であり，火花点火機関のガソリン機関より大きい．燃焼室内の温度上昇や燃料の微粒子化が不十分な場合には，燃料は自己着火せずに未燃焼のまま燃焼室内に残り，過量の燃料が存在することになる．ディーゼル機関は通常膨張行程の間，連続した燃焼が起こるが，この場合は燃焼室内の過量の燃料が一気に燃焼する．そのため，過大な圧力変動が発生し，振動やエンジン部品破損の原因となる．これをディーゼルノックという．これを防止するためには，着火しやすい高セタン価の燃料を使用する．

3) ガソリン機関の熱効率 η_{th} は，圧縮比 ε と比熱比 $\varkappa$ を用いて，

$$\eta_{\mathrm{th}} = \left\{1 - \left(\frac{1}{\varepsilon}\right)^{\varkappa-1}\right\} \times 100\,[\%]$$

で表される．また，ディーゼル機関の熱効率 η_{th} は，圧縮比 ε，比熱比 $\varkappa$ と燃料噴射締切比 ξ を用いて，

$$\eta_{\mathrm{th}} = \left\{1 - \left(\frac{1}{\varepsilon}\right)^{\varkappa-1} \frac{\xi^{\varkappa} - 1}{\varkappa(\xi - 1)}\right\} \times 100\,[\%]$$

で表される．圧縮比はディーゼル機関の方がガソリン機関より大きいことから，一般にディーゼル機関の方がガソリン機関より熱効率は高い．

(3)

1) ガスタービンには軸流式と遠心式（半径流式）があるが，大形ガスタービンでは，軸流式が用いられる．サージングとは，空気量を減少させていくときに生じる空気量や圧力が周期的に激しく変動する現象である．サージングが発生すると，振動によって機器が損傷する危険性がある．

2) ガスタービンの発生騒音としては，圧縮機の吸気口からの騒音が最大である．これは，動翼と静翼による圧力上昇と乱流によるものであり，2 kHz をピークとする高周波成分を主としている．この騒音対策として，吸気口に消音器（サイレンサ）を設置することが有効であるが，圧力損失を伴うため，熱効率が低下する．

排気口からの騒音は，燃焼器の燃焼音，燃焼ガスの膨張および乱流が原因であり，騒音対策としては排気消音器の設置である．排気温度は高温なので，消音器に用いられる吸音材の耐熱性能が求められる．

ケーシングからの騒音対策としては，ケーシング全体を覆うエンクロージャによる遮音が実施されている．

解答 (1) **1-オ，2-ア，3-コ，4-オ，5-イ，6-キ，7-エ**

(2) **8-イ，9-シ，10-カ，11-ケ，12-ウ，13-サ，14-ア**

(3) **15-オ，16-イ，17-ウ，18-ク，19-カ，20-ア**

次の問題15から問題18までは，4問題中2問題を選択して解答すること．

（熱交換器・熱回収装置 - 選択問題）

問題15　次の各問に答えよ．（配点計40点）

(1)　次の各文章の[1]～[11]の中に入れるべき最も適切な字句をそれぞれの解答群から選び，その記号を答えよ．なお，[6]は2箇所あるが，同じ記号が入る．

1)　代表的な熱交換器として，円筒の胴内に配列した多数の伝熱管の内側と外側に流体を流して熱交換を行う多管式熱交換器（シェルアンドチューブ）があるが，管と管板の取り付け方法により次の①～③の三つの基本形式に分類される．

① [1]式：管板を胴の両端に固定しその間に伝熱管を配列する最も簡便な方式であるが，胴内部と伝熱管外側の間の空間は密閉されるので清掃や検査ができない．

② [2]式：伝熱管が片側の管板だけに固定されており管束を引き抜くことができるので，胴内部や伝熱管外面の清掃・検査が容易である．

③ [3]式：直管の伝熱管を用いて両端を管板で支えているが，片方の管板が可動な構造となっている．

このうち，伝熱管と胴の熱膨張の差に起因する[4]の発生を防止できるのは，[5]の二つの形式である．

〈[1]～[5]の解答群〉

ア　ジャケット	**イ**　スパイラル	**ウ**　ユングストローム
エ　U字管	**オ**　固定管板	**カ**　二重管
キ　遊動頭	**ク**　伸縮	**ケ**　熱応力
コ　非可動	**サ**　腐食	**シ**　漏洩《ろうえい》
ス　①と②	**セ**　①と③	**ソ**　②と③

2)　薄い平板に凹凸を付けた[6]にガスケットを挟んで積層させて，その間に交互に低温流体と高温流体を通して熱交換する熱交換器を[6]式熱交換器という．圧力損失は大きいが，単位体積当たりの[7]を大きくすることが可能である．

また，ヒートパイプ式熱交換器は，両端を閉じた管に封入した作動流体の作用により熱を伝えるもので，作動流体が管の一端で外部から熱を受けて蒸発し，他端で[8]して熱を放出することで熱交換が行われる．この熱交換器の特徴は，小さな[9]で多量の熱を輸送できることである．

〈[6]～[9]の解答群〉

ア　プレート　　**イ**　ユングストローム　　**ウ**　フィン付管
エ　伝熱面積　　**オ**　温度差　　**カ**　気化
キ　凝縮　　**ク**　熱通過率　　**ケ**　熱伝達率
コ　熱容量　　**サ**　比熱　　**シ**　沸騰

3)　排熱回収では，対象となる排熱の形態に応じて最適な熱回収システムを検討する必要がある．排ガスから給水に熱を回収するシステムとして[10]がある．このシステムでは，水の入口に近い伝熱管の管壁温度が低温となる場合があり，特に燃料中のS分が多い場合，低温腐食に注意が必要である．

また，連続的に操業する1 000 ℃以上の高温の加熱炉では，蓄熱材として[11]を用いた蓄熱器が組み込まれる．この蓄熱器をバーナに直結したシステムでは，燃焼用空気を炉内排ガスと同程度の高い温度まで加熱，熱回収することが可能となり，大幅な省エネルギー効果を発揮している．

〈[10]及び[11]の解答群〉

ア　エコノマイザ　　**イ**　ラジアントチューブ　　**ウ**　レキュペレータ
エ　セラミック　　**オ**　スチール　　**カ**　プラスチック

(2)　次の各文章の[A ab.c]～[D ab.c]に当てはまる数値を計算し，その結果を答えよ．ただし，解答は解答すべき数値の最小位の一つ下の位で四捨五入すること．

温排水からの熱回収を行っている向流形の二重管式熱交換器がある．この熱交換器において，高温側の流体として比熱が4 kJ/(kg·K)の温排水が，質量流量2 kg/s，入口温度90 ℃で流入している．一方，加熱される低温側の流体として比熱が2 kJ/(kg·K)の熱媒体が，質量流量5 kg/s，入口温度20 ℃で流入して熱交換を行っている．このとき，高温側の流体である温排水の出口温度は45 ℃であった．ただし，両流体共にこの熱交換の温度範囲では相変化がなく，外部への熱損失はないものとする．

1)　低温側の流体である熱媒体の出口温度は，[A ab.c]［℃］である．

2)　低温側の流体である熱媒体側の温度効率は，[B ab.c]［%］である．

3)　この熱交換器のエネルギー効率は，[C ab.c]［%］である．ただし，交換可能な最大の熱量に対する，実際に交換された熱量の比をエネルギー効率という．

4)　この熱交換器の清掃管理基準である「高温側の流体である温排水側の温度効率が55 % 以上」を維持するためには，高温側の流体である温排水の出口温度が[D ab.c]［℃］まで上昇した時期を目安に清掃に着手すればよい．

解説

(1)

1)　多管式熱交換器は，チューブ式熱交換器の一つで，シェルアンドチューブ式熱交換器ともいい，円筒形の胴（シェル）内に管束（チューブ）を配列したものである．これは，一般に次のように分類される．

①　固定管板式は，両側の管板が胴に溶接で固定された構造をしている．そのため，胴側の清掃ができないという欠点がある．

②　U字管式は，管束がU字形をしているので，胴と無関係に伸縮ができ，管束を引き抜いて，胴内や伝熱管表面の検査と清掃を行うことができる．

③　遊動頭（管板）式は，片方の管板が固定されていない構造をしているので，管束がスライドして熱応力を逃がすことができる．

したがって，伝熱管と胴の熱膨張の差による熱応力の発生を防止できるのは，②のU字管式と③の遊動頭（管板）式である．

2)　プレート式熱交換器は，ステンレスやチタンなど耐食性金属の薄板に凹凸の波形パターンをプレス成形して，その周囲を合成ゴムのガスケットでシールした構造をしている．このプレートの間に低温側流体と高温側流体を交互に通して熱交換を行う．そのため，流体の圧力損失は大きいが，コンパクトで伝熱面積を大きくとれる．

ヒートパイプ式熱交換器は，密閉容器に封入した作動流体の蒸発と凝縮による潜熱移動によって熱交換を行う熱交換器である．高温側では，高温の流体と隔壁を隔てて熱交換をすることによって，密閉容器内部の作動流体は蒸発をする．低温側では，低温の流体と熱交換をして冷却されると，高温側で気化した作動流体は密閉容器内部で凝縮をする．潜熱移動による熱交換を行うので，小さい温度差で大量の熱移動ができる．

3)　エコノマイザは，ボイラの燃焼排ガスから排熱回収を行って，燃焼排ガス温度を下げ，給水温度を上げることで，ボイラ効率を改善するシステムである．水の入口に近い管壁温度が低温になることがあり，燃料中に硫黄分が多い場合，燃焼排ガスが凝縮して，低温腐食を起こす可能性がある．これは，排ガス中の二酸化硫黄が無水硫酸となったとき，硫酸の露点温度（130～150 ℃）以下になった場合に，水分と結合して硫酸となり，凝縮して金属表面を腐食させるという現象である．低温腐食を防止するためには，原因物質である硫黄成分の少ない燃料の使用，腐食に強い材料の使用，排ガス温度が硫酸の露点温度以下になるのを防止することなどである．

連続操業を行う高温の加熱炉では，蓄熱材としてセラミックを用いた蓄熱器（蓄熱式熱交換器）を使用する．これは，高温流体と低温流体の流路を切り換えて，交互に蓄熱体に当てることで，蓄熱と放熱を繰り返すものである．燃焼排ガスと燃焼用空気を交互に蓄熱体に接触させて，高温の燃焼排ガスから排熱回収を行い，低温の燃焼用空気を加熱する．蓄熱器による燃焼用空気の予熱は，省エネルギー効果が大きい．

(2) 高温側流体（温排水）の比熱 $c_{ph}=4\ \mathrm{kJ/(kg\cdot K)}$，質量流量 $m_h=2\ \mathrm{kg/s}$，入口温度 $T_{h1}=90$ ℃で，二重管式熱交換器に流入しているとき，低温側流体の比熱 $c_{pc}=2\ \mathrm{kJ/(kg\cdot K)}$，質量流量 $m_c=5\ \mathrm{kg/s}$，入口温度 $T_{c1}=20$ ℃，出口温度 T_{c2}［℃］とする．高温側流体の出口温度 T_{h2} は 45 ℃である．このとき，高温側流体の交換熱量 Q_h は，

$$
\begin{aligned}
Q_h &= m_h c_{ph}(T_{h1}-T_{h2})\\
&=2\times4\times(90-45)\\
&=360\ \mathrm{kW}
\end{aligned}
$$

となる．

低温側流体の交換熱量 Q_c もこれに等しいので，

$$
\begin{aligned}
Q_c &= m_c c_{pc}(T_{c2}-T_{c1})\\
&=5\times2\times(T_{c2}-20)\\
&=360\ \mathrm{kW}
\end{aligned}
$$

から，$T_{c2}=56.0$ ℃となる．

低温側流体の温度効率 η_c は，実際に低温側流体が熱交換した温度差が $T_{c2}-T_{c1}$ であるから，

$$\eta_c=\frac{T_{c2}-T_{c1}}{T_{h1}-T_{c1}}=\frac{56-20}{90-20}$$

となる．したがって，$\eta_c=0.514\,2$，すなわち 51.4 % となる．

交換可能な最大熱量 Q_{max} は，$T_{h2}=T_{c1}$ になったときに実現される．このとき，

$$
\begin{aligned}
Q_{max} &= m_h c_{ph}(T_{h1}-T_{c1})\\
&=2\times4\times(90-20)\\
&=560\ \mathrm{kW}
\end{aligned}
$$

であるから，エネルギー効率 η_e は

$$\eta_e=\frac{Q_h}{Q_{max}}=\frac{360}{560}=0.642\,8\fallingdotseq0.643$$

であり，64.3 % となる．

高温側流体の温度効率 η_h を 55 % 以上とするとき，

$$\eta_h=\frac{T_{h1}-T_{h2}}{T_{h1}-T_{c1}}=\frac{90-T_{h2}}{90-20}\geqq0.55$$

であるから，T_{h2} が 51.5 ℃まで上昇したときに清掃に着手すればよいことにな

る．

解　答　(1)　**1- オ，2- エ，3- キ，4- ケ，5- ソ，6- ア，7- エ，8- キ，9- オ，10- ア，11- エ**

(2)　**A-56.0，B-51.4，C-64.3，D-51.5**

（冷凍・空気調和設備 - 選択問題）

問題16　次の各文章の [1] ～ [16] の中に入れるべき最も適切な字句，数値又は記述をそれぞれの解答群から選び，その記号を答えよ．なお，一つの解答群から同じ記号を 2 回以上使用してもよい．（配点計 40 点）

(1)　空調している居室における外気導入量の制御は，空調設備における主要な省エネルギー対策の一つである．

冷房時の空調プロセスを湿り空気 $h-x$ 線図上に表した次の図を用いて，外気導入量の制御について考える．

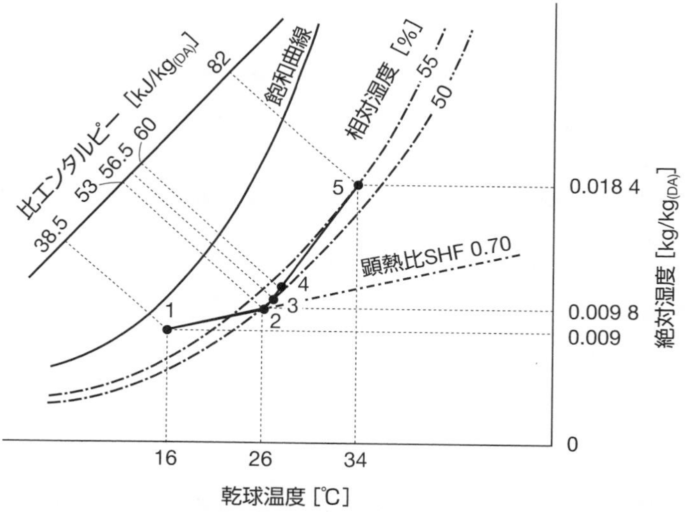

図　湿り空気 $h-x$ 線図上での冷房プロセス

1)　外気負荷を合理的に削減する手段としては，居室使用時の [1] や，予冷時の [2] などがある．逆に，外気を積極的に取り入れることにより空調エネルギーを削減する手段として [3] や [4] と呼ばれるものがある．これらのうちで，我が国の寒冷地を除く地域において通常の空調使用条件で真夏の昼間にも用いられるのは [5] である．

〈 [1] ～ [5] の解答群〉

ア　ナイトパージ　　**イ**　ヒートパイプ　　**ウ**　外気冷房

エ　圧力一定制御　　**オ**　外気カット制御　　**カ**　可変風量制御
キ　台数制御　　**ク**　炭酸ガス濃度制御　　**ケ**　ゆらぎ制御

2)　外気負荷の削減例として，図において，室内の環境基準を遵守した上で外気導入量を通常運転時の 50 % に絞ることができた場合について考える．ここで，室内への空調空気の送風量を 2 000 m^3/h，室内の顕熱比を 0.7 とする．また，空気の密度は 1.2 kg/m^3 とする．

i)　図中の 1 ～ 4 は，それぞれ「室内空気」，「空調吹出し空気」，「通常時の室内と外気の混合空気」，「外気 50 % 削減時の室内と外気の混合空気」の各状態点のいずれかを示し，状態点 5 は外気を示すものとする．

ここで，室内空気の状態点は [6] で示される．また，外気導入量を通常運転に対して 50 % に削減することができたとすると，外気と室内空気の混合空気の状態点は [7] に移動する．

〈[6] 及び [7] の解答群〉

ア　1　　**イ**　2　　**ウ**　3　　**エ**　4
オ　2 から 4　　**カ**　3 から 4　　**キ**　4 から 2　　**ク**　4 から 3

ii)　通常運転時に除去しなければならない熱量は約 [8] [kJ/h] であるから，外気量の削減によりエネルギー消費量は約 [9] [%] 削減される．同様に，外気導入を全く行わない場合には約 [10] [%] のエネルギー消費量の削減が可能である．

〈[8] ～ [10] の解答群〉

ア　9　　**イ**　16　　**ウ**　25　　**エ**　33　　**オ**　48
カ　17 000　　**キ**　43 000　　**ク**　52 000　　**ケ**　70 000

(2)　空調設備の熱源に用いられる冷凍機の種類としては，蒸気圧縮冷凍機及び吸収冷凍機が代表的なものである．

1)　蒸気圧縮冷凍機の原理は [11] の原理と同様で，密閉されたループ内で冷媒を機械的に圧縮することにより [12] の順に循環させ，対象物の冷却を行うものである．圧縮の動力源としては一般的に電力が用いられる．

〈[11] 及び [12] 解答群〉

ア　ウォータポンプ　　**イ**　ケミカルポンプ
ウ　ヒートポンプ　　**エ**　ロータリポンプ
オ　凝縮－蒸発－膨張　　**カ**　凝縮－膨張－蒸発
キ　蒸発－膨張－凝縮

2)　吸収冷凍機は，蒸気圧縮冷凍機における [13] の働きを「吸収器と再生器」で行わせる吸収冷凍サイクルを用いるものであり，熱を駆動力としている．吸収冷凍機では，吸収剤として [14] が広く用いられている．

3)　電動の蒸気圧縮冷凍機において入力は全て電力であり，その COP は，通常，入力電力を一次エネルギー換算せずに算出した値を用いる．一方，燃料を用いる吸収冷凍機では，入力となる燃料と電力を一次エネルギー換算した上で合算し，COP を算出している．このそれぞれの算出方法で比較すると，COP の値が高いのは [15] である．

両者共に入力を全て一次エネルギー換算して算出した場合，例えば電動ターボ冷凍機とガス焚《だき》二重効用吸収冷凍機を比較すると，一般的に [16].

〈[13] ～ [16] の解答群〉

ア　塩化ナトリウム　**イ**　塩化カルシウム　**ウ**　臭化アンモニアム
エ　臭化リチウム　**オ**　圧縮機　**カ**　凝縮器
キ　蒸発器　**ク**　膨張弁　**ケ**　吸収冷凍機
コ　蒸発圧縮冷凍機
サ　両者の COP の高低は逆転せずに，差は広がる
シ　両者の COP の高低は逆転しないが，差は縮まる
ス　両者の COP の高低は逆転する

解　説

(1)

1)　空調設備における外気負荷を低減する方法としては，外気量を削減する方法と外気と室内空気の比エンタルピー差を減少する方法がある．前者には，居室使用時に室内の二酸化炭素（炭酸ガス）濃度を検出することで，在室者数に応じて外気量を制御する二酸化炭素（炭酸ガス）濃度制御（デマンド制御換気）と，在室者のいない冷房運転の予冷時または暖房運転の予熱時に外気を導入しない外気カット制御などがある．後者には，外気と排気で熱交換を行う全熱交換器の採用がある．また，外気導入によって冷房を行う手法としては，夜間低温の外気導入によって躯体を蓄冷するナイトパージや中間期の外気の導入量を増加して冷房を行う外気冷房がある．このうち，夏期昼間の通常の空調運転時に用いられるのは，二酸化炭素濃度制御である．

2) i)　状態点 5 が外気を示すとき，室内空気の状態点は 2 で示され，吹き出し空気の状態点は 1 で示される．すると，通常の外気量のときの室内空気と外気の混合空気の状態点は 4 と考えられる．ここで，外気導入量を 50 % に削減したとき，混合空気の状態点は室内空気に近づくので，3 に変化する．

ii)　通常運転時の冷房負荷 q_{c} は，4 の状態の混合空気を 1 の状態の吹き出

し空気まで冷却する熱量になるので，空気の密度と風量と比エンタルピー差を乗じたものになる．したがって，

$$q_c = 1.2 \times 2\,000 \times (60 - 38.5) = 51\,600 \fallingdotseq 52\,000\ \mathrm{kJ/h}$$

である．外気量を 50 % に削減したことで，混合空気の比エンタルピーは状態点 4 の 60 $\mathrm{kJ/kg_{(DA)}}$ から状態点 3 の 56.5 $\mathrm{kJ/kg_{(DA)}}$ に下がるので，エネルギー消費量は，

$$\frac{60 - 56.5}{60 - 38.5} = 0.162 \fallingdotseq 16\ \%$$

削減されることになる．また，外気を全く導入しない場合は，室内負荷だけになるので，2 の状態の空気を 1 の状態まで冷却することになることから，エネルギー消費量は，

$$\frac{60 - 53}{60 - 38.5} = 0.325 \fallingdotseq 33\ \%$$

削減されることになる．

(2)

1)　蒸気圧縮冷凍機の原理は，**冷凍サイクル**によって密閉されたループで冷媒を機械的に圧縮して高温高圧の冷媒ガスにしてから，凝縮器で冷媒ガスを冷却して冷媒液にして，膨張弁で圧力を低下し，蒸発器で水または空気を冷却しながら冷媒液を蒸発させる．凝縮器の排熱を熱利用する場合，これを**ヒートポンプ**という．圧縮機の動力には，一般に電力を用いるが，ガスエンジンで駆動するものもある．

2)　吸収冷凍機は，圧縮機の代わりに吸収器と再生器を用いるもので，これを**吸収サイクル**という．吸収剤には臭化リチウムが用いられ，冷媒には水が用いられる．吸収器では，濃い吸収液が水蒸気を吸収して希溶液になり，再生器で希溶液を加熱して水分を蒸発させて，濃溶液にして，吸収器に戻す．再生器で蒸発した水蒸気は，凝縮器で冷却水によって冷却されて凝縮する．凝縮した水を蒸発器で噴霧して蒸発させることで，冷水を冷却する．このように，吸収サイクルでは，吸収液のサイクルと冷媒（水）のサイクルを交差させて，熱移動を行う．

3)　冷凍機の効率を**成績係数**（COP）という．蒸気圧縮冷凍機では，圧縮機の動力を入力とするが，一般には電動なので，電力（二次エネルギー）である．一方，吸収冷凍機では，再生器や凝縮器などの熱源を一次エネルギー換算して，入力としている．そのため，蒸気圧縮冷凍機の方が，見かけ上COP の値が高くなる．

蒸気圧縮冷凍機のターボ冷凍機（COP は 5.0 程度以上）とガス焚き二重

効用吸収冷凍機（COPは1.0程度）で，入力を一次エネルギー換算した場合，前者の入力は2倍以上になることから，COPは逆転しないが，COPの差は縮まる．

解　答　(1)　**1-ク，2-オ，3-ア，4-ウ，5-ク，6-イ，7-ク，8-ク，9-イ，10-エ**

(2)　**11-ウ，12-カ，13-オ，14-エ，15-コ，16-シ**

（工業炉，熱設備材料 - 選択問題）

問題17　次の各問に答えよ．（配点計40点）

(1)　次の各文章の [1] ～ [6] の中に入れるべき最も適切な字句をそれぞれの解答群から選び，その記号を答えよ。なお，[1] は2箇所あるが，同じ記号が入る．

1)　工業炉を熱源で分類すると燃焼炉と電気炉に分けられる．燃焼炉では，火炎及び燃焼生成ガスからの [1] や対流，あるいは一旦加熱された炉内壁からの [1] によって材料が加熱される．

火炎や燃焼生成ガスが材料に触れながら加熱する方法を直接加熱方式という．ラジアントチューブ，[2] あるいはレトルトなど隔壁を設け，火炎や燃焼生成ガスが材料に触れないように加熱する方式を間接加熱方式という．

2)　電気炉には，誘導加熱，アーク加熱，[3] 加熱などがあり，電子ビームやプラズマによる加熱も利用されている．電気炉は，間接過熱方式の燃焼炉と同様に [4] に利用しやすく，更に高圧の炉にも用いられる．また，電気炉は燃焼炉に比べて高温が得やすいという特徴がある．

〈[1] ～ [4] の解答群〉

ア　バッチ	**イ**　マッフル	**ウ**　ムライト	**エ**　圧接
オ　減容	**カ**　酸化	**キ**　接触	**ク**　抵抗
ケ　伝導	**コ**　放射	**サ**　雰囲気熱処理	**シ**　溶解

3)　工業炉は，操業形態から分けると連続式とバッチ式に分類される．連続式の工業炉では材料の搬送装置が設置されており，その方式を大別すると，プッシャ形，[5]，ストランド形の機械的搬送装置3種と，[6]，自重搬送形に分類される．

〈[5] 及び [6] の解答群〉

ア　エスカレータ形	**イ**　コンベヤ形	**ウ**　スロープ形
エ　気流搬送形	**オ**　減圧搬送形	**カ**　真空搬送形

(2)　次の各文章の [7] ～ [14] の中に入れるべき最も適切な字句又は式をそれぞれの解答群から選び，その記号を答えよ．なお，[7] は2箇所あるが，同じ記号が入る．

1)　工業炉の省エネルギーについて，「エネルギーの使用の合理化及び非化石エネルギーへの転換等に関する法律」に基づく「工場等におけるエネルギーの使用の合理化に関する事業者の判断の基準」において，燃料の燃焼の管理では「[7]」の基準値，廃熱の回収利用の基準では「廃ガス温度及び廃熱回収率」の基準値，断熱の基準では「炉壁外面温度」の基準値を定めている．

燃料の燃焼熱を熱源とする工業炉においてそれらの基準値は，「[7]」では炉の種類別，燃料別に，「廃熱回収率」では [8] 別，定格容量別に，「炉壁外面温度」では [9] 別，位置（天井，側面，外気に接する底面）別に規定さている．

これらに則して燃料の燃焼熱を熱源とする工業炉の省エネルギーを図るために，燃焼状態に関する管理・計測，工業炉の保守・点検及び断熱化の措置，廃熱回収の効率を維持するための保守等を実施する必要がある．特に複数の燃焼設備を使用するときは，設備全体としての [10] が高くなるように管理標準を設定し，それぞれの設備の [11] を調整する．

〈[7] ～ [11] の解答群〉

ア　温度　　**イ**　材料温度　　**ウ**　大気温度
エ　排ガス温度　　**オ**　燃焼空気温度　　**カ**　燃料温度
キ　炉内温度　　**ク**　空気比　　**ケ**　燃料比
コ　酸素濃度　　**サ**　生産効率　　**シ**　熱回収率
ス　熱効率　　**セ**　負荷

2)　燃焼炉の廃熱回収効率を高める設備として，近年では [12] バーナが多く採用されている．このバーナには小型化された蓄熱式熱交換器が装着されており，これにより高温の排ガスの顕熱を燃焼用空気の予熱として高効率で回収し，1 000 ℃程度の高温空気を得ている．また，この高温空気を炉内に高速で噴出させ炉内の既燃ガスとの混合を促進させることによって，燃焼場での [13] 濃度を大幅に低下させることが可能となり，[14] の発生を抑制することができる．

〈[12] ～ [14] の解答群〉

ア　CO　　**イ**　CO_2　　**ウ**　N_2　　**エ**　NO_x　　**オ**　O_2
カ　SO_x　　**キ**　ダイリューション　　**ク**　リジェネレイティブ
ケ　レキュペレイティブ

(3)　次の各文章の [15] ～ [20] の中に入れるべき最も適切な字句又は式をそれぞれの解答群から選び，その記号を答えよ．なお，[15] 及び [17] は2箇所あるが，それぞれ同じ記号が入る．

1)　断熱性の良好な熱設備材料として無機ファイバ製品が広く使用されている．

セラミックファイバは，[15] と [16] を主成分とした人造鉱物繊維の総称で，非晶質の [17] セラミックファイバと，結晶質で [15] 含有量が多く，炉内温度が1 300 ℃以上の高温の炉で断熱材として使用できる耐久性に優れた [18] セラミックファイバがある．

また，[17] セラミックファイバは，1 300 ℃以下の温度の炉で一般に用いられているが，発がん性などのリスク評価の結果から特定化学物質として規制され，平成27年11月以降はこれを取り扱う場合には，法律に基づく対策が必要となっている．

〈[15] ～ [18] の解答群〉

ア　アルミナ（Al_2O_3）	**イ**　コンストラクト	**ウ**　シリカ（SiO_2）
エ　ジルコニア（ZrO_2）	**オ**　ベース	**カ**　リフラクトリ
キ　酸化クロム（Cr_2O_3）	**ク**　酸化マグネシウム（MgO）	
ケ　酸化鉄（Fe_2O_3）	**コ**　高アルミナ質	**サ**　高クロム質
シ　高ジルコニア質		

2)　保温材として600 ℃以下の温度域では [19] ウールが使用され，更に低い温度域では [20] ウールが使用される．

〈[19] ～ [20] の解答群〉

ア　カルシウム	**イ**　グラス	**ウ**　セメント
エ　プラスチック	**オ**　ブロック	**カ**　ロック

解　説

(1)

1)　工業炉を熱源で分類すると，石炭・重油・天然ガスなどの化石燃料を用いる燃焼炉と電力による電気炉に分けられる．燃焼炉では，燃料の燃焼による火炎と燃焼生成ガスからの放射と対流だけでなく，加熱された炉内壁からの放射熱によって材料が加熱される．

加熱方式としては，燃焼火炎や燃焼生成ガスが直接材料に接触する直接加熱方式と，ラジアントチューブ，マッフルあるいはレトルトを介して材料を間接的に加熱する間接加熱式に分けられる．

2)　電気炉の加熱方式には，電磁誘導を用いる誘導加熱，アーク電流を用いるアーク加熱，電気抵抗のジュール熱を用いる抵抗加熱などの方式がある．電気炉は，炉内の雰囲気ガスを制御する雰囲気熱処理に利用しやすい．また，燃焼炉と比較して高温が得やすい．

3)　工業炉の操業形態としては，連続的に操業を行う連続式と必要に応じて断続的に操業を行うバッチ式に分けられる．連続式操業の材料搬送装置としては，機械式搬送装置を用いるプッシャ形，コンベヤ形およびストランド形と，粉末状の材料を熱風で搬送しながら熱処理を行う気流搬送形，炉に装入された材料が溶解して自重で下部から抽出される自重搬送形に分類される．

(2)

1)　「エネルギーの使用の合理化及び非化石エネルギーへの転換等に関する法律」に基づく「工場等におけるエネルギーの使用の合理化に関する事業者の判断の基準」で，燃料の管理については「空気比」の基準値，廃熱の回収利用の基準では，「廃ガス温度及び廃熱回収率」の基準値，断熱の基準では「炉壁外面温度」の基準値を定めている．

燃料の燃焼熱を熱源とする工業炉では，基準値は「空気比」に関しては，別表第1(B)(2)で炉の種類別および燃料別に，「廃熱回収率」では，別表第2(A)(2)で排ガス温度別および定格容量別に，「炉壁外面温度」に関しては，別表第3(A)で炉内温度別および位置別に規定している．

燃焼炉の省エネルギーを図るために，同基準では，「Ⅰ　エネルギーの使用の合理化の基準」の「2−2　工場等におけるエネルギーの使用の合理化に関する事項」の「(1)　燃料の燃焼の合理化」で，①　燃料の燃焼の管理，②　燃料の燃焼に関する計測及び記録，③　燃焼設備の保守及び点検，④　燃焼設備の新設・更新に当たっての措置，を規定している．特に，複数の燃焼設備を使用するときは，①ウで「燃焼設備全体としての熱効率が高くなるように管理標準を設定し，それぞれの燃焼設備の燃焼負荷を調整すること」と定めている．

2)　蓄熱式（リジェネレイティブ）バーナは，蓄熱体を組み込んだ2台の小形バーナを交互運転させて，燃焼排ガスで燃焼空気を予熱するシステムである．燃焼させるバーナと排ガスを吸い込むバーナを交代するときは，四方切換弁で燃焼空気と排ガスの流路を切り換える．燃焼空気は，四方切換弁の部分で高温の排ガスから熱回収を行う．始動するバーナの蓄熱体もすでに排ガスで予熱されているので，四方切換弁の部分で熱回収した燃焼空気を蓄熱体からの放熱によってさらに昇温させることができる．蓄熱式（リジェネレイティブ）バーナは，熱回収率が高く，高温空気燃焼が実現できる．また，炉幅方向の温度分布が均一になる．燃焼空気温度が1 000 ℃を超えることから，かつては NO_x の発生が問題だったが，燃焼場における酸素濃度を低下させることで NO_x の発生を抑制することができるようになり，大形加熱炉でも採用されるようになった．現在では，鋼片加熱炉，アルミニウム溶解炉，廃棄物溶融炉などの幅広い用途に適用されている．

(3)

1)　セラミックファイバーは，アルミナ粉末とけい石の粉末またはシリカサンドを混合して，電気炉で高温溶融して繊維化した人造鉱物繊維である．そのため，耐火性と断熱性があり，繊維状になっていることから熱容量が小さく，蓄熱損失が小さい．これには，非晶質（ガラス質）のリフラクトリセラミックファイバー（RCF）と結晶質の高アルミナ質セラミックファイバーがある．

RCF に関しては，平成 27 年 11 月に施行された労働安全衛生法施行令および特定化学物質障害予防規則等の改正で，特定化学物質（第 2 類物質）に追加されて，作業主任者の選任，作業環境測定の実施および特殊健康診断の実施の義務付けがされている．

2)　JIS A9504：2017 人造鉱物繊維保温材として，ロックウール保温材とグラスウール保温材が規定されているが，前者は概ね 600 ℃以下，後者は概ね 300 ℃以下で使用される．

解　答　**(1)　1- コ，2- イ，3- ク，4- サ，5- イ，6- エ**

(2)　7- ク，8- エ，9- キ，10- ス，11- セ，12- ク，13- オ，14- エ

(3)　15- ア，16- ウ，17- カ，18- コ，19- カ，20- イ

（蒸留・蒸発・濃縮装置，乾燥装置，乾留・ガス化装置 - 選択問題）

問題18　次の各問に答えよ．（配点計 40 点）

(1)　次の各文章の [1] ～ [8] の中に入れるべき最も適切な字句をそれぞれの解答群から選び，その記号を答えよ．なお，[1] は 3 箇所あるが，同じ記号が入る．

1)　精留塔において，各段で気液平衡が成り立っているとしたとき，所定の純度まで精留するのに必要な段数が [1] 段数であるが，実際には [1] 段数より多い段数を必要とする．[1] 段数と実際に必要な所要段数との比を [2] 効率という．

還流比を大きくすると分離は良くなるが，必要な段数は [3] し，塔径が大きくなり，用役費が高くなる．

〈[1] ～ [3] の解答群〉

ア　最小　　**イ**　平衡　　**ウ**　理想　　**エ**　理論　　**オ**　実

カ　段　　**キ**　塔　　**ク**　分離　　**ケ**　減少　　**コ**　増加

2)　蒸留塔の省エネルギーを図る方法についての記述のうち，明らかに間違っているものは次の①～⑥のうち［ 4 ］及び［ 5 ］である.

①　多重効用型システムにおいて分離順序を改良する.

②　多成分系の分離は，成分数と同じ塔数にして分離順序を最適化する.

③　塔の圧力損失 ΔP が大きくなるように充てん塔から棚段塔に変換する.

④　塔頂蒸気や製品流体の持つ熱を回収し，プロセス流体の予熱など，他の用途に有効利用する.

⑤　保温改善によって熱ロスを低減する.

⑥　気液接触効率の向上，原料フィード段の最適化，制御システムの高度化などにより還流比を低下させる.

〈［ 4 ］及び［ 5 ］の解答群〉

ア　①　　**イ**　②　　**ウ**　③　　**エ**　④　　**オ**　⑤　　**カ**　⑥

3)　蒸発操作で，複数の缶を用いて，第 1 缶で発生した蒸気を減圧状態で操作される第 2 缶の熱源として利用して蒸気を発生させ，そこからの発生蒸気を更に減圧状態で操作される次の缶の熱源として利用していく蒸発操作を［ 6 ］法という.

加熱した溶液を，それより飽和圧力の低い容器に供給し沸騰蒸発を起こさせ，その発生蒸気により被濃縮液を予熱して凝縮潜熱を回収する蒸発操作を［ 7 ］法という.

蒸気を断熱圧縮することで，発生蒸気の温度を上げるとともに凝縮させ，その凝縮潜熱を液の加熱に利用する蒸発操作を［ 8 ］法という.

〈［ 6 ］～［ 8 ］の解答群〉

ア　共沸蒸発　　**イ**　蒸気圧縮　　**ウ**　真空蒸発

エ　多重効用　　**オ**　多段フラッシュ　　**カ**　多段連続蒸発

(2)　次の文章の［ 9 ］～［ 13 ］の中に入れるべき最も適切な字句を〈［ 9 ］～［ 13 ］の解答群〉から選び，その記号を答えよ.

石炭ガス化による合成天然ガス製造の一般的プロセスは，次の 5 工程で構成されている.

前処理→［ 9 ］→［ 10 ］→ガス精製→［ 11 ］

ガス化炉でのガス化反応の主反応は［ 12 ］であり，この反応が吸熱であることから，石炭の一部を燃焼させて反応熱を供給する．ガス化剤として水蒸気と酸素を用いると，ガス化炉出口で［ 13 ］を得る.

〈［ 9 ］～［ 13 ］の解答群〉

ア　CO 変成　　**イ**　CO_2 改質　　**ウ**　ガス化

エ　メタネーション　　**オ**　水性ガス反応　　**カ**　水素化分解
キ　熱分解　　**ク**　燃焼　　**ケ**　発生炉ガス反応
コ　低カロリーガス　　**サ**　中カロリーガス　　**シ**　高カロリーガス

(3)　次の各文章の [14] ～ [18] の中に入れるべき最も適切な字句を〈[14] ～ [18] の解答群〉から選び，その記号を答えよ．なお，[18] は 2 箇所あるが，同じ記号が入る．

図の(a)～(d)は，固体材料の減率乾燥速度曲線を示したものである．

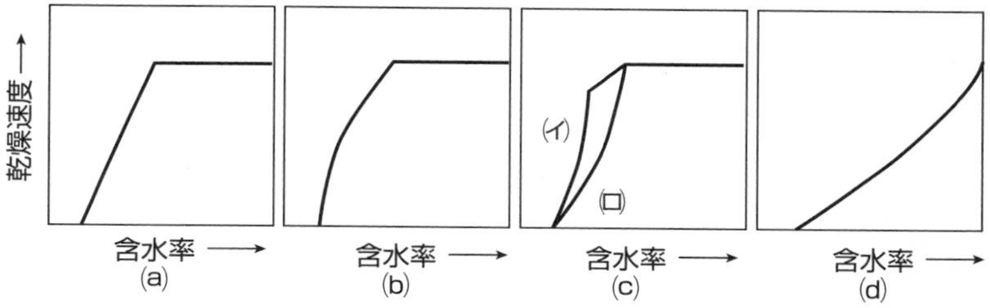

図　固体材料の減率乾燥速度曲線

1)　(a)は材料の粒子が比較的独立な構造を持つ場合にみられ，(b)は [14] の乾燥にみられる．

(a)，(b)共に毛管力による脱水が行われる材料で，通常，減率第 1 段という形式で脱水される．

2)　(d)は [15] の乾燥にみられ，材料内の [16] が律速となり定率乾燥期間を欠くものが多い．

3)　(c)は(a)，(b)と(d)の中間で減率第 1 段とそれに続く減率第 2 段の機構を持つもので，図中の(イ)は粘土などのオスモティック水を持つ材料，図中の(ロ)は最も一般的な形で，[17] で現れる．

4)　所要乾燥時間は大略の見当として，(a)，(b)では材料の [18] に比例，(d)では材料の [18] の 2 乗に比例，(c)はその中間とみてよい．

〈[14] ～ [18] の解答群〉

ア　厚さ　　**イ**　質量　　**ウ**　比表面積
エ　水分拡散　　**オ**　電気伝導　　**カ**　伝熱
キ　液滴，薄膜，直径 5 mm 程度以下の小粒子など
ク　成形材料，堆積層など
ケ　石けん，にかわ，ゼラチンなどの均質物質
コ　非親水性微粒子又は短繊維材料など

解　説

(1)

1)　多段連続蒸留を行う精留塔で，各段で気液平衡が成り立っているとき，所定の純度まで精留するのに必要な段数を**理論段数**という．実際には，理論段数より多い段数が必要で，理論段数と実際に必要な段数の比を**塔効率**という．

還流液量 L と流出液量 D との比を**還流比**という．還流比を大きくすると，理論段数は減少し，成分の分離は向上するが，塔径が大きくなり，加熱量が増加するので用役費が高くなる．

なお，省エネルギーセンター公表の解答では，3の解答が“ケ，コ”となっているが，コは間違っていると考えられる．

2)　蒸留塔の省エネルギー手法としては，次の方法が考えられる．

①　多重効用形システムを採用して，高圧塔の冷却熱を低圧塔の再沸器に投入する．

②　多成分系の分離は，分離順序を検討し，必要な塔数を最小にする．

③　段部の圧力損失 ΔP を下げて，質の低い熱源を利用できるようにする．

④　塔頂蒸気や製品流体の保有熱を回収して，他用途に利用する．

⑤　保温を改善して，熱損失を低減する．

⑥　還流比最適点の運転を行う．

したがって，問題文の中で間違っているのは，②と③である．

3)　蒸発操作において，多重効用法は，単一の蒸発缶を複数個連結して，第1缶で発生した蒸気を，より低圧低温の状態にある第2缶の溶液の熱源として利用し，これを繰り返して蒸発操作を行う方法である．

多段フラッシュ法は，各段でフラッシュ蒸発（沸騰蒸発）を起こして，その発生蒸気で被濃縮液を予熱する蒸発操作である．

蒸気圧縮法は，溶液からの発生蒸気を断熱圧縮して，蒸気温度を上昇させると同時に凝縮させて，凝縮潜熱を溶液の加熱に利用する蒸発操作である．

(2)　石炭ガス化による合成天然ガス製造工程は，前処理，ガス化，CO変成，ガス精製，メタネーションの5工程から成る．

石炭および石油系の原料を用いて，合成用，都市ガス，工業用燃料ガスまたは水素ガスなどのガス生成物をつくる操作を**ガス化**という．ガス化は，原料に含まれる高分子の炭化水素を低分子化して，C/H比（炭素・水素比）を小さくするプロセスである．石炭のガス化の主反応は，炭素と水蒸気から一酸化炭素と水素を得る反応であり，

$$C + H_2O \rightarrow CO + H_2 - 118.0\ \mathrm{kJ/mol}$$

で表される吸熱反応である．この反応を**水性ガス反応**という．この反応熱は，

ガス化炉に空気や酸素を吹き込み，石炭の部分燃焼による燃焼熱で供給する．ガス化剤として水蒸気と酸素を用いると，ガス化炉出口で発熱量 10.5 ～ 13 $\mathrm{MJ/m^3{}_N}$ の中カロリーガスが得られる．ちなみに，ガス化剤として水蒸気と空気を用いると，発熱量 5.4 $\mathrm{MJ/m^3{}_N}$ の低カロリーガスになる．

(3)　乾燥速度（特性）曲線は，横軸に含水率，縦軸に乾燥速度を取った図である．乾燥速度は，単位乾燥面積および単位時間当たりの水分蒸発量である．乾燥過程で見ると，曲線の右から左へ変化することになる．

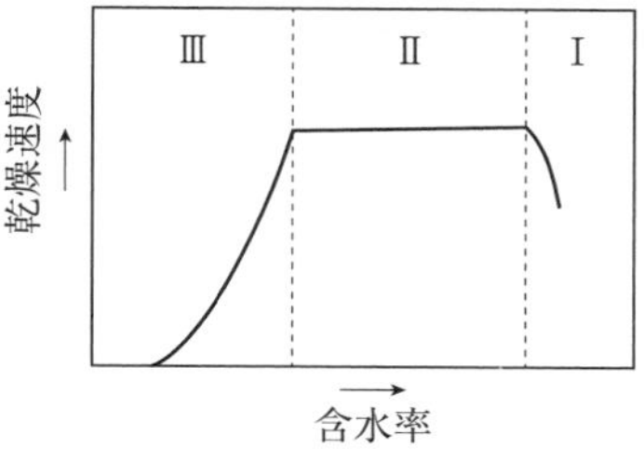

第1図　乾燥速度（特性）曲線

期間Ⅰは**材料予熱期間**といい，初期温度から次第に温度上昇して，乾燥条件によって定まる平衡温度に達するまでの期間である．この期間は，材料の温度上昇とともに乾燥速度も増加する．

期間Ⅱは**定率乾燥期間**といい，被乾燥材料の温度は一定で，流入熱量は材料の水分蒸発のみに消費される．すなわち，顕熱変化はなく潜熱変化のみとなり，乾燥速度も一定となる．

期間Ⅲは**減率乾燥期間**といい，乾燥が進行すると，材料内部からの自由水の補給速度が材料表面の水分蒸発速度に追いつかなくなり，材料の温度が上昇して，顕熱変化が始まる．減率乾燥期間では，材料の含水率は徐々に減少するが，ある程度まで含水率が低下すると平衡状態に達して，それ以上含水率は低下しなくなる．このときの含水率を**平衡含水率**といい，そこで乾燥速度は 0 になる．

問題の図は，このうち期間Ⅱの定率乾燥曲線と期間Ⅲの減率乾燥曲線を示したものである．前述のように乾燥過程は，右から左へ進行する．

1)　(a)は材料の粒子が比較的独立した構造をもつ場合であり，液滴，薄膜，直径 5 mm 以下の粒子の乾燥で観察される．

(b)は，非親水性微粒子または短繊維材料などで見られる減率乾燥速度曲線である．

2)　(d)は，石けん，にかわ，ゼラチンなどの均質物質の乾燥で見られる．材料内部の水分拡散が支配的で，定率乾燥期間がないことが多い．

3) (c)は，(a)または(b)と(d)の中間で，減率第１段（定率乾燥曲線から最初に下がった部分）と減率第２段（減率が変化した後）が現れる．(イ)は粘土，木材などのオスモティック水を有する材料の乾燥で，(ロ)は成形材料や堆積層の乾燥で現れる．

4) 所用乾燥時間は，(a)と(b)では材料の厚さに比例し，(d)では材料の厚さの２乗に比例する．(c)は，その中間となる．

解　答　(1) **1-エ，2-キ，3-ケ，4-イ，5-ウ，6-エ，7-オ，8-イ**

(2) **9-ウ，10-ア，11-エ，12-オ，13-サ**

(3) **14-コ，15-ケ，16-エ，17-ク，18-ア**

第 38 回　2016 年（平成 28 年）

（計測及び制御）

問題11　次の各文章の [1] ～ [17] の中に入れるべき最も適切な字句，数値又は記述をそれぞれの解答群から選び，その記号を答えよ．なお，[6] 及び [16] は 2 箇所，[14] は 3 箇所あるが，それぞれ同じ記号が入る．（配点計 50 点）

(1)　熱電対は，2 本の異なる金属線の両端を接合して回路を構成したものであり，二つの接点間に温度差があると，回路にその温度差に応じた熱起電力が生じる現象を利用して温度計測を行うものである．この現象は，[1] と呼ばれ，これを利用すれば，一方の接点を基準となる一定温度（通常 0 ℃）に保っておくことで，発生した熱起電力により，基準熱起電力表を用いて，もう一方の接点の温度を知ることができる．

ここで，基準となる接点は基準接点（もしくは冷接点），測定対象の接点は測温接点と呼ばれ，基準接点と測温接点との間の電圧を測定することで，測温接点の温度を求めることができる．

さらに，二つの熱電対の素線を直列につないだときに得られる熱起電力は，それぞれの熱電対の [2] となる．これは，中間温度の法則と呼ばれる．実用上は，この法則を応用して，基準接点なしで測温接点の温度を計測することが多い．すなわち，計測器側の接点を中間接点と考えると，その [3] がわかれば，基準接点から中間接点までの熱起電力は基準熱起電力表から得られ，一方，中間接点と測温接点の間の熱起電力は計測値として得られるので，合計の熱起電力から測温接点の温度を求めることができる．

また，熱電対の間の任意の場所に異種の金属線を挿入した場合に，挿入した金属線の [4] ときは，回路の熱起電力に変化は生じない．これは，中間金属の法則と呼ばれる．

〈[1] ～ [4] の解答群〉

ア　ゼーベック効果　　**イ**　トムソン効果　　**ウ**　ペルチェ効果
エ　温度　　**オ**　電圧　　**カ**　電流
キ　熱起電力の積　　**ク**　熱起電力の平均　　**ケ**　熱起電力の和
コ　電気抵抗が熱電対の電気抵抗と等しい
サ　両端の温度が測温接点より低い
シ　両端の温度が等しい

(2)　全ての物体は，その表面から電磁波の形態で熱を放出している．この熱放射を利用して温度計測を行うのが放射温度計である．放射温度計は，高温の測定，移動物体や回転体の測定，遠距離物体の測定，速い応答速度の測定が可能であるなどの長所があるが，物体の放射率により測定精度が左右される．

熱放射を検出する素子には [5] や熱形があり，比較的低温度の測定には，熱形素子を用いた全放射温度計が主に使用される．測定の際に，水蒸気や [6] が光路上にあると，熱放射のエネルギーが吸収されて誤差を生じるので，通常，水蒸気や [6] の影響が少ない [7] 範囲を選んで測定する．

全放射温度計における放射率の影響を低減するものとして考えられた [8] でも放射率の影響は残るが，むしろ視野欠けや灰色減光に効果があるとされている．

また，くぼんだ場所やくさび形になっている場所は放射率が高いので，測定対象の測定場所として選択したり，測定対象の表面に [9] を施工したりすることも，放射率の影響への対策として採用されている．後者は特に，測定対象の表面が低放射率である場合に効果的であり，施工有無の放射率の違いにより補正を行うことで誤差を低減することができる．

放射温度計の中で温度分布を測定するものには，物体表面を線状に走査することによって測定する走査放射温度計や，機械的走査部を持たず，対象を面として温度分布を映像化する [10] などがある．

〈[5] ～ [10] の解答群〉

ア　アルゴンガス　　**イ**　水素ガス　　**ウ**　炭酸ガス
エ　窒素ガス　　**オ**　サーモパイル　　**カ**　光電形
キ　焦電形　　**ク**　2色放射温度計　　**ケ**　赤外線サーモグラフィ
コ　光高温計　　**サ**　温度　　**シ**　濃度
ス　波長　　**セ**　黒色テープや黒色塗料
ソ　白色テープや白色塗料　　**タ**　反射テープや鏡面

(3)　配管内の流体の流量を計測する方法には様々なものがあるが，ベルヌーイの式に基づいた方法により計測するものに，[11] がある．この流量計では，絞り部分を通過した前後の静圧の差が流量の [12] 乗に比例するという関係式を利用して，この差圧を計測することにより流量を求めることができる．

この流量計は，構造が簡単で安価であり，液体や気体と，広い範囲の流体に適用できる長所があるが，圧力損失が大きいため，高速の流体の測定には適さない．また，[13] 流体の測定にも適さない．

〈[11]～[13]の解答群〉

ア $\frac{1}{2}$　　**イ** 1　　**ウ** 2

エ オリフィス流量計　　**オ** コリオリ式流量計　　**カ** ピトー管

キ 高温の　　**ク** 固形物や気泡を多く含む

ケ 導電性が全くない

(4) 超音波流速計には，超音波の伝播速度差方式と[14]を利用した方式がある．

前者は，一般には 1 対の対向させた超音波送受信機において，流れの順方向と，その逆方向の超音波の伝播時間の差が，流れの[15]することを利用して計測を行うものである．この方式で 3 対の送受信器を使用すれば，3 次元の風速の測定ができるので，風向風速計やクリーンルーム用の風速計などに使用されている．

後者は，流体に超音波を送信すると，流体中の，流れに追随する気泡や微粒子から反射された超音波が，[14]によって[16]がシフトすることを利用して計測を行うものである．また，同様の原理で，[17]を流体に照射すると，流体中の微粒子からの散乱光は，[14]によって，微粒子の速度に応じて[16]がシフトする．これを利用して微粒子の速度を測定することにより，流体の速度を求める流速計もある．

〈[14]～[17]の解答群〉

ア コリオリ力　　**イ** ドップラー効果　　**ウ** ファラデーの法則

エ レーザー光　　**オ** 白色光　　**カ** 平行光共振点

キ 位相　　**ク** 共振点　　**ケ** 周波数

コ 速度に比例　　**サ** 速度に反比例　　**シ** 速度の 2 乗に比例

ス 速度の 2 乗に反比例

解　説

(1) 熱電対は，2 種類の均質な金属線で閉回路をつくったとき，測温接点 t_1 と基準接点 t_2 が異なる温度の場合，回路内に電流が流れるという原理（ゼーベック効果）を利用して温度を計測する温度計である．このとき回路に発生した起電力を**熱起電力**といい，回路を開放して基準接点との端子間電圧を測定することにより温度を検出することができる．

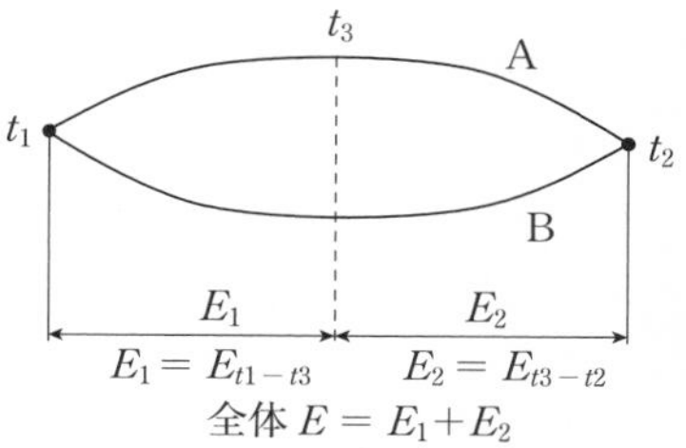

第1図　中間温度の法則

中間温度の法則を第 1 図に示す．金属素線で温度差 t_1 と t_3 に対する熱起電力を E_1，温度差 t_3 と t_2 に対する熱起電力を E_2 としたとき，両接点の温度差 t_1 と t_2 に対する熱起電力 E は，各部分の熱起電力の和 E_1+E_2 になる．これを**中間温度の法則**という．計測器の接点を中間接点とすると，その温度がわかれば基準接点から中間接点の熱起電力 E_1 は JIS C 1602：2015 の規準熱起電力表から求められる．また，中間接点と測温接点の間の熱起電力 E_2 は計測値として得られる．そこで，熱起電力の合計 E から測温接点の温度を求めることができる．

中間金属の法則を第 2 図に示す．ここでは，金属の導体 A と B からなる熱電対回路において，両接合点以外の任意の箇所に均質な別の金属線 C を挿入しても，金属 C の両端の温度が等しければ，別の金属線を挿入した影響は生じない．これを**中間金属の法則**という．

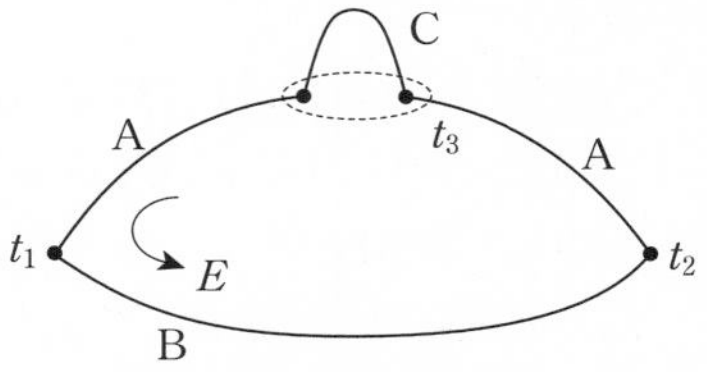

第2図　中間金属の法則

(2)　放射温度計は，物体表面から放射される電磁波（赤外線）の放射輝度を検出することによって，表面温度を非接触で計測する温度計である．放射エネルギーを電気信号に変換する検出素子には，熱電形（熱形）と光電形の 2 種類がある．行路に水蒸気や二酸化炭素（炭酸ガス）があると，特定の波長の赤外線を吸収して，誤差を生じるので，それらの吸収の少ない波長領域を選択して表面温度を計測する．

2 色放射温度計は，二つの波長における輝度温度を計測して，両者の比率を求めることで温度を計測する．そのため，物体の放射率に無関係に表面温度を求めることができる．

測定対象の放射率が既知のときは，その放射率を用いて補正を行うが，未知のときは黒色テープや黒色塗料を測定対象の表面に塗布することで黒体条件をつくる．

赤外線サーモグラフィは，測定対象面を面的に温度計測して，温度分布を可視化することができるので，空港での感染症検出，建築物の断熱性能チェック，電子回路の発熱の検査など，多方面において非接触で表面温度を 2 次元的に把握できる機能を有している．

(3)　オリフィス流量計は，オリフィス前後の差圧（静圧の差）が流れの動圧に比例することを利用した差圧式流量計である．動圧は，流速の 2 乗に比例するので，オリフィスの断面積が一定であることから，流量の 2 乗に比例することになる．

オリフィス流量計は，構造が単純であることから安価であり，液体にも気体にも使用できる．ただし，圧力損失が大きいので，高速の流体には適さない．また固形物を多く含む流体では，オリフィスに詰まりが生じる可能性があり，気泡を多く含む流体では圧力変動が大きいことから，それらの流量測定には適さない．

(4)　超音波流量計は，流体中の超音波の伝播時間の差を検出することによって流速測定を行う**伝播速度差法**と，ドップラー効果に伴う周波数の差によって流体の流速を計測する**ドップラー法**の2種類がある．

伝播速度差法は，測定管の外部に送波機と受波機を設置して超音波を送受信したとき，流れの流速が流れの順方向と逆方向で生じる超音波の伝播時間差に比例するという原理を用いて流速を測定するものである．

ドップラー法は，ドップラー効果によって，流れから生じる周波数のシフトと流速が比例するという原理を用いて流速を測定する方法である．レーザードップラー流速計は，レーザー光を流体中の微粒子に照射したときに，ドップラー効果により発生する反射レーザー光の周波数のシフト Δf から，微粒子の局所流速を測定する．

解　答　**(1)　1-ア，2-ケ，3-エ，4-シ**

(2)　5-カ，6-ウ，7-ス，8-ク，9-セ，10-ケ

(3)　11-エ，12-ウ，13-ク

(4)　14-イ，15-コ，16-ケ，17-エ

（計測及び制御）

問題12　次の各文章の［ 1 ］～［ 17 ］の中に入れるべき最も適切な字句又は式をそれぞれの解答群から選び，その記号を答えよ．なお，［ 3 ］は2箇所，［ 7 ］及び［ 12 ］は3箇所あるが，それぞれ同じ記号が入る．

また，［A a.b］に当てはまる数値を計算し，その結果を答えよ．ただし，解答は解答すべき数値の最小位の一つ下の位で四捨五入すること．(配点計50点)

(1)　図1のように，蒸気を熱源として温水を製造する装置について考える．この装置では，温水槽の水位によって工場で消費される温水分だけ供給水が補給されており，蒸気流量を操作して，温水温度を目標温度で一定に保つような制御を行っている．

1)　この制御システムでは，［ 1 ］である温水温度の変化を測定し，その値と目標値との差である［ 2 ］を求め，それを解消させるように［ 3 ］である蒸気流量を調節する．このように制御する方式を［ 4 ］という．

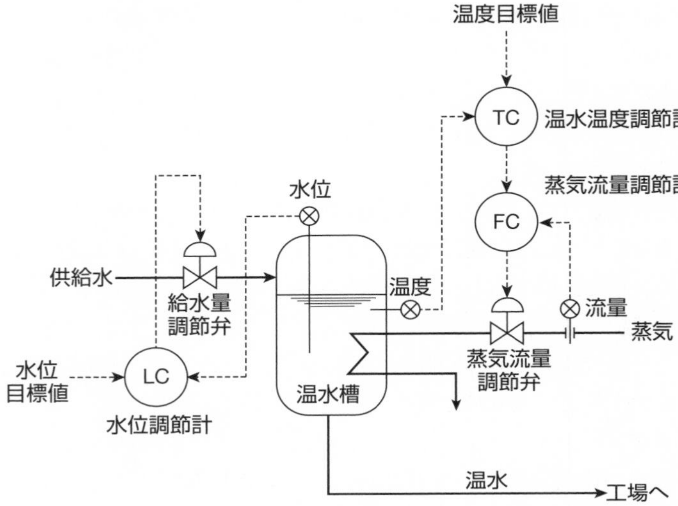

図1

2) 図1では，温水温度調節計と蒸気流量調節弁との間に蒸気流量調節計が設けられており，温水温度調節計から出力される [3] が蒸気流量調節計の目標値を与えている．この温水温度調節計と蒸気流量調節計の構成に代表されるような機能を持つ制御を，[5] という．

このように蒸気流量調節計を間に入れる目的は，蒸気系の元圧変化などの [6] を吸収して温水温度を乱れなく一定に保持するためである．

〈[1]～[6] の解答群〉

ア	カスケード制御	**イ**	シーケンス制御		
ウ	フィードバック制御	**エ**	フィードフォワード制御		
オ	プログラム制御	**カ**	比率制御	**キ**	外乱
ク	残差	**ケ**	偏差	**コ**	分散
サ	検出量	**シ**	制御量	**ス**	操作量
セ	動作量				

3) 次に，1) に示した制御方式の調節計のアルゴリズムとして一般的に適用されている PID 制御について考える．

① PID 制御における制御アルゴリズムとして P 動作だけを使用した場合に，制御対象の値と目標値との差（$=e$ とする）がいつまでも零にならない [7] が生じることがある．

② 図1の温水温度調節計が P 動作のみの調節計の場合，調節計の出力は PB を用いて次式で表すことができる．なお，PB は P 動作の調整パラメータで [8] と呼ばれる．

$$\text{出力 [\%]} = \frac{100}{PB} \times e + \text{バイアス}$$

③　ここで，設定値が 70 ℃，PB が 20 %，e が 0 % のときのバイアスが 50 %，測定値，目標値のスパンが 100 ℃であるとする．

ある運転条件のとき，温水温度調節計の出力が 70 % で平衡状態となったとする．そのとき，[7] は [A a.b] [℃] 生じることになる．この [7] は，制御アルゴリズムに I 動作を加えることにより解消される．また，温度測定で，保護管の熱容量のため大きな測定遅れが伴うときなどには，D 動作が使用される．

④　PID 制御のラプラス変換表示は，式 [9] で表すことができる．ここで，T_i は I 動作の調整パラメータで [10] と呼ばれ，T_d は D 動作の調整パラメータで [11] と呼ばれる．

〈[7] ～ [11] の解答群〉

ア　$\dfrac{100}{PB} \times \left(1 + \dfrac{1}{T_i \cdot s} + T_d \cdot s\right)$　　**イ**　$\dfrac{100}{PB} \times \dfrac{1 + T_d \cdot s}{1 + T_i \cdot s}$

ウ　オーバシュート　**エ**　オフセット　**オ**　オンオフ動作

カ　遅れ時間　**キ**　進み時間　**ク**　積分時間

ケ　微分時間　**コ**　比例ゲイン　**サ**　比例帯

(2)　PID 制御では，PID の調整パラメータをプロセス特性に合わせて適切な値にする必要があるが，その作業をチューニングと呼ぶ．ここで，チューニングについて考える．

1)　PID のパラメータの調整は，経験的な値が使用されることが多いが，厳密に行うにはプロセス特性を測定して行う．プロセス特性の測定方法としては，制御を手動モードで行う [12] 法と制御を自動モードで比例帯を狭めて行う [13] 法がある．

[12] 法は，操作量をステップ状に変化させた時の測定値の変化を見る方法である．図 2 に示す [12] から，L の [14]，T の [15]，及びプロセスゲイン $\dfrac{Y}{X}$ を求める．このようにして求めた L 及び T の値から，制御指標に応じた制御パラメータの値を計算する方法がいくつか提案されている．

2)　PID 調整パラメータの制御指標として，一般に，図 3 に示すように，設定値をステップ状に変化させ，測定値の追従性を見たときの $\dfrac{a_2}{a_1}$ に相当する［ 16 ］や，$\dfrac{a_1}{a_0}$ に相当する［ 17 ］が使用される．

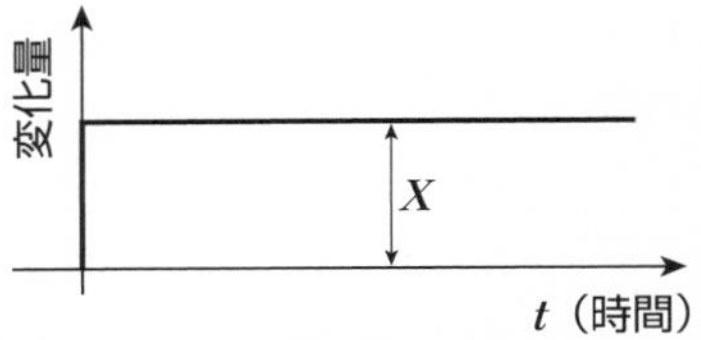

調節計出力

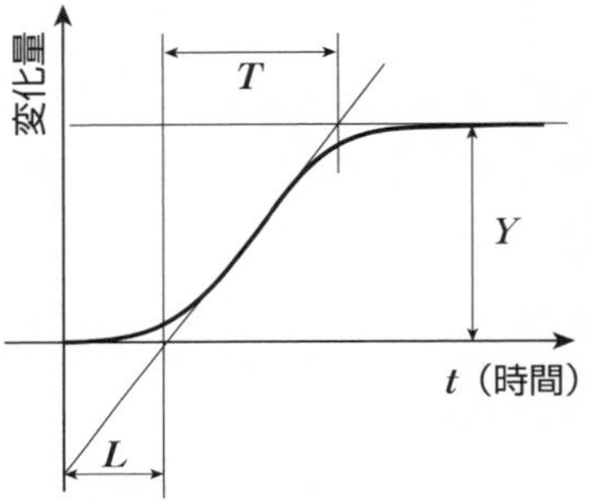

測定値

図2

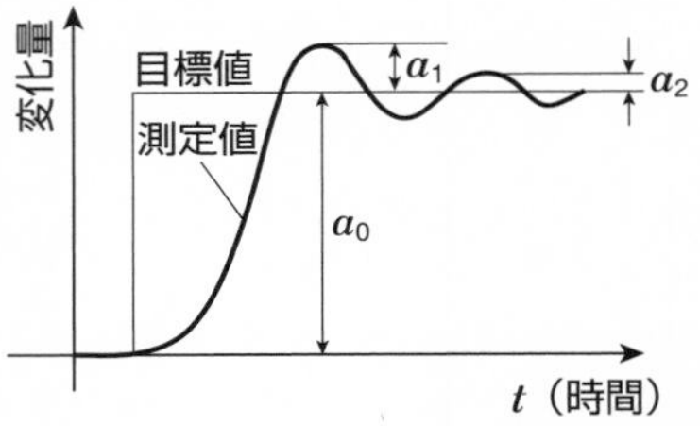

図3

〈［ 12 ］～［ 17 ］の解答群〉

ア 行き過ぎ量	**イ** 整定量	**ウ** 過渡応答
エ 減衰比	**オ** 増幅比	**カ** 限界感度
キ 波形観測	**ク** 等価サイクル時間	**ケ** 等価むだ時間
コ 等価時定数	**サ** 等価不感帯	

解　説

(1)

1)　図1は温水槽の温度を蒸気によって制御するシステムを示している．制御対象の物理量，すなわち温水槽の温度を**制御量**といい，目標値と制御量の差を偏差といい，**偏差**をなくすように制御対象に加えられる物理量（蒸気流量＝操作量）を変化させる．このように，閉ループを構成して，制御結果から，修正動作を事後に加える制御を**フィードバック制御**という．

2)　温水槽の制御では，温水温度調節計の出力が蒸気流量調節計の目標値であり，それと蒸気流量計測値を比較して，蒸気流量調節計の入力にしている．蒸気流量調節計は調節弁に出力を与え，その結果を蒸気流量の計測値として，温水温度調節計の出力（蒸気流量の目標値）と比較する．第1図のブロック線図に示すように，温水温度制御が一次ループ，蒸気流量制御が二次ループとなっていて，閉ループが二重になっている．このような制御を**カスケード制御**という．ここでは，蒸気の供給圧力の変動による流量の変化という外乱による影響を，温水槽の温度に影響が出る前に処理できるようになっている．一次ループにある調節計を**一次調節計**，二次ループにある調節計を**二次調節計**という．

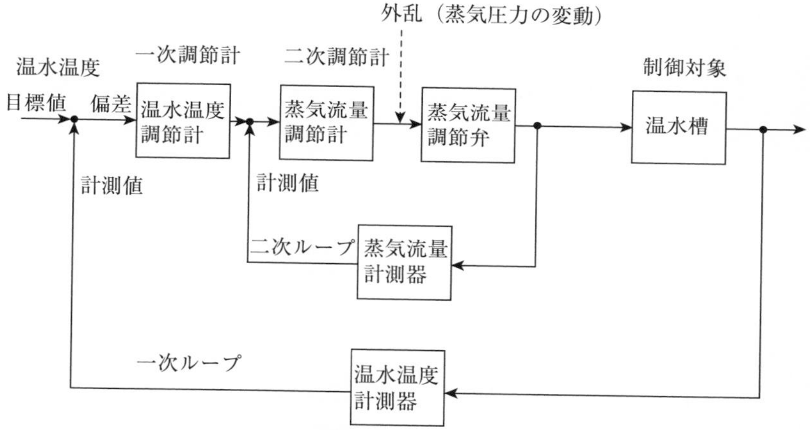

第1図　温水槽の温水温度制御のブロック線図

3)　PID 制御において，P 動作のみで制御を行う場合，偏差を 0 にすることはできず，この定常的に残る偏差を**オフセット**（定常偏差，残留偏差）と呼ぶ．

P 動作は，偏差（目標値と計測値の差）e に比例した出力（操作量）を与える動作である．P 動作の感度は比例ゲイン K_P，あるいは**比例帯（proportional band）**PB [%] で表される．PB が 100 % のときに $K = 1$ となることから，PB と K_P の間には，

$$PB = \frac{100}{K_P} \tag{1}$$

の関係がある．P 動作による出力は，偏差 e に比例し，これに手動リセット量，すなわちバイアス分が加わるので，

$$\begin{aligned} 出力\ [\%] &= K_P \cdot e + バイアス \\ &= \frac{100}{PB} \cdot e + バイアス \end{aligned} \tag{2}$$

となる．

ここで，温度設定値 70 ℃，PB を 20 %，e が 0 % のときのバイアスを 50 %，測定値，目標値のスパンを 100 ℃とするとき，温水温度調節計の出力が

70％で平衡状態になったとすると，

$$70=\frac{100}{20}\cdot e+50$$

から，$e = 4.0$ となる．

　したがって，70 － 4.0 ＝ 66.0 ℃で平衡状態になる．このオフセットは，I 動作を加えることによって解消される．

　PID 制御は，比例動作（P 動作），積分動作（I 動作），微分動作（D 動作）を線形に結合したものであるから，比例帯を PB，積分時間を T_{i}，微分時間を T_{d} とすると，PID 制御の伝達関数のラプラス変換表示は次式のようになる．

$$G(s)=\frac{100}{PB}\left(1+\frac{1}{T_{\mathrm{i}}s}+T_{\mathrm{d}}s\right) \tag{3}$$

(2)　PID 制御のパラメータ調整法には，手動モード（開ループ）で操作量をステップ状に変更することによって調整を行う**ステップ応答法（過渡応答法）**と自動モード（閉ループ）で比例帯を狭めることによって調整を行う**限界感度法**がある．このとき比例帯を小さくすると，比例ゲインが大きくなることから，外乱応答や目標値応答は速くなるが，応答は不安定になりやすくなる．

　図 2 のステップ応答法では，ステップ応答をむだ時間 ＋ 一次遅れとみなして，L をプロセスの**等価むだ時間**，T を**等価時定数**という．

　図 3 のステップ応答で，2 回目の振幅 a_2 に対する初期の振幅 a_1 の比 $\frac{a_2}{a_1}$ は，振動の**減衰比**である．また，初期の振幅 a_1 と目標値と初期値の差 a_0 の比 $\frac{a_1}{a_0}$ は，**行き過ぎ量**であり，いずれも PID パラメータを調整するときの指標となる．$\frac{a_2}{a_1}$ および $\frac{a_1}{a_0}$ が大きいときは，制御動作が不安定ということであり，小さいときは制御動作が安定であるということになる．

解　答　(1)　**1-シ，2-ケ，3-ス，4-ウ，5-ア，6-キ，7-エ，8-サ，A-4.0，9-ア，10-ク，11-ケ**
(2)　**12-ウ，13-カ，14-ケ，15-コ，16-エ，17-ア**

（ボイラ，蒸気輸送・貯蔵装置，蒸気原動機・内燃機関・ガスタービン）

問題13　次の各文章の [1] ～ [16] の中に入れるべき最も適切な字句又は数値をそれぞれの解答群から選び，その記号を答えよ．なお，[12] は 2 箇所あるが，同じ記号が入る．

また，[A ab] に当てはまる数値を計算し，その結果を答えよ．(配点計50点)

(1)　水管ボイラには，大別すると循環ボイラと貫流ボイラとがある．

1)　循環ボイラの水循環系統には，[1] を行う蒸気ドラム，缶水を炉底に運ぶ降水管，気水の上昇する蒸発管がある．循環ボイラの運転では，ドラム水位を一定に保つように [2] が制御される．なお，蒸気負荷が増加するとボイラ内部の蒸気圧力が変化して，気水の気泡の体積が変化し，ドラム水位が一時的に上昇してしまうことがある．この現象を [3] といい，制御上留意が必要である．

また，循環ボイラの蒸気圧力は，蒸気負荷側の影響を受けて変動するが，ボイラ側で圧力を維持するように，[4] によって制御される．

過熱器を有するボイラの蒸気温度は，過熱器出口の蒸気温度が一定になるように制御される．その制御方法には，蒸気を加熱する側の [5] を操作するものと，蒸気を冷却する側のものとがある．蒸気を冷却するものには，水を蒸気中に直接噴射するものと，[6] を用いるものがある．水を蒸気中に直接噴射するものは，水の [7] による熱吸収があるので，冷却に必要な水の量は少なく，また直接噴射されることで応答も速い．

〈[1] ～ [7] の解答群〉

ア　オリフィス　**イ**　キャリオーバ　**ウ**　ヒートパイプ
エ　フォーミング　**オ**　ブロー量　**カ**　給水量
キ　燃料量　**ク**　薬液量　**ケ**　渦消し
コ　気水混合　**サ**　気水分離　**シ**　安全弁
ス　表面冷却器　**セ**　逆応答　**ソ**　顕熱
タ　潜熱　**チ**　伝熱面積　**ツ**　比容積
テ　燃焼ガス

2)　貫流ボイラは，一連の長い水管から構成されており，長い水管の一端からポンプで押し込まれた給水が順次に，昇温，蒸発，過熱されて，管の他端から過熱蒸気として取り出される．

この貫流ボイラの場合，例えば，蒸気圧力と蒸気量が増加する負荷上昇では，[8] が少ないことにより，燃料による入熱が速やかに蒸気発生につながるため，ボイラの蒸気圧力変化の応答速度は速い．特に貫流ボイラの特性上，[9] の変化が蒸気圧力に直接影響するので，制御上留意が必要である．

また，貫流ボイラは，蒸発開始点や過熱開始点がボイラ内で移動する特性を持つ．このため，蒸気温度は，給水量と燃料量の [10] によって制御されるが，応答が遅いので，水を蒸気中に直接噴射する制御を併用している．

〈[8]～[10]の解答群〉

ア ブロー量　**イ** 給水量　**ウ** 薬液量

エ 差　**オ** 積　**カ** 比

キ ボイラからの放熱量　**ク** 飽和水の内部保有量

(2) ボイラ水の水質に起因する腐食には様々な形態があり，高温水による一般的腐食，孔食，苛性脆化《かせいぜいか》などがある．

高温水による一般的腐食は，ボイラ水の[11]が低かったときや，溶存酸素が多く存在したときに，金属一面に発生する腐食である．

孔食は，[12]で覆われている金属表面が局所的に深く腐食される形態で，[12]が何らかの原因で破れると，その部分に[13]が形成され，鋼から鉄イオンが溶出して起きる腐食である．

苛性脆化は，苛性ソーダなどのアルカリ成分が濃縮されて生じるもので，鋼の[14]の一種でもある．これは鋼材の亀裂など，微細な隙間で応力の集中するところに起こりやすい．

これらの腐食を防止するためには，ボイラ水の水質を適正に維持管理する必要があるが，循環ボイラでは，給水系統のボイラドラムに薬剤を注入するとともに，ボイラ水中の不純物濃縮の抑制を図るため，ボイラドラムからのボイラ水ブローを適切に行うことが肝要である．

〈[11]～[14]の解答群〉

ア pH　**イ** 硬度　**ウ** 濁度

エ クローム層　**オ** フェライト層　**カ** 酸化被膜

キ 応力腐食割れ　**ク** 高温腐食　**ケ** 低温腐食

コ 応力場　**サ** 局部電池　**シ** 高温度部

(3) 圧力が 12 MPa の蒸気を 33 t/h 発生しているボイラがある．このときのボイラ給水の比エンタルピーは 428.06 kJ/kg，発生蒸気の比エンタルピーは 2 662 kJ/kg である．また，このボイラの入熱は燃料からのみ供給されるものとし，燃料の低発熱量は 40.9 MJ/kg，低発熱量基準のボイラ効率は 90 % で，条件によらず常に一定であるものとする．

なお，1)～3) の計算に当たって，飽和蒸気の比体積 v，比エンタルピー h は，表 1 の飽和蒸気表，水の比エンタルピーは，表 2 の水・蒸気表を用いること．また，符号 ′ は飽和水の状態，符号 ″ は乾き飽和蒸気の状態を表す．

1) 蒸気を 33 t/h 発生するための燃料消費量は[15] [t/h] となる．

2) 表 1 の飽和蒸気表を用いて発生蒸気の乾き度を求めると，[16] [%]

となる．

3)　ここで，燃料消費量を 3 % 低減するため，給水温度を上げることを計画する．給水温度は，水・蒸気表を用いて求められ，現在の温度からの温度上昇分 [A ab] [℃] で，燃料消費量を 3 % 低減できることがわかる．

〈[15] 及び [16] の解答群〉

ア 1.1　　**イ** 1.8　　**ウ** 2.0　　**エ** 2.4

オ 92　　**カ** 94　　**キ** 96　　**ク** 98

表 1　飽和蒸気表（抜粋）

圧力 [MPa]	比体積 v [m^3/kg]		比エンタルピー h [kJ/kg]	
	v'	v''	h'	h''
12	0.001 526 3	0.014 269	1 491.33	2 685.58

表 2　水・蒸気表（抜粋）

圧力 [MPa]	温度 [℃]	比エンタルピー [kJ/kg]
12	90	386.21
	≀	
	100	428.06
	≀	
	110	470.02
	111	474.22
	112	478.43
	113	482.63
	114	486.84
	115	491.05
	116	495.26
	117	499.47
	118	503.69
	119	507.90
	120	512.12
	121	516.34

解　説

(1)

1)　水管ボイラは，比較的小径のドラムと多数の水管が燃焼室の周囲に構成されたボイラである．水管ボイラは，水の流動形式によって，循環ボイラ（自然循環式，強制循環式）と貫流ボイラに分けられる．自然循環式は，ボイラ水と蒸気の密度差によって自然対流を発生させて，水が循環するものである．強制循環式は，ポンプによってボイラ水を強制対流させるものである．

循環ボイラの上部にある蒸気ドラムでは，気水分離器によって，蒸気と水の気水分離が行われる．それによって，給水に含まれるシリカが濃縮されてボイラ過熱器のチューブ内面に付着して，過熱器を閉塞させることを防止する．特に，高圧蒸気では，ボイラ水と蒸気の密度差が小さいので，気水分離機能が重要である．ドラム水位を一定に維持するために，給水量が制御される．蒸気負荷が増加すると，蒸気圧力が低下，気水の気泡の体積が増加して，ドラム水位が上昇することがあり，これを**逆応答**という．

循環ボイラの蒸気圧力は，負荷側の影響で変動するため，燃料量を制御して加熱量を調整することによって，発生蒸気の圧力を制御する．

過熱器を有する循環ボイラの蒸気温度は，過熱器出口蒸気温度を目標値として制御される．温度制御の方法としては，蒸気を加熱するために燃焼排ガス流量を制御する方法と，蒸気を冷却する方法がある．後者には，蒸気中に水を直接噴霧することで水の蒸発潜熱により冷却する方法と，表面冷却器で顕熱冷却する方法がある．

2) 貫流ボイラは，一連の長い管系で構成されて，給水ポンプで加圧された水が予熱，蒸発，過熱されて，他端から過熱蒸気として取り出されるというしくみを有している．貫流ボイラは循環ボイラのようなドラムを有していないことから，保有水量が少なく，熱容量が小さい．そのため，燃料の燃焼による入熱で蒸気を発生させるので，蒸気圧力の応答速度は速い．給水量の変化は，蒸気圧力の変化を招くことから，応答の速い給水量制御を行わなくてはならない．

また，貫流ボイラは，蒸発開始点や過熱開始点がボイラ内部で移動することから，蒸気温度を給水量と燃料量の比によって制御して，移動を抑制する．ただし，この応答は，燃料の燃焼と水の熱交換によるものなので，応答速度が遅い．これを補うために，水を蒸気中に直接噴霧するという応答の速い制御を併用している．

(2) ボイラ水の水質に起因する腐食には，高温水による一般的腐食，孔食，苛《か》性脆《せいぜい》化《か》などがある．

高温水による一般的腐食は，ボイラ水の pH が低かったり，溶存酸素が多かったりするときに，金属管表面全体に発生する．

孔食は，配管表面がピンホールのように深く局所的に腐食する現象で，ステンレス鋼，アルミニウム合金などの不動態金属に主に発生する．不動態被膜の一部が塩素イオンの存在により損傷を受けると，不動態被膜をプラス，損傷部分をマイナスの電位とする局所電池が形成されて，孔食が発生する．

苛性脆化は，応力腐食割れの一種である．苛性アルカリ脆化は，表面亀裂からの応力腐食割れ形態で，配管や機器が苛性ソーダ（水酸化ナトリウム）などのアルカリ成分が濃縮された環境で起こり，溶接後熱処理をしていない溶接部近傍で顕著に見られる．

以上の腐食を防止するためには，薬剤注入によってボイラ水の水質管理を行ったり，ボイラ水中の不純物が濃縮されないように，ボイラ水のブローを適切に行ったりすることが求められる．

(3)

1)　蒸気を 33 t/h 発生するための燃料消費量 F［kg/h］は，ボイラ給水の比エンタルピーが 428.06 kJ/kg，発生蒸気の比エンタルピーが 2 662 kJ/kg，燃料の低位発熱量が 40.9 MJ/kg，ボイラ効率が 90 % なので，

$$0.9=\frac{33\times10^3\times(2\,662-428.06)}{F\times40.9\times10^3}$$

$$F=2\,002.7\ \mathrm{kg/h}=2.0\ \mathrm{t/h}$$

となる．

2)　蒸気の乾き度 x は，飽和液の比エンタルピーを h'，飽和蒸気の比エンタルピーを h''，対象とする蒸気の比エンタルピーを h とすると，

$$x=\frac{h-h'}{h''-h'}$$

から，

$$x=\frac{2\,662-1\,491.33}{2\,685.58-1\,491.33}=0.98$$

となる．

3)　ここで，給水温度を上げて，燃料消費量を 3 % 削減することを考えると，給水の比エンタルピーを h_1 としたとき，

$$0.9=\frac{33\times10^3\times(2\,662-h_1)}{2\,002.7\times(1-0.03)\times40.9\times10^3}$$

から，h_1 = 495.1 kJ/kg となり，水・蒸気表から 116 ℃となる．現在の給水温度は，同表から 100 ℃となるので，給水温度を 16 ℃上昇させればよいことがわかる．

解答　**(1)　1-サ，2-カ，3-セ，4-キ，5-テ，6-ス，7-タ，8-ク，9-イ，10-カ**

(2)　11-ア，12-カ，13-サ，14-キ

(3)　**15-ウ，16-ク，A-16**

（ボイラ，蒸気輸送・貯蔵装置，蒸気原動機・内燃機関・ガスタービン）

問題14　次の各問に答えよ.（配点計 50 点）

(1)　次の各文章の [1] ～ [6] の中に入れるべき最も適切な字句又は数値を〈[1] ～ [6] の解答群〉から選び，その記号を答えよ．なお，[1] 及び [2] は 2 箇所，[4] は 4 箇所あるが，それぞれ同じ記号が入る.

1)　蒸気タービンにおけるタービン内部効率は次式で示される.

$$\text{タービン内部効率}=\frac{\text{タービン内部仕事}}{\boxed{\ 1\ }\text{から復水器入口までの蒸気の}\boxed{\ 2\ }}\quad\cdots ①$$

ここで，式①の分母は，理想的にタービンで利用しうるエネルギーのことであり，分子のタービン内部仕事とは，仕事に変換しうる第 1 段静翼入口から復水器入口までの蒸気の実際の熱落差をいう.

タービン各段間で失われるエネルギーのうち支配的なものは，羽の形状や流体の流れ・摩擦に起因した [3] である.

2)　蒸気タービンにおける [4] 効率は次式で示される.

$$\boxed{\ 4\ }\text{効率}=\frac{\text{タービン内部仕事から外部損失を差し引いた軸端仕事}}{\text{タービン内部仕事}}\quad\cdots\cdots\cdots ②$$

ここで，一般に，タービンの外部損失は [4] 損失が大部分である.

3)　蒸気タービンにおけるタービン効率は次式で示される.

$$\text{タービン効率}=\frac{\text{タービン内部仕事から外部損失を差し引いた軸端仕事}}{\boxed{\ 1\ }\text{から復水器入口までの蒸気の}\boxed{\ 2\ }}$$

また，同時にタービン効率は，式①及び式②からも明らかなように，タービン内部効率と [4] 効率の積となる．つまり，タービン効率は，蒸気タービン本体の [5] を含んだもので表される．タービン効率は，300 MW 級以上の大型タービンでは，[6] [%] が一般的な値である.

〈[1] ～ [6] の解答群〉

ア　70 ～ 80　　**イ**　80 ～ 85　　**ウ**　85 ～ 93
エ　圧力　　**オ**　外部漏れ　　**カ**　機械
キ　主蒸気止弁入口　　**ク**　第一抽気弁出口　　**ケ**　全実効熱落差
コ　全断熱熱落差　　**サ**　全有効熱落差　　**シ**　排気損失
ス　放熱損失　　**セ**　内部のみで発生する損失
ソ　内部や外部で発生する全損失　　**タ**　翼の空気力学的損失

(2)　次の各文章の [7] ～ [12] の中に入れるべき最も適切な字句，式又は記述を〈[7] ～ [12] の解答群〉から選び，その記号を答えよ．なお，[7] 及び [8] は 2 箇所，[11] は 3 箇所あるが，それぞれ同じ記号が入る．

内燃機関の運転において，その排ガス中には，環境問題の要因となる大気汚染物質として，窒素酸化物（NOx），硫黄酸化物（SOx），一酸化炭素（CO），未燃炭化水素（HC），ばいじんなどが含まれており，それらに対する汚染防止対策が必要となる．

1)及び 2)は，定置式の内燃機関の汚染防止対策について述べたものである．

1)　汚染物質のうちの [7] 対策については，燃料の質の改善による解決がなされてきており，近年は [8] 機関での対策において効果が現れている．また，[9] を燃料とする内燃機関では，クリーンな燃料を使用するため燃焼が良好であり，他の汚染物質の低減，除去も比較的容易である．

2)　汚染物質のうちの [10] 対策としては，構造的に機関内部で対策する排気ガス再循環法や，機関外部で処理する [11] などがあり，技術はほぼ確立している．[11] は，排ガス中に含まれる前述の大気汚染物質のうち，ばいじん，[7] 以外の成分を同時に処理でき，排ガス浄化能力は高い．なお，[11] では，機関の運転に際して，[12] 付近とする必要があり，排ガス中の酸素濃度が 10 % 前後となる [8] 機関への適用は困難である．

〈[7] ～ [12] の解答群〉

ア　CO	イ　HC	ウ　NH_3
エ　NOx	オ　SOx	カ　V_2O_5
キ　EGR	ク　オットー	ケ　ディーゼル
コ　ブレイトン	サ　希薄燃焼法	シ　三元触媒法
ス　軽油	セ　都市ガス	ソ　圧縮比を 10
タ　空気過剰率を 1	チ　締切比を 1	

(3)　次の各文章の [13] ～ [18] の中に入れるべき最も適切な字句を〈[13] ～ [18] の解答群〉から選び，その記号を答えよ．なお，[15] は 2 箇所，[16] は 3 箇所あるが，それぞれ同じ記号が入る．

1)　ガスタービンは，圧縮し，燃焼等で高温化させた作動流体でタービンを回転させる [13] 形の原動機である．往復動による [14] 形の内燃機関とは異なり，作動流体の流れが連続的で，機関内部の平均流速を高くとれるので，出力当たりの容積を小さくでき，大容量化に適する．

2)　ガスタービンのサイクルとしては，燃焼ガスを作動流体とする [15]

形が実用機の主流を占め，主として発電用や航空用などに用いられる．

3) 15 形のガスタービンは排気ガスの温度が高く，この排熱を回収し，蒸気タービンを駆動して利用するものが 16 発電方式である．この発電方式は，総合熱効率を高められるので，省エネルギー等の面から適用が推進されている．しかし，部分負荷で運転すると 16 発電プラントの熱効率は急激に低下するため，プラントを複数のガスタービンで構成して 17 を行うことで，部分負荷効率を高く維持している例もある．

4) 16 の発電方式には，ガスタービンと蒸気タービンの構成の仕方により二つの方式がある．そのうち，ガスタービンと蒸気タービンを同軸上に直結した 18 式のものを複数並べて構成する方式は，軸単位での定期点検が行えると同時に，それ以外の軸は発電が可能であるという特徴がある．

〈 13 ～ 18 の解答群〉

ア　コージェネレーション	**イ**　コンバインドサイクル	
ウ　ミラーサイクル	**エ**　インバータ制御	**オ**　可変翼制御
カ　台数制御	**キ**　変圧制御	**ク**　一軸
ケ　多軸	**コ**　間欠	**サ**　連続
シ　循環	**ス**　単純開放	**セ**　排気再燃
ソ　密閉	**タ**　速度	**チ**　容積

解　説

(1)　蒸気タービンの内部効率 η_{i} は，タービンの内部仕事と理想的にタービンで利用できる仕事の比で表される．したがって，実際の熱落差（第1段静翼入口から復水器入口までの熱落差）を主蒸気止弁から復水器入口までの全断熱熱落差で除した値になる．

蒸気は，タービンの各段で静翼と動翼から，翼の形状による圧力損失（翼形損失），側壁表面の摩擦による圧力損失（側壁損失），蒸気の湿り度による損失（湿り損失）などの空気力学的な圧力損失を受ける．

蒸気タービンの機械効率 η_{m} は，タービン内部仕事から外部損失を除いた軸端仕事とタービン内部仕事の比で表される．タービンの外部損失には，グランドの漏えい損失，機械損失，最終段の排気損失および熱伝導・放射による熱損失があるが，その多くは機械損失である．

蒸気タービンのタービン効率 η_{T} は，タービン内部仕事から外部損失を除いた軸端仕事と主蒸気止弁から復水器入口までの全断熱熱落差の比で表される．すなわち，タービン効率は，内部効率と機械効率の積

$$\eta_{\mathrm{T}} = \eta_{\mathrm{i}} \cdot \eta_{\mathrm{m}}$$

で表される．したがって，タービン効率は，タービンの内部損失および外部損失を考慮したものとなる．

タービン効率は，蒸気タービンが大形化するほど向上して，

1～5 MW 規模　70～80 %

10 MW 規模以上　80～85 %

300 MW 規模以上　82～93 %

となる．

(2)　内燃機関の燃焼排ガス中には，大気汚染物質として，炭化水素（HC）やばいじんなどの粒子状物質と窒素酸化物（NO_x），硫黄酸化物（SO_x）および一酸化炭素（CO）などのガス状物質が含まれている．

硫黄酸化物（SO_x）対策としては，ガソリンや軽油に含まれる硫黄分の脱硫による燃料の質の改善が進んでいる．特に，トラックなどの業務用のディーゼル機関では，効果が大きい．また，天然ガス（都市ガス）を燃料とする内燃機関では，天然ガスの主成分がメタンであり，窒素酸化物（NO_x）や硫黄酸化物（SO_x）がほとんど含まれていないことから，大気汚染対策に有効である．

窒素酸化物（NO_x）対策としては，排気ガス再循環法（EGR：Exhaust Gas Recirculation）によって排気ガスの一部を再度吸気して窒素酸化物（NO_x）を低減したり，三元触媒法で酸化触媒と還元触媒により，一酸化炭素，炭化水素（HC）および窒素酸化物（NO_x）の3種類の大気汚染物質を除去したりする．ただし，三元触媒法では，空気過剰率が1，すなわち酸素が余剰にならない理論空燃比で運転される必要があるので，排ガス中の酸素濃度が高いディーゼル機関には使用できない．

(3)　内燃機関は，シリンダ内部で燃料を燃焼させる容積形と，圧縮空気に燃料を噴射して得た高速の燃焼空気を羽根車に吹き付ける速度形に分類される．ガスタービンは，後者の代表であり，高速の作動流体を連続的にタービンに当てることで，単位出力当たりの容積を小さくできることから，大容量化が可能である．一般に，発電や航空機に用いられるガスタービンは，排気ガスを大気に直接開放する単純開放形が使用されている．

単純開放形ガスタービンの排気温度は，800 ℃以上の高温なので，この排熱を熱交換器で熱回収して，蒸気を製造して蒸気タービンを駆動させることにより総合効率を向上させるシステムが，コンバインドサイクル発電である．コンバインドサイクル発電を部分負荷で運転すると，熱効率が低下するので，複数のガスタービンに分割して発電を行う台数制御が，部分負荷対応として

有効である．例えば，ガスタービンを２台に分割した場合，負荷が50％程度になったら，１台を停止して１台運転にすることにより，１台の運転負荷を全負荷相当にすることができる．

コンバインドサイクル発電には，ガスタービンと蒸気タービンを同軸上に直結した一軸式と複数のガスタービンで１台の蒸気タービンを運転する多軸式の２種類がある．一軸式では，ガスタービンと蒸気タービンが１台ずつセットになっているので，軸単位での台数制御や定期点検が可能である．一方，多軸式では，点検をするときには，システム全体の運転を停止する必要がある．

解　答　(1)　**1-キ，2-コ，3-タ，4-カ，5-ソ，6-ウ**
(2)　**7-オ，8-ケ，9-セ，10-エ，11-シ，12-タ**
(3)　**13-タ，14-チ，15-ス，16-イ，17-カ，18-ク**

次の問題15から問題18までは，4問題中2問題を選択して解答すること．

（熱交換器・熱回収装置－選択問題）

問題15　次の各問に答えよ．（配点計40点）

(1)　次の各文章の [1] ～ [11] の中に入れるべき最も適切な字句をそれぞれの解答群から選び，その記号を答えよ．なお，[1]，[2] 及び [6] は２箇所あるが，それぞれ同じ記号が入る．

1)　排ガスから熱回収する熱交換器には，ボイラ給水の予熱を行うエコノマイザ，工業用加熱炉の燃焼用空気を加熱する [1] や，排ガスを用いて蒸気を発生させる [2] がある．ただし，[1] については，燃焼用空気を加熱すると燃焼温度が上昇するため，[3] の増加への配慮が必要である．

[2] では，硫黄を含む燃料の燃焼排ガスから熱回収をする場合，ガス温度が低くなったところで著しい損傷が生じることがある．これは [4] と呼ばれ，これを防止するためには，あらかじめ硫黄分の少ない燃料の使用，熱交換部の適切な材料の選定などの対策を実施する．その他，日常管理においては，適切な空気比での燃焼管理や，排ガス温度が [5] 以上となるよう管理する必要がある．

〈[1] ～ [5] の解答群〉

ア　ガスタービン　　**イ**　コンデンサ　　**ウ**　スーパーヒーター
エ　ヒートポンプ　　**オ**　レキュペレータ　　**カ**　排熱ボイラ

キ　ダイオキシン　　**ク**　窒素酸化物　　**ケ**　バナジウム腐食
コ　高温腐食　　**サ**　低温腐食　　**シ**　凝固点
ス　酸露点　　**セ**　沸点

2）　隔壁式熱交換器の性能が低下する現象として，次のことが挙げられる．

時間の経過に伴って伝熱面の表面に汚れが付着し，[6] が増大して交換熱量が減少する．この [6] の増大の度合を表すのに [7] が用いられる．汚れの原因としては，液体中では，溶解している [8] の析出，微粒子や固形物の堆積などがある．また，ガス中では，高温分解ガスに含まれる固体物質やタール状物質が付着，固化する [9] 現象などもある．

また，凝縮式熱交換器の性能が低下する現象としては，[10] が混入したり，汚れが付着したりして，[11] が低下することや，凝縮水が伝熱管まで上昇し伝熱を阻害することなどがある．

熱交換器の性能を維持するためには，流体流量と温度効率との関係をグラフ化し，日常データの変化から汚れの状況を把握して，伝熱面の清掃時期や周期を設定するなど，適正に管理することが求められる．

〈[6] ～ [11] の解答群〉

ア　コーキング　　**イ**　コーティング　　**ウ**　スライム
エ　塩類　　**オ**　金属　　**カ**　水分
キ　微粒子　　**ク**　不凝縮ガス　　**ケ**　凝縮熱伝達率
コ　熱伝導率　　**サ**　接触抵抗　　**シ**　熱通過抵抗
ス　摩擦抵抗　　**セ**　沸点　　**ソ**　汚れ係数

(2)　次の各文章の [12] の中に入れるべき最も適切な字句を〈[12] の解答群〉から選び，その記号を答えよ．

また，[A ab.c] 及び [B ab.c] に当てはまる数値を計算し，その結果を答えよ．ただし，解答は解答すべき数値の最小位の一つ下の位で四捨五入すること．

今，加熱源である，比熱 4.0 kJ/(kg·K) の高温側の流体が，質量流量 0.2 kg/s，入側温度 90 ℃で，向流型の二重管式熱交換器に流入している．一方，加熱される，比熱 2.0 kJ/(kg·K) の低温側の流体は，質量流量 0.5 kg/s，入側温度 20 ℃で熱交換器に流入している．ただし，両流体共に，この熱交換の温度範囲では相変化がなく，外部への熱損失がないものとする．

1）　交換熱量が 40 kW のとき，高温側の流体の出口温度は [A ab.c] [℃] となる．

2）　このとき，低温側の流体の温度効率は [B ab.c] [%] である．

3）　このような，向流型の熱交換器における熱交換で，相変化のない 2 流体の温度分布を模式的に示しているのは，図の(a)〜(d)のうちの［12］である．なお，これらの図において，横軸は流体出入口両端部からの位置，縦軸は流体温度を表している．

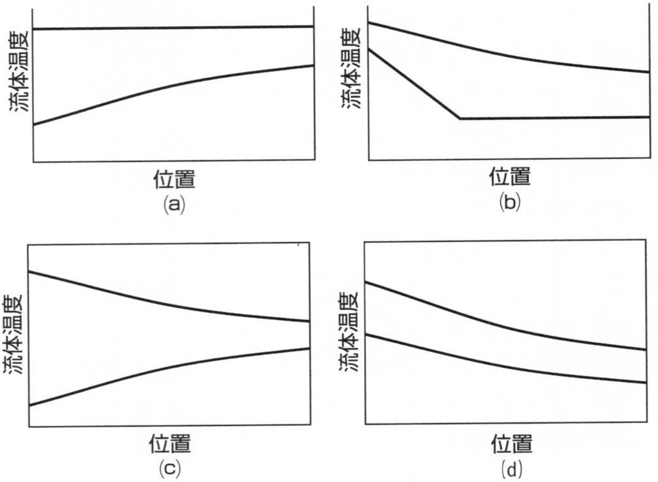

図

〈［12］の解答群〉

ア (a)　　**イ** (b)　　**ウ** (c)　　**エ** (d)

解　説

(1)

1)　エコノマイザは，ボイラの燃焼排ガスから熱回収を行い，給水を予熱する熱交換器である．レキュペレータは，工業用加熱炉の排ガスから熱回収を行い，燃焼用空気を予熱する．排熱回収ボイラは，ボイラの燃焼排ガスやガスタービンの排気のように高温の燃焼排ガスから顕熱の回収を行うことによって蒸気を発生させて，システムとしての熱効率を向上させることができる．ただし，レキュペレータを使用すると，燃焼用空気を加熱することによって，燃焼温度が上昇し，燃焼排ガス中の窒素酸化物（サーマル NO_x）が増加する可能性があるので，低 NO_x バーナを使用するなどの対策が求められる．

排熱回収ボイラでは，硫黄成分を含む燃料を使用した場合，排ガス温度が低下した部分で低温腐食が発生することがある．これは，排ガス中の二酸化硫黄が無水硫酸となったとき，硫酸の露点温度（130 〜 150 ℃）以下になった場合に，水分と結合して硫酸となり，凝縮して金属表面を腐食させるという現象である．低温腐食を防止するためには，原因物質である硫黄成分の少ない燃料の使用，腐食に強い材料の使用，排ガス温度が硫酸の露点温度以下になるのを防止することなどである．

2）　隔壁式熱交換器において，熱交換器の伝熱管内面は使用しているうちに，流体の汚れが付着して伝熱管の熱通過抵抗が増加して，交換熱量が低下する．流体の汚れによって増加した熱抵抗を**汚れ係数**というが，この単位は熱通過率の逆数なので，［$(m^2 \cdot K)/W$］である．流体が液体の場合は，溶解している炭酸カルシウムなどの塩類の析出，微粒子や固形物の堆積である．流体が燃焼排ガスなどのガスの場合は，高温ガスに含まれる炭化水素などの粒子状物質やタール状物質が伝熱面に付着して固化するコーキング現象がある．

凝縮式熱交換器の性能低下の原因としては，不凝縮ガスの混入で顕熱のみの熱交換になってしまうこと，流体の汚れの付着によって凝縮熱伝達率が低下すること，凝縮水が排除できなくて，凝縮水が伝熱管に達して熱交換を阻害することが考えられる．

熱交換器の性能を維持するためには，流体の流量と温度効率の関係を時系列的に把握して，温度効率の低下傾向から，伝熱面の清掃の時期と間隔を適切に設定することが求められる．

(2)　高温側流体の比熱 $c_{\mathrm{ph}} = 4.0$ kJ/(kg·K)，質量流量 $m_{\mathrm{h}} = 0.2$ kg/s，入口温度 $T_{\mathrm{h1}} = 90$ ℃，出口温度 T_{h2}［℃］で，向流型二重管式熱交換器に流入しているとき，低温側流体の比熱 $c_{\mathrm{pc}} = 2.0$ kJ/(kg·K)，質量流量 $m_{\mathrm{c}} = 0.5$ kg/s，入口温度 $T_{\mathrm{c1}} = 20$ ℃，出口温度 T_{c2}［℃］とする．高温側流体の交換熱量 Q_{h} は，

$$Q_{\mathrm{h}} = m_{\mathrm{h}} c_{\mathrm{ph}} (T_{\mathrm{h1}} - T_{\mathrm{h2}})$$

となる．このとき，交換熱量を 40 kW とすると，

$$40 \times 10^3 = 0.2 \times 4.0 \times 10^3 \times (90 - T_{\mathrm{h2}})$$

から，$T_{\mathrm{h2}} = 40$ ℃となる．

また，低温側流体の交換熱量 Q_{c} もこれに等しいので，

$$Q_{\mathrm{c}} = m_{\mathrm{c}} c_{\mathrm{pc}} (T_{\mathrm{c2}} - T_{\mathrm{c1}})$$

$$40 \times 10^3 = 2.0 \times 0. \times 10^3 \times (T_{\mathrm{c2}} - 20)$$

から，$T_{\mathrm{c2}} = 60$ ℃となる．

低温側流体の温度効率 η_{c} は，実際に低温側流体が熱交換した温度差が $T_{\mathrm{c2}} - T_{\mathrm{c1}}$ であるから，

$$\eta_{\mathrm{c}} = \frac{T_{\mathrm{c2}} - T_{\mathrm{c1}}}{T_{\mathrm{h1}} - T_{\mathrm{c1}}} = \frac{60 - 20}{90 - 20}$$

となる．したがって，$\eta_{\mathrm{c}} = 0.571\,4$ となる．

向流型熱交換器における 2 流体の温度分布を図で示すとき，左側が高温側流体の入口，右側が低温側流体の入口になることから，高温側流体の温度が

低下し，低温側流体の温度が上昇する状態を示す(d)の図が正しいことになる．

解　答　(1)　**1-オ，2-カ，3-ク，4-サ，5-ス，6-シ，7-ソ，8-エ，9-ア，10-ク，11-ケ**

(2)　**A-40.0，B-57.1，12-エ**

（冷凍・空気調和設備 - 選択問題）

問題16　次の各文章の [1] ～ [15] の中に入れるべき最も適切な字句又は数値をそれぞれの解答群から選び，その記号を答えよ．なお，[5] は2箇所あるが，同じ記号が入る．（配点計40点）

(1)　空気調和設備について考える上で，空気の組成や熱的性質を把握することは必要不可欠であり，空気線図（又は湿り空気線図）を用いることにより，空気の状態値や状態変化を知ることができる．

1)　地表付近の大気の主な成分は，比率が高い順に，窒素，酸素であり，その二つで99％以上を占め，次いで，0.9％が [1]，0.04％が [2] となっている．それ以外にも若干の水蒸気が含まれているが，その量は場所や時間によって大きく変動する．水と水蒸気との間の相変化に伴う潜熱量は，同じ質量の水の温度が1℃変化する際の顕熱量の約 [3] 倍と大きいため，水蒸気量が変化するときの熱的影響は，空気調和設備について考える上で非常に大きなものとなる．

〈[1] ～ [3] の解答群〉

ア　80　　**イ**　100　　**ウ**　500

エ　1 000　　**オ**　アルゴン　　**カ**　ヘリウム

キ　一酸化炭素　　**ク**　二酸化炭素

2)　一般的に，大気の組成は [4] での組成で表されるが，これが水蒸気と混合したものは [5] と呼ばれている．

この [5] の状態は，乾球温度，湿球温度，露点温度，相対湿度，絶対湿度，比エンタルピー，比体積など，様々な指標により表されるが，これらを線図上に示したものが空気線図と呼ばれるものであり，このうち [6] 当たりの値で表されるのは，比エンタルピー，比体積及び [7] である．この線図上では，二つの状態値が定められると，他の状態値も知ることができる．

〈[4] ～ [7] の解答群〉

ア　乾燥空気　　**イ**　湿り空気　　**ウ**　標準空気

エ　乾燥空気の質量　　**オ**　湿り空気の質量　　**カ**　標準空気の容積

キ　顕熱比　　　**ク**　絶対湿度　　　**ケ**　相対湿度

(2)　図は，空調時の空気の状態変化を空気線図上に表したものである．ここで，室内の負荷を処理するための空調機の送風量を 1 000 m^3/h とし，空気の密度は 1.2 kg/m^3，空気の比熱は 1.0 kJ/(kg·K) とする．

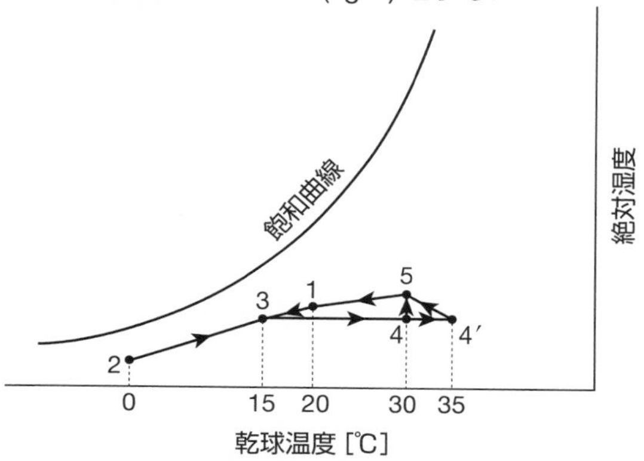

図　空気線図上での空気の状態変化

1)　図は，[8] 時の空調プロセスを示したものである．

〈[8] の解答群〉

ア　暖房　　　**イ**　熱交換換気　　　**ウ**　冷房

2)　状態点 2 が外気を示し，室内空気は状態点 [9] で示される．

〈[9] の解答群〉

ア　1　　　**イ**　3　　　**ウ**　4　　　**エ**　5

3)　加湿を蒸気で行う場合の状態変化は，状態点の [10] への変化で示され，水噴霧で行う場合の状態変化は，状態点の [11] への変化で示される．

4)　水加湿を行う場合に必要な加熱量（顕熱）Q [kJ/h] は，状態点の [12] への変化から求められる．

〈[10] ～ [12] の解答群〉

ア　2 から 3　　　**イ**　2 から 4　　　**ウ**　2 から 4′　　　**エ**　3 から 4

オ　3 から 4′　　　**カ**　4 から 5　　　**キ**　4′ から 5

5)　空調機の送風量が 1 000 m^3/h であることから，加熱量 Q の値は [13] [kJ/h] となる．

6)　図より，外気導入量は約 [14] [m^3/h] となる．

〈[13] 及び [14] の解答群〉

ア　250　　　**イ**　500　　　**ウ**　750　　　**エ**　15 000

オ　18 000　　　**カ**　20 000　　　**キ**　24 000

7)　空調機から室内へ吹き出す空気の状態を，室内負荷から求められる

［15］線上を移動して，室内条件に達するように調整することによって，目標の室内条件に維持できる．

〈［15］の解答群〉

ア 顕熱比　**イ** 湿球温度一定　**ウ** 水蒸気分圧　**エ** 熱水分比

解 説

(1)

1) 大気の組成は，窒素が 78.1 %，酸素が 20.9 %，アルゴンが 0.9 %，二酸化炭素が 0.04 % となっている．これ以外に水蒸気が含まれているが，気象条件により空間と時間で大きく変化する．水の比熱は，4.2 kJ/(kg·K) なので，1 ℃の温度変化に対する顕熱量の変化は 4.2 kJ/kg であるが，水の蒸発潜熱は 0 ℃で 2 501.6 kJ/kg であり，約 600 倍となっている．したがって，空気調和設備について設計を行うとき，水蒸気量の変化に伴う潜熱変化は大きい影響を与える．

2) 一般に，大気の組成は水蒸気以外の乾燥空気（乾き空気）の組成をいう．乾き空気と水蒸気を併せた空気を**湿り空気**という．湿り空気の乾球温度，湿球温度，露点温度，絶対湿度，比エンタルピー，比容積（比体積）を飽和空気線以下の状態で示したグラフを**湿り空気線図（psychrometric chart）**という．比エンタルピー（kJ/kg(DA)），比容積（m^3/kg(DA)）および絶対湿度（kg/kg(DA)）は，乾き空気（Dry Air）1 kg 当たりの値で示される．湿り空気線図上では，いずれか二つの状態が既知であれば，湿り空気の状態点が決定されるので，ほかの値も知ることができる．

(2) 図は，暖房加湿運転時の湿り空気の状態変化を示したものであり，1 が室内空気，2 が外気の状態を示している．3 は室内空気と外気の混合空気の状態を示し，ここから加熱，加湿というプロセスが行われる．

加湿を蒸気で行う場合，熱水分比が大きいので，ほぼ垂直上方に状態が変化する．水噴霧で加湿を行う場合，熱水分比が小さく，ほぼ湿球温度一定で状態変化するため，加湿を行うと乾球温度が低下する．したがって，蒸気加湿では 4 → 5 の変化であり，水噴霧加湿では，4′ → 5 の変化となる．

水噴霧加湿では，加湿前が 4′ であるから，そのときの加熱は 3 → 4′ となる．したがって，空気の密度を 1.2 kg/m^3，空気の比熱を 1.0 kJ/(kg·K)，送風量を 1 000 m^3/h とすると，加熱量 Q［kJ/h］は，

$$Q = 1.2 \times 1.0 \times 1\,000 \times (35 - 15) = 24\,000 \text{ kJ/h}$$

となる．

外気量を x［m^3/h］とすると，0 ℃の外気 x［m^3/h］と 20 ℃の室内空気か

ら空調機への還気（$1\,000-x$）$[\mathrm{m^3/h}]$ を混合して15℃になったので，風量の比と温度差の比，

$$(1\,000-x):x=(15-0):(20-15)$$

から，$x=250\ \mathrm{m^3/h}$ となる．

5は加熱，加湿後の吹出し空気の状態を示している．5→1の状態変化は，吹出し空気が顕熱比を示す線上を移動して室内空気の状態になることを意味している．一般には，顕熱比1として，絶対湿度一定で移動する．

解　答　(1)　**1-オ，2-ク，3-ウ，4-ア，5-イ，6-エ，7-ク**
(2)　**8-ア，9-ア，10-カ，11-キ，12-オ，13-キ，14-ア，15-ア**

（工業炉，熱設備材料 - 選択問題）

問題17　次の各問に答えよ．（配点計40点）

(1)　次の表の [1] ～ [6] の中に入れるべき最も適切な字句又は数値を〈[1] ～ [6] の解答群〉から選び，その記号を答えよ．なお，[5] は2箇所あるが，同じ記号が入る．

次の表1は，各種産業で用いられる主な工業炉について，業種別にその主な機能を示したものである．

表1　産業に用いられる主な工業炉

業種	工業炉の例	例示した工業炉の主な機能
鉄鋼	高炉	シャフト炉型の製錬反応炉で，鉄鉱石と [1] を主原料として銑鉄の製造に用いられる．
圧延・非鉄金属	加熱炉	鋼片加熱炉は，鋼片を圧延して鋼板，棒鋼，形鋼，鋼管，線材などにするためにスラブ，ブルーム，ビレットなどを熱間圧延に必要な温度，[2] [℃] に加熱する炉である．
非鉄金属	アルミ溶解炉	アルミニウム溶解用の燃焼炉には，直接加熱式の反射炉や，間接加熱式の [3] 炉などがある．
自動車・機械等	[4] 炉	主に鋼製品の焼きならし，焼きなまし，焼入れ，焼き戻しなどを行う．
窯業	[5] 炉	シャットル窯，トンネルキルン窯，ロータリーキルン，サスペンションプレヒータ付きキルンなどの炉で，成形セラミックや粉粒体セラミック，セメント，石灰などの [5] を行う．
環境	廃棄物焼却炉	火格子型炉，流動床炉，ロータリーキルン等の焼却処理炉で，廃棄物の [6] 化，無害化，安定化，資源化等を行う．

〈[1]～[6]の解答群〉

ア　650～900　　**イ**　1 100～1 250　　**ウ**　1 400～1 550
エ　コークス　　**オ**　シリカ　　**カ**　硫黄
キ　トンネル　　**ク**　るつぼ　　**ケ**　バッチ
コ　連続　　**サ**　加熱　　**シ**　減圧
ス　減容　　**セ**　合成　　**ソ**　焼成
タ　変成　　**チ**　複合　　**ツ**　熱処理

(2)　次の各文章及び表の[7]～[12]の中に入れるべき最も適切な字句を〈[7]～[12]の解答群〉から選び，その記号を答えよ．なお，[7]及び[9]は3箇所，[8]，[10]及び[11]は2箇所あるが，それぞれ同じ記号が入る．

加熱炉の省エネルギーを検討するには，炉の熱勘定を行い，炉の操業で生じている損失熱等を明らかにし，解析することが重要である．表2は鋼材加熱炉の熱勘定の一例（鋼材トン当たり，低発熱量基準）である．

1)　炉に供給される入熱では[7]のほか，燃料の顕熱，装入鋼材の含熱量や[8]などがある．この例では，循環熱である[9]による回収熱量が大きく，その分[7]が節約されている．

2)　一方，出熱では[10]が最も大きく，[11]がその次に大きい．これらに炉体の放熱・蓄熱，冷却水の持ち去る熱を加えた4項目が出熱の主たる項目である．これらの4項目をいかに減少させるかの検討に加え，[12]を高めて，循環熱を増やすことが加熱炉の省エネルギー対策の基本となる．熱勘定表では，これらの熱の分配状況，収支バランスの確認が可能である．

表2　鋼材加熱炉の熱勘定表の例

入熱			出熱		
項目	[MJ]	[%]	項目	[MJ]	[%]
①　[7]	1 041.6	95.7	⑥　[10]	801.2	73.6
②　燃料の顕熱	9.0	0.8	⑦　[11]	147.7	13.6
③　装入鋼材の含熱量	9.4	0.9	⑧　炉体の放熱・蓄熱	28.8	2.6
④　[8]	28.0	2.6	⑨　冷却水の持ち去る熱	49.8	4.6
―	―	―	⑩　その他の出熱	60.5	5.6
計	1 088.0	100	計	1 088.0	100
⑤　[9]による回収熱量	(581.4)	(53.4)	⑪　[9]による回収熱量	(581.4)	(53.4)

〈[7]～[12]の解答群〉

ア　スラグの顕熱　　**イ**　材料溶解熱　　**ウ**　酸化スケールの生成熱

エ　水分の蒸発熱　　**オ**　対流熱　　**カ**　抽出鋼材の含熱量
キ　排ガスの顕熱　　**ク**　放射熱　　**ケ**　燃焼用空気予熱
コ　燃料の燃焼熱　　**サ**　燃料予熱　　**シ**　熱効率
ス　排ガス酸素濃度　　**セ**　排熱回収率　　**ソ**　保熱率
タ　理論酸素量

(3)　次の各文章の [13] ～ [20] の中に入れるべき最も適切な字句又は数値をそれぞれの解答群から選び，その記号を答えよ．

1)　れんが表面の温度が急変すると [13] が発生し，これによって，れんが表面に傷が発生し，脱落の危険が生じることがある．これをスポーリングといい，急熱・急冷に対して安定していることは耐火れんがに要求される重要な性質である．

2)　けい石れんがは，シリカ（SiO_2）を主成分とする．また，[14] が 1 580 ℃ 以上と高く，機械的強度が高く，使用中収縮しにくい特長を持つ．一方，低温域での熱膨張率が大きく，650 ℃ 以下でスポーリングを起こしやすい．

3)　高アルミナ質耐火れんがの 2 種（焼成品）は，JIS R 2305:2006 で Al_2O_3 含有率が [15] [%] 以上と規定されている．また，溶融金属，スラグに対する [16] が良好であり，耐スポーリング性にも優れている．

〈[13] ～ [16] の解答群〉

ア　30　　**イ**　45　　**ウ**　60
エ　荷重軟化始発点　　**オ**　降伏点　　**カ**　融点
キ　残留応力　　**ク**　残存収縮　　**ケ**　熱応力
コ　耐浸食性　　**サ**　耐摩耗性　　**シ**　断熱性

4)　炭素れんがは熱伝導率が大きく，[17] が非常に小さく，溶融金属に濡れにくい特長があり，耐スポーリング性も良好である．原料としては，天然黒鉛や人造黒鉛が使用され，主に高炉の炉床や金属冶金用るつぼなどに用いられている．

5)　セラミックスファイバは，耐火性，断熱性を兼ね備え，かつ，単位体積当たりの [18] が小さいため，蓄熱損失が少ない．

6)　不定形耐火物の代表的な例として，流し込み施工 [19] や，大型壁が一体に成形できる [20] がある．このような耐火物は複雑な炉形状に対応でき，また，施工の機械化が容易などの利点がある．

〈[17] ～ [20] の解答群〉

ア　キャスタブル　　**イ**　プラスチック　　**ウ**　コーティング材
エ　ラミング材　　**オ**　圧入材　　**カ**　耐火モルタル

キ　温度伝導率　**ク**　導電率　**ケ**　熱通過率
コ　熱伝達率　**サ**　熱膨張率　**シ**　熱容量

解　説

(1)　鉄鋼に用いられる高炉は，ほぼ円筒形のシャフト炉型の製錬反応炉で，上部からコークス層と鉱石層を交互に装入して，加熱・還元を行い，下部から銑鉄を取り出すという構造になっている．

圧延・非鉄金属に用いられる鋼片加熱炉は，連続鋳造または分塊圧延された鋼片（スラブ，ブルーム，ビレットなど）を熱間圧延するために，1 100～1 250 ℃に加熱して，鋼板，棒鋼，形鋼，鋼管，線材などに加工する炉である．

アルミ溶解炉は，所定の品質のアルミニウムやアルミニウム合金を製造するために，アルミニウム地金やスクラップを再溶解する炉であり，反射炉や合金溶解用のるつぼ炉などがある．

自動車・機械分野で用いられる熱処理炉は，誘導加熱による熱処理で材料の機械的性質を改善するための装置である．

焼成炉は，窯業において，陶磁器，タイル，瓦，セメント，石灰などの焼成に用いられる炉である．

廃棄物処理炉は，固形廃棄物を焼却処理して，減容化，無害化，安定化，資源化を行うための炉であり，火格子型炉，流動床炉，ロータリーキルンなどの炉である．

(2)　加熱炉の省エネルギーを検討するとき，炉の熱収支を計算して，入熱，出熱，熱損失の関係を明らかにすることが求められる．

炉の入熱は，基本的に燃料の燃焼熱であるが，燃料の顕熱，装入鋼材の熱容量による含熱および酸化反応による生成熱が挙げられる．表2では，燃焼排ガスから燃焼用空気に熱回収を行って循環熱を得ていることがわかるので，これが入熱に加算されることになる．したがって，熱回収で得た循環熱の分だけ，燃料が節約できることになる．

出熱では，鋼材の熱容量が大きいことから，抽出鋼材の含熱量が最大である．次に，高温の排ガスによる顕熱が大きい．これらに，炉体の熱容量による蓄熱量と冷却水による除去熱量が加わる．以上の出熱を減少させるための取組みが必要である．また，熱回収が行われなければ，排ガスによる熱損失は，147.7 ＋ 581.4 ＝ 729.1 MJ あったことになり，燃料の燃焼熱も 1 041.6 ＋ 581.4＝1 623.0 MJ 必要であったことになるので，熱回収の効果は非常に大きいことがわかる．

1)　れんがの表面温度が急に変化すると，熱応力によって，亀裂や割れが生じ，表面が剥離することがある．これを**スポーリング**という．耐火れんがには，耐スポーリング性が求められる．

2)　けい石れんがは，シリカ（SiO_2）を主成分とした耐火れんがで，荷重軟化点が1 580 ℃である．高温度域では耐スポーリング性に優れているが，650 ℃以下の低温度域では耐スポーリング性が小さい．

3)　高アルミナ質耐火れんがについては，JIS R 2305:2006 でアルミナ（Al_2O_3）成分について，1種（電鋳品）は70 % 以上，2種（焼成品）4級は45 % 以上と規定している．高アルミナ質耐火れんがは，粘土質れんがと比較して，各種スラグに対する耐浸食性に優れていて，耐スポーリング性も高い．

4)　炭素れんがは，炭素の混合によりスラグとのぬれ性が低く，熱伝導率が大きく，熱膨張率が小さいことから，耐スポーリング性が良好である．従来の酸化物系れんがは，スラグにぬれやすいという欠点を有していたが，炭素を5 ～ 30 % 添加することで性質を改善した．

5)　セラミックファイバは，アルミナ粉末とけい石の粉末またはシリカサンドを混合して，電気炉で高温溶融して繊維化したものである．そのため，耐火性と断熱性があり，繊維状になっていることから熱容量が小さく，蓄熱損失が小さい．

6)　不定形耐火物には，流し込み施工のキャスタブル耐火物や一体成形できるプラスチック耐火物があり，現場施工で複雑な形状の炉に対応して成形することができる．

解　答　(1)　**1-エ，2-イ，3-ク，4-ツ，5-ソ，6-ス**

(2)　**7-コ，8-ウ，9-ケ，10-カ，11-キ，12-セ**

(3)　**13-ケ，14-エ，15-イ，16-コ，17-サ，18-シ，19-ア，20-イ**

（蒸留・蒸発・濃縮装置，乾燥装置，乾留・ガス化装置 - 選択問題）

問題18　次の各問に答えよ．（配点計40点）

(1)　次の各文章の 1 ～ 6 の中に入れるべき最も適切な字句又は記述をそれぞれの解答群から選び，その記号を答えよ．なお， 4 は3箇所あるが，同じ記号が入る．

1)　蒸発操作では，蒸発缶に供給される熱量の大部分は，発生する蒸気によって蒸発缶の外に持ち去られることから，この熱を回収して再び溶液の蒸発に利用することができれば，加熱量を節約できる．

沸騰液と発生蒸気の温度を比較すると，[1]なので，そのままでは，発生蒸気は利用できない．そこで，第 1 缶で発生した蒸気を，第 1 缶よりも[2]条件で操作される第 2 缶の熱源として用いて，蒸気を発生させる．さらに，第 2 缶で発生した蒸気を第 3 缶以降の熱源として利用するというように，繰り返し利用する方法がとられる．これを[3]法という．

〈[1]～[3]の解答群〉

ア 蒸気圧縮　　**イ** 多重効用
ウ 多段フラッシュ　　**エ** 低い圧力
オ 高い圧力　　**カ** 高い温度
キ 発生蒸気の方が低温　　**ク** 発生蒸気の方が高温
ケ 両者が同一温度

2) 蒸発操作の加熱源としては，[4]が広く用いられている．これは，被加熱液が均一に加熱され，過熱の心配がないこと，また，[4]の[5]によって，被加熱液の蒸発温度が容易に制御できること，[4]の[6]熱伝達係数が大きいこと，などの理由による．

〈[4]～[6]の解答群〉

ア 圧力　　**イ** 凝縮　　**ウ** 沸騰
エ 水蒸気　　**オ** 電圧　　**カ** 電気

(2) 次の各文章の[7]～[12]の中に入れるべき最も適切な字句を〈[7]～[12]の解答群〉の解答群から選び，その記号を答えよ．

1) 液状又はスラリー状の被乾燥材料を，微粒化して加熱気流中に投入し，落下するまでの間に粉末状の製品を得る方式の乾燥機を[7]乾燥機という．

2) 粉粒状の被乾燥材料を金網や多孔板の上に乗せ，下から熱風を流し，材料を浮遊させながら乾燥させる方式の乾燥機を[8]乾燥機という．

3) 内部にかきあげ板を備えた傾斜回転円筒中に被乾燥材料を入れ，熱風と接触させながら乾燥させる方式の乾燥機を[9]乾燥機という．

4) 金網又は多孔板のベルトコンベア上に被乾燥材料を置き，熱風と接触させて連続的に乾燥する方式の乾燥機を[10]乾燥機という．

5) 多量に水分を有した被乾燥材料を，一般的に，−30 ℃ 前後に冷却して氷にした後，低真空下で加熱し，氷を直接気化して乾燥させる方式の乾燥機を[11]乾燥機という．

6) 回転する加熱円筒表面に，液状又はスラリー状の被乾燥材料を薄膜状に塗布し，回転円筒からの熱によって乾燥させ，ナイフと呼ばれる剥ぎ取り機で剥ぎ取る方式の乾燥機を [12] 乾燥機という.

〈[7] ～ [12] の解答群〉

ア　ドラム　　**イ**　バンド　　**ウ**　ノズルジェット

エ　回転　　**オ**　撹拌《かくはん》　　**カ**　気流　　**キ**　赤外線

ク　凍結　　**ケ**　噴霧　　**コ**　流動層

(3)　次の各文章の [13] ～ [17] の中に入れるべき最も適切な字句を〈[13] ～ [17] の解答群〉から選び，その記号を答えよ．なお，[15] は 2 箇所あるが，同じ記号が入る.

1)　水素ガスを石炭から製造するには，石炭の炭素と水素の質量割合の比（C/H 比）が大きいことから，水素源として [13] を導入し，主として水素と [14] を生成させる．この反応を [15] という.

2)　この [15] は，[16] 反応であることから，反応熱の供給のため，石炭の [17] を行うことになる.

〈[13] ～ [17] の解答群〉

ア　一酸化炭素　　**イ**　二酸化炭素　　**ウ**　空気

エ　水蒸気　　**オ**　水素　　**カ**　窒素

キ　水性ガス反応　　**ク**　水素化分解　　**ケ**　熱分解

コ　部分酸化（部分燃焼）　　**サ**　吸熱　　**シ**　発熱

解　説

(1)

1)　蒸発操作においては，沸騰液と発生蒸気の温度は等しいので，このままでは温度差がないことから熱利用できない．そこで，第 1 缶で発生した蒸気をより低圧で操作される第 2 缶の熱源に利用し，第 2 缶で発生した蒸気を，より低圧で操作される第 3 缶の熱源として利用するという方法が用いられる．これを**多重効用法**という.

2)　蒸発操作の加熱媒体には，主に水蒸気が用いられる．この理由としては，以下の項目が挙げられる.

①　被加熱液が均一に加熱され，過熱のおそれがないこと.

②　蒸気圧力によって，蒸気温度を容易に制御できること.

③　水蒸気の凝縮潜熱による凝縮熱伝達率が温水の顕熱による熱伝達率と比較して大きいこと.

(2)

1)　噴霧乾燥機は，対象が溶液，スラリー，ペースト状の液体原料であることから，これを加熱気流中に噴霧して微粒子にして，落下するまでの間に粉末状の製品を得るという方式を採用している．食品や洗剤の乾燥に用いられる．

2) 流動層乾燥機は，金網や多孔板上の粉粒体材料層に下部から熱風を吹き込み，粉粒体を流動化させて乾燥を行うという方式を用いている．粉粒体がガスと激しく接触するので，乾燥のために粉粒体の表面積を有効利用できる．

3) 回転乾燥機は，内部にかきあげ板を有する傾斜回転円筒の内部に被乾燥材料を投入して，熱風と接触させながら乾燥させる方式を採用している．

4) バンド乾燥機は，移動する多孔板のバンド（ベルトコンベア）上に被乾燥材料を置いて，熱風と接触させながら連続的に乾燥させる方式を用いている．

5) 凍結乾燥機は，水分を含む被乾燥材料を −30 ℃程度に凍結させてから，高真空状態で凍結した水分を昇華させて乾燥する方式であり，食品や医薬品の製造に使用される．

6) ドラム乾燥機は，液状，ペースト状，スラリー状の被乾燥材料を加熱回転ドラム表面に塗布して，ドラム内に蒸気を導入して，ドラム壁からの熱伝導で乾燥させ，乾燥した材料をナイフエッジで剥ぎ取る方式を用いている．

(3) 石炭および石油系の原料を用いて，合成用，都市ガス，工業用燃料ガスまたは水素ガスなどのガス生成物をつくる操作を**ガス化**という．ガス化は，原料に含まれる高分子の炭化水素を低分子化して，C/H 比（炭素・水素比）を小さくするプロセスである．石炭のガス化の主反応は，炭素と水蒸気から一酸化炭素と水素を得る反応であり，

$$C + H_2O \rightarrow CO + H_2 - 118.0\ \mathrm{kJ/mol}$$

で表される吸熱反応である．この反応を水性ガス反応という．この反応熱は，ガス化炉に空気や酸素を吹き込み，石炭の部分燃焼による燃焼熱で供給する．

解答 (1) **1-ケ，2-エ，3-イ，4-エ，5-ア，6-イ**

(2) **7-ケ，8-コ，9-エ，10-イ，11-ク，12-ア**

(3) **13-エ，14-ア，15-キ，16-サ，17-コ**

第 37 回　2015 年（平成 27 年）

（計測及び制御）

問題11　次の各文章の [1] ～ [16] の中に入れるべき最も適切な字句をそれぞれの解答群から選び，その記号を答えよ．なお，[3]，[4]，[8] 及び [9] は 2 箇所，[10] 及び [13] は 3 箇所あるが，それぞれ同じ記号が入る．（配点計 50 点）

(1)　工業炉に用いる温度センサは，測定対象の温度及び雰囲気に応じて適切なものを選定する必要がある．T 型，K 型及び R 型の 3 種類の熱電対の適用性について次に述べる．

炉内の温度が 1 200 ℃前後の高温で使用する場合には，[1] が適切であり，900 ℃前後までであれば [2] が使用できる．これらはいずれも [3] 雰囲気には強いが，[4] 雰囲気には不適である．

一方，200 ℃程度までの低温域では [5] が汎用的に用いられており，[4] 雰囲気には強いが，[3] 雰囲気には強くない．

炉内雰囲気による使用上の制約については，素線を保護することにより対応が可能であり，保護管を使用する方法やシース形熱電対を使用する方法がある．シース形熱電対は，金属シースと熱電対素線の間に [6] を充填封入して一体となった構造に加工した熱電対であり，保護管付熱電対よりも応答性が良い．また，シース形熱電対には接地形と非接地形があり，応答性の良いのは [7] の方であるが，ノイズ対策に配慮する必要がある．

〈[1] ～ [7] の解答群〉

ア	還元性	**イ**	酸化性	**ウ**	乾燥
エ	高湿度	**オ**	接地形	**カ**	非接地形
キ	絶縁性オイル	**ク**	多孔質の無機絶縁物	**ケ**	粉末状の無機絶縁物
コ	K 型熱電対	**サ**	R 型熱電対	**シ**	T 型熱電対

(2)　タンク内の液体の量を知るためには液位計が用いられる．液位の高さは，ある基準の高さと液面位置との差を長さで測定することにより決められ，その測定には種々の方式が用いられている．原理的には大きく，①直接長さで測定する方式，②他の物理量へ変換するなど間接的に長さを把握する方式，の二つに大別される．

①の方式の例としては [8] 式液位計がある．これは液面の移動によって移動する [8] の位置を測定する方法である．

②の方式の例としては [9] 式液位計がある．これは，[9] をタンク内の液相中又は気相中に伝播させ，液面で反射して戻るまでの時間と [10] により液位を測定するものである．ただし，[10] は温度によって変わるので，温度測定を併用して補正を行わなくてはならない．この方式を用いると，液面に接触せずに液位を測定することができる．

また，②の方式には，伝播速度が [10] よりも速い [11] を用いた方式もある．この方式は，伝播時間を直接測定するのではなく，周波数変調された信号を用い，発射波と [12] の周波数の差を測定することにより，伝播距離すなわち液位を求めるものである．

〈[8]～[12] の解答群〉

ア 超音波　**イ** 反射波　**ウ** 搬送波　**エ** 表面波
オ 放射波　**カ** マイクロ波　**キ** 音速　**ク** 光速
ケ 湿度　**コ** 密度　**サ** 流速　**シ** オリフィス
ス コリオリ　**セ** ダイアフラム　**ソ** フロート

(3)　流れの中では，加熱した物体の冷却には流速が大きく関与する．この原理を利用して，流体中にセンサを設置して流速を測定する装置が [13] 流速計である．流体の性状が決まり，流体とセンサの温度差が一定であれば，単位時間当たりにセンサから奪われる熱量は流速の m 乗に比例する．この m の値はセンサの形状等で決まる．

[13] 流速計の一つである [13] 風速計は，主に通電状態のセンサが風で冷却されたときに生じる [14] の変化特性を利用して風速を求めるものである．この方式のセンサ部分には，[15]，[16] 等が用いられる．

〈[13]～[16] の解答群〉

ア 超音波式　**イ** 熱式　**ウ** 熱放射式
エ 圧電素子　**オ** 熱電素子　**カ** 熱電対
キ 白金線　**ク** サーミスタ　**ケ** 湿度
コ 電気抵抗　**サ** 濃度　**シ** 風圧　**ス** 密度

解　説

(1)　熱電対は，2 種類の均質な金属線で閉回路をつくったとき，測温接点 t_1 と基準接点 t_2 が異なる温度の場合，回路内に電流が流れるという原理を利用して温度を計測する温度計である．このとき回路に発生した起電力を**熱起電力**といい，回路を開放して基準接点との端子間電圧を測定することにより温度を検出することができる．JIS C 1602：2015 では，熱電対の規格が示されている．T 型熱電対は 300 ℃未満，K 型熱電対は 1 000 ℃未満，R 型熱電対は 1 400 ℃未満が常用使用温度範囲である．K 型（クロメル － アルメル）と R 型熱電対（白金ロジウム － 白金）は，酸化性雰囲気に適合し，T 型熱電対（銅 － コンスタンタン）は，還元性雰囲気に適合する．

シース形熱電対は，金属シースと熱電対素線の間に粉末状の無機絶縁物を充填封入したもので，接地形と非接地形がある．接地形は，熱電対素線とシースが接触しているので，応答性はよいが，ノイズの影響を受けやすい．非接地形は熱電対素線とシースが絶縁されているので，応答性はよくないが，ノイズの影響を受けにくい．

(2)　液位計（液面計）は，水や油などの液体を貯めるタンク内部の液面の高さを計測するのに用いられる．

フロート式液位計のように，液面に浮かんだフロートの高さの変化で直接液位を計測する方法と，液面までの距離を超音波やマイクロ波の反射によって間接的に非接触で計測する方法がある．超音波式液位計では，超音波の音速に温度依存性があることから，温度補正を行う必要がある．マイクロ波式液位計では，送信器から周波数を連続的に変調させたマイクロ波を液面に送信し，受信器で反射波を受信する．送信波の周波数と受信波の周波数の差を検出することによって，送信波を発信してから受信波を受信するまでの時間を計測することで，液面までの距離を測定する．

(3)　熱式流速計は，流れの中にある加熱した物体が対流熱伝達によって冷却されるという原理を利用した流速計である．この冷却量 q［W］は，流速 U［m/s］の m 乗に比例するので，流速と冷却量の関係をあらかじめ調べておけば，流速を計測することができる．

$$q = (A + BU^{m})(\theta_{w} - \theta_{a})$$

ここで，θ_{w} は熱線の表面温度［℃］，θ_{a} は空気温度［℃］，A，B は流体や熱線の物理的性質などで決まる定数である．

熱式風速計（熱線式風速計）は，空気温度より高温に熱せられた金属細線が気流によって冷却されるとき，金属細線の温度変化に対応した電気抵抗の変化により，風速を検出するセンサである．検出方法としては，電流を一定にして，電気抵抗値の変化を検出する**定電流法**と，電気抵抗値を一定にするように風速に応じて電流値を変化させる**定温度法**がある．センサ部分は，2 本の支持針の間に熱線を張った形状になっている．金属細線の材料としては，白金，白金 － ロジウム，タングステン，サーミスタなどが用いられる．

解　答　**(1)　1-サ，2-コ，3-イ，4-ア，5-シ，6-ケ，7-オ**

(2)　8-ソ，9-ア，10-キ，11-カ，12-イ

(3) **13-イ，14-コ，15-キ，16-ク**

（計測及び制御）

問題12 次の各文章及び図の [1] ～ [20] の中に入れるべき最も適切な字句又は数値をそれぞれの解答群から選び，その記号を答えよ．なお，[5]，[8]，[9] 及び [10] は 2 箇所，[14] 及び [15] は 3 箇所あるが，それぞれ同じ記号が入る．（配点計 50 点）

(1) 図 1 に示すような加熱炉の燃焼制御について考える．この制御の目的は，加熱炉の温度を一定に保つことである．

1) 制御の対象である加熱炉の温度を [1] と呼び，それを目標値と比較して，その差である [2] をなくす方向に [3] である燃料流量を変化させる．このような信号の流れとなる制御方式を [4] 制御という．

〈[1] ～ [4] の解答群〉

ア 検出量　**イ** 誤差　**ウ** 制御量　**エ** 操作量
オ 動作量　**カ** 偏差　**キ** オフセット　**ク** オンオフ
ケ フィードバック　**コ** フィードフォワード

2) この制御では，炉内温度調節計の出力が，燃料流量調節計の目標値となっている．このような制御を [5] 制御という．燃料流量調節計を間に置くことにより，燃料の供給圧の変化などの燃料系に入る [6] による影響を，加熱炉温度に影響が出る前に早く処理し，加熱炉温度を安定化できる．このような場合，炉内温度調節計を [7]，燃料流量調節計を [8] と呼ぶ．

3) この制御では，燃焼空気比を一定に保ち，過剰空気量をできるだけ抑えるために，燃料流量信号が [9] を介して燃焼用空気流量調節計の目標値となっている．この制御を [10] 制御と呼ぶ．

4) 2) 及び 3) の [5] 制御や [10] 制御の [8] のように目標値が時々刻々変化し，それに測定値を追従させる制御を一般に [11] 制御という．これと同様の制御に，あらかじめ定められた変化をする目標値に追従させる制御である [12] 制御があり，金属の熱処理や，セラミックスの焼成炉の温度制御などに使用されている．この制御の実現には，予定したタイムスケジュールで目標値が変化する機能を持つ調節計として [13] を使用する．

〈[5] ～ [13] の解答群〉

ア 一次調節計　**イ** 二次調節計　**ウ** 遅れ調節計
エ 進み調節計　**オ** プログラム調節計　**カ** PID 調節計

キ　比率設定器　**ク**　遅れ要素　**ケ**　外乱
コ　追値　**サ**　比率　**シ**　不純物
ス　カスケード　**セ**　シーケンス　**ソ**　プログラム
タ　セレクター

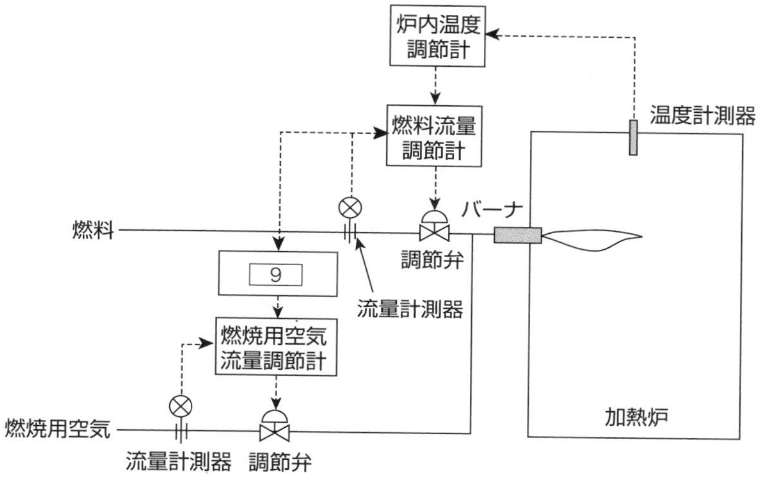

図1　加熱炉の炉温制御

(2)　流量制御などの制御系の操作部として調節弁を使用することが多い．工業用に最も多く使用される渦巻ポンプを用い，横軸を流量，縦軸を圧力とした図2のポンプの流量特性曲線でその原理を示す．図は，対象となる搬送系の [14]，[15]，調節弁の圧力損失，及びそれら3つのトータルの圧力損失の線も示している．

例えば調節弁開度80%の圧力損失曲線がAであるとすると，ポンプの特性曲線と交わる点aの流量 Q_a がその条件で流れる流量となる．一般に [15] は，[16] に比例する．

調節弁開度を小さくすると，弁による圧力損失が増加するため，圧力損失曲線はBの方向へ移動し，流量はポンプの特性曲線と交わる点bの流量 Q_b に減少する．ただし，調節弁による圧力損失を増大させるので，その分エネルギー損失も大きくなる．

一方，最近の流量制御ではポンプの回転速度を [17] で変化させて流量を操作する回転速度制御が，省エネルギーの観点から採用されている．一般に，吐出圧は回転速度の [18] 乗に比例し，流量は回転速度の [19] 乗に比例し，ポンプの軸動力は，回転速度の [20] 乗に比例することになり，ポンプの回転速度を変化させて流体の流量を変化させれば，流体に生じるエネルギー損失は少なくなる．ただし，[14] が大きいときは，ポンプの回転速度を大幅に下げられないので，回転速度制御のメリットは相対的に少なくなる．

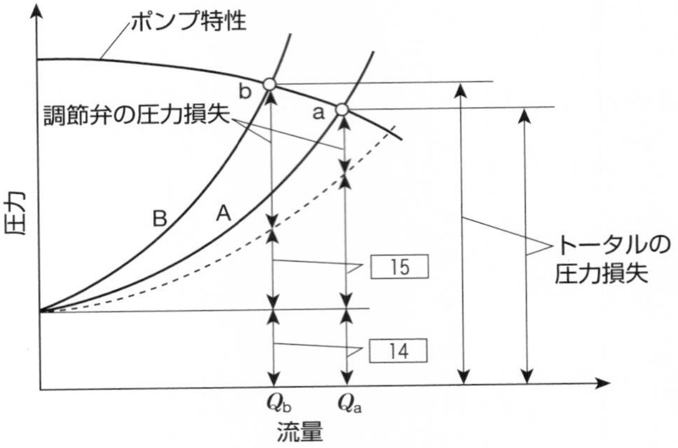

図2　ポンプの流量特性曲線

〈[14] ～ [20] の解答群〉

ア　静圧損失　　**イ**　配管の圧力損失　　**ウ**　ポンプの圧力損失

エ　流量の 1 乗　　**オ**　流量の 2 乗　　**カ**　流量の 3 乗

キ　電空変換器　　**ク**　インバータ　　**ケ**　コンタクタ

コ　スライダック　　**サ**　$\frac{1}{2}$　　**シ**　1

ス　2　　**セ**　3　　**ソ**　4

解　説

(1)

1)　加熱炉の温度を一定に保つ燃焼制御を考える．制御対象の物理量，すなわち加熱炉の温度を**制御量**，目標値と制御量の差を**偏差**といい，偏差をなくすように制御対象に加えられる物理量（燃料流量）を変化させる．このように，閉ループを構成して，制御結果から，修正動作を事後に加える制御を**フィードバック制御**という．

2)　加熱炉の制御では，炉内温度調節計の出力が燃料流量調節計の目標値であり，それと燃料流量計測値を比較して，燃料流量調節計の入力にしている．燃料流量調節計は調節弁に出力を与え，その結果を燃料流量の計測値として，炉内温度調節計の出力（燃料流量の目標値）と比較する．図のブロック線図に示すように，炉内温度制御が一次ループ，燃料流量制御が二次ループとなっていて，閉ループが二重になっている．このような制御を**カスケード制御**という．ここでは，燃料の供給圧力の変動による流量の変化という外乱による影響を，加熱炉の温度に影響が出る前に処理できるようになっている．一次ループにある調節計を**一次調節計**，二次ループにある調節計を**二次調節計**という．

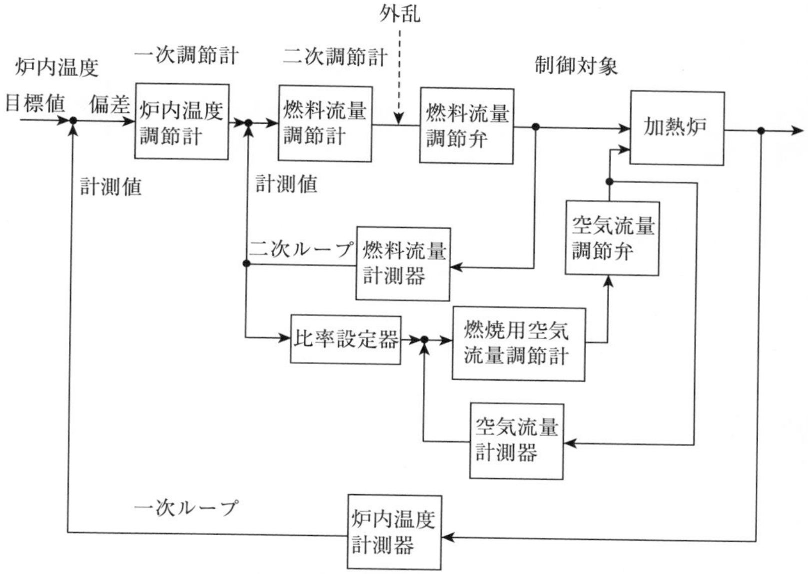

図　加熱炉の炉温制御のブロック線図

3)　化学反応などで，二つ以上の量の間に比例関係が成り立っている場合，一つの量の制御に対して，もう一つの量を比例して与える制御を**比率制御**という．加熱炉の燃焼反応では，燃料流量と燃焼用空気流量は比例関係にあるので，燃料流量に比例した空気流量を目標値として制御すれば，過剰空気量を抑制できる．そのため，燃料流量に比例した信号を比率設定器で出力して，燃焼用空気流量調節計の目標値として与えるようになっている．

4)　一般の制御では，温度などの目標値は一定値であることが多いが，カスケード制御の二次調節計の目標値や比率制御の目標値のように，目標値が時々刻々と変化して，計測値をそれに追従させる制御を**追値制御**という．また，あらかじめ決められた時間パターンに沿って変化する目標値に追従させる制御を**プログラム制御**という．このようなタイムスケジュールで目標値を変化させるプログラム機能をもつ調節計をプログラム調節計という．

(2)　ポンプは，ポンプの特性曲線と配管系の抵抗曲線（圧力損失曲線）の交点で運転される．問題の図 2 のように，配管系が開放回路である場合には，全体の圧力損失は，配管系の**実揚程**（静圧損失）と配管系の圧力損失の和になる．配管系が密閉回路である場合は，実揚程（静圧損失）はないので，配管系の圧力損失だけである．配管系の圧力損失は，流体の動圧に比例することから，ポンプの流量の 2 乗に比例することになる．

調節弁の開度を小さくすると，調節弁による圧力損失が増加することから，配管系の抵抗曲線は立ってきて，ポンプの運転点は a から b へ移動する．そのため，流量は Q_a から Q_b へ減少することになる．

ポンプのモータの回転数と流量，圧力，軸動力の間には**相似則**があり，流量は回転数の 1 乗に比例し，圧力は回転数の 2 乗に比例し，軸動力は回転数の 3 乗に比例するという関係がある．そのため，ポンプの回転数をインバータで制御すると，ポンプの特性曲線がほぼ相似形で変化することから，ポンプの回転数を変化させて流量制御を行うと，軸動力は回転数の 3 乗に比例して小さくなり，省エネルギーになる．ただし，図 2 のように配管系が開放回路の場合は，実揚程以下までポンプの回転数を下げることはできない．

解　答　(1)　**1-ウ，2-カ，3-エ，4-ケ，5-ス，6-ケ，7-ア，8-イ，9-キ，10-サ，11-コ，12-ソ，13-オ**

(2)　**14-ア，15-イ，16-オ，17-ク，18-ス，19-シ，20-セ**

（ボイラ，蒸気輸送・貯蔵装置，蒸気原動機・内燃機関・ガスタービン）

問題13　次の各問に答えよ．（配点計 50 点）

(1)　次の各文章の ［ 1 ］ ～ ［ 7 ］ の中に入れるべき最も適切な字句をそれぞれの解答群から選び，その記号を答えよ．なお，［ 1 ］ は 2 箇所あるが，同じ記号が入る．

1)　水管ボイラのうち，循環ボイラはボイラ水の循環方式によって，ボイラ水と発生する蒸気の ［ 1 ］ によって水循環力を生じさせる ［ 2 ］ 循環ボイラと，水循環力を ［ 3 ］ によって受け持つ ［ 4 ］ 循環ボイラがある．

2)　一般に循環ボイラでは，蒸気ドラムの内部装置で ［ 5 ］ が行われ，ドラム内のボイラ水中に濃縮されたシリカなどの固形分が，ボイラ過熱器に飛散し付着することを防いでいる．10 MPa を超えるような高圧蒸気を発生させるボイラにおいては，蒸気ドラム内におけるボイラ水と蒸気との ［ 1 ］ が小さいため，特にこの機能が強化されている．

〈［ 1 ］ ～ ［ 5 ］ の解答群〉

ア　圧力差　　**イ**　温度差　　**ウ**　密度差　　**エ**　渦消し

オ　乾燥加熱　**カ**　気水分離　**キ**　強制　**ク**　自然
ケ　水頭　**コ**　単純　**サ**　オリフィス　**シ**　ファン
ス　フィルタリング　**セ**　ポンプ

3)　大容量火力では高温高圧の蒸気が発電に使われるが，その高温高圧ボイラでは圧力が高くなるにしたがって水の [6] は小さくなるため，ボイラ伝熱面の吸収熱量に占める蒸発器分の割合は小さくなる．その結果，蒸発器用の水管群がなくなり，火炉水冷壁管での放射熱吸収で賄えるようになる．代わって [7] での吸収熱量の割合が増すため，その伝熱面積が増大することになる．

〈[6] 及び [7] の解答群〉

ア　過熱器　**イ**　空気予熱器　**ウ**　節炭器
エ　蒸発潜熱　**オ**　親和力　**カ**　比体積

(2)　次の各文章の [8] ～ [11] の中に入れるべき最も適切な字句，数値又は式を〈[8] ～ [11] の解答群〉から選び，その記号を答えよ．なお，[9] は 2 箇所あるが，同じ記号が入る．

1)　蒸気輸送配管は，口径を大きくすると，[8] が大きくなるばかりでなく，表面積も増大するので [9] も大きくなる．逆に口径を小さくすると，流速が増加して圧力損失が増大するので，過剰に口径を絞ると蒸気使用設備に必要な圧力の供給が困難となる．したがって，蒸気配管は，できる限り短距離となるように，かつ，[9] と圧力損失のバランスがとれた適正口径となるよう計画する必要がある．

2)　圧力損失は管内流速によって左右されるが，蒸気輸送配管計画では，次に示すように，使用する蒸気圧力に応じて適正流速範囲があるので目安にするとよい．

蒸気の管内流速 V [m/s] は，蒸気流量 G [kg/h]，蒸気の比体積 v [m^3/kg] 及び管の内径 D [m] を用いて次式で表される．

$$V = \frac{Gv}{900\pi D^2}$$

速度水頭を用いた圧力損失の式にこの流速の式を代入して整理すると，蒸気配管の圧力損失は，G，D 及び v を用いた式 [10] に比例する．すなわち，蒸気の比体積 v にも比例することがわかる．

3)　蒸気の比体積は高圧になるほど小さくなることから，圧力損失も小さくなるので，蒸気の圧力が高ければ高いほど，適正流速の選定範囲を高くすることができる．一般に，0.2 ～ 0.5 MPa の低圧蒸気の適正流速は圧力に応じて 15 ～ 20 m/s，0.5 ～ 4 MPa の中圧蒸気の適正流速は圧力に応じて

20～[11] [m/s] が目安とされている．

〈[8]～[11] の解答群〉

ア 設備投資　イ 騒音値　ウ 伸び差　エ 排気損失

オ 放熱損失　カ 摩耗減肉　キ $\dfrac{G^2v}{D^3}$　ク $\dfrac{G^2v}{D^4}$

ケ $\dfrac{G^2v}{D^5}$　コ 50　サ 100　シ 150

(3) 次の各文章及び表の [12]～[15] の中に入れるべき最も適切な字句又は数値をそれぞれの解答群から選び，その記号を答えよ．なお，[12] 及び [14] は 2 箇所あるが，それぞれ同じ記号が入る．

また，[A ab.c] に当てはまる数値を計算し，その結果を答えよ．ただし，解答は解答すべき数値の最小位の一つ下の位で四捨五入すること．

ボイラの燃焼室内での燃料燃焼は，適正な空気比による燃焼管理で排ガス損失を最小限に抑えることが好ましい．

いま，管理するボイラの排ガス分析を行ったところ，表に示すとおりであり，ボイラ排ガス温度が標準値より上昇していた．また，乾き燃焼排ガス中の酸素濃度（体積割合）が 5.8 % と高いことが分かった．このボイラの空気量調整による省エネルギー効果について考える．

表　ボイラの熱勘定に関する諸量

項目	単位	標準	現状
燃料の低発熱量	$\mathrm{MJ/kg_{-f}}$	40.2	
排ガスの平均定圧比熱	$\mathrm{kJ/(m^3{}_N \cdot K)}$	1.38	
大気温度	℃	20	
ボイラ排ガス中の酸素濃度	% (dry)	1.9 (空気比 1.1)	5.8
燃料 1 kg 当たりの排ガス量	$\mathrm{m^3{}_N/kg_{-f}}$	12.1	15.0
ボイラ排ガス温度	℃	150	154
ボイラ排ガス損失	%	5.4	[12]
燃料 1 kg 当たりのその他の熱損失	$\mathrm{MJ/kg_{-f}}$	0.8	0.8

1) 現状の排ガス損失を，表に示した数値を用いて計算すると [12] [%] となる．ただし，排ガス損失の割合は燃料単位量当たりとする．

〈[12] の解答群〉

ア 4.9　イ 5.9　ウ 6.9　エ 7.9

2) さらに，標準と現状でのボイラ効率を熱損失法でそれぞれ求めると，現状のボイラ効率が [A ab.c] [%] に低下していることが分かった．ただし，表でも明らかなように，その他の熱損失の熱量は燃料単位量当たり一定とする．

3)　ここで，空気量を低減して省エネルギー標準の空気比で運転しようとするとき，現在の酸素濃度から求めた空気比を1.1にすると考えると，現状の空気量を [13] [%] 低減すればよいことがわかる．ただし，ボイラは完全燃焼しており，また，侵入空気はないものとする．

4)　この空気量調整により，燃焼ガス量が減少して燃焼ガス温度が上昇し，ボイラ内での熱吸収が良くなるので，同じ蒸発量を維持するボイラ運転であれば，[14] の量が現状から減ることになり，空気量も更に低減することができる．

5)　以上の空気量調整によって，[14] 節減のほか，[15] の動力節減による省エネルギー効果も得られる．なお，空気量は，絞り過ぎると燃焼不良が生じて燃焼効率や熱効率の低下につながるので注意が必要である．空気量調整の際は，燃焼状態を見ながら徐々に低減する必要がある．

〈[13] ～ [15] の解答群〉

ア 給水	**イ** 燃料	**ウ** 薬品	**エ** 薬注設備
オ ファン	**カ** 給水ポンプ	**キ** 18	**ク** 20
ケ 28	**コ** 38		

解　説

(1)

1)　水管ボイラは，比較的小径のドラムと多数の水管が燃焼室の周囲に構成されたボイラである．水の流動形式によって，自然循環式，強制循環式，貫流式に分けられる．自然循環式は，ボイラ水と蒸気の密度差によって自然対流を発生させて，水が循環するものである．強制循環式は，ポンプによってボイラ水を強制対流させるものである．

2)　循環ボイラの蒸気ドラムでは，気水分離器によって，蒸気と水の気水分離が行われる．それによって，給水に含まれるシリカが濃縮されてボイラ過熱器のチューブ内面に付着して，過熱器を閉塞させることを防止する．特に，高圧蒸気では，ボイラ水と蒸気の密度差が小さいので，気水分離機能が重要である．

3)　水の飽和表によると，温度が高くなるほど，圧力が高くなるほど，水の蒸発潜熱は小さくなる．そのため，高温高圧の蒸気ボイラでは，蒸気を発生させる蒸発器の比率は小さくなり，過熱蒸気を発生させる過熱器の比率が大きくなる．

(2)

1)　蒸気配管の管径を決定するときに，管径を大きくすると圧力損失は小さくなるが，配管の設備投資が増加し，また表面積が増加することから，放熱損失が増加する．逆に，管径を小さくすると，設備投資は減少するが，圧力損失が増加して，末端における蒸気圧力が低下する．そのため，蒸気配管を設計するときは，配管経路を可能な限り短くして，圧力損失と放熱損失の両者が調和するような管径を選定する必要がある．

2)　蒸気の管内流速を V [m/s]，蒸気流量を G [kg/h]，蒸気の比体積を v [m^3/kg]，管の内径を D [m] とすると，

$$v=\frac{Gv}{3\,600\times\frac{1}{4}\pi D^2}=\frac{Gv}{900\pi D^2}$$

である．蒸気配管の圧力損失 Δp [Pa] は，ダルシー・ワイスバッハの式から，

$$\Delta p=\frac{1}{2}\lambda L\cdot\frac{1}{D}\cdot\frac{1}{v}\cdot\frac{G^2v^2}{900^2\times\pi^2D^4}=\frac{1}{2}\lambda L\cdot\frac{G^2v}{900^2\times\pi^2D^5}$$

となり，$\frac{G^2v}{D^5}$ に比例することがわかる．ここで，λ は配管の摩擦損失係数，L は配管長さ [m]，ρ（$=1/v$）は蒸気の密度 [kg/m^3] である．

3)　蒸気の密度 ρ は高圧になるほど大きくなり，比体積 v は小さくなる．前述のように，蒸気配管の圧力損失は比体積に比例することから，高圧蒸気では同一の圧力損失に対して，管内流速を速くすることができる．そのため，0.2 ～ 0.5 MPa の低圧蒸気では流速範囲が 15 ～ 20 m/s であるのに対して，0.5 ～ 4 MPa の中圧蒸気では 20 ～ 50 m/s である．

(3)

1)　排ガス損失は，排ガスの平均定圧比熱に燃料 1 kg 当たりの排ガス量と温度差を乗じることで得られる．したがって，排ガス損失 q は，

$$q=1.38\times15.0\times(154-20)=2.77\times10^6\ \mathrm{J/kg_{-f}}$$

となる．燃料単位量の低発熱量に対する排ガス損失の割合は，

$$2.77/40.2\fallingdotseq0.069=6.9\ \%$$

で，6.9 % となる．

2)　ボイラ効率 η を熱損失法で求めると，排ガス損失が 2.77 MJ/kg$_{-\mathrm{f}}$，その他の損失が 0.8 MJ/kg$_{-\mathrm{f}}$ であることから，

$$\eta=\frac{40.2-(2.77+0.8)}{40.2}=0.911$$

より，91.1 % である．

3)　空気量が過剰であることで，排ガス量が増加する．燃料 1 kg 当たりの排ガス量は標準で 12.1 $\mathrm{m^3{}_N/kg_{-f}}$，現状で 15.0 $\mathrm{m^3{}_N/kg_{-f}}$ であることから，

$$\frac{15.0-12.1}{15.0} \fallingdotseq 0.193 = 19.3\,\%$$

すなわち 20 % 空気量を減らせばよいことがわかる．

4)　空気量を調整して過剰空気量を減らすと，排ガス量が減少し，燃焼ガス温度が上昇する．したがって，同じ蒸発量を得るためには，現状より少ない燃料ですむことになる．

5)　また，空気量を減らすことができれば，ドラフトファンの動力を削減することになり，省エネルギーになる．ただし，過剰に絞ると，ボイラが不完全燃焼を起こしたり，燃焼効率や熱効率の低下が起きたりする可能性がある．

解答　(1)　**1-ウ，2-ク，3-セ，4-キ，5-カ，6-エ，7-ア**

(2)　**8-ア，9-オ，10-ケ，11-コ**

(3)　**12-ウ，A-91.1，13-ク，14-イ，15-オ**

（ボイラ，蒸気輸送・貯蔵装置，蒸気原動機・内燃機関・ガスタービン）

問題14　次の各文章の [1] ～ [16] の中に入れるべき最も適切な字句をそれぞれの解答群から選び，その記号を答えよ．なお，[2] は 3 箇所，[7]，[8]，[12] 及び [13] は 2 箇所あるが，それぞれ同じ記号が入る．（配点計 50 点）

(1)　蒸気タービンの構造において，動力伝達部はロータ，軸継手などからなり，ロータには [1] が植え込まれる．発電用では，一般にロータの一次 [2] 速度と二次 [2] 速度の間に [3] 速度がくるように設計されるが，発電用火力設備に関する技術基準を定める省令に従い，[4] の作動範囲内に [2] 速度があってはならない．またケーシングは，ロータのまわりに適切に蒸気が流れる通路を形成し，極力軸対称で急激な肉厚変化がなく過大な [5] が働かないよう設計される．

〈[1] ～ [5] の解答群〉

ア　静翼	**イ**　動翼	**ウ**　軸受保護装置	**エ**　調速装置
オ　安全	**カ**　危険	**キ**　警戒	**ク**　最大回転
ケ　定格回転	**コ**　高温腐食	**サ**　せん断応力	**シ**　熱応力

(2)　内燃機関では，熱効率と共に単位質量の作動流体の行う仕事量が重要であり，有効仕事量を作動流体の [6] で除したものを [7] として機関出力の基準値とする．[8] により多量の [9] を送入すると，同容積のシリ

ンダ内での燃焼量は増加し，[7]を高めて有効仕事量が増加できる．このように[8]の設置は，サイクル効率向上・燃費低減が図られ，確実で効果の大きい手段であるが，このとき[10]が上昇するので，各構成部材の強度，[11]，シリンダライナ，軸受などの耐久性，信頼性に影響を及ぼす．したがって，効率のよい運用のためには計画的な保守・管理が必要である．

〈[6]～[11]の解答群〉

ア 空気　**イ** 混合気
ウ 蒸気　**エ** 行程容積
オ 全容積　**カ** シリンダ最高温度
キ シリンダ最高圧力　**ク** シリンダ最低圧力
ケ 平均有効圧力　**コ** 平均有効温度
サ EGR　**シ** 過給器
ス 排気マニホールド　**セ** ジャケット
ソ ピストンリング

(3) 発電用ガスタービンのように回転速度が[12]である一軸形ガスタービンでは，[13]を通過する空気の体積流量は常に[12]となるが，質量流量は大気温度と大気圧力によって変化する．JIS B 8040：2018 他では，ISO に準じて，標準定格出力を[13]入口条件として，空気の温度 15 ℃，全圧力 101.3 kPa，相対湿度 60 % における値と定めている．標準条件に対して空気温度が 30 ℃まで上昇すると，出力が約 10 % 低下するなど影響が生じる．この理由としては，吸気温度の上昇に伴う[14]の減少に加えて，タービンでの単位質量当たりの[15]の減少などが挙げられる．したがって，夏期に出力不足とならないようにするためには[16]の設置を検討するなどの配慮が必要である．

〈[12]～[16]の解答群〉

ア 圧縮機　**イ** 過給器　**ウ** 吸気加熱装置
エ 吸気冷却装置　**オ** 排気循環装置　**カ** 圧力
キ 質量流量　**ク** 体積流量　**ケ** 一定
コ 可変　**サ** 圧縮仕事　**シ** 膨張仕事

解説

(1) 蒸気タービンは，高速の蒸気流でロータを回転させることにより仕事を行う．動力伝達部には，ロータと軸継手（軸受）などがあり，ロータには蒸気を受ける動翼が取り付けられる．蒸気タービンのような回転機械では，共振を避けるために，ロータの曲げ振動の最低次の固有振動数に一致する回転数

（主危険速度または一次危険速度）とその 1/2 の回転数（二次危険速度）の間に定格回転速度が得られるようにする．発電用火力設備に関する技術基準を定める省令（平成 9 年通商産業省令第 51 号）第 13 条 4 項に，調速装置の作動範囲内に危険速度があってはならないと規定している．

また，ケーシングはロータの周囲に蒸気の流路を形成していて，過大な熱応力が生じないように，軸対称で肉厚変化が少ないような形状に設計されている．

(2)　$P-V$ 線図において，内燃機関が行う有効仕事量（$P-V$ 線図で囲まれた面積）を作動流体の行程容積で除した値を**平均有効圧力**という．過給器で大量の空気を内燃機関に給気すると，同じ容積のシリンダ内部の燃焼量は増加することから，平均有効圧力が向上する．過給器は，船用エンジンや発電用エンジンなどの大形機関から，自動車用エンジンなどの小形機関まで幅広く使用されている．過給器を使用するとき，シリンダ内部の最高圧力が上昇するので，構成部材の強度とピストンリング，シリンダライナや軸受の耐久性と信頼性に影響が生じる．

(3)　一軸形ガスタービンは，ガスタービン，発電機と蒸気タービンが同一軸で結合されているコンバインドサイクル発電設備である．このガスタービンでは，回転速度が一定で，圧縮機を通過する空気の体積流量も一定である．ところで，空気の密度は，大気温度と大気圧力によって変化することから，「JIS B 8040：2018　ガスタービン及び附属装置－用語」および「JIS B 8042－2：2001　ガスタービン－調達仕様－第 2 部：比較基準条件及び定格」では，標準環境として，圧縮機入口条件を大気温度 15 ℃，大気圧力 1 013 hPa，相対湿度 60 % としている．大気温度が上昇すると，空気の密度が小さくなり，同一の体積流量に対する質量流量が減少する．また，断熱膨張後の大気温度が高いことから，断熱膨張において外部にする仕事（膨張仕事）は減少する．そのため，大気温度が高くなる夏期においては，吸気冷却装置を設置して，圧縮機入口空気温度を下げることにより，熱効率の維持を図るなどの方法が必要である．大気温度が 35 ℃のときに，吸気冷却装置で 15 ℃まで冷却すれば，空気の密度は約 10 % 増加するので，発電量も約 10 % 増加することになる．

解　答　(1)　**1-イ，2-カ，3-ケ，4-エ，5-シ**

(2)　**6-エ，7-ケ，8-シ，9-ア，10-キ，11-ソ**

(3)　**12-ケ，13-ア，14-キ，15-シ，16-エ**

次の問題 15 から問題 18 までは，4 問題中 2 問題を選択して解答すること．

(熱交換器・熱回収装置 - 選択問題)

問題15　次の各問に答えよ.（配点計 40 点）

(1)　次の各文章の [1] ～ [9] の中に入れるべき最も適切な字句をそれぞれの解答群から選び，その記号を答えよ．なお，[1] 及び [4] は 2 箇所あるが，それぞれ同じ記号が入る．

1)　熱回収にはその目的や排ガス等の条件により，様々な形式の熱交換器が使われる．[1] は，高温の燃焼排ガスの [2] を熱回収して蒸気を得る熱交換器である．この [1] では，燃料を燃焼する場合と比べて同じ蒸気量を発生させるには，伝熱面積を [3] くする必要があり，特にガス側の熱抵抗を小さくするため，一般に伝熱管に [4] が用いられる．

また，燃焼排ガスで空気の予熱を行う場合，空気側と排ガス側の両方の伝熱面に [4] を用いることでコンパクトにできる熱交換器の例として [5] がある．

〈[1] ～ [5] の解答群〉

ア　顕熱　　**イ**　潜熱　　**ウ**　燃焼熱
エ　小さ　　**オ**　大き　　**カ**　排熱回収ボイラ
キ　回転再生式熱交換器　　**ク**　ヒートパイプ式熱交換器
ケ　プレート式熱交換器　　**コ**　アングル　　**サ**　ウィック
シ　フィン付管　　**ス**　セパレータ　　**セ**　レキュペレータ

2)　食品等の乾燥や殺菌のための加熱に熱媒体を用い，使用後の排熱の温度が高い場合，排熱回収することを検討する．例えば，蒸気を直接加熱で用いるような場合では，排蒸気に含まれる [6] も回収することで，回収熱量が増大し，省エネルギー効果を高くすることができる．このような排熱回収に用いられる熱交換器としては，単位体積当たりの伝熱面積の大きい [7] 熱交換器が使われることが多い．この熱交換器の排蒸気側の伝熱面は，[8] を伴うため [9] 率が非常に大きい．ただし，配管経路等から熱交換器内への空気等の混入を防止し，熱交換の性能を維持する必要がある．また，乾燥材料からのダストなどを含んだ排蒸気や排ガスによる伝熱面の汚れ対策や水分以外の揮発成分などによる腐食対策も考慮する必要がある．

〈[6] ～ [9] の解答群〉

ア　顕熱　　**イ**　生成熱　　**ウ**　潜熱　　**エ**　凝縮
オ　蒸発　　**カ**　熱伝達　　**キ**　熱伝導　　**ク**　放射
ケ　融解　　**コ**　管式　　**サ**　直接式　　**シ**　プレート式

(2)　次の各文章の [10] ～ [13] の中に入れるべき最も適切な数値を〈[10]

～ [13] の解答群〉の解答群から選び，その記号を答えよ．なお， [10] は 2 箇所あるが，同じ記号が入る．

また， [A a.b] に当てはまる数値を計算し，その結果を答えよ．ただし，解答は解答すべき数値の最小位の一つ下の位で四捨五入すること．

炉から排出される排ガスを熱交換器に導入し，洗浄温水の予熱に使用することを考える．

このとき，排ガス側は温度 300 ℃，比熱 1.04 kJ/(kg·K)，密度 0.64 kg/m^3，流量 60 m^3/min でそれぞれ一定とする．

一方，予熱対象の温水側は熱交換器への流入温度が 20 ℃，比熱 4 kJ/(kg·K)，密度 1 000 kg/m^3，流量 0.06 m^3/min で，排ガスと同じくそれぞれ一定とする．なお，計算において，熱交換における周囲への熱損失は無視することとする．

1)　熱交換器の排ガスの出口温度が 200 ℃であったときの回収熱量は [10] [kW] である．このとき，温水は [11] [℃] まで上昇し，温水側の温度効率は [12] [%] になる．

2)　熱回収に代わる加熱源によって温水を予熱するとしたときの燃料消費量から，熱回収の効果について考える．

ここで，加熱源にはガス湯沸器を使用することとして，年間のガス消費量を算出する．なお，予熱量は，年間の総回収時間を 1 500 時間，回収熱量を，1)で求めた回収熱量 [10] [kW] 一定で稼働したときの総回収熱量相当とし，ガス給湯器の熱効率を 90 %，ガスの低発熱量を 41.5 MJ/m^3 とする．

予熱に要する年間のガス使用量は [A a.b] ×10^3 [m^3] となり，この発熱量を原油換算エネルギー使用量で表すと， [13] [kL] となる．

〈 [10] ～ [13] の解答群〉

ア 5	**イ** 6	**ウ** 10	**エ** 12	**オ** 21	**カ** 33
キ 37	**ク** 53	**ケ** 67	**コ** 133	**サ** 620	**シ** 4 000

解　説

(1)

1)　排熱回収ボイラは，ボイラの燃焼排ガスやガスタービンの排気のように高温の燃焼排ガスから顕熱の回収を行うことによって，システムとしての熱効率を向上させることができる．発電用ガスタービンの排気から排熱回収ボイラで熱回収を行って，水を加熱して蒸気を発生させ，得られた蒸気で蒸気タービンを駆動させることによってカスケード的に発電すれば，全体の発電効率は改善される．これをコンバインドサイクル発電という．排熱回収ボイラでは，排ガスと水の熱交換を行うが，燃料の燃焼による伝熱と比較すると，放射による影響が小さく，熱伝達率が小さいことから，伝熱面積を大きくする必要がある．そのため，伝熱管にフィンを取り付けることによって，伝熱面積を増加させることが多い．

燃焼排ガスでボイラの燃焼空気を予熱する場合，燃焼排ガス－空気の熱交換になることから，熱伝達率がさらに小さくなる．そのため，排ガス側と空気側の両方にフィンを取り付けることで伝熱面積を増加しながら，形状をコンパクトにすることができる．この例としては，ヒートパイプ式熱交換器が挙げられる．

2）一般的には，排熱回収は前述のように顕熱のみの熱回収を行うが，最近はガス給湯機などで潜熱回収を行うことがある．潜熱回収を行うと，燃焼排ガスに含まれる水蒸気の凝縮熱まで熱回収することができるので，回収熱量が増加して，省エネルギー効果が向上する．燃焼機器の熱効率は，燃料の低発熱量基準で算出するが，潜熱回収型給湯機では，燃焼排ガスの水蒸気の凝縮熱まで熱回収するので，熱効率が 100 % を超えるものがある．潜熱回収に使用される熱交換器には，単位体積当たりの伝熱面積が大きいプレート式熱交換器がある．設問では，排蒸気から潜熱回収を行う場合を考えているが，排蒸気側の伝熱面では蒸気の凝縮が行われて，気体および液体の熱交換になるので，排ガス（気体）のみの熱交換と比較すると，熱伝達率は増加する．潜熱回収を行う場合，凝縮水の排水（ドレン）が必要になるが，ドレン管からの空気の流入で熱交換効率が低下する可能性がある．また，設問では食品の乾燥や殺菌処理を想定しているので，乾燥した食品の粉末が排蒸気に混入して，伝熱面に付着することで，熱交換効率を低下させる可能性がある．そのため，定期的に伝熱面を洗浄する必要がある．

(2)

1）炉から排出される排ガスを熱交換器に導入して，洗浄温水の予熱に使用することを考えると，排ガス側で排ガス温度 θ_{G1} を 300 ℃，比熱 c_p を 1.04 kJ/(kg·K)，密度 ρ_G を 0.64 kg/m^3，流量 Q_G を 60 m^3/min ＝ 1 m^3/s，予熱対象の温水側で熱交換器への流入温度 θ_{w1} を 20 ℃，比熱 c_w を 4 kJ/(kg·K)，密度 ρ_w を 1 000 kg/m^3，流量 Q_w を 0.06 m^3/min ＝ 0.001 m^3/s とした場合，熱交換器の排ガス温度 θ_{G2} を 200 ℃とすると，回収熱量 q は，

$$q = c_p \rho_G Q_G (\theta_{G1} - \theta_{G2}) = 1.04 \times 0.64 \times 1 \times (300 - 200) = 66.56\ \mathrm{kW}$$

となり，約 67 kW である．この回収熱量は温水の加熱に使われるので，

$$q = c_w \rho_w Q_w (\theta_{w2} - \theta_{w1}) = 4 \times 1\,000 \times 0.001 \times (\theta_{w2} - 20) = 66.56\ \mathrm{kW}$$

である．以上から，$\theta_{w2} = 36.64$ ℃となる．このとき，温水側の温度効率 η_w は，

$$\eta_{\mathrm{w}}=\frac{\theta_{\mathrm{w2}}-\theta_{\mathrm{w1}}}{\theta_{\mathrm{G1}}-\theta_{\mathrm{w1}}}\times 100=\frac{36.64-20}{300-20}\fallingdotseq 0.05942=5.94\ \%$$

となる．

2)　年間の総回収時間を 1 500 時間，回収熱量を 66.56 kW で一定とすると，排熱回収の効果は

$$E=66.56\times 1\,500\times 3\,600\times 10^{-3}=3.6\times 10^{5}\ \mathrm{MJ}$$

となる．これをガス給湯器のガス使用量 G [m^3] に換算すると，ガス給湯器の熱効率が 90 %，ガスの低発熱量が 41.5 MJ/m^3 から，

$$E=41.5\times G\times 0.9=3.6\times 10^{5}\ \mathrm{MJ}$$

となるので，G=9.6 × 10^3 m^3 を得る．施行規則第 4 条から，原油換算係数は 0.025 8 kL/GJ なので，回収熱量を原油換算すると，

$$\frac{360\times 10^{2}}{0.9}\times 0.0258=10.32$$

よって，10.3 kL となる．

解　答　**(1)　1-カ，2-ア，3-オ，4-シ，5-ク，6-ウ，7-シ，8-エ，9-カ**
(2)　10-ケ，11-キ，12-イ，A-9.6，13-ウ

（冷凍・空気調和設備 - 選択問題）

問題16　次の各問に答えよ．（配点計 40 点）

(1)　次の文章の [1] ～ [9] の中に入れるべき最も適切な字句又は記述をそれぞれの解答群から選び，その記号を答えよ．なお，一つの解答群から同じ記号を 2 回以上使用してもよい．

空調方式は大きく，中央方式と個別方式に分類される．中央方式は基本的に熱源設備や空調機を機械室に集中設置する方式であり，個別方式は熱源を持った空調装置を各室・エリアごとに分散設置する方式である．

1)　中央方式で室内に熱を搬送する熱媒体を考えた場合，室内の換気，気流分布，空気浄化などの面で最も優れているのは [1] 方式といえる．

この方式を用いる場合の省エネルギー手法としては，[2] 制御が代表的である．これに伴う空調機の送風量制御の省エネルギー性は，[3] が最も優れ，[4] が最もエネルギーの損失が大きい．また，軸流送風機を用いる場合の [5] も比較的，省エネルギー性に優れた制御方式である．

〈[1] ～ [5] の解答群〉

ア　全空気　　　**イ**　全水　　　**ウ**　空気＋水
エ　回転速度制御　　　**オ**　可変ピッチ制御　　　**カ**　吸込みベーン制御

キ　吹出しダンパ制御　　**ク**　CAV　　**ケ**　CWV
コ　VAV　　**サ**　VWV

2)　個別方式はパッケージ方式とも呼ばれ，各室個別の運転によりエネルギーの無駄が少なく，取り扱いも容易なため，採用事例が増えている．

機器本体の省エネルギー性能の指標としては，[　6　]を示すCOPが従来から用いられている．冷房時（冷凍サイクル）のCOP_Cと暖房時（ヒートポンプサイクル）のCOP_Hの値は，温度条件等によって変化又は一定を保つ傾向にある．例えば，他の条件を変えずに室内温度を高く設定した場合は，COP_Cは[　7　]．また，他の条件は変わらずに外気温が上昇した場合は，COP_Hは[　8　]．

最近では，COP以外に[　9　]を示すAPFもよく用いられる．

〈[　6　]～[　9　]の解答群〉

ア　向上する　　**イ**　低下する　　**ウ**　変わらない
エ　年間のエネルギー消費効率の目安
オ　冷房シーズンの電力消費量の目安
カ　一定条件下での冷暖房の能力と消費電力との比率
キ　冷房能力と暖房能力の比率

(2)　次の各文章の[　10　]～[　15　]の中に入れるべき最も適切な数値をそれぞ

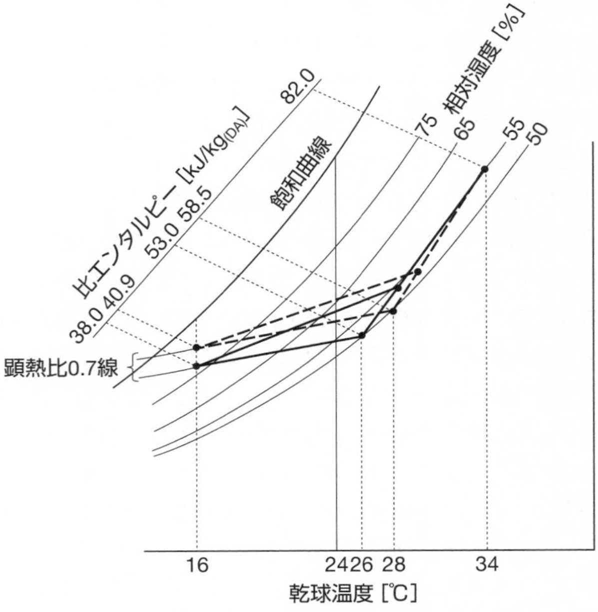

図　湿り空気線図上の空調プロセス

れの解答群から選び，その記号を答えよ．

図は，夏の室内条件を一般空調で温度 26 ℃，相対湿度 50 % に設定した場合と，省エネルギーに配慮したクールビズ空調で，温度 28 ℃，相対湿度 50 % とした場合の冷房時の空気の状態変化を空気線図上に示したものである．なお，空気の密度は 1.2 kg/m^3，空気の比熱は 1.0 kJ/(kg·K) とする．

1）室内空気の比エンタルピーは，一般空調時は [10] [kJ/kg$_{(DA)}$]，クールビズ空調時には [11] [kJ/kg$_{(DA)}$] であることを図から読み取ることができる．

2）ここで，室内の空気よりも外気のエンタルピーが小さな場合に自然通風を行い，室内の負荷を除去することを考える．

外気温度が 24 ℃のとき，相対湿度が [12] であれば，どちらの室内条件でも自然通風が省エネルギー上有効であるが，相対湿度が [13] の場合には，クールビズ空調の場合にのみ有効で，一般空調条件では逆に室内負荷が増加する結果となってしまうと考えられる．

〈[10] ～ [13] の解答群〉

ア 55 %　**イ** 65 %　**ウ** 75 %　**エ** 38.0

オ 40.9　**カ** 53.0　**キ** 58.5　**ク** 82.0

3）また，一般空調時の室内負荷（全熱）が 18 000 kJ/h，顕熱比が 0.7 のとき，乾球温度 16 ℃の空調空気で冷房して室内の負荷を処理するための送風量は，[14] [m^3/h] となる．同様に，クールビズ空調時の室内負荷（全熱）を 17 000 kJ/h，顕熱比を 0.7，空調空気の乾球温度を 16 ℃としたときの送風量を求めると，一般空調時の約 [15] 割の風量で冷房可能なことが分かる．

〈[14] 及び [15] の解答群〉

ア 6　**イ** 7　**ウ** 8　**エ** 9

オ 800　**カ** 1 000　**キ** 1 200

解　説

(1)

1）中央方式で室内を空調する場合，室内の換気（外気取入れと排気），気流分布の均一性，空気浄化などを総合的に評価すると，単一ダクト方式で給気を行う全空気方式が最も優れている．この方式では，空調機（エアハンドリング・ユニット）で空気を処理して，室内へ給気を行うため，外気導入，空気浄化，冷房運転時は冷却除湿，暖房運転時は加熱加湿を行い，送風機で加圧した空調空気を，ダクトを経由して室内へ適切に分配することができる．

この方式で空調を行う場合，省エネルギー手法としては，空調負荷によって給気風量を制御するVAV制御（変風量制御）が代表的である．VAV制御では，空調負荷に応じて風量を低減することができるので，空気側搬送動力の低減が可能である．そこで，送風量を変化させるために，空調機の送風機の回転速度をインバータで制御する回転速度制御が最も省エネルギー性に優れている．送風機の相似則により，送風機の回転数に比例して送風量が変化するとき，回転数の3乗に比例して軸動力が変化するので，部分負荷時の省エネルギー効果が大きい．一方，吹出しダンパ制御では，VAVユニットのダンパを絞ることで圧力損失を与えて吹出し口の風量を絞るので，省エネルギー効果は少ない．また，軸流送風機を使用する場合は，送風機の動翼の角度を自動的に調整することによって送風量を制御する可変ピッチ制御を採用すると，送風量が減少したときには軸動力も減少するので，省エネルギー効果が大きい．

2） 一般に冷凍機の効率を**成績係数**といい，Coefficient Of Performanceのイニシャルを取ってCOPという．冷凍機のCOP_Cは，冷房能力（出力）と圧縮機の動力（入力）の比で表される．同様に，ヒートポンプでは，COP_Hは暖房能力（出力）と圧縮機の動力（入力）の比である．同一条件で室温を高く設定した場合，冷凍サイクルの蒸発温度が高くなることから，冷房時のCOP_Cは向上する．また，同一条件で外気温が上昇した場合，ヒートポンプ・サイクルでは，同じく蒸発温度が上がることから，COP_Hは向上する．

また，最近ではAPF（Annual Performance Factor，通年エネルギー消費効率）が用いられるが，APFとは，「JIS C 9612：2013　ルームエアコンディショナ」に基づき，ある一定の条件の下でエアコンを運転したときの消費電力1 kW当たりの冷房・暖房の能力を表したものである．この値が大きいほど，省エネルギー性能が高いということになる．

(2)

1） 夏期の室内条件が，一般空調で乾球温度26 ℃，相対湿度50 %のときの比エンタルピーを設問の湿り空気線図から読み取ると，53.0 $kJ/kg_{(DA)}$となる．同様に，クールビズの乾球温度28 ℃，相対湿度50 %のときの比エンタルピーは，58.5 $kJ/kg_{(DA)}$となる．

2） 外気の比エンタルピーが室内条件より小さい場合，自然通風（外気冷房）によって，室内の冷房負荷を除去することができる．外気温度が24 ℃のとき，外気の相対湿度が55 %であれば，外気の状態点が顕熱比0.7の線の下にあることから，室内の冷房負荷を除去しても，室内条件より相対湿度が低い点になる．そのため，いずれの条件でも外気冷房は可能ということになる．ただし，室内負荷の大きさによって，自然通風量を加減する必要がある．ところが，外気の相対湿度が 65 % のときは，一般空調の条件の顕熱比 0.7 の線より，上に位置するので，室内の条件が 26 ℃のとき，相対湿度 60 % 程度まで上昇してしまう．

ちなみに，一般の空調では，冷房運転時は湿度は成り行きで，湿度制御は行わない．そのため，現実的には自然通風（外気冷房）で湿度条件まで維持することはない．

3)　一般空調時の全熱負荷 q_T が 18 000 kJ/h，顕熱比 SHF が 0.7 のとき，顕熱 q_S は，

$$q_S = q_T \times SHF = 18\,00 \times 0.7 = 12\,600 \text{ kJ/h}$$

となる．したがって，空気の密度を 1.2 kg/m³，空気の比熱を 1.0 kJ/(kg·K) とすると，送風量 Q［m³/h］は，

$$Q = \frac{12\,600}{1.2 \times 1.0 \times (26 - 16)} = 1\,050 \text{ m}^3\text{/h}$$

となる．同様に，クールビズ空調時の顕熱 q_{SCB} は，

$$q_{SCB} = q_{TCB} \times SHF = 17\,000 \times 0.7 = 11\,900 \text{ kJ/h}$$

なので，このときの送風量 Q_{CB} は，

$$Q = \frac{11\,900}{1.2 \times 1.0 \times (28 - 16)} = 826 \text{ m}^3\text{/h}$$

となり，一般空調時の約 8 割の送風量で冷房が可能であることがわかる．

解　答　(1)　**1- ア，2- コ，3- エ，4- キ，5- オ，6- カ，7- ア，8- ア，9- エ**

(2)　**10- カ，11- キ，12- ア，13- イ，14- カ，15- ウ**

（工業炉，熱設備材料 - 選択問題）

問題17　次の各問に答えよ．（配点計 40 点）

(1)　次の各文章及び表の [1] ～ [14] の中に入れるべき最も適切な字句をそれぞれの解答群から選び，その記号を答えよ．なお，[3] は 2 箇所あるが，同じ記号が入る．

1)　工業炉の性能を表す尺度の一つに熱効率があり，次式で示される．

$$熱効率 = \frac{\boxed{1}}{供給熱量} \times 100\ [\%]$$

熱効率を高めるには，供給熱量をいかに無駄なく被加熱物に移行させるかが課題であり，最少の供給熱量で目的を達成するためにも，さまざまな

省エネルギー対策が不可欠である.

工業炉の省エネルギーは,次の三つの段階,すなわち [2] の管理・改善,設備の改善, [3] の抜本的改革, の順を追って進められ, 段階ごとにそれぞれの工夫が必要である.

管理者は, まずは炉の [4] 表を作成することにより主要管理項目の数値を把握し, 諸条件の変化に伴う表中の諸数値の変化を読み取り, 以下に示すような省エネルギー対策を考えることが重要である.

・燃焼空気比を適正に保つなどの燃焼の [5]
・排熱の回収による燃焼用空気の予熱
・炉壁 [6] の低減
・加熱負荷の改善やヒートパターンの改善
・[3] の抜本的改革　など

〈[1] ～ [6] の解答群〉

ア 被加熱物の全保有熱量　**イ** 被加熱物の発熱量
ウ 被加熱物が得た熱量　**エ** 合理化
オ 最少化　**カ** 見える化　**キ** 試作工程　**ク** 生産工程
ケ 保全工程　**コ** 検査　**サ** 重量　**シ** 仕様
ス 操業　**セ** 熱勘定　**ソ** 熱損失　**タ** 付属物
チ 物質収支　**ツ** 部品

2)　次の各表は代表的な工業炉として鋼片加熱炉を取り上げ, その省エネルギー対策例を簡潔に語句で示したものである.

①加熱量・熱損失の低減

分類	目的	省エネルギー対策例
鋼材顕熱の低減	加熱量の減少	ホットチャージ
	抽出温度の低減	圧延ラインの [7]
	スキッドマークの低減	スキッドビームシフト
	炉内温度の [8]	高速バーナの使用
排ガス損失熱の低減	適正空気比の維持	[9] クロスリミット化
	排ガス量の低減	酸素燃焼 酸素富化燃焼
	侵入空気, 炉体ガス吹き出しの低減	[10]
	炉尻排ガス温度の低減	ヒートパターンの改善
炉体の放散熱及び冷却水損失熱の低減	放熱量の低減	セラミックファイバー化 移動ビームポストカバー
	炉体 [11] の低減	セラミックファイバー化

〈[7] ～ [11] の解答群〉

ア　O_2 制御の自動化　　**イ**　定格空気量運転の維持
ウ　余剰燃料の適正化　　**エ**　炉体開口部の適正化
オ　燃焼空気圧制御　　**カ**　炉内圧力制御
キ　過熱化　　**ク**　均一化　　**ケ**　高速化
コ　最低化　　**サ**　長大化　　**シ**　標準化
ス　耐熱温度　　**セ**　蓄熱量　　**ソ**　内容量

②排熱の回収・その他

分類	目的	省エネルギー対策例
排熱の回収	燃焼用空気の予熱	レキュペレータ
		[12] バーナ
	蒸気生成	排熱回収装置
電力の削減	抵抗損失の低減	配線の最適化
	[13]	進相コンデンサー
	負荷の低減	油圧シリンダバイパス
	ファンモータ動力の低減	[14] 制御
コンピュータ制御	操業パターン追随	レベルⅡ

〈[12] ～ [14] の解答群〉

ア　蓄熱燃焼式　　**イ**　需要率向上
ウ　電圧不平衡の改善　　**エ**　力率向上
オ　低 NO_x　　**カ**　ラジアントチューブ
キ　オンオフ　　**ク**　PID
ケ　VVVF

(2)　次の各文章の [15] ～ [20] の中に入れるべき最も適切な字句又は式をそれぞれの解答群から選び，その記号を答えよ．なお [15] は 3 箇所あるが，同じ記号が入る．

1)　1 000 ℃を超える高温の工業炉において炉体熱放散防止に関する省エネルギーを考える場合，現在では，炉体材料としてまず第一に無機ファイバー耐火断熱材の採用を考え，それが不適当なときには [15] の採用，更に重質耐火材の採用を考えることが順当とされている．

物理的，耐火的強度を必要とする高温炉では，第 1 層を重質耐火材で築炉し，省エネルギーの観点から第 2 層以下の [16] 断熱として，[15] が使用されることが多い．この [15] 材料を使用するに際しては，次の 2)に示す注意が必要である．

〈[15]及び[16]の解答群〉

ア　耐火断熱レンガ　　**イ**　キャスタブル　　**ウ**　バックアップ
エ　バックステー　　**オ**　バックリング　　**カ**　プラスティック

2)　材料の加熱時の収縮が問題とされ，種類によっては使用温度が制限されることもある．さらに，多孔質のために[17]は良好ではあるが[18]が低く，急熱急冷に耐え切れず亀裂や剥離を生じることを考慮しておかなければならない．

また，通気性が良いので，雰囲気ガス中の[19]やH_2の浸透によるシリカの[20]で SiO を生成し，これが蒸発して耐火材本体を崩壊させるなどの事態が起こることがあるので，雰囲気炉に使用する場合には注意が必要である．

〈[17]～[20]の解答群〉

ア　還元　　**イ**　酸化　　**ウ**　重合　　**エ**　強度
オ　延性　　**カ**　加工性　　**キ**　耐熱スポーリング性　　**ク**　粘性
ケ　搬送性　　**コ**　反応性　　**サ**　CO　　**シ**　N_2

解　説

(1)

1)　工業炉の熱効率は，被加熱物が得た熱量を供給熱量で除した値の百分率で表される．この熱効率を高めるためには，熱損失の低減と省エネルギー手法が求められる．

省エネルギー手法は，操業（ソフト）の管理・改善，設備（ハード）の改善，生産工程（ソフト）の抜本的改革の順に進められるべきである．

熱効率を向上させるためには，入力（供給熱量）を小さくして，出力（被加熱物が得た熱量）を大きくすることが必要であるので，管理者は最初に熱勘定（熱収支）表を作成しなくてはならない．それにより，主要管理項目の数値的把握を行い，条件ごとの数値的変化を分析する必要がある．たとえば，

・燃焼の合理化：燃焼空気比が過大でないかをチェック
・排熱回収：燃焼用空気を燃焼排ガスで予熱
・熱損失の低減：炉壁の断熱性能の強化
・温度管理：過剰な加熱をしていないかチェック
・生産工程の見直し：工程上のむだのチェック

2)　①　鋼片加熱炉において，加熱量・熱損失の低減を考えると，鋼材顕熱の低減，排ガス損失熱の低減および炉体の熱放散の低減という項目が挙げられる．

鋼材顕熱の低減については，設問の表に示す目的が挙げられる．例えば，生産性の向上を目的として，圧延ラインの高速化が推進されているが，これによって加熱炉抽出から圧延完了までの時間が短縮することで，圧延工程における温度低下量が小さくなる．そのため，加熱炉からの抽出温度を下げることができる．また，高速バーナを使用することで，高速噴流により攪拌効果と炉内貫通力が高まり，炉内温度分布の均一化が実現でき，鋼材の加熱時間の短縮化が可能になる．

排ガス損失熱の低減についても，同様である．例えば，燃焼空気の空気比が過大にならないようにするためには，燃焼排ガスの酸素濃度を検出して，供給空気量を自動制御するという省エネルギー手法が挙げられる．また，侵入空気・炉体ガス吹き出しの低減のためには，炉内圧力制御を行い，炉内が過大な負圧になって空気が外部から侵入したり，過大な正圧になって炉体ガスが外部に吹き出したりしないようにする．

炉体の放散熱の低減としては，炉体の断熱を強化して放散熱量を低減したり，炉体の耐火物にセラミックファイバを用いて炉体の熱容量を小さくすることで蓄熱量を低減したりするという省エネルギー手法がある．

② 排熱回収では，燃焼排ガスから熱回収を行い，燃焼用空気を予熱することで，熱効率を改善することができる．燃焼用空気の予熱には，レキュペレータや蓄熱燃焼式バーナ（リジェネレイティブ・バーナ）を用いる．

電力の削減に関しては，電気炉の抵抗損失を低減するために，発熱体の結線方法を検討したり，アーク炉の交流回路の力率改善のために進相コンデンサを使用したり，燃焼空気を送風するファンモータの動力を低減するために，VVVF（Variable Voltage Variable Frequency）制御を用いて，負荷に応じてファンの回転速度を制御することによって消費電力を低減したりする．

(2)

1) 1 000 ℃を超えるような高温の工業炉の断熱を考える場合，炉体材料としては，耐火性と断熱性が高いことと熱容量が小さく蓄熱量が小さいことから，セラミックファイバ（無機ファイバ）耐火断熱材が，最も好ましい．セラミックファイバは，アルミナ粉末と珪石の粉砕粉を混合して，2 000 ℃以上の高温で溶融して繊維状に加工したものである．あるいは，軽量で熱伝導率が小さい耐火断熱レンガを用いることがある．耐火断熱レンガは，珪藻土などを主原料にしたもので，断熱性を高めるために気泡を大量に含むものがあるが，物理的強度は耐火レンガより劣る．

また，物理的強度と耐火的強度が要求される場合は，第 1 層を耐火レンガなどの重質耐火材で築炉して，第 2 層を耐火断熱レンガでバックアップ断熱することがある．

2) 耐火断熱レンガは，耐火性・断熱性に優れているが，物理的強度が小さいことから，高温炉に使用する際に，急熱急冷による膨張伸縮で亀裂や剥離が生じる危険性がある．

また，耐火断熱レンガは，多孔質なので耐熱スポーリング性が良好（熱膨張率が小さい）であるが，同時に通気性がよいことから，雰囲気ガスに含まれる CO や H_2 の浸透でシリカを還元して SiO を生成することにより，強度の低下をもたらすことがある．

解 答 (1) **1-ウ，2-ス，3-ク，4-セ，5-エ，6-ソ，7-ケ，8-ク，9-ア，10-カ，11-セ，12-ア，13-エ，14-ケ**

(2) **15-ア，16-ウ，17-キ，18-エ，19-サ，20-ア**

(蒸留・蒸発・濃縮装置，乾燥装置，乾留・ガス化装置 - 選択問題)

問題18 次の各問に答えよ．（配点計 40 点）

(1) 次の各文章の [1] ～ [8] の中に入れるべき最も適切な字句又は式をそれぞれの解答群から選び，その記号を答えよ．なお，[1]，[5] 及び [6] は 2 箇所あるが，それぞれ同じ記号が入る．

図に示すような多段連続精留塔がある．この精留塔は，低沸点成分の組成が z_F である混合溶液をモル流量 F [mol/s] で供給し，塔頂から低沸点成分の組成が x_D の溜出液 D [mol/s]，塔底から低沸点成分の組成が x_W の缶出液 W [mol/s] を得るものとする．また，塔頂からの凝縮液の一部 L [mol/s] を塔内に戻している．

1) 図に示すように，塔頂からの凝縮液の一部 L [mol/s] を塔内に戻すことを [1] といい，モル流量比 $R =$ [2] を [1] 比という．

〈[1] 及び [2] の解答群〉

ア 回収　**イ** 還流　**ウ** 循環　**エ** 精留

オ $\frac{L}{D}$　**カ** $\frac{D}{W}$　**キ** $\frac{L}{F}$　**ク** $\frac{W}{L}$

2) 精留塔全体の全物質及び低沸点成分の物質収支は，それぞれ次の①式及び②式で表される．

全物質の物質収支：[3] $= D +$ [4] ……………………………①

低沸点成分の物質収支：$F \times z_F = D \times x_D + W \times x_W$ ……………②

3) 精留塔において，上段の液は，下段からの蒸気の凝縮潜熱で沸騰し，新たな蒸気を発生するので，両成分のモル蒸発潜熱が等しいと仮定すると，濃縮部各段での発生蒸気量 V [mol/s] と下降液量 L [mol/s]，回収部各段での発生蒸気量 V' [mol/s] と下降液量 L' [mol/s] は，濃縮部及び回収部ごとにそれぞれ等しい.

図中の上部の濃縮部を含む点線で囲まれた部分において，n 段目の蒸気組成を y_n，液組成を x_n とすると，n 段では一段下から蒸気組成 y_{n+1} の蒸気が流入し，液組成 x_n の凝縮液が下の段に流出するので，濃縮部を含む点線で囲まれた部分における全物質及び低沸点成分の物質収支はそれぞれ次の③式及び④式で表される.

全物質の物質収支：　$\boxed{5} = \boxed{6} + D$ ……………………③

低沸点成分の物質収支：$\boxed{5} \times y_{n+1} = \boxed{6} \times x_n + D \times x_D$ …④

③式及び④式，更には 1) で求めた流量比 R を用いると，

$y_{n+1} = \boxed{7} \times x_n + \boxed{8} \times x_D$

が得られ，これを濃縮部操作線又は濃縮線という.

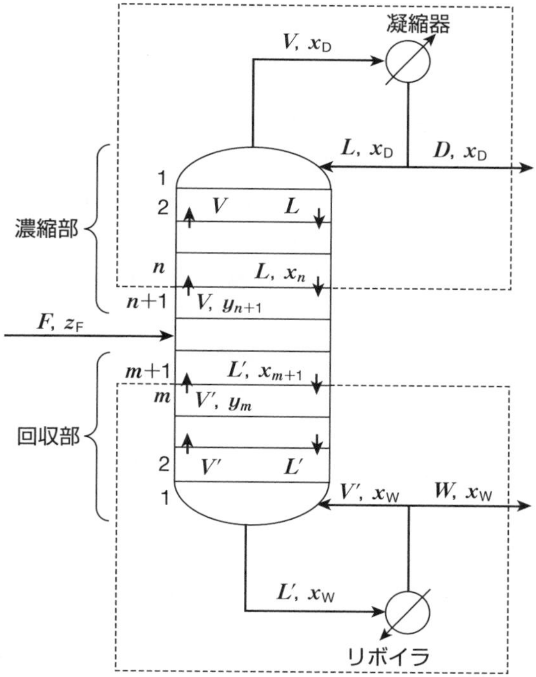

図　多段連続精留塔

〈$\boxed{3}$ ～ $\boxed{8}$ の解答群〉

ア F　　**イ** L　　**ウ** R　　**エ** V　　**オ** W

カ $\dfrac{R+1}{R}$　**キ** $\dfrac{R-1}{R}$　**ク** $\dfrac{1}{R+1}$　**ケ** $\dfrac{R}{R+1}$　**コ** $\dfrac{R-1}{R+1}$

(2) 次の各文章の [9] ～ [13] の中に入れるべき最も適切な字句又は式をそれぞれの解答群から選び，その記号を答えよ．なお，[9]，[10]，[12] 及び [13] は2箇所あるが，それぞれ同じ記号が入る．

1) 材料の含有水分の量を表すのに，全質量に対する水の量で表示する [9] 基準と，乾燥状態の材料の質量に対する水の量で表示する [10] 基準とがある．

2) [9] 基準の含水率 w_w [kg－水/kg－湿り材料] と，[10] 基準の含水率 w_d [kg－水/kg－無水材料] の間には次の関係式が成り立つ．

$w_d=$ [11]

〈[9] ～ [11] の解答群〉

ア 乾量　**イ** 湿量　**ウ** 定量

エ $\dfrac{w_w}{1+w_w}$　**オ** $\dfrac{1}{1-w_w}$　**カ** $\dfrac{w_w}{1-w_w}$　**キ** $\dfrac{1+w_w}{1-w_w}$

3) 非親水性材料の場合，多孔質固体内部の細孔や微粒子充填層の空隙中に，水の表面張力に基づく毛管吸収力によって水が保持される．これを [12] 水という．乾燥の初期では，[12] 水が液状水として表面まで移動し表面から蒸発していくが，次第に材料内部からの水の補給が間に合わなくなり，空隙に [13] 水が残されるようになる．この残った水はもはや液状では移動できず，材料温度が上昇し始める減率乾燥期間が始まる．減率乾燥期間中，[13] 水は，内部で蒸発し，細孔内を蒸気が拡散して表面へと移動していく．

〈[12] 及び [13] の解答群〉

ア 吸収　**イ** 吸着　**ウ** 結合　**エ** 懸吊《けんちょう》

オ 付着　**カ** 毛管

(3) 次の各文章の [14] ～ [20] の中に入れるべき最も適切な数値又は式を〈[14] ～ [20] の解答群〉から選び，その記号を答えよ．

石炭ガス化の主反応は，式 [14] で示される水性ガス反応である．この反応は大きな吸熱反応であるため，この反応熱を，ガス化炉に空気又は酸素を吹き込み，石炭の一部を燃焼させることによって供給する．

このとき，空気を用いると発熱量が [15] [MJ/m^3_N] 程度のガス化ガスが得られる．空気の代わりに酸素を用いた場合は，発熱量が [16] [MJ/m^3_N] 程度のガス化ガスが得られ，さらに，このガスからガス中の二酸化炭素を分離・除去すれば，発熱量が $\boxed{17}$ [MJ/$m^3{}_N$] 程度のガス化ガスとなる．

また酸素及び水蒸気をガス化剤として用いてガス化したガス化ガスを，式 $\boxed{18}$ で表される CO 変成（シフト）反応で生成ガス中の $\frac{H_2}{CO}$ 比が 3 以上になるように調整し，二酸化炭素除去後，さらに，一酸化炭素を式 $\boxed{19}$ で示されるメタネーション（メタン化反応）によりメタンに転換すると，発熱量が $\boxed{20}$ [MJ/$m^3{}_N$] 程度の合成天然ガスとなる．

〈$\boxed{14}$ ～ $\boxed{20}$ の解答群〉

ア　$C + CO_2 \rightarrow 2CO$
イ　$C + H_2O \rightarrow CO + H_2$
ウ　$CO + 3H_2 \rightarrow CH_4 + H_2O$
エ　$CH_4 + H_2O \rightarrow CO + 3H_2$
オ　$CO + H_2O \rightleftarrows CO_2 + H_2$
カ　2
キ　5.4
ク　10.5 ～ 13
ケ　17
コ　34 ～ 38

解　説

(1)

1)　多段連続精留（蒸留）塔においては，下から上へ向かって濃縮を行うので，塔底で加熱して，溜出する液体の一部を塔頂から精留塔へ戻す．この操作を**還流**といい，還流液量 L と溜出液量 D とのモル流量比

$$R = \frac{L}{D}$$

を**還流比**という．還流比が大きいほど成分分離が改善され，理論段数は少なくなる．しかし，塔径の値は大きくなる．

2)　精留塔全体の全物質の物質収支は，精留塔に流入する全物質のモル流量が F [mol/s]，濃縮部から外部へ流出する全物質のモル流量が D [mol/s]，回収部から外部へ流出する全物質のモル流量が W [mol/s] であることから，

$$F = D + W$$

となる．

3)　濃縮部全体の全物質の物質収支は，精留塔から流出する全物質のモル流量が V [mol/s] であり，溜出液のモル流量が D [mol/s]，還流液のモル流量が L [mol/s] であることから，

$$V = L + D$$

となる．低沸点成分の物質収支は，n 段目の一番下において，それぞれのモル流量に各段の低沸点成分の組成を乗じたもので表されるので，

$$V \times y_{n+1} = L \times x_n + D \times x_D$$

となる．これらの式と還流比の式から，V，L，D を消去すると，

$$y_{n+1}=\frac{R}{R+1}\times x_n+\frac{1}{R+1}\times x_D$$

が得られる．

(2)

1) 材料に含まれる水分の量，すなわち含水率を表す場合，水分を含んだ全質量に対する水分量を表す場合を**湿量基準**といい，乾燥状態の材料の質量に対する水分量を表す場合を**乾量基準**という．

2) 乾燥状態の材料の質量を D，水分の質量を W とすると，湿量基準の含水率 w_{w} は，

$$w_{\mathrm{w}}=\frac{W}{D+W}$$

であり，乾量基準の含水率 w_{d} は

$$w_{\mathrm{d}}=\frac{W}{D}$$

である．以上から，D と W を消去すると，

$$w_{\mathrm{d}}=\frac{w_{\mathrm{w}}}{1-w_{\mathrm{w}}}$$

が得られる．

3) 非親水性材料の場合，水の表面張力による毛管力で多孔質の細孔に水が保有されるが，これを毛管水という．材料の乾燥工程は期間Ⅰ，Ⅱ，Ⅲに分けられる．

期間Ⅰは材料予熱期間といい，初期温度から次第に温度上昇して，乾燥条件によって定まる平衡温度に達するまでの期間である．この期間は，材料の温度上昇とともに乾燥速度も増加する．

期間Ⅱは定率乾燥期間といい，被乾燥材料の温度は一定で，流入熱量は材料の水分蒸発のみに消費される．顕熱変化はなく潜熱変化のみとなり，乾燥速度も一定となる．この状態では，自由水が材料表面に移動して，表面から水分が蒸発する．

期間Ⅲは減率乾燥期間といい，乾燥が進行すると，材料内部からの自由水の補給速度が材料表面の水分蒸発速度に追いつかなくなり，材料の温度が上昇して，顕熱変化が始まる．このとき，材料の空げきに残される水を懸吊《けんちょう》水《すい》という．懸吊水は，材料内部で蒸発して，水蒸気が細孔を拡散して材料表面へ移動する．

(3) 石炭および石油系の原料を用いて，合成用，都市ガス，工業用燃料ガス

または水素ガスなどのガス生成物をつくる操作をガス化という．ガス化は，原料に含まれる高分子の炭化水素を低分子化して，C/H 比（炭素・水素比）を小さくするプロセスである．石炭のガス化の主反応は水性ガス反応で，炭素と水蒸気から一酸化炭素と水素を得る反応であり，

$$C + H_2O \rightarrow CO + H_2 - 118.0\ \mathrm{kJ/mol}$$

で表される吸熱反応である．この反応熱は，ガス化炉に空気や酸素を吹き込み，石炭の燃焼熱で供給する．

生成されるガス化ガスは，ガス中の可燃ガス（CO，H_2，C_nH_m の含有割合によって発熱量が決まる．高位発熱量の値によって，低カロリーガス（4 ～ 12 $\mathrm{MJ/m^3{}_N}$），中カロリーガス（12 ～ 28 $\mathrm{MJ/m^3{}_N}$），高カロリーガス（28 $\mathrm{MJ/m^3{}_N}$ 以上）などの分け方がある．ここで, 石炭の燃焼に空気を用いると，発熱量が 5.4 $\mathrm{MJ/m^3{}_N}$ 程度のガス化生成ガスが得られる．酸素を用いた場合は，10.5 ～ 13.0 $\mathrm{MJ/m^3{}_N}$ 程度のガス化生成ガスとなる．この中には二酸化炭素が含まれるので，それを分離・除去すると 17.0 $\mathrm{MJ/m^3{}_N}$ 程度のガス化生成ガスが得られる．

また，以上のガス化生成ガスを CO 変成反応

$$CO + H_2O \rightleftarrows CO_2 + H_2$$

で H_2/CO 比が 3 以上になるように調整してから，二酸化炭素を除去して，さらにメタン化反応

$$CO + 3H_2 \rightarrow CH_4 + H_2O$$

でメタンに転換すると，発熱量が 34 ～ 38 $\mathrm{MJ/m^3{}_N}$ 程度の合成天然ガスが得られる．ちなみに，現在の都市ガス（天然ガス）の主成分はメタンで，発熱量は 45 $\mathrm{MJ/m^3{}_N}$（東京ガス　東京などの地域）である．

解答　(1) **1-イ，2-オ，3-ア，4-オ，5-エ，6-イ，7-ケ，8-ク**
(2) **9-イ，10-ア，11-カ，12-カ，13-エ**
(3) **14-イ，15-キ，16-ク，17-ケ，18-オ，19-ウ，20-コ**

――著 者 紹 介――

橋本 幸博（はしもと ゆきひろ） 職業能力開発総合大学校 名誉教授 博士（工学）・1級管工事施工管理技士・給水装置工事主任技術者ほか

島津 路郎（しまづ みちろう） エネルギー管理士・建築設備士ほか

細谷 昌孝（ほそや まさたか） 東洋熱工業株式会社 エネルギー管理士ほか

井上 真（いのうえ まこと） 東洋熱工業株式会社 エネルギー管理士ほか

エネルギー管理士 熱分野 模範解答集 2025年版

2024年12月 4日 第1版第1刷発行

著 者 橋 本 幸 博
島 津 路 郎
細 谷 昌 孝
井 上 真

発行者 田 中 聡

発 行 所
株式会社 電 気 書 院
ホームページ www.denkishoin.co.jp
（振替口座 00190-5-18837）
〒101-0051 東京都千代田区神田神保町1-3ミヤタビル2F
電話(03)5259-9160／FAX(03)5259-9162

印刷 中央精版印刷株式会社
Printed in Japan／ISBN978-4-485-21234-9

- 落丁・乱丁の際は，送料弊社負担にてお取り替えいたします．
- 正誤のお問合せにつきましては，書名・版刷を明記の上，編集部宛に郵送・FAX（03-5259-9162）いただくか，当社ホームページの「お問い合わせ」をご利用ください．電話での質問はお受けできません．また，正誤以外の詳細な解説・受験指導は行っておりません．

[本書の正誤に関するお問い合せ方法は，最終ページをご覧ください]

書籍の正誤について

万一，内容に誤りと思われる箇所がございましたら，以下の方法でご確認いただきますようお願いいたします．

なお，正誤のお問合せ以外の書籍の内容に関する解説や受験指導などは**行っておりません**．このようなお問合せにつきましては，お答えいたしかねますので，予めご了承ください．

正誤表の確認方法

最新の正誤表は，弊社Webページに掲載しております．書籍検索で「正誤表あり」や「キーワード検索」などを用いて，書籍詳細ページをご覧ください．
正誤表があるものに関しましては，書影の下の方に正誤表をダウンロードできるリンクが表示されます．表示されないものに関しましては，正誤表がございません．

弊社Webページアドレス
https://www.denkishoin.co.jp/

正誤のお問合せ方法

正誤表がない場合，あるいは当該箇所が掲載されていない場合は，書名，版刷，発行年月日，お客様のお名前，ご連絡先を明記の上，具体的な記載場所とお問合せの内容を添えて，下記のいずれかの方法でお問合せください．
回答まで，時間がかかる場合もございますので，予めご了承ください．

郵便で問い合わせる　郵送先
〒101-0051
東京都千代田区神田神保町1-3
ミヤタビル2F
㈱電気書院　編集部　正誤問合せ係

FAXで問い合わせる　ファクス番号　**03-5259-9162**

ネットで問い合わせる
弊社Webページ右上の「**お問い合わせ**」から
https://www.denkishoin.co.jp/

お電話でのお問合せは，承れません

(2022年5月現在)